COLLECTION TEL

Michel Leiris

L'Afrique
fantôme

Gallimard

Cet ouvrage a initialement paru en 1934
et en 1981 dans la « Bibliothèque des Sciences humaines ».

Au retour de mon premier voyage en Afrique noire, je remis à André Malraux, alors lecteur aux Éditions Gallimard, copie des carnets de route que j'avais tenus au cours de ce voyage grâce auquel, en même temps que je plongeais dans un monde que je n'avais encore guère connu que sous son éclairage de légende, je m'étais initié au métier d'ethnographe. *De Dakar à Djibouti (1931-1933),* tel aurait été — autant qu'il m'en souvienne — le titre de mon ouvrage si Malraux, jugeant avec raison que ce titre était bien terne, ne m'avait engagé à chercher autre chose. Presque aussitôt, *L'Afrique fantôme* me parut s'imposer, allusion certes aux réponses apportées à mon goût du merveilleux par tels spectacles qui avaient capté mon regard ou telles institutions que j'avais étudiées, mais expression surtout de ma déception d'Occidental mal dans sa peau qui avait follement espéré que ce long voyage dans des contrées alors plus ou moins retirées et, à travers l'observation scientifique, un contact vrai avec leurs habitants feraient de lui un autre homme, plus ouvert et guéri de ses obsessions. Déception qui, en quelque sorte, amenait l'égocentriste que je n'avais pas cessé d'être à refuser, par le truchement d'un titre, la plénitude d'existence à cette Afrique en laquelle j'avais trouvé beaucoup mais non la délivrance.

Quelque quinze ans plus tard, alors que s'amorçait le processus qui devait aboutir à ce qu'on a nommé présomptueusement la « décolonisation », il me sembla que le monde noir — africain ou autre — prenait bel et bien corps pour moi, et cela parce que les circonstances me permettaient de penser que, dans la faible mesure de mes moyens de chercheur et d'écrivain, je pourrais apporter un concours indirect mais positif à ceux qui, ressortissants de ce monde noir, luttaient contre l'oppression et affirmaient sur plus d'un point du globe leur particularisme culturel. Pour concrétiser l'homme d'une tout autre zone et être reconnu de lui — condition nécessaire d'un humanisme authentique — sans doute devais-je, rectifiant la vue que jusqu'alors j'avais eue de ma profession, passer par une ethnographie, non plus d'examen détaché ou de dégustation artiste, mais de fraternité militante. Plutôt que seulement ramasser — comme mes compagnons et moi nous l'avions fait entre Dakar et Djibouti, en usant parfois de moyens que, moins sûrs d'agir pour la bonne cause, nous aurions condamnés — des informations et des objets qui, enregistrés dans nos archives ou conservés dans nos musées, attesteraient que des cultures injustement méconnues ont une valeur en elles-mêmes outre que, sur nos façons à nous, elle sont riches d'enseignements, fournir aux gens qu'on étudie des données pour la construction d'un avenir qui leur sera propre et, dans l'immédiat, produire des pièces difficilement récusables à l'appui de leurs revendications, tels étaient les buts tonifiants que, mûri par l'épreuve de l'Occupation allemande et aidé par le cours que dans les conjonctures nouvelles ma vie professionnelle avait pris, j'assignais à l'ethnographie quelques années après la dernière guerre.

Or, en ce qui concerne du moins l'Afrique, je constate que ce continent, déjà fantôme à mes yeux de 1934, m'apparaît aujourd'hui de manière plus fuyante que jamais, ce qu'il faut bien — après des espoirs passablement irréalistes de désaliénation — appeler sa dérive agissant dans un sens non moins négateur que la gomme du temps. N'était le journal ici republié (sans l'alourdir de notes autres que celles qu'une première réédition m'avait paru exiger et en l'illustrant, grâce aux soins de mon collègue et ami Jean Jamin, avec sensiblement le même matériel, *clichés Mission Dakar-Djibouti*, que j'avais utilisé pour imager, au gré presque de ma fantaisie, l'édition originale et ladite réédition), — n'étaient divers autres écrits issus à plus ou moins long terme de l'aventure mentale plus encore que physique que fut ma première expérience africaine, celle-ci aurait pour le vieil homme de 1981, bien que ma haine ancienne de tout ce qui tend à dresser des barrières entre les races n'ait fait que se confirmer, si peu de réalité qu'elle

8

ne pèserait pas beaucoup plus, dans mon souvenir, que celui de maints rêves évanouis dont seuls les récits qu'à peu près de tout temps je me suis attaché à en faire ont encore quelque cohésion. Dois-je me reprocher cette infidélité, sachant que l'Afrique n'a pas besoin de moi et que grande était mon illusion quand je m'imaginais que, pour modeste qu'elle soit, ma contribution à son étude et, aussi bien, ces carnets qui rendaient compte ici et là de mes réactions d'Européen à ce que l'Afrique tropicale m'avait montré de ses splendeurs et de ses misères, pourraient avoir quelque utilité, en tant que témoignage portant si peu que ce soit à la réflexion les responsables d'alors ? A mon regret en effet, je ne crois pas non plus ce témoignage susceptible d'être considéré — au cas même où ils en prendraient connaissance — comme mieux que fantomatique par les gens dont dépend pour une large part le futur de cette nouvelle Afrique où se coudoient des peuples qui, depuis mon voyage d'autrefois, ont commencé à se libérer, très incertainement et, dans l'ensemble, sur un mode assez Charybde en Scylla pour que soit tristement justifié l'emploi du terme « néo-colonialisme ».

Reste pourtant — pierre marquant un tournant sur un sentier tout personnel — ce journal à double entrée, essentiellement succession de flashes relatifs à des faits subjectifs aussi bien qu'à des choses extérieures (vécues, vues ou apprises) et qui, regardé sous un angle mi-documentaire mi-poétique, me semble autant qu'à l'époque où Malraux n'en rejetait que l'intitulé, valoir d'être proposé à l'appréciation, évidemment pas de notre espèce entière, mais d'à tout le moins un certain nombre parmi ceux de ses membres qui parlent français et ne sont pas analphabètes.

Michel Leiris

> Moi seul. Je sens mon cœur, et je connais les hommes. Je ne suis fait comme aucun de ceux que j'ai vus ; j'ose croire n'être fait comme aucun de ceux qui existent. Si je ne vaux pas mieux, au moins je suis autre. Si la nature a bien ou mal fait de briser le moule dans lequel elle m'a jeté, c'est ce dont on ne peut juger qu'après m'avoir lu.
>
> (Jean-Jacques ROUSSEAU, *Les Confessions*

C'est un livre bien dépassé par la situation — et pour moi bien vieilli — que cette Afrique fantôme *réimprimée aujourd'hui quelques années après la mise au pilon, durant l'occupation allemande, de presque tout le reliquat de sa première édition. Un décret pris le 17 octobre 1941 par le ministre secrétaire d'État à l'Intérieur Pucheu avait, en effet, frappé d'interdiction cet ouvrage, vieux alors de plus de sept ans, guère diffusé et dont le gouvernement de Vichy ne se serait (j'imagine) pas inquiété, faute même d'en avoir connaissance, si quelqu'un de mes collègues ou confrères bien intentionnés ne le lui avait signalé.*

L'ouvrage ainsi incriminé consistait — et consiste encore dans la présente édition[1] *— en la reproduction, pratiquement sans retouches, d'un journal que j'ai tenu de 1931 à 1933 au cours de la Mission ethnographique et linguistique Dakar-Djibouti, expédition dont le non-spécialiste que j'étais avait pu faire partie en qualité de*

---

1. Strictement semblable à la première, abstraction faite d'un petit nombre de corrections visant à éliminer des coquilles, des négligences d'orthographe ou (dans les cas les plus graves et quand cela pouvait se faire sans trop changer le texte) de menues erreurs d'écriture. On trouvera, sous forme de notes groupées à la fin du livre (avec renvois par

« *secrétaire-archiviste* » *et d'enquêteur ethnographique grâce à* **M.** *Marcel Griaule, qui en était le chef et avec qui me liait alors une amitié à laquelle le premier coup devait être porté par la publication même de ce livre, inopportun m'opposa-t-on, et de nature à desservir les ethnographes auprès des Européens établis dans les territoires coloniaux.*

L'Afrique que j'ai parcourue dans la période d'entre les deux guerres n'était déjà plus l'Afrique héroïque des pionniers, ni même celle d'où Joseph Conrad a tiré son magnifique Heart of darkness, *mais elle était également bien différente du continent qu'on voit aujourd'hui sortir d'un long sommeil et, par des mouvements populaires tels que le Rassemblement Démocratique Africain, travailler à son émancipation. De ce côté — je serais tenté de le croire — doit être cherchée la raison pour laquelle je n'y trouvai qu'un fantôme.*

Il est probable, en effet, qu'une Afrique à peu près inconnue et non encore domestiquée, si tant est qu'à une telle époque j'eusse osé l'affronter, m'aurait fait peur et, de ce fait, aurait pris à mes yeux une plus grande opacité ; il est probable également que j'aurais éprouvé une moindre solitude, découvrant l'Afrique de cette fin de demi-siècle, soit une Afrique tendue, dans une grande part de ses territoires, par le conflit opposant aux Occidentaux qui les exploitent un nombre chaque jour plus élevé d'hommes de couleur qui ne veulent pas être les dupes d'une mystification. Je ne puis nier, toutefois, que l'Afrique du début de l'avant-dernière décade était elle aussi bien réelle et que ce n'est donc pas à elle mais à moi qu'il faut que je m'en prenne si les problèmes humains qui s'y posaient déjà ne m'ont frappé que lorsqu'ils revêtaient l'aspect d'abus absolument criants, sans m'arracher pour autant à mon subjectivisme de rêveur.

Passant d'une activité presque exclusivement littéraire à la pratique de l'ethnographie, j'entendais rompre avec les habitudes intellectuelles qui avaient été les miennes jusqu'alors et, au contact

---

dates, pages et paragraphes), un certain nombre de rectifications, éclaircissements ou autres additions qui s'imposaient, étant entendu que je ne me suis pas astreint à la mise au point « scientifique » d'un ouvrage dont le sens est précisément d'avoir été un *premier jet*. Toutes les notes en bas de page datent de la première édition.

d'hommes d'autre culture que moi et d'autre race, abattre des cloisons entre lesquelles j'étouffais et élargir jusqu'à une mesure vraiment humaine mon horizon. Ainsi conçue, l'ethnographie ne pouvait que me décevoir : une science humaine reste une science et l'observation détachée ne saurait, à elle seule, amener le contact ; peut-être, par définition, implique-t-elle même le contraire, l'attitude d'esprit propre à l'observateur étant une objectivité impartiale ennemie de toute effusion. Il me fallut un nouveau voyage en Afrique (1945 : la mission de l'inspecteur des colonies A.-J. Lucas en Côte d'Ivoire, pour l'étude de problèmes de main-d'œuvre) puis, en 1948, un voyage aux Antilles (où j'ai fait, comme trouvaille de loin la plus précieuse, celle de l'amitié des Martiniquais qui, sous l'impulsion d'Aimé Césaire, revendiquent aujourd'hui une vie conforme à leur dignité d'hommes), il me fallut ces deux autres voyages en pays coloniaux ou semi-coloniaux — effectués, l'un, dans le cadre d'un colonialisme alors soucieux apparemment de beaucoup s'assouplir, l'autre, sous le signe de la Révolution de 1848 et de l'abolition de l'esclavage dont on fêtait le centenaire — pour découvrir qu'il n'y a pas d'ethnographie ni d'exotisme qui tiennent devant la gravité des questions posées, sur le plan social, par l'aménagement du monde moderne et que, si le contact entre hommes nés sous des climats très différents n'est pas un mythe, c'est dans l'exacte mesure où il peut se réaliser par le travail en commun contre ceux qui, dans la société capitaliste de notre XXe siècle, sont les représentants de l'ancien esclavagisme.

Perspective, certes, fort éloignée de ce à quoi je visais quand j'entrepris le voyage d'où est sortie L'Afrique fantôme *et dans laquelle ce qui vient en gros plan n'est plus un fallacieux essai de se faire autre en effectuant une plongée — d'ailleurs toute symbolique — dans une « mentalité primitive » dont j'éprouvais la nostalgie, mais un élargissement et un oubli de soi dans la communauté d'action, à une communion purement formelle (être admis, par exemple, à pénétrer tel secret ou prendre part à tel rite) se trouvant substituée une solidarité effective avec des hommes qui ont une claire conscience de ce qu'il y a d'inacceptable dans leur situation et mettent en œuvre pour y remédier les moyens les plus positifs. Perspective de très simple camaraderie où, cessant d'aspirer au rôle romantique du Blanc qui, en un bond généreux (tel Lord Jim gageant de sa vie sa fidélité à un chef malais), descend du piédestal* que lui a fait le préjugé de la hiérarchie des races pour lier partie avec des hommes situés de l'autre côté de la barrière, je ne perçois plus guère, s'il est encore des barrières, que celles qui se dressent entre oppresseurs et opprimés pour les diviser en deux camps. Perspective, enfin, où ce qui m'apparaît comme le mal majeur n'est plus, en soi, le contact de notre civilisation industrielle amenant la déchéance des civilisations moins armées techniquement mais ce contact en tant qu'il prend la forme de la colonisation par quoi des peuples entiers se trouvent aliénés à eux-mêmes.

Un tel changement de perspective (d'aucuns diront reniement) me fait voir plus que jamais comme une manière de confession la publication de ces notes prises durant mon premier voyage en zone tropicale : répondant à un état d'esprit que j'estime avoir dépassé elles ont surtout pour moi valeur rétrospective de document quant à ce qu'un Européen de trente ans, féru de ce qu'on n'avait pas encore appelé « négritude » et poussé à voyager dans des contrées alors assez lointaines parce que cela signifiait pour lui, en même temps qu'une épreuve, une poésie vécue et un dépaysement, peut avoir ressenti quand il traversa d'ouest en est cette Afrique noire d'avant la dernière guerre en s'étonnant — bien naïvement — de ne pas échapper à lui-même quand il eût dû s'apercevoir que les raisons trop personnelles qui l'avaient décidé à s'arracher à ses proches empêchaient, dès le principe, qu'il en fût autrement.

On trouvera qu'en maints endroits, *écrivais-je en prélude à ce livre dans l'édition de 1934,* je me montre particulier, chagrin, difficile, partial — voire injuste, — inhumain (ou « humain, trop humain »), ingrat, faux-frère, que sais-je ? Mon ambition aura été, au jour le jour, de décrire ce voyage tel que je l'ai vu, moi-même tel que je suis... J'ajouterai aujourd'hui qu'en maints endroits aussi la suffisance de l'Occidental cultivé transparaît, quelque dédain qu'il affiche pour sa propre civilisation; chemin faisant, l'on me verra ici et là faire preuve d'esthétisme et de coquetterie, me complaire dans la délectation morose et la trituration de mes complexes, vaticiner sur les conjonctures politiques du moment, jouer certaine comédie d'enfant gâté ou bien manifester une nervosité de femmelette se traduisant parfois en mouvements d'humeur qui tendaient à m'identifier, l'instant d'un éclair, au colonial brutal que je n'ai jamais été mais à qui un certain goût conradien des grandes têtes brûlées des confins pouvait, par brèves *bouffées, me donner envie d'emprunter certains gestes. Et si, comme il y a seize ans, j'allègue pour ma défense le précédent de Rousseau et de ses* Confessions, *il me faut dire que c'est avec une bien moindre assurance, car je suis maintenant persuadé qu'aucun homme vivant dans le monde inique mais, indiscutablement, modifiable — sous quelques-uns au moins de ses plus monstrueux aspects — qu'est le monde où nous vivons ne saurait se tenir pour quitte moyennant une fuite et une confession.*

Fourchette, 28 mai 1950.

Paris, 27 août 1950.

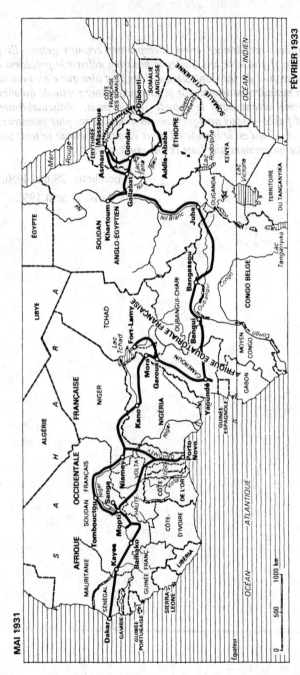

Mission Dakar-Djibouti

PREMIÈRE PARTIE

19 mai 1931.

Départ de Bordeaux à 17 h 50. Les dockers placent un rameau sur le *Saint-Firmin* pour indiquer que le travail est fini. Quelques putains disent au revoir aux hommes d'équipage avec qui elles ont couché la nuit précédente. Il paraît que quand le bateau est arrivé elles étaient venues sur le quai pour inviter les hommes à passer la nuit avec elles. Quelques travailleurs noirs du port regardent partir leurs camarades. L'un d'eux, vêtu d'un complet bleu marine croisé « à trois étages », coiffé d'une casquette à carreaux et chaussé vernis noir et daim blanc, est d'une grande élégance.

20 mai.

Mer belle, mais le bateau remue un peu. Oukhtomsky couché.

Les autres tiennent à peu près, mais seul le quinquagénaire Larget est normal. Après déjeuner, nous allons à l'avant du bateau voir les deux cochons qu'on engraisse pour la consommation.

Comme autres animaux il y a à bord des chats, et un petit bouc qu'il y a 18 mois l'équipage a ramené de Sassandra. C'est une mascotte. De temps en temps il bande : son dard sort, il tourne la tête et se mord le membre. Entre Le Havre et Bordeaux, dans le même état, il a, paraît-il, arrosé Moufle. Une autre fois, il s'est arrosé le nez.

J'avais vu au Havre un petit chien noir, mais il n'est plus là, s'étant fait écraser à Bordeaux presque en débarquant.

21 mai.

Le bateau étant sorti du golfe de Gascogne, la mer est bien meilleure. Tout le monde commence à s'occuper. Griaule, Mouchet, Lutten et Moufle se font vacciner contre la variole. Je lis le tirage à part de l'article de Griaule sur « Le travail en Abyssinie ».

Déjeuner, avec une des bouteilles de bourgogne que nous a données la maison Chauvenet. Discussion sur la mathématique symbolique avec Larget notre doyen (impossibilité de concevoir un phénomène d'une manière plus simple que dualiste). Après déjeuner, vue des côtes d'Espagne. Le petit bouc urine et boit au jet, puis défèque.

Après-midi calme. Le soir mer houleuse. Nous choisissons des disques de phonographe appropriés, nous basant sur les traditions anciennes du cinéma et ne manquant pas l'inévitable tempête de *Schéhérazade*.

Nuit assez agitée, mais pas de malades.

22 mai.

Mer toujours agitée. Vers 10 heures et demie du matin, me trouvant à l'avant du bateau avec Griaule pour l'aider à prendre des photos, j'ai vu des dauphins. Jamais je n'en avais contemplé d'aussi près. Ils tournent comme des roues, avec leur queue dressée en gouvernail et complètent la mythologie du navire, inaugurée par le petit bouc.

De temps à autre, incommodé par les secousses, le couple de cochons criaille.

Les nègres de l'équipage circulent paisiblement et parfois sourient gentiment ; mais je ne sais ce qu'est devenu l'Annamite que j'avais aperçu hier ou avant-hier. peut-être est-ce le boy du capitaine ?

Au déjeuner, mangé de l'aïlloli et du riz au curry. L'après-midi, à diverses reprises, les meubles font de grandes glissades et il faut se cramponner.

Au plus fort du remuement, Mouchet et moi nous exerçons à l'enquête linguistique sur un Krouman du bord, qui voyage comme passager — ainsi que d'autres noirs qu'on rapatrie — et fait office de plongeur à la cuisine. Tous ces Kroumen étaient chauffeurs à bord d'un cargo de la Compagnie qu'on vient de désarmer. C'est pourquoi on les remet chez eux. Celui-ci est habillé à l'européenne — comme tous ses collègues, d'ailleurs. Il a deux canines de la mâchoire supérieure taillées en triangle et un bout d'or pour décorer les incisives.

L'enquête est interrompue pour une promenade sur le pont, car j'éprouve le besoin de prendre l'air. Ensuite, jeux avec le petit bouc.

23 mai.

Lutten et moi recevons le matin notre première piqûre antityphoïdique.

Nous avons passé par le travers de Lisbonne dans la nuit.

Dans la soirée, développement de photos d'effets de vagues prises par Griaule. Les révélateurs manquent parfois de passer par-dessus les cuvettes.

24 mai (dimanche de la Pentecôte).

Il commence à faire beau et chaud.

Le matin, conversation et apéritif avec le commandant. Il nous raconte que les Kroumen du bord ont l'habitude, lorsqu'ils veulent combattre la fièvre, de s'introduire un piment dans l'anus. Par ailleurs, le piment est un des éléments essentiels de leur nourriture. Il nous dit aussi que, dans certains ports africains, pour lutter contre l'alcoolisme, on a interdit jusqu'à l'importation de l'alcool à brûler.

L'après-midi, grande séance de graissage des bottes et chaussures sur le pont, en se rôtissant au soleil. Nous sommes maintenant au large des côtes du Maroc. Quelques indices du pays chaud : des cancrelats apparaissent sur les murs ; à déjeuner, quelques petites fourmis se sont promenées sur la nappe et ont grimpé sur le pain. Dans l'après-midi, aperçu des méduses à crêtes violettes, filant le long de la coque du navire. Passé la soirée avec Griaule, sur le gaillard d'avant, à causer, lui étendu, moi assis, regardant l'étrave, le ciel, l'écume, etc. Souvenir d'une chanson :

Nous partons pour le Mexique
Nous mettons la voile au vent...

25 mai.

Climat décidément tropical. Pour la première fois, j'arbore petite culotte et prends « solidago », médicament homœopathique. Griaule et Moufle se font faire première piqûre vaccin antityphoïdique. Lutten absorbe de la *cascara sagrada* comme laxatif. Vers 5 heures du soir, si le temps est clair, nous apercevrons le pic Ténériffe.

Après déjeuner, Griaule se couche, à cause d'une légère fièvre due à sa piqûre. Mouchet se fait expliquer la fabrication du vin de palme par Dya, le Krouman du bord avec qui il fait de la phonétique. Il confronte ensuite les renseignements linguistiques obtenus avec les cartes dont nous disposons. Lutten et moi tapons le courrier à la machine.

Contrairement à ce que nous avions espéré, le pic Ténériffe n'est pas en vue.

26 mai.

Dès la pointe de l'aube, aperçu le phare et Las Palmas illuminée, mais absolument pas de Ténériffe. A 6 h 30, entrée dans le port. A 9 heures environ, nous descendons à terre.

Curieuse impression de roulis en marchant, due aux efforts faits les jours précédents pour garder l'équilibre sur le bateau.

Las Palmas : splendide pouillerie hispano-méditerranéenne qui rappelle parfois Alexandrie ou Le Pirée. Les habitants ont presque tous le type espagnol. Très peu ont le type berbère. Mouchet m'apprend que les autochtones, qui habitèrent les îles avant la conquête espagnole et ont disparu aujourd'hui, étaient appelés des *Guanches;* certains les regardent comme des Atlantes.

Il y a des femmes très belles, presque toutes à mantilles, et de petites maisons de torchis (?) vert amande, rose pâle ou mauve à toit plat en terrasse. Dans le port, énormes réservoirs de la SHELL.

22

Devant une plage de peu de mine, sur la rue où passe le tramway, le grand panneau-réclame suivant : huit soldats espagnols à uniforme rouge et jaune et volumineux shakos, d'un même geste, couchent en joue le passant, qui s'étonne devant ces huit trous de canons prêt à le fusiller. Il s'agit d'une publicité pour la *huit cylindres en ligne* Marmon.

Çà et là flotte un drapeau républicain. Une rue, dont j'ignore l'ancien nom, a été rebaptisée par suppression, sur la plaque de pierre indicatrice, de la quatrième et de la dernière lettre. Elle s'appelle maintenant :

LEN IN

Sur un bâtiment public, on voit que la couronne royale emblématique a été brisée.

Au milieu de la ville passe un torrent à sec, au lit caillouteux et semé de charognes, encaissé de deux parois garnies de fleurs superbes. Non loin de là une rue chaude, avec des maisons que leurs enseignes ou numéros font instantanément reconnaître pour ce qu'elles sont.

Un marché couvert, une poissonnerie couverte elle aussi. Quelques marchands de canaris. Sur tout cela des nuages amoncelés, bien que sur l'océan il fasse assez clair et nullement orageux.

Peu après midi, rentrée à bord. Je regarde l'*Oceanica,* antique cuirassé transformé en dépôt de charbon, près duquel nous sommes ancrés. Au-dessus des écubiers, il y a des plaques sculptées. Leur motif est à rinceaux entourant une étoile. Lorsque, en arrivant le matin, j'avais, du pont du *Saint-Firmin,* aperçu de loin l'*Oceanica,* j'avais pris cette étoile à cinq pointes pour une figure humaine, comme dans le pentagramme de Corneille Agrippa.

Peu avant le départ, sur le pont arrière, un des passagers noirs coupe les cheveux à l'un de ses congénères. D'autres regardent et plaisantent. Une vieille femme à grand voile noir est sur le quai, mendiant du bois. Elle finit par récolter quelques planches.

A 17 heures le cargo s'en va. Nous sommes tout de suite au-dessus d'énormes profondeurs : 2 500 à 3 000 mètres, me dit le radiotélégraphiste qui se trouve à côté de moi.

Vers l'heure du dîner, Griaule et moi, sur le gaillard d'avant, entendons grâce à une manche à air un vacarme infernal provenant du poste d'équipage : les matelots à moitié saouls chantent en tapant des pieds toutes sortes de chansons vieilles ou modernes, depuis

> *... Et au milieu du lit*
> *Un rossignol qui chante*
> *Et dessus le grand lit*
> *Une rivière coulante*
> *Qui coule jusqu'au jardin*
> *pour arroser les plantes*

jusqu'à *C'est pour mon papa*, en passant par une complainte séditieuse où il est question de la côte d'Afrique et de Biribi.

27 mai.

En faisant ma toilette du matin, vu dans la salle de bains un cancrelat sensiblement égal à un demi-index.

Nous approchons du tropique du Cancer. Des bandes de poissons volants s'enfuient, effrayés par le bateau. Griaule passe une partie de l'après-midi à cinématographier ces poissons.

Le soleil tape dur, mais il ne fait pas trop chaud, grâce au vent, que nous avons arrière et qui facilite notre marche.

Ce soir, après dîner, nous prendrons notre première dose de quinoplasmine.

28 mai.

Vers 10 heures, les côtes du Rio de Oro. Aspect désertique donnant une idée terrible de l'Afrique...

Malgré le soleil intense il fait presque froid, à cause du vent. La mer est verte et les vagues écument. Le cap Blanc est doublé sous un vent violent qui nous envoie du sable. On aperçoit le phare, dont le gardien a été récemment tué par des Maures, ainsi qu'un tirailleur qui était avec lui. Les coupables ont été lynchés par les tirailleurs, avant d'être remis au *Saint-Firmin*, lors du dernier voyage de celui-ci, pour être transportés jusqu'aux autorités judiciaires.

Le vapeur passe près de l'épave du *Chasseloup,* ancien aviso transformé en stationnaire que le *Saint-Louis,* cargo de la S.N.O., a, il y a un certain temps, abordé et coulé.

A 16 heures, mouillage en rade de Port-Étienne, dans la baie du Lévrier.

Sinistre bled jaune dont on aperçoit à peine les essentielles bicoques. Fortins. Antennes de T.S.F. Pitoyables gourbis sur la plage et sur les dunes.

Une vedette et un chaland amènent des travailleurs maures à mines de pirates et vêtus de haillons mi-indigènes et mi-européens. Ils chargent des sacs de poisson séché. Au cours de leur travail, un accident : une des énormes traverses de métal qui, en ordre de marche, supportent les madriers qui recouvrent la cale est arrachée par une élingue qu'on relève et tombe en plein milieu des travailleurs. Il n'y a pas de victimes.

Dans la vedette est resté un jeune garçon très joli, qui pour l'instant manie la pompe ; ce doit être le giton des Maures de l'équipage.

Le patron de la chaloupe (homme à gros ventre, à teint rouge brique, à petits yeux bleus larmoyants — peut-être à force de Pernod — et à casque colonial sur une veste tropicale crème, un pantalon rayé de commis de magasin et des espadrilles marron), le patron de la chaloupe, qui est le « commerçant » de Port-Étienne, celui que des razzieurs se proposaient, paraît-il, de piller, parle avec le capitaine, cependant qu'un employé de la pêcherie, garçon mince et sec à pull-over et casquette à carreaux sur pantalon bleu marine maculé, surveille les travaux d'embarquement du poisson, assisté par un clerk nègre.

Les denrées une fois à bord, on embarque un pêcheur européen de la flottille atteint d'un cancer, misérable au visage ravagé et presque inerte, avec un Maure en face de lui lui appuyant les deux mains aux épaules pour l'empêcher de tomber du palanquin dans lequel on le monte. Comme il est incapable de se soutenir, on amène une civière. Mais cet engin n'étant pas commode à manier sur le bateau, le premier lieutenant et deux ou trois hommes d'équipage portent le malheureux jusqu'à une cabine située à proximité de celle que j'occupe avec Mouchet, Lutten et Moufle. Le bateau doit le mener à l'hôpital de Dakar.

Les Maures retournent enfin à leur chaland, emportant quatre fauteuils d'osier, deux pots de géraniums et une plante grasse destinés aux « civilisés » du bled effroyable...

Jusqu'au dîner les matelots pêchent à la ligne et ramènent beaucoup de poisson. Les nègres se révèlent particulièrement habiles. Certains d'entre eux plaisantent en petit nègre avec le radiotélégraphiste. Dédaigneux, le cook annamite lance sa ligne, seul dans un coin.

29 mai.

Nous nous sommes tous habillés de bonne heure pour descendre à terre par la première chaloupe, celle du « commerçant », lorsqu'elle retournera à terre après avoir mené les travailleurs à bord. Pensant qu'on va nous prévenir de son départ, nous ne faisons pas autrement attention. La chaloupe part sans nous. Griaule est furieux.

Une autre chaloupe accoste un peu plus tard. On nous dit que nous pouvons monter dedans si nous voulons toujours aller à terre. Lutten, Moufle et moi montons à notre cabine prendre nos imperméables, car il y a des vagues et les gens de la chaloupe sont mouillés. Il me vient à l'idée de recouvrir mon casque de son enveloppe imperméable pour éviter de le salir. Lutten m'imite et nous perdons ainsi quelques instants. Le premier lieutenant vient nous prévenir que la chaloupe attend. Nous descendons en hâte... mais trop tard : nous voyons la chaloupe s'éloigner, emmenant Griaule et Mouchet assis à l'arrière. Griaule sait-il que la seule raison pour laquelle je désirais aller à terre était l'envie de vaincre l'appréhension nerveuse que j'avais de passer de la coupée à la chaloupe par cette mer un peu remuante qui rendait l'opération assez délicate à mes yeux ?

Vers 10 h 15 ils reviennent trempés, mais rapportant les premiers objets qu'aura récoltés la mission : des silex taillés dont le directeur des pêcheries leur a fait don.

Entre-temps, Larget et Lutten ont conversé avec un des employés de la pêcherie. J'apprends ainsi divers détails relatifs au manque d'eau à Port-Étienne. Ce sont des bateaux qui apportent l'eau douce ; on en obtient aussi par distillation. La ration par travailleur indigène est de 5 litres par jour. L'employé raconte qu'une fois, pour boire de l'eau de mare que lui avaient apportée des méharistes, il dut la filtrer trois fois à travers son mouchoir et l'additionner d'alcool de menthe. Il raconte également que, lorsque l'aviso-citerne fut coulé, les Européens furent rationnés à 2 ou 3 litres d'eau par jour, les indigènes à 1 litre. On tua beaucoup de têtes de bétail et de nombreux travailleurs indigènes furent renvoyés des pêcheries de façon qu'il y eût moins de bêtes et de gens à qui donner à boire...

A midi 15, le *Saint-Firmin* lève l'ancre.

30 mai.

Finis les Maures, leurs loques et les suroîts de matelots de ceux qui dirigeaient la chaloupe. De nouveau la mer. De bonne heure, Larget me fait ma deuxième piqûre antityphoïdique.

Vers 10 h 30, une torture de mer passe à tribord.

Le pêcheur cancéreux venu à bord sans autre bagage que son sac de matelot a dit hier soir qu'il se sentait très mal. Larget a demandé qu'on le prévienne en cas d'aggravation afin qu'il puisse faire une piqûre d'huile camphrée. J'apprends que le malheureux, avant d'être embarqué, avait attendu longtemps dans une chaloupe à côté du bateau, pour savoir si le commandant voudrait bien de lui, un commandant pouvant toujours refuser de prendre un malade à son bord, en raison des possibilités de maladie contagieuse.

Dans l'après-midi, linguistique avec Dya ; il n'a pas les dents disposées comme je l'avais cru, mais une canine en or sur la droite et les deux incisives du milieu taillées de manière à laisser un espace triangulaire (à pointe orientée vers le haut) entre elles deux.

Il raconte entre autres choses que les gens de chez lui fabriquaient autrefois du sel à partir du palmier à huile, par combustion puis lessivage des cendres, mais que les blancs ont maintenant interdit cette fabrication pour pouvoir vendre en toute liberté leur propre sel.

31 mai.

A 6 heures, arrivée à Dakar. Débarqué rapidement et trouvé du courrier

Déjeuner avec Griaule chez des amis — qui m'attendaient — puis promenade à Rufisque avec eux, plus Larget dans la voiture de la mission. Beau paysage, plutôt plat, à terre rougeâtre semée de roches volcaniques, avec baobabs et palmiers.

Dans les faubourgs indigènes de Dakar, grand grouillement humain bigarré. Rassemblements comportant des individus de tous âges, depuis des bébés portés sur le dos jusqu'à des vieillards, en passant par tous les degrés.

Au point de vue européen, Dakar ressemble beaucoup à Fréjus, ou à ces plages du midi dont une vague prétention essaye de masquer la pouillerie.

A Rufisque, un bistrot est intitulé « A la Brise de Mer ». Les femmes des bordels de Dakar y viennent passer leurs jours de sortie avec leurs amants et l'on y rencontre aussi les administrateurs ou fonctionnaires les plus bourgeois accompagnés de leurs épouses.

A Dakar, il y a une « Réserve » et une « Potinière ».

Le soir, peu avant le dîner, vu le chat de nos hôtes jouer sur la terrasse avec un mille-pattes à peu près long comme la main. Il paraît que j'en verrai bien d'autres...

En somme, très peu de différence entre la vie du fonctionnaire à Paris et sa vie à la colonie (j'entends : dans les grands centres) ; il a chaud et il vit au soleil au lieu d'être enfermé ; en dehors de cela, même existence mesquine, même vulgarité, même monotonie, et même destruction systématique de la beauté.

J'ai grand'hâte d'être en brousse. Cafard.

1ᵉʳ juin.

Démarches relatives à l'entrée en franchise des marchandises de la mission. La direction des Douanes fait des difficultés, compare la mission à celle du prince *** qui est passé récemment et se trouve maintenant dans l'intérieur où il aurait vendu une partie de son matériel, introduit en franchise... Dans les bureaux, chaleur très supportable. Dactylos antillaises et huissiers africains. Conversation avec le directeur intérimaire des affaires économiques. Sur une question de Griaule, qui lui demande si, dans chaque colonie, nous pourrons avoir communication des archives judiciaires, il répond que des instructions très sévères ont été données aux administrateurs, depuis que des missions étrangères ont utilisé les documents dont on leur avait permis de prendre connaissance pour attaquer la police coloniale de la France et soulever des incidents à la Société des Nations. Il parle aussi des sociétés secrètes et de l'impossibilité qu'il y a pour les Européens d'y pénétrer. Dans le Lobi, Labouret aurait réussi à recevoir le premier degré d'initiation d'une société ; mais l'homme qui l'aurait initié a disparu depuis, vraisemblablement châtié par les autres initiés.

Griaule et moi sommes installés chez mes amis. Les autres sont logés à l' « Hôtel des célibataires », bâtiment administratif réservé aux fonctionnaires non mariés.

L'impression de Fréjus se confirme. Bain de vulgarité. Je pousse mon ami à tâcher d'avoir un poste à l'intérieur.

Les noirs d'ici, malheureusement, ne sont pas plus sympathiques que les Européens. Je pense à un employé noir des docks, coiffé d'un casque colonial luxueux et revêtu d'un boubou immaculé, dont la conversation était émaillée d'expressions parisiennes telles que : « Laisse pisser le mérinos ! Ne t'en fais pas ! » ou : « Tu m'as fait un *(sic)* faux bond ! » Comme nous le disait le fonctionnaire des affaires économiques et comme le disent tant d'autres coloniaux, dans les lieux où le noir est en contact direct avec la civilisation européenne, il n'en prend que les mauvais côtés.

Je pense tout de même à quelques noirs évolués mais sympathiques rencontrés à bord, entre autres à Dya, que j'ai encore aperçu ce matin, cette fois non plus en bleu de mécano mais dans une tenue étonnante composée d'un complet violacé, d'une chemise à grands dessins noirs et mauves, d'une cravate noir et mauve et de souliers éculés en cuir verni noir et daim gris. Il y a aussi une négresse très jolie qui est montée à bord, dans un grand manège de falbalas et de coquetterie sans doute professionnelle.

Dans les rues, les petites filles surtout sont ravissantes : elles ont le crâne tondu (exception faite de certains points déterminés) et portent de longues robes blanches ornées de dentelle à jour.

2 juin.

Acheté quelques articles dans un magasin. Les patrons sont des Syriens, plusieurs frères. Pas une de leurs vendeuses qui n'ait couché avec au moins l'un d'entre eux. Beaucoup de clientes européennes couchent aussi, acquittant ainsi leur facture.

Courses, visites administratives, etc...

Le soir, allant avec la voiture inspecter le garage qu'on a mis à notre disposition pour les camions, ensablé la voiture dans un raccourci sablonneux. Avec l'aide du boy laveur et repasseur qui est venu travailler pour Griaule et pour moi chez mes amis et celle d'un vieux Wolof qui garde le garage et semble spécialisé dans ce genre de dépannage (car beaucoup de voitures s'ensablent à cet endroit) nous réussissons à en sortir. Rentrant la voiture, nous l'ensablons de nouveau à l'entrée du jardin. Cette fois, nous la laissons dans cette situation.

3 juin.

La nuit a été agitée par des bruits divers : démarrages de moteurs, aboiements de la chienne, sortes de frôlements. Au matin, le boy Séliman et son aide laveur et repasseur constatent qu'une partie du linge qu'ils avaient mis à sécher à été enlevée : il manque 1 complet à B..., 1 complet à Griaule, 1 complet à moi, plus 2 pantalons. Interrogatoire des boys, qui nient. Séliman répond à Mme B... que ce ne peut être lui, attendu qu'il s'habille toujours en boubou et qu'il ne lui viendrait pas à l'idée de se mettre en pantalon pour autre chose que travailler. L'autre boy reste impassible. Il est entendu que les deux garçons seront conduits à la police, non en inculpés mais pour servir de témoins et raconter comment les choses se sont passées. Nous convenons aussi de ne les laisser seuls avec les policiers sous aucun prétexte, tenant à leur épargner un grilling...

Au déjeuner, nous apprenons par le boy laveur et repasseur que Séliman est en train de sangloter dans la cuisine. Il vient de laisser brûler le gâteau, alors qu'il avait déjà oublié d'acheter du dessert, en plus de cette sacrée histoire de vêtements. Nos hôtes lui font dire de ne pas s'en faire à ce point.

Après déjeuner, nouvel interrogatoire de Séliman, qui ne

pleure plus. Il répond avec netteté et semble bien être mis hors de cause. Seul, l'autre boy sera emmené à la police.

Visite à la police : l'inspecteur qui nous reçoit est une sorte de sous-officier rasé, qui prononce « collidor » et a les mains terriblement velues. Dans un coin, un vieux nègre en uniforme kaki et mince collier de barbe blanche écoute silencieusement. Les B... et moi sommes assis ; le boy debout entre nous, son casque colonial à la main. L'inspecteur tape à la machine les déclarations de B... A la fin de l'entretien, nous apprenons avec plaisir que le boy est sûrement hors de cause, que beaucoup de vols semblables ont été commis dans le quartier et qu'il s'agit sans doute d'une bande organisée. Nous nous retirons, suivis du boy qui est resté toujours imperturbable et descend maintenant l'escalier majestueusement. Arrivés dehors, juste comme nous venons de franchir le seuil du commissariat, le boy sourit largement et dit à Mme B... : « Séliman aussi, Madame, on lui a volé un costume. » Nous demandons au boy pourquoi il nous fait *maintenant* cette déclaration, mais il est impossible d'obtenir une réponse, et il est certain que nous ne le saurons jamais. Tout ce que nous pouvons apprendre, c'est que le voleur de Séliman est un nègre par qui il avait fait porter son panier en revenant du marché.

Dans la soirée, faisant un tour en auto pour recharger les accus qui s'étaient déchargés à cause de l'humidité, tombé, en quartier indigène, sur un vaste rassemblement d'individus de tous âges en train d'écouter un griot. Il y a des femmes assises par terre avec leurs enfants sur le dos. Le conteur semble tenir son auditoire ; il est assis, le dos à un grand mur, et souligne sa diction par des gestes.

4 juin.

Rencontré Séliman au marché. Il avait à la bouche sa belle pipe en forme de revolver achetée de la veille. Ses larmes étaient enfin séchées, qu'avait produites cette accumulation de malheurs : vol des habits blancs, oubli d'acheter le dessert pour le déjeuner et gâchage de la tarte, qui avait brûlé.

Visite au chef de la collectivité des *Lébou*, pour être introduit auprès de ces constructeurs de pirogues. C'est un vieux nègre en chéchia et boubou, qui nous reçoit dignement, montre à notre interprète sa croix de la Légion d'honneur, nous donne quelques renseignements sur les Lébou, puis sort avec nous, armé de gants et d'une ombrelle.

Passé l'après-midi avec Mouchet sur la plage, à flanc de coteau, à examiner des pirogues en interrogeant des pêcheurs, assistés de l'interprète de la circonscription, Mahmadou Kouloubali.

Dîner le soir avec les B... et tous les membres de la mission à l'hôtel des célibataires, dont la grosse Mme Lecoq tient la pension, assistée de la négresse Diminga, élève de la mission catholique, brave et intelligente fille qui a « gagné petit » l'année dernière avec un des locataires.

Rentré le soir dans la Ford de la mission conduite par mon ami B... Fait, comme font tous les soirs tous les Dakarois sortis en auto, un tour sur la corniche et apprécié un clair de lune complètement malsain en même temps que splendide, avec des nuages louches barrant l'astre et une lueur très étendue de marécage sur la mer.

5 juin.

Mal dormi, et réveillé avec une sensation d'yeux creux et d'œsophage enquininé. Probablement faute d'avoir pris du « fruit salt » la veille. Peut-être aussi à cause du dîner et d'un whisky soda absorbé un peu avant midi.

Visite, avec Mouchet et Mahmadou Kouloubali, à l'atelier d'un charpentier constructeur de pirogues.

Déjeuner avec mes amis B... chez le représentant de la Vacuum Oil, type très vulgaire, un peu requin mais très vivant.

A l'hôtel des célibataires, où nous allons après ce déjeuner, rencontre de Kasa Makonnen, ascète abyssin venu à Dakar par Métamma, Khartoum, Abrécher, Fort-Lamy. N'Gaoundéré, Douala, le Tchad. Il a voyagé à pied et mis trois ans. Sans doute court-il après une Vérité.

A deux jours à l'ouest de Gondar, il y a selon lui « des fils de l'aloès » (cela intéresse beaucoup Griaule, qui a déjà étudié le totémisme de l'aloès pour d'autres régions de l'Abyssinie). « La maison de Noé est à côté du Tchad », dit-il aussi ; et quand on lui demande s'il sait faire quelque chose, il répond en souriant qu'il ne connaît que le Christ.

Il désire retourner en Abyssinie et Griaule décide de l'emmener.

Plus tard, cocktail-party chez les B..., avec deux des jolies femmes de la société dakaroise. L'une d'elle est mariée à un nabot hideux, qui dirige l'usine d'électricité.

Allé en voiture après dîner au lieu dit « Bel Air », endroit empesté par les goémons pourris et où il y a un restaurant dont le patron possède des chiens, des lapins, une lionne, des singes et un fourmilier. Vu la lionne et un certain nombre des animaux.

Au retour, je constate que je suis décidément nerveux et que j'ai le cafard. Le but du voyage s'estompe aussi et j'en arrive à me demander ce que je suis venu faire ici.

6 juin.

Fin du travail sur la pirogue : étudié la voile et le gréement.
Toujours la même nervosité.

Allé le soir avec les B... et sans Griaule à *L'Oasis*, dancing nègre de Dakar. On y voit : des négresses — femmes ou amies de sous-officiers de tirailleurs — habillées à l'européenne ; des putains noires, métisses ou arabes ; quelques grosses négresses en costume local ; des pédérastes nègres qui dansent ensemble en petit veston cintré ; un pédéraste blanc à l'allure d'employé de bureau dansant, une fleur à la bouche, avec un marin nègre à pompon rouge ; deux sous-offs de la coloniale dansant en couple ; trois types de la marine marchande ou de la marine de transport, dont l'un (à casquette blanche à visière, petite moustache en fil, et cigare) a aussi merveilleuse allure que les plus beaux aventuriers des films américains. Allé ensuite à *Tabarin,* le même endroit, en blanc et vaguement snob, absolument sinistre (entraîneuses catastrophiques, numéros d'une absurdité à peu près admirable, coloniaux de toutes espèces, plus, à une table, le Consul des États-Unis et le Consul du Brésil en smoking, lorgnant les femmes).

Rentré toujours énervé. Tué un mille-pattes avant de me coucher.

7 juin (dimanche).

Bain de mer dans une petite crique voisine de Dakar, avec mes amis et Griaule. Griaule et B... constamment renversés par la barre. Coups de soleil majestueux, après le bain de soleil prolongé que je prends sur le sable.

L'après-midi, promenade en auto à Ngor, avec Larget. Promenade dans le village et sur la plage où une quantité d'enfants vêtus de petits cache-sexe (étoffes nouées) jouent à faire marcher de petites pirogues à voile sur la mer. Une nuée de fillettes arrivent, la plupart portant sur le dos des bébés encore plus petits. Elles nous entourent en criant : « Dimanche ! Dimanche ! » Nous ne comprenons pas tout d'abord, mais songeant que le dimanche doit être le jour où viennent dans ce village des promeneurs de Dakar nous devinons qu'elles entendent par « dimanche » un petit cadeau. Remontant au village, nous achetons à l'un des enfants son bateau, puis restons longtemps, sous l'abri de la place centrale où se réunissent les hommes, à nous faire expliquer la fabrication et le maniement d'une nasse que nous acquérons. Départ au milieu des cris des enfants, qui suivent la voiture en courant durant quelques mètres. A la sortie du village, vu des nuées de crabes de terre, que le bruit de la voiture fait rentrer précipitamment dans leur terrier. C'est un élevage que font les gens du village pour compléter leur ressource principale : la pêche.

Voici enfin que j'aime l'Afrique. Les enfants donnent une impression de gaîté et de vie que je n'ai rencontrée nulle part ailleurs. Cela me touche infiniment.

8 juin.

Nuits de plus en plus « tropicales ». Il ne fait pas chaud, grâce au vent, mais le ciel est de plus en plus étoilé et la Croix du Sud brille encore plus nettement. Elle situe toutes choses, comme chez nous la Grande Ourse, et c'est le grand pivot auquel on se réfère.

Vers le soir, nous sommes allés, Griaule, Mouchet et moi, avec la Ford, jusqu'à Yof, village de pêcheurs peu éloigné de Ngor. Ensablé la voiture en arrivant. Une bande d'enfants et une jeune femme viennent pousser pour dégager la voiture et profitent de la situation pour quémander un « dimanche ». A pied, nous allons jusqu'à la mer proche et nous l'atteignons juste pour le coucher du soleil, alors que beaucoup d'hommes sont assemblés sur la plage autour des pirogues. Nous en voyons une rentrer : en franchissant les vagues qui forment barre, elle abat ses voiles, puis arrive sur le sable, portée par le flot. Une troupe d'hommes, de vieillards et d'enfants est vite massée autour de la pirogue, pour la remonter et l'aligner avec les autres, opération qui s'accomplît grâce à des pivotements successifs, l'avant de la pirogue légèrement soulevé poussé vers le haut du rivage alors que l'arrière fait fonction de pivot, puis l'arrière soulevé et poussé à son tour avec l'avant comme pivot, et ainsi de suite jusqu'à ce que la pirogue ait été amenée à l'endroit voulu.

Peu après la disparition du soleil, tous font leur prière, les uns agenouillés simplement en un vaste groupe se prosternant rythmiquement, quelques autres isolés, d'autres enfin à demi dissimulés par une assez longue et haute claie près de laquelle se trouvent des poissons qu'on pourrait croire être des éléments de cette pantomime sacrée.

Nous regagnons la voiture. Il fait déjà nuit. En voulant repartir, nous nous ensablons de nouveau. Moyennant 20 francs donnés en marchandant à un homme, une équipe d'enfants et de jeunes garçons se trouve instantanément recrutée, qui nous dépanne et pousse la voiture pendant quelques centaines de mètres, jusqu'à un endroit meilleur. Il semble bien que les gens de ce village jouent, par rapport aux automobilistes, un peu le rôle de naufrageurs et que ce genre de dépannage soit pour eux une industrie...

Nous arrivons à Dakar assez tard, juste pour constater le départ d'amis que nos hôtes avaient invités pour se trouver avec nous. Nous en sommes assez confus, et nous nous couchons de bonne heure, d'autant plus que Griaule souffre de ses coups de soleil et est nettement fatigué.

9 juin.

Conclusion définitive de l'achat de pirogue : cela se passe en présence du chef de la collectivité des Lébou, venu sur la plage où la pirogue est remisée, mais cette fois sans ombrelle et sans gants.

Le soir, nous allons au cinéma, les B..., Griaule et moi. Nous nous ennuyons. Griaule se couche très fatigué et est pris de vomissements durant la nuit. La chienne s'agite et grogne.

L'imbécile coq du poulailler crie à diverses reprises et d'autres coqs du voisinage lui répondent.

10 juin.

Griaule va mieux et peut sortir à peu près comme d'habitude. C'est aujourd'hui qu'on livre la pirogue. Elle arrive au port manœuvrée par son propriétaire et accoste en face des docks de la Société Navale de l'Ouest. Des manœuvres sont recrutés. Ils viennent avec des cordes et hissent tout sur le quai, pirogue et propriétaire qui est resté dedans. Ensuite, portée sur les épaules d'une vingtaine de travailleurs se bousculant — car tous veulent participer à la distribution ultérieure de « kola »[1] — la pirogue s'achemine vers le hangar. Je n'ai eu la même impression de foule hirsute et triomphale que dimanche dernier, en revenant de Ngor, lorsque nous avons croisé la foule qui sortait des « Arènes Sénégalaises » et faisait escorte au lutteur vainqueur, celui-ci agitant au-dessus de sa tête des sabres d'honneur bariolés.

Après emballage sommaire de la pirogue, seconde promenade à Yof. Cette fois-ci pas d'ensablement — car nous nous arrêtons à quelque distance du village — et pas de difficulté non plus à reconnaître le chemin que nous avons repéré maintenant... Nous nous trouvons de nouveau sur la plage étonnante, avec les immenses vagues vertes et blanches qui déferlent en série, les dunes, et les charognards qui planent au-dessus des cases. La plage est toujours le lieu où se réunit la partie mâle de la population. Comme l'autre jour, nous assistons au retour des pirogues.

D'un côté de la plage, de nombreux garçons pratiquent un jeu ressemblant à notre « balle au chasseur ». Ils sont divisés en deux camps.

A un certain moment, tandis que je suis avec Larget à examiner une pirogue, un vieillard à chéchia (comme presque tous les hommes ici) se détache d'un groupe de gens de son âge assis dans le sable et vient nous serrer la main avec dignité. Peut-être est-ce le chef du village ?

Lorsque nous repartons, les enfants nous escortent. Ils ne

1. Litt. : noix de kola ; par extension : pourboire.

demandent pas « dimanche » mais crient : « Cinquante centimes ! Donne-moi les cinquante centimes ! Un franc ! Soixante-quinze ! Deux francs ! Cinq francs ! Quarante-six ! etc... » Et, sur notre refus, insistent avec de grands gestes de théâtre, en roulant des yeux menaçants. Seule une femme porteuse d'un bébé obtient quelques sous.

Griaule, Larget et Mouchet partent légèrement en avant. Les B... et moi dépassons une jeune fille assez jolie, vêtue d'une jupe bleue et d'une longue tunique à ornements rouges et blancs. Elle mâche, naturellement, un petit bâton de citronnier. Elle nous regarde et nous lui sourions. Elle nous sourit aussi et prononce quelques mots auxquels nous répondons par : « Bonsoir ! » Quelques minutes après, comme nous montons dans l'auto, la même fille survient avec une compagne du même âge. Elles dépassent la voiture, qui n'est pas encore en marche, regardent tout le monde en riant et esquissent quelques pas de danse en tapant dans leurs mains. La voiture démarre et nous retournons à Dakar, sans que j'aie pu déterminer le sens absolument exact de ce manège de coquetterie.

Rentré en traversant Wakam, le village proche du camp d'aviation. Vu comme toujours des bébés nus ou presque se précipiter sur le seuil des cases pour voir passer la voiture et s'enfuir aussitôt en riant aux éclats. Derrière les claies qui entourent les cases et dont la suite forme des espèces de rues, on voit çà et là rougeoyer des tisons, mais pas, comme l'autre jour, de ces immenses feux pareils à des feux de joie, autour duquel étaient réunis des enfants ravis qui chantaient.

Ce matin, Séliman a acheté un petit perroquet pour son usage personnel. Jetant un coup d'œil dans la bicoque où il couche, près de notre maison, j'ai aperçu épinglée au mur la double page de *Pour Vous* consacrée à l'article de Rivière sur le film *L'Afrique vous parle.*

11 juin.

Rien de très intéressant. Toutes les dispositions sont prises pour le départ. Nous aurons deux trucks pour les véhicules et deux fourgons pour nous-mêmes. A Tamba Counda, on détachera nos wagons ; nous pourrons rester le temps que nous voudrons et il en sera de même pour toutes les stations que nous désignerons, jusqu'à Bamako. Nous emmenons avec nous l'Abyssin Kasa Makonnen, le « boy laveur et repasseur » Tyémoro Sissoko, ainsi qu'un cook bambara présenté par Séliman et qui s'appelle Bakari Kèyta.

Dans la journée Séliman a été sur le point de pleurer parce que Tyémoro lui disait que son perroquet ne grandirait pas et qu'en l'achetant il s'était fait voler.

12 juin.

A midi, départ. Tyémoro arrive à l'heure et case sa bicyclette, dont l'un des pneus est tout bosselé, sur l'un des trucks. Kasa Makonnen est exact lui aussi. A la dernière minute, Bakari Kèyta survient, muni d'un parapluie et d'une vaste valise qu'il jette nonchalamment dans un des fourgons. Mes adieux aux B... m'ont entraîné à absorber un certain nombre de whiskies...

La journée se passera chaude et assez morne. Mouchet et moi coucherons à la belle étoile, en gare de Thiès, à l'ombre de notre train de marchandises, tandis que les cinq autres dormiront dans un fourgon. Les deux boys indigènes ont eu permission de la nuit ; quant à Kasa Makonnen, on le verra descendre, au petit matin, de la guérite du premier des trucks, disant qu'il a passé une bonne nuit et que le poste vigie est « la maison du Christ ».

13 juin.

Chaleur. Chaleur. Chaleur. Désaltération chimique, grâce à l'alcool de menthe et à la glycirrhizine. Paysage agréable, assez brûlé mais sans aspect de particulière désolation. Baobabs et arbustes. Villages à huttes de paille cylindro-coniques, d'aspect relativement cossu. Indigènes égaillés dans les champs, faisant parfois des signaux.

Mouchet et moi montons nos lits dans la wagon-cuisine. A 7 h 1/2 il fait nuit, et des éclairs à l'horizon annoncent une tornade. Arrêts en pleine nuit. Manœuvres diverses de locomotives. Chocs. Enfin, au moment où cela se calme un peu, la tornade. Le wagon commence à être inondé. Impossible de fermer les portes à coulisse ; on bouche l'ouverture à demi à l'aide d'une table renversée et du grand parapluie vert genre chasseur de restaurant apporté de Paris. Mais l'eau fouette par en dessous, à cause des interstices du plancher.

A 3 heures et quelques du matin, arrivée à Tamba Counda. Encore une demi-heure ou une heure de coups de tampons avant la tranquillité sur une voie de garage.

14 juin.

Dès le matin, le chef de gare, qui a eu l'amabilité de faire ajouter à notre convoi un vieux wagon de voyageurs (d'accord avec le directeur de la Compagnie, que Griaule était allé voir à Dakar) nous mène chez l'administrateur. Celui-ci étant en tournée, nous allons chez son adjoint, homme assez jeune qui nous donne quelques tuyaux sur la région : « Tous des paresseux ! Ils ne savent rien faire... Aucun objet... Quelques gargoulettes... Des fers de lance..., etc... » Sur une étagère, j'aperçois *Le Rameau d'or,* de Sir Frazer, *La Prisonnière,* de Marcel Proust. Sur une table, des numéros de la *Revue Hebdomadaire.* Le boy indigène du maître de maison, sur une question de Griaule, indique la présence de pierres levées en certains points de la région. Griaule décide d'y faire une tournée de trois jours. Peu après le déjeuner, Mouchet, Griaule, Lutten et moi partons, avec un bagage réduit au minimum.

Beau voyage sur une piste de brousse : termitières, verdure, bambous, bois noircis à cause de la calcination pour la fabrication du tabac ou le défrichage, terre alternativement grise et rouge. L'Afrique se présente à moi avec un air assez bénin, mais peu rassurant tout de même, — un air de vieille paysannerie bretonne ou auvergnate à rebouteux et histoires de fantômes. Oiseaux à beaux plumages, feux de brousse.

1 h 25 : arrivée à Malèm Nyani, où l'on nous a dit que nous rencontrerions l'administrateur. L'administrateur n'est pas là : il paraît qu'il a filé sur Koumpentoum. On y arrive pour appendre qu'il a cette fois filé sur Maka-Colibentan. Vu l'heure tardive, on couche à Koumpentoum.

Gîte d'étape extrêmement propre, avec une grande cour à poussière bien ratissée, une verandah et des cases d'une netteté éblouissante. Cela grâce aux soins de Guédèl Ndao, le chef de canton, jeune Sérère de famille royale descendant des anciens *mbour*, sympathique et intelligent, fétichiste quoique ayant été élevé par les Européens. Physiquement, très grand et très maigre, avec un beau visage noir cendré, un costume entièrement indigène (vaste boubou bleu sombre et babouches, petit grigri enfermé dans du cuir rouge brinquebalant sur la poitrine) à l'exception d'un casque colonial de feutre beige, porté d'ailleurs avec une distinction extrême. Il ne se déplace jamais sans une canne ou une chicotte à la main.

Le soir, nous écoutons Dyali Sissoqo, griot mandingue du pays, chanter en s'accompagnant à la guitare, près de la « mosquée » de Koumpentoum, constituée uniquement par un emplacement que limitent des troncs d'arbres couchés et, dans cet enclos, une natte. Le chant du griot alterne avec une sorte de grognement à bouche fermée, qu'il fait entendre en se penchant sur sa guitare.

Couché à la belle étoile, dans la jolie cour si propre, à cru sur les lits de camp dépourvus de matelas, et en prenant bien soin de mettre les souliers sur une chaise au lieu de les laisser à terre, afin d'éviter, au réveil, les surprises désagréables...

15 juin.

Au matin, départ avec le chef. Sur le point de sortir, étendant le drap qu'un habitant, la veille au soir, nous a prêté en guise de nappe et que nous étions navrés d'avoir légèrement taché de vin rouge tant il nous semblait blanc, je trouve au revers de la merde séchée. Griaule et moi rions follement.

En sortant du campement, Griaule, le chef et moi rencontrons un colporteur marchand de jouets de bois qui représentent des animaux. Soupçonnant qu'il s'agit d'objets fabriqués à l'usage exclusif des Européens, Griaule pose diverses questions au marchand dont les prix sont, du reste, exorbitants. « Qui t'a donné l'idée de faire cela ? » « — Allah ! » répond l'autre. Le chef s'amuse beaucoup de cette réponse...

Départ avec le chef, que nous prenons dans notre Ford, en direction de Maka. De 9 h 35 à 11 h 45, arrêt à Sam Nguéyèn et bon accueil auprès des paysans. Achat d'objets à peine interrompu par une tornade.

J'aime beaucoup Guédèl Ndao et je me le rappellerai longtemps tel qu'il était hier au coucher du soleil, nous promenant au milieu des blocs de latérite levés proche la gare de Koumpentoum et répondant sans hésiter à toutes nos interrogations.

Départ. Route par endroits détrempée. Quelques embourbements dont la voiture se tire, poussée par nous, sans difficulté. Arrivée à Dyambour.

Aussitôt la voiture arrêtée près du puits du village, un groupe de femmes nous fait des signes amicaux. Une toute jeune fille, le torse nu, accourt et nous fait son « salam », les hommes arrivent à leur tour et aussitôt, grâce à l'entremise du chef de canton, nous voilà en rapports merveilleusement cordiaux avec les habitants. L'enquête et la collecte d'objets commencent, et se poursuivent dans une ambiance parfaitement idyllique. Les gens s'amusent beaucoup de nos questions, qui leur semblent invraisemblables de futilité. Il en est de même de nos achats, puisque tous les ustensiles qu'ils possèdent sont très frustes — ils le savent — et très peu faits apparemment pour tenter les étrangers.

Visite aux représentants de tous les corps de métiers. Déjeuner près du puits, sous un grand arbre, au milieu des habitants qui jacassent, et conversent plus ou moins avec nous, par l'intermédiaire de notre guide.

Nouvelle visite au village, puis départ avec grands signes d'adieu et rumeurs cordiales. La route est un peu meilleure que le matin. Vers 15 h 30, deux admirables bêtes de l'espèce dite « antilope-cheval » traversent la piste à une cinquantaine de mètres devant nous.

Arrivée vers 5 heures à Maka. Apéritif avec l'administrateur (qui est tout de même là) puis dîner. Classiques propos coloniaux : « Ces gens-là sont incompréhensibles. Voyez celui-là (Guédèl Ndao). Il est très intelligent. On le lui a trop dit, d'ailleurs ! Je lui ai demandé une fois : « — Mais voyons, au lieu de vivre comme un paysan dans ton village, pourquoi n'es-tu pas plutôt écrivain, toi qui as de l'instruction ? Savez-vous ce qu'il m'a répondu ? — Parce que si j'étais écrivain je ne serais plus *mbour* [1], alors qu'ici je suis encore *mbour*. — Mais tu as des histoires sur les bras ; tu peux être révoqué... — Même si j'étais révoqué, je serais encore *mbour*. » Il aurait pu bien gagner en travaillant dans un

___
1. Noble de race royale.

bureau, et il préférait rester dans sa brousse... Ils sont incompréhensibles, je vous dis ! »

Pendant le dîner, un autre chef de canton, vieux celui-là, ancien sergent de tirailleurs, vêtu d'une longue robe rayée bleu et noir, avec une barbe grise et des manières de courtisan empoisonneur, vient, sur une question de notre part, offrir les services d'un griot qui, dit-il, « sait jouer sur trois tambours à la fois et connaît beaucoup de manières ». Nous lui demandons de faire venir ce griot.

Vers la fin du dîner, alors qu'il fait tout à fait nuit, j'entends un bruit lointain. Frappements de tambour, voix de femmes et d'enfants qui vont se rapprochant. Je ne prête plus qu'une oreille distraite à la conversation et bientôt, le chœur devenant de plus en plus distinct, je m'éclipse, juste à temps pour voir entrer, dans l'enclos de la résidence, au lieu de l'unique musicien attendu, tout un cortège, éclairé par des lampes tempête, composé de quatre joueurs de tambour et d'un grand nombre de femmes et d'enfants. Des hommes viennent aussi, et des jeunes gens. Un grand cercle se forme sur la place à peu près dans l'ordonnance suivante : tous quatre ensemble, les musiciens ; presque immédiatement à leur droite, les chaises et les caisses que l'on apportera pour l'administrateur et pour nous. A gauche des musiciens, une bande de gamins très pauvrement vêtus et semblant jouer le rôle des titis ; immédiatement à leur gauche, sur une longue file qui nous fait face, une masse compacte de femmes et de petites filles qui ne cessent de chanter un seul instant, et qui battront parfois des mains, d'une façon très savante et complexe, dans les moments de plus particulière exaltation. A côté d'elles et refermant le cercle jusqu'à nous, les hommes et les jeunes gens. Derrière le groupe des gamins (qui se trouvent placés près de l'entrée de la résidence) un grand feu de bois aux flammes duquel les musiciens viendront parfois exposer les peaux de leurs tambours, pour les retendre. En face de ce feu, et en quelque sorte lui répondant, le phare de côté de la Ford éclairant la scène.

Je reste un moment mêlé à la foule, puis, voyant qu'une place m'est réservée du côté de l'administrateur, je me décide, après beaucoup d'hésitations, à y aller.

A peine me suis-je assis, qu'une vieille femme à la peau claire à peine rougeâtre, et que j'ai vue avant dîner puiser de l'eau les jambes et les reins ceints d'une étoffe bleu lin, se jette dans la poussière et s'y roule en se mettant nue. Mais un garde-cercle se précipite, la chicotte à la main, et la renvoie du cercle de la danse. A diverses reprises dans le cours de la soirée, la malheureuse, en proie au plus sympathique des délires, essayera d'entrer dans le cercle et d'v danser. Mais chaque fois elle sera chassée, car on doit juger son attitude peu correcte, étant donné qu'il y a là l'administrateur et des Européens. J'apprends qu'il s'agit d'une vieille captive de case du conquérant Samori, ancienne cuisinière des boursiers de l'école, et qui vit actuellement en grapillant un peu partout, surtout aux crochets du chef de canton.

Le principal des griots est un homme de taille moyenne, mince et nerveux. Il a des yeux luisants et une petite barbiche. Quand il joue, il semble plus surexcité que tous, et sa tête se renverse souvent en arrière, comme s'il était en extase. A son poignet gauche, des sonnailles de métal qu'il ne cesse de faire vibrer, au moyen d'ondulations ou de tremblements du bras. Le plus important de ses compagnons est un vaste gaillard, ex-tirailleur, qui aurait assez bien pu réussir dans le genre maquereau. Il est vêtu d'une petite jupe blanche à grands dessins bariolés qui lui fait une espèce de tutu.

Les frappements de tambour, les claquements de mains et les diverses parties du chœur s'enchevêtrent d'une façon prodigieusement violente et raffinée. De temps en temps, généralement poussée par ses compagnes, une femme se détache du groupe et s'avance dans le cercle. Avec ses vêtements d'endimanchement (cotonnade factorerie, tunique de dentelle blanche, foulard bigarré autour de la tête, etc.), elle ferait plutôt songer à une esclave américaine de *La Case de l'Oncle Tom* qu'à une négresse d'Afrique. La tête penchée sur l'épaule, l'attitude de guingois, elle avance à petits pas et le griot vient la chercher pour la mener jusque devant nous, où, dans la plupart des cas, elle esquissera une révérence. Elle s'appuie sur le griot et ils se promènent ainsi rythmiquement, cependant que la femme, de sa main gauche, fait tournoyer un grand mouchoir. La danse se rompt, la cadence change. Parfois la danseuse retourne dans le rang ; d'autres fois, le tambour se met à battre furieusement et, tandis que ses compagnes frappent des mains en riant et criant, la femme fait plusieurs fois le tour de l'assemblée, dans un style tout différent de celui du début de la danse, style de bonds et de piétinements frénétiques, alors qu'au commencement la danseuse était morne, gauche, raide, compassée.

Lorsque la danse a été bonne, des mouchoirs sont lancés sur l'arène en signe d'applaudissement.

Quand la plupart des femmes faites eurent dansé, le griot à barbiche exécuta le numéro suivant : continuant d'une main à jouer de son tambour et à mouvoir ses sonnailles, de l'index de la main droite il traçait en mesure des dessins dans le sable. C'étaient des carrés et des figures magiques islamiques... Les figures terminées, il lançait le petit bâtonnet dont il s'était servi auparavant, par moments, pour battre son tambour. Le bâtonnet retombait dans une des figures et le griot montrait du doigt le lieu de sa chute : étonnante pantomine de divination. Fusion de la musique, du dessin, de la danse, de la magie. Le personnage semblait complètement hors de lui. Au point de vue du public, le paroxysme fut atteint quand le même griot, s'étant relevé, et chantant beaucoup plus sauvagement qu'il ne l'avait encore fait, s'approcha de ses compagnons et, tout en échangeant avec deux d'entre eux qui s'étaient mis debout une série de propos et de répliques, en un vif assaut, frappa en même temps qu'eux sur leur tambour, sans cesser de battre le sien propre.

Après cette exhibition, les griots allèrent retendre au feu les peaux de leurs instruments et ce fut le tour du grand griot tirailleur de prendre la vedette. Moins exalté que le premier, se montrant plutôt plaisant et burlesque, il se livrait à peu près au même manège que l'autre et provoquait les femmes à danser. Après la première partie de la danse que j'ai décrite, il faisait mine de les laisser, puis, alors qu'elles retournaient à leur place, il battait du tambour plus férocement, comme pour les défier. Généralement, la femme entamait alors la deuxième partie de la danse et tournoyait follement en imprimant au mouchoir un très vif mouvement de rotation.

La fin de la soirée fut consacrée surtout aux jeunes gens et aux petites filles. Un garçon dansa un sifflet entre les dents dans lequel, en mesure, il soufflait de toutes ses forces. De temps à autre le grand griot hurlait ou soufflait lui aussi, à l'unisson, dans un sifflet, renforçant ainsi le rythme imprimé à la danse par son tambour. On le vit marcher aussi à petits pas, escortant deux petites filles pour la danse habituelle, les deux enfants appuyant leur main aussi haut qu'elles le pouvaient sur son bras, mais sans parvenir à atteindre son épaule, et gambadant elles aussi comme des folles, lors de la phase échevelée.

Je remarquai aussi que parfois, avant de danser, une femme essuyait avec son mouchoir la face ruisselante de sueur du griot, en un geste de pitié tendre (?). D'une manière générale, il semblait qu'entre musiciens et danseurs s'établissait un réseau compliqué de défis, de coquetteries, dont, faute de comprendre les phrases prononcées, il m'était impossible de saisir le véritable sens.

Vers 10 heures du soir, l'administrateur leva la séance et le tamtam s'interrompit immédiatement. Tout le monde s'en retourna en chantant. Malgré la grande envie que j'avais de suivre les musiciens et les danseurs, je me couchai comme les autres sous la verandah, étant très fatigué.

16 juin.

Lever rapide. Reconstitution partielle du tamtam avec les griots et une partie des femmes d'hier soir. Le griot devin, à qui on demande des explications sur ses tours, déclare qu'il ignore ce que signifient les figures qu'il trace et qu'il fait cela pour montrer qu'il sait si bien jouer du tambour qu'il peut faire autre chose en même temps. Le plus âgé des griots, en grand costume de tamtam de guerre, a l'air d'un cuirassier de Reichshoffen.

Avant de partir, Griaule donne une pièce de dix sous à la vieille rombière Samori. Elle remercie avec effusion et esquisse devant nous quelques pas d'une danse burlesque.

Départ avec Guédèl Ndao pour Malèm Nyani. On y arrive après avoir embourbé la voiture mais s'être dégagé sans difficultés.

A Malèm Nyani la cordialité règne. Promenades chez les représentants des divers corps de métiers. Nous faisons des connaissances : Fatoumata Yafa, la femme du cordonnier, que Griaule photographie ; Moussa Dyao, neveu du chef, âgé de 3 ans, et qui se promène avec nous tout nu, à l'exception de ses grigris ; quelques sympathiques inconnus qui font les interprètes ou qui nous rendent de menus services.

Après dîner, le *bama* Noso Dyara, sorte de charlatan comique, Bambara sordidement vêtu d'une veste de tussor en loques et d'un pantalon à raies innommable, là-dessous le torse et les pieds nus, exécute toute une série de tours devant nous, installés à côté du chef qui préside, assis dans un confortable fauteuil, et entourés d'une foule d'hommes et d'enfants amusés, de femmes quelque peu terrifiées (entre autres Marie Ndyay, la jolie, qui a la peau rouge quoique mandingue, et caresse distraitement le mouton blanc apprivoisé du chef, en causant avec une amie). Après s'être fait piler de grosses pierres sur la poitrine, dans un mortier à mil, s'être passé de la paille enflammée sur la tête et en avoir enfoncé dans sa bouche, s'être tailladé la langue au couteau et avoir arrêté le sang à l'aide d'une médecine, le bama passe à son tour principal : ayant mouillé soigneusement la pointe d'un couteau avec sa salive et l'ayant enfoncée à plusieurs reprises dans sa corne fétiche le bama se place le dit couteau sur le sommet du crâne, verticalement, la lame parallèle au plan de la face, et se l'enfonce dans la tête de deux centimètres et demi, sans qu'il y ait possibilité de supercherie. Il garde le couteau ainsi planté pendant un quart d'heure environ, durant lequel il chante et fait toutes sortes de plaisanteries. Il présente son crâne ainsi paré à plusieurs personnes de l'assistance (Griaule, Moucher, Lutten et moi entre autres) et nous invite à essayer d'arracher le couteau en le secouant vigoureusement. Nous obtempérons, mais sans succès. Celui qui finalement enlève le couteau — un nègre — s'y prend à deux mains et tire de toutes ses forces.

Après ce tour, qui fait grosse impression, le bama se livre à diverses singeries, se moque des Français en imitant successivement la femme minaudière, l'homme élégant et le chef de travaux brutal, raille le marabout musulman, puis effectue, ponctuée de grandes exclamations, toute une pantomime obscène au cours de laquelle il fait le simulacre d'offrir successivement aux spectateurs son cul et sa verge, et fait semblant aussi de manger sa propre merde en se portant la main au cul et à la bouche alternativement.

Durant le spectacle de grosses araignées blanches courent en tous sens, passant parfois par-dessus les pieds des spectateurs. La tornade se prépare et les insectes sont affolés. Lorsque nous nous couchons, les murs de paille de la case sont un vrai crible au travers duquel ne cessent d'entrer et de sortir des sauterelles, tandis que çà et là une araignée blanche se promène.

Réveil au milieu de la nuit avec pluie torrentielle. Travaux pour masquer les entrées. Recoucher.

17 juin.

Encore un peu de travail le matin. Passage dans la case du chef, admirablement propre et meublée d'un superbe bureau moderne genre américain. Répétition des tours du bama pour la photographie. Travail avec les tisserands. Photo de Marie Ndyay et de son enfant. Déjeuner. Départ. Guédèl Ndao et son neveu Moussa Dyao nous accompagnent dans la voiture jusqu'à la sortie du village. Quand il voit s'en aller la voiture, le petit Moussa fond en larmes et son oncle le remmène braillant.

Retour à Tamba Counda vers 5 heures et demie. Larget nous apprend qu'il a soigné le boy Tyémoro pour une plaie au pied et que Tyémoro a la syphilis.

18 juin.

Couché sur le quai, ainsi que Mouchet. Appris au matin qu'une hyène était venue fouiller dans le fossé, de l'autre côté du train (?). Naturellement, personne ne s'en était aperçu.

Travail à Tamba Counda. Visite au cordonnier (type mariolle qui veut se faire emmener à l'exposition coloniale), aux forgerons, au charpentier, au bijoutier, escortés par l'aiguilleur Samba Dyay, qu'on nous a délégué comme interprète informateur. Il porte un magnifique boubou bleu s'arrêtant, contrairement à l'habitude, à hauteur du genou, et une casquette d'employé des chemins de fer.

19 juin.

Tournée automobile de la journée à Mbotou, village situé à 12 kilomètres de Tamba. Ce que nous y voyons de plus intéressant est un forgeron qui joue de la flûte pendant que son aide manie la soufflerie. Le fer rougi au degré voulu, le forgeron troque sa flûte contre un marteau et travaille à l'enclume avec un autre aide, tous deux martelant et rythmant leur travail avec des sortes d'ahans précipités. Lorsque à nouveau il faut chauffer le fer, le forgeron reprend sa flûte et recommence à jouer pendant que marche la soufflerie. On sent que le travail qu'il accomplit avec sa flûte est aussi important que celui du marteau.

Tous les soirs, maintenant, on entend Kasa Makonnen, qui ne sort pour ainsi dire jamais du camion dans lequel il a élu domicile, chanter et prier. Il prie même parfois si fort que Griaule doit l'inviter à se modérer un peu, car il empêcherait tout le monde de dormir.

20 juin.

Tournée de la matinée à Nèttéboulou, où nous sommes reçus très gentiment par le chef de canton Dyamé Sinyaté qui est un ancien sergent ou caporal de tirailleurs. Il nous promène partout. Je vais visiter la case très simple qui sert de mosquée. Avant d'entrer je me mets pieds nus : ce geste peut-être superflu a l'air de le toucher. Il me donne quant à moi une satisfaction enfantine qui me met de bonne humeur pour toute la journée.

Maisons des hommes, maisons des femmes, case des jeunes gens (habitée par le chef de la jeunesse Méta Sinyaté, dont les jeunes filles sont amoureuses, ce pourquoi elles ont peint sur sa porte des ornements en forme de seins et de colliers), très nette segmentation qui révèle un élément très primitif et nous fait regretter, jointe à la bonne volonté du chef, de ne pouvoir rester plus longtemps à Nèttéboulou.

Retour par Guénoto, village de pêcheurs établi sur la Gambie. On y dépèce des caïmans, dans une puanteur nauséabonde.

21 juin.

Tournée à Mayéli et à Bala Mérétaol.

Je prends moins de plaisir qu'autrefois à ce genre de visites car c'est toujours un peu la même chose, et l'on ne tombe pas toujours sur des gens aussi sympathiques que Dyamé Sinyaté, qui avait commencé par refuser le pourboire que nous lui donnions en nous en allant.

48

22 juin.

Journée stupide de veille de départ. Travail haché. Préparatifs. Apéritif d'adieux avec le chef de gare, ce qui met le comble au sinistre...

23 juin.

A 7 h 40, notre convoi s'ébranle. A 15 h 30, nous arrivons, en pleine brousse, à Kidira.

Chasse en pump-car avec le chef de district Dominique. Dîner chez lui. Sympathique type à mine de corsaire, qui me fera toujours songer à ce personnage de *Monte-Cristo* nommé Caderousse. Ancien charpentier de marine, sous-officier à la coloniale, couvert d'un nombre de tatouages, peut-être pas absolument énorme mais déjà convenable, gros, fort, rouge et grisonnant bien qu'ayant à peine plus de 30 ans, il bourre les indigènes mais les aime bien au fond, vit avec une jeune négresse qui le sert. Il s'alcoolise doucement dès qu'il a un instant libre (dose minima : 4 Berger par jour).

Lorsqu'il tire, afin que son casque colonial français ancien modèle ne le gêne pas pour viser, Dominique le met en travers de sa tête. Il ressemble ainsi à un Napoléon plus menacé d'artériosclérose que de cancer au foie

24 juin.

Promenade dans les divers groupes de cases qui composent Kidira, puis dans les environs.

Passage de la rivière Falémé, pour aller du village de Nay-Sénégal à celui de Nay-Soudan, sur une vieille pirogue mi-pourrie où l'on se met à trois y compris le passeur et dont le bordage est à peine à 2 ou 3 centimètres au-dessus du niveau de l'eau. Le sort veut que je fasse la traversée avec Dominique, qui est le plus lourd de tous. Je suis bien content d'accoster...

Embourbons la voiture au retour. Travaillons comme des terrassiers jusqu'à la nuit tombée, en attendant l'équipe de secours qui seule parvient, sans la moindre difficulté d'ailleurs, à nous tirer de ce mauvais pas. Quoi qu'on nous ait dit, nous n'avons pas encore vu une seule fois l'ombre d'un animal ressemblant à un fauve.

25 juin.

Suite des promenades dans les environs. Dominique nous accompagne quelquefois. Il est superbe à voir, s'asseyant et croisant les jambes à la manière indigène, plaisantant avec les hommes, lutinant les filles et semblant être partout très populaire. Calé sur la banquette de son pump-car, il donne le signal du départ en criant : « Pousse ! »

26 juin.

Dans la nuit, on a entendu des cris d'hyène.

Les tournées continuent : toute la matinée, voyage au grand soleil sur le pump-car, pour aller à un village situé à plus de 20 kilomètres de là. Retour couvert de coups de soleil et complètement fourbu. Le déjeuner d'adieux avec Dominique, copieusement arrosé, n'arrange absolument rien. Le chef des travaux du pont de la Falémé nous fait don d'un crâne trouvé dans les carrières de Kita.

27 juin.

Le matin, tournée à Guita et à Alahina. Dans le second de ces villages, tandis que je relève sur mon bloc les ornements sculptés d'une porte, deux jeunes femmes sont restées assez près de moi. Je leur ai caressé les joues. Mouchet me raconte par la suite qu'il a entendu deux vieillards dire : « Les femmes n'ont plus de honte ! »

A 15 h 40, départ du convoi. Nous laissons à Kidira les copains nègres que nous commencions vaguement à y avoir (entre autres un interprète de rencontre qui voudrait bien nous suivre) et notre ami Dominique, pour qui les jours de passage de l'express étaient dimanche parce qu'il pouvait, tout frais rasé, monter au wagon-restaurant durant l'arrêt et boire un Berger glacé. Nous-mêmes avions profité un jour de l'aubaine pour boire de la limonade. (A Dakar, ville plus civilisée, où l'on peut évidemment avoir autant de glace qu'on veut, ce sont les grands paquebots qui jouent le rôle de grands bars, parce que ce sont les seuls endroits où l'on soit sûr de trouver du whisky.)

Dans la soirée, arrivée à Kayes-Plateau où, contrairement à ce qu'on nous avait annoncé, on respire.

Dans la nuit, alors que Mouchet et moi, selon notre habitude, sommes couchés dehors, la tornade presque quotidienne nous surprend. Je suis réveillé quant à moi par le vieux veilleur de nuit de la gare des marchandises qui vient nous annoncer très poliment qu'il pleut et que nous allons être mouillés.

28 juin.

Kayes-Plateau est décidément un endroit sympathique, pas trop banlieusard et tout de même moins étouffant que nous ne nous y attendions.

Le matin, travail de bureau, c'est-à-dire repos. L'après-midi, promenade à Médine, la vieille ville coloniale abandonnée et en ruine, depuis que Kayes l'a supplantée à cause du chemin de fer. Les bâtiments européens s'écroulent : les indigènes bâtissent leurs cases sur les débris.

Relevé dans un bâtiment délabré de nombreux graffiti. Ils sont peut-être l'œuvre de tirailleurs indigènes qui y furent casernés du temps que Médine était ville militaire (plusieurs fois, je crois, prise et reprise) ou tout au moins ville de garnison. Peut-être bien aussi celle des élèves de l'École Faidherbe, à Gorée, dont il est question dans beaucoup de ces graffiti.

On lit ici :

MAMADOU
ANTICONSTITUTIONNELLE
MENT SIGNIFICATION
DIENG.

Ailleurs :

ON DISAIT AUTREFOIS
UN NOBLE.

Au-dessous :

POURQUOI L'HOMME MANGE-T-IL ? L'HOMME MANGE
POUR VIVRE ET GRANDIRE.

On découvre autre part :

                    MACTAR LY EST UNE BÊTE
                    IL NE SAIT QUE BRÛLER LA
                    LES CHAROGNES.

Plus loin, en gros caractères :

                         AU REVOIR.

Et, écrit d'une autre main, tout à côté :

CELUI QUI A ÉCRIT AU REVOIR EST UN ORGUEILLEUX.

Je relève encore :

ON DISAIT AUTREFOIS QUE L'HOMME N'EST FAIT POUR
LA GUERRE ET LE TRAVAIL NOCTURNE.

et :

                              MONSIEUR FRÈRE
J'ÉCRIT CETTE PETITE LETRE POUR VOUS FAIRE CONI-
TRE QUE JE SUIS A BONNE SANTÉ
                                   SALUTATION
                                   (Signature illisible).

Enfin :

    LA ILO SAMORY ARRÊTE-TOI SAMORY HO.

Il s'agit sans doute ici d'un vers de la fameuse geste de Samori, dont nous avons enregistré une partie à Kidira.

Comme nous quittons Médine, un vieillard chez qui nous sommes entrés vers le début de la promenade et à qui Larget a serré la main vient apporter trois belles fleurs et les remet à Larget.

Poussé jusqu'aux chutes du Félou, très pittoresques, trop pittoresques même pour qu'il y ait le moindre intérêt à les décrire.

29 juin.

Journée purement bureaucratique. Classement. Courrier. Visites. Arrivons à deux reprises trop tard à la poste et trouvons le guichet fermé. Visite aux établissements Peyrissac, où nous sommes reçus par le représentant dont nous avions fait la connaissance à Kidira. Grande amabilité toulousaine. J'aime beaucoup les factoreries, genre de magasin où l'on trouve de tout, comme chez les shipchandlers. Je pense à l'admirable quincaillerie au plafond entièrement tapissé de chaînes et d'ancres de marine, vue au Havre, lors de l'embarquement de notre matériel.

30 juin.

Tournée automobile de la journée cahin-caha. Vu plusieurs villages. A Kobada Sabouséré une mère me met sur les genoux sa fillette de quelques mois, nommée Soumba.

Comme tous les enfants de ces régions, elle n'est vêtue que d'un collier et de deux ou trois ceintures de verroterie qui lui passent sur les fesses. Je la garde quelque temps sur mes genoux... Peu d'enfants blancs pourraient se vanter de ce que je leur en aie fait autant !

Dans un de ces villages, tous les hommes étaient aux champs seuls restaient les femmes et les enfants. Les plus vieilles étaient familières et affectueuses comme si elles eussent été nos vieilles nourrices et les paroles incompréhensibles qu'elles prononçaient, sorties de leurs bouches campagnardes, avaient l'air de proverbes ou de contes de Perrault...

Le soir, phonographe dans le compartiment de Griaule. Belles complaintes espagnoles, airs sentimentaux à la mode (tel « Blonde women » de *The Blue Angel*). Nostalgie classique.

1er juillet.

Promenade au marché. Rencontré le *tardjouman* (interprète) de Kidira, qui voulait nous accompagner. Probablement venu à Kayes dans le seul but de nous rejoindre, il nous aide dans nos achats.

A 9 heures, visite de l'administrateur qui prend l'apéritif avec nous.

A 9 h 1/2 nouveau tour au marché. J'y achète deux sortes de petits pains assez bons et une friandise au miel, espèce de nougat pimenté qui emporte la bouche.

A 10 h 1/2, à la gare, départ d'un train emmenant un

détachement de tirailleurs. L'un d'eux joue de la flûte. Dans la foule des amis et des parents venus pour les adieux, il y a un griot qui, lorsque le train s'ébranle, agite son instrument, en réponse au flûtiste qui joue à son adresse. Le train lancé, la foule court pour dire au revoir plus longtemps. Quelques femmes et quelques petites filles pleurent.

Remontant dans le wagon, je trouve le tardjouman, qui est venu présenter sa cousine, de même qu'à Kidira il avait déjà amené une femme un soir, sous je ne sais quel prétexte. Griaule demande à la cousine de nous apporter des poupées, qui s'adjoindront à celles que nous avons en collection, de même qu'à la femme de Kidira il s'était borné à acheter son collier. Ce n'est pas à ce genre de commerce ou de travail que l'une et l'autre s'attendaient à être employées.

Déjeuner. Discussion sur les « objecteurs de conscience » et sur la morale. Courte apparition d'un quelconque personnage, qui vient nous voir entre deux trains, de la part de mon ami B..., qu'il semble d'ailleurs ne connaître qu'à peine. Réapparition du tardjouman, qui est un ancien mécanicien licencié de la Compagnie du Thiès-Niger. Il parle bien français. Il nous raconte, à Lutten et à moi, de prestigieuses histoires de magie. A Ségou, il y a, paraît-il, des femmes qui, quand on entre chez elles, vous font manger un couscous auquel elles ont mêlé un philtre. Dès que vous avez mangé, vous oubliez toute votre famille, père, mère, femme, frère, sœur, etc. et vous restez. A Bélédougou il y a des grigris qui vous parlent. Quand vous entrez en fraude dans les cases, ils vous disent : « Mon vieux, qu'est-ce que ti fous là ? » Les Bambara savent faire beaucoup de grigris, quelques-uns qui parlent même quand ils sont dans la poche, d'autres qui sont des médecines, d'autres qui font mourir.

L'après-midi, le tardjouman nous mène chez sa cousine, pour les poupées, à ce qu'il dit. La maison où habite sa cousine est une case soudanaise rectangulaire, aux murs de pisé. Les principaux ornements en sont un lit européen, une image populaire turque représentant le sacrifice d'Abraham et une multitude de photographies, parmi lesquelles des détachements entiers de la coloniale, des familles nègres, des tirailleurs, seuls, à plusieurs, en famille ou avec des blancs, un extraordinaire couple formé d'un nègre correctement vêtu d'un complet veston se tenant debout à côté d'un Européen assis (belle gueule de maquereau imberbe surmontée d'un chapeau mou mis très de côté et très en avant). Pas de doute : la cousine est une *chermouta* (c'est-à-dire une putain, selon le terme abyssin). Elle a, paraît-il, été la femme d'un lieutenant. « Elle ne voulait pas, dit le tardjouman pour faire son éloge. Il a fallu l'y forcer... » Griaule réclame les poupées. Le tardjouman lui affirme que sa cousine les lui aura demain, car elle est chef des jeunes filles du quartier.

Après cette visite, promenade habituelle à travers différents corps de métiers.

2 juillet.

Orage violent durant la nuit. Essuyons trois tornades successives et la foudre tombe sur la ligne électrique en face de nous. Mon lit est inondé. Je m'endors malgré tout et m'éveille non seulement trempé mais de fort mauvaise humeur.

Allant au fleuve en auto, passé devant l'orphelinat de Kayes où il n'y a que des métis (sans commentaire). Au retour, le tardjouman Mamadou Vad raconte des choses intéressantes sur l'organisation par castes des pêcheurs. Vers la fin de l'après-midi, une femme passe sur la route, suivie d'un groupe d'autres femmes. Elle se lamente en répétant toujours les mêmes paroles et chantant presque. Selon le tardjouman, ses paroles veulent dire : « Je suis foutue ! Mon frère est décédé. L'âge est foutu ! Mon fils est mort. » C'est une femme griote dont le mari, adjudant de tirailleurs, vient de mourir à l'ambulance.

Le soir, dîner chez l'administrateur, qui possède des biches et des autruches. Presque tout le dîner se passe à capturer des insectes sur la nappe, pour enrichir nos collections. A cet effet, on retourne les verres et l'on renverse les couverts. Maître et maîtresse de maison se prêtent avec une suffisante bonne grâce à cette manifestation.

3 juillet.

Le matin, gueule de bois, à cause du dîner de la veille. Le plus minime écart au régime ordinaire se paye cher dans ces pays...

L'après-midi, tournée à Samé, à quelques kilomètres de Kayes.

Rencontré Tyémoro, que depuis quelques jours nous avons renvoyé et remplacé. Il vient faire réparer par un indigène (suivant quelle technique, je l'ignore ?) le pneu de son vélo, que j'ai toujours connu crevé. A Samé-Gare, vu un curieux instrument de musique : grand tambour fait avec des peaux tendues sur un fût de métal européen. Je photographie cet instrument, ainsi que des gens en train d'en jouer en même temps que deux autres plus petits tambours. L'un des joueurs est employé nègre de la gare avec boubou et casquette des chemins de fer.

Travaillé beaucoup à l'emballage des collections et couché.

4 juillet.

La vie que nous menons ici est au fond très monotone, comparable en cela à celle des gens de cirque qui se déplacent tout le temps mais pour donner toujours le même spectacle. J'ai une grande peine à prendre des habitudes de discipline et ne me résigne guère à supprimer cette équation : voyager = flâner.

Violente tornade après déjeuner. Juste le temps de garer les choses les plus fragiles (tant dans le matériel que dans les collections) et l'on est inondé, au point d'être obligé d'immédiatement se changer.

Visité le matin les Maures de Petit Kayes et retrouvé les belles silhouettes apocalyptiques entrevues déjà à Port-Étienne. Les Maures sont ici très mal vus par les noirs et je me rappelle combien de fois, au début, il avait fallu répéter à Bakari et à Tyémoro que Kasa Makonnen, malgré son aspect, n'était pas un Maure pour éviter qu'ils le traitassent avec trop de dédain !

5 juillet.

Le tardjouman a déployé toute son ingéniosité pour récolter des objets intéressants (hier une sorte de hochet composé de deux calebasses réunies par un cordon et dont sonnent les graines lorsqu'on les secoue dans la main après en avoir lancé une de manière qu'elle vienne frapper l'autre, nichée au creux de la paume ; des poupées ; un « diable », simple fragment de calebasse qui fait entendre un ronflement quand on le fait tourner rapidement autour de l'axe de la ficelle qui le transperce). Il apporte aujourd'hui un poisson, tabou pour la caste des pêcheurs *tyou-ballo*; d'autres poupées; un arc d'enfant. En conséquence, Griaule a décidé qu'on l'emmènerait. Depuis ce matin, il arbore une chéchia, se promène avec fierté et court de tous les côtés du pays pour nous découvrir des objets.

Vers le soir, grande scène entre Makan (boy engagé à Tamba Counda, beaucoup plus paysan que les autres) et Kasa Makonnen. Ce dernier n'admet plus qu'on le dérange dans son camion et a menacé Makan, qui venait y chercher de la glace, de lui casser la tête avec son bâton.

Allé voir avant dîner une fin de tamtam, dans la ville indigène, qui fait tout ce qu'il y a de plus dimanche. De petits groupes stationnent. Dans l'un on bat des mains, on chante. Dans l'autre, des femmes et des enfants dansent au son d'un, puis de deux tambours, et les beaux boubous blancs des jours de fête s'agitent, mus par les bras des danseurs, qui les font tourner dans un plan parallèle à l'axe du corps en se courbant et se redressant rythmiquement. Beaucoup de tirailleurs sont là, qui flânent. On se croirait un peu au bal musette ou dans un village du Roussillon, un jour qu'on danse la sardane.

6 juillet.

C'est ce matin que le convoi quitte Kayes. De bonne heure, Bakari Kèyta a été prévenu qu'on le mettait à la porte, étant donné qu'il ne fichait rien. On lui règle ce qu'on lui doit, lui donne 20 francs de pourboire et il s'en va. Au moment où le train s'ébranle, nous le voyons traverser les voies en allumant sa pipe et se diriger vers Kayes, suivi d'un boy qui porte la valise sur sa tête, suivi lui-même d'un second boy, petit garçon qui ne fait rien.

Tout le long du parcours, ou presque, on voit les travaux de réfection que le génie militaire a entrepris sur la ligne du Thiès-Niger, entre Kayes et Bamako. Un crédit de 300 millions a été récemment voté. L'ancienne ligne, mal tracée, est remplacée entre un grand nombre de points par une nouvelle ligne, plus rationnellement établie. La divergence de parcours des deux lignes dont les stations sont les mêmes donne une idée du gaspillage que représente cette première ligne mal tracée. A côté du rail, court — comme partout dans cette région — la route, mal entretenue, alors que pour le chemin de fer, dont le trafic est presque nul, des sommes énormes sont dépensées.

La voie franchit la ligne de partage des eaux du Sénégal et du Niger. Grandes tables rocheuses isolées comme des îles et îlots plats après le retrait de la mer, et dont on voit les strates.

Grande plaine herbeuse semée d'arbustes, puis Mahina. Installation du toit de tente, qui nous sert d'abri pour déjeuner, sur un vaste espace régulièrement planté d'arbres, genre mail d'une ville de province. A proximité un abreuvoir où viennent souvent des chevaux, ce qui complète l'impression et fait penser à une métairie.

Raid à Bafoulabé avec le tardjouman qui, depuis qu'il était attaché à notre service, portait une chéchia, mais maintenant surenchérit et arbore un élégant chapeau mou. Visite à l'administrateur, qui s'en va en tournée.

7 juillet.

Tournée de la journée dans les environs, sur la route de Kayes. Dans un champ dépendant de Talari, vu la jeunesse travaillant au défrichement. La troupe avance en chantant ; un enfant joue du tambour et agite une clochette. Les garçons manient les outils en cadence ; les filles les éventent ou plutôt soulèvent la poussière avec de grands linges. Celui qui semble le chef lance parfois sa houe en l'air et la rattrape en riant. Le tout, réglé comme un ballet et d'une précision presque mathématique.

Au retour, grand palabre avec Kasa Makonnen qui prétend que les boys le laissent mourir de faim. Les boys soutiennent toujours qu'il veut leur casser la tête quand ils font mine d'entrer dans son camion. Griaule admoneste Kasa Makonnen. Ce dernier reproche à Griaule de ne pas s'être inquiété de lui et d'avoir été mauvais hôte. Griaule riposte en disant qu'il lui a fourni une maison et a donné des ordres pour qu'on le nourrisse. Mais, selon Kasa Makonnen, le camion, « c'est la maison du Christ... ».

8 juillet.

6 heures du matin : remontant dans le wagon après avoir couché sous le toit de la tente, j'aperçois Kasa Makonnen assis sur

le marchepied. Il est venu saluer Griaule, mais Larget ayant dit que le maître était en train de dormir, il attend. Une heure après, il abandonne le convoi, Griaule ayant répondu à ses reproches renouvelés : « La route est large. » Griaule et Larget le suivent des yeux tandis qu'il s'en va à pied, le long des rails.

8 h 15 : départ en tournée de trois jours pour Satadougou, à une centaine de kilomètres au sud de Bafoulabé, à la frontière du Soudan, du Sénégal et de la Guinée. Nous allons essayer d'atteindre ce point, bien que nous sachions la route coupée de marigots. Comme pour les autres expéditions de ce genre, nous sommes cinq : Griaule, Mouchet, Lutten et moi ; plus Mamadou Vad. Tout va bien jusqu'à Dyoulafoundou, mais peu après (ayant passé pas mal de chaussées douteuses ou de ponceaux que nous vérifions avant de nous y engager) nous sommes arrêtés par un grand marigot : la chaussée qui permettait de le passer est écroulée. Après une ou deux heures d'efforts, la chaussée est réparée. Nous y avons mis des branches d'arbres et beaucoup de grosses pierres. Vigoureusement poussée par nous et avec beaucoup d'à-coups, la voiture passe enfin... L'opération terminée, Griaule enlève sa chemise polo et la tord sur la route : la sueur tombe en cascade. Il en est de même de sa culotte de cheval. La seule solution pour lui est de s'installer nu dans l'auto, couvert seulement de son imperméable.

Deux kilomètres filent joyeusement ; puis, à la nuit tombée, deuxième marigot moins large que le précédent, mais dont la chaussée est écroulée entièrement. Nous sommes trop fatigués pour faire une seconde fois un tel travail et n'osons repasser de nuit le premier marigot dont nous venons de refaire la chaussée. Lutten et Mamadou Vad s'en iront au village le plus proche chercher de la main-d'œuvre ; Griaule, Mouchet et moi attendrons, prisonniers entre les deux marigots. Lutten et Mamadou partent et nous les voyons disparaître de l'autre côté de la rivière. A 10 heures du soir, ils ne sont pas encore revenus et nous défaisons nos lits pour coucher sur la route. Je m'endors profondément et m'engage, sans souci de la pluie possible ni des animaux qui peuvent venir boire, dans le seul repos vraiment agréable que j'aie pu goûter jusqu'à ce jour en Afrique.

Je suis réveillé un peu avant 11 heures et demie par des voix et des lumières. Lutten et Mamadou Vad ramènent la main-d'œuvre nécessaire, mais il leur a fallu aller dans deux villages, ce qui explique leur retard.

Le marigot est vite réparé. Peu après minuit, nous arrivons au village de Dyégoura et nous installons au campement. Parmi les gens qui nous regardent et nous servent, il y a des garçons nouvellement circoncis qui se promènent avec une haute baguette, sorte de bâton de pèlerin au sommet duquel brinquebale un couteau.

9 juillet.

Au réveil, tornade, puis pluie légère mais tenace. Dans ces conditions, impossible d'aller jusqu'à Satadougou. Nous pousserons jusqu'à Dyantinsa, puis nous reviendrons.

Au retour, les deux marigots sont passés sans difficulté, excepté celui dont nous avions réparé la chaussée nous-mêmes, car la tornade du matin a gâté notre travail. Aidés de quelques paysans, nous remettons les choses à peu près en ordre, mais cela prend une heure et demie.

A 9 kilomètres de Dyantinsa, magnifiques chutes d'eau, en tables étagées, genre panorama-attraction d'échelle mondiale, mais émouvant avant tout par sa parfaite sauvagerie.

Le soir, arrivée à Koulouguidi, où nous étions déjà passés en venant et où nous retrouvons le jeune fils du chef. Petit tamtam de famille. Coucher.

10 juillet.

Travail dans Koulouguidi. Nous emmenons en repartant un adolescent nommé Fadyala. Il a dansé merveilleusement hier, vêtu — et seul dans ce cas — du vrai costume mandingue (tout au moins costume des garçons de son âge) : sorte de longue toge brune et petit bonnet blanc pointu en forme de mitre. Le chef l'envoie avec nous chercher pour lui un médicament, car le chef se plaint de ce que la poitrine lui fait mal quand il respire et nous lui avons dit qu'à Mahina nous avions des médecines. Fadyala se tient sur un marchepied et fait pendant à Mamadou qui est assis sur l'autre.

Impression beaucoup plus grande de brousse que lors des

précédentes tournées, telle celle de Malèm-Nyani. En général, dès que nous approchons des villages, les enfants se sauvent. Certains même hurlent de peur, quand nous entrons dans les cases.

A Dyallola, dernier village avant Mahina, Fadyala nous présente sa petite cousine, qui habite la localité. Il s'en va avec elle et d'autres petites filles : elles lui offrent gentiment à manger. En repartant, Griaule leur achète quelques petites poupées, simples épis de maïs à queue tressée en forme de natte.

Rentrés au camp, nous apprenons que l'état d'Oukhtomsky, que nous avions laissé les jambes couvertes de pustules (qui, au terme de leur évolution, crevaient comme de petits ballons), a empiré : il faut l'évacuer.

11 juillet.

Oukhtomsky est mis dans le train qui descend sur Dakar, où il entrera à l'hôpital.

Cinéma avec Fadyala, à qui l'on fait répéter sa danse. Nous lui achetons sa culotte et je lui donne à la place un vieux caleçon blanc court dont il recoud soigneusement la braguette afin de le porter. Mouchet lui fait cadeau d'un veston blanc sans boutons, et il repart fier et ravi, emportant la médecine au chef de Koulouguidi. Il en a pour deux jours de marche, mais cela ne l'inquiète pas outre mesure.

Tout à l'heure Griaule lui avait proposé de nous suivre, mais il avait refusé, alléguant qu'il ne pouvait prendre cette décision sans avoir consulté ses parents. Je suis bien tranquille que s'il avait le temps de consulter ses parents nous l'emmènerions, à moins qu'il n'y ait trop de travail au champ, car les parents le plus souvent sont bien contents de se débarrasser de leurs enfants, témoin ce petit Dyoula de 11 ans, juste sorti de l'école, qui nous avait servi d'interprète lors du tour à Bafoulabé et qui, de la part de son père, m'avait fait demander de l'emmener... Il est vrai que c'est la crise de la « traite » et que chacun se plaît à répéter que les noirs sont imprévoyants !

C'est ce que nous dit justement, vers 5 heures, en venant prendre un verre, un administrateur adjoint, métis d'un Corse et d'une femme madécasse, que nous avons rencontré le fameux jour des marigots, peu après Koulouguidi, revenant de tournée à cheval et vêtu d'une manière si insolite que, de loin, nous l'avions cru indigène...

Aujourd'hui, il est en complet blanc, mais avec son teint de demi-nègre, cela fait plus étonnant encore peut-être que lors de la première rencontre, avec ses courtes bottes de cuir rouge et son grand pantalon-jupe au-dessous d'une chemise recouvrant la ceinture en boubou.

Je reste peu de temps, car je suis fatigué et ai la cheville droite enflée, à cause de crocros [1], dont je souffrais depuis déjà quelque temps mais qui, depuis hier, se sont multipliés. Je crains même un instant que le sort d'Oukhtomsky ne m'attende, mais Larget me rassure.

Au dîner, je reçois plusieurs lettres. Comme toujours, elles me comblent de joie d'abord puis me plongent dans un abîme de tristesse, en me faisant sentir plus durement ma séparation. Je me couche et je dors à peine, réveillé d'abord par une petite pluie qui me force à regagner mon compartiment, puis par les moustiques, car n'ayant pas de lampe électrique je n'ai pu installer ma moustiquaire dans le wagon.

12 juillet.

Cafard terrible le matin, à en pleurer. Puis salut, en me plongeant dans des travaux bureaucratiques et dans la rédaction de ce journal, depuis quelques jours abandonné.

Altercation et bataille entre Mamadou Vad et un cordonnier qui lui a fait des babouches au prix convenu de 12 fr 50. Comme Griaule, qui n'était pas averti, n'en veut donner que 12, le palabre commence. Un petit groupe se forme et ce sont de grandes vociférations. Mamadou et le cordonnier se secouent mutuellement. Griaule leur intime d'aller continuer leur discussion ailleurs que devant le convoi. Ils n'en font rien. Griaule se précipite sur quelqu'un du groupe et le chasse, à grands coups de pied au cul : c'est justement un employé de la gare qui essayait de persuader aux autres qu'ils devaient se retirer !

Après-midi calme. Je travaille dans le bureau et ne bouge pas

1. Plaies bénignes, mais très longues à cicatriser.

du camp, ayant encore la cheville enflée. Mouchet, resté avec moi, fait de la linguistique.

Demain, nous partirons sur Kita et cette avance, comme toutes ses pareilles, me ravit.

13 juillet.

A 9 h 12, départ du convoi, non pour Kita comme nous l'avions cru mais seulement pour Toukoto, vu je ne sais quelles raisons de service.

A quelques kilomètres de Mahina, de la plate-forme arrière du wagon où je suis installé, assis sur un banc prélevé dans les collections, j'aperçois, à la traversée d'un petit groupe de maisons, une bande de femmes et d'enfants qui, non contents de dire bonjour et de faire des signaux, se mettent tous à danser sur la voie.

Je m'étais absolument trompé quand j'avais cru, en quittant Kayes, franchir la ligne de partage des eaux du Sénégal et du Niger. Cette ligne nous ne la passerons qu'à proximité de Bamako. Il y a donc une fameuse marge...

Parcours spécialement monotone. Vert ennuyeux. Ciel bas et couvert. A Dyébouba, adjonction d'un truck grouillant de matériaux et d'indigènes (dont une femme) installés à même la cargaison. Ce sont des travailleurs en équipe roulante pour réparer les voies. Ils seront inondés quand la tornade éclatera et une partie d'entre eux descendra à un petit poste, près d'un pont à consolider. Ils se feront engueuler en voix de fausset — contenant mièvre contrastant étonnamment avec un contenu ordurier et violent de paroles — par un Russe, très jeune mais à barbe de Raspoutine, qui surveille les travaux et dirige le déchargement d'une partie du matériel.

Toukoto : ateliers de réparation du Thiès-Niger. Sous-préfecture lugubre. Sur la place de la gare, tamtam en l'honneur de la fête nationale. Suivant l'exemple des bâtiments officiels, les wagons de la Mission pavoisent.

A la nuit presque tombée — puis carrément tombée — raid pédestre à Toukotondi, de l'autre côté de la rivière. Traversé un grand pont, qui passe par-dessus un îlot divisé en plusieurs jardins pour le chef de gare, le chef de district, le chef de dépôt, etc. Vive

Bécon-les-Bruyères ! A Kayes, le chef de gare jouait du trombone ; celui d'ici se livre aux délices de l'horticulture : sa sueur doit engraisser son potager...

14 juillet.

Dès le matin, des enfants tapent sur les grands tambours disposés sur la place de la gare pour le tamtam. Toute la domesticité vient nous souhaiter le bonjour en l'honneur de la fête : cela leur rapporte à chacun un cadeau.

A 7 h 30, nous abondonnons cette administrative bourgade, aux cases à la fois rangées et en désordre comme des dossiers.

Trajet plus pittoresque que la veille. Région montagneuse qui me rappelle un peu le Jura. A 10 h 30, au pied d'une série de longues tablettes rocheuses, Kita.

Je rends visite au chef de district du chemin de fer, pour avoir des renseignements sur la région. Suis reçu d'abord par sa femme, laide et exsangue ainsi que la plupart des femmes d'Européens rencontrées jusqu'ici. Le chef de district me dit de m'adresser à l'administration. Pendant ce temps, Lutten s'occupe du déchargement de la voiture avec Moufle. Mouchet, fatigué depuis quelques jours, dort. Griaule et Larget chassent des papillons. De l'agglomération, viennent des bruits de tamtam.

Après déjeuner, prise de contact avec l'administrateur, Montalbanais replet à face tiers proconsul, tiers condottiere, tiers tavernier, au demeurant homme sympathique et compréhensif qui nous reçoit avec la plus touchante cordialité et se met en quatre pour nous aider dans notre tâche. Il a séjourné longtemps au Dahomey, qu'il connaît très bien, et raconte une foule de choses intéressantes.

Nous assistons avec lui à la fête donnée pour le 14 juillet : tamtam, joueurs de xylophone, chanteuses, fillettes de l'école qui chantent et dansent surveillées par les religieuses, agent de police noir qui fait reculer la foule en frappant le sol à coups de chicotte après des moulinets terrifiants, course de vélo, course de sacs, etc. Le soir, feu d'artifice, que nous tirons, et lancer d'une montgolfière. Des hommes déguisés en antilope-cheval à 5 cornes et 6 yeux de miroir dansent, avec d'autres entièrement costumés et cagoulés, portant à l'emplacement du nez une longue touffe de crin blanc qu'ils tirent de temps en temps et sur les fesses des bouquets de poil de mouton. Un personnage enfermé sous une armature dans le genre cheval-jupon manœuvre un guignol à deux personnages, homme et femme, et parfois se dresse et se promène en sortant et agitant l'une des têtes à long cou d'animal qu'il porte à chaque bout. Il paraît qu'il est chrétien. Dans un coin un peu plus sombre, moins « officiel », des femmes dansent frénétiquement, renversant brutalement leur tête en arrière et se changeant en sortes de catapultes ou de frondes chargées de disperser leurs membres aux quatre vents. Parfois, lorsque l'une d'elles a trop dansé et que la tête lui tourne, une plus vieille vient la chercher et la ramène, comme chancelante ou pâmée, vers le fond sombre où je ne sais quelle secrète magie doit la faire revenir à elle. Des femmes tiennent la batterie, frappant à mains nues des calebasses retournées sur d'autres calebasses plus grandes remplies d'eau.

Après distribution de menus cadeaux, l'administrateur lève la séance et fait traduire la proclamation suivante, qu'il prononce d'abord en français d'une voix retentissante : « Maintenant, vous allez vous coucher et allez tous travailler à gagner petits ! Parce que : quand y en a beaucoup petits, y en a beaucoup d'impôts ! » L'un des polices répète la formule à l'interprète et lui souffle deux fois au nez avec la trompe d'auto dont il se sert pour annoncer les paroles du crieur. Scrupuleusement, l'interprète répète la formule et tout le monde s'en va content.

15 juillet.

Prise cinématographique et enregistrement sonore des attractions de la veille, dans le plus joli coin du village, — coin choisi par l'administrateur lui-même.

L'après-midi, visite avec l'administrateur aux Pères — dont le supérieur vient de se casser la jambe en side-car — afin d'avoir des précisions sur des grottes intéressantes situées dans la montagne au pied de laquelle Kita est bâtie. Nous sommes reçus par un Père à gros casque de moelle de sureau comme en portent les commerçants syriens et en soutane de drill kaki. Il nous fait visiter tout l'établissement. Les renseignements restant confus, nous faisons seulement une reconnaissance dans la montagne, escaladons quelques roches, entrons dans quelques trous bondés de chauves-souris et revenons quelque peu éreintés. Entre-temps l'administrateur a pu se renseigner, et demain nous repartirons, avec un guide sûr et des porteurs.

16 juillet.

À 7 h 3/4 seulement, au lieu de 7 h 1/2 comme convenu, nous arrivons chez l'administrateur. Griaule s'est levé tard, un peu fiévreux. L'administrateur prend sa camionnette et, précédant la Ford, nous conduit jusqu'à Fodébougou, village situé au pied de la montagne comme Kita, mais à quelques kilomètres vers l'ouest. Nous trouvons là le guide et les porteurs promis.

À 8 h 50, départ à pied. L'administrateur nous laisse, nous souhaitant bon succès. Marche en file indienne, sur un terrain très rocailleux mais jamais difficile.

À 9 h 30, la caravane atteint une faille remplie d'eau, qui surplombe une roche dont la forme rappelle un peu celle d'une tête de caïman. Sur cette roche, traces blanches laissées par le mélange de farine de mil et de noix de kola délayées dans de l'eau qu'à chaque hivernage on y verse rituellement. Sous le rocher, nous ramassons une corde : attache du mouton que tous les ans, à la même époque, on sacrifie aux caïmans dont les guides disent que la mare est remplie. La découverte de ce bout de corde me comble de joie, car je commence à entrevoir ce qu'il y a de passionnant dans la recherche scientifique : marcher de pièce à conviction à pièce à conviction, d'énigme à énigme, poursuivre la vérité comme à la piste...

À 9 h 50, en terrain herbeux, remarquons restes d'habitations et ébauches de fours à fer. Nous saurons plus tard qu'il s'agit des ruines du village de Kitaba, abandonné depuis l'arrivée des Français. Griaule et Larget ramassent quelques fragments de canaris, dont ils conservent le plus intéressant. Lutten s'écarte un peu pour s'en aller chasser accompagné de l'un des guides. Quand nous le retrouvons, il a tué un *dényéro* (sorte de rat palmiste) femelle, du ventre duquel Larget retire quatre fœtus. Pour les conserver provisoirement, il les place dans une boîte métallique dans laquelle il verse un peu de fine Martell, seul alcool que nous ayons à notre disposition. Un trou est creusé en terre et la boîte est placée sur un lit de feuilles ; puis on rassemble quelques grosses pierres ; au sommet, je place le fragment de poterie. Au retour, nous prendrons tout cela (dont nous n'avons pas voulu nous encombrer) afin de l'expédier par la suite à nos musées.

A 10 h 50, arrivée, non à une grotte, mais à une grande roche formant auvent. Nulle trace d'aménagement, nul dessin, nulle curiosité naturelle, bref, rien qui puisse justifier en quoi que ce soit le dérangement. Tout le monde est furieux. Griaule est fiévreux et tâche de réagir contre son abattement. Nous questionnons longuement le guide : il répond qu'il ne connaît dans les environs aucun autre trou que celui-ci. Nous sommes certains qu'il ment, car le coup a déjà été fait à quelqu'un qui voulait voir les fameuses grottes et à qui un indigène, sciemment, n'a montré qu'un petit trou dénué de tout intérêt. Il nous a pourtant fait voir la faille aux caïmans (dont beaucoup d'indigènes, paraît-il, refusent de s'approcher) ; cela serait de nature à nous faire croire qu'il est de bonne foi et qu'il ignore seulement où sont les autres grottes.

Petite reconnaissance dans les environs, pour voir s'il n'y a vraiment rien autre. Déception. Déjeuner, puis retour, avec l'idée d'une journée gâchée.

En passant près d'un baobab abattu, sa cachette à gibier, le chef des guides en retire le cadavre du *dényéro* qu'il a rangé tout à l'heure. Cuisson et rôtissage du *dényéro,* que les guides mangent tandis que nous nous reposons.

En repassant près des ruines de Kitaba, Griaule remarque un long mur de pierre qui barre une grande surface de rocher et il le photographie. Ainsi que je le fais d'habitude — car ainsi est réglé mon travail dans l'expédition — je demande à l'interprète Mamadou Vad ce que c'est que ce mur, afin de noter tous renseignements utiles dans le carnet photographique. Selon Mamadou Vad il s'agit d'un mur de défense qu'auraient autrefois bâti les Mandingues pour résister aux Toucouleurs qui les attaquaient afin de les prendre et d'en faire des esclaves. Larget et moi avons remarqué un peu auparavant de vastes trous dans une paroi rocheuse assez proche. L'existence d'une muraille de défense donne à Larget l'idée de visiter ces trous avant de redescendre au village ; il pense en effet que la muraille devait n'être qu'un avant-poste et que les trous en question devaient former d'admirables bastions naturels pour les Mandingues menacés.

Griaule donne l'ordre aux guides de nous conduire à cet endroit : ils déclarent que ces trous ne sont pas de vrais trous, mais seulement de faibles excavations, très minimes de profondeur. Nous nous mettons en route ; ils disent alors que ces trous sont inaccessibles. Arrivés à mi-chemin, Griaule demande au chef des guides pourquoi il a dit que cet endroit était inaccessible. Le chef des guides allègue que, Griaule et Larget étant chaussés de bottes, cela lui a paru dangereux pour eux, les rochers étant glissants. Quoi qu'il en soit, nous arrivons en haut sans l'ombre d'une difficulté.

Laissant les guides assez penauds, nous entrons dans un vaste abri très bas mais très large et profond, formé par le surplomb d'une roche. Moufle tint son fusil à la main — car ces trous peuvent être des gîtes d'animaux (panthères ou autres) — moi, une lampe électrique. Larget a son marteau de minéralogiste, Griaule est les mains nues. Nous avançons, délogeant une quantité énorme de chauves-souris. L'emplacement reconnu, Moufle et moi laissons Larget et Griaule l'examiner seuls, dans tous ses détails, et allons faire un tour du côté des autres trous. Une des premières choses qui frappent ma vue est, sur une partie de la paroi presque pas en auvent et située entre deux des plus grandes excavations, un enchevêtrement de lignes ocre-rouge, lignes doubles et régulièrement coupées de petites barres perpendiculaires disposées deux par deux. Le tout forme un dessin, parfaitement évident en tant que dessin bien qu'obscur quant à la représentation. A grands coups de sifflet, j'appelle Griaule. Quelques minutes après il arrive avec Larget et me dit qu'ils ont trouvé de leur côté un tesson de poterie.

Cependant qu'ils examinent le dessin, Moufle et moi allons un peu plus loin, pénétrons encore dans des lieux tapissés d'un guano abondant dû aux chauves-souris, mettons la main à proximité d'une peau abandonnée par un serpent, rabotons nos casques à tout instant aux aspérités du plafond, etc... et finalement découvrons (tracés sur un auvent rocheux qui s'avance, détermine une assez vaste salle d'environ 1 m 50 de hauteur et en constitue le plafond) une foule de signes symboliques, — formes en S, points, croissants, croix inscrites, combinaisons de cercle et de points formes de calebasses (?), de crânes de bovidés (?), etc. dessins, à l'ocre rouge et couvrant une importante partie dudit plafond.

Appelés par nous, Griaule et Larget accourent. Griaule relève quelques-uns des dessins, décide que nous reviendrons un autre jour (car le soleil est déjà bas) relever le tout minutieusement et redescend vers le village, exténué mais ravi.

Dans la plaine nous retrouvons Lutten, qui nous a quittés pour chasser, et nous nous moquons de lui, parti juste au moment de la découverte. Peu de temps après, Moufle et lui poursuivront une troupe de cynocéphales, aperçus au sommet d'un rocher. Ils s'engageront dans une vallée et longtemps nous entendrons, chassés par eux, les cynocéphales aboyer. Il faudra cependant qu'ils reviennent avant d'avoir rien tué, Griaule les ayant fait rappeler au sifflet.

Apéritif cordial chez l'administrateur, et définitif retour. Griaule a notifié au chef du village de Fodébougou la conduite de ses guides et lui a déclaré qu'il ne leur donnait qu'un pourboire très modique, ces hommes ayant deux fois menti : une fois en disant que les trous n'étaient pas des trous véritables, une autre fois en disant qu'il n'était pas possible de les atteindre. S'ils nous avaient mené là directement, ils auraient eu beaucoup moins de travail — car ces grottes sont très proches du village — et auraient gagné cinquante francs. Voilà ce que c'est que d'avoir peur des esprits !

17 juillet.

Griaule couché. Repos. Achat d'un xylophone et d'un masque à cornes d'antilope-cheval, comme en avaient les danseurs de l'autre jour. L'inventeur du xylophone, paraît-il, est le père des forgerons, Soussoumour Soumankourou, qui a inventé aussi, entre autres instruments, la binette. J'ignore si sa femme la potière (comme toutes les femmes de forgeron, potière) s'est perdue telle l'Eurydice d'Orphée. Quant à l'antilope-cheval, je sais qu'une tradition relative au grand chef Soundyata Kèyta parle d'une femme qui se changea en bœuf sauvage (*koba* ou ce que les Européens nomment « antilope-cheval ») puis en porc-épic, mais je ne parviens pas à obtenir la moindre indication permettant d'établir un lien entre cette légende et ce masque. Je sais pourtant que les danseurs que j'ai vus lors du 14 juillet étaient déguisés, les uns avec des masques à cinq cornes d'antilopes, les autres avec des cagoules garnies, entre autres matériaux, de piquants de porc-épic...

Cocktail chez l'administrateur. L'administrateur, qui a offert très gentiment à Griaule de venir habiter chez lui jusqu'à ce qu'il soit mieux portant, raconte comment, sergent pendant la guerre, il convoya comme recrues de Douala à Dakar un groupe d'anthropophages du Tchad qui, sur le bateau, quand on apporta pour leur repas la première gamelle de riz, se battirent au sang, croyant qu'il n'y avait que celle-là pour eux tous, furent très longs à comprendre que les gamelles ne venaient pas toutes à la fois, subirent une épidémie de grippe et claquèrent comme des mouches, à tel point qu'on dut jeter les corps à l'eau par groupes de plusieurs.

Étudié des cartes de la région et un livre prêtés par l'administrateur, attendu la sortie d'une petite chauve-souris entrée par mégarde dans mon compartiment, écrit les derniers paragraphes de ce journal et couché.

18 juillet.

Griaule, toujours souffrant, va s'installer chez l'administrateur. Ce dernier prend la direction des opérations avec autorité : Griaule n'est plus entre ses mains qu'un petit enfant. Grandes engueulades pour MM. les boys, menaces de coups de pied au cul, de prison, etc. Dans tous les cas, Griaule sera bien soigné !

Forcément la journée traînasse un peu : l'absence du massa se fait sentir. Vers le soir, tournée à la carrière de Kita pour voir des débris de crânes et d'os qui achèvent de pourrir dans une excavation. Avant de rentrer dîner, visite à Griaule. L'administrateur décrète que l'un de nous va faire immédiatement porter son lit Picot dans la pièce à côté de celle où est couché Griaule, pour le cas où ce dernier aurait besoin de quelque chose dans la nuit. Griaule me désigne et cela me fait plaisir.

Après dîner, je me rendrai donc à la résidence, suivi de Makan (notre boy, fils de griot) empêtré par l'ombre, vaguement apeuré

je crois, et portant sur sa tête mon lit, mon drap, ma moustiquaire, mon oreiller, mon pyjama et mon matelas.

19 juillet.

Si l'état de Griaule ne s'améliore pas, Larget pense qu'il faudra
l'évacuer sur Bamako. Il paye en ce moment son terrible
surmenage de depuis plus d'un an, quand il travaillait à la
préparation de la mission.

Le reste de l'équipe passe sa matinée à escalader des roches, à
ramper dans des grottes; Larget découvre même un nouvel
auvent couvert de graffiti. Lutten me donne une courte leçon de
tir à la carabine, mais je ne me montre guère adroit, pas beaucoup
plus que pour grimper. Je ne désespère pourtant pas d'acquérir
d'ici quelques mois les qualités d'adresse physique que j'ai
toujours ambitionné d'avoir.

L'après-midi, tournée dans quelques villages, Larget, Lutten et
moi. J'ai demandé à aller à Goumango où les vendeurs des
masques à cornes d'antilope-cheval m'ont dit qu'habitait le
noumou (forgeron) Tamba, selon eux inventeur des dits masques.
Nous arrivons tard à Goumango et nous apprenons que le
noumou Tamba habite à Koléna, village où l'on ne peut aller qu'à
pied et situé à 7 kilomètres de là. Impossible de s'y rendre car la
nuit est tombée : déception !

20 juillet.

Griaule va mieux, mais il est encore couché. Mamadou Vad
m'a dit hier que le fils de Samori était ajusteur à Kayes... Pas très
égayant ! Passage d'un nuage de sauterelles qui brouille toute une
bande de paysage. Travail aux grottes. Cahin-caha. Mon pied
droit est maintenant guéri, mais que de sacrées écorchures on
attrape dans ce pays !

21 juillet.

Rechute de Griaule, qui s'est réalimenté trop tôt. Il y a de la
fièvre jaune à Bamako et l'hôpital est consigné : il ne saurait donc

être question de l'y évacuer. C'est le médecin de Bamako qui viendra.

90 % d'humidité à l'hygromètre. Ce n'est pas la première fois que cela nous arrive, mais le temps me paraît aujourd'hui plus malsain que d'habitude. Pas de tornade, mais il pleuvote depuis ce matin et le ciel est entièrement bouché. A 8 heures du soir le médecin arrive. Il s'agit d'un accès de paludisme et cela ne sera rien. Quant à la fièvre jaune de Bamako, il n'y a que quelques cas. Entre temps, nous avons visité, Lutten et moi, un village habité par des chrétiens. Pas grand'chose qui le différencie des villages strictement indigènes, si ce n'est une floraison d'images de piété, de médailles et d'almanachs du journal *La Croix*, qui décore les murs, à l'intérieur des cases. Les gens sont exactement pareils, à cela près que les grigris qui leur pendent au cou sont ici des croix, au lieu d'être des sachets de cuir contenant une écriture maraboutique.

Au retour, vu un magnifique coucher de soleil d'après tornade, au-dessus de la terre violet-pourri, des chaumes et des peaux mouillées.

22 juillet.

Griaule va mieux : 3 piqûres de quinine ont fait tomber la fièvre. Déjeuner avec le médecin, qui lui-même souffre de colique et ne touche absolument à rien. Comme tous les coloniaux de bon sens, il est opposé à la conscription chez les noirs. Sur chaque contingent d'appelés, il y a, paraît-il, un déchet moyen d'environ 60 %.

L'après-midi, avec Lutten, Mouchet et le tardjouman Mamadou Vad, visite à un village charmant, Kandyaora, habité par une colonie de Samoko partis d'au-delà Bobo-Dioulasso pour aller en Gambie et qui se sont arrêtés, il y a quelques années, à cet endroit. Les femmes sont jolies et les hommes courtois et sympathiques. Quand nous partons, le chef du village nous fait cadeau d'un poulet et il faut de grands palabres pour lui faire accepter quelques francs en échange. Je m'indigne contre Mamadou Vad, si dévoué, apparemment, à nos intérêts, qu'il cherche toujours à rabattre les prix que nous croyons devoir donner des objets achetés à ses compatriotes. Le noir qui se met au service des blancs est encore plus dur que ceux-ci pour ses congénères et nombreux sont ceux qu'on pourrait comparer à ces moutons que dans les abattoirs on appelle des « Judas » parce qu'on les a dressés à conduire leurs compagnons vers le couteau du tueur.

Je me souviendrai longtemps de ce village, de ses femmes réunies dans une seule case pour y piler le mil et dont l'une m'apporta gentiment une chaise pour m'asseoir, après quelques tentatives infructueuses de conversation... Je me souviendrai aussi de certains de ses habitants : une vieille Kanouri, venue du Bornou il y a quelque vingt ans comme captive et maintenant mariée et libérée ; une fillette de 10 ans (?) déjà mère d'un petit enfant ; le jeune frère du chef (que je n'ai pas vu, mais dont on m'a parlé), un « rigolo » paraît-il, qui avait sculpté sur le sol de sa case avec de la terre séchée une biche en ronde-bosse et un iguane en haut relief, avec deux seins de fille sous l'une et deux autres seins devant l'autre [1].

23 juillet.

Rêvé qu'une de mes appréhensions se réalise et que je commence vraiment à devenir chauve. Cela se manifeste par la formation sur la partie droite de mon crâne, un peu en avant de l'occiput, d'un emplacement dénudé qui, vu de près, se révèle sableux et caillouteux, avec un petit creux que je peux gratter de l'index comme je gratterais un champ de fouille et dont la forme allongée me rappelle un sarcophage... L'autre nuit, ayant la fièvre, Griaule avait rêvé de son côté qu'il devait faire rentrer des lions dans un musée.

A part cela, pluie, et 99 % d'humidité à l'hygromètre. Larget — avec qui nous allons à la recherche d'autres auvents et d'autres grottes et qui, une fois encore, découvre des graffiti — me parle géologie et paléontologie. L'éternel marteau qu'il tient en main et son allure dégingandée évoquent toujours en moi le vieux mineur de Gœthe, Zacharias Werner ou bien Wilhelm Oken, la théorie neptunienne et les *Naturphilosophen* du romantisme allemand.

---

1. Explication certainement fausse, en y réfléchissant. Les indigènes donnent fréquemment pour un amusement sans importance ce dont ils veulent cacher le but religieux.

24 juillet.

Nouvelle course en montagne, qui le Mauser sur l'épaule qui le Colt sur la fesse. Auvents à graffiti à profusion, mais toujours pas d'explications. Nous apprenons seulement que près d'un d'eux on sacrifie annuellement un mouton. Encore semble-t-il n'y avoir aucun rapport direct entre ce sacrifice et les inscriptions. Tous les gens déclarent que ces dessins datent d'avant l'arrivée des Français, qu'ils sont l'œuvre des hommes de l'ancien temps ou des diables, bref qu'ils en ignorent complètement le sens et n'ont pas même la clef de leur origine.

Hier, Moufle a teint son casque de brousse en bleu ciel, avec de l'alun de chrome. Aujourd'hui je pose sur le mien une petite croix rose d'albuplast, parce que, à force de se trouver coincé entre ma voûte crânienne et celle des grottes, le bouchon s'en est déchiré. Je me livre aussi à quelques travaux de couture et découvre dans la trousse que les miens m'ont préparée quelques magnifiques aiguilles « Best White Chapel » de chez Woodfield and Sons, longues comme des poignards et au chas large comme l'entre-cuisse d'une prostituée de Londres après que Jack l'Éventreur y a passé.

Griaule a toujours un peu de fièvre : sans doute n'a-t-il pas de paludisme, puisque sa température résiste aux piqûres de quinine. Vers 6 heures du soir, il vient nous voir au convoi, dans l'auto de l'administrateur. Il est réellement amaigri.

Mamadou Vad, très lancé, raconte de belles histoires sur les Dyola de Casamance et sur les Bobo, qu'il qualifie de « sauvages ». Le mariage bobo, selon lui, s'accomplit de la manière suivante : durant le tamtam, quand tout le monde est bien excité, le jeune homme qui brigue la main d'une jeune fille se jette sur elle, devant tout le monde. S'il ne la pénètre pas d'un seul coup, il est considéré comme inapte et le mariage n'a pas lieu. Tout cela accompagné d'une énorme beuverie de *dodo*[1] et d'une ivresse à peu près générale.

---

1. Nom par lequel, en Afrique Occidentale Française, les coloniaux désignent la bière de mil.

25 juillet.

Traversée de la montagne à pied, de Sémé à Fodébougou, pour essayer de découvrir de nouveaux trous. Larget dirige les opérations. Marche de toute la journée, dans la rocaille. Après déjeuner, sur une petite esplanade de rochers, exercices de tir au revolver. Pour la première fois de ma vie, je lâche quelques coups de Colt. Le premier coup, jeté presque au hasard, est à peu près convenable. Les autres, plus calculés, sont mauvais. Larget, mégot au bec, lâche les siens avec un flegme de vieux trappeur. Au retour, Lutten nous amène à un endroit très à pic qu'il nous faut descendre et je souffre quelque peu de ma tendance au vertige. Mais, avec l'aide de mes camarades, tout s'arrange bien finalement. Le seul malheur est que nous n'avons pas trouvé de trous, sauf un tout petit auvent avec à peine 3 ou 4 graffiti. Détail que j'allais oublier de noter : un des porteurs noirs qui nous accompagnent — un garçon de Kita qui brigue un poste de boy dans notre caravane — fait toute la promenade sac au dos, revêtu d'une vieille jaquette et coiffé d'un béret basque de femme.

26 juillet.

Griaule, tout à fait rétabli, et qui peut-être n'a souffert que d'un embarras gastrique, vient au convoi dès le matin, mais il apporte de fâcheuses nouvelles : l'administrateur a reçu hier par télégramme ordre de grillager d'urgence toutes les portes et fenêtres de sa résidence. L'épidémie de fièvre jaune aurait-elle fait des progrès ? Quelle était au juste la nature du malaise dont souffrait le médecin qui est venu soigner Griaule ? Ne serait-il pas mort en arrivant à Bamako, ayant attrapé la fièvre jaune à Sikasso, où il était allé pour l'épidémie ?

Immédiatement toutes dispositions sont prises, afin de parer à toutes éventualités. Ne pouvant grillager nos wagons, nous coucherons sous la tente, les bords de chaque tente étant soigneusement enterrés et la fermeture close hermétiquement. De 6 heures du soir à 7 heures du matin, nous y resterons cloîtrés afin d'éviter les piqûres de moustiques, qui sont les grands agents de contagion.

Dès avant déjeuner, la nervosité tombe. Avant de telles mesures, il faut attendre.

Bien nous en prend, car, à 2 heures, Griaule revient avec des nouvelles moins alarmantes : le médecin est remis de son malaise, une femme qui avait la fièvre jaune est actuellement en voie de guérison. L'épidémie semble rester localisée à la région de Sikasso. Il est vrai qu'elle y est extrêmement virulente, puisque, sur 21 Européens, il y en a 6 de morts. D'autre part, nous ne pourrons aller en Côte d'Ivoire, car la région est consignée, et sans doute faudra-t-il que nous restions dans le nord.

Malgré la détente, Mouchet, vers 6 heures du soir, troque ses shorts contre un pantalon et enfile des chaussettes, pour se protéger des moustiques éventuels. Il m'engage à l'imiter et j'obtempère.

27 juillet.

Il paraît que la population de Kita s'inquiète de notre activité dans la montagne. Larget en a eu des échos par l'administrateur — que des chefs de village sont venus voir — et par le cuisinier. L'agitation a été portée à son comble quand on a su (comment ?) que nous parlions d'installer notre camp sur un des sommets (c'était un des moyens que nous avions envisagés hier pour lutter contre la fièvre jaune, en cas de nécessité). La montagne est peuplée de diables dangereux et sinistres. On y reçoit des pierres, et l'un des diables, tout blanc, est paraît-il aussi grand qu'un des wagons de notre convoi. Ces manifestations ont lieu surtout dans certains coins ; Larget se les est fait indiquer par le cuisinier et il a l'intention de nous y conduire une nuit. Bien qu'il soit plus que probable qu'il ne se passera rien du tout, peut-être découvrirons-nous quelques indices qui nous permettront de savoir exactement pourquoi la montagne inspire une telle terreur aux indigènes. Peut-être même pourrons-nous remonter ainsi jusqu'à l'explication des graffiti.

A part cela, journée plutôt morne, si ce n'est l'achat, à un ami du noumou Tamba que Mamadou Vad a déniché, d'un très beau casque de danse (animal à tête de serpentaire et cornes d'antilope-cheval, cou d'homme, corps de lapin ou d'autre petit mammifère), œuvre d'un certain Baouré, forgeron du Birgo, et porté dans les mêmes circonstances que les premiers masques que nous avons achetés, mais sur la signification duquel il nous est impossible d'obtenir la moindre explication.

28 juillet.

Toute la nuit, suite presque ininterrompue de tornades, courtes mais très violentes.

Mouchet dirige l'enregistrement dictaphonique de cinq chansons de circoncis. Griaule, Lutten et moi allons à la montagne, dans la vallée de Kitaba, pour photographier les premiers graffiti découverts. La végétation s'est accrue à tel point pendant les dernières pluies que la route carrossable, envahie d'arbustes, est souvent difficile à reconnaître. A Fodébougou, nous prenons deux porteurs, dont le fils du chef de village. Ils nous accompagnent et assistent, visiblement ennuyés, à nos opérations. Tout ce qu'on nous a fait dire sur les dangers de la montagne correspondrait-il à une tentative d'intimidation ? Causant à bâtons rompus pendant que Griaule fait ses photos, j'apprends qu'au trou du caïman — cette faille près de laquelle nous avons ramassé l'autre jour une attache de mouton — est liée une histoire de minotaure : durant l'hivernage, quand les eaux débordent, les caïmans sortent et viennent parfois jusqu'au village manger des enfants. Sur les graffiti, toujours pas de renseignements.

Revenant à la résidence pour reconduire Griaule, rencontre de l'administrateur. Il vient d'apprendre par une fille de la mission catholique un fait qui ne serait peut-être pas loin de nous livrer la clef des grands mystères : dans la montagne de Kita, on enterre, encore actuellement, les notables et c'est pourquoi les habitants n'aiment pas nous voir fureter dans tous ces trous, ces auvents, ces recoins... De retour au wagon, j'explique à Mamadou Vad que son rôle est de nous trouver des renseignements à ce sujet. Que rapportera-t-il ? La solution définitive ou une de ces fantaisies dont il a le secret ?

29 juillet.

Le comptable de l'administrateur, revenu hier soir de Bamako, où il était allé passer un examen, rapporte de bonnes nouvelles :

la fièvre jaune est en régression. Quand ils apprirent que le médecin avait été appelé à Kita pour soigner un Européen, les gens savaient que ce n'était pas l'administrateur qui était malade. Ignorant d'autre part le passage de la mission ainsi que l'arrivée d'un nouvel administrateur adjoint, ils avaient cru immédiatement qu'il s'agissait du jeune comptable et, sachant que la fièvre jaune ne pardonne guère, l'avaient bel et bien enterré.

Après déjeuner, je reçois dans mon compartiment une délégation de trois petites filles endimanchées qui viennent — ainsi qu'il en vient tous les jours — pour vendre des poupées. La plus âgée me fait le salut militaire, la plus jeune me tend la main.

Fait une partie du tour de la montagne avec Griaule, puis allés, Lutten et moi seuls, escortés de Mamadou Vad, dans un village où l'on nous avait dit que nous pourrions trouver des *tyivara* (masques de danse à cornes d'antilope-cheval). A vrai dire, ce village nous ne l'atteignons pas, car il est en dehors de la route. Les paysans auprès desquels nous nous renseignons nous disent qu'il est tout proche; mais après avoir marché longtemps à travers champs, avoir passé un marigot dont le mélange de vase et d'eau nous montait presque à mi-jambe (et dans la fraîcheur relative du soir semblait brûlant), nous atteignons seulement un groupe de cases, à mi-chemin du village que nous visions.

Rentrés dans l'obscurité — la lune bougeant derrière les nuages et traçant de concert avec eux des graffiti extravagants sur la paroi céleste — et retrouvé Mouchet qui vient de recueillir sa 36e chanson de circoncis.

Infirmier, je veux aller à la maison
Je veux revoir ma mère.

30 juillet.

Passage d'un vol de sauterelles à Dyaléa, le village où nous avions voulu aller hier et où nous travaillons aujourd'hui. Les femmes et les enfants parcourent les champs autour des carrés[1] en agitant des feuillards, criant et battant des calebasses à coups de baguette. Mais tout cela a plutôt l'air d'un jeu que d'un travail sérieux. Cette effervescence change un peu du classique battement des pilons dans les mortiers à mil, scandant le chant doux à mourir des tourterelles.

Rien de nouveau du côté de la montagne qui, malgré les apparences d'éclaircies, garde bien ses secrets. Lundi, nous partons à Bamako. Sans doute ne saurons-nous rien et devrons-nous nous en aller aussi pauvres de savoir que de vêtement ce gosse aperçu ce matin uniquement vêtu d'un petit sac de toile en bandoulière, pour serrer ses arachides.

31 juillet.

Villages, montagne. Dans des poses à se casser le cou (au sens propre, car il a le plus généralement la tête complètement renversée en arrière), Griaule décalque les graffiti qu'il a déjà photographiés. Cela devient un sport, comme il y a quelque temps les achats de serrures ou de poupées. Quant à moi je conserve avec mon vieux copain Mamadou Vad, qui me parle des sorciers mangeurs d'hommes et des grands esprits protecteurs, le *nama* qui va plus vite et le *koma* qui est plus grand et plus fort, un peu comme la panthère et le lion.

Dans la matinée, alors que nous revenions d'un village, un gros cynocéphale avait traversé la route à une dizaine de mètres à peine devant l'auto. Lutten en avait l'écume aux lèvres, littéralement ; mais moi, que ne volcanise aucun instinct cynégétique, je notai simplement le derrière bleu du singe, d'un bleu tirant plus sur l'acier que je ne l'aurais cru.

1er août.

Rêve : la mission est un bateau qui sombre. Ce bateau est lui-même l'immeuble du 12, rue Wilhem où j'habite à Paris. Des graffiti rappelant ceux que tous ces jours-ci nous avons examinés sur les rochers décrivent l'ultime phase de la catastrophe : les

1. Groupe d'habitations dépendant d'un même chef de famille.

officiers (en groupes de pointillé) massés sur le dernier carré — en langage maritime [1] — qui du reste est un triangle. Au moment où tout va s'abîmer, je fais observer à mon frère qui est là qu'il serait beaucoup plus simple de descendre l'escalier. Mais il faut un héroïsme passif et tout l'équipage se laissera couler. Les yeux hagards, je réclame une bouteille pour y enfouir les dernières pages de ce journal. Puis une enveloppe, qu'on mettra à la poste, car c'est plus sûr qu'une bouteille. Mon affolement est à son comble, car je ne découvre pas le premier de ces engins indispensables et crains que l'enveloppe (que je trouve) ne soit gâtée par l'humidité. A ce moment, je prends conscience qu'on ne court aucun risque de naufrage dans un immeuble de 7 étages, même si la rue est inondée de pluie, et peu après je m'éveille.

2 août.

Revenant d'un village en auto, rencontre de singes à longue queue qui traversent la route, puis bondissent très haut dans les hautes herbes, verticalement, tournant la tête en arrière pour nous regarder, et effectuant ces bonds à diverses reprises. Ils se sauvent et aucun de nos chasseurs n'a le temps de les tirer. J'en suis ravi. Le singe, vu dans la brousse, perd entièrement ce caractère burlesque qu'il a en cage : s'il est gros il devient le gnome, s'il est mince le lutin de la forêt.

Soir : Mamadou Vad arbore un *koursi* neuf, joli comme un pantalon de clown, parce que nous avons l'administrateur à dîner.

3 août.

Dernière promenade à travers les villages. Nous partirons demain mardi. Nous serions même partis aujourd'hui si, prévenus à temps de l'heure du train, nous avions pu faire les préparatifs.

Près de la rivière Badinko, où l'on construit un pont, un paysan nous apporte un jeune porc-épic qu'il tient au bout d'une corde. L'animal se démène comme un diable, fait un bruit de locomotive en frétillant de la queue et en frottant ses piquants. Il a une drôle de gueule, l'air d'un nouveau-né ou d'un ourson. Il ne peut

1. C'est-à-dire la pièce qu'on appelle, sur un bateau, le carré des officiers. Mais ce « dernier carré » est une image de Waterloo.

malheureusement être question de l'acheter car, devenu adulte, il serait trop encombrant.

Retour définitif, et remontée de la voiture sur son truck, pour le départ de demain matin.

L'après-midi, enquête ethnographique sous le hangar avec les circoncis de l'école primaire. Les incirconcis, soigneusement écartés de mon groupe, où l'on parle de questions qu'ils doivent ignorer tant qu'ils ne seront pas circoncis, travaillent à une autre table avec Mouchet. Il est beaucoup plus agréable de travailler avec les enfants qu'avec les adultes : la plupart de ces enfants sont réellement très intelligents et très vifs.

Soirée : dîner d'adieux à la résidence, grandes anecdotes de scandales coloniaux.

4 août.

8 heures : départ sous pluie torrentielle, après dernière enquête avec les circoncis dans le wagon et trois ou quatre chutes fracassantes de foudre. La pluie a l'air maintenant salement installée. Partout ce n'est que mares, chemins transformés en ruisseaux, boue molle.

Bamako : coteaux verdoyants, paysage très doux en cette saison. Pas trop grand centre ; plutôt « ville d'eau ».

Dès l'arrivée, politesses officielles et souhaits de bienvenue. Griaule rencontre un de ses copains de l'aviation.

5 août.

Petit déjeuner entre deux voies de garage, sur une esplanade vaste comme la place de la Concorde. Toilette. On sort les blancs ou les écrus des malles, les souliers pour visites, les lettres de recommandation. Tout le parcours de Dakar à ici s'enfonce dans le passé et se perd dans la même nuit vague que le trajet de Paris à Bordeaux et le séjour sur le *Saint-Firmin*. Sentiment, non d'arrivée, mais le départ, de force et de renouvellement. Déjà nous ne pensons plus qu'aux *Habé* [1], que nous allons voir

1. Populations païennes de la falaise de Bandiagara, dans la boucle du Niger.

prochainement, — à moins que d'ici-là, ce qui est probable, nous ne rencontrions une foule d'autres choses intéressantes.

Ici, il y aura pour moi le coiffeur, le papier à lettres à acheter, un tas de petits articles à changer ou à faire réparer. Paysan du Danube brusquement jeté dans les grands magasins.

Le matin, visite à l'administrateur-maire qui nous parle de son maître Delafosse et nous présente le vieil interprète Moussa Travélé. Moussa Travélé vient l'après-midi au wagon. Il nous apporte des articles de l'administrateur-maire et nous remettons, pour qu'il nous donne son avis, un manuscrit sur l'histoire de Soundyata Kèyta, acheté au chef de village, à Mahina. Travélé est un petit homme courtaud au visage rond, dont on ne sait s'il est très bon ou très malicieux. Peut-être ni l'un ni l'autre, ou les deux à la fois...

Il garde avec nous une certaine réserve d'auteur qui craindrait d'en dire trop à des gens capables de le piller. Les renseignements qu'il nous donne sur la région sont classiques et anodins. Il n'est pas certain, à vrai dire, qu'il en sache beaucoup plus long.

Je reçois ensuite Baba Kèyta, vieux télégraphiste auquel m'a adressé la femme d'un vieux colonial ami de ma famille. C'est un géant barbu, aux jambes et aux avant-bras complètement albinos.

Je prends connaissance de rapports administratifs sur la région : il y est surtout question du cinéma, des hôtels, des dancings et du buffet de la gare.

Je songe à ce que nous avait raconté l'administrateur de Kita, à propos de ce buffet-dancing-cinéma-hôtel où logent, paraît-il, trois demoiselles de race blanche qui mettent le comble au cumul de ce buffet, en lui ajoutant une cinquième fonction : celle de bordel.

6 août.

Pluie tenace. Mouchet et moi, qui avons couché sous le toit de tente, nous sommes cramponnés, peu avant l'aube, à nos mousti-quaires, comme des mathurins qui, en plein ouragan, s'agrippent à leurs voiles et se demandent s'il faut abattre le grand mât. Malgré le vent, nous avons plié notre literie en bon ordre et, enveloppés dans nos couvertures de laine, nous sommes assis, attendant une accalmie pour gagner le wagon puis y garer notre matériel.

Visite de Griaule au lieutenant-gouverneur, qui donnera toutes les facilités imaginables.

Au jardin zoologique, des enfants tout nus s'extasient devant les oiseaux et les singes et les adultes stationnent longuement aussi. Universel orgueil humain !

Sous la tente, long entretien avec Moussa Travélé et une vieille exciseuse qu'il a amenée et qui m'apprend qu'il existe des clitoris de mauvais augure : ceux qui, doubles, sont ornés d'un « chapeau » ; ceux qui (à bout noir, à milieu rouge, à racine blanche) ont une « selle » ; ceux, enfin, qui sont garnis de crêtes de coq. Moussa Travélé est tout de même plus sympathique que le doyen des interprètes, que j'ai visité ce matin parce que, de même que Travélé et Kèyta il a très bien connu ces coloniaux amis de ma famille. Le doyen des interprètes est un noble vieillard à boubou immaculé, légion d'honneur et barbe blanche, type de vieux larbin dur aux pauvres et prétentieux. Je déteste ce genre de vieux nègres.

J'ai été revoir Baba Kèyta : il a non seulement les avant-bras et le bas des jambes blancs, mais aussi les commissures des lèvres. Il louche, son nez est écrasé et il mesure bien deux mètres ou peu s'en faut. Discrètement, il me donne des renseignements sur les grottes de la région, alléguant à tout moment qu'il n'a pas le droit de parler, que ses compatriotes lui en voudraient, etc. Il me parle aussi de son ancêtre Soundyata et je stoppe ses explications, lui disant que je n'ignore pas ce qu'il est et que je sais ce que valent les Kèyta. Le vieux Baba est ravi.

7 août.

Journée lourde et qui traîne. Toujours l'énervement des villes, même petites et du Soudan. Suite de l'enquête avec l'exciseuse, qui exhibe les rasoirs dont elle se sert pour ses opérations. Moussa Travélé raconte sa propre circoncision, qui s'effectua selon la coutume wolof, le sexe sur un baril et un ciseau à froid placé dessus au bon endroit, pour recevoir le grand coup de marteau.

L'un des boys traîne la patte, touché sans doute vénérienne-ment. L'autre boy Makan, vraie betterave de la brousse, s'engueule comme d'habitude avec Moufle : « Y a pas bon, ça, monsieur Moufle ! »

Demain matin, j'irai revoir le vieux Baba Kèyta ; j'essayerai de lui soutirer quelques autres tuyaux sur ses grottes, où nous irons à cheval.

A part cela, il paraît qu'un nouvel Européen est mort à Sikasso.

8 août.

Toute la journée, je fais des courses pour établir l'itinéraire de la tournée aux grottes. Le chef de la subdivision de Bamako me donne des tuyaux, me communique les plans, appelle des gens au téléphone, convoque les représentants des cantons à traverser. Branle-bas général. Coup de téléphone au directeur des P.T.T. pour qu'il accorde un congé à Baba Kèyta. Selon le directeur des postes, Baba est un « phénomène » et un « fantaisiste ». Par contre, le receveur, que je vais voir pour lui demander s'il ne voit pas d'inconvénient à ce congé, me donne de bons renseignements sur le phénomène, qu'il appelle « la panthère ».

Son travail terminé, Baba vient au wagon, somptueusement vêtu, plus géant et plus hilare que jamais, avec ses mains et ses pieds blancs, feuillages énormes qui le font ressembler à un vieil arbre.

Il s'entretient avec Griaule et déclare qu'il est prêt à tout montrer, depuis les plus petits arbustes jouant le moindre rôle rituel jusqu'aux eaux souterraines et aux ravins. Les paysans feront tout voir, du moment qu'il sera là. Sa grosse bague à son gros pouce et son grand casque sur sa grande face plate qui grimace continuellement, il s'en va majestueusement, traînant un peu la jambe car il paraît qu'il s'est blessé en tombant de vélo.

Sale samedi soir, plus poissé que tous les autres soirs par la salive du phonographe qui, muni d'un effrayant pick-up, lance ses glaviots d'harmonie sur la terrasse déserte du buffet de la gare.

9 août (dimanche).

L'expédition mise au point craque brusquement : nous sommes à table déjeunant avec le copain de Griaule rencontré le soir de l'arrivée, quand le boy du buffet de la gare vient nous remettre à chacun une enveloppe à en-tête du gouvernement. Les bandes sautées, chacun extrait de son enveloppe une invitation à dîner chez le lieutenant-gouverneur, mardi soir. Que faire ? L'expédition nécessite plusieurs jours et on ne peut la décommander, puisque tout un monde de gens et de chevaux est convoqué dès ce soir à Samayana, sur la route de la Guinée, à 33 kilomètres de Bamako, où nous devons les retrouver demain matin pour partir dans la montagne. Après quelques tergiversations, un parti est pris : au lieu de l'équipe prévue (Griaule, Lutten et moi), c'est Larget et Lutten qui iront. Les autres dîneront chez le gouverneur.

Sûrement, on y parlera circoncision — puisque telle est aujourd'hui notre principale préoccupation — et n'ai-je pas appris ce jour même que le forgeron, lorsqu'il opère, est vêtu de rouge, d'une étoffe rouge prise souvent à l'étoffe des drapeaux ?

10 août.

Réveil matinal, pour cette expédition à laquelle je suis navré de ne pas participer. Baba Kèyta s'amène : espadrilles blanches, complet blanc impeccable à col montant genre officier, casque colonial un peu grand — qu'il rectifie à l'aide de bandes de papier prélevées sur un numéro de la *Dépêche Coloniale* qu'il m'emprunte à cet effet — et, parfaisant le tout, pardessus d'hiver cintré européen et crâne rasé de frais.

Ce crâne sera ruisselant d'eau boueuse quand, cramponné sur un marchepied — en pendant à Mamadou Vad qui se tient de l'autre côté —, il passera à travers les flaques avec la voiture, que nous avons la chance de ne pas embourber.

A 10 heures, la cavalerie nous quitte (après une forte pluie) : Lutten sur un cheval entier petit, trapu et assez vif, Larget sur une jument paisible, Baba Kèyta sur le plus grand des trois chevaux, pieds nus, pantalon blanc remonté à hauteur du genou, mais fier comme Artaban dans le beau pardessus d'hiver, et réellement d'allure royale.

Retour de Samayana avec la voiture que conduit Moufle et qui contient Griaule, Mamadou Vad et moi.

Retrouvé Mouchet au camp. Travaillé tout l'après-midi avec

Mamadou Sanoko, ex-chef des *bilakoro* (garçons incirconcis) de Koulikoro-Gare, et âgé de 12 (?) ans.

11 août.

Suite du travail avec le chef des bilakoro de Koulikoro-Gare, qui me parle de la société religieuse enfantine du *ntoumou*, dont, en tant que chef des bilakoro, il était aussi le chef. Tous les ans, il égorgeait lui-même une chèvre et un poulet, dont il répandait le sang sur un arbre sacré. Certains jours, il lançait des morceaux de kolas en l'air et observait leur manière de retomber. Il dirigeait aussi les grandes flagellations de petits garçons et de petites filles qui ont lieu lors de certaines fêtes, durant tout le temps que le *ntoumou* reste « sorti ».

Le soir, dîner chez le gouverneur, et c'est une drôle d'impression que de retomber tout à coup (apparemment sans pertes ni fracas) chez les Européens...

12 août.

Message de Larget et de Lutten, qui ont l'air d'avoir trouvé des objets intéressants.

Le chef des bilakoro amène un nouveau copain, Salam Sidibé, petit Peul de 13 ans qui parle bambara. J'ai à peine échangé (en français) quelques phrases avec lui que je tombe sur une nouvelle organisation enfantine, celle du *goumbé*, association galante de garçons et de filles pas encore ou depuis peu coupés, en nombre égal, avec toute une hiérarchie de président, sous-président, présidente, sous-présidente, etc... (mon informateur quant à lui, a le grade d'*almami* ou prieur, parce qu'il est élève de l'école coranique), des réunions bi-hebdomadaires pour la danse et, trois fois par an (la nuit du 13 au 14 juillet, celle de Ramadan et celle de la fête Tabaski), une grande orgie rituelle : énorme souper par petites tables dans le carré du président, avec empiffrage de lait, de riz, de mouton (égorgé dans l'après-midi par le président), de macaroni, de sardines à l'huile, de cigarettes, de sirops, etc... danses européennes au son d'un accordéon et pelotage général entre les jeunes couples de convives, dont certains font l'amour sous leurs petites tables.

Presque tous les membres de cette société sont des élèves de l'école. Pendant les grandes réjouissances, les parents n'interviennent pas : dès le début du repas, ils sont allés se coucher...

Mouchet, qui complète mon enquête au point de vue linguistique, recueille les chansons de la société.

L'une, en bambara, peut se traduire ainsi :

> *Ne me mets pas enceinte, petit homme !*
> *C'est l'amour...*

Une autre s'énonce :

> *Denise bordeau Traoré, en avant dansez !*

Denise bordeau Traoré étant une nommée Dénimba Traoré, de Bamako, dont le prénom a été francisé en celui de Denise, auquel on adjoint le mot « bordeau » parce que « c'est une putain » (Salam Sidibé *dixit*).

J'oubliais de dire qu'aux jours de grandes réunions les tambours *goumbé* de la société sont ornés de drapeaux tricolores et que le signe distinctif du président est un complet kaki européen qu'il repasse à son successeur (?).

Il va s'agir maintenant d'assister à une réunion de la société. Aucun adulte n'y est admis — sauf l'accordéoniste, frère aîné de celui qui, dans le club, a la dignité de « commissaire » — ; le fait d'être un adulte blanc sera-t-il considéré comme atténuant ou aggravant ?

En ville, Mamadou Vad a rencontré son ami le maçon Sissoro qui, lorsqu'on les a circoncis tous les deux, a eu si peur qu'il a « fait cabinet » sur place, a taché tout son boubou et s'est fait couper un peu plus de sexe qu'il n'eût fallu par le forgeron maladroit. Ce dernier, épouvanté, s'enfuit en « Angleterre »...

13 août.

Le travail sur la circoncision et les sociétés d'enfants a atteint un tel degré d'acharnement et une hauteur si grande de technicité qu'hier je me suis surpris à écrire sans rire la phrase suivante :

« La *sounkourou* paye des kolas au *séma* pour aller voir son *kamalé* au *biro* » ! Ce qui veut dire : « La petite amie paye des noix de kola au gardien des circoncis *(séma)* pour aller voir son amoureux à la case de retraite *(biro)*. »

J'ai revu aujourd'hui une vieille *sémé* et sa sœur qui étaient déjà venues hier. La vieille avait chanté une ou deux chansons d'excisées. Voix fraîche et touchante à faire pleurer, douce comme le mot même d'excisée, exquise cicatrice pavoisée...

Vers le soir, peu après le départ de mes jeunes informateurs du *goumbé* — avec qui j'irai faire un tour en ville dimanche —, ciel et terre rouge brique ou orange : pour la première fois depuis que je suis ici, coucher de soleil conventionnellement africain, couleur de flamme comme sur les affiches, nos visages d'Européens aussitôt devenus pareils, mais pour un court instant, car le ciel et la terre s'éteignent bientôt et nos faces deviennent presque blafardes, drôles de peaux d'albinos à côté des peaux noires de tout notre entourage.

14 août.

Larget et Lutten redescendent à Samayama, sans grand butin quant aux curiosités à repérer dans la montagne mais rapportant de bons objets. Baba Kèyta, qui devait montrer tant de choses, a été engueulé ; sans doute avait-il raconté tout cela pour se faire octroyer des vacances. Il est maintenant dans ses petits souliers. Dans l'auto, fulgurantes histoires de Mamadou Vad : à Kayes, allant chercher du lait, il a surpris un type coïtant avec sa vache : depuis il ne rencontre plus ce type sans lui demander : « Comment va ta femme ? » ; un autre type, près de Kayes, ayant perdu sa femme, a voulu une fois coucher avec sa fille ; celle-ci s'est mise à crier, les voisins sont venus : le père, honteux, a pris son fusil et s'est suicidé.

Arrivés au convoi — ramenant Lutten, Larget et Baba (dont j'ai su, par un de nos petits informateurs qu'il possédait 4 ou 5 femmes et une charrette) — nous trouvons le wagon jonché d'élèves de l'école, au nombre de trois (le chef des bilakoro de Koulikoro-Gare, le tambour du goumbé de Wolofobougou et un troisième) que Mouchet a laissés se reposer pendant qu'il déjeunait et qui dorment en attendant de reprendre l'enquête.

Ils me racontent quelques heures plus tard les blagues que les aînés leur font, après la circoncision, dans la case de retraite, et comment ces derniers, ayant tapé leurs verges sur un des poteaux de soutien du toit, leur demandent : « En avez-vous de pareilles ? » A quoi les enfants doivent répondre : « Non, papa ! »

Avant dîner, aubade de Mamadou Vad, qui racle un petit violon tandis qu'un peu à l'écart deux autres boys du personnel dansent. Cela leur vaut de quoi s'acheter quelques kolas.

Je crois qu'ici la glace est bien rompue et j'aime franchement cette atmosphère si chaleureuse et si burlesque, comme quand Mamadou Vad, avec son crâne (qu'il a fraîchement tondu), émerge de la natte sur laquelle il était étendu et consigne scrupuleusement quelque bonne histoire (en wolof transcrit non seulement en écriture française, mais encore en arabe) dans le petit carnet dont Griaule lui a fait don.

15 août.

Travail fou avec les circoncis. Les fiches s'accumulent. Mamadou Vad augmente sans cesse le contenu de son petit carnet, sur lequel apparaissent maintenant des dessins.

Nous abandonnons notre convoi, dont les wagons doivent être utilisés. Le déménagement n'interrompt pas le travail et, quand nous quittons nos wagons pour nous rendre au hangar qui est maintenant à notre disposition, les enfants aident les manœuvres à porter les caisses et les colis.

A un bout du hangar, une assez vaste pièce est ménagée, grillagée et plafonnée (sorte de presque cube posé sur le sol et dont le plafond forme soupente sous la toiture du hangar) : c'est là que nous installons notre bureau, que Larget met son laboratoire, moi mes caisses, Griaule la totalité de son barda.

Rien autre que l'usine. Trois enquêteurs fonctionnent simultanément et à jet continu : Mouchet à une table avec deux des enfants, moi à une autre table avec les deux autres enfants, Griaule n'importe où avec Mamadou Vad.

Tous les spectacles possibles croulent et s'évanouissent derrière la magie des récits, qui rendent cette vie sédentaire dans un bâtiment de gare beaucoup plus intense que celle que nous pourrions mener si, touristes, nous nous promenions. C'est la grande guerre au pittoresque, le rire au nez de l'exotisme. Tout le premier, je suis possédé par ce démon glacial d'information.

16 août.

Suite du 15 août (évidemment). Suite et crescendo, si possible. Un informateur de plus : Baba Kèyta, qui veut se faire pardonner la randonnée manquée et avec qui je passe la journée, laissant Mouchet avec tous les enfants.

Vers 4 h 1/2, ces derniers me rappellent que je leur ai promis de sortir avec eux dans Bamako et que je dois aller au tamtam de la société de Salam Sidibé.

Par malheur, au moment précis où les enfants me demandent cela, je suis lancé à fond avec Baba Kèyta, qui me raconte des choses assez inouïes sur la circoncision en pays malinké. Il ne peut être question de le lâcher. Je dis aux enfants d'aller seuls au tamtam, mais ils ne veulent pas, ils veulent m'attendre.

Vers 6 heures, comme je travaille encore ils se décident à partir, mais ils auront manqué le tamtam et deux d'entre eux devront payer des amendes, sous forme de kolas.

Depuis le matin, j'ai dans un de mes tiroirs, une grande provision de kolas que j'ai fait acheter par Mamadou Vad en prévision de ma sortie avec les enfants. Je leur donne toute la provision, tant je suis moi-même dépité de devoir rester là.

17 août.

Dès le matin, arrivée des quatre copains, Mamadou Sanoko, Mamadou Kèyta, Kasim Doumbiya, Salam Sidibé. Ce dernier me coince derrière le hangar comme je viens de prendre ma douche et me tend un mouchoir rempli de kolas. Ce sont ceux que je lui ai donnés hier pour payer son amende. Il paraît que la société n'a pas voulu qu'il paye, son absence ayant été motivée par son travail pour nous. (Les nègres, dit-on, ne cherchent qu'à carotter le blanc...) Il me rapporte les kolas. Je les lui laisse, comme don à la société, où je me promets d'aller jeudi.

Toute la journée se passe encore dans le hangar. Mais, de mon côté du moins l'enquête se ralentit et je me sens un peu las. Il fait beaucoup plus lourd que lorsque nous étions dans les wagons. Et il y a peut-être tout de même un peu trop longtemps que je ne suis pas sorti.

Le soir, grosse tornade, qui survient soudainement, mais passe rapidement après une pluie diluvienne et quelques coups de tonnerre.

18 août.

Mal dormi cette nuit. Mal au ventre. Nouveaux crocros au pied droit. Aucune envie d'enquêter. Quand foutera-t-on le camp d'ici !

Travail morne avec une nouvelle équipe de circoncis, trois frères, ceux-là, qu'hier Griaule et Lutten ont rencontrés en ville et ramenés en camion avec leur *séma*. Le *séma*, serviteur de la famille des trois enfants, dont le père est cadi, a le genre digne vieillard. Les trois enfants sont vêtus de longs boubous écrus, trop larges pour eux (car lorsqu'ils sortiront de la case de retraite ils devront les laisser en don au *séma* qui les utilisera), chaussés de sandales de cuir et coiffés de hauts bonnets dont un jonc recourbé tend le fond en forme de cimier. Il y en a un petit, un moyen et un grand. Le petit, qui est l'aîné, est dans une des classes inférieures de l'école ; le plus grand, qui est le plus jeune, dans une des classes supérieures ; le moyen, qui est le cadet, dans une classe moyenne. Cela crée un certain imbroglio, d'autant que les enfants sont pleins de réticences et ne parlent presque pas, à la fois par une réserve qu'ils doivent croire convenir à leur qualité de fils de nobles et par une méfiance que Mamadou Kèyta m'explique plus tard, due au fait qu'un circoncis, tant qu'il est encore à la case de retraite est considéré comme un bilakoro (non circoncis) et ne peut, en conséquence, dire certaines choses, sans danger pour sa guérison.

19 août.

Suite des histoires de Mamadou Vad : celle de la grande bataille du singe et du chien ; celle du marabout qui, entré dans le derrière d'un éléphant pendant le sommeil de ce dernier, lui marcha par mégarde sur le cœur en sortant et se trouva coincé par suite d'une contraction du sphincter ; celle des 4 000 bataillons de singes qui se battirent contre 3 000 bataillons « à peu près » de chiens et envoyèrent tous, singes et chiens, télégrammes et T.S.F. à leurs familles pour annoncer la nouvelle. A part cela, toujours la gare, où défilent une masse de gens : pêcheur *somono* qu'on interroge et qui a mal au ventre, bijoutier qui est une franche canaille, faiseur de harnais anodin, potière qui amène une copine, ravie sans doute d'avoir cette occasion de se présenter.

J'y songe ; grande innovation que j'allais oublier : Larget installe une tente W.-C.

20 août.

Travail avec Barhaba Sidibé, sœur de Salam Sidibé, âgée de 16 ans et veuve. C'est une gentille fille, qui ne fait pas de chiqué et s'éloigne autant du genre grue que du genre exagérément farouche. Son frère fait l'interprète et il y a avec nous un garçon de 13 ans qui est venu avec elle, membre de la société et drapé dans un ample boubou.

J'ai de nouveaux crocros au pied droit, plus petits que les premiers mais tout de même bien embêtants...

21 août.

Suite du travail avec Barhaba Sidibé, qui est décidément — ce qui est rare chez les filles de sa race et de sa condition — simple et sympathique. Il y a toujours le garçon de 13 ans, presque nu cette fois-ci, avec un *bila* (sorte de cache-sexe) et une loque qui tient lieu de boubou. L'enquête roule sur l'excision.

Sans se faire prier, Barhaba raconte un certain nombre de choses et j'apprends que quand les excisées, pourtant bien jeunes, sont enfermées dans leur case de retraite, il est facile aux amoureux de s'introduire près d'elles, moyennant quelques kolas donnés à la gardienne.

Baba Kèyta, qui vient pourtant assez régulièrement, n'a pas paru ce soir. Il me racontait hier comment il allait épouser une fillette aujourd'hui âgée d'une dizaine d'années, qui lui fut promise par anticipation en 1899 quand lui, Baba, fut circoncis.

22 août.

Idem ou à peu près *idem.* Seulement Mamadou Vad, à qui Griaule a demandé de faire un bonnet de circoncis wolof, lui apporte un bonnet et des renseignements inouïs : sur un des côtés de la coiffure, qui ressemble à s'y méprendre à un pschent égyptien, il y a une figure contre le mauvais œil qui est le blason de la famille des Vad. Et Mamadou donne, en plus de celui de son propre bonnet, plusieurs autres blasons.

Quant à moi, je continue mon travail de pion, de juge d'instruction ou de bureaucrate. Jamais en France, je ne fus aussi sédentaire. Mais ici, je n'y pense pas et je suis la plupart du temps trop paresseux pour me demander sérieusement pourquoi... Toutefois, j'associe très volontiers cette vie au calme apparent des étoiles, et à celui des grandes aigrettes électriques qui, certains soirs où l'orage est lent à se déclencher ou ne se déclenche pas, s'échangent silencieusement de nuage à nuage.

23 août.

Idem, ou à peu près *idem.* J'achète un *koursi* soudanais, pour mettre avec des bottes également soudanaises que je possède depuis deux jours. Pas encore bougé de la gare et toujours le flot d'informateurs, tellement nombreux que nous prenons figure d'examinateurs devant lesquels défilent des candidats.

Mamadou Vad vient d'acheter des lunettes de verre fumé.

24 août.

En pleine démonologie. Barhaba Sidibé me parle des diables de l'eau ou *dyidé :* ils montent des calebasses remplies d'eau sur laquelle une calebasse plus petite est renversée, résonnant sous les coups de baguette des femmes qui la frappent, ils s'élèvent du sein du liquide jusque dans la tête de celles et de ceux qui dansent, les diables mâles dans la tête des femmes, les diables femelles dans la tête des hommes, et chacun de ces démons avec un nom de famille qui lui est propre, nom connu de celui ou celle qui sacrifie un bouc pour entrer dans la société, afin d'être habité chaque fois qu'il danse par ce démon charmant, qui le fait se rouler à terre dans des affres parfois réelles et parfois simulées, mais toujours délicieuses à ces noires têtes possédées [1]...

25 août.

Voyage à Koulikoro avec Moufle (qui va, en camion, faire son deuxième chargement aux chalands que la navigation a mis à notre disposition pour descendre le Niger). Le chef des bilakoro de Koulikoro-Gare est avec nous et fait une entrée triomphale dans sa ville natale, debout sur notre marchepied et répondant aux exclamations : « Mamadou ! Mamadou ! » qui fusent de partout.

Dans tous les carrés que nous traversons à pied, ce sont les mêmes appels, les mêmes serrements de mains. La grand-mère de Mamadou serre de ses deux paumes ridées les mains de Moufle et les miennes, puis va chercher quatre épis de maïs qu'elle donne à son petit-fils. Elle y ajoute une pierre à moudre, pour remettre, j'imagine, à la grande sœur chez qui le garçon habite à Bamako. Sa mère, qui ne peut se faire comprendre, attrape un de ses seins — vieille poche de cuir — à deux mains et me le montre, afin de me faire entendre que je suis avec celui qu'elle a nourri.

Au retour, Moufle tire une pintade : aussitôt la bête tombée, Mamadou Sanoko bondit hors du camion et va ramasser la victime en riant à belles dents. D'un coup de son couteau Moufle détache la tête, et l'enfant ramène le gibier au camion, sans se soucier des battements d'ailes ni du cou bourgeonnant de caillots de sang.

Au hangar, je retrouve Vad. Il s'est acheté un pantalon européen et il est hideux...

26 août.

Baba Kèyta m'emmène chez une vieille sorcière, à la lettre jolie comme un singe, qui est chef du *dyidé*, secte de possédées dont avant-hier me parlait la petite Sidibé. La vieille est avec d'autres

---

1. Cette institution des *dyidé* observée déjà à Kita, le 14 juillet, lorsque les femmes dansaient, lançant leur tête en catapulte, je la retrouverai à Mopti, sous forme du *ollé horé*, puis en Abyssinie, sous forme des *zar*, dont je m'occuperai plusieurs mois.

femmes. Toutes ne restent pas toujours présentes durant le temps de l'entretien, mais elles sont là perpétuellement à deux ou trois, comme des gardes du corps. Deux, qui paraissent âgées de 30 à 35 ans, sont les deux filles : l'une est couchée sur une natte et a l'air très méchant ; l'autre est affalée sur le lit de sa mère, à côté de celle-ci qui y est assise, et me regarde ou regarde dans le vide, aussi belle, à la lettre, qu'une belle vache (il n y a pas de quoi rire). Il y a aussi une jeune fille toucouleur, qui entre et sort de temps en temps, s'assied elle aussi sur le lit, aussi jolie celle-là qu'une vulgaire gazelle, à la lettre et sans qu'il y ait non plus de quoi rire.

Une autre femme encore passe un moment. Elle est âgée, classiquement belle, avec de durs tatouages qui lui sculptent la face.

La vieille femme ne dit à peu près rien. Elle sourit malicieusement, déjoue toutes les questions et change tout en faits absolument anodins. C'est à peine si elle raconte comment elle a été malade et, guérie, est elle-même devenue guérisseuse. J'apprendrai au cours de l'après-midi que, si elle ne veut pas en dire plus, c'est parce que la femme qui l'a précédée à la tête de la secte a été, il y a quinze ans, arrêtée par les autorités françaises, battue, saisie, expulsée et s'en est allée mourir à Kati, dans la plus noire misère... Tout cela parce que les tamtams du *dyédounou* (« tambour d'eau ») étaient prétextes à débauche !

Je m'en vais de chez les femmes, irrité, et je dis des choses dures au pauvre Baba Kèyta. C'est tout juste si je ne le traite pas de « bilakoro » !

Quand j'aurai su les raisons du mutisme de la femme, ce n'est plus à Kèyta que j'en voudrai, mais à l'administration, à l'organisation inique qui permet que de telles choses se produisent, sous prétexte de morale (cf. : ligue contre la licence des rues, régime sec, etc.).

27 août.

Départ : Griaule, Larget, Mouchet, Moufle, par le Niger. Lutten et moi en camion par la route, sur le parcours Bougouni-Sikasso-Koutyala. La jonction se fera à Ségou. Le jeune Mamadou Kèyta, l'un de nos petits informateurs que Griaule voulait emmener comme interprète mais que son père faisait quelques difficultés à laisser partir, arrive avec son pain sous son boubou : provision pour le voyage, qu'il veut malgré tout entreprendre. Griaule décide, en conséquence, de l'emmener.

Après déjeuner, notre camion fiche le camp, intérieurement garni de Mamadou Vad, Makan Sissoko et Bandyougou Traoré, nouveau boy pris à l'essai, qui louche au point d'être à peu près aveugle et est en outre un innocent ; travaillant chez nous comme manœuvre, il voulait à tout prix faire la conversation avec Mouchet et, ne connaissant pas un mot de français, se bornait à lui réciter tous les noms de villes africaines qu'il connaissait.

Visite d'un certain nombre de villages et coucher dans l'école de Wolossébougou, à 76 kilomètres de Bamako.

Un certain mal à m'endormir, à cause de sons de trompes qui viennent de la brousse et font un effet déchirant. Clair de lune splendide.

28 août.

Suite de la pérégrination. Déjeuner à Sido (128 km). Rafle, comme dans les autres villages, de tout ce qu'on peut trouver en fait de costumes de danse, objets usuels, jouets d'enfant, etc.

Arrivée à Bougouni, sous pluie violente. Dîner et coucher chez l'administrateur, qui nous parle colonie, ethnographie, linguistique et Maurice Delafosse. Grande joie à m'étendre dans un lit fixe, qui n'est plus de campement, grande joie peu goûtée car je m'endors immédiatement.

29 août.

Petit déjeuner. Lecture des télégrammes avec l'administrateur. L'un — en chiffré — annonce encore une victime de la fièvre jaune. On n'entend presque jamais prononcer les mots « fièvre jaune ». Un tabou de langage fait que, pour en parler, on emploie toutes sortes de circonlocutions.

Pendant que Lutten visite le village, je travaille dans le bureau de l'administrateur avec les interprètes. Les objets arrivés, paiement. Le petit sac noir qui contient la monnaie — le sac à malice — est plusieurs fois dénoué et renoué. Le carnet d'inventaire s'emplit. Il ne nous est pas encore arrivé d'acheter à un homme ou une femme tous ses vêtements et de le laisser nu sur la route, mais cela viendra certainement.

Après déjeuner départ puis, à Sirakoro, coucher après tournée à pied à Bougoula, village qu'habitent les meilleurs forgerons de la région et dont nous revenons à nuit close, Makan la tête engagée jusqu'aux épaules dans une nasse de deux mètres de long que nous avons achetée (drôle de chapeau pointu) et dansant au milieu du sentier en déclamant : « Il y a un grand capitaine (Lutten l'a comparé à ce poisson) qui s'appelle Makan Sissoko ! »

Peu après tombe du ciel un bolide merveilleux, si merveilleux que je le prends pour une fusée.

Ce soir-là je m'endormirai, mon lit en plein gazon, face à la lune qui me baigne sympathiquement.

30 août.

Après le bac de la Bagoé — traversé à la corde, les passeurs halant dur le chaland — on entre en pays sénoufo. Les cases changent d'aspect. Elles sont sales et enfumées, couvertes d'un vernis noirâtre comme de vieux tableaux. Par contre les habitants sont beaucoup plus robustes : ils sont tous fétichistes et buveurs de dolo. Les dimensions de leurs instruments agricoles sont impressionnantes. Visite habituelle de villages, puis coucher à Nyéna.

31 août.

A Nkourala (159 km), visitant le village, nous tombons sur deux cases de fétiche *nya* juste sur la grande place. Le portail de l'une d'elles est orné d'un crâne de bête à cornes, le toit de l'autre des crânes des chiens sacrifiés au fétiche. Les deux cases sont rondes, assez petites, basses, surmontées d'un toit conique de paille. Elles sont en pisé, construites sur un léger tertre, en pisé également. Les murs sont décorés de triangles orangé, blanc et noir qui donnent à l'ensemble de la construction une allure d'arlequin. Mais les deux solides blocs de pisé qui s'avancent de chaque côté de la très petite porte comme les pattes d'un sphinx balourd doivent faire écarter d'emblée une telle comparaison.

Mamadou Vad nous a informés de ce qu'étaient ces cases, aussi ne sommes-nous pas surpris de leur aspect — à vrai dire assez anodin —, mais le mystère qui les entoure les avive à nos yeux.

Immédiatement, j'ai envie de « voir » le *nya*. Je consulte Lutten, qui est d'accord. Je fais dire par Mamadou Vad que nous sommes prêts à offrir un sacrifice. Vad transmet mes paroles et les hommes nous montrent un vieillard assis sous un grand arbre : c'est le chef du *nya* ; il faut le consulter. Ils y vont et le vieillard déclare qu'il faut un chien, un poulet blanc et 20 kolas. Je donne 5 francs pour acheter le chien, paye un poulet, verse le prix des kolas. Le chef du *nya* s'avance et vient s'asseoir sur la patte droite du sphinx. Il a des bras noueux, un collier de barbe blanche sans moustache, des yeux à fentes étroites et un bonnet pointu : — l'air d'un gnome très rusé et très fort. Un homme plus jeune — celui à qui nous avons parlé — s'assied de l'autre côté de la porte. Ils attendent en parlant à mi-voix l'arrivée de la pâture à sacrifice. On ne trouve pas de chien (ou du moins, on dit qu'on n'en trouve pas) mais on apporte un poulet — noir tacheté au lieu de blanc — et une vingtaine de kolas.

Tout le monde est rangé face à la porte de la case, fermée seulement par une rangée de pieux. L'assesseur du chef et trois autres hommes se dépouillent de leur boubou et apparaissent vêtus seulement du bila, si réduit que, chez la plupart, les poils du pubis apparaissent. Nus et musclés, avec leurs balafres sur la face ils ont une noblesse d'allure qu'on ne rencontre guère que chez les buveurs de dolo et à laquelle n'atteignent presque jamais les musulmans.

Rapidement les pieux sont enlevés et, pendu au plafond de sa petite case, le fétiche apparaît : c'est une masse informe qui, lorsque les quatre hommes, avec précaution, l'ont sorti de son antre, se révèle être un sac de toile grossière et rapiécée, couvert d'une sorte de bitume qui est du sang coagulé, bourré à l'intérieur de choses qu'on devine poussiéreuses et hétéroclites, muni à un bout d'une protubérance plus particulièrement bitumeuse et, à l'autre bout, d'une clochette qui a l'air d'une petite queue. Grand émoi religieux : objet sale, simple, élémentaire dont l'abjection est une terrible force parce qu'y est condensé l'absolu de ces hommes et qu'ils y ont imprimé leur propre force, comme dans la petite boulette de terre qu'un enfant roule entre ses doigts quand il joue avec la boue.

Maintenant le chef, qui est resté assis, parle à haute voix au sacrificateur, qui se tient accroupi. Il lui donne le poulet, les 5 francs représentant le chien qu'on n'a pas pu trouver. Entre-temps, le sacrificateur répond aux conseils que lui donne le vieux, ou parle à son fétiche d'une voix tendre et familière, un peu craintive, comme on parle doucement à un ancêtre à la fois aimé et redouté.

Tout le monde est grave, et nul ne songe, j'en suis sûr, à la petite supercherie qui a consisté (pour ne pas faire le véritable sacrifice sous nos yeux) à remplacer le chien par des pièces de monnaie. La causerie avec l'infini pas encore terminée, le sacrificateur plume le cou du poulet et jette ses plumes derrière lui puis, d'un coup de couteau, outre la gorge, fait goutter le sang sur la protubérance innommable et jette la bête à quelques pas devant lui.

C'est ici que la crise commence : le volatile tombé se relève, tournoie, fait quelques pas, retombe, bat des ailes, se relève encore, semble tomber sur le dos (ce qui, s'il devait y rester, serait mauvais), mais se relève encore et tombe finalement sur le côté droit, la tête orientée vers le nord. Le sacrifice est bon : toutes les consciences se relâchent. Je remercie en quelques mots, et les quatre hommes, toujours nus, rentrent le *nya*.

Lutten, qui a cinématographié la scène, et moi quittons alors le village et remontons dans le camion.

Nous en descendons quelques kilomètres plus loin, à Kampyasso, et trouvons une autre case de *nya,* à proximité d'un arbre, d'un tertre herbeux garni de canaris retournés et d'un foyer. Très poliment un homme complètement nu (à l'exception d'un bila guère plus important qu'une ficelle) à chéchia rouge et barbiche noire, m'explique en un français assez correct que sur ce foyer on fait cuire pour les manger les animaux sacrifiés au *nya.* Sur un côté de la case, pend une grappe de colliers : ceux que, de leur vivant, devaient porter les chiens victimes.

A la nuit, arrivée à Sikasso et départ immédiat sur Zignasso où couchent les Européens, depuis la fièvre jaune. Prise de contact avec l'administrateur, que nous trouvons, lui et les Européens de la colonie, en train de manger dans une cage grillagée, abri contre les moustiques du plus comique effet.

Comme il n'y a pas de place pour nous paraît-il, dans le campement de Zignasso, nous campons dans le marché (!).

1er septembre.

Mauvaise nuit dans le marché couvert : dérangé par les chiens puis, à l'aube, par les cris de l'almami.

Toilette avant que la foule ne s'amasse, puis travail. Entre autres choses enquête sur l'excision à deux pas d'un étal de boucherie.

Déjeuner chez l'administrateur et visite aux notables avec l'interprète. Les deux chefs de canton ont une véritable cour : des femmes, des serviteurs, des clients. Chez l'un d'eux nous trouvons une admirable porte en bois sculpté, mais il ne veut pas la vendre. Nous ne pouvons que la photographier.

En partant, vers le soir, nous le voyons, assis près de la porte de sa maison style Djenné, sur un grand fauteuil qui fait espèce de trône, avec deux femmes à ses côtés : une vieille, et une jeune le sein nu, placée un peu devant comme s'il s'agissait de la mettre en vitrine. Les clients sont assis de l'autre côté de la porte. Un griot, assis aux pieds du chef de canton, chante ses louanges incessamment. Le chef de canton a l'air ainsi d'un personnage si puissant que je suis surpris de le voir se lever, quand nous partons, pour nous dire au revoir.

Coucher à Kyéla. Campement simple et sympathique, qui comporte seulement quelques cases rondes.

2 septembre.

Au réveil, la toilette à peine terminée, arrivent au campement deux vieilles femmes coiffées en houppes comme des clowns et portant des colliers de graines (chez l'une entremêlées de bouts d'allumettes) et de jolis petits pagnes recouvrant leur bila. Elles chantent et dansent d'une façon à la fois charmante et burlesque, faisant de drôles de mines et terminant leur chant en rejetant la tête en arrière et lâchant une sorte de petite cri. Ce sont deux femmes *korodyouga* (en sénoufo : *mpo*), sortes de bouffons nobles à qui incombent les rôles les plus divers dans la société, tel celui de sages-femmes quand il y a une naissance ou d'ambassadrices lorsqu'une fille qui vient d'être excisée doit faire savoir à sa future belle-mère qu'elle est guérie.

Travail et cinéma avec ces deux femmes. Puis départ, et suite de visites de villages sénoufo.

Le soir, arrivée pour coucher à Sangasso. Il y a là aussi un joli « tata »[1] habité par le chef de canton, moins important que ceux des deux chefs de Sikasso, mais qui, au coucher du soleil, fait quand même son beau petit effet d'affiche. La terrasse est pleine d'enfants qui nous regardent au moment où nous arrivons.

3 septembre.

Visite au tata du chef de canton. Le côté potentat de ces gens est difficilement imaginable. Le pouvoir de n'importe quel chef d'État européen fait rire à côté de cette féodalité. Le nombre des femmes, des serviteurs et des clients est toujours impressionnant.

Déjeuner à Koutyala, et visite à l'administrateur qui ne nous apprend pas grand-chose sur la région, sinon l'existence, à Bla (entre Koutyala et Ségou), d'un village de forgerons. Sa conversation est insipide. Dès la moitié de l'après-midi, nous prenons congé emmenant avec nous le représentant du chef de canton de Bla qui nous fait obtenir ce que nous voulons auprès des forgerons.

Nuit à Mpésoba.

4 septembre.

Je me suis couché à minuit, étant allé au tamtam, y ayant rencontré le médecin-auxiliaire indigène de Koutyala, ayant longuement bavardé avec lui de choses qui m'intéressaient et m'étant promené aux abords d'une des cases de *nya* devant laquelle des enfants dansaient sous les yeux des vieillards.

Au matin, le docteur fait passer la visite sanitaire : il est installé près d'un arbre, comme Saint Louis rendant la justice, et tout le village défile, hommes, femmes, enfants.

C'est à Bla que nous déjeunons. Nous allons chez les forgerons et examinons leurs hauts fourneaux, car ils fabriquent leur fer

1. Maison d'habitation formant fortin.

101

eux-mêmes. Nous convenons qu'ils apporteront du bois le lendemain de manière que, quand nous repasserons le surlendemain avec Griaule, ils puissent montrer comment ils disposent leur bûcher.

Passage, à la nuit, du bac du Banifing et arrivée à Ségou, où nous errons longuement avant de découvrir le campement de romanichels que Griaule et Larget ont installé à côté des chalands.

Il paraît qu'ils ont eu des ennuis et que les deux chalands, une nuit, ont failli sombrer. Amarrés à la rive, ils ont subi deux ou trois tornades successives et il a fallu les maintenir avec des pieux pour les empêcher de se retourner.

5 septembre.

Travail d'enfer toute la matinée : récolement, étiquetage et emballage provisoire des collections que nous avons recueillies Lutten et moi. Tout cela en plein soleil, au milieu d'une foule énorme que les « polices », de temps en temps, font reculer. Il faut embarquer 350 objets sur un des chalands. Ceux-ci doivent partir pour Mopti remorqués par un bateau qui s'en va à 2 heures de l'après-midi, emportant également Moufle et Larget.

A 2 heures, départ du bateau. Peu après, le départ du camion et de la voiture, avec Griaule, Mouchet, Lutten et moi, accompagnés de Mamadou Vad, Makan Sissoko, Bandyouyou Traoré (l'espèce d'idiot de village bigle qui nous a accompagnés durant la tournée Bamako-Bougouni-Sikasso-Koutyala-Ségou et qui, lorsqu'on veut lui faire caler le camion dans une pente, met toujours la cale du côté de la montée) et Mamadou Kèyta, le jeune enlevé.

Passage du Banifing, un peu délicat à cause du mauvais temps, puis coucher à Bla.

6 septembre.

Travail à Bla avec les forgerons. Vaste groupe de forges, formant atelier commun. A un mur, un vautour cloué. Déjeuner à Bla, puis départ.

A Kéméni (24 km de Bla) repérage d'une magnifique case non plus de *nya* mais de *Kono*. J'ai déjà vu celle de Mpésoba (je suis même entré la nuit dans la cour) mais celle-ci est bien plus belle avec ses niches remplies de crânes et d'os d'animaux sacrifiés, sous les ornements pointus de terre séchée en style soudanais. Nous brûlons d'envie de voir le *Kono*. Griaule fait dire qu'il faut le sortir. Le chef du *Kono* fait répondre que nous pouvons offrir un sacrifice.

Toutes ces démarches prennent un temps très long. L'homme qui va chercher les poulets, lui aussi, n'en finit pas. Il en ramène un petit et un grand qu'il remet à Griaule. Mamadou Vad ne le quitte pas d'un pas, car il semble toujours prêt à nous laisser tomber. Autre nouvelle : le sacrifice ne permettra l'entrée que d'un seul homme, et je dois faire acheter deux autres poulets pour avoir, moi aussi, le droit d'entrer. On m'en apporte deux minuscules, visiblement choisis parmi les plus chétifs. Tout cela continue à traîner ; c'est maintenant autre chose : il ne vient pas de sacrificateur. Nous décidons d'entrer dans la cour : la case du *Kono* est un petit réduit fermé par quelques planches (dont une à tête humaine) maintenue par un gros bois fourchu dont l'autre extrémité s'appuie à terre. Griaule prend une photo et enlève les planches. Le réduit apparaît : à droite, des formes indéfinissables en une sorte de nougat brun qui n'est autre que du sang coagulé. Au milieu une grande calebasse remplie d'objets hétéroclites, dont plusieurs flûtes en corne, en bois, en fer et en cuivre. A gauche, pendu au plafond du milieu d'une foule de calebasses, un paquet innommable, couvert de plumes de différents oiseaux et dans lequel Griaule, qui palpe, sent qu'il y a un masque. Irrités par les tergiversations des gens notre décision est vite prise : Griaule prend deux flûtes et les glisse dans ses bottes, nous remettons les choses en place et nous sortons.

On nous raconte maintenant encore une autre histoire : le chef du *Kono* a dit que nous devions choisir nous-mêmes notre sacrificateur. Mais, naturellement, lorsque nous voulons faire ce choix, tout le monde se récuse. Nous demandons à nos propres boys s'ils ne peuvent faire eux-mêmes le sacrifice ; ils se récusent aussi, visiblement affolés. Griaule décrète alors, et fait dire au chef de village par Mamadou Vad que, puisqu'on se moque décidément de nous, il faut, en représailles, nous livrer le *Kono* en échange de 10 francs, sous peine que la police soi-disant cachée dans le camion prenne le chef et les notables du village pour les

conduire à San où ils s'expliqueront devant l'administration.
Affreux chantage !

En même temps, Griaule envoie Lutten aux voitures pour
préparer le départ et nous renvoyer immédiatement Makan avec
une grande toile d'emballage pour envelopper le *Kono* (que ni les
femmes, ni les incirconcis ne doivent voir, sous peine de mourir)
et deux imperméables, l'un pour Griaule, l'autre pour moi, car il
commence à pleuvoir.

Devant la maison du *Kono*, nous attendons. Le chef de village
est écrasé. Le chef du *Kono* a déclaré que, dans de telles
conditions, nous pourrions emporter le fétiche. Mais quelques
hommes restés avec nous ont l'air à tel point horrifiés que la
vapeur du sacrilège commence à nous monter réellement à la tête
et que, d'un bond, nous nous trouvons jetés sur un plan de
beaucoup supérieur à nous-mêmes. D'un geste théâtral, j'ai rendu
le poulet au chef et maintenant, comme Makan vient de revenir
avec sa bâche, Griaule et moi demandons que les hommes aillent
chercher le *Kono*. Tout le monde refusant, nous y allons nous-
mêmes, emballons l'objet saint dans la bâche et sortons comme
des voleurs, cependant que le chef affolé s'enfuit et, à quelque
distance, fait rentrer dans une case sa femme et ses enfants en les
frappant à grands coups de bâton. Nous traversons le village,
devenu complètement désert et, dans un silence de mort, nous
arrivons aux véhicules. Les hommes sont rassemblés à quelque
distance. Lorsque nous débouchons sur la place, l'un d'eux part
en courant vers les champs et fait filer en toute hâte un groupe de
garçons et de filles qui arrivaient à ce moment. Ils disparaissent
dans les maïs, plus vite encore que cette fillette aperçue tout à
l'heure dans le dédale des ruelles à mur de pisé et qui a fait demi-
tour, maintenant sa calebasse sur sa tête et pleurant.

Les 10 francs sont donnés au chef et nous partons en hâte, au
milieu de l'ébahissement général et parés d'une auréole de
démons ou de salauds particulièrement puissants et osés.

A peine arrivés à l'étape (Dyabougou), nous déballons notre
butin : c'est un énorme masque à forme vaguement animale,
malheureusement détérioré, mais entièrement recouvert d'une
croûte de sang coagulé qui lui confère la majesté que le sang
confère à toutes choses.

7 septembre.

Avant de quitter Dyabougou, visite du village et enlèvement d'un deuxième *Kono,* que Griaule a repéré en s'introduisant subrepticement dans la case réservée. Cette fois, c'est Lutten et moi qui nous chargeons de l'opération. Mon cœur bat très fort car, depuis le scandale d'hier, je perçois avec plus d'acuité l'énormité de ce que nous commettons. De son couteau de chasse, Lutten détache le masque du costume garni de plumes auquel il est relié, me le passe, pour que je l'enveloppe dans la toile que nous avons apportée, et me donne aussi, sur ma demande — car il s'agit d'une des formes bizarres qui hier nous avait si fort intrigués — une sorte de cochon de lait, toujours en nougat brun (c'est-à-dire sang coagulé) qui pèse au moins 15 kilos et que j'emballe avec le masque. Le tout est rapidement sorti du village et nous regagnons les voitures par les champs. Lorsque nous partons, le chef veut rendre à Lutten les 20 francs que nous lui avons donnés. Lutten les lui laisse, naturellement. Mais ça n'en est pas moins moche...

Au village suivant, je repère une case de *Kono* à porte en ruines, je la montre à Griaule et le coup est décidé. Comme la fois précédente, Mamadou Vad annonce brusquement au chef du village, que nous avons amené devant la case en question, que le commandant de la mission nous a donné ordre de saisir le *Kono* et que nous sommes prêts à verser une indemnité de 20 francs. Cette fois-ci, c'est moi qui me charge tout seul de l'opération et pénètre dans le réduit sacré, le couteau de chasse de Lutten à la main, afin de couper les liens du masque. Quand je m'aperçois que deux hommes — à vrai dire nullement menaçants — sont entrés derrière moi, je constate avec une stupeur qui, un certain temps après seulement, se transforme en dégoût, qu'on se sent tout de même joliment sûr de soi lorsqu'on est un blanc et qu'on tient un couteau dans sa main...

Très peu après le rapt, arrivée à San, déjeuner, puis prise de contact, dans un village voisin, avec des *Bobo oulé,* qui sont des gens charmants. Nudités idylliques et parures de paille ou de cauris, jeunes gens aux cheveux très joliment tressés et femmes au crâne souvent rasé (surtout les vieilles), c'est plus qu'il n'en faut pour me séduire, me faire oublier toute piraterie et ne plus penser qu'au genre Robinson Crusoé et Paul et Virginie.

8 septembre.

Écœurante fatigue due au dîner chez l'administrateur (genre d'agapes que je supporte de moins en moins), accablante fatigue que je traîne toute la journée, dans les villages bobo oulé que nous faisons en quittant San.

Formidable pluie le soir, avant d'arriver au campement. Nuages à nous toucher la tête et terribles comme des vagues ou des avalanches démesurées. Voir un nuage de profil, comme une armée en ligne de bataille. Ce nuage *de profil*, je l'ai vu.

9 septembre.

Quitté Têné au cours de la matinée, et toute la journée visite de villages bobo oulé. Griaule et moi regrettons que dans cette région il n'y ait plus de *Kono*. Mais pas pour les mêmes raisons ; ce qui me pousse quant à moi, c'est l'idée de la profanation... Mamadou Kèyta, le jeune fugitif, est bien gentil. Griaule lui a dit qu'il voulait faire de lui un grand ethnographe et Mouchet l'a surnommé « Bobo ».

Arrivée ce soir à Sofara, pour coucher.

10 septembre.

Visite à Sofara, qui est une lamentable banlieue de Djenné. Pouillerie sans pittoresque et mosquées idiotes, pas comparables avec les mosquées villageoises à clochers garnis de pieux, rencontrées jusqu'à présent. Départ tôt dans la matinée, vers des lieux meilleurs.

Journée de pluie, — pas de tornade, mais de pluie. Comme toujours depuis que nous avons quitté Bamako, quand nous entrons dans les villages des enfants se sauvent en courant. En nous voyant pénétrer dans leurs cases, beaucoup braillent éperdument. Le phénomène est pourtant beaucoup moins fréquent que chez les Bobo où, hier, nous avons en pénétrant dans une remise, trouvé une femme cachée derrière un silo, le visage contre la muraille, et chantant de peur à notre approche, à gorge pleinement déployée, comme pour un rite funèbre.

Arrivée vers le soir à Mopti, pour trouver Larget et Moufle installés dans une spacieuse boutique à étage que Larget a louée (un Syrien a fait faillite), tous deux rongés par les fourmis et les moustiques. Trouvé un abondant courrier, ce qui m'a remis d'aplomb, car j'étais un peu énervé et fatigué.

11 septembre.

Formidablement dormi. Mais battements de cœur toute la matinée, à cause d'un bol de café bu ce matin. Satané climat ; il fait une humidité à tout casser.

Le pantalon indigène que je veux mettre pour me protéger des moustiques n'est pas commode du tout, car il n'a pas de poches, ne supporte pas de ceinture et je ne sais pas même où mettre mes clefs. Force m'est de revenir à mes shorts. Pour comble de malheur, alors que je suis installé à écrire près d'un poulailler appartenant aux collections, je me sens tout à coup envahi par une nuée de poux de poules provenant du dit poulailler. Je réagis en me faisant asperger de Fly Tox, mais le remède est bien insuffisant...

Ce soir, quantité prodigieuse de moustiques. Larget porte des bottes rouge vif. Mouchet veille paternellement sur le jeune Mamadou Kèyta et entame son éducation linguistique et ethnographique.

12 septembre.

Pas sorti de la journée, sauf pour aller à la poste, puis, aussitôt après déjeuner, pour acheter un siège de bois à cariatides, assez mauvais, signalé par Vad.

Mopti me rappelle beaucoup la Grèce, notamment Missolonghi. Même puanteur de marécage. Même humidité. Même grouillement misérable et coloré. Des familles entières de pêcheurs *bozo* vivent dans d'étroites pirogues et, le soir, tendent des moustiquaires sur la berge pour dormir (les plus riches tout au moins).

Lutten fiévreux s'alite. J'entasse fiche sur fiche, ayant à établir au net toutes celles de notre tournée.

Makan me fait de la morale parce que, le soir, pour me protéger des moustiques, j'ai mis mon *koursi* soudanais. « Y a pas bon pour les blancs ! »

13 septembre.

Allé à un tamtam de *dyédounou* avec Mamadou Vad et un ami (?) à lui. Ici les calebasses ne sont pas retournées sur de l'eau, elles sont simplement posées sur la terre et la batterie sèche des mains (agrémentées parfois de bagues ou de courtes baguettes) est merveilleuse. Un grand homme barbu à pantalon européen et ceinture de cuir garnie de cauris et une femme très mince aux jambes totalement dénudées semblent mener la danse. Chacun tient à la main une longue corne d'animal, dont il se sert comme d'une canne ou qu'il brandit. Ils sont revêtus d'espèces de maillots de football bleu et blanc, couleurs de leur démon. D'autres adeptes ont la face couverte de poussière. Tous se déplacent les yeux fermés, avec des mouvements tantôt de larves, tantôt de possédés. La scène se passe dans une rue étroite, entre deux maisons dont les fenêtres et terrasses sont pleines à craquer. Les danseurs fatigués vont se reposer dans une des maisons, où se passe Dieu sait quoi !... Des femmes ou des hommes malades viennent se faire soigner. A une grosse femme malade, un des hommes passe, de la tête aux pieds, sa main couverte de salive. Puis l'homme et la femme chefs lui croisent leurs longues cornes sur la tête. De temps à autre, le barbu se place debout contre la femme, face à face, et lui enlace les jambes avec une des siennes repliées. De légères ondulations abdominales donnent sa pleine signification à cette mimique. Il fait de même avec un de ses compagnons à face terreuse qui plus tard feindra l'épilepsie et, à un autre moment, se jettera sur un chevreau qui se trouvera là, l'enlèvera, le projettera violemment sur le sol, avec bruit et poussière.

Une femme grasse et belle danse un quart d'heure, cassée en deux, devant les batteurs de calebasses — la main de princesse de la femme chef la courbant à nouveau, d'une tape au dos, quand fatiguée elle se relève — jusqu'à ce qu'elle croule à terre, enlève son boubou et continue à s'agiter le torse nu, se roule enfin consciencieusement dans la poussière et se relève la peau maculée. Celle-là, c'est une triomphatrice, car peu de temps après on lui remet une longue corne, sur laquelle elle s'appuie, marchant les yeux mi-clos et imitant dans sa démarche la femme chef aux allures de princesse. On lui passe également un boubou de plusieurs couleurs (noir, blanc, rouge, violet) qu'on lui noue au-dessus des seins avec un bandeau : ce doit être la casaque du démon dont elle est l'excitant jockey.

Quand je m'en vais, une vieille femme aux vêtements déchirés, s'est également roulée dans la poussière en bavant et gémissant, un homme, avec la flûte de l'un des musiciens entre les jambes, a feint de se masturber, plusieurs filles ont sauté comme des folles et une énorme matrone aux bras lourds jusqu'à la liquéfaction a pris sur ses genoux la tête d'un danseur étendu roide tant il est épuisé.

Parfois, la femme aux jambes nues s'asseyait sur les genoux de l'homme à barbe, assis lui-même sur un mortier à mil renversé et tenant sur ses épaules un bébé à peine vêtu avec lequel, de temps en temps, il dansait. Cette femme aux paupières closes, aux cuisses étranges m'a fait penser à celles — déjà fascinantes — que j'étais allé voir à Bamako avec Baba Kèyta, lorsque je commençai à m'occuper du *dyédounou*. Noblesse extrême de la débauche, de la magie et du charlatanisme. Tout ceci est religieux, et je suis décidément un homme religieux.

14 septembre.

Je m'éveille. Je pense à la pyramide que formaient hier le mortier à mil, l'homme assis dessus, la femme assise sur les genoux de ce dernier (de côté, les jambes perpendiculaires aux siennes), l'enfant juché sur l'épaule opposée de l'homme et se trouvant dans une troisième direction.

J'ai mal dormi, ayant rêvé que je n'avais pas encore quitté Paris et qu'il me fallait encore me séparer. Sur un camion conduit par Moufle, il fallait traverser un passage délicat, des planches branlantes passant par-dessus un ruisseau : et nous y parvenions dans des conditions qui, dans la vie réelle, auraient sûrement mené le véhicule à l'eau.

L'assistant indigène du médecin vient visiter Lutten et redoute une bilieuse hématurique. Il est possible aussi que notre ami se soit intoxiqué au stovarsol, car il en a pris beaucoup ces jours derniers pour remplacer la quinoplasmine.

Visite du chef du *dyédounou* (qui s'appelle ici, en langue songhay, *ollé horé*, c'est-à-dire « batterie de mains des fous ») et de quelques-uns de ses acolytes. Mines de dignes sacripants. Le vieux chef ne me dit à peu près rien (moins encore que la vieille apeurée et rusée du quartier de Boulibana à Bamako), à peine la nomenclature des différents démons. Négligemment il me laisse savoir qu'il peut venir faire tamtam devant chez nous, avec tous ses gens. Il l'a déjà fait pour l'administrateur, qui lui a donné cent francs. Je comprends... Je laisse ces gens partir — chacun prétextant qu'il doit se rendre à ses affaires — et fais convoquer simplement un des chanteurs de la société pour demain.

Je reste quelques secondes seul, puis un de mes interlocuteurs de tout à l'heure revient. Il me raconte un certain nombre de choses assez anodines sur les démons du *ollé horé* puis, tout à coup, apercevant sur le comptoir de notre boutique l'étrange animal de sang séché que nous avons enlevé en même temps que le *Kono*, il me parle du *Koma*. Cet animal n'est autre qu'un *koma*, le plus fort de tous les fétiches bambara, beaucoup plus fort que le *kono* lui-même et peut-être même que le *nama* ! Par l'orifice qui simule une bouche ou introduit un peu de la viande des sacrifices, puis de l'eau, qui s'écoule par l'anus simulé à l'autre bout, quand on incline le fétiche. J'admire la petite bête ronde et trapue et je caresse sa bosse, prenant plaisir à en sentir les craquelures. Je crois avoir volé le feu...

Vers le soir, tour en ville avec Mamadou Vad. Passant devant la maison du chef du *ollé horé*, nous entrons. C'est devant cette maison que le tamtam avait lieu. Il y a là une quantité de chambres, des terrasses, des escaliers aux marches de terre usées que nous montons et descendons dans la plus royale obscurité, manquant de nous casser la gueule et escortés d'individus (l'un d'eux un des épileptiques d'hier) bien en harmonie avec un tel coupe-gorge. Les chambres, nous l'apprenons après, sont louées à des femmes seules... Le siège social du *ollé horé* est un gigantesque bordel.

15 septembre.

Très mal dormi. Bain de sueur. Pourtant couché relativement

tard, étant allé promener en ville avec Griaule et nous étant attardés à un tamtam qui ressemblait à une fête de Neuilly. Mamadou Vad y était avec son camarade (mon informateur pour le *koma*), ce dernier complètement saoul et tenant mal debout.

Au cours de la nuit Lutten rêve ou délire. « 10 fr 50 la clochette ! » dit-il pensivement, croyant sans doute avoir payé trop cher un objet de collection. Ce matin, il va mieux. La fièvre tombe.

Déception quant au *koma* : d'après Vad, ce n'est pas un *koma*, mais seulement un *kono* ; une des preuves en est que nous ne sommes pas morts en le touchant ; le camarade s'est fichu dedans. La bouteille à l'encre...

J'engueule un informateur à la noix amené précisément par le camarade en question, et je tente ma chance auprès de Bandyougou, notre manœuvre-idiot-de-village. Pas grand succès ! Il est en tout cas avéré que l'engin n'est pas un *koma*.

Le chanteur du *ollé horé* n'est pas venu. Il est vrai qu'il ne chante qu'en état de possession.

16 septembre.

Mieux dormi, mais enrhumé après nouveau bain de sueur. Odeur ammoniacale d'urine putréfiée.

Le travail boitille. J'engueule le copain de Vad, qui vient, pour la je-ne-sais-combien-ième fois depuis deux jours, me demander quand le *ollé horé* pourra venir nous donner son tamtam. Pas de renseignements, pas de tamtam, lui dis-je. Et s'il m'emmerde encore, je lui casse la gueule. A voir combien je suis moi-même impatient avec les noirs qui m'agacent, je mesure à quel degré de bestialité doivent pouvoir atteindre, dans les rapports avec l'indigène, ceux qui sont épuisés par le climat et que ne retient aucune idéologie... Et qu'est-ce que cela doit être chez les fervents du Berger ou du whisky !

Le médecin, qui vient visiter Lutten, diagnostique finalement un accès paludéen.

17 septembre.

Raid à Bandiagara et Sanga, à 43 kilomètres sur la route de

Douentza au bord de la falaise de Bandiagara. Premier contact avec les *Habé* : villages étonnants, sur les roches du plateau nigérien. Greniers hauts et étroits serrés les uns contre les autres, aux toits de paille pointus. Bâtiments à clochetons, creusés de niches où l'on trouve de tout : vieux outils, coupes à sacrifice, instruments de magie.

L'administrateur de Bandiagara est un amateur de serpents. Il nous exhibe toute une série de peaux, dont certaines atteignent facilement deux ou trois mètres de long.

Jeunes gens habé en courtes tuniques, bandeaux de tête de cauris et chignons. Autels de terre séchée, de forme presque conique pour les offrandes de crème de mil et de sang de poulet. Vu entre autres un autel analogue à celui qu'a photographié Seabrook et qui a été reproduit dans *Documents*[1]. L'instituteur noir, dont Seabrook m'avait engagé à me méfier, est puant : jeune type, pas habé du tout, à longue lévite bleu sombre soutachée, tarbouch et gueule de faux témoin. Le frère du chef de village, par contre, est assez sympathique.

Nous reviendrons passer un mois à Sanga et j'en suis ravi. Beaux abris pour les hommes du village, sortes de dolmens dont la pierre supérieure serait remplacée par des tas de fagots : il doit s'y raconter de bien étranges histoires, quand les vieux y viennent cuver leur dolo.

Beaucoup de ces jeunes gens à chignon natté sont pris pour la conscription. Je pense à cette histoire que racontait l'administrateur de Koutyala : de nombreux jeunes gens sénoufo, la veille de la conscription, vont en brousse se circoncire eux-mêmes pour échapper au service militaire...

18 septembre.

Pas vu depuis deux jours l'ex-tirailleur devenu fou qu'on appelle le « caporal ». Avec un vieux barda mi-colonial mi-indigène, une barbe hirsute, un bidon, un arc, un bonnet agrémenté de cauris, il mendie et fait parfois l'exercice tout seul en criant : « En avant... arche ! A droite... roite ! »

Dans le milieu de l'après-midi, petit coup de Trafalgar :

1. Cf. *Documents*, deuxième année, n° 7.

l'administrateur nous avise qu'un télégramme du Gouverneur nous prie de lui remettre un masque « réquisitionné » à San, que le propriétaire réclame... Le masque, bien entendu, est remis aussitôt. De plus en plus, la boutique de Syrien failli où nous vivons, à côté de notre camion, de notre voiture et de notre remorque, juste sur le fleuve où dort une pinasse à moteur que nous avons un instant songé à acheter, prend des allures de repaire de bootleggers. Aux officiels, toutefois, qui estimeraient que décidément nous en prenons trop à notre aise dans nos transactions avec les nègres, il serait aisé de répondre que tant que l'Afrique sera soumise à un régime aussi inique que celui de l'impôt, des prestations et du service militaire sans contre-partie, ce ne sera pas à eux de faire la petite bouche à propos d'objets enlevés, ou achetés à un trop juste prix.

Aujourd'hui Lutten est descendu manger à table.

19 septembre.

Journée de grands projets. Les cartes sont dépliées, étalées et couvrent toute une table. Le programme est vite établi : nous irons d'abord tous chez les Habé, excepté Larget qui restera à Mopti. Puis, tandis que Larget, et Moufle revenu à Mopti, poursuivront leur route sur le Niger vers Ansongo et Niamey, le reste de la mission passera en haute-Volta, qu'elle parcourra par voie de terre, traversant comme points principaux Bobo-Dioulasso, Ouagadougou, Fada Ngourma, et rejoignant le matériel à Niamey.

Ainsi le retard que nous avons pris sera partiellement rattrapé.

De plus, apprenant qu'un vapeur de l'administration part demain matin pour San en passant par Djenné, il est entendu que nous nous ferons remorquer. Avant d'aller en pays *kado* [1], nous aurons donc vu Djenné, que nous avions manquée à Sofara, la route étant coupée.

Le tamtam du *ollé horé* ne nous verra pas demain, puisque nous serons sur le Bani. Mais nous trouvant sur l'eau, sans doute serons-nous plus près des animateurs de tous les dyédounou, ces ondins qu'on appelle *dyidé*...

1. Singulier de *habé*.

113

20 septembre.

A l'aube, les laptos amènent à la perche le chaland, sur lequel nous avons passé la nuit, jusqu'au remorqueur. Il se forme ainsi un long train de chalands, les gros portant accrochés à leur flanc les petits, et notre chaland vit dans un tel parasitisme avec un plus gros que lui.

Le train s'ébranle, et nous sommes très longs à perdre des yeux Mopti. Nous remontons le courant : 5 kilomètres à l'heure, c'est à peu près tout ce que nous arrivons à faire.

Charmant voyage de plaisance... Escale dans un petit village, où nous achetons quelques objets. Herbes inondées, carrés changés en îles, oiseaux bigarrés, petites termitières à plusieurs chapeaux de champignons superposés.

Actuellement le bateau glisse. Je vais monter sur le toit sur lequel nous étions installés tout à l'heure et qu'une immersion solaire trop prolongée nous a forcés d'abandonner. Sans doute serons-nous à Sofara vers la nuit, à Djenné seulement demain matin. Mais qu'importe ! La fumée lente du remorqueur nous bâtit de si tranquilles vacances...

On signale, paraît-il, un hippopotame, mais c'est un propos lâché en l'air. Que ne doit-on pas dire aux touristes !

Dîner sur le toit du bateau. Tentative de sommeil au même endroit, mais retraite provoquée par les moustiques et le passage sur mon crâne d'un vaste cancrelat. Descente dans la cabine et coucher.

21 septembre.

Peu avant l'aube, alerte : une tornade est en marche. Le vapeur accoste. On amarre tous les chalands, chacun séparément, à la berge, du côté d'où vient la tornade, afin de ne pas être rejetés sur la rive par le vent et les vagues. Lever de soleil embrouillé, puis départ : la tornade est passée à côté.

A 9 h 1/2, nouvel arrêt : nous sommes arrivés au bras d'eau qui conduit à Djenné. La ville elle-même est en vue depuis long-temps, avec les trois pointes de sa mosquée. Débarrassé des autres chalands le remorqueur, auquel on nous accroche directement, nous mène à toute allure vers la ville, où nous débarquons au milieu d'une foule d'hommes, d'enfants, de femmes et filles en train de laver ou se laver.

Promenade au marché et visite à la mosquée, gigantesque bâtisse en pisé qui fait le genre cathédrale. Avant d'entrer, offrande de quelques pièces, sous une pierre, dans un enclos réservé. Sitôt nos talons tournés, des enfants pénètrent dans l'enclos et volent l'offrande. L'intérieur de l'édifice est empuanti de chauves-souris. Nous montons à la terrasse qui donne acccès aux minarets. Des poteries recouvrent l'orifice de chacune des prises d'air qui communiquent avec le dessous. Voyant qu'une d'elles est cassée, Griaule fait demander au muezzin combien coûtent ces poteries. « 10 sous. » « Je lui en donne 20. » Aussitôt reçus les 20 sous, le muezzin fait observer que trois de ces poteries sont cassées, qu'on lui doit donc 1 fr 50.

Exploration de toute la ville, aux rues étroites, aux maisons à superbes façades mais intérieurement misérables, vieille cité séduisante comme « un décor de théâtre », mais pauvre autant que d'antiques coulisses ou que le dernier magasin d'accessoires d'un boui-boui de quartier...

Vers le soir, l'instituteur français nous apprend que la mosquée est l'œuvre d'un Européen, l'ancien administrateur. Pour réaliser ses plans, il a détruit la vieille mosquée. Les indigènes sont si dégoûtés du nouvel édifice qu'il faut les punir de prison pour qu'ils consentent à le balayer. Lors de certaines fêtes, c'est sur l'emplacement de l'ancien édifice que les prières sont dites. L'école, l'ancienne résidence et maints autres bâtiments ont été construits, d'une manière analogue, en style soudanais.. Que d'art ! Djenné est pourtant bien sympathique, en cette saison des pluies qui la transforme en île. Puisque tout y est déglingué, que ses notables aux maisons que j'imagine avoir été jadis remplies d'une foule de femmes, de visiteurs et de clients sont partis, laissant tout glisser vers la ruine, pourquoi, au lieu d'y exercer le vandalisme méthodique qu'inaugura Viollet-le-Duc, ne pas la laisser pourrir tranquille ?

22 septembre.

Journée entière en pirogue. Visites de villages devenus îlots depuis l'inondation. Pour atteindre le dernier, la pirogue quitte le marigot et s'engage directement dans les herbes. Il semble qu'on navigue sur une prairie. Déjeuner au village, où l'on nous offre un mouton à emporter : nous avons beaucoup de mal à le refuser sans impolitesse. Long palabre aussi pour donner de l'argent, et non un cadeau ainsi qu'il se devrait, en échange de notre déjeuner.

Retour par la zone herbeuse, sans reprendre le marigot, car nous filons droit sur Djenné. Au cours de cette navigation terrestre, à ras de l'eau et fleur du sol, on se sent devenir fourmi.

23 septembre.

En pleine nuit, réveil. Le remorqueur, que nous attendions seulement pour la nuit d'après, vient d'arriver. Le commissaire noir du bord, à qui nous demandons l'explication de son si bref retour, se borne à déclarer qu'il est effectivement en avance. Dégoûtés de Djenné, de sa mosquée européenne, nous acceptons de partir. Mais tout le personnel s'est égaillé en ville, les uns couchant sur la terrasse d'un passeur de bac que nous avons ramené d'un village voisin et qui les a invités, d'autres galamment installés pour la nuit. Le chef des laptos, en particulier, reste introuvable. On parle de partir sans lui. Mais l'équipage du remorqueur fait traîner sa manœuvre, de manière à laisser le temps de le découvrir à ceux qui le recherchent.

A l'entrée d'un bras qui mène à Sofara (où le remorqueur va tout seul abandonnant son train), village. Griaule, qui veut y aller, fait appeler une pirogue. La pirogue nous accoste, mais elle est si petite et si étroite qu'il ne peut être question de l'utiliser : l'addition d'un seul d'entre nous suffirait vraisemblablement à la faire couler. Les gens de cette pirogue sont envoyés au village en réquisitionner une plus grande, qui arrive bientôt. Il est convenu que le chaland ne nous attendra pas, qu'il se laissera raccrocher au remorqueur lorsque celui-ci reviendra de Sofara et que Griaule et moi, dans notre pirogue, irons jusqu'au prochain village, le visiterons et rejoindrons le remorqueur sur le fleuve (ce qui permet de voir plusieurs villages sans retarder la marche du chaland).

Nous quittons le premier village : la pirogue est si vieille que l'écopage quasi incessant de Mamadou Vad et Mamadou Kèyta suffit à peine à enlever l'eau qui s'infiltre de toutes parts.

Enfin, nous arrivons, mais quand nous abandonnons à son tour ce village, nous apercevons le remorqueur qui passe avec tout son train et décroche notre chaland. Il y a eu malentendu : le chaland n'aurait dû être décroché qu'au village suivant, puisque ainsi nous devions gagner du temps ; avec notre pirogue, plus rapide, nous l'aurions rattrapé en route. Protestations, cris. Le patron du chaland hèle le remorqueur, qui fait un large demi-tour et vient nous raccrocher.

Au premier village devant lequel nous passons, apercevant des cases de paille à grands faîtes à anses et prolongements aussi plaisants que des blasons de cardinaux, nous décrochons. Adieu au remorqueur, adieu à son pilote, qui cette nuit ne voulait pas faire marcher plus qu'il n'était convenable la sirène, tandis qu'on recherchait le chef lapto disparu, pour la seule raison que, ce dernier étant son grand frère, l'appeler à grands coups de vapeur n'eût pas été correct. Nous rejoignons le village en traversant le fleuve. Pour cela, n'ayant pas de pagaies, il nous faut prendre des perches et les manier tous vigoureusement pour gagner la rive.

Nous repartons avec nos faîtes de cases (dont l'un est une espèce de mât de Cocagne, à croix tournante comme une croix de girouette) et divers instruments.

Commencement de tornade. Le vent nous drosse contre la rive. Nous nous trouvons en pleine zone inondée. A plusieurs reprises nous rentrons dans les arbres et même, deux fois, nous nous échouons à leur sommet. Étrange vie amphibie de poissons volants ou d'oiseaux sous-marins. Pour protéger nos faîtes de case mâts de Cocagne, nous les rentrons à l'intérieur et les accrochons horizontalement au plafond. Ainsi pendus, ils ont l'air d'accessoires de pêche ou de torpilles de sous-marin. l'un est au-dessus du lit de Lutten, l'autre au-dessus du mien. Un troisième est dressé dans un coin comme une potiche.

Le vent persistant, tout le monde se met à la manœuvre, qui avec une perche, qui avec une planche, qui avec une pagaie (car maintenant nous avons plus d'hommes, en ayant embauchés quatre au dernier village). Le vent n'est heureusement pas trop violent, et tombe assez rapidement.

Griaule me fait remarquer tout à coup que nous sommes 13 à

bord et cela me déplaît souverainement. Lutten fait marcher le phonographe et compose un programme où figurent *Les Bateliers de la Volga* et *Le Sacre du Printemps*. Les bateliers, eux, chantent gaiement.

Le pavillon que nous arborons a été un peu déchiré par les branches d'arbres, mais les W.-C. n'ont pas souffert. Il est vrai qu'ils sont constitués par une simple natte disposée en paravent-niche à l'extérieur d'une des fenêtres. Système plus perfectionné que celui que nous avons vu employer ce matin par un lapto du train de chalands : descendu sur le gouvernail, dont l'arête horizontale supérieure était au ras de l'eau, il s'y tenait accroupi, tourné dans une direction perpendiculaire à celle de la marche du chaland. L'opération terminée, il fléchissait un peu plus les jarrets et l'eau du fleuve venait lui nettoyer les fesses, tout simplement.

24 septembre.

Suite de la navigation. Temps pluvieux, qui s'éclaircit pourtant au début de l'après-midi. Un rhume finissant me donne mal à la tête et j'ai la flemme.

Durant notre tour dans Kouna (village où nous avons passé la nuit), tous les gens étaient effarés. Il y a un certain temps déjà que, dans beaucoup de villages traversés, nous sommes témoins de ce genre de panique. Il est évident que les gens de ces régions n'attendent rien de bon de la part des blancs...

Tous les laptos pagaient avec ardeur. Le colossal Tyéna Kèyta, qui ressemble à un grand ours quand il travaille avec ses grands pieds et ses grandes mains, à un bandit de grand chemin quand il se promène avec son chapeau mou et son pardessus d'hiver européen, en met un fameux coup. Il a fabriqué lui-même deux rames. Le patron et lui souquent dur à l'avant.

A nuit close, arrêt dans un village, qui n'est déjà plus très loin de Mopti. Travail aux lampes électriques, dans une joyeuse effervescence, car beaucoup d'étrangers sont là, venus en piro-gues pour vendre leurs denrées. Les objets s'achètent à toute allure, au milieu d'une foule formidable qui menace d'envahir le bateau et dans un extraordinaire brouhaha.

25 septembre.

Hier soir, je me suis couché à minuit, étant resté avec Lutten en vigie sur le toit du bateau, afin de repérer le prochain village à faîtes de case et nous y faire conduire.

La nuit se passe, ancrés devant ce village.

Travail le matin, en vue de Mopti, puis départ.

Depuis quelque temps, Mamadou Vad est devenu tout à fait agaçant. Il n'écoute plus rien et est presque toujours de mauvaise humeur. Je crois que notre vie errante ne lui plaît pas, à cause de la continence à laquelle elle l'oblige, à cause aussi de la difficulté qu'il y a à se procurer des kolas. Le tardjouman, qui atteignit son apogée à Bamako, est maintenant nettement sur le déclin...

A 9 heures, casse-croûte (habitude prise depuis que nous sommes en chaland) et progression lente sur Mopti. Je suis toujours abruti par le rhume et souffre de mal de tête.

A 10 heures, les camions sont en vue sur la berge de Mopti.

Fin d'une navigation qui à la longue devenait fastidieuse, comme toutes nos activités, dont le plus grand, et peut-être l'unique charme, est qu'elles varient.

Arrivé à Mopti cela va mieux et je pense que cela continuera.

Journée fatigante de retour de tournée, avec les effets personnels à encore déménager et tant de choses à mettre en ordre. On sent ici que c'est bientôt la saison sèche. Le soleil tape à plein dans les rues. On n'aperçoit que des torses nus, et bien des fillettes, pour avoir moins chaud, ont supprimé jusqu'à la mince ceinture qui leur cercle les reins en saison froide.

26 septembre.

Ignoblement dormi. Tellement sué que j'ai dû me lever et faire quelques pas pour prendre l'air. A 2 heures du matin, il fait 32°. Rêvé que Schæffner — que nous attendons effectivement bientôt — nous rejoint avec un casque démontable, qui tient le milieu entre le suroît de matelot et le gros casque de sureau affectionné par les Syriens.

Cela va mieux dans la journée. Mouchet aussi, qu'en rentrant nous avions trouvé malade, va mieux. Mais le travail n'est pas intéressant ; grande noyade dans les paperasses, la correspondance officielle, les objets à étiqueter et emballer.

Après-demain nous irons à Sanga et c'est tant mieux. Demain après-midi tamtam du *ollé horé*.

27 septembre.

Lu hier, en portant le courrier à la poste, les dépêches de l'agence Havas. Les bourses de plusieurs capitales fermées, l'Angleterre en passe d'être ruinée, des troubles un peu partout. La faillite de l'Occident s'accuse de plus en plus ; c'est la fin de l'ère chrétienne.

Arrivent à l'instant un groupe d'hommes *bozo*. L'un deux est un griot qui joue sur des calebasses avec ses mains, ses coudes, ses pieds, ses genoux et sait faire maints tours, dont il ne donne malheureusement pas l'explication... Semblable en cela à tous ceux à qui l'on demande la raison de tel ornement symbolique ou de tel rite à sens lointain et qui répondent tranquillement : « Ça, c'est manière ! »

Colère bleue contre un homme qui vient vendre des grigris et qui, quand je lui demande quelles sont les formules magiques qu'il est nécessaire de prononcer en s'en servant, donne, chaque fois que je lui fais répéter une de ces formules pour la noter, une version différente et, chaque fois qu'il s'agit de traduire, encore de nouvelles versions...

Il y a tant à faire pour préparer le départ de demain qu'encore une fois je manque le *ollé horé*... Je suis furieux comme devaient l'être les marins d'Ulysse lorsque la cire les empêchait d'entendre les sirènes.

Dans la soirée, éclipse de lune. Elle a été mangée par le chat, comme on dit.

28 septembre.

Départ chez les Habé. Dès le premier village visité, histoires. Les Habé sont de braves gens, bien campés sur les pieds et ne semblant pas décidés à se laisser embêter. Tentative d'achat de quelques serrures, achat même, mais les gens protestent et reviennent sur le marché conclu : d'un geste de colère, Griaule brise un *wasamba*[1] qu'il a payé et fait dire qu'il maudit le village. Un peu plus loin, tout se passe bien ; les affaires se traitent normalement.

Rencontre de deux superbes guépards (?) — les premiers fauves que je vois en liberté — Lutten en tire un et le manque. Nous descendons de voiture et les poursuivons un instant, mais rentrons sans avoir pu les retrouver.

Déjeuner à Bandiagara chez l'administrateur, gros neurasthénique, à grosse voix, gros sourcils, grosses moustaches. Il nous promène un peu dans la ville, nous mène voir un coin de la rivière peuplé de caïmans (que les habitants respectent et auprès desquels ils n'hésitent pas à se baigner, étant liés à eux par des liens totémiques et les animaux, par ailleurs, étant gavés de viande vu qu'à l'endroit où ils sont tombent les déjections de l'abattoir), nous montre son jardin. Lui aussi, il désapprouve la conscription, qui appauvrit la colonie sans rendre aucun service à la métropole. Pendant la guerre, il commandait une compagnie de Sénégalais. Les trois mois les plus froids de l'hiver se passaient à Saint-Raphaël ou à Fréjus, pour éviter que les noirs crevassent tout à fait comme des mouches. Dégoûté, il nous parle des fameux B.M.C., où les tirailleurs défilaient comme à la visite médicale, passant sur les femmes sans même enlever leur pantalon, si bien que les malheureuses devaient être périodiquement évacuées à cause de la blessure qu'à la longue leur faisait à la cuisse le frottement des boutons de braguette.

Au soir, information sensationnelle de Griaule avec un jeune kado élève de l'école, membre d'une famille de prêtres ou *Kadyèn*. D'une voix gentille et dans un français parfait, l'enfant raconte le rite *pégou* qui consiste en l'enterrement debout, dans un trou creusé par les jeunes gens, d'un volontaire (?) vivant — homme, femme ou enfant — auquel on plante un clou dans le crâne et au-dessus duquel on élève une terrasse qu'on entoure d'arbres. Sur cette terrasse sont ensuite sacrifiés périodiquement des animaux, et l'abondance règne au village...

Sinistre chose qu'être un Européen.

---

1. Instrument de musique de circoncis.

29 septembre.

Nuit fraîche à Bandiagara. Départ. Embourbement de près d'une heure. Arrivée à Sanga.

Le chef Dounèyron Dolo nous fait un cordial accueil. D'autres gens viennent, ainsi qu'une quantité d'enfants. Nous sommes bien loin ici de la servilité de la plupart des hommes rencontrés jusqu'à présent. Tout ce que nous connaissons en fait de nègres ou de blancs prend figure de voyous, goujats, plaisantins lugubres à côté de ces gens.

Formidable religiosité. Le sacré nage dans tous les coins. Tout semble sage et grave. Image classique de l'Asie.

Au pied d'un baobab tout proche du campement vient d'avoir lieu, sans que nous nous en doutions, un sacrifice de poulets et de rats. Ce soir des trompes sonnent, on entend des chants lointains. Des aboiements aussi, car ce bruit agace les chiens, et le claquement sec d'une batterie sur bois, touque ou calebasse. Rien ne rit plus ici, ni la nature ni les hommes. Les serpents sont très nombreux ; certains entrent dans les maisons.

Par ailleurs, quand je repense aux visages de mes interlocuteurs de tout à l'heure, j'ai honte à l'idée que parmi les enfants et les jeunes gens beaucoup feront des tirailleurs.

30 septembre.

La nuit a été agitée : après les sons de trompe du soir il y a eu beaucoup de mouvement dès avant l'aube. Cris d'oiseaux. Braiements d'ânes.

Cet après-midi, grande fête d'après funérailles, pour la mort d'une des femmes les plus vieilles d'un des villages qui constituent Sanga. Affluence d'environ 500 personnes, de familles entières venues de plusieurs villages, faisant des entrées comme au Châtelet : les hommes les plus âgés brandissant leurs armes devant l'exposition des richesses de la morte, faisant solennellement le tour d'un bloc de pierre entouré de pierres plus petites et nommé « pierre du brave »[1] ; les plus jeunes de la famille

---

1. J'ai su depuis que le corps d'un homme tué (ou sacrifié ?) lors de la fondation du quartier ou village était enterré dessous.

exécutant, chaque famille à son tour, une sorte de ballet et les cauris pleuvant à pleines poignées et circulant partout, de famille à danseurs, de danseurs à musiciens. Avec ces cauris, on achètera du dolo, car il faut qu'on s'amuse bien. Une personne jeune serait morte, on eût pleuré.

Hors de lui, le petit-fils, un homme barbu d'environ 40 ans, danse tout seul dans un coin et les femmes, qui le reconnaissent, lui barbouillent le visage avec de la bouillie de mil[1]. Il revient ainsi danser et chanter, ivre de dolo, sur le rocher où les hommes se déshabillent en partie avant de danser leur ballet de famille.

Les parents riches qui ont travaillé en Gold-Coast font les snobs ; ils exhibent de longues simarres de soie, parapluies, écharpes à carreaux, chapeaux gris londoniens, parfois bas à pompons et souliers à semelles débordantes. Des hommes dansent le torse nu, enturbannés comme des radjahs.

Demain, au coucher du soleil, les masques sortiront, masques primitivement découverts par une femme, après que les oiseaux de proie, les ayant pris pour de la viande à cause de leur couleur rouge, les eurent laissés tomber du haut d'un arbre sitôt reconnue leur erreur... Un homme est mort il y a quelque temps et — commémorativement — les masques sortiront. Cette nuit, paraît-il, la « mère du masque » a pleuré : la mère du masque, petit instrument de fer qu'on conserve dans un trou. C'était un signe de mort.

Ce soir, on entend encore des trompes. Les joueurs, qu'on ne voit pas, rentrent en cortège dans un quartier un peu séparé du principal village. Les boys ont un peu peur, disent que c'est le *Koma*. Il est presque certain que nous ne saurons jamais ce que sont ces trompes et qui en joue.

1er octobre.

Nous allons d'explication en explication. La mère du masque est un « bull-roarer », — une pale fixée au bout d'une corde et qui vrombit quand on anime cette corde d'un mouvement de rotation. « On l'appelle la « mère » parce que c'est la plus grande, qu'elle boit le sang des femmes et des enfants. » Les trompes entendues

---

1. Cet homme, je l'ai appris plus tard, n'était pas le petit-fils, mais un *mangou*, sorte d'allié par le sang.

hier soir étaient jouées par des jeunes gens qui revenaient de battre le fonio. Mon informateur s'appelle Ambara Dolo, fils de Dinko-roman et de Yatimmé ; c'est un ancien élève de l'école, qui s'est enfui du pays pendant deux ans, le précédent administrateur ayant voulu le forcer à aller à l'École régionale de Bamako, alors que ses parents étaient vieux et avaient, déclare-t-il, besoin de lui pour les nourrir. Dans une langue pas très claire, mais que je bois littéralement, Ambara me révèle un tas de choses. Il porte une petite barbiche noire sans moustache, des anneaux d'oreilles et, depuis hier soir, une redingote à épaules très aiguës, selon la mode des statures carrées.

Vers midi, il s'excuse, devant assister à une réunion de dolo, fruit des cauris recueillis la veille à l'occasion de l'enterrement, et notamment des richesses que Griaule a distribuées.

Il revient à 2 h 1/2, visiblement touché par le dolo, et ayant ajouté à sa redingote un pantalon blanc. Il s'en va faire un tour au marché et promet qu'il reviendra plus tard me chercher. Nous devons en effet aller du côté de la caserne des masques, d'où ceux-ci doivent sortir ce soir, en attendant de danser publiquement demain.

Lorsque Ambara reparaît, il est presque saoul perdu. Tenant mal sur ses jambes, il m'explique pâteusement qu'il est encore un peu trop tôt pour aller voir les masques et que, d'ailleurs, il lui faut aller demander au chef de la société l'autorisation d'assister à la réunion, car il a laissé son masque à Bamako (?) et craint d'être obligé de payer une amende.

Peu de minutes après, arrive le neveu d'Ambara, petit garçon avec qui j'ai déjà travaillé. Il m'annonce que son oncle m'attend. Je pars avec l'enfant, mais Ambara reste introuvable. Nous rencontrons heureusement le frère du chef de canton qui se fait mon guide, après avoir renvoyé l'enfant, car celui-ci n'a pas le droit de voir les masques.

Il fait tout à fait nuit. Mon guide et moi sortons du village. Nous rejoignons dans les rochers avoisinants la troupe des hommes, habillés tous comme d'habitude, sauf deux masques, jeunes gens vêtus de costumes de fibre que je distingue très mal à cause de l'obscurité. Il y a un grand nombre de tambours et la plupart des hommes portent des lances ou des houes. Je me mêle à la procession qui serpente à travers l'herbe et les rochers, s'arrête à certains endroits pour chanter et danser. Les armes sont brandies et l'on pousse des cris aigus, en fausset, comme pour imiter les bêtes fauves. Je suis le seul spectateur. Ambara, qui a fini par me rejoindre, gambade devant moi, les basques de sa redingote s'agitant comme les ailes d'un sylphe. Lors d'un temps d'arrêt, il confie sa redingote à quelqu'un de sa parenté et vient danser au milieu du cercle, brandissant une sandale au bout de chacun de ses bras. Beaucoup d'autres hommes sont saouls, sinon la plupart, et certains s'égaillent dans les champs de mil, poussant en fausset des sortes de ricanements. Comme fond à tout cela, une batterie de tambour et des chœurs extraordinairement nobles.

Ambara, encore plus saoulé par la danse, me plaque : il doit, dit-il, aller chez son beau-père. En partant, il me confie à un gros type dont il me dit qu'il est pour lui comme un frère...

Grand discours du chef des masques, en langage secret. Tout le monde s'assied. J'en fais autant. Le discours, très long, est ponctué par diverses clochettes. On chante, on crie encore, puis on rentre au village et la danse reprend sur une place publique, autour d'une « pierre du brave », en langue d'ici *anakazé doumman*.

Finalement on apporte un énorme canari de dolo. Par petits groupes, les hommes s'asseyent et se mettent à causer.

Je m'en vais ; tout est fini pour le moment, mais c'est maintenant que va commencer, je suppose, la réunion vraiment intime. En partant, je tombe sur Mamadou Vad escorté des deux boys du pasteur américain, eux aussi pas mal saouls. Le copain auquel on m'a confié me reconduit jusqu'au campement. J'y trouve Griaule en train d'enquêter avec le chef de canton, un notable et le chef d'un quartier voisin, ces trois derniers saouls également, à tel point que l'un d'eux, qui a répondu à toutes les questions le front appuyé sur la table, ne trouve plus la porte quand il faut s'en aller.

2 octobre.

Journée écrasante. C'est la sortie publique des masques, pour l'homme qui est mort.

Vers 3 heures, deux vieux jouent du tambour à la lisière du village et des champs de mil (à proximité de l'endroit où se trouvent les cases spéciales aux femmes en règles) pour avertir les masques qu'on les attend. L'un des vieux appelle en langue secrète, au moment où le premier masque va se cacher dans les tiges de mil : « La nuit est venue, ils n'ont qu'à venir. »

Tambour par de jeunes hommes et ricanements des masques, qui descendent de leur caverne, dont l'entrée est barrée par une clôture de pierres. Ils gagnent le village, à travers les tiges de mil.

Les masques montent sur la maison du mort et dansent sur la terrasse. Celui d'entre eux qui porte sur la tête une lame flexible et à claire-voie faite de tiges rassemblées, lame qui fait environ 4 mètres de haut, danse au pied de la terrasse. La mère du mort, elle aussi, danse en bas, levant les bras vers les masques.

Danse autour de la « pierre du brave ». Sur la place dont cette pierre marque approximativement le centre, il y a l'abri pour les hommes, auprès duquel sont disposés plusieurs grands canaris pleins de dolo. C'est du côté de cet abri que se tiennent les tambours. A leur droite, un rocher ; à leur gauche, en continuant le cercle, les adultes et les vieux. Encore à gauche, le chef de canton et nous, à l'orée d'une ruelle près d'une roche en auvent sous laquelle ont été jetés des fragments de canaris cassés et des os d'animaux (restes d'un festin d'hommes) et à l'ombre de laquelle sont assis les plus âgés. C'est à gauche de cette roche, fermant presque le cercle, que se reposent les danseurs et les masques, excepté celui à gigantesque cimier qui, tout le temps qu'il ne danse pas, reste assis derrière le groupe des adultes et des gens âgés.

Tout autour de la place, mais éloignés du lieu même de la crise, se tiennent les spectateurs femmes et enfants : les enfants perchés sur les rochers de la place, les femmes sur les terrasses avec les plus petits enfants. Aucune femme ni aucun enfant ne se trouve sur le sol, de plain-pied avec les masques. Lorsque les sociétés masquées d'autres quartiers feront leur entrée, on apercevra dans les rues adjacentes des fuites précipitées d'enfants.

Au moment de son entrée, avant que les places ne se fixent, la société du quartier en deuil (où la fête se passe) a parcouru la place en serpentant, tambours en tête, masques en queue marche sans frein de corybantes décrivant les lacets par lesquels un certain ordre dut commencer à s'introduire dans le chaos.

Les adeptes non masqués (adultes initiés depuis déjà longtemps) dansent d'abord seuls, en file indienne, sautant très haut et, des talons, frappant la terre violemment.

Devant le chœur des hommes âgés qui chantent, de vieux initiés s'agitent, exhortant ceux qui crient, dansent ou chantent. Aux moments de paroxysme, de longues tirades en langue secrète sont lancées, et des paroles s'échangent.

Les masques sont portés par les jeunes gens. En dehors de celui qui est si haut et qu'on nomme la « maison à étages », il y en a un à longs cheveux noirs simulés, coupés par une raie médiane et retombant de chaque côté du visage que dissimule un masque de cauris : il représente un marabout. D'autres, dont le déguisement comporte des seins postiches couverts de terre noircie, représentent des jeunes filles ; ils sont portés par les garçons les plus jeunes. D'autres encore, portés par de plus âgés, sont des sortes de heaumes surmontés de croix de Lorraine à ressemblance d'iguanes ; le déguisement comprend une arme telle qu'un sabre ou une hache. D'autres, enfin, portés par de jeunes et récents initiés, sont faits seulement de corde noire tressée. Les costumes se composent d'une série de jupes, de bracelets de mains et de pieds, collerette, (pièce de vannerie tombant sur la nuque et cachant le derrière de la tête laissé libre par le masque). Jupes, bracelets, collerette, sont faits de fibres rouges, jaunes, noires. Les danseurs qui représentent des personnages non féminins portent des gorgerins garnis de cauris. Le marabout porte un boubou. Tous ces hommes ont des allures louches d'hermaphrodites. Quand ils quittent la place après avoir dansé, ils courent lourdement, ou plutôt marchent à grands pas, penchés en avant et les jambes écartées, comme des hommes qui voudraient faire tourner la terre sous leurs pieds.

La danse des masques filles consiste en mouvements lascifs, torsions du buste et du bas-ventre. Celle des masques à grande croix consiste principalement en un brusque mouvement de tête qui fait décrire par l'extrémité de la croix qui surmonte le casque un cercle presque vertical, tangent au sol en son point le plus bas, de sorte que le bout de la croix gratte la terre violemment, avec un bruit de raclement qui fait penser à un cheval piaffant, — brutal tournoiement d'Antée voulant reprendre vite contact avec le sol suivi d'un temps d'arrêt au cours duquel la tête se trouve rejetée légèrement de côté et en arrière.

Mais la danse du masque à étages est la plus admirable. Le danseur marche d'abord en faisant onduler sa coiffure, ainsi qu'un long serpent dressé. Les vieillards interpellent le danseur en langue secrète. Durant quelques instants, un vieillard enthousiaste danse en même temps que lui. D'un mouvement lent, le grand masque incline sa construction, de manière que sa cime vienne toucher le sol, puis il recule, traînant ce mât doucement. De nouveau on dirait un serpent. Ce salut, qu'il avait effectué face aux tambours, il l'effectue maintenant face aux masques, puis se met à genoux. Les bras croisés au dos il touche le sol de sa cime en avant et en arrière alternativement, tout cela majestueusement. Chaque fois qu'il se redresse, c'est une verge qui rebande après avoir molli. Il tourne enfin sur lui-même, la tête inclinée — de manière que l'extrémité de son long casque décrive un cercle sur un plan horizontal, à la vitesse d'une fronde — au milieu des hurlements. Il se redresse enfin et se sauve, suivi de quelques danseurs.

Le spectacle continue, mais le point culminant est dépassé. Quand les masques dansent bien, les vieux frappent devant eux la terre à coups de bâton, en guise d'applaudissement.

D'autres masques viennent, avec d'autres tambours, arrivés d'autres quartiers et, après la même marche serpentine, exécutent la même danse.

Les jeunes danseurs reçoivent des cauris. Certains masques spéciaux — celui qui représente un marabout, un autre muni d'une lance et figurant un étranger ennemi — exécutent leur danse et prient ensuite un vieux, autrefois spécialiste de cette danse, de l'exécuter devant eux, afin de la leur mieux enseigner. D'autres jeunes danseurs font de même.

Mon ami Ambara, partagé entre divers devoirs de politesse, son rôle de guide et sa piété kado, nous quitte de temps à autre pour s'en aller bondir avec ses compagnons — sans redingote, cette fois ; en chemise kaki et culotte courte rouge brique. Avant-hier, il m'avait donné des noms de génies, inscrits pour se les rappeler sur un petit livret des *Actes des Apôtres* (qu'il aura dû trouver je ne sais où, ou recevoir des mains de je ne sais quel missionnaire catholique). Ce matin, il racontait à Griaule que, lorsque lui et ses camarades de l'école avaient dit, après une leçon de cosmographie, aux vieux que la terre était ronde, ils avaient été battus. Ce soir, je lui donne un cachet d'aspirine pour faire passer le mal de tête qu'il doit au dolo bu hier.

3 octobre.

Travail abrupt. Détails sur les différentes espèces de masques ; langue secrète de la société. Mais il semble que rien n'avance et que les gens, s'ils lâchent quelques petits secrets, cachent soigneusement le principal.

Je ne suis pas sorti du tout et j'ai travaillé avec Ambara. Il doit m'emmener demain à un sacrifice en vue de faire tomber la pluie... Je le lui ai demandé. Mais que fera-t-il ?

Par ailleurs, je souhaiterais être un missionnaire catholique appliquant les principes du plus pur syncrétisme, enseignant que Jésus-Christ est l'inventeur du rite *pégou*, la Sainte Vierge la mère du masque, et communiant sous les espèces de la bouillie de mil et du dolo.

4 octobre.

Presque personne dans la matinée : nos informateurs nous délaissent. Travail pourtant avec le vieux chef d'Ogoldo [1] — qui ressemble à Ésope — et quelques autres vieillards sur la langue secrète des masques. Je parviens à en prononcer quelques phrases, ce qui plonge les vieillards dans la joie.

Après déjeuner, j'attends Ambara pour le sacrifice. Naturellement il ne vient pas. Agacé, je commence à m'occuper n'importe comment, lorsque nous entendons des rires semblables à ceux des masques : pas de doute, le sacrifice est commencé. D'autant plus qu'il vient de pleuvoir fortement et qu'il est donc permis de supposer que le sacrifice a bien marché. Je pars avec Lutten et Mamadou Kèyta chargé du Kinamo et d'un appareil photographique. Guidés par le bruit des voix, nous arrivons au carré où se déroule la cérémonie ; mais tout est déjà fini : on en est au dolo. Une certaine gêne, au début, n'empêche pas qu'on nous fasse prendre place. Sur notre demande, on nous fait goûter du dolo. Ambara est là ; il me raconte qu'il n'a pas pu venir, son père

1. L'un des quartiers ou villages de Sanga.

129

l'ayant envoyé travailler au champ. Peu à peu la glace se rompt et fait place à un échange de vastes compliments. Les vieillards se déridant, nous assurent de leurs intentions pacifiques, disent que tout le monde est content de nous et que, si nous sommes contents, ils sont contents. Je réponds que nous sommes contents et que s'ils sont contents nous sommes encore plus contents. Les calebasses de dolo circulent de bouche en bouche. Les vieux surtout ont l'air d'en tenir un bon coup. Ambara se dispute avec un de ses grands frères, qui ne veut plus qu'il boive, car il commence à être saoul. J'aime beaucoup cette taquinerie fraternelle et suis sensible à ce qu'il y a de patriarcal dans toute la réunion.

Lutten s'en va. Ambara et moi allons nous promener, rendre visite à presque toute sa parenté. D'abord à son beau-père, chez qui gîtent sa belle-mère et sa femme, car Ambara n'ayant encore qu'un fils (que nous allons voir vers la fin de la journée dans la maison de vieilles gens qu'Ambara appelle « père » et « mère », mais qui sont je ne sais pas qui, de même que le fils, qui se révèle finalement être l'enfant d'une autre femme) habite tout seul et tous les soirs appelle, en se cachant, sa femme, pour qu'elle vienne coucher chez lui. Puis chez un oncle, après qu'Ambara, par honte devant son beau-père, m'a prié de retourner moi-même à la maison dont nous sommes sortis, afin de donner à sa femme — une fille entre 15 et 20 ans — un boubou qu'elle doit recoudre pour une personne d'un autre quartier (mission que j'accomplis, sur le conseil d'Ambara, en déposant la pièce de tissu entre les mains de la fille et pointant plusieurs fois l'index droit dans la direction du quartier où habite la personne intéressée, — tout ceci devant la mère de la jeune fille, à l'égard de qui Ambara n'a besoin de témoigner d'aucune honte), curieuse comédie que je rapprocherai de maints autres faits qui, sans doute, ne dupent eux non plus personne : telle l'ignorance dans laquelle chacun est censé être, durant la danse des masques, quant à l'identité des déguisés ; tel aussi le rite de sacrifice pour faire tomber la pluie, à un moment où le ciel est suffisamment couvert pour que sa venue ne puisse faire de doute pour personne. Puis de nouveau à la maison du sacrifice, où je réabsorbe du dolo avec le père (?) d'Ambara, ce dernier continuant à se disputer avec son grand frère, pour le même motif que tout à l'heure, et tout le monde vidant calebasse sur calebasse, y compris un enfant de trois ans environ, paré d'un seul petit collier, qui boit durant une minute environ dans une calebasse d'à peu près 50 centimètres de diamètre, se renverse une partie du liquide sur le ventre, et sort ensuite sans tituber. Enfin chez Ambara lui-même.

J'espère que cette tournée portera ses fruits : les compliments les plus lyriques ont été échangés. La tête un peu fumeuse, le vieux père (?) d'Ambara me fait déclarer : « Nous sommes noirs, vous êtes blanc. Mais nous tous, c'est comme si nous avions même père et même mère : c'est comme la même famille. » Je réponds par des paroles tellement suaves que les oreilles qui les ont entendues doivent encore en tinter...

Réflexion faite, tout cela me semble bien artificiel. Quelle sinistre comédie ces vieux Dogon[1] et moi nous avons jouée ! Hypocrite Européen tout sucre et miel, hypocrite Dogon si plat parce que le plus faible — et d'ailleurs habitué aux touristes —, ce n'est pas la boisson fermentée échangée qui nous rapprochera davantage. Le seul lien qu'il y ait entre nous, c'est une commune fausseté. Le moins menteur de tous est certainement mon ami l'ivrogne Ambara, que je soupçonne d'être considéré par sa famille, sa belle-famille et toute sa parenté comme le dernier des paresseux, mais que je tiens, moi, pour un sylphe, depuis que j'ai vu les pans de sa redingote voleter à sa suite, à travers les buissons épineux...

Me faisant visiter tout à l'heure sa maison délabrée, il m'annonçait qu'il allait bientôt la recrépir si bien, que les margouillats[2] tomberaient sur le sol tant les murs seraient devenus lisses.

5 octobre.

Journée calme. Moufle et Mouchet arrivent de Mopti, apportant le courrier. Je n'ai qu'une lettre et je suis très déçu. Cette nuit j'avais rêvé que la mission passait au Mans et que je n'avais pas le temps d'aller jusqu'à Paris avant de repartir en Afrique. Ce rêve m'avait laissé, tout ce matin, une impression pénible. Sans doute

1. Nom véritable des Habé. Ce dernier mot — qui veut dire « païens » en langue peule — est le terme par lequel les désignent les musulmans.
2. Gros lézards diversement colorés.

était-il de mauvais augure. Cela ne m'étonne pas de ne pas avoir eu la lettre attendue.

Avant dîner, allé avec Griaule, Mamadou Vad (revenu lui aussi), Ambara et l'un de ses grands frères à un endroit rocheux autour duquel plusieurs hommes tracent de minuscules jardins sur le sable, groupes de carrés ornés de figures variées, de bouts de bois, de cailloux, etc. Autour de ces petits jardins, on jette des arachides. La nuit, viennent des *yourougou* (sortes de chacals), qui bousculent tout. Au matin les hommes reviennent et, des ravages exercés par ces animaux, tirent des présages.

Je désespère de pouvoir jamais pénétrer à fond quoi que ce soit. Ne tenir que des bribes d'un tas de choses me met en rage...

6 octobre.

Aujourd'hui, marché. Achat d'un grand canari de dolo pour offrir aux visiteurs. Ambara a remis sa belle redingote, son pantalon blanc, son calot bleu horizon, son parapluie. Peu après le déjeuner, je vais le rejoindre au marché. Plusieurs hommes me reconnaissent et me tendent des calebasses de dolo. J'en bois quelques gorgées et j'arrache Ambara à la sienne, péniblement ! Il doit aller saluer le *hogon*, dont pour la première fois j'apprends l'existence, car j'ignorais qu'il y en eût un au village. C'est l'homme le plus vieux des deux grands quartiers de Sanga et le vrai chef, celui qui est le chef pour les Européens n'étant que son mandataire et une sorte de paratonnerre, destiné à concentrer sur lui tous les ennuis qui peuvent venir de l'administration, toutes les corvées, toutes les sanctions. J'accompagne Ambara chez le hogon, à qui j'apporte un flacon d'alcool de menthe de la part de la mission.

Peu avant d'arriver, grand détour d'Ambara qui, ainsi qu'il lui arrive souvent, me montre un emplacement rocheux en déclarant qu'il ne peut passer là. Il ajoute que c'est à cause de ce qu'il porte au poignet droit. J'insiste un peu et il me montre deux bracelets de cuir, amulette contre les sorciers. Au milieu de l'emplacement rocheux, il y a un cône de terre séchée couronné d'une pierre plate. Je demande à Ambara si c'est un autel du dieu Amma. Il me répond que non... Chez le hogon, pénétrant dans le vestibule, je vois un vieillard assis à terre les jambes écartées, presque nu, une loque bleue autour des reins. Il est aveugle, décrépit, misérable ; son sourire est celui d'un idiot de village. C'est le hogon, qui reste là, au milieu de ses filles et de ses femmes, presque nues elles aussi, occupées à filer le coton. Jamais il ne sort de chez lui, sauf à de rares occasions et presque toujours dans un but rituel. Je lui offre l'alcool de menthe — bonne médecine pour mettre dans son eau — et lui fais un compliment. Il y répond et l'échange de politesses se poursuit durant quelques minutes. Puis, après lui avoir souhaité toutes les prospérités possibles et la réalisation de tout ce que peuvent désirer les gens du village, je prends congé.

Devant l'autel de terre séchée, Ambara finit par me dire que c'est pour le hogon, mais qu'il ne peut m'en dire plus long car si l'on savait qu'il a parlé on enverrait les sorciers pour le tuer.

Rentrant au camp, nous passons chez les beaux-parents d'Ambara qui se plaignent tous deux d'avoir le ventre enflé. Je remarque qu'Ambara ne salue pas sa femme et que celle-ci se contente de lui sourire lorsqu'il entre, puis, durant le temps que nous sommes là, garde les yeux obstinément baissés. Nous nous en allons, sans qu'Ambara ait échangé avec elle la moindre parole. Sans doute, « ce serait honte ».

7 octobre.

Dès le matin, je fais savoir à Ambara ce que j'attends de lui. Nous partons un peu à l'écart, sur des rochers, où nous nous asseyons. Aussitôt commencent les révélations : le hogon ne se lave jamais ; toutes les nuits, un grand serpent sort d'une caverne et s'introduit chez lui pour le lécher ; le serpent n'est autre que le plus ancien de tous les hogon, qui n'est pas mort mais s'est changé en serpent. Il semble que le hogon soit une sorte de démiurge qui, par sa seule présence, assure l'ordre du monde, depuis la germination des graines jusqu'à la marche du calendrier, qui repose ici sur la nomenclature des différents marchés de la région : aujourd'hui marché de Tiréli, demain marché de Banani, après-demain marché de Sanga, et ainsi de suite pour les cinq jours qui composent la semaine. Lors de chaque marché de Sanga, le hogon envoie des représentants proclamer que les voleurs seront mangés par lui et que la calebasse du fraudeur sera brisée...

La conversation est interrompue. Ambara ayant aperçu un vieillard assis à quelque cinquante mètres et dont il craint d'être entendu. Nous partons beaucoup plus loin, à proximité de la caverne des masques. L'entretien continue et j'apprends d'autres choses qui confirment le caractère quasi divin du hogon. Quand je pense au vieil homme que nous avons vu hier, à son allure de mendiant, je tremble d'émotion.

Retour au camp, après coup d'œil à la caverne des masques — sans Ambara qui a peur qu'on l'y voie aller. Les masques sont là, sous leur auvent rocheux : quelques-uns sont strictement rangés, ainsi qu'en un râtelier d'armes ; d'autres traînent abandonnés ; les jupes de fibre ont l'air de vieilles plantes pourries.

L'après-midi, nous revenons au même endroit et nous nous installons presque au pied du mur de pierres sèches qui dissimule l'intérieur de la caverne. La conversation se renoue. D'abord sur diverses questions, telles que la fureur de 11 sur 12 des jeunes gens du village envoyés pour la danse à l'Exposition Coloniale (le 12e et seul content est Endyali, l'informateur de Seabrook, ancien élève de l'école et ex-représentant de son père le chef de canton à Bandiagara), — la rareté des visites du médecin auxiliaire (il n'est pas venu depuis environ deux ans), — la tranquillité actuelle des Habé qui ont jugé qu'il valait mieux ne pas se battre contre les Français car ces derniers « leur casseraient la gueule », — la méchanceté du maître d'école indigène qui traite les élèves « comme des captifs », — les propres souffrances d'Ambara, quand il est allé à Bamako pour le travail forcé.

Puis l'initiation sacrée reprend. Ambara s'interrompt un instant, disant qu'il doit aller « faire cabinet ». Je le vois entrer dans la caverne des masques. Au bout d'un certain temps il reparaît, mais d'un autre côté. La caverne a deux issues et ce n'est pas là qu'il a déféqué. Il a déféqué au-dessus, sur la table rocheuse qui forme l'auvent. C'est ce qu'il me répond quand je m'étonne que lui apparemment si pieux (je dis « apparemment », car Ambara m'a dit tout à l'heure qu'il trouvait que les sacrifices de poulets et de crème de mil aux autels représentaient « beaucoup de fatiguement ») ait ainsi souillé un lieu sacré.

La causerie terminée, nous rentrons au camp. Je suis à quelques minutes de me coucher, mais je reste préoccupé par le mythe du roi serpent, grand serpent de couleur blanc-jaune, et brillant, dont Ambara m'a montré ce matin les deux cavernes, l'une à l'Est, l'autre à l'Ouest d'Ogoldo, dans les roches sur lesquelles le village est bâti. Devant l'une de ces cavernes quelqu'un avait jeté le cadavre d'un gros serpent gris-noir qu'il avait tué.

8 octobre.

Nuit agitée par les chiens, qui se gênent de moins en moins, viennent maintenant chez nous, attirés par un stock de poisson séché que Griaule a acheté pour faire des cadeaux, et qui aboient maintenant jusque sous notre véranda.

Descente à la falaise, jusqu'aux villages adossés à la paroi. Énorme chaos de rochers, sépulcres entre ciel et terre : briques et roches, fagots, canaris cassés. Les cases collées au mur en château de cartes forment des conglomérats de tourelles et de clochetons, panorama rétrospectif de manoirs de nains. Alors qu'à Sanga le sacré s'étale partout en flaques, il est ici relégué au point le plus haut du village (la zone qui touche immédiatement à la paroi) avec les greniers, les cachettes diverses, les cadavres, les mystérieuses petites maisons des anciens habitants de la falaise et tout ce qu'en général on rejette hors du monde profane comme on jetterait une saleté à la voirie.

Remonté à Sanga en plein midi, sous un soleil ardent qui fait saigner Griaule du nez.

Le reste de la journée s'embrouille dans le travail. J'apprends par hasard — de la bouche d'un chef de totem dont la photo a été reproduite dans *Documents* [1], s'apprêtant à sacrifier un chevreau sur la case des reliques familiales — que Seabrook, contrairement à ce qu'il m'avait dit, n'a jamais, à Sanga, couché chez le chef, mais habité comme tout le monde au campement.

9 octobre.

De révélation en révélation. Depuis hier, j'ai de fortes raisons de penser qu'un des masques de la fameuse société n'est autre

1. Deuxième année, numéro 7.

135

qu'une représentation du tonnerre. J'apprends ce soir, par un vieillard (qui déclare être un des sept hommes de Sanga qui possèdent la complète initiation) que la « mère du masque » et le masque « maison à étages » ne sont qu'une seule et même chose, l'une étant « celle qu'on ne voit pas, l'autre celui qu'on voit, l'une la grande sœur, l'autre le petit frère », identiques par le tournoiement, puisque la mère du masque, bull-roarer, est une chose qui tournoie et que le masque, à la fin de sa danse, lui aussi tournoie.

10 octobre.

Sommeil difficile, pour les autres comme pour moi, car nous sommes possédés par le travail. Rêvé toute la nuit de complications totémiques et structures familiales, sans qu'il soit possible de me défendre contre ce labyrinthe de rues, de lieux taboués et de rochers. Horreur de devenir si inhumain... Mais comment secouer cela, reprendre contact ? Il faudrait partir, tout oublier.

L'explication de la gêne d'Ambara, l'autre jour, me faisant porter une étoffe à sa femme, pour la coudre, au lieu de la porter lui-même, survient brusquement : Lutten m'apprend qu'aucune femme ne coud dans ce pays. La couture est un travail d'homme. Le fantaisiste Ambara est si paresseux qu'il ne peut pas coudre lui-même... Sans doute, en m'envoyant à sa place, voulait-il éviter que sa paresse scandalisât son beau-père.

11 octobre.

Le vieillard qui m'enseigne depuis avant-hier les mystères de la société des masques me sort, pour la deuxième fois depuis hier, un texte étonnant en langue secrète. Je note le texte, je le relis à haute voix avec les intonations et le vieux, ravi, se lève, claque des mains et crie : « *Pay ! Pay !* » (Bien ! Bien !) Mais au moment de traduire tout se gâte. La langue secrète est une langue de formules, faite d'énigmes, de coq-à-l'âne, de calembours (?), de phonèmes en cascades, de symboles s'interpénétrant. Le vieux, qui s'imagine que je désire être initié réellement, applique ses principes habituels d'enseignement. Dès que je demande la traduction d'un mot ou d'un membre de phrase isolé il perd le fil, doit reprendre tout son texte d'un bout à l'autre, mais s'embrouille et, naturellement, me donne chaque fois un texte différent. Jouant tout à fait son rôle de professeur, dès que je l'interromps, il se met en colère et crie « *Makou!* » (Silence). Puis, comme c'est jour de marché, il en a assez et veut aller se promener. Je lui fais dire de rester. Mais la traduction reste toujours aussi embrouillée. De fatigue et d'énervement, faute aussi de pouvoir engueuler effroyablement le vieillard — que je ne veux pas offenser et qui d'ailleurs est un brave type — je suis à deux doigts de pleurer, car c'est une réaction inverse qui s'est produite : mon irritation est remplacée par une enfantine détente. Le vieux lieutenant indigène Douso Wologane (que l'administrateur nous a délégué comme interprète) surpris par mon abattement, parle doucement au vieillard, lui fait entendre raison. Tant bien que mal, j'achève la traduction.

Ce matin, Griaule a chassé à coups de cravache un marchand bambara qui avait voulu prendre la nourriture d'un de nos petits informateurs (qui mangeait chez nous) en le menaçant de le frapper. Abara — c'est le nom du petit — n'a décidément pas de chance : l'autre jour, tandis qu'il travaillait avec nous, le mouton de ses parents avait mangé la crème de mil préparée pour son repas.

Du marché, on nous rapporte un bout de carton, grossièrement découpé, sans la moindre inscription. C'est le reçu que donne aux vendeurs le surveillant du marché, pour l'impôt que l'administrateur prélève sur les commerçants. Joli contrôle ! Ce n'est pas ici la caverne des masques qui est la caverne des brigands...

12 octobre.

L'enquête s'élargit avec le vieillard. Tête baissée, je fonce dans les profondeurs. Tous les demi-siècles environ, un grand signe rouge apparaît loin vers l'Est, annonçant au groupe de villages le plus oriental de la région que le temps de la grande initiation est venu. Quelques enfants du groupe de villages passeront trois mois dans la caverne des masques et y apprendront tous les secrets. Trois ans après, ce sera le tour du groupe de villages suivant (qu'un cortège de jeunes gens du groupe de villages précédent viendra prévenir, tenant chacun en main un bâton en forme d'Y), et ainsi de suite durant quarante-huit ans, jusqu'à ce qu'ait été atteinte la région la plus occidentale. On attendra alors, pour recommencer, l'apparition d'un nouveau signe.

De temps en temps, le vieillard danse. Sous son grand chapeau de paille conique, à la mode soudanaise, avec ses vêtements de vieux soûlot ou de vieux singe, il danse divinement. C'est un vieil ours mâtiné de lutin. Grâce inimitable de gnome un peu balourd.

D'autres fois, quand il est fatigué, il laisse aller sa tête et je ne vois plus devant moi que le disque du chapeau de paille, dont le bord antérieur touche la table, dissimulant entièrement le visage de mon vieux professeur, dont la voix sourd lointainement comme si elle remontait du fond d'une caverne ou de la gorge d'une divinité sourde et aveugle.

Au soir, arrivée de Moufle et Larget, avec le courrier. C'est le tour de Griaule de n'avoir pas de lettre.

13 octobre.

A chaque pas de chaque enquête, une nouvelle porte s'ouvre, qui ressemble le plus souvent à un abîme ou à une fondrière. Tout se resserre cependant. Peut-être en sortirons-nous ?

Mon vieil informateur souffre d'une orchite et, quand il est resté assis un certain temps sur sa caisse, il se casse en deux. Demain je lui donnerai la chaise longue de Mouchet.

Larget, suivi de Bandyougou — qui est venu nous rejoindre en même temps que lui et, homme de confiance, porte son matériel — fait de la triangulation en vue d'établir la topographie sacrée d'une partie de la région.

14 octobre.

Suite. Suite. Suite. Le vieillard, ravi de sa chaise longue, reste maintenant beaucoup plus longtemps.

En se promenant Griaule découvre une faille rocheuse, derrière un arbre entouré d'une nuée de canaris cassés. C'est dans cette faille que doit gîter la mère du masque.

15 octobre.

Depuis hier, grande effervescence le soir : les enfants jouent, crient, chantent. Les ânes braient. Du village viennent des rires et des jacassements. Au quartier des étrangers, derrière l'école, bruit de batteries de calebasses et de claquements de mains. Tous les gens semblent dehors. Les récoltes battent leur plein.

Le vieux de la société des masques se trouve maintenant si bien dans la chaise longue de Mouchet qu'il s'y endort et qu'il faut de temps en temps le secouer.

Quant à moi, qui commence à être si préoccupé et fatigué de ce travail que je ne puis plus dormir la nuit sans y rêver, après le coucher du soleil je vais m'asseoir sur une roche, essayant de ne plus penser à rien. Ce serait un repos, si les roches n'étaient pas si brûlantes du soleil qu'elles ont reçu dans la journée et s'il ne fallait pas revenir au campement dont les murailles, chaudes elles aussi, enserrent tout dans leurs bras étouffants jusqu'à plus de minuit.

16 octobre.

Visite du médecin auxiliaire, que Sanga n'avait pas vu depuis deux ans.

Le marché bat son plein, avec sa clientèle ordinaire de buveurs de dolo.

17 octobre.

Griaule, qui travaille toujours avec les enfants, apprend un fait intéressant. L'instituteur noir de Sanga (point différent en cela, paraît-il, de ses collègues des autres cantons) fait chanter les parents d'élèves en menaçant de désigner leurs enfants comme devant aller suivre les cours de l'École Régionale de Bandiagara. Pour éviter cela, les parents lui font des cadeaux de mil. D'autre part, les tantes des enfants envoyés à Bandiagara font des sacrifices sur les autels d'ancêtres pour que les enfants reviennent... Peut-être aussi veulent-elles demander pardon au grand-père violenté sous la forme de l'enfant en qui son âme s'est réincarnée.

18 octobre.

Télégramme de Schæffner, qui arrive demain.

Le petit Iréko, élève de l'école dont les parents habitent

Madougou, et qui vit chez le chef d'Ogoldo, vient se réfugier chez nous pendant le dîner. Le chef d'Ogoldo, à qui le petit est confié durant son séjour à l'école, lui chipe tout l'argent que nous lui donnons et le laisse parfois un repas sans manger. Ce soir Iréko, prudent, n'est pas rentré : il s'est acheté du couscous. C'est chez nous qu'il le mange ; et c'est chez nous aussi qu'il couchera, n'osant plus retourner là-bas, de crainte de remontrances.

19 octobre.

Schæffner arrive chargé de nouvelles. Bizarre anachronisme...

20 octobre.

Rien. Tout stagnant. Peu à peu, nous nous approchons des sacrifices humains. Les pierres et les maçonneries qui nous entourent deviennent de plus en plus louches. Coulées de crème de mil, flaques étoilées. Un crâne d'os : y a-t-il plus merveilleux fondement pour une ville, ses fondrières rituelles et ses ruisseaux de sacrifice !

21 octobre.

Funérailles d'un chasseur : l'après-midi, prise d'assaut de la maison du mort par les parents et amis du village, puis des villages voisins, les parents les plus proches massés sur la terrasse et tirant des coups de feu, mimant la défense contre les assaillants qui escaladent la maison en tirant eux aussi et brandissant des lances, les guerriers se défiant pour des combats singuliers, faisant mine de décocher des javelots et décrivant de furieuses trajectoires avec leurs crosses. Le combat se poursuit violemment sur la grande place autour de la pierre du brave. Notre ami Apama le chasseur, frère d'Ambara, lâche ses coups de feu avec férocité ; il a arboré un vieux casque de tranches et une veste (ou chemise ?) blanche sur laquelle sont cousus des galons de premier jus. Mon vieil informateur Ambibè Babadyi, durant plusieurs minutes, est tout seul à un bout de la place, tenant tête à tous les autres rangés à l'autre bout. Il tombe dans la poussière et se couvre avec un bouclier. On lui jette des poignées de poussière à la face ; on fait mine de le tuer. Personne qui ne soit un prodigieux acteur.

Devant la maison du mort, les femmes se lamentent, se congratulent en larmoyant : d'autres se roulent dans la poussière, raclent la terre avec leur calebasse. Certaines, au début du combat, couraient d'un bout à l'autre de la ruelle qui passe devant la maison, agitant comme des armes des tiges de mil cassées.

Les frères du mort, restés sur la terrasse, tiennent tête aux nouveaux assaillants. Quelques coups font long feu ; d'autres éclatent si fort qu'on dirait des canons. En général, les coups sont échangés quasi à bout portant sans que personne ait l'air de se soucier des accidents.

A la nuit, grande oraison funèbre en langue secrète, prononcée du sommet de la maison du mort, tous les auditeurs répandus sur la terrasse, ou dans le bas. Nouvel et brusque assaut, à coups de torches cette fois. Les enfants en tête, un éblouissant cortège de gens escalade la terrasse. Les premiers arrivés feignent de repousser les seconds, puis descendent ; les seconds résistent aux troisièmes, etc...

Grande galopade vers la grande place, où l'on forme le cercle et où, au son des tambours, des battements de mains et des youyous des femmes, ont lieu des combats singuliers : enfants d'abord, la crosse d'une main, la torche embrasée de l'autre, se passant mutuellement les flammes devant le visage pour se faire reculer, semant parfois des nappes d'étincelles sur les premiers rangs de spectateurs nullement épouvantés.

D'autres villages arrivent de temps à autre : ils simulent d'abord l'assaut de la maison du mort, puis, débouchant par les ruelles adjacentes, envahissent la place. C'est alors un complet brouillamini de torches, le combat devenant général. Après cette mêlée, reprennent de plus belle les combats singuliers.

Les chasseurs sont les hommes du feu, les gens des armes et de la poudre. Sans doute, sont-ce eux qui découvrirent le feu. Dans la nuit — mais je serai couché — ils se livreront à mille tours, les uns piétinant, les autres s'asseyant dans les flammes, d'autres mangeant l'élément, saluant plus tard l'aurore de nouvelles salves tonitruantes qui m'éveillent, en même temps qu'elles doivent éveiller le soleil pour le faire remonter de son cimetière de nuit.

Somme toute, un vrai chahut à réveiller les morts...

22 octobre.

Suite des « amusements », ainsi que disent nos interprètes pour
qualifier les cérémonies qui accompagnent les enterrements. Suite
si abondante et si bouleversée par les coups de feu assourdissants
(près de Griaule, le canon d'un fusil trop chargé éclate et se
transforme en éventail) qu'ils figurent pêle-mêle dans ma
mémoire. Vers midi ou 1 heure, allumage d'un feu, en dehors du
village, sur une esplanade rocheuse, après simulacre de combat à
coups de lance ; le tas de paille préparé est enflammé subrepticement : c'est l'invention du feu. Durant tout l'après-midi, épreuves
de tir à l'arc pour les jeunes et luttes à coups de feu sur la grande
place. Les femmes pleurent, ou battent des mains. Un ballot
misérable — les vêtements du mort — est promené un peu
partout : soit qu'on feigne une bataille autour de lui (à la fin de la
journée il est en grande partie brûlé par les déflagrations de
poudre), soit qu'un membre mâle de la famille défile en le portant
sur sa tête, soit qu'il se trouve ramené par la troupe des chasseurs,
qui traînent aussi une grosse bûche simulant l'animal qui est censé
avoir tué (?) le chasseur mort.

Au milieu du tumulte, qui finit par tourner à l'écrasement, les
masques surgissent tout à coup. Les femmes, hurlant, dégagent la
place. La « maison à étages » salue les dépouilles du mort,
inclinant sa haute architecture jusqu'à les toucher de sa pointe,
puis l'allongeant à côté de l'informe ballot et le faisant glisser tout
le long en reculant petit à petit de manière à traîner doucement à
terre le masque démesuré. D'à genoux qu'il était il se relève, et
s'en va en caracolant.

Une femme en transe a dansé avec les masques. C'est la sœur
du mort. Elle est folle. Il paraît que « le masque lui a pris la
tête ». Elle deviendra *ya siguinè*, c'est-à-dire « sœur des masques », unique femme ayant le droit de les approcher. C'est mon
vieil ami Ambibè Babadyi qui la calme et l'emmène, car un
certain temps doit s'écouler encore jusqu'à ce qu'elle soit guérie.

Aussitôt le départ des masques, la séance atteint son point
limite : un aspirant gardien de totem familial entre en transe lui
aussi, fait des culbutes, se roule dans la poussière, se met en
équilibre sur la tête et est emmené se convulsant. Les femmes

battent toujours des mains ou se lamentent. Les explosions deviennent de plus en plus envahissantes et, dans la nuit qui tombe, s'accompagnent de flammes énormes. Mais tout s'apaise bientôt dans les offrandes de cauris et de coton, au milieu des murmures doux, après que les chasseurs, qui ont dansé lentement d'abord, puis frénétiquement, ont feint (sur le cadavre d'un malheureux rongeur, bête de rochers qu'ils sont allés tuer dans la matinée avec d'autre gibier) de venger le mort, tout ceci à grand crescendo de décharges.

23 octobre.

Quelques fusillades encore dans la nuit et pour le lever du jour. Mais tout est tranquille maintenant. A peine, de temps en temps, un parent en retard parce que venu d'un village lointain monte-t-il sur la terrasse du mort et prononce-t-il un discours que nous entendons d'ici.

Tristesse de fête foraine, le rite s'effondrant dans la foire, tout compte fait.

Hier, une très jeune fille, nièce du chef de canton, était venue chez nous pour se faire soigner. Elle gémissait un peu sous le désinfectant que Lutten versait dans l'affreuse plaie de sa cheville, caverne anticipant sur le tombeau que j'imagine pour le membre que bientôt, peut-être, il faudra couper...

24 octobre.

Nouvelles funérailles. Une vieille femme d'Engueldognou est morte. Encore des coups de feu, encore de beaux chants sur le grondement de la batterie, coupés de battements de mains qui vous rappellent qu'il y a des femmes, Sylvies noires pour une Ile de France dure comme un diamant et pour un Gérard de Nerval pendu dans une soute à charbon.

25 octobre.

Encore un deuil : jumeau mort à Bongo. Mais à peine quelques coups de feu... Le chef d'Engueldognou était venu chez nous hier, nous ne savions pas pourquoi : il s'agissait de prendre le vent, de nous demander en quelque sorte l'autorisation de s'amuser à l'enterrement. Démarche de gens habitués à être brimés de toutes les manières par les empêcheurs de danser en rond.

26 octobre.

Frappant exemple du genre de malentendus qui affolent périodiquement l'enquête, dès qu'il s'agit de traduction. Voulant faire comprendre à Ambibè Babadyi que je désire avoir, des textes qu'il me donne, des traductions littérales et non des traductions approchées, je ramasse une poignée de cailloux. Un à un j'aligne les cailloux sur la table en disant à chaque caillou posé : « Voilà tel mot, tel mot, tel mot. » Je prends ensuite une seconde poignée de cailloux et remplace un à un, par ces nouveaux cailloux, les cailloux alignés en disant : « Voilà le mot français pour tel mot, le mot français pour tel mot... », lui demandant de m'expliquer ce que la phrase en question voulait dire, comme s'il s'agissait — en admettant que cela fût possible — de remplacer chacun des mots en langue secrète qui constituaient la phrase par le mot dogon (que l'interprète me transmettrait en français) correspondant, ainsi que j'avais fait des cailloux. Ambibè Babadyi prend le premier caillou — qui correspondait au mot « *homme* » — et je crois qu'il a compris. Mais il prend un deuxième caillou et le place à proximité, disant que c'est une *femme peule*. Puis il trace une ligne sur la table avec son doigt, prend le premier caillou et le déplace le long de cette ligne imaginaire, expliquant que l'*homme* est en train de marcher sur la route. Tout mon beau plan s'effondre : une fois de plus, Ambibè a confondu le mot avec la chose, le signe avec la chose signifiée. Au lieu de traiter le caillou en tant que mot désignant l'*homme,* il l'a traité en tant que l'homme lui-même et s'en est servi pour décrire les évolutions matérielles de celui-ci. L'exemple concret que j'avais pris, croyant lui faire mieux comprendre, n'a réussi qu'à tout embrouiller, faire éclater aussi une double stupidité : celle d'Ambibè, incapable d'avoir une claire notion du langage en tant que tel ; la mienne, capable d'avoir traité les mots d'une phrase comme des entités séparées.

Appris par ailleurs que le fameux signe rouge qui annonce le *sigui* (c'est-à-dire que le temps des fêtes liées à la grande initiation est venu) n'est rien autre qu'une « chose qui pousse » dans un endroit — proche du village de Yougo — confié à la garde d'un homme qui seul a le droit de s'y rendre. Je pense aux prêtres de Cybèle, aux cultes de la végétation...

Le soir, du haut de la terrasse du chasseur mort, Ambibè Babadyi — haut bâton, couverture rejetée sur l'épaule, tête nue, allure de patriarche — prononce un discours en langue secrète, tandis qu'en bas la *ya siguinè* danse en se traînant sur les genoux et pousse le ricanement des masques au milieu de l'indifférence à peu près générale.

27 octobre.

Le masque que j'avais pris, lors de la grande sortie d'après funérailles, pour le masque « marabout », n'est autre qu'une caricature de femme européenne. Ses longs cheveux noirs tombants, séparés sur le sommet du crâne par une raie impeccable faite de cauris, sa cagoule de fibres noires, son boubou bleu, son calepin figurent une touriste enthousiaste qui prend des notes, distribue des billets de banque aux danseurs, se promène dans tous les coins, s'extasie, etc. Au début du séjour, les gens n'avaient pas osé nous le dire· Maintenant qu'ils sont plus familiarisés, nous l'avons appris [1].

Ambibè Babadyi regrette l'âge d'or d'avant l'occupation française, où les masques étaient beaucoup plus nombreux, plus forts et plus beaux.

28 octobre.

On m'a dupé : la véritable mère du masque n'est pas le bull-roarer, mais un gigantesque *sirigué* ou « maison à étages » (c'est cela que nous avions vu en furetant dans une caverne, il y a trois jours, lors de la soirée à Engueldognou pour les funérailles de la vieille femme, et avions pris pour un *sirigué* de 7 m 60 de long, nous demandant comment les danseurs pouvaient le por-

---

1. Un troisième recoupement nous apprit finalement que ce masque était bien le masque « marabout », et non la « femme européenne ».

ter). Une énorme pièce de bois de ce genre a été amenée il y a deux nuits à la maison du chasseur mort, et appuyée contre la terrasse : d'en haut, on a attaché au sommet un poulet vivant, puis rapporté le tout à la caverne où le poulet a été égorgé. C'est Ambara qui me raconte cela. Le vieil Ambibè ne m'avait rien dit. Je suis furieux et mortifié d'avoir confondu les deux mères, la véritable avec le porte-parole, l'arbre géant avec le jouet.

29 octobre.

Deux défections, attendues d'ailleurs : Moufle, qui ne supporte plus du tout le climat, se noie décidément dans la paresse et, maintenant, dans le cafard ; Mamadou Vad, aux jambes depuis longtemps pourries de syphilis, maintenant si enflées qu'il peut à peine marcher. Larget, bien fatigué, est couché. Ceux qui ne se défendent pas payent...

30 octobre.

Ambibè Babadyi est décidément une vieille canaille. Quelques heures d'enquête de Griaule avec Tabyon, l'ivrogne mangeur de chiens, qui remplit dans son quartier les deux fonctions particulièrement ignominieuses de coupeur de bois pour catafalques et de réparateur de la maison des femmes en règles (si ce n'est pas lui personnellement qui fait ce dernier travail, c'est en tout cas quelqu'un de sa corporation), quelques heures à peine ont suffi pour posséder les vrais rites du *sigui*, ceux concernant la mère du masque, et démontrer que le vieil Ambibè, d'un bout à l'autre de mon travail avec lui, m'a menti, me donnant une foule de détails, certes, mais omettant à dessein les choses essentielles. Pour un peu, je l'étranglerais.

Il s'ensuit pour moi une journée assez vague, livrée à de petits travaux entrecoupés.

Une enquête avec Vad, qui pourtant depuis tous ces derniers temps m'agaçait à tel point avec son côté vraiment par trop crapule, achève de m'attrister : le pauvre (infirme, maintenant, puisque l'état de ses jambes l'empêche de marcher autrement que sur un talon et la pointe de l'autre pied, le genou de cette jambe restant replié) me parle des sociétés d'enfants de Rufisque, sa ville natale. Celle dont il faisait partie, avait pour chef des garçons un nommé Boubakar, très fort et très casseur de gueules (il avait, notamment, maintes fois abîmé celle de Mamadou, avant qu'il fît partie de la société), et pour chef des filles la nommée Kadi Dyop, amie du nommé Boubakar. Mamadou Vad, l'homme à femmes, me racontera sans doute demain quelques amours d'enfance, puis il retournera s'étendre sur sa natte, installant le mieux qu'il pourra ses jambes aux veines ignoblement gonflées.

31 octobre.

Visite à la caverne de Barna, où sont conservées cinq mères du masque gigantesques. La plus vieille, presque entièrement rongée par les termites, doit avoir deux ou trois cents ans[1]. La plus grande, nous la sortons de la caverne comme un long serpent, pour la photographier. Tout ceci clandestinement.

A Bamba, on raconte que depuis l'occupation française le serpent du hogon ne vient plus lécher ce dernier, car il n'y a plus de vrai hogon. Le mythe a survécu. Quelle admirable fin pour un serpent mythologique : il n'est pas mort, il ne s'est dilué dans aucun scepticisme, mais seulement il s'est caché, car les temps ne sont plus propices. Nous sommes au cœur de cette éclipse.

1er novembre.

Des masques ont été convoqués, pour que Schæffner étudie de près leurs danses. Malentendu : tous viennent le matin, alors que nous les attendions l'après-midi. Nous devons les renvoyer. L'après-midi il n'en vient que quelques-uns : une femme européenne, une croix de Lorraine, une jeune fille, une femme de cordonnier. Les autres danseurs sont allés travailler en brousse. La femme européenne a une sorte de chignon ou chapeau 1900 à arrière relevé et nous reconnaissons sous la cagoule noire notre ami le gros chasseur Akoundyo, « grand frère » d'Ambara, à qui ce dernier m'avait confié lors de la sortie nocturne des masques.

---

1. Lors des fêtes du *sigui* — tous les soixante ans — on taille les « mères du masque » à raison d'une par village. On les consacre par un sacrifice de chien.

La femme du cordonnier a de merveilleux seins pointus et dressés, en demi-fruits de baobab, beaucoup plus excitants que des vrais. La cagoule de fibre entièrement couverte de cauris, surmontée d'une coiffure en crête à trois pointes, fait au danseur un visage lunaire extraordinairement séduisant. Tandis que Lutten palabre avec le chef de canton et renvoie les masques, qui sont trop peu nombreux, arrive le traître Ambibè Babadyi, une bouteille à la main. On ne l'a pas vu depuis deux jours, et il vient tout simplement faire renouveler la médecine que Larget lui avait donnée pour ses yeux... Je suis abasourdi par son cynisme.

2 novembre.

Pollution nocturne, après rêve à peine érotique, qui se terminait par une pollution involontaire. Brusque réapparution du sexe, au moment où je croyais le moins y penser.

Ce qui empêche, à mes yeux, les femmes noires d'être réellement excitantes, c'est qu'elles sont habituellement trop nues et que faire l'amour avec elles ne mettrait en jeu rien de social. Faire l'amour avec une femme blanche, c'est la dépouiller d'un grand nombre de conventions, la mettre nue aussi bien au point de vue matériel qu'au point de vue des institutions. Rien de tel n'est possible avec une femme dont les institutions sont si différentes des nôtres. A certains égards, ce n'est plus une « femme » à proprement parler.

Sortie de masques complètement ratée : une de ces lamentables reconstitutions auxquelles nous avions bien fait de ne pas nous livrer. Basse mascarade de Saint-Cyr, éventaire de fripier. Tabyon, à qui l'on demande plus tard de nous simuler un sacrifice de chien et a qui Griaule offre, à son choix, un Européen pour reconstituer les sacrifices humains qu'ont remplacés, depuis l'occupation française, les sacrifices de chiens, jette un regard circulaire sur nous tous puis désigne Lutten, alléguant que c'est « parce qu'il est son copain ». (Ambara *traduxit*.)

En fin de journée, première séance d'anthropométrie, d'abord avec deux vieilles cordonnières (qui avaient été convoquées pour parler de l'excision, mais qui, après quelques réponses assez floues, s'étaient révélées incapables de donner le moindre renseignement sur la question, pour la simple raison qu'étant de caste cordonnière elles n'avaient pas eu le droit d'être excisées), puis avec Apama (le triste, le sérieux) et Akoundyo. Avec le gros Akoundyo, il faut finalement s'arrêter, car chaque fois qu'on le touche pour déterminer un point anthropométrique cela le chatouille et il se met à rigoler...

Entre temps nombreuses apparitions d'Ambibè Babadyi, qui vient à chaque coup comme des cheveux sur la soupe, et que je suis ravi de pouvoir renvoyer.

3 novembre.

Tombé presque par hasard, avec Schæffner et Griaule, sur un antre de sorcier.

Une caverne de 25 à 30 mètres de long, s'étendant le long d'une paroi rocheuse, parfois étroite comme un boyau. Plusieurs greniers cylindriques en banco [1] ne contiennent absolument rien. Près de l'entrée, un gros paquet de crânes de chèvres sacrifiées est pendu. Plus loin, il y a des traces de feu, et de grands espaces couverts de plumes de poules. Près d'un des greniers de banco, une quantité de calebasses et de canaris. Dans l'un de ces derniers : de l'eau, dans laquelle trempent des racines d'arbres ; dans l'autre : encore de l'eau, mais où pourrissent les pattes des poules.

Le maître de l'antre est là ; c'est Andyê, l'homme de la pluie chez qui, au début du séjour, j'ai été boire du dolo, Andyê, le lieutenant du hogon, l'homme au fusil éclaté. Nous l'avons déjà rencontré au début de notre promenade et nous l'avons trouvé ici car, nous voyant explorer tout, il a su que nous allions venir et est accouru pour garder ses trésors de sorcellerie.

En face de lui, suspendues à un tronc d'arbre grossièrement coupé et coincées horizontalement entre deux blocs, deux grosses calebasses entières, quelques pièces de vannerie et de nombreux bijoux de femmes (bracelets de fer, chaînes de pieds d'aluminium, longs colliers de cauris, verroteries multicolores) sur lesquels des mouches maçonnes commencent à nidifier. Il y a aussi quelques lambeaux de pagne. Andyê, l'homme de la pluie (qui est aussi, j'ai peine à le croire, le père du gros Akoundyo), sourit

1. Boue séchée.

mystérieusement : son crâne tondu, ses veines temporales en mur lézardé par la foudre, sa barbiche grise en pointe, ses yeux et sa bouche aux coins remontés, le grand collier de cuir trop large (on dirait un collier de chien) qu'il porte autour du cou, son maintien (même quand il n'a pas la batterie de grigris de fer qui d'ordinaire lui couvre la poitrine), tout lui donne l'air classique du sorcier ou de l'empoisonneur florentin. A ma grande surprise, il répond à nos questions sans faire de difficultés. L'endroit où nous sommes, endroit où aucun Dogon ne peut — théoriquement — entrer sans devenir fou, est l'endroit où séjournent les âmes des fœtus provenant des femmes mortes enceintes. Ces âmes — contrairement aux autres âmes — ne se réincarnent jamais et c'est ici leur lieu de culte, leur chapelle ou leurs limbes dans lesquelles on a porté les vêtements et les bijoux des mères. Des petites masses presque informes de bancos conservées dans un des grands greniers, représentent les âmes des fœtus morts, à côté de masses plus grosses qui représentent leurs mères. A travers tout ceci nage l'abominable odeur des excréments de chauve-souris. L'arôme aussi d'un arbre, plutôt douceâtre, mais à fond de merde ou de pourri. Cette caverne de nécromant, je la rapproche de la première de toutes celles visitées par nous en pays dogon : une énorme caverne tunnel par laquelle il fallait passer pour aller à Fiko (entre Mopti et Bandiagara). Un troupeau d'ânes s'y reposait, comme dans une vraie caverne de brigands, aux voûtes suffisamment hautes pour abriter des personnages aussi antiques qu'Ali Baba et ses quarante voleurs.

En fin de journée, le côté « caverne de brigands » se confirme, Griaule ayant appris à la suite d'un interrogatoire laborieux qu'Andyê est l'homme le plus riche et aussi le plus redouté du pays, parce que sa caverne est bien le lieu où il a installé un fonds de sorcellerie dont il a fait l'acquisition — avec recettes, âmes d'enfants morts avant terme, âmes de mortes enceintes et clientèle — le laboratoire où il maléficie les gens de manière à pouvoir ensuite, contre argent, dénouer les sorts qu'il a jetés.

Ce matin, alors que nous étions chez Andyê, comme je tendais la main vers le multicolore paquet de colliers (tentants comme les bijoux de Marguerite de *Faust*) et reculais ayant aperçu les mouches maçonnes, Andyê avait dit de celles-ci que « c'est bon ». « Pourquoi ? » — « Parce que cela empêche de toucher. » Plus tard je m'étais approché d'un des greniers cylindriques de banco à l'entrée bouchée par de grosses pierres. Andyê m'avait fait demander ironiquement pourquoi je ne regardais pas à l'intérieur. — « Parce que je sais ce qu'il y a dedans », lui avais-je fait répondre, m'attendant, si j'ouvrais le grenier, à le trouver vide, comme l'étaient les précédents. Je ne suis pas près d'oublier l'éclat de rire dont Andyê fit suivre ma réponse...

4 novembre.

Perte de ma pince à épiler. Je suis plus agacé qu'il ne siérait par ce minime accident.

Il fait figure de mauvais présage car : pas de lettre de Zette au courrier. Lettre de K., m'apprenant que le Congrès de Kharkov a formellement condamné la dissidence surréaliste.

Aux dernières nouvelles, il paraît qu'Andyê a payé son stock de recettes et d'esprits, l'un dans l'autre, 30 000 cauris.

5 novembre.

Moufle a tué hier soir son deuxième caïman, l'état de santé qu'il a allégué pour motiver sa démission ne s'opposant nullement à la tartarinade. Un deuilleur en retard est venu lâcher encore deux ou trois coups de fusils sur la maison du chasseur mort.

A des danseurs venus d'Iréli nous achetons de très beaux masques. Comme, rituellement, ceux-ci ne peuvent se vendre, un subterfuge intervient, qui satisfait les deux parties : il est entendu que nous réquisitionnons ; il est entendu aussi que, les danseurs d'Iréli étant de bons amis, nous leur faisons à chacun un cadeau en argent ; mais il est bien certain que ces deux opérations n'ont rien à voir ensemble et ne sauraient, en aucun cas, être confondues avec un acte de commerce. Leur responsabilité ainsi dégagée, les danseurs sont très contents. Seul, le chef de canton Dounèyron — qui comptait lui-même nous procurer des masques (et, vraisemblablement, les aurait fait confectionner en série) — est furieux de voir une aussi belle affaire lui glisser entre les mains. Nous lui offrirons sa revanche en manifestant le désir d'acheter une « mère du masque ».

6 novembre.

Envoyés Schæffner et moi à un ossuaire proche de Bara pour rapporter des crânes.

Visite à la caverne d'Andyê et prélèvement d'une figurine de bois dans le grenier de banco où il tient ses âmes enfermées. La porte est si vermoulue que quand Schæffner veut la replacer, elle s'émiette presque entre ses mains. A chaque morceau qui s'en va, c'est une crise de fou rire...

Plateau rocheux, coupé net par la faille au fond de laquelle coule le torrent. Plateau capricieux, criblé de trous et de marmites, hérissé de larges champignons pierreux.

Poussant au-delà de Bara, nous trouvons dans une fissure horizontale (ancienne caverne de masques) un très grand bois rongé et délavé : c'est une mère du masque en forme de serpent, d'un type qu'on ne fait plus maintenant, sans doute un de ces vieux masques mystérieux, que les ancêtres ont mis au rencart dans les grottes et dont on raconte qu'ils sortent la tête périodiquement. Cassé en deux, le masque est soigneusement emballé.

Le point extrême de la promenade est l'ancien village d'I, du classique genre troglodyte. Nous rampons un certain temps à travers les ossuaires, puis descendons, non sans efforts, dans le ravin au fond duquel sont les cachettes de *biniguédinè*. C'est là que les gardiens de totems familiaux — ou *biniguédinè*, — lorsque survient la transe qui est le premier signe de leur vocation, descendent pour retrouver l'anneau ou le collier perdu, ou plutôt caché par quelqu'un de la famille, à la mort de leur prédécesseur...

Paysage très Niebelung, mais sans dragon. En remontant, je trouve deux tiges de fer à branches ornées qui font partie des objets (ou *binou*) que recherchent les *biniguédinè*. Dans un ossuaire, un bracelet et des ornements de cou du même ordre ont été enlevés.

La dernière crise de fou rire a lieu devant l'ossuaire de Bara, dans lequel je fourrage un tibia à la main.

7 novembre.

Grande journée de mise au point : demain, Lutten part en

1. Fillettes broyant des arachides (Kandyaora, 22 juillet).
2. Danseurs masqués en antilopes, s'exhibant à l'occasion
d'une parade administrative (Kita, 14 juillet 1931).

3. Circoncis de Ségou dans le costume spécial
qu'ils portent durant la retraite qui suit l'opération.

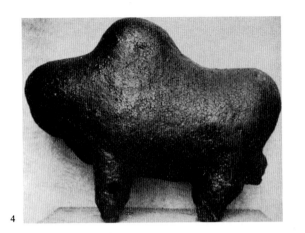

4

5

4. Le « cochon de lait » de Dyabougou, photographié dans notre
entrepôt de Mopti.

5. Les masques montant sur la
terrasse de la maison du mort
(Sanga, 2 octobre).

6. Le masque « femme du cordonnier », avec ses seins en fruit de
baobab (Sanga, 1er novembre).

7. La « mère du masque » découverte par Griaule et Schaeffer sur
un lit de crânes humains (Sanga,
8 novembre).

6

7

9

9. Le sanctuaire en forme de vulve (Sanga, 18 novembre).
10. Étui pénien somba (Natitingou, 5 décembre).
11. Personnage féminin du sanctuaire « Matchatin » (Ouidah, 11 décembre).

◄ 8. Yougo, la Rome lunaire, et ses greniers sous roche (10-12 novembre).

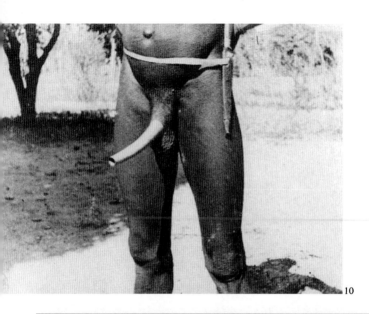

10

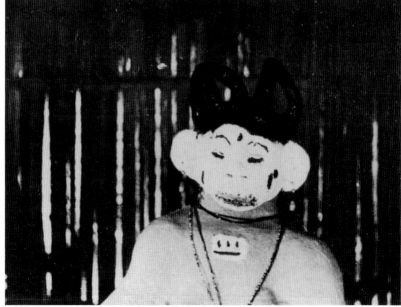

11

13

13. Village kirdi près de Mora.
14. Jeunes gens filant le coton en courtisant les femmes (Poli, 25 janvier).   14

◄ 12. Le fils du sultan Doukar et ses camarades jouant à la guerre avec des soldats
faits de boules de crottin ; une servante apporte un objet confectionné
avec des détritus qui représente le parasol du sultan (Mora, 4 janvier 1932).

15

16

15. Le Congo belge vu de Ouango, de l'autre côté du fleuve (17 mars).
16. Jeunes hommes shillouk au bord du Nil (Kodok, 14 avril).
17, 18. Felouques partant sur le Nil (Abou Zeyd, 16 avril).

17

18

19

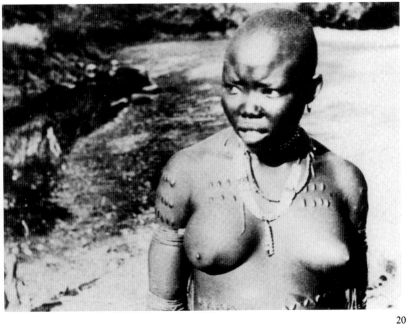

20

19. Charogne de chameau au bord de la piste,
   entre Gedaref et Gallabat (29 avril).
20. Femme goumz venant puiser de l'eau (Qoqit, 1er juin).

camion à Mopti, commençant l'évacuation du matériel. Dans quinze jours nous ne serons plus à Sanga. Je commençais à m'ennuyer ici, mais suis quand même un peu rongé à l'idée de partir. Les gens de ce pays vieilliront doucement entre leurs tabernacles. D'ici pas très longtemps les petits Abara, Binèm, Iréko, Amadignê seront devenus grand-pères... Comique futilité de nos engins européens !

Je montre à Ambara les deux tiges de fer découvertes hier. Pour masquer son trouble, il rit derrière sa main. Ce sont les *binou* du quartier de Sodamma et elles sont apparentées au totem du lamentin.

8 novembre.

Les mères du masque recevaient autrefois des sacrifices humains ; c'est Tabyon qui le dit, éberlué lui aussi quand il a vu les tiges à pendeloques.

Lutten est allé chercher une autre mère qui restait dans la caverne d'où j'avais fait rapporter la première. Il négocie également l'achat de celle d'Engueldognou. Quant à Griaule, en se promenant ce matin avec Schæffner il en a découvert une, soigneusement étendue sur un lit de crânes humains ; plus grande que toutes les autres, elle atteignait 10 mètres de long.

Le soir, dans un petit vallonnement qui passe derrière la caverne des masques du quartier d'Ogoldognou, nous ferons une découverte au moins aussi troublante : dans une cachette, formée d'une anfractuosité de rochers[1] bouchée de quelques pierres, deux crânes, dont l'un assez frais, et un paquet de broussailles. Tout autour de la cachette, le sol est jonché de canaris cassés ou retournés, en quantité bien plus considérable que pour tous les autres lieux taboués. C'est à peu près le seul endroit dont les enfants aient réellement une peur terrible et duquel il soit totalement impossible de les faire approcher.

9 novembre.

Retour de Lutten, qui a déposé Moufle et Vad à Mopti. J'ai

1. La faille rocheuse remarquée par Griaude le 14 octobre.

153

toujours la même malchance avec le courrier. Quand donc cette mauvaise passe finira-t-elle ?

De plus en plus, l'atmosphère de sacrifices humains s'accuse. Plus de doute maintenant. Outre les découvertes matérielles, des expressions fugaces de tel ou tel construisent un faisceau de preuves. Mais on n'avoue ces pratiques que pour d'autres villages ou pour le « vieux monde »...

Auprès des jeunes, notre popularité est grande. Ce soir, au lieu d'un qui venait d'ordinaire, trois enfants couchent chez nous : Abara, Binèm, Amadignê.

10 novembre.

Voyage au bout de l'univers — c'est-à-dire à quelques heures de marche de Sanga — à Yougo, le fameux village où commence le *sigui*. Nombreuse équipe. Mamadou Kèyta, Abara, Amadignê, un autre enfant nommé Ana, deux jeunes garçons que nous ne connaissons pas, Ambara, Apama, Akoundyo (le fils d'Andyê, le gros tirailleur qui, paraît-il, reprendra le fonds de sorcellerie de son père), Fali le marmiton et un de ses amis, Makan et un personnage que nous ne reconnaissons pas et qui a été réquisitionné comme porteur.

On descend à Banani. On longe la falaise pendant quelques heures. Ambara, qui a arboré ses éternelles boucles d'oreilles, son calot militaire, sa redingote noire à boutons verts dans le dos, sa culotte, son parapluie, ne veut porter rien autre que notre lampe tempête et le grand ballot d'effets personnels qu'il a en bandoulière comme un paysan qui revient de la foire de Fouilly-les-Oies.

Arrivés au pied de Yougo, dans un paysage effectivement de fin du monde (entrelacs de maisons, de cases sacrées, de cavernes et d'énormes éboulis), nous faisons la dure ascension, pèlerins du *sigui* plaisantant et pensant à Wagner, puis nous nous installons sur le plus haut *togouna* où abri pour les hommes, construit tout en haut du village, presque au milieu des cavernes ossuaires et sur un roc si escarpé et étroit que nos lits sont littéralement au bord du précipice.

J'écris ces lignes en regardant tomber le soleil, et noircir les rochers coupés au couteau ou à la foudre.

11 novembre.

De pierre en pierre, de lieu sacré en lieu sacré, de cave en cave.

Au-dessous du roc sur lequel nous couchons, la caverne où, dans les temps mythologiques, furent trouvés les premiers masques. Deux figures de terre séchée — sorte d'obus à tête surhumaine — reçoivent tous les deux ans du sang de coq et de chien. Une figure blanche est gravée sur le roc : c'est un signe inaugural qu'on y dessine à la crème de mil lors de chaque *sigui*.

Hors du village, bouche bée en plein vent, l'auvent rocheux sous lequel les vieillards, tous les deux ans, boivent le dolo, comptant jusqu'à trente de ces beuveries pour savoir quand le temps fatidique est venu. La main haute et les doigts recourbés vers l'arrière, en un geste d'augure, le chef religieux du village — un mangeur de chiens comme Tabyon — nous explique cela.

Derrière le village, une brèche étroite dans la falaise est comble de greniers, de cases à sacrifices remplies de bois taillés et de statuettes. Certains greniers, en forme de pains de sucre ou de cheminées d'usines prennent naissance dans une sorte d'énorme cave, qui n'est qu'une maison dont les propriétaires travaillent (ils sont tisserands) et qui ressemble aux soutes d'un bateau. Les pains de sucre-cheminées s'élèvent — tours de défense ou stalagmites — jusqu'à presque toucher la voûte rocheuse qui est le plafond de la cave.

Au pied du roc sur lequel nous campons, dans une ruelle étroite, un grenier en banco, de couleur orangée, laisse saillir deux seins, — cônes peints en noir faisant corps avec la porte de bois brut. A mi-hauteur du couloir clair-obscur que forme la brèche, d'autres greniers cylindriques ont leurs orifices murés et paraissent hermétiquement clos.

Ici, tout n'est qu'abîme, plein ciel, ou souterrain.

Aucun Européen, jamais, n'est monté à Yougo Dogolou. Les semelles et les paroles se tuent à parcourir ou vouloir décrire pareil éternel et féerique mariage de la carpe et du lapin...

Du bouc aussi que Griaule offre à nos hommes et qu'ils égorgent sur notre rocher, avant de s'en gaver en l'honneur du 11 novembre.

12 novembre.

Départ de notre Rome lunaire. Hier, on nous avait refusé avec effroi plusieurs statuettes à faire tomber la pluie, ainsi qu'une figure aux bras levés, trouvée dans un autre sanctuaire. Emportant ces objets, c'eût été la vie du pays que nous eussions emportée, nous disait un garçon qui, bien qu'ayant « fait tirailleur » était resté fidèle à ses coutumes, pleurait presque à l'idée des malheurs que notre geste impie allait déclencher et, s'opposant de toutes ses forces à notre mauvais dessein, avait ameuté les vieillards. Cœurs de forbans : en faisant ce matin des adieux affectueux aux vieillards ravis que nous ayons bien voulu les épargner, nous surveillons l'immense parapluie vert, d'habitude déployé pour nous abriter, mais aujourd'hui soigneusement ficelé. Gonflé d'une étrange tumeur qui le fait ressembler à un bec de pélican, il contient maintenant la fameuse statuette aux bras levés, que j'ai volée moi-même au pied du cône de terre qui est son autel à elle, ainsi qu'à ses pareilles. Je l'ai d'abord cachée sous ma chemise, avec une réduction d'échelle qui est l'engin par lequel Dieu descend. Puis je l'ai mise dans le parapluie, tout en haut du grand rocher au sommet duquel s'élève le *togouna* près duquel nous couchions, faisant semblant de pisser pour détourner l'attention.

Ce soir, à Touyogou — où nous campons sur une place publique, près d'un autre *togouna* (celui-là en forme de bonnet de cosaque) — j'ai la poitrine maculée de terre : car ma chemise a servi encore de cachette, sortant de la caverne des masques de ce village, à une sorte de lame de scie rouillée à double tranchant qui n'est autre qu'un bull-roarer de fer...

13 novembre.

Retour à Sanga, par le haut de la falaise. Nous rapportons quelques masques achetés à Touyogou et nos porteurs, égayés par quelques dons de nourriture et excités par leurs fardeaux mystiques, poussent de temps à autre les « Ha... wou... hou... hou... hou... » des gens masqués. Makan Sissoko, le Kassonké, furieux de ces manières de sauvages — qui lui font peur — traite les autres de « voyous », de « couillons », d' « idiots » et de « salopards ».

156

Il n'y a plus maintenant qu'à abandonner Sanga, seule façon de tirer l'échelle après ces trois jours d'aventure si brûlante où — comme on veut — si glaciale.

Pays qu'auront bien du mal à corrompre les Européens, plats-pieds tout juste bons à fournir d'habiles politiques, de rusés financiers ou d'astucieux ajusteurs mécaniciens...

14 novembre.

Nouvelle pollution nocturne. Rêvé par ailleurs que je me réconciliais avec André Breton. Au diable la psychanalyse : je ne chercherai pas à savoir s'il a pu exister momentanément un rapport entre ces deux événements. J'aimerais mieux que Freud me dise de quel inceste solaire ou autre sont issus les masques, eux qu'une femme a découverts, dont une femme à laquelle on voue un véritable culte — la *ya siguinè* — est actuellement la « sœur » et qui sont interdits à toutes les femmes en général, comme une chose particulièrement fumante et dangereuse...

Les rapts continuent en dehors de cela, et les informations. Sanctuaires et trous où l'on jette les vieux masques sont systématiquement explorés.

De Bandiagara rentrent le chef de canton et tous les gens mobilisés pour le 11 novembre. Encore n'était-ce qu'une bénigne mobilisation et ne s'agissait-il que d'une simple parade... Néanmoins le nombre des chevaux et des hommes est grand. Et l'administration dira encore que nous en prenons trop à notre aise avec le pays ! Le déplacement à Bandiagara a vidé le cercle d'une grande partie de sa population mâle, ceci à la fin des récoltes, au moment des engrangements...

Mauvaise humeur contre la France, indifférence à l'égard de l'Afrique, mauvaise humeur contre ce journal, verbeux alors qu'il faudrait des coups de trique.

15 novembre.

Nos amis Apama et Ambara ont apporté hier subrepticement des costumes de fibres pour masques que nous leur avions demandés. Ils nous ont prié, surtout ! de les bien cacher.

Aujourd'hui je fais avec eux les fiches de ces objets. Apama et Ambara sont attentifs au moindre bruit. Un enfant qui veut entrer se fait réprimander.

Pas de doute : nos procédés ont fait école et les deux braves garçons ont été prendre les costumes de fibres à la caverne de masques où ils étaient cachés. L'influence de l'Européen...

Le cafard continue et j'ai parfois envie de tout casser, ou de retourner à Paris. Mais que faire à Paris ?

16 novembre.

Avant-veille du départ de Sanga : enregistrements sonores, dernières photos, mise au point, bouche-trous, corrections, etc.

Le « petit » frère d'Apama, qui porte le masque « maison à étages », ne voulait pas le vendre, car il lui venait de son grand frère, le chasseur mort du 20 octobre. Aujourd'hui il accepte, à condition que nous allions nous-mêmes enlever l'objet, afin qu'il puisse dire qu'il a été forcé... Tout le monde à notre suite sombre dans l'accommodement avec le ciel et dans le pieux mensonge [1]...

. . . .

Partant en Afrique, j'espérais peut-être avoir enfin du cœur ! J'ai plus de 30 ans, je vieillis, et toujours cette intellectualité... Retournerai-je jamais à la fraîcheur ?

17 novembre.

Un dimanche, il y a six mois, le 17 mai. C'est le lendemain que je m'en vais. Journée entière de repos, après tant de mois de travail incessant. Vrai repos de condamné à mort. Je garde de cette journée d'adieux un souvenir complètement déchirant. Et

---

1. Nous avons pensé par la suite que c'était nous les dupes dans cette affaire. Étant allés au trou rocheux où était caché le *siriguè* proposé, nous constatâmes qu'il était vieux et presque décoloré, alors que celui que nous connaissions était brillant et neuf. Apama et Ambara affirmèrent toujours qu'il s'agissait du même objet. Mais il est probable qu'ils voulaient détourner notre attention sur un *siriguè* usagé, par crainte que nous découvrions le neuf.

quand je me rappelle il y a dix ans... Éternelles considérations sur le temps et sa rapidité. Ma femme, ma mère. Moi-même quand j'aurai 40 ans.

18 novembre.

Rêve : ma mère, un soir, attendant le tramway, au bord d'une chaussée populeuse, ayant soif et versant dans une bouteille de limonade une chopine de vin rouge, tandis qu'à deux reprises on emporte vers un hôpital, sur un grand catafalque blanc éclairé de bougies, deux victimes d'une rixe, en casquette, allongées sur le dos côte à côte. Par ailleurs, je couche sur un paquebot dans un lit isolé à dix mètres de haut et j'ai la vague idée d'un flirt avec une Hollandaise richissime, aux lèvres décolorées, aux cheveux cendrés, à la peau blême. C'est la fille de diamantaires juifs de l'Afrique du Sud et elle est mariée à un homme d'âge mûr, particulièrement sympathique et élégant. Fin du voyage maritime dans une gorge sinueuse, bordée de hauts rochers, la statue de la Liberté se montrant brusquement à un détour afin de nous faire savoir que nous venons d'entrer dans la baie d'Hudson.

Encore pas de courrier. Mais un nouveau sanctuaire, en forme de vulve celui-là, avec deux masses de banco formant presque des lèvres, une glotte de même matière un peu plus en arrière, un œuf énorme enfin, de banco également, tout au fond de cette matrice aux murailles incrustées d'œufs de perdrix. Ceci à Dyamini à côté de la caverne des *bazou*. Dans cette dernière caverne (où sont consacrés les *bazou*, troncs d'arbres à l'aspect calciné et taillés en forme de gueule d'hyène (?), destinés à protéger les champs contre les voleurs en faisant tomber sur eux la foudre), les gens nous autorisent à prendre un de ces engins. Mais quand nous portons la main dessus, ils se détournent tous, crainte peut-être de nous voir terriblement punis de notre sacrilège. Un jeune illuminé — qui est un gardien totémique — refuse avec fermeté le cadeau en argent que nous voulons lui donner pour le village...

Vers la droite de la grotte, dans un petit sanctuaire, une belle statue de bois. Nous ne la regardons pas trop, afin de ne pas éveiller l'attention ; mais il est convenu que cette nuit, Schæffner et moi, nous irons nous en emparer.

Arrivée inattendue d'un courrier à pied venu de Bandiagara et qui a croisé notre envoyé. Deux lettres : une de Zette, une de ma mère. Larget a écrit à sa femme (ou, du moins, celle-ci l'a raconté) que pour se protéger des fourmis il devait s'asseoir en prenant soin d'isoler ses pieds du sol à l'aide de récipients pleins de pétrole...

La lettre de Zette m'apprend soudainement la mort de *** qui s'est tuée en tombant d'un rocher. Plus que les poètes, ceux qui vivent avec eux sont marqués par le drame.

Demain, départ définitif de Sanga. A l'heure où j'écris ces lignes, je suis sur le point de me coucher et le dernier enlèvement est fait : Schæffner et moi sommes revenus, le bois sur l'épaule, après une heure et demie de ruses et d'alternatives diverses. Rentrant au campement, nous avons compté exactement 17 enfants, qui couchaient pêle-mêle entre la camionnette et la voiture légère, et sous les deux véhicules.

19 novembre.

Adieu à tous nos amis, même à ceux qui ne nous aiment pas et que nous n'aimons pas (le chef de canton, le chef d'Ogolda). Ce dernier, vêtu pour la circonstance d'un boubou blanc immaculé remplaçant son habituelle tenue dogon qui le faisait ressembler à Ésope, donne dans le genre « redingote à manger du gigot »... Adultes et enfants sont là. Il y a aussi le pasteur américain. Au moment de partir, nous sommes surpris de ne pas apercevoir le petit Abara, qui avait l'air d'un petit gnome aux yeux toujours roulants et qui était encore, parmi les enfants, notre meilleur ami. Nous partons, un peu attristés de ne pas l'avoir vu. A un détour de la route, à quelques centaines de mètres du campement, Mamadou Kèyta, qui est sur le marchepied de la voiture, crie tout à coup : « Voilà Abara ! » Nous arrêtons la voiture, faisons signe à l'enfant de venir. Il arrive en courant. Griaule sort une montre et lui en fait cadeau. L'enfant dit : « Monsieur, je veux partir avec vous... » Impossible de l'emmener, il est trop chétif et trop petit, mais nous reviendrons. Qu'il apprenne bien le français, il sera notre grand interprète. L'enfant reste cloué sur place. La voiture démarre. Nous nous retournons, nous apercevons le petit qui a fait demi-tour, après un peu d'hésitation, et revient vers Sanga en pleurant.

20 novembre.

Kori Kori : ancienne ville païenne à masques, aujourd'hui islamisée. Pauvre cambrousse ennuyeuse. A quelques kilomètres cependant, Songo, — Jérusalem de la circoncision comme Yougo était une Mecque des masques. En rouge, noir et blanc éclatants, les graffiti florissent sur les rochers. Ce sont les pères des enfants circoncis qui les exécutent tous les trois ans, vingt jours après le sacrifice sanglant, avec de la pierre rouge, des excréments d'oiseaux et du charbon.

Nous revenons, Schæffner et moi, quelque peu fatigués. Mouchet, qui nous attend, ira après-demain à Mopti avec la voiture prévenir Griaule : il faut absolument que Griaule accomplisse ce nouveau pèlerinage.

21 novembre.

Il a pleuvoté cette nuit. Drôle de temps, paraît-il, pour le mois de novembre. Nouvelle prospection à Songo : auvents à graffiti et bull-roarers de bois en masse. En ce qui concerne ces derniers, Schæffner et moi, si cela continue, seront bientôt obligés de limiter la production...

Belle tranquillité, depuis avant-hier soir que nous vivons à trois, calmes, sans tumulte militaire, plaisanteries d'almanach, bavardage à contre-sens, vociférations contre MM. les boys, — tristes extériorisations d'hommes qu'un inévitable esprit de corps plie bon gré mal gré, dès qu'ils sont plus nombreux, sous sa férule de ricanante vulgarité.

22 novembre.

Tout seul cet après-midi : Mouchet à Mopti, Schæffner au village. Je suis allé à Songo ce matin et, avec sept porteurs recrutés sur place, ai ramené une cargaison de pierres à graffiti. Ces pierres sont celles sur lesquelles les enfants se sont assis et ont saigné lors de l'opération ; vingt jours après, quand leurs plaies ont été cicatrisées, les pères ont peint ces pierres devant le village réuni (population mâle, naturellement).

En revenant, j'ai perdu la moitié de la semelle d'un de mes souliers. En partant, je m'étais égaré, d'ailleurs pour peu de temps et sans qu'il pût être question d'une désorientation totale.

Maintenant, je suis seul (il y a bien six mois que cela ne m'est pas arrivé, du moins dans de telles conditions) et je pense à mon activité d'ici. Mauvais fard pour me dissimuler à moi-même mon effroi persistant (et croissant) devant la mort, devant la vieillesse et même devant la vie. L'existence ascétique que je mène ne me dispense aucun paradis enfantin. Elle ne me pétrifie pas, ne me fixe pas dans la liquéfaction pourrissante de la vie. Avec mon casque, ma chemise kaki, ma culotte de trappeur, je reste le même homme d'angoisse que certains considèrent comme un bon type, à la fois tranquille et pittoresque (?), une sorte de bourgeois artiste. Autant qu'un tel jugement il n'y a rien qui m'humilie et je reste bêtement sensible au jugement des autres.

Je dispose pourtant de bien des tonnes de mépris ! Se distraire une plume à la main, moraliser, philosopher, scienticailler, pour moi c'est tout un, et c'est la même déficience...

Malheur à qui n'exprime pas l'inexprimable, ne comprend pas l'incompréhensible...

J'ai horreur de ce monde d'esthètes, de moralistes et de sous-offs. Ni l'aventure coloniale ni le dévouement à la « Science » ne me réconcilieront avec l'une ou l'autre de ces catégories.

23 novembre.

Mouchet, que nous attendions hier soir, n'est pas encore rentré. A-t-il été retenu à Mopti, est-il en panne ? Ce matin je garde le camp, cependant que Schæffner inspecte une falaise. Solitude et cafard tournent à la délectation morose. La lecture de Durkheim n'y fait ni chaud ni froid. Bonne bête de somme que je suis, que suffira à éteindre le retour du troupeau !

Rentrée de Schæffner — qui n'a rien trouvé au cours de sa promenade, si ce n'est des cachettes soigneusement murées et entretenues, mais absolument vides. Retour, enfin ! de Mouchet, rapportant du courrier de Mopti. Cet après-midi il va à Bandiagara, chercher du sucre dont nous manquons. Il en ramène Fali, le marmiton trentenaire et à jaquette, qui nous avait suivis jusqu'à Sanga, était parti à la suite d'une funambulesque histoire de coup de pied au cul, et que Mouchet a repêché sur la route de Bandiagara, alors qu'en compagnie d'une caravane d'âniers il s'acheminait vers Mopti.

Ce soir il fait frais, si frais que les chandails reprennent leur réalité et qu'on peut, sans ironie, parler de « saison froide ».

24 novembre.

Nouveau voyage à Songo et retour avec nouvelle cargaison de pierres. J'ai dû remplacer mes chaussures détériorées par mes bottes, que je n'ai jamais mises et, en place de shorts, mettre une culotte de cheval. Celle-ci, œuvre d'un tailleur indigène de Dakar, me coupe les jarrets Mes bottes me font mal et les semelles cloutées glissent sur les ıochers. D'où grande mauvaise humeur...

Fali, qui est resté à Sanga un peu après nous et a assisté à la deuxième sortie des masques pour le chasseur mort raconte que les masques *bèzé,* masques mâles à simple cagoule de fibre, au lieu de danser, comme il se doit, avec leurs sandales à la main, ont dansé en tenant les boîtes à sardines vides qu'ils avaient récoltées au campement, lors de notre déménagement.

Dîner avec Griaule et Lutten revenus de Mopti.

25 novembre.

Dernier voyage à Songo, pour relevés photographiques, puis départ à Mopti avec Griaule, Schæffner, Kèyta. Lutten et le reste du personnel nous ont précédés. La voiture passe sur un serpent que l'on croit mort. Nous sommes près du Niger ; il nous vient à l'idée qu'il s'agit aussi bien d'un poisson. Schæffner et Mouchet descendent pour voir au juste ce que c'est. Mais comme le serpent est bien vivant, qu'il mesure deux mètres de long et que, brusquement, il avance sur eux, Schæffner et Mouchet reviennent vers la voiture, précipitamment.

A Mopti, sensation bourgeoise de retrouver son chez soi, et tristesse des retours de vacances...

26 novembre.

Réveil de saison froide : des pirogues venues du milieu du fleuve débarquent des hommes emmitouflés, à l'air presque thibétains. Sur la berge, des femmes — et même des petites filles — entièrement habillées. Grand luxe de cotonnades européennes, comme on étale ses fourrures.

Dans la boutique maintenant presque vidée, on cloue les dernières caisses de collections. Une fois de plus, je suis très enrhumé, mais content parce que nous allons partir. Quelques démêlés avec des cordonniers particulièrement truqueurs que j'ai fait demander et qui me proposent à des prix variés plusieurs paires de bottes uniformément trop petites achèvent de me mettre en humeur. Je fais cadeau d'une chemise déchirée à notre boy Mamadou Bakèl. Griaule me fait cadeau d'une paire de shorts.

27 novembre.

Le matériel s'est remboîté. Larget a recloué ma semelle coupée. Nous partons demain pour la Haute-Volta. Nouvelle saute d'humeur : indifférence de voyager, sottise de travailler pour un musée. Vivement que l'on soit... où ? Je me le demande !

Promenade en groupe, au coucher du soleil, sur le Bani, et phonographe après dîner. Regardé les laveuses toute la journée. Le geste précis de celles qui se baignent nues et remettent le pagne, en un éclair, à la seconde même où elles émergent de l'eau. Le tirailleur fou que l'on appelle « le caporal » a fait un peu l'exercice devant les bateliers. Un très petit enfant à gros ventre, exclusivement vêtu d'un collier et de grigris de cuir passés en sautoir est venu manger un morceau de sucre après déjeuner. La fièvre jaune continue à traîner çà et là.

28 novembre.

Rêve trouble : dans une sorte de collège d'athlètes, je refuse de faire un plongeon dans de l'eau froide. Je vais faire un tour dans un quartier genre Gare de l'Est : de jolies gardeuses de cabinets m'y sourient. De retour au collège d'athlètes, je rencontre un ami d'enfance (sportif et perdu de vue) en tenue de cheval et je me décide à plonger, mais l'eau froide est tarie, ou bien je ne sais plus quelle autre raison empêche que j'effectue le plongeon. Sirène : arrivée du bateau sur lequel les caisses dont nous n'avons pas besoin doivent être embarquées. Lever rapide pour boucler le courrier. Dans la boutique pas encore très claire, les moustiques nous piquent sous la table. Mais quelle tranquillité à l'idée de partir !

Griaule, Lutten se font couper les cheveux par Larget. Schæffner se fait tondre. Je me fais raser la tête. L'opération nécessite plusieurs lames, tant j'ai ramassé de poussières rocheuses en me traînant dans les cavernes. La femme du cuisinier, qui devait prendre place sur le chaland de Larget tandis que son mari ferait le parcours avec nous par la route, ne partira pas. Le pauvre Aba sera tout seul. Cela n'a d'ailleurs pas l'air de trop le déranger.

Ce soir, nous couchons à Bankassi, village dogon de la plaine. Demain matin, nous irons à Kani-Kombolé dire adieu aux gens de la falaise.

29 novembre.

Déception à Bankassi, déception à Kani-Kombolé : pas de hogon, pas de masques, pas de *sigui*. Les gens de Bankassi font même le « salam ».

Départ après un déjeuner rapide et, bientôt, grand tourisme sur les fameux billards de la Haute-Volta.

Les routes ne sont pas au-dessous de leur réputation. Paysage prospère, campagnard, dans le genre Berry, beauceron, ou ce que l'on veut. Les femmes sont jolies, ont de beaux seins qui se tiennent bien, font des gestes cordiaux. Les hommes ont l'air joyeux et bien portants. Mais quelle pauvreté ethnographique à côté des Dogon...

Nous brûlons Ouahigouya, dégoûtés de la civilisation, mais c'est pour tomber de Charybde en Scylla : Yako, où nous couchons, est la plus hideuse des bourgades administratives : il y a non seulement des allées plantées d'arbres, mais même de hautes bornes avec de lourdes chaînes pour orner le chemin qui mène à la résidence. Les 220 kilomètres que nous avons faits aujourd'hui sont bien loin d'être suffisants...

30 novembre.

Départ matinal, en direction de Ouagadougou. Pays encore plus plat qu'hier ; même plus de greniers pagodes chinoises ou le chapeau sur l'oreille comme des mandarins saouls. Plus de figurants du Châtelet, enturbannés et largement pantalonnés. Beaucoup moins de filles belles.

A Ouagadougou, l'hôtel, avec bar et décoration murale de forêt vierge, fait assez bien le genre « bouge de Singapour ». Le patron porte une chemise de ville sans faux col, une moustache trop noire sous le casque qui paraît trop blanc. Au marché, des élégantes indigènes se promènent. L'une d'elles — armée d'une ombrelle à carreaux blancs et rouges — fait la retape en minaudant.

Départ de Ouagadougou, Lutten et moi devant, étant entendu que les autres nous suivront dans la voiture touriste et que nous nous retrouverons pour coucher à Fada Ngourma.

Grosse étape : 230 kilomètres dans l'après-midi. Arrivée à Fada, où l'administrateur alerté par le gouverneur, que Griaule a visité à Ouagadougou sitôt notre départ, nous retient à dîner. Nous prévenons que nos compagnons n'arriveront guère avant 10 heures du soir et allons au campement faire un minimum de toilette.

Retour chez l'administrateur et rafraîchissements. L'administrateur, appelé par un planton, nous laisse un moment seuls avec la maîtresse de maison. Revenu quelques instants après, il nous invite à passer à table, sans attendre nos compagnons. Nous sommes un peu surpris, mais notre hôte nous explique avec un parfait sang-froid qu'il vient d'apprendre par télégraphe que Griaule, Mouchet, Schæffner — qui avaient emporté toutes les cartes — sont à Kaya, à quelque 200 kilomètres d'ici. Ils se sont trompés de route. Vivent les cartographes !

1ᵉʳ décembre.

14 heures : Griaule, Mouchet, Schæffner débarquent de Kaya, comme Lutten et moi avons fini de déjeuner. Ils ont été royalement traités par l'administrateur et reviennent maintenant, pour repartir avec nous directement sur le Dahomey.

166

2 décembre.

3 h 45 : arrivée à Pama, en pleine brousse, près de la frontière du Dahomey. Partis à 16 heures, bien que l'administrateur ne nous ait pas caché le mauvais état de la route et ait décliné toute responsabilité quant à ce qui pourrait nous arriver, nous avons avancé toute cette fin de journée, faisant refaire les chaussées écroulées aux passages de marigots par une équipe de travailleurs réquisitionnés en route.

C'est une région de grands fauves, et nous marchons les trois quarts du temps dans une herbe de 1 m 50 environ de haut, qui a envahi la route, entre deux murs impénétrables de grandes herbes hauts de 3 à 4 mètres.

Vers 2 heures du matin, après la réfection de six chaussées, nous abandonnons notre équipe de manœuvres. Sortis maintenant des hautes herbes, nous arrivons à un grand campement, où resteront les travailleurs. Tout de suite ils vont cueillir des herbes, dont ils font des torches qu'ils allument et se passent sur le corps ; la flamme les lèche et les réchauffe.

Le garde-cercle qui nous escorte nous a prévenus qu'il n'y a plus, maintenant, de difficultés. La touriste part devant, sur la route qui, à partir de ce point, est désherbée. Lutten et moi, en camion, suivons derrière. Dix minutes après environ, grand choc : nous avons accroché un rocher et défoncé l'un des grands coffres dans lesquels nous rangeons nos touques d'essence. Il y a au moins une touque de perdue, ce qui diminue singulièrement notre provision, déjà entamée par l'erreur de direction commise hier.

Je pense à la fable du lion et du moucheron.

Agacés, nous repartons. Peu de minutes après, arrêt devant une chausée formant ponceau. Je descends vérifier la solidité, je dis à Lutten d'avancer. A peine dépassé la moitié du pont, celui-ci craque : son armature de bois était entièrement mangée par les termites. Déchargement du véhicule, envoi du garde-cercle resté avec nous jusqu'à Pama, pour avertir Griaule et amener une équipe de secours. Le pauvre garde est affolé à l'idée d'avoir à traverser cette vaste brousse tout seul.

Attente, arrivée des attendus, qui nous croyaient passés à travers un autre pont — celui-là bien plus haut et très long — qui avait déjà fléchi sous eux. Travail, départ. Bref, arrivée à l'étape à 3 h 45 du matin. Durant toute la journée peu d'animaux rencontrés : 2 grandes biches, 1 lionceau (vu par Griaule, Mouchet, Schæffner).

Ce matin, je viens de m'éveiller. Il est 8 heures. Une promenade hygiénique hors du camp me permet de constater qu'on n'entend aucun bruit humain et que la sauvagerie du site est admirable.

3 décembre.

Hier, journée de repos et de réparation. Aujourd'hui vaste travail : nous nous changeons en bâtisseurs de ponts. La route est coupée à la frontière du Dahomey par la rivière Pendjari dont le pont emporté, comme d'ordinaire, pendant l'hivernage n'a pas encore été refait. Avec les prestataires de la route, c'est nous qui le reconstituerons. Ce soir, deux ponts de rondins ont été établis reliant ainsi deux des piles restantes à la terre ferme. L'espace entre la troisième et la quatrième pile a été comblé avec des blocs de pierre prélevés sur les bords des autres piles, inutilement larges.

Des policiers dahoméens, apparus sur l'autre rive du fleuve ont recruté des gens du village le plus voisin pour commencer les travaux de l'autre côté.

Les hommes viennent d'abord : ils sont magnifiques, presque complètement nus (ficelle relevant la verge, petit cache-sexe carré ou mince peau de bête, selon les cas) et très musclés. Des jeunes filles viennent ensuite ; leur seul vêtement est une touffe de feuilles vertes et leur crâne est rasé. Charmantes filles, agréables à regarder comme l'eau qui coule si rapidement entre nos piles de pont, avec un bruit si émouvant...

Cette nuit nous campons près du fleuve. Les travaux reprendront demain à l'aube. En face de ce qui nous reste à faire, les accrocs du matin ne comptent plus : passage en terrain défoncé par les hippopotames, embourbement du camion, etc. autant d'incidents négligeables ! Déjà Griaule est allé prendre pied sur l'autre rive. La liaison qu'il a empruntée consistait en un unique tronc jeté sur deux piles non rejointes, deux troncs entre deux autres piles, encore deux troncs sur encore d'autres piles, et les travaux déjà faits. A l'heure où j'écris ces lignes, Griaule et Lutten chargent leurs fusils pour aller à la chasse. Les boys se calfeutrent dans le camion, car ils ont peur des « popotames » et des lions.

Makan a d'autre part manifesté à l'égard des Kabré (les gens venus de l'autre côté) la plus grande appréhension. « Ce sont des bandits la brousse ! » a-t-il déclaré. Quant à Mamadou Kèyta, il a été choqué par leur nudité, d'autant plus qu'un des travailleurs, en s'en retournant, a enlevé son petit carré.

4 décembre.

L'autre jour, entre Fada et Pama, dans les hautes herbes, il fallait avancer comme à tâtons, le conducteur ne voyant rien. Griaule debout sur la banquette comme sur une passerelle de commandement et le buste émergeant de l'orifice carré ménagé dans le toit de la voiture (non pas à cet effet, mais pour la chasse ou certaines prises de vues cinématographiques), Griaule scrutait les herbes et indiquait la route à Mouchet, l'homme du volant. Aujourd'hui c'est un autre sport : il faut passer la Pendjari sur notre chaussée pont.

Le fait d'avoir comblé les espaces entre un certain nombre de piles a fait monter le niveau du fleuve ; il a fallu couper la digue du côté Haute-Volta, après avoir engagé tout notre matériel sur l'îlot constitué par les piles et les espaces comblés. Le camion et la remorque sont restés en arrière, avant le premier pont de rondins, et c'est juste derrière eux qu'on effectue la coupure. Bien que, par ce canal, l'eau coule torrentiellement (si fort qu'une pierre d'environ 40 kilos, même posée précautionneusement, est emportée comme un fétu), le niveau continue à monter ; s'il monte trop, tous nos travaux seront détruits.

La plupart des prestataires sont des enfants. Ce sont les plus petits, souvent, qui portent les grosses pierres, les grands sachant se débrouiller pour n'avoir que de petites charges. Griaule s'époumone en ordres criés d'un bout à l'autre de la rivière. Il fait établir des chaînes pour transporter les pierres de la coupure en un autre point qu'il s'agit de renforcer. Déjà les Dahoméennes nues y travaillent, très peu aidées par leurs hommes, un peu plus efficaces cependant que les gens de la Haute-Volta. Makan circule sur la chaussée, nous apportant périodiquement des citronnades. Il faut la plupart du temps travailler soi-même ; les manœuvres ne comprennent pas et il est impossible d'en faire travailler deux à la fois, car, dès qu'on a montré au premier et qu'on se détourne pour montrer à l'autre, le premier ne fait plus rien. Il faut passer en hâte, avant que notre construction soit emportée. Un brusque éclair me change, pour pas plus de temps que cet éclair, en brute coloniale : je frappe un grand garçon qui reste inerte dans la chaîne, laissant éternellement les grosses pierres dans les bras des plus petits et ne se décidant pas à les en débarrasser. Avec les biceps que je me connais, mon coup de poing ne lui fait pas bien mal.

Un peu avant 2 heures de l'après-midi, tout le matériel a passé, la touriste tirée à la corde, le camion par ses propres moyens, la remorque maniée à bras d'hommes, la fin du voyage s'opérant à gué, grâce à un affleurement de cailloux qui permet de gagner la rive sans être pris par le courant. Le déjeuner est vite avalé. Le départ a lieu joyeusement. Les nombreux feux de brousse que nous rencontrons, dont certains mordent la route, n'ont pour effet que nous accélérer. Passage d'un col de montagne ; des villages à cases rondes et clochetons en pains de sucre, petits blockhaus de terre rouge à l'usage d'une seule famille, nous rappellent certains endroits dogons. La route s'allonge démesurément. Au moment où nous commençons à redouter la panne d'essence nous arrivons à Natitingou, chef-lieu du cercle de l'Atacora et point prévu pour nous ravitailler. Mais les cartes sont tellement inexactes et les distances indiquées sur les guides routiers tellement fantaisistes que la prévision est un exercice dans la plupart des cas fort inutile...

5 décembre.

Enfin on se sent dans le Sud ! Il y a de la terre rouge, de la végétation, des sauvages nus comme dans les livres d'images, quelques ménagères noires à turban et courtes robes d'indienne. Grande variété d'étuis péniens : les uns, très longs, faits d'un tube de calebasse dans lequel la verge s'emmanche, se dressent en l'air, mimant une érection ; d'autres plus modestes sont de petits sachets d'écorce de ronier. D'autres hommes ont le sexe engagé dans une bourse de toile (qui sert en même temps de blague à tabac), les testicules restant à l'air.

L'administrateur et ses collaborateurs n'ont vu, l'année dernière, passer la Pendjari que par trois ou quatre personnes, dont un général et un photographe.

Après déjeuner prolongé assaisonné des éternelles anecdotes coloniales, visite au tata du chef de canton (à quelques kilomètres sur la route). C'est un de ces châteaux-forts de banco couleur brique tel que nous en avons aperçus hier dans la montagne. Un château-fort dont chaque donjon est un grenier ou une case habitée par quelqu'un de la famille, c'est-à-dire une de ces personnes perchées nues sur la terrasse. Vie de plate-forme, les rez-de-chaussée jouant le rôle de magasins, où toutes choses sont méticuleusement rangées. Une famille par tata, et jamais deux tatas distants de moins d'une portée de flèche... Un des fils de Gbaguidi (c'est le nom du chef de canton) montre comment on s'introduit la verge dans l'étui pénien. Il le fait en riant et détournant la tête, par convenance, tandis que toute la famille (hommes, femmes, garçons, filles) s'esclaffe de la bonne plaisanterie.

Départ en direction de Djougou. Route facile. Encore quelques feux de brousse. Passons sur un boa (?) de 3 m 50 de long. Griaule lui envoie deux coups de feu. La bête se tord dans la poussière et disparaît dans un fossé.

Coucher à Birni. J'oubliais la belle déclamation des enfants de l'école, entendue ce matin, les élèves répétant tous ensemble en chantonnant les phrases françaises dictées au préalable par l'instituteur.

6 décembre.

Djougou : gros bourg très catholicisé et, paraît-il, très débauché. Périodiquement, les fonctionnaires de l'Atacora y descendent pour s'amuser.

Avec l'administrateur et sa femme, promenade à Tanéka-

Koko, village de la montagne, où il n'y a plus de châteaux-forts mais des cases rondes en banco, aux toits coiffés de canaris, aux murs peinturlurés. Le chef de village, aujourd'hui bien pacifique, a, il n'y a pas si longtemps, éventré un garde-cercle.

7 décembre.

Journée à Basila. Tour à Manigri, où il y a beaucoup d'idoles de terre séchée à gros sexe de bois. Dans les cases on trouve de tout : jusqu'à des porte-monnaie de cuisinières et des marqueteries faites d'incrustations dans le sol dur de vieux goulots de bouteilles et de bouts de vaisselle cassée. Les maisons de sacrifices, encore plus innommables que partout ailleurs, exhalent une odeur de poulailler mal tenu. Les femmes ont l'air de sorcières ou de cordons bleus vérolés. Mais par ailleurs les Tropiques s'accentuent : les marigots coulent dans les fonds de forêt vierge et l'on oublie une seconde la platitude et l'empoussièrement des plaines. « Ils en sont à l'âge du fer-blanc » disait hier le jeune administrateur. C'est exact : le pays, déjà criblé de touques d'essence, est mûr pour les panneaux réclames et l'effritement de tous les mythes en poussière de charbon.

Nous promenons maintenant notre camion garni de toute une basse-cour : des poules, et un cochon, dont le commandant du cercle de Djougou nous a fait don.

Un stupide incident retarde l'heure du coucher : impossible de rouvrir la voiture légère, les clefs étant restées à l'intérieur — les serrures bouclées — et tout le monde étant descendu, ayant fermé la porte sans penser à reprendre les clefs. On songe à découper le carreau arrière, on se décide à enlever les chevilles des gonds. Finalement, grâce aux chocs, le pare-brise peut s'entrouvrir et les clefs sont rattrapées. Résultats : Lutten part à la chasse plus tard qu'il ne l'aurait voulu, chacun s'est énervé plus qu'il ne l'aurait dû. Petits accidents qui font terriblement rager, quand on a tiré d'affaires aussi délicates que l'était, par exemple, le fameux passage de la Pendjari, un matériel indemne !

Le côté « *Vaudou* » du Dahomey. Même la case cabinets du campement a l'air d'un *houmfort*.

172

8 décembre.

Toujours descente vers le sud. Les *lègba* de terre séchée, à verge de bois en érection, se multiplient. L'aspect Martinique s'accentue. Un vieux noir à torse nu et jaquette fait figure de pipelet. A Agwa, où nous déjeunons, le lit de repos du chef est surplombé par un grand dais de grimoires et papiers à figures ; aux murs sont apposés deux fétiches semblables à deux cibles de tir à cercles concentriques et faits d'une matière indéfinissable dans laquelle doivent entrer l'huile de palme séchée et le sang coagulé. Des maçons indigènes, convenablement vêtus et circulant à bicyclette, se reposent au campement. A Savalou, les autels érotiques voisinent avec le dispensaire et les factoreries. Un chef de canton arrivé en auto vient saluer : colossal lutteur chinois mâtiné de Caruso et de Bébé Cadum, drapé dans une toge de satin à grands carreaux vert tendre et rose, sur une chemise vert tendre ornée de grands oiseaux blancs ; entre ses doigts un chapeau mou tout rond style sombrero, sur les lèvres un sourire enjôleur, de fesses un tortillement provocateur (?).

9 décembre.

Le provocateur en question débarque en hamac (grande pièce d'étoffe bigarrée suspendue à un long et gros mât porté horizontalement sur la tête de deux hommes) juste au moment où nous sommes dans les bureaux de l'administration, remerciant le commandant de sa réception de la veille. Nous allons chez le provocateur voir différents objets. Cases indigènes à toits de chaume et murs de banco, dans cours avec hangars et appentis remplis de vieux fûts rouillés et couverts de tôle ondulée. Quatre *lègba* et autels divers, sous de petits abris de chaume, s'alignent au fond d'une grande cour. Le chef de canton nous introduit dans un petit bâtiment d'une ignoble saleté : de vieux trônes de bois et des tiges de fer toutes rouillées surmontées de sortes de suspensions garnies de tout un armorial de silhouettes y sont entassés, couverts de résidus de jaunes d'œufs et de plumes de poule, dont le sol est également jonché. Ce sont les *assin* des ancêtres, avec les traces des sacrifices. Partout, il y a des mouches maçonnes. Suavement parfumé, le jeune chef navigue au milieu de cela. Son arôme nous entête. Finalement il nous fait monter jusqu'à une petite pièce très propre, bâtie sur pilotis, et meublée à l'européenne. Quand nous entrons, une femme vêtue d'un simple pagne balaye. Quelques familiers et parents du chef, le torse nu, viennent. Ils s'asseyent à terre. Le chef et nous, sommes assis dans des fauteuils. On apporte trois bouteilles de bière et de grands verres dans une cuvette. Nous buvons une bouteille et en entamons une deuxième, dont le chef donne le restant à ses familiers. Puis nous quittons la maison et remontons avec le chef dans la voiture de l'administration, pour retourner aux bureaux. Le chef a repris la bouteille de bière indemne. Avant de se rendre aux bureaux, sans songer à se cacher de nous, il la fait rendre par le chauffeur à la factorerie où il l'a achetée.

Prise de congé, départ. Arrêt à Dasa Zoumé. Paysage océanien : décor de forêt vierge et grands rochers aux croupes très douces. L'instituteur métis, alerté, a fait mettre sur deux rangs les élèves de l'école, garçons et filles. Dès que nous arrivons, ils entonnent en chœur : « La France est belle... »

Visite au chef de canton, qui fait grand potentat. Nous nous trouvons en face de ses femmes. L'une d'entre elles est très belle, bâtie en lionne, les lèvres très bien dessinées, les yeux immenses, les cheveux courts et crépus. Il y a des poteaux sculptés et des fétiches dans tous les coins. Entre autres un grand canari, au bord garni très régulièrement de plumes blanches collées, et dans lequel bouillonne un liquide chocolat à écume plus claire. Deux joncs y baignent, inclinés sur le bord, chacun de son côté. Au sommet de l'un d'eux est fixé un carré d'étoffe blanche, au sommet de l'autre un carré d'étoffe rouge. On dirait deux étendards croisés. Achat de quelques objets, déjeuner et départ.

Évasion quotidienne des poulets, après lesquels les boys courent. Tous, nous nous bourrons de fruits, car nous disposons maintenant de bananes, d'oranges, de papayes, d'ananas délicieux.

En route le caractère exotique s'accentue. Les Tropiques exactement tels qu'on les imagine. Paysage déconcertant à force de ressembler à ce qu'on pouvait attendre. De plus en plus, à mesure qu'on approche d'Abomey, vastes cultures de palmiers. Flux de gens portant des charges. Innombrables autels sous abris, sans souci de la proximité du chemin de fer. Impression d'une région prospère et forte, aux habitants intelligents, qui pourront peut-être, d'ici pas tellement de temps, donner du fil à retordre aux actuels occupants...

Nous approchons de la Côte des Esclaves.

10 décembre.

Abomey : remparts en ruine, résidence agrémentée d'obusiers et de canons. Beaucoup de femmes fument des pipes courtes, tels des militaires. Le fameux palais des rois : défiguré — naturelle-ment — par la restauration. On a rogné les toits de chaume, pour améliorer la visibilité des bas-reliefs je suppose. On a tout repeint, mis sous le chaume un toit de tôle. Deuxième mort de Béhanzin. Au musée, beaux chasse-mouches faits de queues de cheval montées sur crâne humain, avec un manche sous la mâchoire. Hier soir, le tamtam commandé pour la visite du général (car il est venu un général) défila sous nos fenêtres. Arlequins nègres. Jeunes rouleuses colorées. Oripeaux de cirque forain. Grandiose parade pour le général ! Il n'y manquait que les croix, les feuilles de chêne, les épaulettes...

Départ : le long de la route les *lègba* à toits de tôle (et non plus de chaume) augmentent encore en quantité. Bananeraies, palme-raies, richesses de toutes sortes. A Ouidah, la vieille ville portugaise où nous arrivons de nuit, nombreux marchés aux lanternes. Descente chez l'administrateur, ancien officier de marine à barbiche qui trouve moyen de ressembler à la fois à Léon-Paul Fargue et à Napoléon III. Nous faisons honneur à son champagne et à son whisky. Bon capitaine au long cours, notre hôte traite des questions coloniales en mettant tout sur le dos des Anglais. Sourd comme un pot, il n'a rien entendu lorsque nous nous présentions. Brave homme, il nous a admirablement bien reçus sans savoir qui nous étions. Admirateur de Mme Titayna, il a fait venir d'excellent vin quand il a su qu'elle était plus ou moins de nos relations. Chauvin français, il a commandé le champagne dès que l'exhibition du *Journal officiel* lui a révélé l'importance de notre mission.

11 décembre.

Balade en ville. Splendides villas à portails en façades de guignol, couleur brique rosée, avec frontons torsadés à chaque bout, comme de lourds chignons. Anciennes demeures portugaises. Beaucoup de noirs d'ici se nomment : de Souza, da Costa, d'Albuquerque. Vu sur une villa deux ancres sculptées, plus deux coqs, plus une croix au centre du fronton. A Ouidah, certaines masures tombent en ruine ; leurs crevasses — éclatements de fruits mûrs, résidus de tremblements de terre, ou plutôt foudres éteintes d'un long passé — les rendent encore plus jolies. Délicieuse vérole ! « J'aime les femmes laides et toutes celles qui sont des choses étonnantes comme le mal[1]. » Mon ami Jacques, comme tu l'as bien dit ! Ici les femmes sont belles, encore plus étonnantes, même, que le mal...

Le vieux fort portugais croulé reste une enclave territoriale dont le commandant s'est retiré, reparti au Portugal, après avoir fait commencer, sur ses propres deniers, la construction d'une vague bâtisse sur le terrain en question. Son gouvernement ne l'a pas remboursé...

Tombeaux de la famille brésilienne De Souza, anciens rois trafiquants d'esclaves, 1820-1840 ; portrait en frac, gants blancs et gilet broché, dans une éternelle maison à tôle ondulée ; parallélépipèdes blancs et croix. Un descendant métis des De Souza est le gardien de la maison. En complet kaki, très correct, il a l'air d'un officier en retraite. Quand nous partons, ses femmes, tout à fait négresses, nous saluent et chantent burlesquement pour avoir de l'argent. En face de la cathédrale, le temple des serpents : nombreux pythons nichés dans les toits des paillottes ; la vieille féticheuse en porte enroulés à son cou. Marché où se vendent les crânes d'animaux, toutes les poteries et ferrailles qui servent aux fétiches ; aussi quelques denrées alimentaires. Dans un quartier suburbain, une masure dont le toit de tôle est orné, au centre, d'une figurine de fer blanc, à une extrémité, d'un petit balai, à l'autre extrémité d'une croix. C'est une sorte de péristyle dont le devant est orné de graffiti bleus et rouges et d'animaux en bois sculpté et peint, dans des niches fermées avec du treillage de jardin. Sur une enseigne vert sombre on lit, calligraphié, d'abord en français, puis en langue *fon* :

« MÈNODO »

DOMAINE SACRÉ DES « KHOUËN », ANCÊTRES DIVINISÉS 1931.

1. Jacques Baron, *L'Allure poétique*, Paris, 1924.

Les graffiti représentent des serpents, des arbres, des personnages style pissotière. A droite du bâtiment, petit autel de terre, juché sur une étroite estrade, et paquet de bois peints. Pour entrer dans le péristyle, on passe sous une sorte de store pointillé rouge, noir, blanc et garni de fibres pendantes. Au fond du péristyle, une porte. Derrière cette porte, selon le guide, il n'y a rien. Et en effet, ce n'est qu'un terrain vague. Les adeptes de la secte s'y réunissent.

Derrière la gare, sous un abri de chaume près duquel de pieux adeptes ont mis le drapeau français, deux personnages effrayants : l'homme, assis, est peint en noir, blanc, et bleu de lessive ; il porte un binocle véritable qui me fait penser à mon père ; — la femme a la face blanche, le corps bleu, les membres noirs, elle se tient les seins à deux mains et l'ours sur lequel elle est montée représente un cheval. A côté, quelques petits cônes de paille, surmontés d'attributs divers, cachent d'autres autels. J'aimerais m'agenouiller devant ces personnages si bleus, si noirs et si réels. Chacune de ces figures de terre porte autour de la ceinture un pagne d'indienne...

Retour à la résidence, après passage devant un *lègba* d'au moins trois mètres de haut, gigantesque monceau d'immondices, couleur fumier mêlé de cet étrange jaune d'œuf que devient l'huile de palme en se coagulant.

Adieux à l'administrateur. Adieux à Ouidah, qui me faisait penser à Sainte-Rose de Lima.

En route vers Cotonou (où l'on déjeune et reprend contact avec la mer). Traversée de la lagune en bac. Arrivée à Porto-Novo, où nous attend un jeune fonctionnaire habitué du Trocadéro.

Dîner chez le gouverneur intérimaire. Complets blancs. Whisky soda. Discussion esthétique, au cours de laquelle je dis du mal de Cocteau.

12 décembre.

Visite à Agbéhinto, roi de Porto-Novo, qui tient un lit de justice. Garçon imberbe d'une trentaine d'années : pantoufles vertes brodées or, houppelande de peluche grise, képi de velours rouge brodé or, à visière de cuir bordée de cuivre. Les courtisans baisent la terre devant lui et font claquer leurs doigts contre les paumes pour saluer. Le roi nous emmène boire de la bière dans la chambre mortuaire de son père le roi Toffa, qu'un buste grandeur nature représente, coiffé d'un authentique bicorne de général, le bas drapé dans une étoffe violette, flanqué de deux guerriers francs ou gaulois de chez Barbedienne et de deux grands vases à rinceaux dorés. Quand on entre dans la pièce, on voit le buste de profil tourné face à la fenêtre. Dans un coin, un lit de fer : lit de mort de Toffa.

Le jeune roi a l'air d'un coureur cycliste, pendant une pause, au moment des Six Jours. Les plus luxueux de ses meubles sont quelques canapés de style baroque (souvenirs du temps des Portugais) et deux vieilles calèches. Ses courtisans — même les plus vieux — se dénudent le torse et se prosternent devant lui, en faisant claquer leurs doigts.

Nous allons ensuite au marché, où (ayant pour interprète la marchande d'oranges Catherine, élève des sœurs, qui parle français à la créole en supprimant les r et, selon la mode suivie par beaucoup d'indigènes, porte son nom de baptême tatoué sur le bras) nous achetons un stock énorme de poteries et de ferrailles rituelles.

L'après-midi se passe chez le jeune fonctionnaire qui nous a accueillis. Nous nous transformons en entreprise de déménagements, car il nous fait don de plus de 50 objets, que nous emportons sur l'heure, avec un cynisme de businessmen ou d'huissiers. Le donateur a une manie. Il s'intéresse par-dessus tout à la phonétique et aux « tons musicaux », qu'il cherche à déceler partout. Voulant nous faire apprécier les dits « tons musicaux », il fait crier certains mots *fon* par son domestique. Ce dernier prononce les mots *fon* demandés mais on ne perçoit aucun ton musical. Mécontent, le donateur fait crier son domestique de plus en plus fort, espérant sans doute qu'à force de hurler il finira bien par prononcer quelque chose qui ressemblera à un ton musical. En désespoir de cause, il finit par s'enfermer, à l'autre bout de l'appartement, dans la salle de bains, et se fait tonitruer les mots par son domestique demeuré au salon. Comme le donateur n'a cessé de dicter les mots en les prononçant avec l'intonation recherchée, son domestique finit bien par l'imiter...

Ce soir, un peu triste et fatigué. Trop de gens, trop de

réceptions, trop de pittoresque... Aux souverains étrangement empanachés, je préfère tout compte fait les Paul et Virginie *somba*, en tuyau de calebasse ou paquets de feuilles vertes sur la nudité brune.

13 décembre.

Sur les conseils de notre donateur, tournée sur le parcours Sakété-Pobé- Kétou. A Sakété, nous manquons l'administrateur. Celui de Pobé est à Aba, où nous le rejoignons. Déjeuner à dix chez l'adjudant-chef commandant le poste. De déménageurs, nous sommes devenus envahisseurs. Lutten, seul, est resté à Porto-Novo. Aba est situé en pays *oli*, région encore mal soumise. Dans le village nous ne rencontrons que quelques vieilles femmes, le reste de la population ayant pris la brousse à notre approche. Sur la place du village déserté, case-fétiche rectangulaire étroite, à murs d'écorce, à petite porte très basse. Toiture en V démesurément aiguë et haute. A l'intérieur, les habituelles cochonneries : des canaris pourris d'offrandes. En entrant dans le village, nous avons acheté à une vieille féticheuse un récipient à fard rouge d'oxyde de fer.

Le déjeuner a été pantagruélique (le boy tournant sans arrêt autour de la table pour remplir les verres) ; le dîner ne l'est pas moins, chez un sergent alsacien et presque nain, qui commande le poste de Kétou. Sur les murs fleurissent les chromos et les calendriers. Peinte à fresque, l'inscription : « Honneur et Gloire », au-dessus d'une ancre et de deux drapeaux entrecroisés peints eux-mêmes au-dessus d'un plan de Verdun épinglé au mur. La soirée s'achève au phonographe. On joue *Les Noces d'Artémise* et le sergent pousse même — mais sans succès — l'administrateur qui est là, à danser avec sa femme. Cette dernière est plutôt gentille, mais le nabot est hideux. Ses dents de rat — toutes en or — sont déchaussées. « Service, service. » Je plains ses tirailleurs !

14 décembre.

Promenade au village. Rencontre d'un missionnaire nommé le Père Corbeau. Gros ventre, pantalon à raies de chef de rayon coupé aux jarrets pour faire shorts, bas de laine noire, chemise

179

de flanelle, peau à semis rouge de bourbouille, barbe, lunettes. On a fait, paraît-il, souscrire les nègres du pays pour les sinistrés du Midi. Sur les conseils du Père, les souscripteurs font maintenant une pétition pour qu'on leur vienne en aide, vu que leurs récoltes ont été mangées par les sauterelles. Personne, à vrai dire, ne songe à s'étonner de cela...

Visite au roi de Kétou qui, pour nous recevoir, met successivement deux couvre-chefs : le premier, en velours noir, pendeloques et ornements argent ; le second, sorte de canotier entièrement en aluminium, avec des pièces de monnaie en pendeloques et une foison de personnages sculptés. Il n'est aucunement ridicule, mais très majestueux avec cela. Déjeuner chez le nabot et sa femme, nouvelle promenade au village puis retour vers Aba. Les abords de la route paraissent absolument déserts, mais il suffit de se retourner pour voir les gens cachés dans les fourrés qui ressortent, sitôt la voiture passée.

A Aba, apéritif et re-dîner chez l'adjudant-chef. A la fin du repas débarquent quatre personnes qu'on attendait encore la veille, mais que maintenant on n'attendait plus : le capitaine, venu de Sakété pour faire le recrutement à Kétou, sa femme, son petit garçon, flanqués d'un jeune médecin militaire. Nous nous sentons à tel point chez nous dans la maison que Griaule se surprend, quand un coup de téléphone annonce la prochaine venue du capitaine, à protester contre le sans-gêne des intrus qui débarquent ainsi chez les gens en se faisant annoncer au dernier moment.

Grandes histoires sur les bandits corses par l'adjudant, qui est corse, naturellement. Les bandits du maquis frappent la nuit, du bout de leur fusil, à la porte des maisons pour se faire nourrir et héberger. Par bien des points, à la colonie, les passagers rappellent les bandits corses...

15 décembre.

Un caporal noir, que nous avions trouvé couché sur la route, avec la fièvre, a été examiné par le jeune médecin. Afin de tout simplifier, on a décrété que le caporal en question était saoul...

Promenade à pied dans quelques villages oli. Ces gens sauvages et dangereux (qu'on dit) et qui se sauvent dès qu'on veut les

180

approcher sont affables et gentils. Personne ne cherche à nier du reste que les quelques incidents survenus récemment dans la région (coups de bâton donnés par les Oli, coups de fusil en l'air lâchés prématurément par des tirailleurs apeurés) sont dus aux exactions commises par les tirailleurs sur la population. L'adjudant-chef raconte que des Oli, ayant désarmé des tirailleurs qui étaient venus dans leur village et avaient menacé pour se faire remettre des denrées, allèrent d'eux-mêmes, le lendemain de l'affaire, rapporter les armes au poste.

Cases rectangulaires en écorce. Grandes voûtes formées par d'immenses gerbes de bambous. On se croirait dans une serre ou dans un aquarium.

Déjeuner chez l'adjudant et sa femme (qui sont au fond de bien braves gens) et retour à Porto-Novo dans la voiture bondée d'objets, chacun des occupants, selon la coutume, dans une position plus ou moins recroquevillée et dans la crainte perpétuelle, au moindre mouvement, de tout casser.

Ce matin, sur un sentier du pays oli, nous avons vu un mince serpent vert, présentant tout à fait l'aspect d'une liane. La bête, bien qu'inoffensive, a été tuée. Il est si simple de cogner, pour plus de sécurité...

Un peu de couleur locale : sortant des W.-C. où j'étais allé avant de me coucher (dans le jardin entourant le bâtiment des Affaires Économiques où nous habitons), rencontre de la femme du police de garde — le couple habite la verandah du rez-de-chaussée — à peu près nue comme d'habitude, les seins croulants, une belle pipe recourbée à la bouche et fumant paisiblement en attendant que j'aie fini, pour faire la même chose que moi avant d'aller, elle aussi, se coucher...

16 décembre.

Immobile dans l'appartement pour le travail. Depuis quelque temps les plaisanteries scatologiques nous envahissent ; manie d'ecclésiastique ou d'hommes seuls.

Lentement nous cuvons tous les petits déjeuners, casse-croûtes, grands déjeuners, dîners, apéritifs, cafés, pousse-cafés de MM. les sous-officiers.

Schæffner, qui est allé au marché, a rencontré notre amie

Catherine. Vers 11 heures, la dactylographe des bureaux d'en bas s'en va, bien noire sous sa robe européenne dont l'encolure, glissée un peu, lui découvre une épaule.

17 décembre.

Dernier coup de main à l'emballage, aux bagages, aux courses et visites. Déjeuner à l'hôtel, à deux pas d'une maison-sanctuaire à murs décorés de grandes figures humaines dont dessin et couleur ne coïncident pas. Cela me fait penser à certaines choses de Picasso.

Départ. Passage du bac que nous avions déjà passé en venant. Traversée de la lagune. Sommeil. Cotonou. Addition, à la série de phénomènes administratifs déjà connus de nous, d'un autre type. Celui-là est commandant de cercle, délégué du Touring-Club et collectionneur-marchand. Il fait des affaires d'objets d'art nègre avec la femme du président du tribunal. Négociants connus sur la côte...

Voiture. Nuit. Sommeil. Enfin Allada, où nous couchons, après dîner à 10 heures du soir chez l'administrateur-adjoint ahuri et relevant de maladie. Il nous a mal reçus d'abord, puis, ayant appris que nous sommes officiels, s'est mis en quatre pour nous accueillir. « Si seulement vous m'aviez prévenu, ah! ben... » répète-t-il une demi-douzaine de fois pour s'excuser de la médiocrité du repas, souriant de sa face maigre aux yeux caves, aux pommettes rouges, — souriant d'un air illuminé d'idiot.

18 décembre.

Être loin d'une femme et vivre dans l'absente, qui est dissoute et comme évanouie, n'existe plus en tant que corps séparé, mais est devenue l'espace, la fantômatique carcasse à travers laquelle on se déplace. Jusqu'à l'arrivée au Cameroun, pas de courrier... Dans la cour de notre résidence, un « arbre du voyageur » détend ses bras solaires en panoplie de muscles. Chez le commandant, un chef de canton débarque en panier garni de roues à pneumatiques traîné par une bicyclette, deux autres bicyclistes l'escortant.

Réflexions d'administrateurs : à Bandiagara, l'espèce de gendarme neurasthénique qui commandait le cercle s'excusant de l'état des routes en alléguant : « Vous comprenez, c'est la saison où l'on respecte l'indigène... » ; l'adjoint d'hier soir murmurant avec admiration en entendant Lutten tonitruer après nos boys : « Ça gueule encore plus fort qu'avec moi... » ; celui de cet après-midi (qu'en descendant nous avions vu à Savalou et qu'aujourd'hui nous croisons à Dasa Zoumé où nous passons en remontant) rappelant de vieux souvenirs et disant — candeur fortement mâtinée d'ironie : « C'était pendant la guerre. A l'époque où l'on prenait les volontaires au lasso... »

. . . .

Dîner au campement-buffet de la gare de Savé. Table d'hôte. Trois hommes et deux femmes. Finie la sauvagerie ! Au cours du voyage, mon tube d'insectol s'est écrasé dans ma musette et la boîte de mon repasseur à lames de rasoir est entièrement couverte d'une sorte de sperme froid et verdâtre.

19 décembre.

Remontant vers le Nord. Croisé sur la route deux garçons à chapeaux de paille coniques en forme de mitre, qui rappellent un peu les Somba. Mais plus de ces beaux magiciens de foire des cantons du centre, en toge de peluche ou de velours, pipe ouvragée, calotte brodée.

Arrêt à la ferme-école d'Ina, où nous sommes reçus par de braves gens : un couple européen et un jeune homme. Nous couchons dans une vaste grange. Le jeune homme et sa femme indigène viennent nous dire bonsoir. Chacun de nous passe sa main droite en dehors de sa moustiquaire pour serrer la main de la fille.

20 décembre.

Fabrication et clôture d'une énorme caisse d'objets de collection dans la menuiserie de la ferme. Un manœuvre tambourine sur une peau de chèvre tendue sur quatre planches. Deux autres hommes battent des mains. Un quatrième, en pantalon et chapeau mou, esquisse un pas de danse. Voici la Nouvelle-Orléans...

Départ. La brousse se civilise. Encore quelques parfums pimentés, puis c'est tout. Nous arrivons à Kandi, où nous couchons à ciel ouvert, ou plutôt sous la dentelle d'une armature de toit, car le campement est en reconstruction.

21 décembre.

Les enfants d'un quartier de Kandi viennent d'être circoncis. Les uns, à peu près guéris, se promènent, leur sexe couvert de mouches relevé par un petit trapèze de paille passant sous la racine. Un autre, tout petit, saigne encore et sanglote éperdument sur les genoux de sa mère, qui le berce et lui donne le sein pour le faire taire. Un autre, un peu plus grand, reste assis à terre, les jambes écartées, les yeux pleins de larmes, l'air hébété. Le bout de sa verge est recouvert d'un mélange de sang, de mouches et de poussière.

A Dosso, où nous déjeunons, l'administrateur est malade ; il vient d'avoir la fièvre jaune.

Route plate, mortellement ennuyeuse, jusqu'à Niamey — ville *idem.*

Retrouvons Larget, qui a eu quelques déboires avec la navigation (pas de chaland en temps voulu, passages difficiles), a ensablé son camion et n'est là que depuis hier. Aucune envie de séjourner dans ce sale « nord ».

22 décembre.

Installation dans un local à vaste terrasse en demi-ove dominant le Niger. Villegiature à des fortunes par jour. J'ai l'adresse ici d'un ami de quelqu'un de ma famille, à aller voir. Je n'irai certainement pas. Je ne désire ni sortir d'où je suis, ni prendre contact avec des blancs autres que ceux pour lesquels je ne puis faire autrement. Ce soir, grande discussion sur la passion. Je me demande jusqu'où la science va me mener...

23 décembre.

Promenade au marché. Courrier. A la poste, l'ouverture de la boîte aux lettres intérieure, au lieu d'être l'orifice d'un récipient, mène directement les missives au plancher.

Ce soir, dîner chez le secrétaire général, qui nous reçoit en l'absence du gouverneur. Quelle barbe ! La soirée passée hier en ville, avec Schæffner, était pourtant agréable, mais dans la mesure justement où nous faisions foin des civilisés...

24 décembre.

Le dîner officiel a été fort amusant. Longue série de coq-à-l'âne coloniaux, entre Mouchet et un vétérinaire. Cascade de gens vivants, morts, qu'on a rencontrés, ou qu'on aurait pu rencontrer, ou avec un parent duquel on a failli prendre le paquebot, sans jamais, tout compte fait, connaître ni le personnage ni son parent, abracadabrante construction de relations qui auraient pu se faire, d'intersection de trajectoires possibles, d'équations humaines imaginaires.

Autre imbroglio vaudevillesque : notre doyen, aidé du fidèle domestique minus habens Bandyougou (vêtu maintenant d'un pyjama qui le transforme en valet de comédie) a enlevé la femme d'un cantonnier nègre de Mopti ; cette femme s'est réfugiée il y a quelques jours, s'étant fâchée avec le doyen, chez la femme indigène d'un garçon présent au dîner. Et ce garçon est justement celui que je devais aller voir de la part de mon petit cousin. Tête du doyen ! Griaule découvre d'autre part que le fidèle Bandyougou est nanti d'un ravissant porte-carte brodé or, prélevé par le doyen lui-même, pour prix de ses services, sur la pacotille dont m'avaient fait cadeau, peu avant notre départ, des amis de Paris.

25 décembre.

Triste veillée de Noël.

Une camionnette bleu ciel que nous avons aperçue hier, Schæffner et moi, montée par un couple, contenait, paraît-il, une comtesse belge et deux ecclésiastiques dont l'un en culotte de cheval et l'autre en soutane, mais qu'on ne voyait pas à cause de la bâche. Gens revenant du Cap par le Congo Belge et allant à Alger.

La famine de l'an dernier a fait beaucoup de victimes : 20 000 pour la colonie, dit-on. Schæffner et moi, nous promenant au marché, avions rencontré des enfants très maigres. Le vétérinaire avec qui nous avons dîné l'autre soir chez le gouverneur intérimaire raconte un souvenir du Cameroun : pour s'exciter, un ménage qu'il connaissait rassemblait devant lui un certain nombre de négresses, leur disait de s'accroupir et les faisait pisser toutes ensemble, au commandement.

26 décembre.

On a remercié le cuisinier Aba, qui ressemblait à saint Joseph. Le pauvre Bandyougou est parti lui aussi. On n'avait que faire de tant de monde. Malheureux Bandyougou ! il venait d'attraper la chaudepisse à Ansongo, avec une femme que lui avait procurée la maîtresse du doyen. L'innocent nous dit adieu. Ses yeux bigles font peine à voir...

Départ en caravane : Griaule, Mouchet et moi dans la légère ;
— Lutten et Schæffner dans un camion ; Larget et le nouveau chauffeur noir dans l'autre camion ; les boys un peu partout.

A Dosso, il y a la famine. 6 000 morts sur une population de 80 000 individus, pour la subdivision. Tandis que nous nous apprêtons à déjeuner, des hommes attendent devant la porte de la résidence qu'on leur distribue le mil qu'on a fait venir d'autres régions moins défavorisées. Tout ceci à cause des sauterelles...

27 décembre.

Captifs de Touareg voilés, ânes, chameaux, bœufs porteurs, caravanes.

Déjeuner à Birni Nkoni, après-midi et dîner, les hôtes s'opposant, quasi par la violence, à notre départ. Nouveau genre colonial, qui consiste à s'emparer des passagers, à les gaver de force, à les traiter en prisonniers royaux. L'administrateur adjoint de Madaouah, venu réveillonner en voisin, est encore là. Il raconte comment, faisant un séjour à Saint-Louis, il a, par ordre supérieur, truqué les élections en faveur de Blaise Diagne. Un énergumène qui est agent spécial (et passe ses journées à peser des sacs de mil pour distribuer aux affamés) engueule Griaule sous le seul prétexte qu'il est en mission. Puis, apprenant que Griaule est un peu auvergnat, il découvre en lui un pays, se calme, et engueule à la place l'administrateur adjoint.

Tamtam le soir, que les hôtes — sans y parvenir — s'efforcent de faire dégénérer en orgie. On nous offre des femmes, « tous frais assumés par l'administration ». Nous n'en voulons pas. Coucher à près de minuit.

L'abbé vu à Niamey avec une comtesse dans une camionnette bleu pâle n'est autre qu'un haut personnage du contre-espionnage belge et la comtesse est sa nièce, récemment veuve et voyageant pour se distraire. La croisière est financée par le Vatican. Des deux autres abbés contenus dans les bagages, l'un est belge et l'autre est irlandais. (Potins rapportés par l'adjoint de Madaouah, qui les a eus chez lui pendant un jour et demi.)

28 décembre.

Il s'agit de semer l'indésirable adjoint qui vient avec nous jusqu'à Madaouah et a prévenu le résident de ce patelin, pour qu'il prépare un plantureux déjeuner, un tamtam et peut-être même un dîner. Lutten et moi partons devant en camion et dépassons Madaouah, feignant de nous tromper. Les autres, avec le type en question, suivent derrière. Ils boivent à Madaouah en ce moment. Je parie bien qu'on les retiendra à déjeuner quand même, et ces idiots se laisseront faire... Du reste, peu importe. Il fait beau et frais ; la lumière est douce ; il y a un peu de brouillard ; la savane, jaune et grise, est fine ; Lutten a tué une belle biche, que nore boy Bakili est en train de découper. Soyons vite chez les Anglais, puis vite au Cameroun. Assez de réceptions ; assez de gens à la noix dont on n'a que faire, qu'ils soient désagréables ou gentils !

Après-midi. — Naturellement, ils ont déjeuné là-bas. Nous nous rejoignons pas très loin après le lieu du déjeuner. Biches, lapins, pintades, et même un petit singe. Discussion littéraire avec Schæffner au sujet de l'intérêt des journaux intimes en général et du présent journal. Lui, le conteste ; bien entendu, je le défends.

Doit-on tout raconter ? Doit-on choisir ? Doit-on transfigurer ? Je suis d'avis qu'il faut tout raconter. Le malheur est qu'on n'en a pas le temps...

Réception agréable — très correcte et familiale — à Maradi où nous passons la nuit.

29 décembre.

A Maradi, voûtes croisées haoussa ; gens à mines de Sarrazins, souvenirs des croisades.

Avant-hier, on nous avait parlé du jeu des garde-cercles français et anglais du Niger et de la Nigeria, qui se renvoient les sauterelles par-dessus la frontière, d'un pays à l'autre. A midi aujourd'hui, nous entrons en Nigeria. Rouleaux à vapeur, ponts en construction, terrains de football. Les indigènes s'agenouillent sur notre passage. Mouchet commence à frétiller, car nous approchons du Cameroun. Du reste la Nigeria est aussi pour lui pays de connaissance. Katsina, premier poste anglais. Accueil froid de la part d'un jeune fonctionnaire dont l'habillement vous rend honteux d'être français.

Kano : lumières électriques, voies droites, aspect grande banlieue à gare de triage, agents nègres d'opérette, à chéchias et pèlerines de conspirateurs, sur des mollets gainés de cuir. Sensation inattendue d'être à l'étranger.

Dîner vers minuit, les deux camions étant arrivés en retard, à cause d'un accident à l'allumage de l'un d'eux. Le campement français, tenu par le sergent qui fait le transitaire entre Lagos et Zinder, est sinistre. On se croirait dans un hospice de vieillards et l'on s'étonne de ne pas, habillé tout de bleu, mendier du tabac. Lits mal tenus, moustiquaires trouées. Modèle d'à vau l'eau en matière de représentation.

30 décembre.

Grande séance de coiffure, par les soins d'un jeune barbier haoussa qui est allé à Khartoum et à La Mecque. Courses en ville. Je me retiens à quatre pour ne pas acheter tout ce qu'il y a dans les boutiques. L'Angleterre est le seul pays occidental qui ait pu mettre debout un formalisme réussi. Cela se symbolise dans le vêtement.

Il y a trois villes nettement distinctes : la ville indigène (enclose d'un mur de défense comme l'était Katsina), la ville administrative (la résidence — où Griaule va visiter le résident, qui le reçoit cordialement — rappelle vaguement la Tour de Londres en dépit du climat), la ville commerciale, — qui comprend aussi le marché indigène, où nous allons acheter quelques denrées. Une femme énorme — non pas grasse mais taillée en hercule : un cou de cheminée de paquebot et des mollets de piles de pont — nous vend des fruits en nous parlant pidgin. Tout à coup elle se précipite sur Mouchet, une longue gaule à la main. Ce n'est pas lui qu'elle veut tuer, mais seulement les curieux qui se sont assemblés. Un peu plus loin, Griaule et moi sommes entrés dans un cercle et admirons deux « comiques » haoussa qui échangent rythmiquement des plaisanteries et tiennent tout un dialogue merveilleusement scandé et coupé de gestes précis, le tout broché sur le secouement uniforme de l'instrument de fer à grenaille de sable que chacun d'eux a dans la main. Le plaisir dure jusqu'à l'arrivée inopinée d'un policeman, qui fend le cercle et s'empare en un clin d'œil des deux instruments. Les deux gaillards disparaissent ; la foule, instantanément, se disperse. Griaule et moi restons seuls sur la place, avec le police tenant les deux sonnailles.

Au campement français, un vieil homme dont la femme vient de mourir, juste comme ils rentraient en France, victime d'un accident d'automobile, tour à tour cherche à se distraire en causant avec le petit Mamadou Kèyta, et se lamente : « Oh là là là là là là... Nom de Dieu de nom de Dieu de nom de Dieu... »

Révision du matériel automobile au garage et départ. Étape à Gaya.

31 décembre.

On roule. Caravaniers armés de lances, montés sur des chameaux. Passage d'une rivière sur une chaussée de sécots [1]. Le percepteur de la taxe est un grand Haoussa à turban rouge

---

1. Claies de paille, dont sont faits les murs des cases de paille.

crasseux, vêtu d'un informe boubou de lainage vert billard et rouge. On dirait le fou du roi. Pour déjeuner, encore une ville fortifiée.

C'est ce soir la Saint-Sylvestre. Encore un réveillon de manqué ! Je pense à la maison du tisserand de Yougo, quand nous étions encore chez les Dogon. Je pense à cette étable dans une caverne, près des greniers à mine de hauts fourneaux avec le sol couvert d'une paille si jaune, les étages des terrasses criblés de gens et d'animaux, crèche de Bethléem élevée, en l'honneur de je ne sais pas trop quoi, dans des catacombes.

On roule. Brousse maigre, toujours pareille. Chameaux au pâturage (tout comme ces jours derniers). Encore des souvenirs dogon : la lueur rouge que j'avais prise, m'éveillant à Yougo, pour le signe du *sigui*, et qui n'était autre qu'un feu allumé derrière le *togouna* par nos boys, pour faire cuire le petit déjeuner.

Coucher à Damatoulou.

1er janvier 1932.

Rêve : un commandant de cercle français, affilié à une puissante secte de féticheurs dahoméens, tente de m'étrangler durant mon sommeil ; il s'agit vraisemblablement d'un sacrifice humain ; j'appelle Griaule à mon secours.

Pas encore entendu le cri de l'hyène cette nuit. Nous ne l'entendrons sans doute jamais. Le sac-literie de Schæffner est de plus en plus déchiré. Encore heureux que Schæffner porte aux pieds, éternellement, ses savates ; elles s'enfuiraient rapidement d'un pareil sac à malice.

Maydougouri, dernier poste anglais. Exhibition des passeports chez un fonctionnaire écossais, à pantalon de flanelle grise éblouissant. Bière fraîche, menus propos touchant Christmas et le gui.

Griaule et moi avons les lèvres gercées, à cause de l'air si sec. Les yeux fatigués par le sable, le soleil, le vent de la marche, je me résigne à mettre mes lunettes noires, dont l'opacité me sépare du monde et m'endort.

Passage d'une rivière au lit sablonneux, poussés par la main-d'œuvre indigène, comme d'habitude. Acclamations, youyous de femmes : le Cameroun. Vaste plaine avec quelques collines plantées comme un décor.

Un grand morceau de chocolat, rangé par Griaule dans le filet de la touriste, a laissé pendre, au-dessus de la blancheur pas encore maculée de son casque neuf (acheté comme le mien à Kano), une longue stalactite. C'est la saison froide.

Première rencontre en territoire camerounien : un commerçant de Maroua — ancien camarade de Mouchet — qui a fusillé un roulement à billes de sa Ford et nous en demande un. Nous le lui renverrons de Mora, où nous devons coucher.

Mora : encore des collines abruptes, et des feux de brousse brûlant derrière, allumés par les gens pour supprimer leurs détritus.

Debout les boys ! pour installer notre literie. Abandonnez les poses de nymphes de squares que vous aviez pendant la marche, couchés nonchalamment sur les ailes et les marchepieds de nos camions. Il faut travailler maintenant. C'est nous qui sommes les champions de la civilisation *(bis)*.

2 janvier.

Prise de contact avec les *Kirdi,* les montagnards païens avec qui Mouchet eut maille à partir autrefois, en collectant l'impôt, et aux flèches empoisonnées desquels il dut riposter à coups de feu. Des prisonniers, enchaînés trois par trois à l'aide de lourds anneaux qui leur passent au cou, nous apportent l'eau de la toilette matinale. Il paraît que ces gens ont volé, se sont attaqués mutuellement de village à village. A Birni Koni, on nous avait montré l'endroit où venait d'être fusillé un homme qui avait tué sa mère. Déjà, j'avais été complètement dégoûté. Que dire, devant ces prisonniers, que nous voulons faire entrer de force dans le carcan de notre morale et que nous commençons et finissons par enchaîner...

Tour au plus proche village de montagne, avec le lieutenant qui commande le poste de Mora.

A la colonie, j'aime peut-être encore mieux les militaires que les civils. Ils sont plus près de l'indigène et plus comme lui, du fait même que leur métier consiste à se battre avec eux...

Grande démonstration des montagnards, qui nous honorent d'un simulacre de combat et d'un tamtam agrémenté de multiples instruments (tambours et plusieurs sortes de trompes). Les guerriers, à peu près nus, sont en armes. Quelques femmes portent des tiges de mil en guise de lances. L'une d'elles tient une calebasse. Plusieurs hommes ont leur grigri de cou suspendu à un brin de fourragère. Ce brin ne provient pas, comme je l'avais cru, de fourragères de tirailleurs tués, car les tirailleurs n'en portent pas.

Nouvelle démonstration, plus nombreuse, devant le poste et exhibition équestre du sultan musulman des Mandara à qui, en principe, quelques villages Kirdi sont soumis.

Achat d'un couteau de jet à un guerrier kirdi, qui refuse en riant d'en montrer l'usage, pour la photographie, parce qu'il a compris qu'il s'agissait, non pas d'une simple pantomime, mais de blesser réellement quelqu'un.

Nous ne ferons pas le tour de la montagne cet après-midi, car c'est fête dans les villages et l'on boit le « pipi » (bière de mil). Quand ils sont saouls, les Kirdi sont dangereux. Nous monterons chez eux quand ils auront fini de boire, vraisemblablement après-demain.

3 janvier.

Dimanche. Le bureau du poste de Mora : sur le mur du fond, la grande ancre de l'infanterie de marine. Sur les deux battants de la porte d'entrée, affiches publicitaires pour la rente française.

A deux minutes près nous avons manqué le salut au drapeau.

Vers le coucher du soleil, n'y tenant plus, nous sommes partis, Lutten et moi, à l'insu du lieutenant — qui persistait à déconseiller d'y aller — vers le village de la montagne. Les buveurs de pipi, hommes, femmes et enfants, nous y ont accueillis avec force hurlements. Tous brandissant des manches de lance, des tiges de mil ou des couteaux de jet. Tout le monde nu, les femmes avec des parures en bandelettes de cauris et parfois une clochette au côté droit ; toutes le front ceint d'une bandelette et le crâne impeccablement tondu. On danse, on salue en brandissant la lance, on souffle dans des trompes, on crie, on nous entoure. Quelques vieux font le geste de se couper la gorge. Je ne comprends pas ce qu'ils veulent dire, mais un grand type qui se trouve là et parle quelques mots de français parvient à faire l'interprète. Il s'agit d'un homme du village que quelqu'un d'un autre village a tué. Il faut une vengeance et l'on espère que les Européens voudront bien prêter main-forte au village lésé pour châtier l'autre village. Je fais dire qu'il faut, dès demain matin, que quelques hommes descendent au poste et expliquent l'affaire au lieutenant qui « punira, mettra en prison ceux qui ont mal fait ». Le discours se termine dans des acclamations. Mais quelques hommes reviennent à la charge et persistent à réclamer leur petit massacre. Je répète les mêmes paroles et ils semblent satisfaits.

Grande distribution de poudre de riz. Femmes et hommes viennent s'en faire mettre par nous sur le visage. Comme nous avons soif, on nous apporte du pipi. Nous buvons : dolo, affreusement amer. Mais tout se passe dans l'enthousiasme. Lorsque nous redescendons, des femmes, venues à notre rencontre d'un autre quartier, s'agenouillent, au bord du sentier escarpé. La houppe à poudre est promenée sur leur visage, puis sur celui de quelques hommes ; sa rondeur imite la forme d'une hostie.

Dans le quartier du bas, nous sommes comme noyés dans la foule. Je fais le geste de brandir une lance pour répondre aux saluts. De temps en temps, altercation entre deux hommes qui se bousculent. Mais ils sont rapidement pacifiés. Si nous n'étions pas là cela dégénérerait peut-être en rixe.

Enfin nous redescendons, avec une petite escorte qui s'est formée d'elle-même en route ; nos guides sont des Mandara du village de la plaine venus s'amuser à la fête des Kirdi. L'un d'eux — probablement parce qu'il est un ancien sujet allemand — marche devant moi et répète inlassablement, à chaque rugosité ou détour du chemin : « *Achtung ! Achtung !* »

Il fait nuit close quand nous arrivons. Le browning que Griaule avait tenu à ce que Lutten emportât s'est révélé bien superflu.

4 janvier.

Les Kirdi que j'avais conviés à venir s'expliquer devant le lieutenant ne sont pas venus. Il paraît d'ailleurs que l'affaire a donné lieu déjà à un jugement et que c'est une vieille histoire. Mais quel dommage que ces gens ne soient pas descendus : ç'auraient été autant d'informateurs. Il est vrai que nous manquons d'interprètes et que le travail s'annonce assez mal.

Ne pouvant rien faire chez les Kirdi, Griaule se retourne vers les Mandara. Il se rend chez le sultan pour terminer le plan de sa maison, commencé hier matin. Une partie de la matinée se passe dans la cour réservée aux femmes. Deux matrones s'y tiennent accroupies, comme des sortes de gardes du corps attachés au sultan ou à ses enfants, occupés à jouer à la guerre avec des soldats faits de boules de crottin. Il y a aussi un eunuque : silhouette mince et jeune, avec des seins et une croupe assez féminins, des cheveux légèrement grisonnants, une grande peau de bélier pendant devant le corps, par-dessus le pantalon. Il surveille les enfants ou s'occupe de travaux de vannerie.

Lorsque nous nous en allons, un petit tamtam s'improvise, et des enfants captifs y dansent, sous la direction d'une vieille griote qui, lors de certaines fêtes, dit-on, s'exhibe à cheval. Un vieil homme qui ressemble un peu au comte de Keyserling exécute une danse avec un vieux fusil européen dans le canon duquel est planté une sorte de plumeau. Les vieilles femmes ou matrones — à l'air si gentil et si doux — sont là poussant des youyous.

Après déjeuner, remontée chez les Kirdi avec Griaule cette fois. Ils sont encore plus saouls qu'hier. Avec leur double baudrier de verroterie formant croix de Saint-André, les longues cannes noires qu'elles pointent en l'air en les tenant par un bout, les femmes — totalement ivres — se démènent devant nous. Certaines ont l'entrefesse et l'entrecuisse passés au rouge. Les ceintures de cauris et les minuscules jupes ne cachent pas leurs poils. Quelques-unes dansent par deux, se tenant par le cou. Une vieille, qui gesticule toute seule sur un des petits champs en terrasse comme il y en a tout le long des pentes de la montagne, s'affale brusquement sur le cul. Une jeune s'agenouille devant moi pour saluer, me tend une main et de l'autre m'attrape un jarret. Les hommes et nous-mêmes tenons de hautes tiges de mil qui font office de cannes en même temps que d'armes d'apparat. Les grosses verges des Kirdi pendent toutes droites, avec leurs longs prépuces d'incirconcis. De même qu'hier, une escorte s'est improvisée autour de nous. Un de nos hommes écarte de notre passage un ivrogne qui débouche brusquement en agitant un sabre rouillé au-dessus de sa tête. Le vacarme — cris, youyous, tambour, chants, sifflets — est effarant. On nous tend à diverses reprises une pleine calebasse de pipi, dans laquelle le chef de village et quelques hommes ont bu devant nous pour démontrer qu'elle n'est pas empoisonnée.

Les femmes ont l'air de jouer un rôle de premier plan dans la cérémonie. Il n'y a guère qu'elles qui aient une parure spéciale. Elles sont encore plus saoules que les hommes et font encore plus de bruit. Beaucoup sont jolies et plutôt fines, rien de ce qu'on entend habituellement par « nègre ». Leur absence même de retenue écarte d'elles tout air de putasserie ; leur crâne presque complètement ras leur confère une extrême distinction.

Quand nous redescendons, une grande partie de notre caravane est dans les nuages : il faut veiller aux appareils photo, que les trop grands amateurs de pipi qui nous accompagnent pourraient bien écraser contre quelque rocher. Un des plus émus est le grand Adama, qui porte le nom de l'homme de la Genèse. Au milieu de la nuit, couchés au camp nous nous éveillerons brusquement, tant les Kirdi feront de bruit dans leur montagne. Nous ne saurons jamais jusqu'à quel point ils auront poussé ces formidables bacchanales...

5 janvier.

Corvée de prisonniers pour balayer le sol devant notre campement. Deux des enchaînés sont si maigres qu'ils ne peuvent presque plus marcher, encore moins travailler. Un vieux se tient à côté de son compagnon de chaîne, qu'il est bien obligé de suivre pas à pas, levant en l'air ses deux mains bandées, estropiées par je ne sais quel mal.

De bonne heure, Griaule, Schæffner et moi allons à la montagne des Kirdi. Là-haut, tout est beaucoup plus calme. Les femmes ont quitté leurs atours de sorcières et sont redevenues de calmes ménagères. On nous accueille partout par de petits tamtam, et dans chaque village on nous offre une tournée de pipi ou, à défaut, une bouillie qui ressemble à de la crotte, possède un goût exquis de chocolat praliné et n'est autre qu'un mélange d'arachides broyées et de miel. Sans vergogne, les hommes soulagent leur vessie et j'en vois un, lors d'une des petites danses qui saluent notre arrivée, pisser sans le moins du monde se détourner, tout en soufflant dans la trompe en corne d'animal et discutant avec une femme.

Griaule prend des masses de photographies. Moi, qui monte pour la troisième fois chez les Kirdi, j'éprouve le même plaisir que quand, entrant dans une boîte à la mode, on est reconnu tout de suite par le gérant ou le barman. Pour un peu, je demanderais la carte des pipi et m'en ferais réserver une cuvée spéciale.

Un messager est envoyé au camp, pour aller chercher de nouvelles bobines de pellicule photographique. Il part en courant, le mot adressé à Larget plié et serré rituellement entre les deux lèvres d'une courte tige de mil fendue à une extrémité. A peine une demi-heure après, il revient toujours courant, apparemment pas trop essoufflé.

Nous nous enfonçons maintenant un peu plus dans la montagne. J'ai donné une boîte de poudre à l'homme qui nous guide. En arrivant dans les villages, il en met consciencieusement sous le nez de tous les hommes rencontrés. Nous atteignons enfin un point qu'en 1915 Allemands et alliés se sont violemment disputé : des tombes en font foi. Notre arrivée est proclamée du haut d'un rocher par notre guide, qui s'adresse à un village situé au milieu d'une sorte de cirque de rochers, les cultures au centre et les maisons vers la périphérie. De même, à Yougo, tous nos besoins (en eau, en œufs ou en poulets) étaient ainsi criés, par un homme qui grimpait sur une roche peu éloignée de celle de notre *togouna* et presque aussi élevée qu'elle.

Menus achats d'objets. Cadeaux de monnaie ou de poudre de riz. Départ. Nous ne resterons pas longtemps chez les Kirdi, la question interprète ne s'étant pas encore éclaircie. Je le déplore, moi qui pensais déjà m'entendre si bien avec ces montagnards. Il y a quelques semaines le lieutenant (obligé de se défendre) en a tué un. A deux jours de marche à peine il y a des villages complètement insoumis.

6 janvier.

Quelques palabres au poste, du côté des Kirdi : une affaire de coups et blessures, une affaire de vol de bœufs. De nouveaux prisonniers vont s'ajouter à ceux qu'il y a déjà dans le local disciplinaire. Une femme que j'avais prise jusqu'à présent pour une femme de tirailleur n'est autre qu'une prisonnière. Elle a l'air moins malheureuse que les hommes ; peut-être a-t-elle de bons moyens d'attendrir les geôliers...

Griaule apprend à conduire. J'apprends, quant à moi, à tirer et je fais un peu d'information kirdi, avec l'aide de l'interprète officiel prêté par le lieutenant. Mes informateurs — beaucoup plus « nègres » que les Dogon — ont une allure splendide. Robustes et princiers.

7 janvier.

Lutten est parti à Maroua, avec la voiture, pour porter le courrier. Griaule et Schæffner sont en montagne. Larget, Mouchet et moi sommes au camp. Aux quarante et quelques degrés de ces jours derniers, un vent froid a succédé depuis hier soir. Les informateurs kirdi arrivent enveloppés dans leur couverture. L'un d'eux apporte un poulet, quatre œufs et une écuelle de bois remplie de cette friandise que j'avais prise il y a deux jours pour des arachides au miel et qui n'est autre que de la purée d'une sorte de noisette. Ouraha (l'informateur) me l'offre, me faisant dire que sa femme « s'est lavé soigneusement les mains et les avant-bras avant de la broyer ». En échange du poulet et des œufs que nous remettons à la cuisine, Mouchet fait cadeau à Ouraha d'une poignée de sel. Quant à moi, je lui donne une petite boîte de poudre pour sa femme.

Rester là. Ne plus rien faire. S'installer dans la montagne. Y prendre femme et fonder un foyer. Désir utopique que me donnent ces gens, et leurs présents agrestes.

Encore du vent ce soir ; le lit de Mouchet a été renversé. Lutten pas encore revenu de Maroua.

Complications diplomatiques dont nous informe le lieutenant : le bruit court chez les Mandara qu'un groupe d'Allemands et d'Anglais viennent de s'installer à Mora, qu'ils sont les maîtres du pays et vont mettre à la porte le lieutenant. Un village en a même profité pour cesser de payer son impôt. Le groupe en question, c'est tout simplement nous. Ce seraient des agitateurs musulmans qui auraient répandu la nouvelle. Le lieutenant en a fait arrêter un.

Le sergent européen du poste raconte qu'il y a quelques mois, un homme appréhendé dut être porté sur un sécot parce qu'il

refusait de marcher et, arrivé au poste, garda les yeux obstinément fermés « pour ne pas voir le blanc ».

8 janvier.

Arrivée d'un commandant, en tournée d'inspection. Tout le
monde sur le qui-vive : le sultan Boukar et les chefs de région en
somptueux atours et toute une cavalerie à harnais brillants,
pendeloques, caparaçons. Au milieu de tout cela, les braves Kirdi
— descendus tout nus de leur montagne avec leur arc, leurs
flèches, leur lance, leur massue, leur petite peau qui ne dissimule
rien, leur bouclier peint en rouge, leur calotte de tête surmontée
de cornes ou d'aigrettes — ont l'air de sympathiques satyres ou de
figurants grimés pour quelque diablerie. Leur parade de combat
est beaucoup moins réussie que celles que nous avions vues chez
les Dogon ; justement parce qu'ils sont plus guerriers, ils sont
moins bons acteurs. Du côté mandara, un joli jeune homme
tourne en sens inverse des femmes du sultan et autres femmes
(qui dansent en cercle non fermé, autour de l'orchestre). Il les
exhorte en plaisantant. Brusquement, pour s'aérer, il soulève sa
blouse. On voit deux grands seins tombants. C'est une femme,
griote attachée à la maison du sultan.

Griaule et moi allons, escortés d'Ouraha, faire un tour au
village de ce dernier. Chaque groupe de cases est entouré d'une
haute enceinte circulaire de pierres sèches, formant galerie à
couverture de chaume autour des greniers ; quand on entre, on se
trouve dans la pénombre ; les greniers deviennent les piliers d'une
crypte. Rafraîchissante scène d'intérieur : deux femmes sont à
leur toilette entre deux de ces greniers. L'une d'elles est grande,
svelte, les reins très cambrés, les seins un peu flétris, mais
gracieux quand même. Soigneusement elle frotte d'huile son
corps, puis les très minces lanières de cuir dont se compose sa
ceinture, unique vêtement. Elle écrase ensuite entre ses paumes
une poudre rouge (là même que celle qui sert à colorer les
boucliers) et se la passe un peu partout. Sur la moitié arrière de
son crâne (moitié complètement tondue, alors que la moitié avant
est garnie de cheveux extrêmement courts et crépus) quatre lignes
du même rouge : l'une, horizontale, allant d'une oreille à l'autre
en passant par la nuque ; les trois autres, verticales, partant de

l'occiput, la première vers la nuque, les deux dernières vers les oreilles. Jolies faveurs entourant un œuf de Pâques. Parure qui ne sera tout à fait achevée que quand la compagne de la femme, prenant elle aussi du rouge au bout de ses doigts, lui tracera sur le front — juste au-dessous de la naissance des cheveux — une ligne horizontale qui joint les deux oreilles. Les deux belles créatures sont là, indifférentes, tandis qu'avec les hommes nous buvons le pipi.

Retour au camp, où nous trouvons le courrier, que Lutten vient de rapporter de Maroua. Nombreuses lettres dans lesquelles je me plonge. Quel bon bain, dont j'étais depuis longtemps privé ! Zette m'envoie la fameuse pince à épiler (remplaçante de celle que j'avais égarée) et l'article de Seabrook paru dans *Vu* sur les Habé. Je ne découvre que peu de points communs entre ce qu'il dit et la réalité.

9 janvier.

Nouveau tour en montagne, d'abord en auto puis à pied. Vaste consommation de graines d'arachide, de pipi, de purée de noisette. Bonne entente, toujours avec hommes, femmes, enfants. Je conduis un peu la voiture en rentrant. J'en suis ravi comme un enfant.

Lettre — reçue hier — de Georges Monnet à Griaule. Bien déprimée. « *Ah ! surtout ne va rien dire à tes nègres qui puisse leur laisser croire à la supériorité de notre civilisation.* » Réaction en Angleterre, en Allemagne ; réaction dans toute l'Europe. Quelle sottise, encore plus amère d'être vue d'ici. Et quelle envie de casser tout en rentrant, ou repartir pour oublier ! Il est dommage que les colonisés ne soient pas un peu plus forts pour infliger, à leur manière, une leçon ! Je ne conçois pas d'activité plus grandiose que se mettre à leur tête, si, toutefois, ils voulaient l'accepter...

10 janvier.

Resté au camp. Griaule, Larget, Schæffner en montagne. Ils ont mangé la bouillie de mil et bu le pipi chez un vieux chef de village qui voulait les retenir à déjeuner. Ils ont dû prétexter, pour rentrer, qu'une autre invitation les attendait. Effectivement, nous déjeunons chez le lieutenant. Griaule retourne en montagne l'après-midi. Il revient à la nuit. Il n'a presque pas pu travailler, ayant rencontré à quelques kilomètres quatre hommes escortant un âne sur le dos duquel était attaché, à plat ventre, un Kirdi tué. Les hommes — Kirdi ou Mandara — expliquent par gestes qu'il a reçu une balle dans le dos. Le cortège se dirige vers un village mandara que Griaule vient de dépasser.

Griaule prend une photo du mort. En rentrant au camp, où se trouve le lieutenant (qui doit dîner avec nous et à qui il rend compte de l'histoire), il apprend que des notes très sévères ont été adressées aux chefs de postes par le ministère des Colonies pour qu'ils empêchent de photographier cadavres ou prisonniers...

Le lieutenant, Griaule et moi partons au village mandara où doit être maintenant arrivé le mort. Il fait nuit. En arrivant nous trouvons d'abord une trentaine de Kirdi nus autour de plusieurs feux. Ce sont des prestataires qui viennent de Mokolo, transportant de la chaux. Ils nous disent que le cadavre a été porté au village.

Le lieutenant fait appeler le chef. Il vient. Nous partons avec lui aux maisons. Sur une petite place — juste à l'entrée — le cadavre est couché. C'est un homme assez jeune, élancé, très beau. Une balle de Lebel lui a traversé la poitrine de part en part à hauteur du cœur. La bouche et le nez sont pleins de sang. Les intestins puent. Le lieutenant est inquiet : si le Kirdi a été tué par d'autres Kirdi, c'est que ces gens ont des fusils... A moins que ce mort ne soit un nommé Dzadé, trafiquant d'esclaves d'un village de la montagne, que le lieutenant a dirigé ce matin sur Mokolo, pour jugement, escorté de deux miliciens. C'est un homme dangereux qui a déjà tenté plusieurs fois de s'évader.

L'examen du cadavre confirme la deuxième hypothèse : les reins sont marqués de longues cicatrices, traces de coups de chicote que l'homme avait reçus lors de sa précédente tentative d'évasion. De plus, la corde qui a servi à l'attacher sur l'âne est une corde du poste. Le cadavre restera là. Vraisemblablement il sera dévoré par les hyènes...

Nous repartons. De retour au camp, nous apprenons que les deux miliciens sont rentrés. Ce sont bien eux qui ont tué Dzadé, parce qu'il avait essayé de se sauver. Ils montrent une menotte, tordue par le prisonnier dans son effort désespéré.

200

Un coupable a été puni : petite satisfaction que le destin accorde de temps en temps aux colonisateurs pour les maintenir dans l'illusion qu'ils font une œuvre juste.

11 janvier.

Pensé à Dzadé. Rêvé que j'étais menacé, de la part de Lutten, de recevoir dans le dos un coup d'un long couteau.

Double côté des questions : avant d'être emmené à Mokolo, Dzadé ne s'était pas gêné pour dénoncer un complice. Mais Schæffner, qui a vu la menotte, dit qu'elle était bien peu tordue ; il semble bien qu'un homme aussi astucieux que Dzadé n'aurait pas essayé de s'enfuir en plein jour ; les miliciens déclarent maintenant que Dzadé, pour se sauver, avait prétexté un besoin naturel ; sans doute ont-ils simplement voulu se débarrasser d'un colis encombrant...

D'autre part Schæffner a vu hier soir l'appel des prisonniers. Le vieillard aux mains bandées avait été mis, paraît-il, dans cet état par ses congénères qui l'avaient appréhendé. Il n'en reste pas moins qu'à son arrivée au poste, ayant (par ignorance ? par colère ?) pissé sur le mur et sur la table du bureau (où on l'avait laissé quelques instants seul), le sergent européen lui a administré une raclée. Hier soir encore, comme il ne répondait pas assez vite à l'appel, les miliciens l'ont frappé à coups de poing.

Dzadé ne sera pas mangé par les hyènes. Son corps a été ramené au poste ce matin et on l'a enterré dans le cimetière des prisonniers.

Alors que les Mandara résistent assez bien, les prisonniers kirdi dépérissent. Quand l'époque des inspections est passée et qu'il n'y a plus à craindre de pépin, le lieutenant relâche ceux qui sont en trop mauvais état et qui n'ont plus que quelques mois à faire pour purger leur peine. Geste d'humanité...

N'empêche que le classique moyen de répression contre les Kirdi est d'incendier leurs villages. Ils se sauvent comme ils peuvent et vont bâtir ailleurs.

12 janvier.

Nous quittons Mora dans la matinée. Nouvelle répartition du

matériel humain dans les véhicules : Griaule, Schæffner et moi dans la touriste (Griaule faisant office de chauffeur) ; Lutten-Mouchet ; Larget-Mamadou Kamara (dit « Mamadou chauffeur »).

Encore des montagnes ; encore quelques Kirdi tout nus, mais surtout des Foulbé musulmans. Joli pays boisé et rocheux — très Fontainebleau — mais quand même assez morne. On se blase vite à voyager comme nous le faisons. Il faut tomber dans des endroits bien extraordinaires pour avoir un peu l'impression d'exotisme. Passage à Maroua, à Guidder (l'ancienne subdivision de Mouchet). Arrivée pour dîner à Garoua.

Un radio d'hier annonce qu'il y aurait eu une rencontre entre guerriers abyssins et tribus somali, du côté de la Somali française. Les méharistes seraient intervenus et auraient infligé de lourdes pertes aux assaillants. Tout cela reste bien lointain...

13 janvier.

Recherche d'interprètes, d'informateurs, pour commencer le travail. Bien des difficultés, toujours, du côté des Kirdi, si intacts que très peu d'autres indigènes connaissent leur langue et qu'il n'y a certainement pas un interprète pour un rayon de 100 à 200 kilomètres. Visite au *lamido*[1] de Garoua. Il revient de l'Exposition Coloniale. Il est monté en aéroplane et le monument qu'il préfère est le Palais de Versailles.

Le bruit a couru chez les Foulbé de Garoua que « Monsieur Mouchet venait d'arriver en avion de Djibouti ». La popularité camerounienne de notre ami lui confère des pouvoirs de magicien à tapis volant.

Pas de fièvre jaune ici, mais circulaire concernant la méningite cérébro-spinale.

14 janvier.

En réponse à notre visite d'hier, le lamido fait envoyer un somptueux cadeau de denrées. Pour le remercier, Griaule lui fait

1. Sultan.

porter — bien illicitement ! — deux bonnes bouteilles de fine et un monceau de parfumerie. Le lamido est si content qu'à Mamadou Kèyta, qui a convoyé le présent, il donne un pourboire de dix francs.

Le lamido s'est d'ailleurs parfaitement débrouillé pour nous et nous a envoyé dès ce matin les informateurs que nous lui avions demandés.

De mon côté, nouveau déboire à ce propos ; le plus agaçant qui me soit advenu depuis l'affaire Ambibè Babadyi à Sanga. Travaillant sur les jeux avec un enfant kirdi, Griaule, qui interroge l'enfant sur les différents jouets, apprend l'existence du bull-roarer. Qui plus est : l'usage de ce bull-roarer fait l'objet d'une initiation, et la sortie des initiés coïncide justement avec la fête à laquelle, avec Lutten d'abord, puis avec Griaule, j'ai assisté dans la montagne de Mora Kirdi, au moment où l'on buvait tant de pipi. Mes informateurs de là-bas, que j'avais interrogés sur la fête, ne m'avaient rien dit de cela. Tâchant de savoir d'autre part s'il y avait une initiation, je n'avais rien obtenu par des questions directes. Or, je me rappelle maintenant que quelques adolescents rencontrés à la fête de Mora Kirdi étaient munis de sticks de fer recourbés en crosse à une extrémité. J'apprends par le petit informateur de Griaule — à qui je pose la question, — que les porteurs de ces sticks sont justement les initiés. Si à Mora Kirdi, j'avais songé à demander des renseignements sur ce minime détail d'accoutrement : le port d'une canne, les informateurs m'auraient tout dit, et certainement parlé du bull-roarer.

C'est une leçon. Je prendrai dorénavant mes enquêtes encore plus à ras de terre.

Lutten a déjeuné en ville. Touché par l'hospitalité coloniale et le whisky, il est maintenant (comme nous tous, car c'est nuit close) sous sa moustiquaire et raconte, en panoramique, toute sa vie. Nous passons ainsi en Amérique du Sud, sur plusieurs paquebots et dans un collège allemand. La promenade se termine dans les bras de la nourrice de notre ami, devant l'église Saint-Pierre de Montrouge.

15 janvier.

Depuis cette nuit je recouche dehors, bien couvert, à cause du froid. Actuellement je ne peux pour ainsi dire plus dormir dans quelque chose qui ressemble à un lieu fermé.

Le commerçant rencontré sur la route en entrant au Cameroun a trouvé que nous ne l'avions pas suffisamment aidé. Il aurait voulu que nous lui prêtions une voiture pour aller chercher à Maroua une pièce mécanique, notre roulement à billes ne marchant pas sur sa voiture. Furieux du refus (motivé par le besoin constant que nous avions du véhicule), il nous a si bien débinés par correspondance au Cameroun que nous sommes délivrés de toute espèce d'invitation. Anciens camerouniens, Lutten et Mouchet sont seuls à ne pas tomber sous le coup de cette quarantaine. Il n'y a qu'avec le lamido indigène, et aussi le capitaine, que Griaule soit bien. Situation de pestiférés assez comique... Pour comble, notre marmiton (que nous ne connaissions d'ailleurs que depuis l'après-midi, car jusque-là il avait traîné à la cuisine sans que nous le voyions) a été surpris par un Européen en train de lui voler du charbon de bois.

16 janvier.

Hier soir, Griaule a décidé de convoquer Roux d'urgence au lac Tana. Au lieu de passer par Khartoum ainsi qu'il avait été prévu, il ira directement à Addis Ababa, formera lui-même sa caravane et nous rejoindra à Zaghié, sur la rive sud du Tana. Nombreuses lettres, à ce sujet d'abord ; puis pour le renouvellement des crédits.

Je les porte à la poste et lis les radios. En Europe, tout semble aller de mal en pis. Cela sent la guerre mondiale. Je reviens écœuré. Quelle tristesse ! Mourir vingt fois pour une chose qu'on aime, plutôt que pâtir le moins du monde pour une telle stupidité ! Vrai ! je ne suis pas un patriote... Cela me dégoûte que de telles histoires m'obligent à penser à mon foutu pays.

17 janvier.

Griaule, Larget et moi partons vers le Logone pour acheter une pirogue. A quelques kilomètres de Garoua, marché que fréquentent les Kirdi de la montagne proche. Hommes et femmes ont les cheveux passés à l'oxyde de fer. La crêpelure rougie fait ressembler leurs têtes à des éponges de caoutchouc. Les femmes ont un bizarre cache-sexe avec un appendice de cuir remontant devant, comme un membre viril.

A Léré, visite du tata du lamido moundang. Tours à toits presque plats — basses et rases comme la plaine — rejointes par un mur d'enceinte qui englobe le tout. Terrasses chargées de canaris. L'intérieur des cases, tout vernissé, est d'une netteté inouïe.

Dans chacune, grand pilier quadrangulaire aminci au milieu : jet curviligne. Jour tamisé, venant d'une seule ouverture ronde située en haut et au milieu. Il doit être agréable d'être là-dedans sans vêtement.

En quittant le village païen, nous avons la joie de faire l'acquisition d'une grande gourde de pipi. Makan — pour une fois bon musulman — refuse absolument d'y goûter. Demain nous serons au Logone. Nous verrons les fameuses cases en obus, les non moins fameuses femmes à plateaux.

Pas du tout. A 14 kilomètres de Léré, Griaule donne un brusque coup de volant pour éviter un trou. La remorque va dans le fossé, en sort, voltige, se renverse, égrène derrière elle son contenu (lits, caisses, bouteilles, espadrilles de Makan) puis son toit et toute sa superstructure, pour finir par se laisser traîner, retournée et tout à fait rasée. Pas moyen de continuer. Pas d'autre ressource que de retourner à Garoua, après avoir campé sur place. Nous montons les lits, qui heureusement n'ont rien, dans une clairière. Makan et Mamadou Kèyta, qui ont peur des lions, s'arrangent une sorte de cabane avec les décombres du calamiteux véhicule.

18 janvier.

Reconstitution apparente de la remorque (les caisses clouées à même le plateau, les lits posés dessus et le toit recouvrant le tout, solidement fixé avec des fils de fer). Vers 9 heures, nous partons, après avoir fait boucher un léger fossé, qui nous gênait pour revenir de la clairière à la route, avec des termitières (on attaque la base, tout autour, à la pioche ; il suffit d'un petit effort pour que la termitière se détache du sol comme un gâteau).

En passant dans un petit village près de Léré — village

moundang, comme Léré — nous apercevons, à travers la poussière que soulèvent leurs pas, un groupe de femmes, de filles, de fillettes qui se tiennent par la main et font une ronde en chantant.

Nous nous approchons. Femmes et filles, ainsi qu'il est habituel aux femmes moundang, sont nues, à l'exception d'un très petit cache-sexe. Leurs corps, luisants d'huile d'arachide, sont couverts de poussière et de brindilles.

Au milieu de la ronde, s'agitent quelques femmes plus âgées, une très vieille à crâne tondu, toutes dans la même tenue, mais portant des feuillards avec lesquels, de temps à autre, elles se fustigent légèrement. Un homme est avec elles (jeune, boubou court, vastes épaules, large face bestiale) muni d'un feuillard lui aussi.

De temps en temps, une femme ou fille se détache du cercle et vient se rouler à terre au milieu. Une des porteuses de branche la fustige en riant.

Parfois ce sont, non pas une seule, mais deux, trois, plusieurs femmes qui se jettent à terre en paquet, les unes sur les autres, continuant à remuer leurs ventres et leurs cuisses selon le rythme de la danse, tandis qu'une autre les fustige en bloc. Tout cela avec des rires de petites filles jouant dans le préau d'un couvent.

L'homme se couche sur le dos et est fouetté lui-même par une femme. Tout le monde s'amuse beaucoup.

J'apprends qu'il s'agit d'une fête en l'honneur des filles qui viennent d'avoir leurs règles pour la première fois. Je sais que c'est maintenant le troisième et dernier jour de la fête, qu'on a bu et qu'on boira encore beaucoup de pipi. Visitant le village, nous avons la chance de découvrir une vieille femme tenant entre ses mains une bande d'un mystérieux tissu qui n'est autre que de l'écorce. Cette bande est une serviette hygiénique. Nous l'achetons comme objet de collection.

De retour à Garoua, je vois Schæffner qui me raconte comment Lutten et lui ont vu hier un très beau numéro de danse dont le protagoniste, après ingestion d'une assez forte quantité d'eau, rejetait par l'anus, sans s'interrompre de danser, un jet de liquide qui, paraît-il, n'était pour ainsi dire pas coloré.

19 janvier.

Fugue de Mouchet. Avant-hier une cousine de son ex-femme

indigène est venue le voir. Parti hier soir dîner en ville, ce matin il n'a pas reparu. Un petit sourd-muet que nous employons plus ou moins comme informateur fait comprendre par signes que « M. Mouchet » est parti à Maroua.

Dans l'après-midi débarquent une trentaine d'infirmiers indigènes en déplacement, qui viennent occuper les bâtiments libres du campement. Il y a une dizaine de femmes avec eux. Ces messieurs marchent devant, vêtus de kakis européens. Ces dames suivent en souliers blancs sans talons, jupe courte de couleur vive ou pagne, chandail genre sweater ou pull-over, chapeau mou d'homme. Plusieurs ont des croix ou des médailles au cou. Derrière viennent des enfants à peu près nus, portant les bagages sur la tête, dans des bassines ou des filets. Tout ce monde s'installe dans les cases, allume des feux.

Visite de Griaule au lamido, qui propose pour demain une partie de campagne du côté de la montagne kirdi. Griaule et moi irons demain chercher le lamido avec l'auto, l'emmènerons jusqu'à une ferme à lui, où nous prendrons des chevaux pour gagner la montagne. Mouchet reparaît à la nuit. Il porte un oreiller et des couvertures sur le bras et s'excuse, alléguant une panne d'automobile.

Ce soir, son lit est vide. Il y a bien des chances pour qu'il soit reparti.

20 janvier.

Partie de campagne légèrement décevante. Contrairement à ce que j'avais cru, le lamido ne nous accompagne pas. Nous sommes bien allés le chercher, et l'avons emmené jusqu'à sa ferme, emmitouflé de boubous, bonnet, turban genre bandelettes de cadavre, chaussé de magnifiques bottes blanches, muni d'une grande épée. Mais il nous laisse aller à cheval seuls et reste à sa propriété pour surveiller des travaux de construction.

Déception équestre : les chevaux sont de vrais veaux, ne justifient en rien la vague appréhension que j'avais, vu l'horreur que j'ai toujours manifestée à l'égard de tout ce qui ressemble à de l'équitation. Nous marchons en caravane. Pendant toute la première partie de la promenade on tient mon cheval au licou. Il ne cesse de péter que pour tousser. Le retour s'effectue sans licou mais au pas. Cela n'empêche que j'ai les fesses un peu talées.

Déception encore du côté kirdi : le village est joli, mais les gens ont l'air bien abîmés. Et jusqu'au pipi qu'on nous sert, qui n'est pas à point, et même positivement effroyable... J'espère que nous nous rattraperons au Massif du Namchi où Griaule et moi devons partir après-demain.

21 janvier.

Travail normal. Quelques préparatifs pour le voyage aux Namchi. Courrier. Deux lettres de Zette, deux lettres de ma mère. Une lettre de Roux, qui ignore encore qu'il est convoqué, et se demande si la crise lui permettra de nous rejoindre. Une lettre d'un inconnu à propos de l'article que j'ai publié dans *Documents* [1] sur les masques érotiques de cuir inventés par Seabrook.

22 janvier.

En route pour le Namchi. 100 kilomètres d'auto, 50 de cheval. En sortant de Garoua passage délicat de la Bénoué, avec bac et chaussée de sécots qu'il faut reconstituer, chaque passage déplaçant les claies de paille.

Mauvaise route jusqu'à Gouna, puis la piste avec mauvais chevaux. Le lamido a prêté des bêtes de tout repos.

Coucher à Wadjéré. Makan, qui montait à cheval pour la première fois de sa vie, est un monceau de dignité.

Nous n'avons pas emporté de lits ; mais les divans de baguettes sur lesquels nous couchons, encore qu'un peu durs, sont tout à fait suffisants.

23 janvier.

Matinée entière de cheval. Pause à Hoy, village kirdi commandant un col qu'il nous faut traverser. Arrivée à Poli dans l'après-midi, par le brouillard masquant le cirque de montagnes qui

1. Deuxième année, n° 8.

208

constitue le paysage. Griaule est bien ; moi, novice, j'ai les fesses légèrement écorchées. Le lieutenant qui nous reçoit est un gnome à voix suave, dont les lunettes à branches de métal chevauchent une longue barbe rousse malgré ses quelque 27 ans. Il aime assez les indigènes, toutefois, et en parle sympathiquement. Le sergent qui le seconde est corse, naturellement. Dîner avec eux, puis installation, encore sur des lits de baguettes.

24 janvier.

Promenade au village kirdi. Les cases sont si petites qu'on ne peut y entrer qu'en rampant. Petit tamtam chez le chef en notre honneur, dans le kraal d'entrée, où la nuit on range les bœufs.

Les enfants, qui couchent sans doute dans la cendre, sont gris des pieds à la tête. Comme ils doivent lécher leurs lèvres et se frotter les yeux, les commissures de leurs lèvres et le tour de leurs yeux sont noirs. Ils ont l'air de clowns. Les femmes sont nues, à l'exception de deux touffes de feuillage. Les hommes portent une sorte de petit tablier dans la ceinture duquel ils passent le tube de courge dans lequel leur verge est engagée. Tout ce monde robuste et sympathique.

Le lieutenant nous répète ce que nous a déjà dit celui de Mora : les Kirdi qu'on met en prison y meurent ; gens qui ne savent pas s'adapter...

Courte sortie à cheval, vers la montagne, puis information avec pour interprète un sergent de la milice et un Toucouleur barbu qui semble être homme à femmes et a des grâces de danseuse.

Grandes histoires avec notre personnel qui, faute de se débrouiller, n'arrive jamais à toucher ses rations. Décidément nos gens sont de plus en plus dépaysés.

25 janvier.

Nouveau tour au village kirdi. Sous un abri de rondins et de tiges de mil, des jeunes gens filent le coton à côté des femmes. Peut-être leur font-ils la cour. Nous offrons une tournée de pipi. Tout le monde y participe : hommes, femmes, enfants. Certaines femmes, toutefois, les jeunes surtout, font un peu les mijaurées. Mais quelques vieilles se régalent. Une toute petite fille à l'air sérieux, parée de colliers comme une châsse, boit son pipi solennellement. Dans une case, j'aperçois une longue perche placée en diagonale. Un chiffon rouge et blanc est enroulé au bout. Pensant qu'il s'agit de quelque objet magique, je demande ce que c'est. C'est tout simplement le fanion que l'administration a fait remettre au chef de village, en signe de commandement.

Temps de galop, très bref, en revenant au poste. Jamais je ne me ferai à ce moyen archaïque de locomotion qu'est le cheval. Absurdité d'être ainsi perché sur une bête qui, pas plus que vous, n'en peut mais.

Le forgeron que j'interroge l'après-midi sur la circoncision m'exhibe tout à coup, avec une grande jovialité, sa verge tachée par en dessous d'une pointe d'albinisme et me montre comment le circonciseur l'a pelée, ainsi qu'on pèle une banane. Même exhibition pour ce qui concerne l'introduction du membre viril dans l'étui pénien. L'interprète toucouleur s'amuse comme une petite folle. Lui, c'est un raffiné, il fait le salam tous les jours, et caracole comme un lamido...

26 janvier.

Deux heures de cheval, qui ne me réconcilient pas. Depuis quelques jours, du reste, je ne suis pas de bonne humeur. On se lasse vite en voyageant et, sauf exception, les choses et événements qui défilent ont tôt fait d'être fastidieux, tout comme si l'on ne bougeait pas.

De moins en moins je supporte l'idée de colonisation. Faire rentrer l'impôt, telle est la grande préoccupation. Pacification, assistance médicale n'ont qu'un but : amadouer les gens pour qu'ils se laissent faire et payent l'impôt. Tournées parfois sanglantes dans quel but : faire rentrer l'impôt. Étude ethnographique dans quel but : être à même de mener une politique plus habile qui sera mieux à même de faire rentrer l'impôt. Je songe aux noirs de l'A.O.F. qui, durant la guerre de 14-18, ont payé de leurs poumons et de leur sang pour les moins « nègres » d'entre eux le droit de voter pour M. Diagne ; aux noirs de l'A.E.F. en proie aux grandes compagnies concessionnaires, aux bâtisseurs de chemins de fer...

Comme deux petites filles, les femmes du lieutenant — deux

jeunes Foulbé — criaillent. Elles circulent presque sans interruption, de leur case à la cuisine.

27 janvier.

Information au camp. Rien à signaler. Mauvais sommeil sur le lit décidément trop dur. J'ai mal au ventre, aux reins. Tout ce qui se passe est décidément si plat... Les garçons dont on décortique littéralement la queue pour les circoncire tiennent entre leurs dents un petit bout de viande qu'ils doivent restituer après l'opération à leur mentor, pour montrer qu'ils n'ont pas eu peur. Leur mentor mange ces viandes.

28 janvier.

Encore mal dormi, et rêvé de retour. La sortie à cheval pour le travail ne me remet pas. Le galop me coupe l'haleine, me scie le cœur. Je suis honteux. Le long des routes, les Kirdi claquent leur cuisse du plat de la main droite, puis saluent militairement. Interprétation du salut des tirailleurs. Les femmes de miliciens, elles aussi, font ce geste...

Avant-hier, un troupeau d'éléphants a saccagé un village à deux jours de marche d'ici. Par ailleurs, un prisonnier s'est évadé. On ne l'a pas encore rattrapé.

Nous partons demain. Cette nuit j'espère dormir mieux ; je me suis fait un matelas avec une jupe et un masque de feuilles tels qu'en portent les circoncis namchi, durant la retraite de onze mois qu'ils effectuent en brousse.

Tout compte fait, de Poli, je regretterai surtout l'interprète toucouleur, ses mines de jocrisse, ses envolées équestres de boubou froncé, ses comédies de pion satirisant les cancres ou de lamido vexé, ses minuscules pieds en pantoufles brodées de patron de bordel.

29 janvier.

Griaule, parti devant au galop, doit ramener la voiture laissée à Gouna (par ignorance que la piste était en partie carrossable) jusqu'au delà de Wadjéré, aussi loin qu'il pourra. Ainsi avons-

211

nous des chances d'être dès ce soir à Garoua. Pour cette randonnée Griaule a pris mon cheval, moins mauvais, et m'a laissé le sien. J'en suis ravi et les quelques heures que je fais sur le dos de ce sympathique animal me réconcilient avec son espèce : deux ou trois très petits temps de galop, même, ne me déplaisent pas trop.

Griaule, que je retrouve au passage d'un marigot à quelques kilomètres avant Wadjéré, est assez fatigué : il a fait presque tout le trajet au galop. Mais le retour à Garoua s'effectue tranquillement, la route ayant été remise en état pour le passage du commandant que nous avons rencontré à Mora et qui maintenant en redescend.

Nous apprenons en arrivant que Mouchet, d'une part, a été volé d'une chemise, d'une ceinture de métal et de cent francs par un individu qui s'est introduit la nuit dans le campement, et que, d'autre part, selon son expression, il s'est fait « scalper le Mohican » par une copine de son ancienne femme indigène. La fellatrice en question avait, selon cette pipelette de Schæffner qui nous raconte l'histoire, refusé de s'exécuter de jour, à cause du jeûne du Ramadan...

30 janvier.

Les affaires de Mouchet sont retrouvées. Schæffner et lui ont travaillé comme des anges pendant notre absence et sont tombés eux aussi sur les costumes de feuilles portés par les circoncis. Griaule en fait les photos aujourd'hui.

Il fait un vent fou et franchement froid. Lutten et Larget, partis de leur côté à Fort-Lamy pour l'achat de la pirogue, ont été fort bien reçus par de Coppet. Ils sont actuellement retardés par une panne de ventilateur.

Clairons, clairons toujours, comme d'habitude, pour le réveil, pour le manger, pour le coucher. Jamais, Schæffner et moi, nous ne fûmes aussi militaires...

31 janvier.

De plus en plus diminue l'étiage de l'exotisme. Hier soir,

grande conversation sur les pédérastes de Paris ; Schæffner et moi nous tentons (mais en vain, car ils sont trop nombreux !) d'établir la liste de ceux que nous connaissons.

Aujourd'hui, discussion sur le rituel vestimentaire. Je soutiens le port du parapluie.

Il faut que je regarde les photos qui viennent d'être développées pour m'imaginer que je suis dans quelque chose qui ressemble à l'Afrique. Ces gens nus qu'on aperçoit sur les plaques de verre, nous avons été au milieu d'eux. Drôle de mirage. « Nous buvons. Vous buvez. Ils BOIVENT. Je regarde avec mes deux yeux », disaient en chœur les petits écoliers à qui un noir enseignait le français, sous la verandah du campement de Poli.

1er février.

Griaule travaille avec un jeune garçon que ses camarades appellent *ba pétèl*, ce qui veut dire « petit père ». Placide et souriant, il mérite bien son nom.

Découverte byronienne de Schæffner : beuverie de pipi, dans un crâne, à propos de la mort du chef de village. C'est un enfant *bata* qui le lui raconte.

Pas de nouvelles de nos amis du Logone.

De nouveau, c'est le traînassement.

2 février.

J'informe avec un jardinier, garçon de 15 à 20 ans. C'est un Moundang, de Léré, le village que nous avons vu le jour que nous avons cassé la remorque. Je voudrais avoir des renseignements plus précis que je n'en ai eu sur cette fustigation féminine à laquelle nous avons assisté.

Quelques réponses anodines, d'abord ; puis, avec une grande jovialité, le jardinier raconte que la fête, qui dure quatre jours, débute par le meurtre d'un garçon de son âge, que tue, au hasard des poursuites, un fou rituel armé d'une lance et d'un sabre et vêtu de la tête aux pieds d'un costume de fibre teint à la terre noire. Je suis quelque peu étonné d'un tel commencement à une fête qui m'avait paru si gaie...

Mais tout allait trop bien. Dès cet après-midi l'informateur a disparu. Je l'envoie chercher à la ferme où il travaille. Il n'y est pas. Sans doute a-t-il raconté qu'il venait chez nous, comme il nous a déjà raconté, désirant s'en aller, qu'il avait du travail à la ferme. Il doit se promener.

Finirai-je par dire moi aussi que « ces nègres sont tous les mêmes » ? et qu'il n'y a de bon pour les faire marcher que les coups de trique ? Trop d'histoires où les blancs n'avaient pas le beau rôle, cependant, me restent sur le cœur pour que j'en arrive là !

Et ces gens qu'on emploie, sans aucune garantie de travail, auxquels il est d'usage de coller des amendes à tout bout de champ. Ces domestiques qu'on met à la porte du jour au lendemain, les laissant n'importe où. Ce cuisinier — le nôtre (actuellement excellent) — à qui son précédent patron avait, pour rédiger quelques lignes plaisantes, donné un certificat si mauvais que nous avions regardé à deux fois avant de l'engager ; l'homme, ne sachant pas lire, nous l'avait innocemment montré... Cet employé qu'un commerçant de Garoua, son patron, tue (involontairement) d'un coup de poing un peu trop vigoureux étant de passage en Nigeria, et dont le corps est jeté, par le même patron, dans la Bénoué, pour couper court à toutes investigations ? Ces gens qu'on brime, qu'on pressure de toutes les manières, par l'impôt, le travail forcé (doré de promesses fallacieuses), le service militaire (qui ne parvient qu'à faire des tirailleurs, c'est-à-dire des hommes capables de toutes les exactions), la prison (souvent, comme chez les Kirdi, pour des crimes qui ne sont crimes qu'à nos yeux), les prestations...

Ces hommes, peut-être pas spécialement sympathiques, mais en tout cas pas plus stupides, ni plus mauvais que tous les autres, les traiter ainsi sous couleur de civilisation, quelle honte !

---

1. J'ai su deux ou trois jours après, en effet, que ce rite sanguinaire n'avait rien à voir avec la scène de fustigation des filles que j'avais demandé au jardinier de me raconter. Genre de malentendu fréquent dans les informations.

3 février.

Le jeune Ba Pétèl fabrique des objets pour notre collection, — des bull-roarers de circoncision. Il nous les livre, mais dès que nous avons le dos tourné il nous les reprend pour jouer avec, et les casse en les faisant tourner. Il faut qu'il en fabrique quatre ou cinq pour que nous parvenions à lui en soustraire un et à le conserver intact.

Réapparition du Moundang, toujours aussi paresseux. Dès la première demi-heure d'interrogatoire il se déclare fatigué et veut reprendre son chapeau mou de maraîcher. J'ai peine à le faire rester plus d'une heure.

Courrier. De moins en moins on a l'air de s'amuser en France.

Schæffner a reçu hier la réponse à la demande télégraphique qu'il avait faite des prochains départs de paquebots de Douala. Il y en a un le 20 pour Bordeaux. C'est celui-là qu'il va prendre.

4 février.

Nouveau plongeon dans l'information intensive : le premier depuis Sanga. Mais les patients sont bien plus difficiles. Moins retors, et même pas retors du tout, mais terriblement confus. Je ne m'entends pas du tout avec mon Moundang, qui est bien gentil, mais parle à tort et à travers et m'embarque à tout instant dans d'interminables histoires dont je ne m'aperçois qu'avec difficulté qu'elles n'ont aucun rapport avec l'interrogatoire. *Idem* pour la circoncision, avec un infirmier namchi. Certaines questions de dates oscillent entre un jour, une semaine, un mois et un an.

De nouveau, je m'énerve et crie après mes pauvres gens.

5 février.

Un très petit enfant dont Griaule, hier chez le lamido, a chatouillé la plante des pieds en passant est le fils d'une femme kirdi que son mari, Kirdi habitant Garoua, a vendu comme captive au lamido. C'est un enfant plus âgé (lui-même captif du lamido) qui travaille avec nous, qui l'apprend à Griaule. Ainsi on fait la traite en plein Garoua. Heureusement que nous sommes en pays sous mandat !

Une femme moundang, avec qui Mouchet travaille la linguistique est interrogée par lui : « Comment dit-on : il a volé ! » — « Salopard ! » fait-elle répondre par l'interprète. Et en effet, celui qui a volé est-il autre chose qu'un « salopard » ?

Schæffner, qui travaille avec mon Moundang, atteint un tel degré d'irritation que, malgré sa douceur, il menace tout à coup mon Moundang de le faire mettre en prison, s'il continue à si mal répondre.

Moi-même, travaillant avec l'infirmier namchi, je renonce brusquement à l'interrogatoire. Ses contradictions incessantes me font friser la crise de nerfs.

Comme nous venons de commencer à déjeuner, arrivent Larget et Lutten, dans leur camion, mais sans pirogue, et Lutten avec un accès de fièvre. Ils nous donnent des nouvelles de l'Afrique Équatoriale. Il y a quelques années, au moment où il fallait de la main-d'œuvre pour le Congo-Océan, Fort-Archambault avait été pris au Tchad et rattaché à l'Oubangui-Chari de manière qu'on puisse faire venir des travailleurs de cette région sans les changer par trop de colonie, et ainsi éviter le scandale. Actuellement, ces raisons ne jouent plus. Fort-Archambault serait rendu au Tchad et il serait même question d'y transférer le gouvernement de Fort-Lamy.

6 février.

Crise avec mon informateur moundang : ayant aperçu passant à quelque 20 mètres du campement un garçon porteur d'un régime de bananes, il veut s'en aller, sous prétexte que le garçon vient lui remettre le régime qu'il a ordre, lui, de porter au commandant. Je crois qu'il cherche avant tout un prétexte pour aller se promener. Peut-être même veut-il manger quelques bananes ? Toujours est-il qu'excédé je le fiche à la porte.

Toujours est-il que, l'après-midi, il revient docile et souriant. Je ne prends pas de nouvelle crise.

7 février.

Journée de Cocagne. Griaule et moi sommes partis pour aller visiter, à 130 et quelques kilomètres sud-est de Garoua, le lamido de Ray Bouba, qui est indépendant dans sa subdivision et ne relève que de la circonscription.

Piste sinueuse, bien plus agréable à suivre qu'une route. Grandes rivières qu'on traverse sur des ponts de sécots. En très peu de temps nous rencontrons :

1 grande bande de cynocéphales (qui se replient en bon ordre, après un coup de feu, les femelles portant leurs petits sur le dos à la jockey, les guetteurs restant derrière pour surveiller nos mouvements) ;

2 troupes moins nombreuses de singes plus petits ;

2 bandes de phacochères ;

1 autre bande de cynocéphales (deux des plus gros sont assis comme des magots dans un grand arbre).

Près d'une vaste mare piquetée de fleurs blanches — que des femmes cueillent en pataugeant, pour s'en nourrir — Griaule, d'un seul coup de feu, tue 7 canards. Et ce n'est pas fini !

Dès notre installation au campement, le sultan, à qui nous avons fait présenter nos salutations, nous fait porter :

Un premier envoi de :

    1 calebasse de boules de mil pétries avec du miel (4 kilo-grammes environ) ;

    1 panier de graines d'arachides ;

    1 grande calebasse de lait ;

    1 canari d'eau miellée.

Un deuxième envoi de :

    2 nattes ovales de vannerie à 4 couleurs (noir, rouge, jaune, naturel) ;

    3 chapeaux (Idem.) ;

    6 couvre-plats à poignée (Idem.) ;

  20 couvre-plats sans poignée ;

    4 paires de lances d'apparat à pointe de cuivre (2 paires à pointes de cuivre rouge, 2 paires à pointes de cuivre jaune) ;

    2 carquois d'apparat ornés de queue de mouton et d'ailettes de cuivre, contenant à eux deux 80 flèches.

Un troisième envoi de :

2 calebasses de viandes chaudes (sentant malheureusement
le pourri) ;
1 calebasse de gâteaux de mil.

A quoi nous répondons par un envoi de :
4 flacons de parfum tous différents ;
12 boîtes de poudre de riz, dont une à miroir convexe.

Le sultan, qui ne veut pas demeurer en reste, nous fait porter :
1 calebasse de viandes chaudes ;
1 grande calebasse de gâteaux de mil dressés en maçonnerie
montée ;
1 panier de riz ;
1 pot de beurre d'arachide ;
1 pot d'huile d'arachide.

Nous le visitons l'après-midi. Les hommes qui nous précèdent
entrent dans sa cour en rampant et flattant de la voix comme s'ils
entraient dans la cage d'un fauve. Tout est merveilleusement
propre. Un cailloutis immaculé. Sous un kiosque sont exposées
des richesses telles que mortiers à mil et leurs pilons, bancs de
bois, calebasses, canaris et récipients divers tels que vieilles
bouteilles.

Autour du dais sous lequel le sultan — colosse majestueux, à
bouche voilée et en chaussettes — nous reçoit, sont parsemées, en
un désordre savant, d'autres richesses : cafetières, parapluies,
bouquins maraboutiques, vieille bouteille thermos, boîte de
petits-beurre vide, boîte d'allumettes, armes, bracelets, paire de
chaussettes et, à la place d'honneur, nos flacons de parfum.

En nous reconduisant jusqu'au dehors, le sultan voit notre
Ford. Il veut en commander une, pour remplacer les trois voitures
qu'il avait mais qui, nous dit son interprète, sont « foutues ».

Autour de la place, des courtisans en armes sont assis et
murmurent flatteusement à l'adresse du sultan. Quand nous
partons, ils se lèvent tous et se dirigent vers l'entrée, car c'est
l'heure de l'audience. Près de la porte des hommes glabres,
tondus, aux cuisses rondes sont assis. Ce sont les eunuques...

Je me suis gavé de boules de mil et de canard. Il y a tant d'eau
mielée qu'avant de me coucher je me lave les dents avec.

8 février.

Fête pour la fin du Ramadan. Le sultan a dit hier qu'il nous enverrait chercher pour y assister. Nous attendons, bien propres, bien rasés pour honorer le sultan. Nous attendons beaucoup. Nous avons même le temps d'aller chez une potière que nous avions prévenue que nous irions la voir travailler. Au retour, nous apprenons par hasard que la fête n'aura lieu que demain. Le temps n'existe pas...

Arrivage de porteuses d'eau (celles-là dès le matin) et arrivage de denrées. Il y a aujourd'hui :

une grande calebasse contenant :
1 petite calebasse de poisson chaud,
1 petite calebasse de ragoût,
1 petite calebasse de gâteaux de mil ; —
une grande calebasse de brouet noir à odeur d'indigo ; —
une grande calebasse de gâteaux de mil dressés.

Le chef de campement nous livre d'autre part la commande que nous lui avons faite de deux poulets et d'une calebasse de citrons.

Visite au lamido, après nous être fait précéder d'un envoi de 5 rasoirs Apollo. Nous trouvons la cour cailloutée encombrée d'une immense camelote de tapis et d'étoffes chatoyantes au milieu de laquelle nage une énorme malle, genre malle de cabine. Le sultan nous fait dire qu'un « ami » lui envoie ces pièces de tissu pour choisir celles qui lui plaisent et les acheter. Non loin du dais royal, entre deux paires de souliers tennis blancs exposés avec d'autres richesses, j'aperçois une enveloppe à en-tête de la maison Adams Brothers. Voilà sans doute l'ami en question. Il est probable que ce spectacle de choix pour achat ne visait qu'à nous éblouir...

Griaule prend des photographies, mais le lamido ne tient pas à ce qu'il en prenne, ni même que nous pénétrions dans les cours et locaux adjacents à la cour intérieure. Sans doute est-ce, autant qu'une question d'étiquette de sérail, le désir d'éviter que nous voyions des lieux moins reluisants que celui où il nous reçoit.

Au retour Griaule s'étend, ayant un peu de fièvre. Je déjeune seul, mangeant un gâteau de mil, du poulet au riz, buvant de l'eau miellée additionnée de citron. Mais je commence à avoir assez de toutes les sucreries.

Griaule reste étendu toute la journée. Paludisme ? Réaction aux denrées ? En tout cas, nous n'attendrons pas la fête et partirons dès demain matin. C'est ce que Griaule fait dire au lamido.

Vers le soir, ce dernier fait prendre des nouvelles et profite de l'occasion pour demander si nous n'aurions pas quelques lames de rechange pour ses rasoirs Apollo. Je fais répondre que nous verrons cela à Garoua et que Griaule persiste dans son intention de quitter la ville dès demain matin.

Je me couche sur mon *tara* de paille agrémenté de quatre cannes de mil porte-moustiquaire, dans la petite cour située derrière le campement, étroite comme un couloir, bordée d'une palissade de sécots haute comme un mur de sérail, plantée de quelques arbustes. Je suis ennuyé de ne pas voir la fête de demain.

J'ai à peine commencé de regarder les astres au-dessus de ma tête que l'interprète du sultan revient, faisant demander à mi-voix si je peux le recevoir. De dessous ma moustiquaire, je réponds : oui ! Il vient : le lamido s'inquiète toujours de Griaule. J'explique que nous devons partir de bonne heure, afin de ne pas rouler trop longtemps quand le soleil sera chaud. Nous remercions des cadeaux, qui seront exposés à Paris, dans un des palais du gouvernement, avec les photographies prises chez le lamido. Demain matin, de très bonne heure, si cela ne dérange pas le lamido, nous irons le saluer avant de partir. Départ de l'ambassadeur, qui demande la permission de revenir si le lamido veut encore faire dire quelque chose.

J'ai à peine commencé à rêvasser et m'assoupir que l'interprète du sultan revient. Encore une fois je lui dis d'approcher, de dessous ma moustiquaire. Le lamido fait dire qu'il avancera l'heure de la cérémonie. Il y aura de très belles choses à voir : des guerriers qui danseront avec des carquois pareils à ceux qu'il nous a donnés, des guerriers à cheval avec des lances et surtout deux calebasses pour apporter les nourritures, récipients géants qui sont « comme des pirogues ». Je réponds que demain matin, dès son réveil, j'informerai « M. Griaule » de tout cela. S'il va mieux, nous irons à la fête. S'il ne va pas mieux il faudra que le lamido nous excuse. Départ de l'ambassadeur, définitif cette fois.

Les étoiles brillent. Je m'endors.

9 février.

Réveil. Griaule va mieux. Nous irons à la fête. Un messager va le dire au sultan. Celui-ci a sûrement menti. Il n'avancera pas l'heure. Drôle d'homme que ce potentat, tapi dans son palais à hautes murailles, recevant dans cette cour close de murs et de grosses portes cadenassées, avec ce pavillon d'habitation aux verandahs on se demande pourquoi treillagées, cette galerie de réception dont la première chose qu'on voit, à part le dais et le lit fer et cuivre style concierge, est une large porte à un seul battant entièrement en fer... Peut-être y a-t-il de bonnes raisons pour que le sultan ne nous laisse pas visiter son palais ? Étant donné le nombre d'eunuques qu'il a, et sa réputation d'en fabriquer encore actuellement, peut-être y a-t-il entre ses murs de bien étranges ergastules ?

Je me rappelle que c'est à Ray Bouba, il y a quelques années, que Silèy, l'interprète toucouleur du poste de Poli, entrant dans un carré kirdi surprit les membres mâles d'une famille en train de dépecer un homme. Le pauvre Toucouleur avait failli s'évanouir de peur. Le fait s'était passé, je veux bien, chez des Kirdi, mais je doute qu'ose aller tellement moins loin, pour peu qu'on le laisse faire à sa guise, un lamido foulbé...

Assez tard dans la matinée, un émissaire du sultan, en armes et vêtu de rouge vif, vient nous chercher, avec l'interprète à cheval, et nous mène jusqu'à la place, devant le palais. Le sultan est assis dans la cage à gros poteaux qui forme le péristyle. Il nous fait installer à ses côtés. Hors de la cage, assis sur leurs talons, les courtisans et les eunuques, ces derniers aussi imberbes que d'habitude, vêtus du caleçon de peau blanche qui est leur signe distinctif.

Parade guerrière extraordinairement réussie. Chevaux caparaçonnés. Archers vêtus comme des valets de carreau. Grandes trompettes de 2 mètres de long, dont les joueurs balayent le sol ou bien soufflent en les dressant verticalement, dans les moments de paroxysme. Tambours portés horizontalement chacun sur une tête d'homme, et frappés à grands coups de battoir par un autre homme placé derrière. A chaque coup, le porteur vacille un peu sous la secousse ; on dirait un recul de canon. Les rentrées se font progressivement, vitesse et son augmentant peu à peu d'intensité ; démarrage de locomotive.

Ceux qui sont à pied dansent à pied ; ceux qui sont à cheval dansent sur leurs chevaux. Des femmes âgées s'agitent, soit qu'elles remettent périodiquement en ordre l'attirail de leur mari, secoué par trop d'évolutions, soit qu'elles dansent. Sans cesse, des files de porteuses d'eau entrent dans le palais.

Tout à coup, venant de l'intérieur du péristyle en forme de cage, une masse de femmes débouche à reculons. Elles traînent quelque chose avec de grands efforts. Quand elles sont toutes sorties en se bousculant, on ne voit encore rien, car elles forment une masse compacte tout autour. Il faut qu'elles s'en aillent pour que je reconnaisse la « pirogue » promise, formidable hémisphère de bois noir muni de lourdes chaînes pour permettre de le traîner, comble de gâteaux de mil qu'on recouvre d'une natte ovale à trois couleurs. A grands gestes burlesques et se frappant le ventre, les griots acclament ces nourritures.

D'autres captives arrivent, portant les calebasses de viande, d'autres écuelles de gâteaux de mil. Une nouvelle « pirogue » est traînée, selon le même mode que la première. Le concert d'acclamations redouble devant ces denrées, dont l'exposition occupe maintenant toute la place.

Glorification de la richesse dans ce qu'elle a de plus réel : le ventre.

Peu après ce point culminant, nous félicitons le sultan de sa fête et prenons congé. Il ne tient sans doute pas à ce que nous assistions à la distribution de nourriture qui va avoir lieu ; cela se passera avec moins d'apparat et, vu la multitude, les denrées s'avéreront peut-être moins royalement abondantes qu'il n'avait paru. Bref, nous partons...

Sur la route du retour, encore des singes et des phacochères, encore des oies ou des canards sauvages. De ces derniers, Griaule ne tue aujourd'hui que quatre. Encore y en a-t-il deux qui s'échappent et l'un de nos domestiques perd-il les deux autres tandis que nous sommes en auto.

10 février.

Travail à Garoua. Tous nos gens, Européens ou indigènes, plus ou moins mal portants. Nous nous acheminons vers la saison sèche. Au delà, rien à signaler.

11 février.

Départ demain, vers Yaoundé. Habituel branle-bas.

12 février.

Lutten fait ses visites de dernière heure. Il obtient deux dons au Muséum : 1 phacochère, qui appartient au chef de subdivision ; 1 lion déjà adulte, qui appartient à un commerçant. Le phacochère est bête comme un chien ; il ne demande qu'à bâfrer et se faire flatter ; il circule en toute liberté dans les rues de Garoua. Quand nous faisons sa connaissance, il est agenouillé devant une touque d'ordures dans laquelle il fourrage.

En partant, avant de passer le bac, Griaule voyant le camion de Lutten, qui est parti en avant, arrêté devant chez le donateur du lion décide d'aller remercier. Nous descendons. Dans une cour, j'aperçois Mouchet et Lutten parlant avec le donateur. Nous marchons vers eux. Tout à coup, paroles énigmatiques de Lutten : « Prenez la longueur de la chaîne ! » et une grosse masse qui me saute après. C'est le lion, que je n'avais pas vu. Juste le temps de galoper 5 mètres, de voir une grosse patte tendue à quelques centimètres de mes chausses, et d'aller saluer le propriétaire en riant beaucoup de l'exquise plaisanterie. Lutten qui, de son côté, a tenu à jouer avec l'animal, a sa chemise toute déchirée. Mais le propriétaire est habitué. Il n'en est pas lui-même à la première chemise ou au premier pyjama que lui déchire le lion apprivoisé.

Rapide whisky. Congé. Départ.

Ennuis de pneus, qui crèvent avec assiduité. Pas de pompe fonctionnant assez bien pour regonfler les chambres à air. On nous en prête une cependant, près d'un pont en construction auquel travaillent des manœuvres chrétiens. L'un d'eux a au cou une croix blanche, trois fois grosse comme une cravate de la Légion d'honneur. Sur cette croix blanche, une croix dorée. Sur chaque pommette, une croix tatouée. Plus pagne, casquette à visière, veston européen.

Route difficile. Arrivés tard à l'étape. Fatigue. Crainte d'avoir la fièvre.

13 février.

Karba-Ngaoundéré : beau parcours, presque toujours en montagne. Larges vallées. Hauts plateaux. Pitons isolés taillés en pyramides. Quel bel espace ! Parfois des singes, de grands oiseaux à démarche comique. Çà et là des cigales chantent, dans le vert, la pierre et le chaud.

Ngaoundéré : 1 200 mètres de haut! Pas de Kirdi. Pays exclusivement foulbé. Administrateur à voix de mêlé-cass, à face de vice populacier.

Cette nuit, sur une hauteur proche, frontière de flamme d'un grand feu de brousse qui se déplace.

14 février.

Départ après déjeuner, Lutten ayant consacré la matinée à changer les soupapes de son camion. Paysage de plus en plus européen, à part les termitières en champignon, les éclats de la terre rouge sous les arbres noirs brûlés. Vastes panoramas de frondaisons.

A l'étape — où nous arrivons les premiers, étant partis d'avance — nous attendons longtemps Larget, dont le camion contient notre dîner, et plus longtemps encore Lutten, qui ne vient pas du tout, ce qui nous prive de coucher.

Nous sommes en pays *mboum*. J'interroge le gardien de campement sur la circoncision. Je lui demande où on cache « le couteau pour couper les garçons ». Ne comprenant pas qu'il s'agit du couteau de circoncision, il me répond que « certains faisaient avant l'arrivée des Français, mais, maintenant, on ne fait plus cela »!!

Tant bien que mal nous nous installons sur des *tara* indigènes, avec pour couvertures des bâches poussiéreuses que Larget extrait de son camion. Griaule et lui peuvent dédoubler un lit unique, celui de Larget, qui se trouvait dans le camion. Mais comme nous sommes encore à quelque 1 200 mètres de haut, il fait salement froid.

15 février.

Nous avons tous plus ou moins fait des rêves érotiques, à cause du froid, peut-être, ou de la dureté des couches. Curieuse mécanique des organes de l'amour... Lutten et Mouchet n'étant toujours pas là, Griaule, Schæffner et moi repartons vers Ngaoundéré.

Autrefois je reprochais à Gide de parler fréquemment, dans le récit de son voyage en Afrique, de ses lectures, par exemple Milton ou Bossuet. Je m'aperçois maintenant que c'est très naturel. Le voyage ne nous change que par moments. La plupart du temps vous restez tristement pareil à ce que vous aviez toujours été. Je m'en rends compte en constatant que très souvent Schæffner et moi avons des conversations sur des sujets littéraires ou esthétiques.

Après une heure de route, Lutten et Mouchet sont retrouvés. Ils sont restés en panne à cause des nouvelles soupapes qui n'étaient pas rodées. Impossible pour eux de marcher plus de deux kilomètres sans être obligés de s'arrêter. Ayant les lits avec eux, ils ont pu se coucher, mais, par contre, n'ont pas dîné.

Déjeuner, rodage des soupapes, puis départ.

Le nom du village où nous couchons nous ne le saurons jamais, ne l'ayant pas demandé...

16 février.

Mal dormi. Brûlures d'estomac dues à des confitures de conserve. Je dois me lever. Dans un rêve, ces brûlures me sont apparues comme étant une espèce particulière de cadeaux, faits en certaines occasions par une certaine catégorie de dignitaires au prince héritier d'Abyssinie ; le nom de ces présents est très difficile à transcrire en orthographe phonétique ; peut-être est-ce là la cause de la douleur ? Même éveillé, l'hallucination continue dans une certaine mesure... jusqu'à ce qu'allant mieux je me rendorme.

Route merveilleuse : le vert se condense, les frondaisons

s'épaississent. Riches vallées, et de multiples croupes, en calvacades de bois ou de terre roussies par le feu. Passage à Yolo. La religion a du bon : les jeunes chrétiens à caraco vert vif ou autrement sont des filles fascinantes ! Quelle puissance érotique l'extérieur chrétien communique à ce pays, si plaisant déjà par ses grands arbres, ses bananeraies dans les creux, ses branches en mousseline noire sur le sein rosé du couchant...

Un pays où il faudrait vivre. Un de plus ! Mais, tout de même, il n'y en a pas tant !

Depuis hier, vers le soir, nous voyons beaucoup de ces étranges oiseaux dont chaque aile est augmentée d'une aile plus petite, fixée au bout d'une sorte de longue tige ou filament. Leur vol est comme infirme. Ils sont empêtrés de leur grâce et, devant les phares de la voiture, s'enfuient gauchement.

17 février.

Au réveil, Mamadou Bakéli constate qu'on lui a volé 20 francs. Vivent les chrétiens !

A mesure que nous descendons, les végétaux grandissent. Il y a beaucoup de palmiers, çà et là des lianes qui pendent et cela sent bon.

Des ménagères noires, mi-nues et à têtes de concierges, marchent au bord de la route, une hotte sur le dos. Des miliciens passent. Certains tiennent un régime de bananes, d'autres un chien. Provisions de route, sans doute. Plus loin des chiens folâtrent avec des chèvres. On les croirait au pâturage.

Yaoundé : ville administrative bêtasse, Européens à l'air godiche. Pas d'autre local pour nous qu'une sorte de « villa » pour retraités, un seul étage séparé de la route par un fossé dans lequel nous flanquons le train arrière d'un des camions, à cause d'une passerelle trop peu solide.

Mais c'est la lisière de la forêt équatoriale. On en pressent la pestilence. Tout glisse vers l'amollissement.

18 février.

Les W.-C. de notre villa, communs à notre habitation et à une autre similaire qu'occupe un couple nègre, sont situés dans une bananeraie, derrière les deux bâtiments à quelques pas d'un groupe de tombes à croix blanches. Non loin de là, une mystérieuse construction qui ressemble à un four crématoire.

Schæffner va nous quitter. Bien qu'il ne dise rien, je le devine un peu mélancolique. Pourtant nous devons le revoir en Abyssinie. Mais le voyageur qui rentre devient fatalement un étranger — ou presque — pour ses compagnons qui demeurent. On a vite fait de se perdre dans la nuit des temps quand on a mis le pied sur un paquebot.

Le personnel indigène, d'autre part, va être licencié et rapatrié. Même le petit Kèyta, qui décidément n'a pas l'étoffe d'un ethnographe et d'ailleurs ne fiche rien. Ils s'en iront. Les avons-nous assez houspillés, les pauvres gens! Je crois qu'ils étaient heureux de nous servir pourtant, fiers d'être de la maison de gens apparemment si riches, assez tranquilles d'autre part et ne travaillant pas très lourd, ce qui compensait bien la fatigue des déplacements et la poussière jaunâtre qui les couvrait de la tête aux pieds, les transformant en comiques Lazare émergeant du tombeau, quand, aux arrêts, ils sortaient des camions.

19 février.

Schæffner a pris le train ce matin emmenant Mamadou Kèyta. Le pauvre Kèyta était effondré. Sans doute ne s'attendait-il pas, malgré les remontrances et les avertissements que depuis quelque temps peu d'entre nous lui ménageaient, à ce que soit exécutée la menace de le renvoyer à Bamako.

Grand changement d'ambiance, dû à ce double départ, au prochain rapatriement des boys. Fini le tourisme. Nous allons voyager maintenant, entrer de bien plus près dans les choses et les hommes. Ici, il fait humide. Il vente. Le ciel est toujours orageux. Les indigènes ne sont plus dévêtus, ou pittoresquement parés, comme sur les beaux livres d'images. Vêtus à l'européenne ou non, hommes et femmes sont la plupart du temps sordides. Le gouverneur ne cache pas que dans son territoire beaucoup de gens ont faim. Il doit percer des routes pour aller en nourrir.

Jeunes femmes à chapeaux mous ou pauvres vieilles à fesses tremblotantes sous le tutu de fibre, gaillards bien balancés en pantalon charleston et col Danton, qui vous tirera de cette misère dans laquelle vous croupissez, voués à la disparition que vous êtes, accablés sous vos tares physiques, sous l'incompréhension des blancs, sous votre propre paresse... ?

Je deviens déclamatoire aujourd'hui. Influence du Sud. Seuil où miroite la moiteur comme le bouton de cuivre sur la porte ou l'œil de l'oiseau dans son nid.

20 février.

Grande agitation hier soir autour de la maison : des femmes rôdent, radeuses nègres en robes blanches ; des hommes passent, rient aux éclats ; deux garçons se promènent de long en large, l'un portant pagne et jouant de la guitare. Comme j'ouvrais ma fenêtre avant de me coucher, la tête du policier qui garde le campement est apparue dans l'embrasure. Il m'a invité à tout clore, à cause des voleurs.

Plusieurs fois Griaule a dû se lever dans la nuit, à cause d'allées et venues suspectes. En fin de compte, rien n'a été volé. Je soupçonne le brave police ou d'avoir exagéré à dessein pour faire valoir son utilité, ou d'inviter lui-même tout un monde interlope à lui tenir compagnie dans le local où il couche pour se désennuyer.

Coup de théâtre — ou plutôt non, coup prévu, car il était écrit que, pilier du Cameroun, il ne dépasserait pas le Cameroun — : démission de Mouchet, qui va reprendre du service à Yaoundé.

Nous ne sommes plus que quatre à devoir aller jusqu'au Nil.

21 février.

En route pour le Gabon. Nous ne savons pas si nous passerons, la route étant inachevée un peu avant la limite du Territoire, mais nous partons quand même.

J'entre enfin dans la forêt. J'aime le spectacle des arbres. Mais la route est trop lisse, les villages venus s'installer là depuis sa construction trop civilisés. Rien de tout cela n'est échevelé, sauf peut-être quelques couronnes vertes lointaines qui chancellent au front des collines.

Mauvais présage : le premier oiseau que j'observe, vers le moment où nous commençons à entrer en forêt, s'envole vers la gauche. Il hésite un instant, revient un peu vers la droite, mais disparaît définitivement à gauche.

Passage à Mbalmayo et casse-croûte chez un commerçant français qui, outre les denrées qu'il vend, a toujours une bouteille de whisky et de bière prêtes pour « les camarades ». A trois nous mangeons des huîtres qui viennent d'arriver à Douala par le s/s *Hoggar,* du roquefort, du gruyère et des pommes. Coût : 90 francs.

En arrivant à Ebolowa, notre objectif d'étape, nous passons devant la mission américaine, qui dispose d'énormes chantiers et d'ateliers pour le travail du fer et du bois et a fait construire de chaque côté de la route, pour loger les catéchumènes, une longue file d'habitations standardisées du type corons, en briques et éclairées à l'électricité.

Dîner et coucher chez les commerçants grecs amis de Lutten, deux frères qui — chose rare à la colonie — habitent un très agréable pavillon.

22 février.

Réparation des freins de la voiture (qui chauffent) et visite à l'administrateur au sujet de la route du Gabon. Impossible de passer. Il faudrait faire une vingtaine de kilomètres en chaise pour rejoindre la route côté Gabon. Parvenus là, nous n'aurions plus notre voiture. Cette solution n'est donc pas possible. D'autre part, le pays est à un tel point christianisé, qu'il faudrait des jours de marche pour atteindre, en pleine forêt, des coins non gangrenés. La mission américaine est très puissante : elle paie l'impôt de tous ses catéchistes et rachète leurs prestations. Quant à la mission catholique, l'an dernier à Yaoundé, elle a reçu l'impôt de ses fidèles, mais ne l'a pas versé au gouvernement, en ayant besoin tout simplement.

Missionnaires et commerçants s'ingénient à décomposer le pays. Pas un homme, pas une femme qui ne soit vêtu à l'européenne. Tous les toits de la ville sont en tôle ondulée. Pasteurs et curés exhibent des trognes hideuses. Nous ne voyons qu'un de ces derniers, qui manque de peu, sous nos yeux, un magnifique gadin en freinant trop brutalement sa motocyclette, est paré d'une barbe blonde en vomissure, s'enquiert du but de notre mission et se fait expliquer où se trouve Djibouti, car il en ignore complètement la situation. Quant aux pasteurs américains, leur aspect, certes un peu plus humain, est celui de bookmakers.

La panne réparée, pas un kilomètre de plus dans une région à tel point dévastée, et retour vers Yaoundé, où nous arrivons tard dans la soirée.

23 février.

Cafard. Sombres pressentiments quant à la guerre prochaine. Aurai-je le courage de jouer à fond le rôle d'un *conscience objector*? Pour le moment je préférerais, rentré en France, me reposer; ne pas avoir à faire face à une telle éventualité...

24 février.

Formation du nouveau ministère qui est une sordide plaisanterie. Tardieu prend la place de Laval, qui reste d'ailleurs là, avec les autres têtes de la réaction. Et je croyais innocemment que la France avait toutes ses hontes bues !

Lettre de Schæffner, de Douala. Il nous envoie quelques numéros de *Lu,* le nouvel hebdomadaire qui paraît depuis notre départ. J'apprends par l'un qu'Aragon est inculpé d'excitation de militaires à la désobéissance et provocation au meurtre, pour un poème intitulé « Front rouge ». Quelle saloperie !

Depuis quelques jours, régulièrement, pluie orageuse le soir. La belle saison est-elle déjà finie ? Mais il fait toujours plutôt frais : c'est quelque chose. Côté pantoufles et coin du feu qu'on attrape en voyage.

25 février.

Étrange revirement ! Avant mon départ, depuis des mois, je ne lisais pour ainsi dire plus un journal. Aujourd'hui, j'oublie même que je suis en Afrique tant mon anxiété est grande à l'égard des nouvelles. Impossible de m'arracher à l'idée de guerre. Découragement total et fureur alternés. N'importe quoi qui pourrait m'arriver, soit en Afrique soit au cours d'un autre voyage que je puis faire si l'avenir me le permet, je l'envisage avec indifférence. Par contre, l'idée de risquer la moindre blessure ou la moindre souffrance pour mon pays, dont de moins en moins je me sens solidaire, me révolte. Et je ne veux pas non plus entrer dans le jeu des assassins. Penser que, rentrant de ce voyage — que j'ai décidé librement et parce que tel était mon bon plaisir — je puis être amené à repartir, enrôlé de force par des gens qui n'ont rien de commun avec moi et pour des buts économiques sordides, déclenche en moi une si grande colère, que pour un peu je rentrerais tout de suite, afin d'agir, ne pas rester, en tout cas, éloigné et comme détaché des événements qui, un beau jour, me reprendront sous leur coupe brutale au moment où je m'y attendrai le moins.

Je parle égoïstement. Mais si je pense aux autres, cela ne fait que me confirmer dans cette idée que l'état de choses dans lequel nous vivons est ignoble et que (ceci est un minimum !) pas le moindre sacrifice ne doit être consenti pour obéir à des mots d'ordre dont les conséquences les plus claires sont la misère du plus grand nombre, l'exploitation — pas très réussie, sans doute, mais exploitation quand même — de millions d'individus colonisés.

Toute la journée j'ai broyé du noir. Ce soir, je suis furieux. J'aime mieux ça !

Vu ce matin une scène comique : deux noires arrachant son pagne à un porteur qui refusait d'aller plus avant avec les fardeaux dont elles l'avaient chargé et refusait de leur rendre leur argent. L'homme reste un instant tout nu au milieu de la rue, puis, méthodiquement, il se rhabille. L'incident a fait rire tout un public de nègres spectateurs et il semble que le point culminant de la dispute, qui durait depuis longtemps, vient d'être atteint. L'attention se relâche. Profitant alors de la distraction générale, l'homme part brusquement en courant. A grandes foulées mécaniques, il s'éloigne des femmes qui demeurent bouche bée. Toute ma sympathie va à ce déserteur...

26 février.

Rêve : j'enquête avec les enfants de Garoua, à propos d'objets de collection (entre autres un masque recouvrant la tête et une partie du torse, découpé d'un seul morceau dans une sorte de grande feuille de lierre). Il s'agit aussi d'une cérémonie, que je vois se réaliser : dans un landau à chevaux venant tout au bout d'un cortège, deux négresses pelotent un eunuque albinos (pire qu'albinos, blanc d'albâtre), entièrement glabre et sur le corps duquel fleurissent comme des bubons des têtes de clous d'argent. L'eunuque n'est blanc que ce jour-là ; il ne sort ainsi, dans son landau et exhibant ses clous d'argent, que ce jour-là, qui est celui « où l'on revient dans la maison ». Sous la caresse des femmes, qui touchent ses clous, il se pâme, cambre son torse sur la banquette capitonnée — son ventre montant en l'air et son crâne se renversant dans la capote repliée du véhicule. Ce mouvement fait saillir ses seins, qui sont des seins de femme.

De toute la journée, impossible de sortir, même une seconde, de mon abattement. Au retour, ne pas rester en France. Émigrer. Fuir toutes ces imbécillités. Mais où aller ? Pas un coin du monde qui ne soit pourri, ou sous la coupe des nations pourries. Mécanique, armes et soudards partout.

Je regrette Schæffner, dont le point de vue n'est pas tellement lointain du mien, sur ces questions. Mais lui a des tendances chrétiennes. Quel abîme !

Beaucoup de faiblesse, je le reconnais, dans mon attitude. Je ne me préoccupe guère de ces questions que lorsque j'ai conscience d'être directement menacé.

J'ai déménagé aujourd'hui. Je me suis installé dans la chambre de Griaule, qui a acquis pour le Muséum deux chiens-hyènes femelles qu'on a installés dans la chambre mitoyenne, celle que j'occupais auparavant. Les deux bêtes sentent fort le fauve. Je suis très seul.

27 février.

Autre changement de perspective : lorsque j'ai quitté Paris, le désir de rompre avec la vie futile que j'y menais était le premier attrait qu'avait pour moi ce voyage en Afrique. Aujourd'hui, c'est la vie que je mène ici qui me paraît futile à l'échelle de la partie qui se joue en Europe. Un vieux numéro de *L'Excelsior*, en date du 24 janvier, m'apprend qu'à Paris, selon les statistiques Chiappe, le nombre des suicidés a beaucoup augmenté l'année dernière. De même celui des internements d'aliénés. Parallèlement, une interview de je ne sais quel colonel révèle que, depuis la crise, le nombre des engagements et réengagements s'est accru dans des proportions considérables. Signes des temps...

A 7 heures du soir, courrier. Douces lettres qui, enfin, me font du bien.

28 février.

Dimanche matin : pas de sirène comme les autres jours pour annoncer aux vendeurs de produits que c'est l'heure, mais noirs et noires endimanchés se rendent à la messe, sagement.

Larget nous a quittés hier, partant le premier vers le Nil pour y monter le bateau. Mouchet ne paraît plus ; il ne sort plus de sa chambre, sauf pour les repas de midi et du soir, qu'il ne prend du reste pas avec nous, mais avec deux collègues, — ses co-popotiers depuis sa réintégration.

Le temps est toujours maussade, mais il ne pleut plus comme ces jours derniers. Peut-être aurons-nous encore quelques beaux jours avant le retour des grandes pluies.

De plus en plus les cynhyènes sentent mauvais. L'odeur de ménagerie empeste à tel point la chambre que je partage avec Griaule, que ce dernier a rêvé que son lit était plein de serpents (association avec le parfum de la galerie des reptiles, au Jardin des Plantes). L'une des bêtes semble assez douce, l'autre sournoise et méchante. Hier, elles gémissaient souvent et cherchaient à s'échapper. Je crois qu'elles sont maintenant plus calmes.

La Bourse est, paraît-il, meilleure à Paris. Bizarre inconscience des gens !

Sans doute serai-je moins sombre quand nous aurons quitté Yaoundé, et que nous ne verrons plus ces gueules « civilisées »... Mais le dimanche s'étire mollement, paré de cantiques, de petites filles nègres en robe claire et petit chapeau à la mode parisienne, de filles plus grandes extrêmement élégantes, en beaux atours d'été, souliers blancs à talons hauts et chaussettes roulées.

29 février.

Mauvaise nuit. Les cynhyènes ont fait tomber le panneau de bois coulissant qui ferme le passage entre leur cage et la pièce où nous les tenons. Elles le dévorent à belles dents. Pour les empêcher de le déchiqueter, il faut que Lutten repêche le panneau à l'aide d'un long bout de bois qu'il passe à travers le treillage de la cage. C'est toute une opération, qui relève du domptage. Tout cela parce que Makan avait mal mis la porte, ayant baisé et étant saoul.

Journée pluvieuse. Nous devions partir aujourd'hui mais la touriste n'est pas prête. Il faut commander une pièce télégraphiquement à Douala. Lutten et moi partirons seuls demain avec le camion, tandis que Griaule attendra.

Dans une boutique, Lutten a été témoin — ces jours derniers — de l'histoire suivante : un noir arrive avec 20 francs, qu'il a dû mettre longtemps à économiser ; il achète un accordéon, donne ses 20 francs ; essayant son instrument avant de s'en aller, le noir n'en tire que des sons discordants, s'aperçoit qu'il ne marche pas ; il veut le rendre, mais le vendeur lui répond : « Est-ce que tu crois que pour 20 francs on peut te donner un accordéon qui marche ! » Son acquisition sous le bras, l'homme s'en va...

1er mars.

Remontée avec Lutten vers le bac de la Sanaga, peu avant lequel nous prendrons — ultérieurement — l'embranchement vers Bangui.

Arrêt au kilomètre 40, à Ebola. Visite au chef supérieur qui nous reçoit dans une maison européenne constellée d'images de piété et de diplômes agricoles, en compagnie de deux familiers vêtus à l'européenne, de sa femme en peignoir et mouchoir de tête, de sa sœur à peu près nue allaitant son enfant. Il nous donne un interprète pour aller à 40 kilomètres de la grande route, à Saa, où nous devons étudier le rite du *swo* ou antilope. Route dure, rien qu'en montées et descentes.

Le chef de Saa est un brave homme, qui porte par-dessus son complet blanc à vareuse d'officier un brassard de premier communiant composé d'une lanière de peau de bête garnie de quelques dents de fauves. Nous nous entendons très bien avec ce chef, ravi de parler du rite du *swo* (interdit maintenant par l'administration, à cause, dit-on, des beuveries de vin de palme qu'il occasionnait), ravi aussi de quelques rasades de cognac que nous lui offrons, en dépit des règlements. Le marmiton Joseph, seul domestique que nous ayons emmené, fait son service comme un ange et s'efforce, d'une manière touchante, de se montrer stylé !

Griaule resté seul à Yaoundé, en attendant la pièce automobile commandée à Douala, ne doit guère s'amuser, en tête-à-tête avec les murs de la case de passage et ses W.-C. vertigineux, érigés au-dessus d'une fosse en contrebas ornée, juste au-dessous de l'orifice, d'un monceau d'asticots grouillants s'augmentant de jour en jour !

2 mars.

Au réveil, un poisson mi-mort gît à côté de mes pantoufles. La case est cependant bâtie en surélévation, et la verandah dans laquelle je couche se trouve approximativement à la hauteur d'un premier. Il s'agit simplement d'un poisson qui, cette nuit, agité peut-être par la tornade, a sauté hors d'un canari qui figurait parmi les présents de denrées à nous offerts par le chef et contenait quelques-uns de ces animaux, de l'espèce dite « fouille-merde ».

Le temps est souverainement triste ce matin.

Réflexions sur l'érotisme : on n'y pense pas, quand on voyage comme nous faisons. C'est même curieux comme on s'en passe facilement. Superflu de se masturber. Il est beaucoup plus difficile qu'on ne pense de jouer les Paul et Virginie. Quant aux femmes ordinaires, l'alchimie prophylactique à laquelle il faudrait se livrer est de nature à dégoûter même des courageux...

Au début du voyage, je n'étais plus superstitieux. Je le redeviens aujourd'hui, énervé par les événements. Pas un jour que je ne touche du bois si quelque sujet militaire est en jeu (voire pour conjurer une de mes propres pensées), pas un soir que je ne parle à travers les astres à la femme que j'ai laissée.

Nouvel entretien avec le chef supérieur, vêtu cette fois d'un uniforme bleu marine participant de celui du chef de gare, de celui de l'aviateur, de celui du portier de palace. Il porte toute une série de médailles agricoles et un brassard tricolore au bras gauche. Sa mère — vieille femme nue à chevillières de cuivre, long bâton, jupe de feuilles et, enroulée au front, loque innommable de marchande des quatre saisons — vient saluer. Voyant la bouteille de cognac sur la table, elle en quémande. Mais une seule gorgée lui fait faire une horrible grimace et, pour se remettre, elle doit prendre un vieux coup de vin rouge.

Déjeuner et départ. A Ebola, point d'où la route de Saa se détache de la grande route, nous apprenons que Griaule est passé dès 11 heures du matin. Nous nous lançons à sa poursuite. Nous le retrouverons, à la nuit, à Nanga Eboko sur la route de Bangui. Les cases de passage sont pleines de monde. Il y en a même une dans laquelle dînent autour d'une table ronde une ou deux familles comportant deux ou trois militaires, des femmes, des enfants et d'autres vagues humanités.

Griaule n'a pas reçu son support de frein à main, mais il est parti quand même, tant il s'embêtait à Yaoundé. La pièce nous joindra à Batouri. Quelques minutes avant son départ, il a appris par un mot du gouverneur envoyé par porteur que, vu la crise et contrairement à ce qui avait été convenu lors de la préparation de la mission, l'administration du Cameroun ne paiera pas le transport des collections. Charmante soirée !

3 mars.

Adieu forêts ! Larges étendues herbeuses vallonnées, coupées de bouquets de bois à troncs blanchâtres tourmentés : futaies servies isolément sur des plateaux.

Le long de la route, familles en groupes pour le photographe alignées devant les façades des cases ; marmaille joyeuse qui nous acclame. Çà et là un malade (homme, femme, enfant) peint en rouge vif de la tête aux pieds pour guérir.

A Bertoua, deux Européens nous offrent le Pernod sur le pouce et nous apprennent que du côté de Batouri certains villages *baya* sont en dissidence, refusant l'impôt et les prestations. En attendant que la pièce Ford que nous attendons arrive à Batouri, nous irons voir ces gens.

Moins de huttes rectangulaires — si minables, malgré les graffiti qui, par ici, couvrent des murs entiers —, de nouveau des cases tondes, aux portes magnifiquement décorées de motifs géométriques ou symboliques.

Au village avant le bac de Batouri, danses funéraires aux tambours. Nous doublons, sur la route, une deuilleuse au corps blanchi, que nous prenons d'abord pour une potière souillée de kaolin et qui ressemble à un fantôme.

4 mars.

Impossible de voir les dissidents : les premiers villages proprement *baya* de la région se trouvent à quatre jours de marche. Mais une piste automobilisable nous permettra de visiter d'autres villages *baya* et *kaka*, à un peu plus de 50 kilomètres. C'est là que nous allons.

Une chasse aux papillons que Griaule effectue au bord d'un marigot trouble une baignade de femmes et d'enfants. Dans les villages, belles filles aux pieds et aux mollets vermillonnés ; de quelles vendanges ont-elles foulé la cuve ?

Au bout de notre route, réfection de la chaussée, par des jeunes gens qui pilonnent au tambour, maniant la dame en une sorte de ballet comprenant diverses attitudes chorégraphiques et le salut militaire français. Cette représentation, agrémentée de chants, tend sans doute à nous honorer.

Dans une agglomération baya où nous nous arrêtons au retour, tout le monde est dehors. Une centaine d'enfants et de jeunes gens, munis de baguettes pointues qu'ils manient comme des javelots, jouent en riant et criant. Ils sont disposés sur deux rangs se faisant face. Un rond d'herbe porte-charge (un de ceux qu'on met sur la tête) est lancé comme un cerceau entre les deux rangs de joueurs. Il s'agit de le transpercer avec les javelots. Tout se passe dans une grande gaîté. Notre présence augmente l'effervescence. La foule se presse autour de nous, jusqu'à presque nous bousculer. Impossible de s'entendre. Quand nous partons, une double haie regarde la voiture se lancer sur la route. Quelle puissante distraction doivent représenter les touristes pour ces gens ! Nous devons être en effet de sur-comiques animaux, avec nos casques, nos culottes courtes et tout notre accoutrement extravagant, si insolite sous ce ciel, dans cette herbe, sur cette terre rouge, au milieu de cette végétation.

5 mars.

Journée d'attente, presque sans travail, assommante. Griaule et moi allons voir travailler une potière. Plusieurs femmes de la famille sont boutonneuses et pourries. Peu ont le corps absolument indemne.

La journée se passe au campement : Lutten travaillant aux voitures, Griaule et moi échangeant des propos pessimistes sur les possibilités de collections en Oubangui-Chari. Mais nous nous rattraperons, quoi qu'il en soit, en Abyssinie.

Quant à moi, mon cafard peu à peu s'efface. Loin des journaux, des nouvelles, de l'ambiance administrative de Yaoundé, j'oublie progressivement qu'il existe une Europe, des peuples en rivalité économique, des rentiers inquiets après leur porte-monnaie, des affaires industrielles avides de caser leurs canons et leurs fusils, des hommes de paille, des mandataires politiques — directement ou non — salariés...

6 mars.

Rêvé que je faisais l'amour avec Z. Le rêve tournait ensuite en rêvasserie assez vague sur Paris, les boulevards, les stations de métro et l'une d'elles — dans un quartier de prostituées — appelée « Postérieur ». Je songe ensuite aux grandes artères de retape que sont les boulevards extérieurs et je forge l'expression : *Boulevard Postérieur*.

Du sommeil, j'ai glissé au demi-sommeil. Maintenant éclate la tornade, pas très violente, mais suffisamment pluvieuse pour me tenir éveillé jusqu'au jour.

Etendu, je réfléchis encore au mécanisme de mon rêve, quand j'entends grincer le volet. Je regarde et aperçois une tête hirsute dans l'encadrement. C'est le chimpanzé du voisin qui, ayant froid, veut sans doute entrer dans la pièce pour se réchauffer et peut-être même s'introduire dans mon lit. Je me lève, le singe se sauve. Je ferme les volets, mais ne retourne pas me coucher, car il est l'heure de prendre le petit déjeuner.

Ainsi que cela lui arrive dans les dix fois par jour, le petit gosse du gardien du campement pleurniche et criaille. Il n'est content que quand sa mère va au marché ou en revient, rapportant des papayes. Hier, Lutten lui a donné du sucre.

Un déjeuner chez l'administrateur nous mène jusque vers la fin de l'après-midi. L'agent spécial est là, avec son petit garçon métis, qu'il élève. Honnêteté rare chez les coloniaux qui, trop souvent, ne se gênent guère pour peupler les orphelinats de leurs bâtards...

La camionnette postale n'étant pas arrivée, nous n'avons pas encore notre pièce.

Après dîner, Lutten (qui, par l'intermédiaire du garde de campement, s'est assuré pour la nuit la compagnie d'une muette), s'installe dans la douchière afin d'être tranquille. Avec calme, il règle les affaires courantes et effectue ses préparatifs.

7 mars.

La camionnette postale est arrivée, mais sans les pièces. Nous partons, toujours sans frein à main. Nous continuerons à caler la voiture aux arrêts dans les côtes.

La route est toujours du même ordre, ennuyeuse, bordée de villages à populations complètement abîmées.

A Berbérati, au campement où — ainsi que nous en avons pris l'habitude depuis quelques jours — il y a toujours d'autres passagers, rencontre d'un gros Belge prospecteur de diamants.

8 mars.

Chose curieuse, tout s'est transformé depuis que nous ne sommes plus au Cameroun. La route — d'ailleurs très mauvaise — est gentiment campagnarde. Les cases, à entrées cintrées, sont sympathiques.

Forêt de Brocéliande, où nous rencontrons beaucoup d'hommes et d'enfants portant sur la tête des filets de pêche[1] qui font penser au Roi Pescheur. Il fait très humide, les marigots sont nombreux.

Une fillette, surprise au bain, met sa main gauche sur sa vulve et de la droite décoche un salut militaire. Presque à chaque marigot, enfants — ou femmes fatiguées de leur charge — se délassent en se trempant dans l'eau.

Insectes et papillons grouillent. Il fait chaud. Au bac de la Sanga, trois beaux papillons semblent irrémédiablement perdus :

1. En réalité, filets de chasse.

attaqués par les fourmis, ils ne peuvent plus s'envoler et sont déjà mangés vivants.

Carnot : ville que j'attendais affreuse, étant donné son nom. Agréable au contraire, très champêtre, pas coloniale du tout.

Au delà, le sacré — dont durant si longtemps nous avions été sevrés — reparaît. Plus de crucifix de bois, comme dans le Sud-Cameroun, mais dans chaque village, des fagots près des portes, comme nous en avons vu au Dahomey, supportés horizontalement par des systèmes de pieux. Ailleurs, de petits arceaux de feuillage simulant des portes, une grande branche émondée (plantée verticalement et portant des mâchoires animales) ou bien un bois horizontal soutenu par deux autres bois fourchus. Tout cela associé ou séparé, selon les cas.

Je me promène dans un village. Une bonne partie de la population, comme d'habitude, me suit. Une fille pète brusquement et tout le monde rit beaucoup. Dans un coin, fardé de rouge, enveloppé d'une peau et étendu sur une natte, un sommeilleux au dernier degré repose, remuant très faiblement. Les gens me font comprendre qu'ils voudraient que je le guérisse, mais que faire !

Sur la route, Griaule chasse les papillons.

A deux reprises, tandis que nous roulons, j'aperçois de vieilles femmes, aux jambes cerclées de cuivre et rougies. Dans leurs narines, deux tiges de métal sont plantées en dents de morse.

Magnifiques hauts fourneaux de terre cuite. Enclos où les forgerons placent les éponges de fer aussitôt l'extraction et dans lesquels ils égorgent un poulet.

Religion du métal. Et ces miraculeuses pierres rouges dont on l'extrait, et qui, broyées, sont le plus efficace des médicaments...

Coucher à Golongo, où toute une partie du village — hommes, femmes, enfants — s'affaire autour de notre feu.

9 mars.

Hier soir, en me couchant, je n'ai pas retrouvé mon pyjama, qu'en préparant mon lit j'avais laissé posé dessus. J'ai dû dormir nu, l'autre pyjama que j'avais avec moi ornant maintenant — avant de s'achever en lambeaux — le torse de Makan et les jambes de Joseph, le marmiton. Mes autres pyjamas sont en route avec Larget (deux caisses à moi sont dans son camion). Je n'ai pas espoir de les rejoindre avant Bangassou. Cette obligation de coucher comme à l'état sauvage me ravit...

N'ayant pas retrouvé mon pyjama ce matin, j'en conclus qu'il m'a été volé. Sûrement, le grand affairement d'hommes et de femmes d'hier au soir n'y est pas étranger...

Partis, nous croisons une grande migration de gens des deux sexes qui, vraisemblablement, vont réparer la route. Ainsi qu'hier, peinturlures rouges. Quelques hommes, et même des femmes, ont sur la tête une peau de singe (ou d'autre animal ?).

Paysage vert anglais, extrêmement boisé. Costumes inattendus, tels que : garçon vêtu d'une chemisette de femme ; jeune homme à shorts gros bleu garnis en bas de deux boutons blancs, tout à fait « marié de village », malgré le casque colonial et la face nègre.

Plus de fagots devant les portes, mais de grands tambours de bois en forme de vaches, très usés.

Les femmes et les enfants nous lancent toujours de beaux saluts militaires. Les femmes et les fillettes, presque toutes, portent leur charge à l'aide d'un bandeau qui leur passe sur le front. Lorsqu'elles se trouvent en sous-bois, à côté d'une grande termitière et dans la lumière verte, elles ont l'air de religieuses ou de fées.

Bangui. Tous les empoisonnements de la civilisation. Une jolie maison est à notre disposition. Si propre et si jolie qu'immédiatement tout se complique et que ce n'est qu'après de longues tergiversations que je trouve un coin où je ne suis pas trop obsédé.

10 mars.

Grosse tornade durant toute la fin de la nuit. Torrents d'eau, tournant ce matin au crachotis. Je m'accoutume à la villa, trouve même quelque agrément à disposer d'un placard, qui me permet de ne rien laisser traîner. J'ai toujours aimé l'ordre. C'est du reste une des raisons pourquoi me plaît ce qu'il est convenu d'appeler « sauvagerie ». Je pense aux panoplies si correctes des Somba, aux beaux greniers compris dans une enceinte circulaire des Kirdi de Mora, aux cases si vernissées des Moundang. Admirable netteté des gens nus. Absolue correction de leur port, auprès duquel tout ce qui est habillé fait rapin ou voyou. Quelle affreuse pagaille que nos civilisations !

Visites habituelles au gouvernement ; nouvelles diverses telles que : scandale du service de la tripanosomyase, dont le directeur passe en conseil d'enquête pour répondre des nombreux cas de cécité provoqués par son traitement ; prochaine restitution de Fort-Archambault au Tchad (plus besoin de main-d'œuvre, puisque le Brazzaville-Pointe Noire est terminé). Entre augures, on nous apprend qu'il est plus facile de faire des routes en A.E.F. qu'au Cameroun, car en A.E.F. il n'y a pas de S.D.N. et les quinze jours réglementaires de prestation peuvent être sans inconvénient outrepassés.

Un radio de près de deux pages annonce la mort de Briand, qualifié d' « apôtre de la paix ».

Visite au beau-fils d'un homme que je connais (collectionneur russe ruiné par la révolution). Je lui ai fait remettre par Larget, lors de son passage à Bangui, une lettre que m'avait confiée sa mère. Type assez « tueur », mais sympathique, vivant isolé dans sa concession à plusieurs kilomètres du centre. Voilà cinq ans qu'il n'est pas revenu en Europe et il n'a guère envie d'y rentrer. « Si je rentrais, je serais un gueux ; ici, je suis un sultan », dit-il. C'est lui qui s'est chargé du transport de notre bateau. Larget devra attendre à Bangassou, car le bateau, paraît-il, n'a pas encore quitté Archambault.

11 mars.

Déjeuner au bord du fleuve, chez le beau-fils en question. Sur l'autre rive, le Congo belge et la forêt, très opaque. Ou plutôt non : en ce point précis, une île internationale ni française, ni belge, dans laquelle, il y a un ou deux ans, un Anglais poursuivi pour meurtre d'un Européen a pu tenir (en chassant et grâce à des ravitaillements nocturnes) toute une année avant d'être arrêté.

Le maître de maison possède une scierie, des chaloupes métalliques, toute une écurie de voitures et de camions. On boit sec sous sa verandah couverte de tôle. Sa femme, une Arabe du Tchad — jaune et fiévreuse — est très jolie. Enveloppée dans une pièce de velours noir de traite, elle a l'air d'être en robe du soir. Accroupie devant l'entrée d'une case, elle mange avec une autre femme. Pour dire bonjour, elle se lève et tend le poignet — non la main, souillée par la mangeaille. L'amphitryon viendra dîner chez nous demain.

12 mars.

Mal dormi, toujours sans pyjama. Climat quand même envahissant. Il doit être plus facile ici qu'ailleurs de tourner au colonial, ventru ou bien maigre et blafard, ainsi qu'on en rencontre dans les rues, allant à pied ou affalés dans des pousses.

Je viens à peine de m'habiller qu'arrive l'amphitryon d'hier. Il s'excuse, alléguant l'amnésie coloniale, cette amnésie que neuf mois de quinine nous permettent déjà d'expérimenter. Il ne peut venir ce soir, ayant déjà une invitation qu'il avait oubliée. Encore un accroc, d'autre part, pour notre bateau : la route est coupée entre Archambault et Bangui ; notre amphitryon vient d'en recevoir la nouvelle ; c'est un de ses camions qui a défoncé un pont. Nous sommes bloqués nous-mêmes, l'accident ayant eu lieu entre Bangui et Sibut, c'est-à-dire sur une portion de route que nous sommes obligés d'emprunter.

Déjeuner improvisé. Ancien chasseur professionnel, notre hôte connaît tous les « *desperados* » de la région. Histoires et noms défilent, où les gens qui vivent selon la norme n'ont pas toujours le plus beau rôle. Nos armes sont regardées avec intérêt, presque avec amour. Tout à l'heure, notre hôte de midi (que Lutten et moi sommes allés voir chez lui, pour lui annoncer notre départ de demain, brusquement décidé) a commenté de même un catalogue américain d'engins de pêche. A déjeuner, nous lui avions montré, en même temps que les armes, les plans de notre bateau. Chez lui, ce soir, sa femme arabe s'affairait à la recherche d'un veston, vêtue d'une combinaison blanche et le bas du corps serré dans son morceau de velours noir. Accusé du vol du veston, le boy tremblait devant les poings du maître...

Je n'ai jamais senti aussi bien l'humanité profonde des livres de Conrad et surtout du *Cœur des ténèbres*.

13 mars.

Ce matin, départ. D'un des orteils du pied droit, je m'extirpe une étrange purulence. Je ne m'aperçois qu'après qu'il s'agit simplement d'une chique. Aidé du marmiton, j'en extirpe une autre du même doigt.

Au revoir à notre ami chasseur, qui me remet une lettre pour sa mère. La missive n'arrivera que dans quelque dix mois. Mais ces commissions dont on se charge entre voyageurs, bien que plus longues que les courriers normaux, ont leur valeur. Une lettre est plus vivante quand on la donne à un messager. Elle n'est pas tuée par le timbre, les cachets de la poste. C'est comme si celui qui l'avait écrite la remettait au destinataire de la main à la main.

Nous roulons vers Fort-Sibut. Campagne maigre, villages rares, gens pauvres, l'air pas bien portants. Deux accrocs : un amortisseur cassé qui bloque tout à coup l'un des freins, puis le pneu avant droit éclaté. Cela du reste ne nous retarde guère et ne nous empêche pas d'atteindre Fort-Sibut.

14 mars.

Fort-Sibut, triste ville, trop bien plantée, et dont le nom ressemble à « scorbut ».

Le long de la route, pas mal d'emplacements de villages abandonnés. Dans certains endroits, la plupart des cases sont détruites : il en reste une ou deux d'habitées. Ensuite, région un peu plus riche. Partout des arbres entaillés, qui sont des arbres à caoutchouc.

Peu après Bambari, nous doublons, sans nous arrêter, deux grosses femmes (une vieille, une jeune) en pousse, escortées de porteurs. Ce sont, pensons-nous, des missionnaires américaines qui se promènent.

La nuit est tout à fait venue, quand nous tombons sur une foule hurlante en train de danser. Je descends pour voir ; Griaule reste dans la voiture, immédiatement entourée. Quelques minutes nous nous tenons là, à regarder les gens en attendant le camion de Lutten.

La lueur des phares, puis le camion. Il contient non seulement Lutten, mais les deux femmes que nous avons doublées. Ce ne sont pas des promeneuses, mais des missionnaires venant de Fort-Sibut et se rendant en pousse à quelque 150 kilomètres du lieu où nous les avons rencontrées. Cela représentant quatre ou cinq jours de marche, Lutten a décidé de les emmener. Cela nous vaut l'hospitalité de leur mission, composée d'un couple suisse... Il est triste qu'aient si mal fait leur travail les tueurs de la Saint-Barthélemy ! Il est vrai que, nos hôtes étant Suisses, leurs aïeux eussent de toute manière échappé au massacre. Femme décharnée, absolument dénuée de seins, souriant comme une empoisonneuse. Homme très jeune, bébé svelte, chauve un tantinet et moustachu, qui nous régale après dîner d'une *Marseillaise* au phonographe et de quelques cantiques. Les deux Américaines ont des hanches de vache, pas un brin de poudre. La maison sent le suint...

15 mars.

Breakfast à la mission, pas mauvais. Coup d'œil sur l'arrière de la mission : ravin plein de palmiers, deux ou trois paillotes ; sous la pluie qui tombe depuis ce matin, c'est (bien que nous soyons remontés un peu au nord) un coin de forêt vierge. Remerciements aux hôtes. Départ.

Autre type de villages : cases coniques à toits de paille très grands, bulbeux comme des coupoles d'églises russes. Quelques femmes ont le front bleu. Mais tout se civilise... Les enfants ne disent plus seulement bonjour ; souvent, ils tendent la main. Sans doute des touristes leur ont-ils donné des sous.

Encore un ennui avec les freins : rupture d'une tige de commande, nous privant de l'usage du frein à pied arrière droit. Nous continuons quand même jusqu'à Bangassou, où Larget est déjà, attendant le fameux bateau et où, puisque Larget est là, je retrouve mes caisses et pourrai, dès cette nuit, revêtir un pyjama.

16 mars.

Bon sommeil, sans moustiquaire, sur le divan du salon de notre résidence.

Déjeuner cordial chez l'administrateur, avec Saint-Floris, le prix de littérature coloniale, inspecteur des chasses et écrivain. Un homme qui pense qu'une vie d'éléphant vaut largement une vie d'homme. Conversation sur les courses de taureaux, avec la femme de l'administrateur, qui est Basque. Dans un coin du salon, une aquarelle représente une *mariposa* du fameux Belmonte. J'ai plaisir à parler, en Afrique, de tauromachie, l'une des rares choses qui vaillent encore la peine en Europe.

Demain nous irons, avec Saint-Floris, à Ouango, qu'on nous dit « la perle de l'A.E.F. »

Nouvelles : mort de l'économiste Charles Gide, élection d'Hindenburg à la présidence du Reich. Le papa Joffre d'outre-Rhin devenu rempart des gauches !

17 mars.

Puissante odeur de fleur d'oranger, encerclant notre maison. Partons dans la touriste, Griaule, Lutten, Saint-Floris et moi. Achat au marché de quelques couteaux biscornus, quelques lances et autres objets. Affluence invraisemblable de gens qui se bousculent autour de nous, ceux des derniers rangs élevant au-dessus de leur tête les objets qu'ils veulent vendre.

Entre Bangassou et Ouango, quelques arrêts pour la chasse aux papillons. Saint-Floris, chaussé d'espadrilles, en attrape beaucoup, avec des pirouettes de danseuse et des reptations d'escrimeur. Son adresse est d'ailleurs étonnante.

Un peu avant Ouango, nous trouvons sur la route le chef de subdivision qui campe là depuis trois jours pour surveiller les travaux d'aménagement d'un terrain d'aviation. Nous l'arrachons au déjeuner qu'on vient de lui servir, le ramenons à Ouango où le malheureux, avec la meilleure grâce du monde, ordonne qu'on prépare un déjeuner pour cinq.

Le poste de Ouango est situé sur une colline, abrupte du côté du fleuve et le dominant de 100 mètres. Au delà du bras d'eau très large, semé d'îlots boisés et de roches à fleur d'eau, le Congo belge, qui semble un no man's land de palmes, d'essences enchevêtrées et de prairie. Dans la maison, deux portraits d'une même femme blonde, très jolie, à l'air anglais ; sur l'une des deux photos, elle a de longs cheveux. C'est la femme de l'administrateur. Il nous dit que, lorsqu'elle était là, les indigènes en avaient peur, la prenant pour un *mamatingou*, animal ou démon fabuleux, qui vit dans l'eau et fait noyer les gens en les mordant, généralement, aux narines ou à la gorge.

L'hôte nous fait don d'une très belle série de lances et de couteaux. Le travail des fiches terminé, tamtam. Les gens sont rassemblés, mais nous n'y allons pas encore à cause de la pluie, qui rend difficile la prise de vues cinématographiques.

Bien en chair et couleur brun clair, une femme pénètre dans le jardin et s'avance vers le poste en claudiquant. Elle a la bouche tordue et les yeux inégaux. Le carré de tissu grand comme la main qui est sa seule parure laisse voir, dans le pli d'une de ses aines, un gros bubon syphilitique. Notre hôte renvoie la folle, lui disant d'aller à l'hôpital. Elle s'en va en pleurant. Elle continue de crier, quand un garde-cercle, la prenant par un bras, essaye de l'emmener. Sa tactique consiste à se laisser glisser à terre comme une chiffe, à y rester couchée. De guerre lasse, le garde-cercle finit par la laisser.

La principale attraction du spectacle qu'on nous offre est constituée par trois petites danseuses, dont l'aînée a 13 ans. Vêtues de falbalas multicolores et la face maquillée d'un motif décoratif fait au charbon de bois et à la terre blanche, elles dansent soutenues par un chœur composé surtout de filles de leur âge et encouragées par leurs anciennes (professionnelles elles aussi) qui font office de maîtresses de ballet, voire de mères maquerelles. Il n'y a là que des femmes assez jeunes. L'une des danses s'effectue sur un lit haussé en l'air par six hommes, comme un pavois. S'étant assurée de la solidité de son tréteau improvisé et ayant fait quelques agaceries aux six hommes, l'une des jeunes protagonistes y danse, échangeant provocations, œillades et tirements de langue avec une de ses compagnes qui danse en bas. Elle fait mine également de se protéger contre elle avec un simulacre de bouclier. A la fin de la danse, comme épuisée, elle tombe étendue sur le lit et les six porteurs à tour de rôle, la fessent légèrement. Elle se relève. Ils descendent le lit. Elle en saute à pieds joints, saluée d'un « ah! » que pousse tout le chœur.

La prise de vues de toutes ces scènes est malheureusement rendue presque impossible par la pluie, qui s'installe de plus en plus.

Retour tardif à Bangassou, ce qui nous fait manquer la réception de l'administrateur, à laquelle nous avions promis d'assister. Nous avons juste le temps de passer nous excuser, sans entrer au salon, vu nos tenues.

18 mars.

Dix mois que je suis parti ! Dépression à nouveau, comme toujours sitôt que nous passons deux, trois jours dans un centre. Et nous ne sommes pas près d'en partir, le bateau n'étant pas encore arrivé... Télégramme au beau-fils du collectionneur qui nous avait promis d'en hâter le transport.

Travail intéressant. Encore une circoncision ; avec beaucoup de brimades d'ordre scatologique. Demain, je ferai l'initiation, avec le frère aîné de mon informateur d'aujourd'hui. Il s'agit des Banda. Je sais déjà qu'ils ont le bull-roarer et que, contrairement à ce à quoi nous étions habitués, ce dernier ne semble pas interdit complètement aux femmes. Griaule fait des caisses et continue sa chasse acharnée aux insectes.

Depuis hier, discussions sur les carnets de route de Gide, que l'administrateur a jugé bon de nous prêter. Je les défends pour le principe, car ce livre a tout de même dénoncé pas mal de cochonneries. Mais toutes les descriptions, si brèves soient-elles, sont décidément bien vaines. On ne peut retracer un paysage, mais tout au plus le *recréer* ; à condition, alors, de n'essayer aucunement de décrire. Par ailleurs, je désapprouve l'appréciation sur Léré : « Accumulation d'objets ménagers, poussière, désordre », alors que cette ville (quant à l'intérieur de ses cases, tout au moins) est si merveilleusement propre, et le jugement sur la personne de Ray Bouba (qui est le type même du tyran) : « Certainement, il cherche moins à se faire craindre qu'à se faire aimer. »

Écrire un livre de voyage n'est-il pas, il est vrai, une absurde gageure par quelque bout qu'on s'y prenne ?

19 mars.

Les deux informateurs que j'attendais ne sont pas là. L'histoire n'est pas nouvelle : c'est souvent au moment où tout a l'air de marcher comme sur des roulettes que tout vous claque dans la main.

Lutten s'occupe du chargement de ses camions, de manière que nous puissions partir dès que le bateau sera là. Mais quand arrivera-t-il ? Et il faut que nous parvienne aussi, d'ici pas trop longtemps, le matériel de campement qu'en passant nous avions laissé à Kano.

Larget est très occupé par deux petits animaux : un petit chien de brousse qu'il possédait déjà lors de notre arrivée, et qui ressemble à un minuscule renard gris ; un pangolin qu'on nous a donné hier, extravagante bête qui tient à la fois du mammifère et du lézard outre qu'elle se roule en boule comme un hérisson ou un serpent.

Je finis par avoir mes deux informateurs, mais j'ai beaucoup de mal à les décider à revenir demain matin car demain, c'est dimanche et l'un d'eux doit aller à la mission catholique... Bien la peine de parler de bull-roarers, n'est-ce pas ?

J'oubliais une nouvelle : démentant la lettre remise à Griaule lors de son départ de Yaoundé, un télégramme du Commissaire de la République annonce que le Cameroun paiera.

Hier, le marmiton, qui ne faisait plus du tout son service depuis qu'il se sentait de la maison, a été mis à la porte. *Sic transit...* (classique plaisanterie).

20 mars.

Enfin des nouvelles ! Le camion qui apportait notre bateau s'est fichu à l'eau, en s'engageant sur un bac à quelque cinq cents kilomètres d'ici. Il n'est pas allé au fond et les morceaux de tôle du bateau sont actuellement sur la berge, attendant du renfort. Nous l'apprenons par un camion qui nous amène quelques caisses laissées en dépôt et la fameuse pièce de frein à main. Mais au diable ces histoires ! Tandis que Griaule, Larget et moi partirons vers le Nil, Lutten ira les chercher. Enfin, nous allons donc nous décrocher...

Le pangolin, que Lutten hier soir — l'ayant trouvé mal en point et cru agonisant — avait mis dehors pour qu'il crève au moins en paix, a disparu ce matin. Il a dû se sauver...

Acquisition, pour augmenter notre cheptel, de trois petites civettes.

21 mars.

La colonie ne change pas en passant les frontières. Première chose que nous voyons, arrivant à Monga, douane belge :

prisonniers enchaînés comme partout ailleurs. On nous demande de plus une caution de 27,5 % sur la valeur de notre matériel (exception faite des véhicules, qui ne sont taxés qu'à 5 %), ce qui, pour tout ce que nous transportons, représente un débours de 20 à 25 000 frs. Pas un administrateur français ne nous avait soufflé mot de cette formalité. Pas de télégraphe à Monga, de sorte que Griaule doit partir à Bondo (125 km) avec la voiture, afin de demander par télégramme au gouverneur général, à Léopoldville, de nous exempter de caution. S'il n'accepte pas, il nous faudra rebrousser chemin.

Je reste seul avec Larget et les boys. De vastes chutes d'eau s'exhibent à côté de nous. Le douanier belge nous a invités à déjeuner, Griaule, Larget et moi. Mais sitôt rentrés au campement, Larget et moi, ne sachant que faire, débouchons une bouteille de vin que nous buvons en mangeant des biscuits. Larget, mis en veine par l'intimité de cette situation, donne libre cours à sa verve de vieux grognard : mauvaise organisation du voyage, pas de prévoyance, trop de transports, Griaule aurait dû, n'aurait pas dû... Il se souvient aussi avec mélancolie de son aventure casanovienne sur le Niger et m'en raconte les principaux épisodes : perquisition policière à la maison de la mission, sur la demande du cantonnier trompé, — la femme cachée riant sous cape tandis que les policiers fouillent, — sa fuite avec Bandyougou jusqu'au prochain poste à bois du fleuve, où Larget doit les retrouver, — la lune de miel sur le Niger avant la période de scènes violentes...

Les lits de camp sont dressés. Il ne reste qu'à patienter.

. . . .

Visite de l'usine cotonnière, avec le contrôleur des douanes intérimaire, qui vient de nous faire apporter un panier de mandarines. Machines. Ouvriers. Moi qui pensais, allant vers le pays *azandé,* trouver un peu de sauvagerie ! En fait de sauvagerie, ennuis douaniers. Mais ne nous a-t-on pas dit à Bangui que depuis quelques années beaucoup de ces Azandé (ou « Niam Niam », anthropophages spécialisés) ne dédaignent pas de porter le chapeau melon (ou « chapeau boule » comme on dit en Belgique) ?

22 mars.

Au moment où nous nous y attendions le moins et comme Larget et moi, causions après dîner, Lutten nous a fait hier soir la surprise de débarquer avec son camion : à Bangassou, vers 2 heures, le bateau était arrivé.

Mais rien de nouveau du côté des douanes : Griaule n'est toujours pas rentré.

Notre cheptel s'est diminué d'une des civettes (ou fouine ?), morte cette nuit.

Relu le livre de Seabrook [1] qui, tout compte fait, n'est pas si mal. Les inexactitudes (erreurs, lacunes ou enjolivures) y fourmillent, mais elles sont compensées par un réel humour. L'ouvrage est même, dans l'ensemble, d'une fantaisie assez brillante et la partie consacrée à la Côte-d'Ivoire (région que je ne connais pas) peut sembler convaincante. Je lis en tout cas avec plaisir ce livre, le seul que nous ayons dans notre bibliothèque...

Ce n'est quand même pas assez. Le patron est absent. Résultat : désœuvrement (dont je ne sais s'il est agréable ou irritant), immobilité, flemme, mollesse, VACANCES...

23 mars.

En attendant Griaule, Lutten et moi avons commencé hier après-midi l'établissement des feuilles de douanes avec le contrôleur intérimaire. Ce brave garçon a l'extrême gentillesse de réduire les formalités à un nombre restreint de chinoiseries, au lieu (ainsi que l'a fait le contrôleur en titre pour une mission du British Museum qui, du reste, faute de pouvoir payer la caution, a été refoulée sur le Soudan Anglo-Égyptien) d'exiger le dénombrement de notre matériel et de nos effets personnels jusqu'au plus petit livre de lecture, au moindre disque de phonographe.

Promenade au clair de lune, près des chutes d'eau pour recueillir des insectes, et à travers quelques groupes de cases indigènes, dont la manœuvre de notre lampe électrique amuse beaucoup les habitants.

1. *Les Secrets de la Jungle,* Paris, 1931.

Rêve : j'écris un article critique sur Botticelli (peintre que j'ai toujours détesté) ; il en paraît un tirage à part. Au lieu de faire un service de presse d'exemplaires imprimés, je fais un service de manuscrits (?). Les manuscrits finissant par manquer, j'achève le service avec des imprimés. Je prends un des exemplaires ; sur la couverture, une reproduction de tableau : devant un décor très noble de palais (terrasses, fenêtres cintrées, colonnades, larges escaliers) un héros grec ou romain, vu de profil, en une attitude de combat, menace un homme qui chancelle. Celui-ci, vêtu du même attirail guerrier académique que celui qui le menace, n'a pas de tête ; sur ses épaules s'érige une forme bizarre, assez haute, mais molle et arrondie, rappelant certains ustensiles de verre employés en chimie et semblant faite d'une substance blanchâtre. Il s'agit d'un chef sauvage dont la tête est sans doute remplacée par un masque rituel.

Ce matin le cheptel devient réellement encombrant : le petit chien de brousse avait disparu hier matin, et Larget ne l'avait retrouvé (par hasard) que dans la soirée ; aujourd'hui il est enfermé et gueule. Les deux civettes sont dans une caisse, mais, ayant grossi, en sortent à tout bout de champ. Quand on circule, il faut faire attention de ne pas les écraser en mettant le pied dessus.

Aimable dégelée de bière chez les fonctionnaires belges, qui s'y connaissent pour vider les bouteilles. Présents : l'administrateur (bon vivant très « marseillais du nord »), le contrôleur des douanes p. i. (qui dans la matinée nous a donné quelques objets pour le Trocadéro et nous en apportera d'autres dans l'après-midi), un Portugais assez anodin, un commerçant hollandais (maigre tête de pioche qui a l'air de s'y entendre à merveille dans l'art de tuer du nègre), la femme du jeune contrôleur p. i., classique oie blanche pâle et blondasse. L'administrateur, qui connaît le chef de subdivision de Ouango (marchant à reculons pour expliquer quelque chose, après un copieux dîner, n'est-il pas tombé un jour du haut de la terrasse de ce dernier sans se faire aucun mal ?), l'administrateur nous dit incidemment que la femme dont nous avons vu le portrait à Ouango a dû quitter le pays et rentrer en Europe parce qu'elle s'ennuyait trop...

Larget, très à son affaire, rappelle sa jeunesse dorée, ses bombes à Bruxelles, ses rapports avec Léopold.

Vers le soir, — après que Lutten et moi sommes allés prendre un bain du côté de la cascade — une lettre remise par Griaule à une voiture qui passait par chez nous nous apprend qu'il n'a pas encore reçu de réponse à ses télégrammes.

24 mars.

Retour de Griaule, qui n'a pas reçu de réponse définitive. Payement de la caution (finalement moins élevée que nous ne pensions) et départ.

En repartant, coup d'œil au cimetière, que j'avais déjà aperçu. Deux tombes d'hommes (officiers tués un peu avant la guerre, lors de l'occupation militaire de la région), une tombe portant la mention « Charlotte » (tombe d'une petite fille métisse). Il ne reste plus grand'chose, nous a-t-on dit, dans ces sépultures, tout au plus un bras ou une main ; il n'y a pas si longtemps que les habitants du pays, aujourd'hui aimables catholiques, maintenaient haut le drapeau des vieilles coutumes : ainsi que d'autres mangent la grenouille, ils ont mangé le cimetière.

Nous allons sur Bondo, où nous sommes invités chez un commerçant et sa femme (presque les seuls Français de cet endroit). Ils ont déjà reçu Griaule et se sont montrés très gentils avec lui durant l'affaire des télégrammes.

Nouveau type de cases : rondes, ou bien oblongues (rectangulaires, augmentées d'un demi-cercle qui est la verandah). Les toits sont de feuillage. Sous l'action du soleil, ils sont devenus gris. Étranges frisottis de papier ou tuyaux de bonnet, on dirait tout — sauf des toits.

Un ou deux bacs à traverser. Sur les pirogues, tambours et chants. Sur l'autre rive, enfants qui plongent, ou dansent, entendant la musique.

Les hôtes de Bondo sont charmants. Catégorie : ceux qui se mettent en quatre.

25 mars.

La mise en quatre nous mène jusqu'au delà d'un breakfast abondant, si abondant que je m'en ressentirai toute la journée.

Énormes berceaux de bambous. Cathédrale de jets de pousse. Une fois de plus, la forêt n'est pas un vain mot.

Une fois de plus, la civilisation en est un. L'hôtel de Bouta où nous couchons (impossible de faire autrement, car il n'y a pas de campement) est sinistre : pauvreté prétentieuse, vins frelatés, phonographe.

Ce matin, un télégramme lu chez l'administrateur belge de Bondo annonçait que le gouvernement s'était décidé à nous exempter de caution. Vivement le Nil !

26 mars.

J'ai été injuste à l'égard des autochtones de Monga. Lutten et Larget m'expliquent que j'ai mal compris l'histoire du cimetière. Moins nécrophages que je ne croyais, ces gens n'ont pas déterré les cadavres. Ils ont mangé tout frais ceux des deux officiers massacrés, et l'on a enterré les restes.

Presque tous les hommes, sur la route, portent la lance, y compris ceux qui sont vêtus comme des Européens. Quelques-uns ont des accordéons ; toutefois, ce ne sont pas les mêmes.

A la sortie de Bouta la « route royale », qu'on nous avait annoncée si bonne, n'est pas fameuse. Franchement mauvaise même, car elle est défoncée par les camions, qui l'ont plissée comme une tôle ondulée.

Festin dans un petit village dont nous ne parvenons pas à obtenir le nom. Pour dessert, un ananas plus gros qu'une tête humaine, et pour moi du vin de palme qui sent bon le végétal, avec un petit goût aigrelet et arrière-fond de sperme. Nous achetons quelques objets (plusieurs couteaux, deux beaux mortiers). On vient nous en offrir de toutes sortes, et l'on veut même nous vendre un vieux smoking, veston et pantalon. Nous croisons l'après-midi un chef indigène qui se déplace en chaise précédé d'un garde portant le drapeau belge, suivi d'une file de porteurs, dont l'un est chargé d'une table de jardin pliante en métal peint en rouge.

A part quelques beaux coins, tout est lamentablement déboisé. Étape à quelque trois cents kilomètres de Bouta ; nous nous installons au dispensaire médical, où il n'y a pas un chat.

Une femme puis deux autres femmes viennent s'offrir, escortées par un ou deux maris, dont l'un en bas cyclistes et l'autre en uniforme. Nous les repoussons, mais chacune d'elles reçoit un cadeau de dix sous. Elles n'en demandaient guère plus.

Premier contact avec les Mangbétou, anthropophages de légende. Les hommes ont des couteaux compliqués, de petites toques de vannerie, en forme de toques de juge, qu'une ou plusieurs plumes (ou autres fioritures) transforment en toques de pages Renaissance. Ces gens ont de belles pipes ; ce sont de grands fumeurs de chanvre. L'administrateur leur cherche noise à ce sujet. La plupart portent des culottes d'écorce, évasées autour des hanches en collerettes de Pierrot.

Les femmes sont vêtues de courtes jupes de feuilles plissées, avec, sur les fesses, un plateau de vannerie de forme ovale et, devant, un petit rouleau maintenu par la ceinture. Quelques-unes ont devant, en place de jupe de feuilles, une grande pièce rectangulaire en tissu d'écorce. Au cours de la journée, vu deux de ces femmes, idéalement belles. L'une assez petite, le visage peint de motifs noirs ainsi que font beaucoup ; les seins assez tombants en forme de gourdes, mais les traits délicieux. Un triangle noir au milieu de la bouche (formé par le limage des deux incisives supérieures du milieu) rend le sourire encore plus gentil. Cette première femme, un bébé sur les bras, se rendait au marché. Ainsi qu'on le remarque sur beaucoup de Mangbétou adultes, le bébé a le crâne allongé (volontairement déformé).

C'est à ce crâne allongé, autant qu'à son corps d'une inhumaine beauté que la deuxième fille dont je veux parler (celle-là certainement pas encore mère et rencontrée près d'un bac) devait sa bouleversante distinction. Ces deux femmes m'ont semblé moins farouches que d'autres, qui n'avaient même pas voulu se laisser photographier (elles étaient justement vieilles et laides).

Beaucoup d'hommes ou de femmes se sauvent dès que la voiture s'arrête. Un enfant, à qui nous achetons un ananas, ose à peine me le tendre et je dois lui jeter la monnaie, tant il redoute que sa main entre en contact avec ma main.

Grosse tornade, juste après le déjeuner (pris à l'orée d'un marigot qui, bien que nous soyons en savane, s'enfonce dans des profondeurs forestières de féerie). Voulant éviter un arbre que le vent a abattu en travers de la route, Griaule embourbe la touriste. A nous deux, nous devons la dépanner ainsi que la remorque, très lourdement chargée. Larget est derrière. Aveuglé par la tornade, et sur un mauvais renseignement, il se trompe de route, ce qui le retarde d'une heure et demie. Lutten est devant. Nous le retrouvons à la nuit, en plein bled, dans une église en bois et chaume, où nous installons le campement.

En cours de route, alors qu'il ne pleuvait pas et que nous pouvions aller vite, les gens nous acclamaient au passage, avec la même excitation qu'ils devaient avoir au temps des guerres entre tribus et des somptueux massacres. Durant la pluie, leur attitude semblait parfois hostile, car nous les éclaboussions horriblement. Quelques-uns d'entre eux, hommes ou femmes, tenaient à la main une longue feuille de bananier, en guise de parapluie.

Changement géographique important : du domaine de la M.A.C.O., société de transports belge où nous nous fournissions d'essence jusqu'à présent, nous sommes passés dans le fief de la S.H.U.N., société similaire dirigée par un Grec.

Je m'aperçois seulement maintenant que c'est Pâques aujourd'hui et que nous nous préparons à coucher dans une église.

Ornements principaux : crucifix, autel de boue séchée, chemin de croix en chromo, syllabaire.

28 mars.

Retard ce matin, un mauvais contact empêchant l'allumage de la voiture. Nous approchons quand même du Soudan anglo-égyptien.

Déjeuner dans une église analogue à celle d'hier soir. Au mur, près de l'entrée, un tableau sur lequel est griffonné un modèle de devoir. A gauche de l'autel, le confessionnal : une claie d'osier percée d'un guichet ; c'est derrière que se tient le confesseur ; un store d'osier, accroché au plafond et parallèle à la claie, isole le confessé, qui se tient entre ce store et la claie ; un store plus petit, dont est munie la claie, permet la fermeture du guichet.

Plus de femmes à ovales de vannerie sur les fesses comme des loups vénitiens. Parfois, bouquets de feuilles d'un vert chimique (comme les arbres sur un ciel de tornade). Parfois, simple touffe de fibres ou de crins, dressée comme un petit balai sur la vulve. Rarement, une ou deux ceintures de paille, laissant voir la peau nue entre elles quand il y en a deux.

256

Le paysage lui-même change : courts arbustes en forme de parasol, papyrus, arbres à fleurs rouges genre flamboyants, à côté de l'habituelle végétation.

Nous manquons de peu deux tornades ; la route file droit entre les deux, suivant une trouée claire.

Au sommet d'un plateau très dégagé, Aba, poste frontière belge et capitale de la S.H.U.N. Guère d'autres constructions que bureaux, immenses garages et dépôts, hôtel. Formalités très simples grâce à l'amabilité des fonctionnaires belges. Départ, après une heure et demie d'arrêt. Lignes de collines et roches isolées. Sur la route, un disque frontière. Nous sommes au Soudan anglo-égyptien.

Arrivée avant la fin du jour à Yey. Au poste d'entrée flottent les deux drapeaux (Grande-Bretagne, Égypte). Une sentinelle noire en armes (vêtue de kaki, coiffée d'un casque colonial à plumet vert et à bords plats, porté sur le sommet du crâne) fait les cent pas.

Coucher au campement. Un autre noir en armes dirige la corvée d'eau. Demain matin, nous prendrons contact avec le *district commissioner*.

29 mars.

Le district commissioner étant en tournée, le contact se limite à celui d'un caissier égyptien, qui perçoit les droits d'entrée des voitures.

En route pour le Nil. J'ai rêvé cette nuit que notre bateau était monté. D'une façon purement sportive, il était question que je descende avec, une chute d'eau de 3 ou 4 mètres de hauteur pour remonter quelques mètres plus loin (par une cascade tout aussi à pic) au niveau dont j'étais parti. Pas de risque de me noyer (malgré les rochers susceptibles de défoncer la coque), à moins que les chocs de ces deux sauts ne me précipitent dehors. Pour éviter cela, il suffit de me cramponner, m'arrangeant de façon à ne pas me fracasser la tête contre les tôles. J'appréhende de tenter un tel exploit. Griaule me traite de « dégonfleur ». Je crois que ce rêve est lié à l'humiliation ressentie hier, en voiture, un très gros criquet m'ayant sauté sur les genoux et moi ayant été dégoûté. Peur des insectes, dont je ne parviens pas à me guérir...

Je suis anxieux de voir le Nil. J'ai gardé un tel souvenir de mon ancien voyage en Égypte.

Femmes jeunes et vieilles, filles, jeunes hommes, enfants, adultes, mais très peu de vieillards. Où sont-ils, pour qu'on n'en rencontre pas ? Beaucoup de femmes portent à la lèvre inférieure un fer pointu. Beaucoup s'appuient sur des bâtons. Toutes ont le crâne impeccablement tondu.

Des collines et encore des collines. Immense savane. Ciel chargé de nuages blancs. Des lacets et encore des lacets. Montagnes à l'horizon. Une route abandonnée à notre droite, celle qui mène à Rejaf, ancien terminus de la ligne de navigation remplacé maintenant par Juba, le fleuve n'étant pas assez sûr entre ces deux villes.

De gros cynocéphales traversent la route. Mais aucun des éléphants qu'on nous avait promis. La sauvagerie, de plus en plus, se perd...

Tout à coup, au moment où l'on ne s'y attendait plus, une plaine verdoyante entre deux lignes montagneuses : c'est la vallée du Nil. Au loin, Juba. Nous approchant, le fleuve se présente, aussi peu imposant qu'un vulgaire canal de France. Je n'ose m'avouer déçu.

Formalités administratives. Visite au gouverneur, passage à la poste pour le courrier qui nous attend. Il paraît que Roux s'est embarqué pour Djibouti, avec Mlle Lifszyc. Il était bien convenu pourtant que celle-ci devait nous rejoindre à Khartoum. Nos correspondants de Paris sont fous !

Comme Aba, Juba est une grande ville de la S.H.U.N. Un énorme réservoir d'essence se profile, pas loin des bureaux de la société. En dehors de cela, il y a les bâtiments administratifs, les boutiques, les quartiers indigènes, les cases d'Européens à toit de chaume, tout cela très propre et très rustique.

Autour des factoreries, femmes et fillettes tondues, noires comme la suie, drapées dans de romantiques tissus noirs comme leur peau, qui leur donnent l'allure de brigands calabrais. Elles sont très grandes, très élancées. Lorsqu'elles marchent on aperçoit par les côtés leur cache-sexe brunâtre, orné de blanc sur les bords. Il y a aussi quelques individus à type sémite, en robe blanche et turban, ainsi que des « effendi » en complet européen et tarbouch.

Cela me rappelle un peu Le Caire, avec l'élément nègre en plus.

Vers le soir, trois avions militaires arrivent, dont l'un transporte le Roi des Belges.

Juste derrière, l'avion postal qui nous apporte du courrier. Une lettre de K... m'apprend que la Bourse est remontée après l'élection d'Hindenburg, redescendue après le suicide du roi des allumettes. Le procès Aragon a été cause d'une nouvelle scission dans le groupe surréaliste. Picasso a fait des tableaux merveilleux.

30 mars.

Réveil dans la cage de treillage, où Lutten et moi avons installé nos lits. C'est une salle à manger sous verandah qui doit servir pendant la saison des moustiques.

Souvenirs d'hier : le gouverneur (grand, gros homme, jovial, teint coloré), Anglais très classique et habillé comme seuls savent s'habiller les Anglais ; le district commissioner intérimaire à allure de sous-officier ; les deux lances entrecroisées dans le bureau du gouverneur, derrière son dos, supportant les fanions des deux pays ; le courant violent de cette espèce de canal qui est le Nil, canal beaucoup moins « canal » qu'on ne croit, car ce qu'on prend pour la berge n'est souvent qu'îlot herbeux ; le ciel plus bousculé le jour, plus éclatant le soir que partout ailleurs ; les astres, dont je n'ai jamais mieux compris la signification magique que quand je les ai vus dominer, en configurations géométriques, les masses géométriques des pyramides, — grande Égypte dont je n'aurai jamais vu le cœur, que j'aurai toujours visée ou trop bas ou trop haut !

Lutten, avant de retourner sur Bangassou chercher le reste du matériel, décharge son camion. Sur l'herbe, on étale les morceaux de la chaloupe et le soleil commence à les chauffer. Incessamment, nous en commencerons le montage. Elle n'a pas souffert de son naufrage prématuré.

Grand examen de conscience : j'aurai beau faire, je ne serai jamais un aventurier ; le voyage que nous effectuons n'a été jusqu'à présent, en somme, qu'un voyage de touristes et ne semble pas près de changer ; je suis impardonnable d'être ici alors qu'il y a en Europe une action si urgente à mener. En arriverais-je donc à vivre comme si c'était un vain mot que le mot « révolution » ? Tout ce que j'ai fait depuis des mois se réduirait-il à avoir échangé une attitude littéraire contre une attitude scientifique, ce qui, humainement, ne vaut pas mieux ? Romprai-je jamais définitivement avec les jeux intellectuels et les artifices du discours ? Toutes questions que je me pose, sans grand espoir — ni grande envie, peut-être, — de m'innocenter... Je suis repris, une fois de plus, par ce malaise des centres, que j'ai fortement ressenti à Yaoundé.

31 mars.

Levé à l'aube, la civette (que Lutten a laissée, en partant hier soir) faisant une vie de tous les diables (par exemple : grimper sur le toit de ma moustiquaire en geignant pour entrer dans le lit). Le cafard s'accentue.

J'ai engraissé. J'éprouve une ignoble sensation de pléthore. Moi qui comptais rentrer d'Afrique avec l'allure d'un de ces beaux corsaires ravagés. La vie que nous menons est on ne peut plus plate et bourgeoise. Le travail, pas essentiellement différent d'un travail d'usine, de cabinet ou de bureau. Pourquoi l'enquête ethnographique m'a-t-elle fait penser souvent à un interrogatoire de police ? On ne s'approche pas tellement des hommes en s'approchant de leurs coutumes. Ils restent, après comme avant l'enquête, obstinément fermés. Puis-je me flatter, par exemple, de savoir ce que pensait Ambara, qui pourtant était mon ami ? Je n'ai jamais couché avec une femme noire. Que je suis donc resté européen !

Griaule revient d'une entrevue avec le gouverneur, au cours de laquelle ils ont discuté de notre voyage sur le Nil. Selon le gouverneur il ne semble pas que Khartoum tienne à ce que nous le fassions sur notre propre embarcation. Pas de pilote à Juba, et il serait nécessaire que nous en ayons un, le Nil, malgré son aspect débonnaire, étant dangereux jusqu'à 500 miles environ en aval de Juba ; il est plein de détours, de bras adventices, d'îlots herbeux qui se déplacent, vous entraînant... et l'on se perd dans le marécage !

Avant-hier déjà, nous avons dû renoncer au projet que nous avions fait d'aller au Turkwana (rive ouest du lac Rodolphe), le gouverneur nous ayant dit qu'il fallait une autorisation spéciale du gouvernement de l'Uganda, vu qu'il n'y a pas de route et que la région « n'est pas administrée ».

Je me demande si notre « tourisme » — dont je me plaignais ce matin — n'est pas plus apparent que réel. En dehors des points desservis par la ligne de navigation, le pays est certainement moins de tout repos qu'il n'en a l'air. Et l'on tient expressément à ce qu'il ne nous arrive pas malheur. Je ne désespère pas qu'on puisse s'amuser un peu en Abyssinie...

Demain matin, Griaule retourne chez le gouverneur, pour conférer avec le directeur de la Navigation, qui peut-être fera des conditions nous permettant d'emprunter le bateau régulier. Khartoum n'a pas encore répondu au télégramme du gouverneur rendant compte de notre arrivée à Juba. En attendant la décision précise et le retour de Lutten, peut-être irons-nous, en promeneurs, faire un tour du côté du lac Victoria.

1er avril.

Je suis furieux de m'être laissé aller à cette nouvelle crise de pessimisme. Il faut réagir, dompter les obsessions, envoyer promener toutes ces auto-accusations stériles. Je me plains du manque d'aventure, même s'il ne dépend pas de moi ; ce n'est peut-être pas tellement parce que j'aime l'aventure, mais, tranquille, outre l'ennui inhérent à l'absence du changement j'éprouve un sentiment de culpabilité. Car j'ai toujours cru profondément qu'un homme était responsable de sa destinée. Comme on est beau ou laid, par exemple ; donc aimable ou haïssable. Il y a là toute une mystique qu'il faudrait déraciner.

Khartoum n'a toujours pas envoyé d'instructions à notre sujet. Promenade en auto sur la route de Rejaf, jusqu'à un poste européen abandonné depuis que la base de la navigation a été changée. Les avenues s'effacent et les maisons tombent en ruine.

Ce soir, nous dînons chez le gouverneur. Dîner d'hommes, je crois, car, à ma connaissance, il n'y a pas une seule femme européenne à Juba.

2 avril.

La ville en ruine que nous avons vue hier est bien Rejaf, simplement plus proche de Juba que nous ne pensions. Trois autres postes ont été ainsi successivement abandonnés, pour des raisons diverses (salubrité ou navigation). C'est le district commissioner p. i. qui me raconte cela, au cours du dîner chez le gouverneur, dîner présidé, contrairement à ce que j'attendais, par une maîtresse de maison, en robe du soir. Pipe à la bouche, en ceinture de soie noire sur bras de chemise et pantalon de smoking, le gouverneur parle ethnographie, colonialisme, montre des objets d'art et conte des histoires joviales. Impossible de créer des jardins sur les bords du Nil, car les éléphants les ravagent. Graves troubles aussi dans les communications télégraphiques, les éléphants renversant les poteaux en se frottant contre eux pour se gratter, ou encore les girafes coupant les fils avec leur cou. Certains éléphants se laissent approcher de si près qu'un Anglais — spécialiste de la photo d'animaux — dut une fois reculer, ne voyant rien dans son viseur, sinon une surface uniforme qui n'était autre qu'une section de la peau de l'éléphant [1].

Peut-être pourrons-nous voir nous-mêmes beaucoup d'éléphants, à quelque 100 miles vers le sud d'ici.

Ce dîner sympathique m'a beaucoup ragaillardi. Si peu désireux que je sois, ici, de voir des Européens, j'ai tout de même plaisir à en voir qui fassent figure, enfin ! de gens possibles à fréquenter.

3 avril.

Hier est arrivée la réponse de Khartoum, nous accordant réduction sur le bateau régulier et facilités. Notre dossier ne se retrouvait pas, ayant été classé par mégarde à la rubrique « Chasse ».

Balade de l'autre côté du fleuve jusqu'à un village où se tient un tribunal indigène. Le guide que nous a délégué le district

1. L'homme à qui cette aventure, paraît-il véridique, est arrivée, est un capitaine de lanciers, ancien inspecteur des chasses du Soudan Anglo-Égyptien. Au début du voyage, nous le rencontrâmes à Tamba Counda alors que, venant de Khartoum, il se dirigeait vers la côte, pour s'embarquer à destination de l'Angleterre.

commissioner p. i. est une sorte de sbire à uniforme anglais et tête de levantin. Il porte des shorts taillés dans de vieux breeches, une chemise de brousse et le casque kaki à plumeau vert maintenu par une plaque de métal sur laquelle est ciselé un rhinocéros. A vrai dire, dans ce cas particulier, c'est le porteur lui-même qui évoque l'idée d'un rhinocéros. Il est court, gros, velu. Son visage au nez en bec d'aigle est pourvu d'une grosse moustache qui rappelle celle de Dudule, l'acteur comique de cinéma. C'est un très mauvais chasseur : sur une bande de milliers de canards sauvages qui s'étend, pratiquement à l'infini, sur un îlot de sable au milieu d'un bras du fleuve, en plusieurs coups de feu il n'en tue qu'un. Dès la première détonation, les oiseaux se sont envolés, avec un immense bruit de feuillage, ont longuement tournoyé. Quelques-uns d'entre eux, en petits groupes, se sont réinstallés un peu plus loin. Vu comme autres animaux : un *water buck* (superbe bête qui rappelle un peu l'antilope-cheval, mais avec de très longues cornes ; son galop est lent et léger à la fois ; bien que la bête ait l'air puissante et lourde, il semble qu'elle ne touche pas terre) et, mise en fuite par la voiture, une troupe d'antilopes.

Le tribunal des chefs (qui juge en première instance les palabres entre indigènes) traite d'affaires de dot, d'enlèvement, de divorce avec cet esprit quasi universel de dérision à l'égard de ce genre de sujets, que symbolise très bien le vaudeville français. Les juges sont des chefs indigènes, presque tous très élégants : souliers découverts, bas anglais, shorts et chemises blanches ; sur la tête une drôle de toque blanche qui fait penser à un bonnet de pâtissier. Ils sont tous très noirs, très grands et très maigres. Parmi eux siège un vétéran qui a servi contre Emin Pacha. Il porte un pantalon arabe, une vieille veste d'uniforme et est coiffé d'un tarbouch presque aussi haut qu'un antique haut-de-forme.

4 avril.

Travaillé, depuis hier, à rédiger un projet de « Préface » pour la publication éventuelle de ces notes. Thèse : c'est par la subjectivité (portée à son paroxysme) qu'on touche à l'objectivité. Plus simplement : écrivant subjectivement j'augmente la valeur de mon témoignage, en montrant qu'à chaque instant je sais à quoi m'en tenir sur ma valeur comme témoin. (C'est cela

que je ne suis pas parvenu à nettement exprimer dans ce projet de
« Préface ».) L'état actuel de ce projet est ce qui suit :

AVANT-PROPOS

Ce journal n'est ni un historique de la Mission Dakar-Djibouti, ni ce
qu'il est convenu d'appeler « un récit de voyage ». Je ne suis pas qualifié
pour donner un compte rendu d'ensemble de cette expédition scientifique
et officielle.

(Ici, en note, ius sur la mission.) Je ne tiens pas non plus à faire une
publicité (si indirecte et si minime soit-elle) à l'agence Cook et autres
organisations touristiques, qui toutes sont des entreprises industrielles de
sabotage de pays.

Je pourrais faire paraître un livre qui serait soit un roman d'aventures
assez morne (nous ne sommes plus à l'époque des Livingstone, des
Stanley, et je n'ai pas le cœur à enjoliver), soit un essai plus ou moins
brillant de vulgarisation ethnographique (j'abandonne cette dernière
besogne aux techniciens de l'enseignement, domaine qui n'a jamais été
précisément mon fait). Je préfère publier ces notes.

Malgré qu'on y retrouve le canevas du voyage, des échos du travail qui y
a été fait, les plus marquantes de nos tribulations, elles ne constituent rien
autre qu'une chronique *personnelle*, un journal intime qui aurait aussi
bien pu être rédigé à Paris, mais se trouve avoir été tenu durant une
promenade en Afrique.

D'aucuns me reprocheront d'attacher trop d'importance à MON
individualité ; de m'efforcer, — bon petit horticulteur du moi, — de faire
monter en graine MES impressions ; de manquer du minimum exigible
d'objectivité.

Je ne relate guère, certes, comme péripéties de ce voyage que celles où
j'ai été personnellement engagé. Je ne raconte que les événements
auxquels j'ai moi-même assisté. Je décris peu. Je note des détails qu'il est
loisible à chacun de déclarer déplacés ou futiles. J'en néglige d'autres,
qu'on peut juger plus importants. Je n'ai pour ainsi dire rien fait, après
coup, pour corriger ce qu'il y a là de trop individuel. Mais ce, afin de
parvenir au *maximum de vérité*. Car rien n'est vrai que le concret. C'est en
poussant à l'extrême le particulier que, bien souvent, on touche au
général ; en exhibant le coefficient personnel au grand jour qu'on permet
le calcul de l'erreur ; en portant la subjectivité à son comble qu'on atteint
l'objectivité.

Que mes compagnons, — *mes amis* — de voyage m'excusent si, dans le
cours de ce journal, figurent des jugements qui ne coïncident pas
exactement avec les leurs ; si je semble parfois méconnaître le caractère
collectif d'une entreprise à laquelle ils ont autant ou plus que moi
participé ; si je cite des faits de leur vie, comme je cite n'importe quel
phénomène extérieur envisagé à mon propre point de vue. Je n'ai pas plus
de goût que d'habileté à parler de ce que je ne connais pas. Or,

logiquement, s'il est une chose qu'un homme possède quelque titre à connaître et puisse prétendre formuler, c'est lui-même, donc les ombres du monde, de ses êtres et de ses choses, telles qu'elles se projettent sur son esprit. — M. L.

Titre du livre : *L'Ombre de l'aventure.*

Tandis que je copiais ces lignes, est passé un vol de sauterelles.

Pédanterie de cette préface dont la fin pseudo-philosophique est particulièrement vide et prétentieuse. Tout reste très confus...

Demain, Griaule et moi partirons vers le sud pour photographier les éléphants.

Le chien de brousse et la civette dorment, étendus l'un sur l'autre.

. . . .

Je retourne à ma préface. J'en relis — aux W.-C. — la version écrite hier. Peut-être était-elle meilleure ? Je la recopie ici. Elle est certainement moins guindée :

Ce journal n'est ni un historique de la Mission Dakar-Djibouti ni ce qu'il est convenu d'appeler *un récit de voyage.* Organisée par... et patronnée par..., la Mission ethnographique et linguistique D. D., sous la direction de mon ami M. Griaule, a traversé... etc... etc... Son personnel se composait de... et de moi-même, secrétaire-archiviste. Des collaborateurs temporaires vinrent nous rejoindre en divers points du parcours : ...

Outre que je ne suis pas qualifié pour donner de cette entreprise un compte rendu d'ensemble, privé ou officiel, les notes publiées ici — notes rédigées, jour par jour, en cours de route — ont un caractère strictement personnel. Non que j'attache une bien grande importance à ce que d'aucuns appelleraient « leur individualité ». Non que je me sois efforcé, bon petit horticulteur du moi, de faire monter en graine MES impressions.

Réduisant les péripéties du voyage presque exclusivement à celles où j'ai été moi-même engagé (afin de ne rien raconter que je puisse avoir involontairement déformé), ne craignant pas de m'exprimer *subjectivement,* j'ai essayé de donner à ces notes le maximum de vérité.

Car rien n'est vrai que le concret. C'est en poussant le particulier jusqu'au bout qu'on atteint au général, et par le maximum de subjectivité qu'on touche à l'objectivité. Je m'explique.

D'aucuns diront que, parlant de l'Afrique, je n'ai pas besoin de dire si, tel ou tel jour, j'étais de bonne humeur, voire comment j'ai excrété. Je répondrai que, bien que n'étant pas de ceux qui se mettent à genoux devant leurs propres œuvres (qu'il s'agisse de livres ou d'enfants, deux espèces d'excréments), je ne vois pas pourquoi, le cas échéant, je devrais passer sous silence un tel événement. Outre qu'il est aussi important en soi que le fait que tel arbre, tel indigène habillé de telle façon ou tel animal se soit trouvé à tel moment précis sur le bord de la route, ce phénomène d'excrétion doit être relaté, car il a sa valeur au point de vue de l'authenticité du récit.

Non pour que ce récit soit complet — car, faute de temps de la part du rédacteur, il ne peut être question un instant qu'il le soit (et pourtant ! combien il serait intéressant, dans un journal, de noter, non seulement les plus fugaces pensées, mais tous les états organiques aux différents moments de la journée, comment on a mangé, par exemple, comment on a fait l'amour, comment on a pissé...) — mais afin, exposant le coefficient personnel au grand jour, de permettre le calcul de l'erreur, ce qui est la meilleure garantie possible d'objectivité.

Je répondrai aussi (ceci nous mène au second point) que je ne me suis pas proposé un seul instant d'écrire ce qu'on appelle un *récit de voyage*, estimant que de nos jours il est des activités plus urgentes qu'infuser aux dilettantes des sensations touristiques. Fort à la mode depuis déjà nombre d'années, le « récit de voyage » est un genre littéraire qui vise à faire du lecteur un voyageur en chambre, voire, si le patient est alléché suffisamment et en a les moyens, un touriste. En somme, travail pour les bibliothèques de gare ou pour l'agence Cook. Mais travail, en tant que publicitaire, certainement moins efficace qu'un beau documentaire au cinéma. Ridicule, par ailleurs, au point de vue émotion, si on le compare à un roman d'aventures moyennement réussi. Car nous ne sommes plus à l'époque des Stanley ni des Livingstone...

J'aurais pu faire paraître un livre qui eût été un roman d'aventures assez morne (dépourvu en tout cas de toute nécessité, car, si j'admets qu'on se fiche de mes impressions ou des hasards que j'ai pu traverser, je me demande quel intérêt plus grand peuvent présenter les tribulations de *quatre* au lieu d'un Européen voyageant de nos jours en Afrique). Ou encore un ouvrage de vulgarisation ethnographique (travail qui n'est pas de mon ressort, ayant toujours été très peu élève, encore moins professeur) [1].

J'ai préféré publier ces notes, prises en marge des déplacements et des enquêtes, et qui (malgré qu'on y retrouve le canevas du voyage, des échos des travaux qui y ont été faits, et les plus importantes des anecdotes ou péripéties) ne constituent pas autre chose qu'un journal personnel, un journal intime que j'aurais tout aussi bien pu tenir à Paris, mais que je me trouve avoir tenu me promenant en Afrique.

1. J'en ai fait presque figure, pourtant. Au cours de l'été 1928, ayant besoin d'argent durant un séjour en Égypte, j'ai participé, comme examinateur de langue française, aux épreuves orales du baccalauréat à Assiut.

266

Que mes compagnons m'excusent si je semble m'être dérobé à une tâche qu'ils étaient fondé, peut-être, à croire que je m'étais assignée : être l'historiographe de la mission.

Je n'ai pas plus de goût que d'habileté à parler de ce que je ne connais pas, et je ne connais bien que moi-même.

Autre titre du livre : *Le Promeneur du Cancer*.

Projet de dédicace : « A mon ami Marcel Griaule, grâce à qui ce livre a été écrit[1]. »

. . . .

Dès l'origine, rédigeant ce journal, j'ai lutté contre un poison : l'idée de publication.

Demain, plus de cheveux en quatre : la brousse.

5 avril.

Aujourd'hui c'est demain : nous sommes partis aux éléphants.

Trois heures d'auto sur une route qui traverse une brousse presque déserte nous mènent à Opari. Nous remettons la lettre de recommandation que nous a donnée le gouverneur à un captain d'une cinquantaine d'années, genre très Kitchener (dont je ne me rappelle d'ailleurs pas avoir vu le portrait) et qui nous promet des éléphants. Peut-être pourrons-nous en voir deux tout de suite ; ils étaient là ce matin. Psst ! planton ! Mais ce dernier annonce que les éléphants sont remontés sur la colline et ne redescendront pas avant demain matin. Patientons. Ce soir, nous dînerons chez le captain et causerons plus amplement des éléphants. Liquidons, en attendant, la question d'hier.

De plus en plus, je m'aperçois que je me lasse de tenir à jour ces éphémérides. Quand je bouge, cela va bien, car ils passent à l'arrière-plan et j'ai du reste à peine le temps de les écrire. Quand

1. A bien des égards, ces deux projets de préface sont en contradiction avec mon actuel point de vue. Disons — *grosso modo* — que je m'y révèle trop individualiste, en même temps que trop enclin au doute, voire au *mea culpa*. Je laisse subsister ces deux projets malgré leur manque de tenue, ne voulant, d'une part, rien retrancher à ce journal ; leur prêtant, d'autre part, un certain intérêt psychologique. (*Mars 1933.*)

je ne bouge pas, cela est pire, car d'abord je m'ennuie. M'ennuyant, je cherche à me distraire en écrivant ce journal, qui devient mon principal passe-temps. C'est presque comme si j'avais eu l'idée du voyage exprès pour le rédiger... Mais comme je ne bouge pas, je n'ai pas grand-chose à dire. Pas d'autre ressource que l'introspection, l'examen de mes raisons de voyager, de mes raisons d'écrire. Et c'est là que l'oisiveté me mène au pire cafard et à la fin de tout, car je défie quiconque — écrivain ou pas — regarde sincèrement en lui-même de ne pas se noyer au bout de peu de temps dans le plus effarant nihilisme. Encore mon cas se complique-t-il du fait qu'il est, si l'on veut, « littéraire ». Ce n'est pas la raison (plus ou moins bonne, ou plus ou moins adroitement camouflée) que je pourrai me découvrir d'écrire qui arrangera la situation, bien au contraire !

Dès lors, par le fait qu'il est passé au premier plan et qu'au lieu d'être un simple reflet de ma vie il me semble que, momentanément, je vis pour lui, ce carnet de notes devient le plus haïssable des boulets, dont je ne sais comment me débarrasser car je lui suis tout de même attaché par une quantité de superstitions.

Il faudrait qu'une bonne fois je me résolve à le lâcher, quitte à le reprendre lorsque tout serait un peu clarifié.

C'est à mesure aussi que cela m'ennuie plus de l'écrire que je suis plus tenté, comme pour raviver mon appétit, de l'épicer de camelote littéraire...

Je ne veux plus revenir sur ce sujet. Plus assommant qu'un journal sont deux journaux. Inutile d'ajouter à l'ennui de celui-ci l'ennui d'un « journal de journal ».

6 avril.

Le dîner d'hier s'est très bien passé. Il y avait là le captain, sa femme (pas jolie, mais effilée, charmante, robe noire pailletée si longue...) et un petit major tout rond, venu de Khartoum (où il dirige le service zootechnique) pour voir lui aussi les éléphants.

On cause de toutes sortes de choses (autruche aperçue cet après-midi, que son maître indigène a plumée afin de vendre le produit, puis passée à la terre rouge pour la soigner ; résultat : une dinde de théâtre en carton-pâte se promenant sur échasses dans le paysage ; — deux fonctionnaires belges arrivant à Juba en l'absence du gouverneur, prenant la résidence pour un hôtel, y dînant, s'y couchant, les domestiques ne comprenant rien à ce qu'ils disaient et répondant à tout : « Yes, sir ! » ; — superstition des trois cigarettes qui remonte à la guerre du Transvaal ; — etc.). On cause même des éléphants : il en est venu deux dans l'après-midi au jardin du captain ; les boys les ont mis en fuite en tapant sur des tines vides. Après dîner, ping-pong : la maîtresse de maison contre moi, le captain contre Griaule.

Réveillé ce matin avec mal à la tête, car je ne suis plus habitué au whisky.

Les éléphants sont partis un peu loin dans la colline. Le policeman qui devait nous mener les voir est arrivé un peu tard au rest-house [1]. Il ne peut être question d'aller aux éléphants. Nous en verrons d'autres à Kiripi (où nous sommes déjà passés en venant de Juba). Le médecin syrien qui y dirige la station médicale sera ravi de nous recevoir. Le major nous y rejoindra dans l'après-midi.

Départ.

Arrivée à Kiripi. Visite au médecin, que nous avions déjà vu hier en passant. Repas sommaire au rest-house. Sieste prolongée en attendant l'arrivée du major. Arrivée du major qui, vu en plein jour, est plutôt grand et fort. Thé chez le médecin syrien, *who is very clever with elephants* (captain *dixit*).

Cocktail chez le même, auquel le major vient prendre part, paré, à cause des moustiques, de grandes bottes de flibustier. Dîner. Conversation égypto-soudanaise. Question, comme au dîner d'hier, d'Emil Ludwig, qui est passé il y a un certain temps à Gallabat, voulant se rendre en Abyssinie. Mais il est resté là. Un tel voyage du reste, n'eût pas été fait pour lui, car *he is too soft* (major *dixit*). Un grand nombre d'éléphants femelles sont signalés au bord du Nil, à deux heures et demie de marche d'ici. Mais, demain matin, avec le major, nous irons ailleurs voir des mâles, car il vaut mieux, paraît-il, ne rien avoir à faire avec les femelles, très méchantes à cause de leurs petits.

---

1. Nom donné en colonie anglaise au bâtiment mis à la disposition des passagers. Ce qu'on appelle en colonie française « case de passage » ou « campement ».

7 avril.

Pas vu d'éléphants, naturellement. Dès avant 6 heures, nous sommes partis avec le major (qui n'avait plus ses bottes de flibustier, mais des guêtres beiges) et toute une caravane. Nombreuses traces d'éléphants et d'autres animaux : buffles, water-bucks, « heurtebises ». Les éléphants marchent sous le vent : il est donc malaisé de les atteindre, le vent leur portant notre odeur. Au demeurant, si tout le monde serait, certes, ravi de voir les éléphants, aucun d'entre nous n'est doué d'instincts de chasseur à tel point frénétiques qu'il soit prêt à tout pour en découvrir. Deux heures et demie de marche avec des alternatives diverses, le guide principal déclarant tantôt qu'il entend gargouiller l'estomac d'un éléphant, tantôt que les animaux sont à deux heures de nous, tantôt qu'il y a toute une bande de femelles avec leurs petits et un gros mâle un peu plus loin, tantôt que les femelles et les petits se sont engagés dans des herbes hautes où il n'y a pas moyen de les suivre, tantôt qu'il n'y a que deux éléphants, tantôt qu'il n'y en a pas du tout dans les parages immédiats. Une opération de magie sympathique (un arbuste est courbé jusqu'au sol et maintenu dans cette position par des pierres placées sur les feuilles) accomplie par le vieux guide, afin qu'il y ait des éléphants à proximité, ne donne pas le moindre résultat. Finalement, en fait de cinéma, Griaule doit se contenter de prendre la caravane, et de photographier les diverses sortes de traces aperçues, ainsi qu'un énorme fumé — tout frais — d'éléphant.

Retour, après en tout près de six heures de marche (soit quelque 25 kilomètres) en plein soleil qui nous a donné une soif d'enfer. Nous quittons Kiripi, abandonnant le major. Il ne se rendra à Juba que demain, voulant essayer encore une fois de voir les éléphants.

8 avril.

Trouvé le courrier hier soir. Deux lettres de ma mère, mais pas de Z. Je me reproche mes propos si pessimistes de Yaoundé (et d'ailleurs)... Ces propos, me dit ma mère, ont beaucoup affecté Z. Cela me confirme dans ma résolution — prise à Opari — de ne plus me laisser aller à ce genre de crises, d'être tout au voyage, de ne plus finasser avec les choses ni avec l'intériorité. Il semble bien que le cafard colonial m'ait fortement tapé sur la tête à Yaoundé. Je me suis beaucoup exagéré, me dit-on, la gravité des événements. Je dois convenir que — graves ou pas — je n'aurais pas dû être préoccupé si violemment, en tout cas ne pas céder à cet injustifiable abattement. Mais aussi on n'a pas idée de lieux aussi sinistres que la plupart de ceux que nous venons de traverser... A bas les routes ! Nous y avons assez traîné.

Réfléchi sur notre équipée d'hier matin et conclu, d'accord avec Griaule, qu'avec les gros pieds que lui faisaient ses guêtres beiges, sa corpulence, la pelle rectangulaire de toile métallique qui lui servait à se frapper le dos (comme d'une queue) pour tuer les mouches, c'était le cher major qui était l'éléphant.

9 avril.

. . . .

Température enfin torride.

Dans la cale de la barge où l'on charge nos marchandises — car c'est aujourd'hui que nous embarquons — il fait si chaud qu'en remontant au plein soleil, pour un peu, je grelotterais. J'aime jouer le rôle du brave capitaine au long cours qui, son cargo mis à bord, respire un peu, car il a fait tout son devoir.

Mais pourquoi le Nil, en ce nouveau voyage où pour la seconde fois je le touche, m'apparaît-il cette fois encore comme le symbole d'une vie en ce qu'elle a de plus éblouissant et de plus désolé ?

Me faudra-t-il — aujourd'hui comme hier — fouler les planches d'un vaisseau (si tranquille, si douceâtre soit-il) comme l'émigrant qui fait fâcher la mer sous ses pieds ?

Grandeur (que j'imagine) de ce départ. Tristesse ardente (dont je suis incapable de dire à quel point je l'invente, à quel point c'est par elle que je suis inventé). Souvenirs : os rongés.

. . . .

10 avril.

« Ce qu'il y a de plus beau à Juba ! » dit notre ami major (qui voyage avec nous, descendant à Khartoum) en montrant dans le groupe de gens qui, du quai, nous disent au revoir, le dogue blanc du district commissioner. Le major est certainement une méchante langue et un ingrat...

Départ du bateau — le s/s *Gedid*, — précédé d'une immense escorte d'oiseaux blancs.

Navigation étrange. La méthode est celle-ci : dans les chenaux sinueux et étroits, on laisse le bateau dériver, au gré du courant ; l'une ou l'autre des barges accolées à ses flancs vient heurter plus ou moins violemment la rive, ce qui remet dans la bonne direction. Aux endroits où il y a des bancs de sable, un homme debout à l'avant tâte le fond avec une perche.

A la première station, le major est très entouré par les fonctionnaires anglais qui montent prendre la bière ou le whisky à bord. Nul doute qu'il ne jouisse d'une égale popularité à travers tout le Soudan.

Un type qui a passé sa jeunesse en Allemagne, vécu en Amérique du Sud et vient, prospecteur anglais, de faire un séjour au Soudan opérait hier son chargement en même temps que nous faisions le nôtre. Ce matin, comme il s'était coupé en se rasant, je lui ai passé mon crayon hémostatique, pour arrêter le sang. Cet après-midi il me renseigne sur quelques-uns des gens du bord : l'*engineer on charge* (pratiquement le commandant) est fiancé avec la belle-sœur d'un ex-agent politique anglais du Soudan, auteur d'un vocabulaire pratique de plusieurs langues de la région et devenu bolchevik depuis. Si j'ai bien compris, la belle-sœur en question est ma voisine de cabine, dont j'avais remarqué ce matin que, pour faire tout à fait « home », elle avait orné sa couchette d'un coussin rose brodé, placé sur l'oreiller.

En maints endroits, lorsque les rives sont à pic, des colonies d'oiseaux rouges vivent en troglodytes dans des trous dont ils ont criblé la berge.

La marche du bateau est parfois si capricieuse, que, ses ondulations sur un plan horizontal jouant un rôle analogue à celui des ondulations sur un plan vertical qui donnent le mal de mer, on en serait presque écœuré.

11 avril.

Vie de paquebot : oisiveté, légèreté.

Ma voisine n'est pas la belle-sœur que j'avais cru, mais plutôt le flirt de l'homme qui s'est coupé.

Mieux dormi que la nuit précédente, la chaleur étant moins forte.

Carambolages invraisemblables du bateau, qui semble de plus en plus décidé à n'avancer qu'en jouant au billard avec les rives. Il est du reste équipé pour cela : à l'avant de chacune des barges et de lui-même, de lourds madriers verticaux font l'office de butoirs. Dans la journée, il se comporte un peu plus convenablement.

Un songe saugrenu me laisse une impression bizarre : passant sa tête par-dessus un mur, une mule me coince le crâne contre le sol en y appuyant longuement son museau et m'entre même un peu ses dents dans le cuir chevelu. Il y a aussi un carrosse là-dedans.

Escale ce matin, puis plus rien. A peine, de temps à autre, un maigre groupe de huttes qui doit être l'habitat d'une unique famille. Les gens font des signes ne voyant passer le bateau.

Contrairement à ce que nous pensions d'après ce qu'on nous avait dit à Juba, le chenal, malgré ses sinuosités, est toujours bien tracé.

Infinie platitude verte, presque sans arbres. Hautes herbes, papyrus. Il arrive que le bateau s'y échoue, en cas de carambolage trop prononcé. Petits flots d'herbes flottantes.

Innombrables animaux : hérons, aigrettes, canards, pique-bœufs, jabirus, hippopotames dont on ne voit que la tête rosée (et qui plongent dès que le bateau approche), gros crocodiles, et même quantité d'éléphants, soit seuls, soit par groupes : bande de femelles lâchant des avalanches de crottes tandis que leurs petits les tètent, — groupe de deux se frottant contre un arbre chargé d'oiseaux, — individus portant un oiseau perché sur le dos (c'est d'ailleurs, dans beaucoup de cas, la présence de ces oiseaux blancs qui les signalent) ; tout cela remuant largement les oreilles et parfois barrissant.

Naturellement, le major préside à nombre de ces apparitions. Nous passons avec lui une partie de la journée, perchés sur le toit du poste du pilote comme sur une dunette. Le major est ravi, attendri même, quand il voit les petits téter. Vers le milieu de l'après-midi, seul dans la salle à manger, il se fera des réussites.

12 avril.

Dans la matinée, nous croisons le bateau qui monte à Juba. Accostage. Politesses. Visites réciproques. Le major, qui a des amis sur l'*Omdurman*, est le premier sur l'autre bord. L'*Omdurman* cède au *Gedid* une barge de premières, sans doute pour les passagers qui embarqueront à Malakal.

Papyrus plus hauts que ceux d'hier, en forêt de houppes dont le dessus forme un tapis plus plan que quelque désert ou quelque plaine que ce soit.

Enfoncées molles en ces papyrus quand, selon la méthode habituelle, une des barges les touche. La place reste saccagée.

Pas un homme, pas un village. Çà et là des poteaux repérant l'embouchure de tel ou tel affluent. Seule trace humaine, sinon, au loin, les colonnes de fumée de vastes feux de brousse. J'apprends avec surprise que nous naviguons pour le moment dans un canal *aménagé*, c'est-à-dire une tranchée ouverte dans les papyrus.

Pas d'animaux, sinon quelques caïmans et toujours beaucoup d'oiseaux. Hérons blancs ou grisaille. Oiseaux à la dérive sur les îlots herbeux. Plongeons nageant entre deux eaux : la tête et le col seuls émergent, on dirait des serpents irrités. Sur les bords, généralement au ras de l'eau, des oiseaux d'espèces diverses se tiennent à l'ombre dans leur berceau de tiges, aussi intimes que la langue dans la bouche, entre les dents et le palais.

La navigation s'est assagie. Moins de chocs. Pourtant avarie à l'un des gouvernails, ce qui nous met en panne après dîner. On répare, tandis que je m'apprête à me coucher. De temps en temps, il faut faire redonner les machines, pour dégager le bateau — et la barque des travailleurs — des papyrus dans lesquels ils sont jetés.

13 avril.

Encore une fois, je trouve en m'éveillant mon thé à côté de moi. De même qu'hier, je n'ai rien remarqué quand le domesti-

274

que arabe est entré. Aptitude remarquable de ces gens pour le métier de rat d'hôtel...

Le major nous a appris hier qu'il avait fait la guerre comme observateur dans l'aviation. « C'est plus propre que les trânnchées... » Hier encore après dîner, tandis que nous étions en panne, il s'est fait des réussites. Aujourd'hui, il joue aux cartes avec un officier anglais monté à Schambé. Il a de petits yeux bleus, des dents très petites, régulièrement plantées et très blanches, un bon ventre qui domine, le soir, ses bottes de 7 lieues.

Toujours les mêmes plumeaux de papyrus, un peu moins hauts qu'hier. Un peu de terre, quelques arbres généralement roussâtres. Temps pluvieux. Navigation même plus sinueuse.

Un seul petit village, éclatant comme une surprise de théâtre : limité par les cases, hémicycle de terre dont le diamètre est la rive formant embarcadère, la demi-circonférence une haie de plantes vertes à feuilles rouges. Quelques garçons gris de poussière et quelques hommes tout nus sont alignés, devant des tas de peaux séchées. Sans doute, poste artificiellement créé pour l'évacuation de ces produits.

Autre village du même genre un peu plus loin. A part cela, rien. Dans l'après-midi le temps s'éclaircit, mais l'ennui reste mortel. Vie exclusivement réglée par le thé du matin, le breakfast, le déjeuner, le thé du soir et le dîner.

Un ou deux troupeaux d'antilopes. Bandes de water-bucks femelles. Oiseaux dits « bee-eaters » de la taille d'une mouette, rouges avec le milieu du corps vert

14 avril.

Nous approchons de Malakal. Herbes vertes, herbes jaunes, villages à cases de paille. La Beauce avec ses meules pointues. Quelques palmiers, mais sous la pluie. Nous sommes enfin sortis des papyrus.

A Malakal, beaucoup de monde. Gentlemen en chemise-veste et shorts très amples, à ceinture généralement froncée. Ladies un peu moins réussies, faisant pour la plupart institutrices ou bébés presque trop bien lavés. Trois dogues de grande allure, dont un blanc et deux jaunes.

Boue terrible. Factoreries syriennes où viennent des Shillouk armés de lances, les plus jeunes avec leurs cheveux crépus passés à la terre rouge, les autres avec un arrangement de chevelure très compliqué qui leur forme, en arrière et sur les côtés de la tête, une espèce de collerette Médicis. Ils s'en vont, quand on veut les photographier, ou détournent le visage, avec des mines de petites filles faisant leurs mijaurées.

Cinq nouveaux passagers à bord : deux officiers et leurs femmes, plus un autre officier.

Pour cette grande escale, le major a mis un nœud de cravate, enfilé un veston de tussor. Je remarque seulement maintenant qu'il a des dents très irrégulièrement plantées et que c'est sans doute à cela — autant qu'aux bottes moustiques qu'il met le soir — qu'il doit son allure de pirate. Il a tout, par ailleurs, du bon gentleman un peu mûr et bien pensant. Aussitôt le bateau reparti, il enlève le veston, la cravate, et se mêle aux nouveaux venus, qu'il connaît, évidemment !

Mon accoutrement — fait un peu de bric et de broc, au hasard des dons reçus par la mission, des achats personnels et des étapes — me paraît bien mesquin à côté de celui des Anglais ! Ces gens-là sont, je crois, les seuls Occidentaux à avoir gardé dans la tournure quelque chose de romantique. Plus que ce qu'il est convenu d'appeler « le latin » — dont l'aspect romantique ne relève que d'un romanesque de coiffeur ou de livre à 4 sous — l'Anglais maintient la belle tradition des débuts du siècle dernier : dans la correction de ses vêtements de ville, il y a toujours un peu de Tour de Londres ; dans l'ampleur de ses vêtements négligés, il y a le nombre de plis nécessaires pour abriter quelques fantômes évadés des romans noirs de l'École de la Terreur. Ce sont, de plus, des gens qui fument la pipe et ont le goût du décorum.

Après Malakal, le fleuve s'élargit. Je reconnais enfin le Nil. Vastes felouques. Grands prés constellés de troupeaux. Natifs en pirogues de jonc, si poussiéreux que, de loin, on les croirait souvent albinos. Pêcheurs dans l'eau jusqu'à mi-corps maniant des filets ou tentant d'atteindre le poisson à la lance.

Autre escale à Kodok, près Fachoda. Rencontrant le major à terre, nous parlons, comme de bien entendu, de la Mission Marchand. En face de ce bateau à roues, près de ces barges, cela me semble aussi mythique que Reichshoffen ou Vercingétorix.

Shillouk encore plus beaux que ceux de Malakal. Ils semblent avoir tous un souci d'élégance réellement *personnel*. Abondance de colliers et de bracelets ; grands bâtons, énormes et longues pipes ; boursouflures sur le front formant comme un diadème de perles de chair. La coiffure de certains d'entre eux atteint les proportions d'un morion ou d'un chapeau de lansquenet. Merveilleux sauvages, si nonchalants, si inattendus, en même temps que si étonnamment pareils à ceux qu'on imagine...

Au point de vue attraction, la journée se clôt par quelques hippopotames et la longue lutte de milliers de petits oiseaux esquivant les milans qui les attaquent.

15 avril.

Soleil dru, air lourd, ou vent brûlant. Plus — ou presque — de villages : la brousse des deux côtés.

Dans le fleuve, familles entières d'hippopotames gris, si serrés parfois les uns contre les autres qu'il serait à peine exagéré de les comparer à des bancs de harengs.

Arrêt à Renk, où l'on débarque sur une espèce de jetée, formée de débris de charbon maintenus par de vieux morceaux de chaland.

Un incident : la civette, qui s'est évadée du camion, tombe à l'eau. Un Arabe la repêche. Cela intéresse beaucoup une partie de la société anglaise du bateau. L'engineer on charge (un très gentil garçon ; le portrait d'une dame âgée, sur la table de sa cabine, permet d'imaginer ce que peut être sa mère, à Liverpool, Manchester ou ailleurs ; chère vieille dame ! quelle idée se fait-elle du Soudan ?) après le sauvetage, s'occupe avec empressement de la *poor little thing*.

A Renk, nous débarquons un passager, l'un des officiers montés à Malakal. Sa femme reste à bord. Quand le bateau s'en va, elle agite discrètement son mouchoir, s'efforçant d'être correcte. L'homme détourne les yeux, tire sur sa cigarette, agite la main poliment. Il fait une chaleur terrible à Renk et la région est infestée de moustiques.

. . . .

17 avril.

Pas tenu ce journal hier, journée particulièrement affolante : du bateau, nous sommes passés dans le railway qui doit nous mener à Gedaref.

Transbordement, d'abord, dans une barge, 20 kilomètres avant Kosti, le bateau n'allant pas jusqu'au bout du parcours, à cause du bas niveau des eaux et du fond rocheux.

Transfert, ensuite, en deux heures et demie de temps, de notre matériel, depuis le bateau jusqu'aux wagons qui nous sont réservés. Ceci augmenté de multiples incidents : semi-chute du camion dans l'eau lors du débarquement ; obligation de se débrouiller pour payer la note du bord en argent français, un mandat télégraphique attendu de Khartoum n'étant pas arrivé ; impossibilité de mettre la touriste en marche et obligation de la faire prendre en remorque par le camion ; hâte telle pour faire le chargement dans les wagons qu'on y empile les marchandises presque au hasard (nous y mettrons bon ordre aujourd'hui).

Tandis que je suis sur le quai, surveillant le départ des marchandises vers la gare, j'aperçois cette dame anglaise au sourire si fondant et à l'air de bébé presque trop bien lavé, qui s'apprête à descendre, escortée de son mari. Le petit chien de brousse est près de moi. Devinant ce qui va se passer, je le prends dans mes bras. Immédiatement le couple vient vers moi. Gens charmants, qui parlent un excellent français. Mamours au chien, sourires si agréables de la dame. Une ombre à mon plaisir : si je ne faisais pas partie d'une mission officielle ou si simplement j'apparaissais tel que je suis, jamais je ne rencontrerais des gens aussi gentils. Mais j'aime beaucoup, quand cela faute de possibilités de suite reste gratuit, ce genre de relations... Si éphémères, qu'une fois ceux qui en ont fait l'objet sombrés dans le passé, on peut toujours se dire qu'ils étaient si délicieux et qu'on se serait si bien entendus...

Dans le train — où tous les gens du bateau sont installés, pour aller à Khartoum — adieu du major (qui me promet que, quand je reviendrai au Soudan, il me fera voir au Zoo de Khartoum de « grrands éléphants »), adieu à mon ami l'homme qui s'est coupé, salutations à ma voisine de cabine (dont le flirt avec le précité a l'air de s'être diablement accentué), salutations à la dame dont nous avons laissé le mari à Renk. Cette dernière me demande des nouvelles de la civette sauvée des eaux et s'attriste quand je lui apprends que la pauvre petite bête est morte dans la nuit.

Dans le feu du déménagement, j'ai donné, le matin, une gifle au malheureux Makan. Si ces dames savaient cela, peut-être trouveraient-elles, malgré leur mépris probable de l'indigène, que je suis un peu « *rough* ». Mais aussi, un garçon qui s'en va en Abyssinie !!!

Je suis trop optimiste pour laisser place en moi à quoi que ce soit qui ressemble à de l'ironie ou à de l'amertume. La première de ces personnes n'avait guère de joli que son sourire et le fait de savoir assez bien s'habiller ; certes, ç'avait dû être une femme parfaitement ravissante, mais aujourd'hui elle se privait de lunch sur le bateau et, à chaque escale, faisait une longue promenade à pied avec son mari ; je pense que, se trouvant un peu forte, elle cherchait à maigrir ! La deuxième, grande planche blême, boitait, souffrant d'un ver de Guinée qui se manifestait par un pansement à la cheville droite. La troisième, à première vue, m'avait frappé par sa ressemblance avec l'une des sœurs aînées de ma femme, fille que j'aime beaucoup.

Tout ce monde retourne en Europe, est déjà replongé en pleine vie européenne si tant est qu'il l'ait jamais quittée. Cela leur semble à tous évidemment très admirable et très étrange que des gens naviguant avec eux s'en aillent séjourner plusieurs mois dans un pays autant dire sans chemins de fer et sans routes : l'Abyssinie.

Mais tout cela se perd dans les coins les plus reculés du dédale de la mémoire. Larget et moi, à Sennar, attendant le train pour Gedaref, avons passé la journée dans le wagon dont l'amabilité des officiels de Khartoum nous a permis de disposer. Nous sommes allés faire un tour, ce matin, jusqu'au Nil Bleu très bas en ce moment.

De larges surfaces pierreuses apparaissent, hérissées par endroits de coquilles d'huîtres. C'est ainsi que j'imagine la Mer Morte. La contrée est aride. Le soleil nous dévore. Il souffle un vent violent, qui nous bombarde de poussière.

Voici enfin l'AFRIQUE, la terre des 50° à l'ombre, des convois d'esclaves, des festins cannibales, des crânes vides, de toutes les choses qui sont mangées, corrodées, perdues. La haute silhouette du maudit famélique qui toujours m'a hanté se dresse entre le soleil et moi. C'est sous son ombre que je marche, ombre plus dure mais plus revigorante aussi que les plus diamantés des rayons.

18 avril.

Depuis que nous avons quitté Juba, nous ne dormons plus qu'au ventilateur. Nous continuons à nous ventiler dans le train qui nous mène à Gedaref, Griaule (rentré dans la nuit de Khartoum, où il est allé seul), Larget et moi, pour qui la chaleur croissante est un motif d'exaltation.

Au sortir de Sennar, passage de la digue du Nil Bleu. Paysage industriel à locomotives, grues, chaudières, vieilles machines et vastes bâtiments, puis pays de plus en plus maigre, plat et roussi ; sol de plus en plus craquelé. Arbustes. Buissons gris ou jaunâtres. Pas d'animaux. Pas même de termitières. De temps à autre, lit de fleuve presque desséché.

Lenteur horripilante du train. Alentour des gares, pour le personnel indigène, cases rondes de maçonnerie à toit conique de ciment.

Un rêve de flanc nu me laisse mélancolique.

Dès mon réveil (vers 4 heures du matin, avant le jour) je songe à l'invention suivante qui ferait très bien dans le genre « histoire coloniale » : un homme qui peut mesurer l'heure, sans regarder ni soleil ni étoiles, rien qu'en tâtant la pousse de sa barbe.

Je pense aussi à un film exotique de Dorothy Mac Kaill, dont j'ai vu des photos à bord dans un numéro du *Daily Sketch* : « The lost lady ». On y voit l'héroïne en châle et combinaison serrant un banknote dans son bas. Ailleurs, elle est aux prises avec une sorte de vieux souteneur à chapeau de cow-boy, long cigare et complet blanc.

Dans le train où nous habitons aujourd'hui — de même qu'en gare d'Old Sennar — il n'y a pas de dining-car. Un cuisinier spécial est attaché à notre wagon ; on l'appelle le « shérif ».

Arbres entièrement brun-rouge. Épineux blanchâtres. Herbe jaune, grillée. Presque le désert... Au moment précis où le soleil disparaît, la gare de Gedaref. Beaucoup de voies de garage, de wagons de marchandises. En ville, cafés arabes bruyants, à phonographe et parfum d'encens. Boutiques grecques et arméniennes très achalandées. Sur un ciel tourmenté et un fond de collines qui rappellent le légendaire site de Tolède, la mosquée. Dernier grand centre commercial avant l'Abyssinie.

Larget et moi restons longtemps à la gare des marchandises, pour extraire des wagons le minimum de caisses nécessaires et nos lits.

La tension monte : je dors sur la terrasse, dans un vent fou. La chaleur est étouffante. Le casque vous sèche sur la tête, et serre le front car il est devenu trop étroit. Nos faces, nos bras, nos genoux sont brun-rouge. Je n'aime que cette couleur-là. Combien de kilomètres a-t-il fallu que nous fassions pour nous sentir enfin au seuil de l'exotisme !

DEUXIÈME PARTIE

20 avril.

La frontière abyssine. Nous y sommes arrivés ce soir, après une journée passée à Gedaref (19 avril) faisant une multitude de courses chez les trafiquants et continuant la série des mondanités anglo-saxonnes par un cocktail chez le district commissioner, — et une journée à effectuer péniblement avec notre camion très lourdement chargé les 96 miles qui séparent Gedaref de Gallabat (Métamma, pour les Abyssins). Piste assez dure : rien que du « cotton-soil » creusé de deux ornières, mais trop étroites pour nos roues qui à l'arrière sont jumelées. Aussi le limon craquelé arrache-t-il la gomme des pneus. Chaleur atroce : il faut donner à boire au radiateur tout le temps. Mais des arbres étonnants, à troncs et à branches vert pâle, me regardent, comme des nixes, entre les yeux...

21 avril.

Hier, j'ai eu 31 ans. Le jeune capitaine anglais — costaud et blond — qui nous a reçus (avec grand déploiement de gin, whisky, etc...) m'a versé un verre de plus quand il a su que c'était mon *birthday,* s'excusant en même temps de ne pas avoir de champagne. Je remarque chez lui deux photos : un vieux gentleman à cheveux blancs, cigare et habit noir ; une femme encore jeune, à jolie tête un peu dure, très *lady.* Il est le seul Européen dans le fortin de Gallabat, petit groupe de bâtisses sur la colline qui domine le reste de la ville, avec quelques chevaux de frise et de vagues barbelés. C'est dans l'un de ces bâtiments qu'il nous donne l'hospitalité.

La limite anglo-abyssine est un torrent — pour le moment à sec — qui passe juste au bas de la ville. Les douanes éthiopiennes sont de l'autre côté. Nous y allons, escortés par un soldat indigène anglais et par un agent du gouvernement — Arabe parlant l'amharique [1]— qui doit s'occuper par ailleurs de nous procurer des mules.

Nous n'avons pas plus tôt pris contact avec ces gens que les ennuis attendus commencent : le *guérazmatch* [2] chef du poste des douanes (grand homme grisonnant à caban de laine noirâtre et classique pantalon blanc serré tout le long de la jambe) est fort gentil, naturellement, mais déclare qu'il ne peut prendre sur lui de nous laisser entrer avec notre bateau ; il faut que nous télégraphiions à Addis Ababa pour demander l'autorisation au Roi des Rois. Le gentleman abyssin douteux (souliers jaunes à élastiques, bas moutarde, shorts) qui sert d'interprète de langue anglaise au guérazmatch ajoute, tantôt en abyssin, tantôt en très mauvais anglais, qu'il n'est pas sûr du tout que cette permission nous soit accordée. L'Empereur devra demander leur avis au Ras [3] Haylou et au Ras Kasa en résidence à Addis Ababa depuis le couronnement. (Ces derniers, ainsi que nous le supposions, sont à Addis Ababa en résidence plus ou moins forcée ; c'est l'agent arabe qui nous le dit.)

Impossible par ailleurs d'avoir des mulets en location. Il faut en acheter et leur prix actuel est d'environ 6 livres égyptiennes. Au lieu de former une seule grande caravane, nous devrons nous contenter d'une trentaine de mulets, qui transporteront notre matériel en plusieurs voyages.

Envoi à Addis Ababa de deux télégrammes, l'un adressé au Ministre de France, l'autre à l'Empereur. Signature du contrat avec l'homme qui doit nous procurer les mules. Au revoir au capitaine anglais, qui va se faire couper les cheveux, partant en patrouille après déjeuner avec quelques soldats et six chameaux portant le matériel et les tanks d'eau. Tandis que nous prenons notre dessert, les youyous des femmes saluant l'impeccable défilé

1. L'*amharigna* ou amharique est la principale langue abyssine.
2. Titre militaire abyssin, signifiant « chef de gauche ».
3. C'est-à-dire « tête », — titre donné aux grands gouverneurs de provinces.

de la patrouille viennent jusqu'à nous. En dernier lieu, le capitaine anglais passe sur son chameau.

Sieste bien méritée. Ce soir, Griaule compte aller rendre une nouvelle visite au guérazmatch et lui refiler quelques livres de backchich. Demain matin, dès l'aube, nous retournerons à Gedaref attendre la réponse à nos deux télégrammes.

22 avril.

Griaule a jugé plus politique de ne pas rendre lui-même sa visite hier. Entre chien et loup, c'est moi qui me suis rendu chez le guérazmatch, porteur de trois billets d'une livre enveloppés dans un papier portant ces quelques lignes en abyssin : « *Ceci est un petit cadeau. A Gedaref, j'ai beaucoup de choses, j'ai beaucoup de cadeaux. 300 piastres ou 50 thalers.* » Sitôt traversé le cercle des familiers et des gardes, et remis au guérazmatch le papier en lui indiquant du doigt qu'il y a dessus quelque chose d'écrit, je m'en retourne comme je suis venu — d'un pas noble et nonchalant — et vais retrouver Griaule de l'autre côté du torrent-frontière. Je pense à l'histoire biblique de Gédéon, à ses soldats, à ses lampes cachées au fond des cruches. Mais le voyage de ce matin, pour rentrer à Gedaref me ferait plutôt penser au vautour de Prométhée...

Départ à 5 heures, pour éviter la chaleur, et d'attendre avec anxiété le prochain point d'eau permettant de donner à boire au moteur. Nous avons du reste emporté 50 litres de liquide, plus la quantité destinée à notre consommation personnelle.

Au petit matin, la camionnette soulève devant elle une poussière d'oiseaux. Il y a aussi des pintades, des perdrix et des biches. Pas d'accrocs autres que la chute de nos touques à essence d'un des caissons de côté — sans dommage, du reste — et que l'arrachement définitif d'une large bande de gomme de l'un des pneus. Mais quels cahots! Dès les premiers kilomètres, j'ai remplacé Larget qui s'était installé à l'intérieur de la camionnette, maintenant presque vide et désarmée (puisque nous avons laissé le bateau dans un des magasins du fortin, le groupe électrogène et la machine à glace dans une des pièces du campement), et cela saute tant que ça peut. Pour me protéger de la poussière, j'ai noué sur ma figure un mouchoir à carreaux. Je n'ai de libre que les

287

yeux. Ainsi équipé, je dois rappeler à s'y méprendre le fameux bandit masqué des *Mystères de New York...* Tous les bois de la carrosserie jouent. Je vois les montants osciller comme les murs des maisons durant le tremblement de terre de San Francisco. Il semble que tout va s'émietter. Les vis ne tiennent plus. L'une d'elles saute. Mais le moteur va bien, et nous avançons vite.

Fatigué d'être assis et de me cramponner, je m'étends à plat ventre sur mon sac de literie. Grande joie d'être vautré, abîmé dans la réalité. Je suis gris de poussière. Je me mets sur le dos. Même plaisir que celui qui consiste à patauger en pleine boue, à faire l'amour sur un tas de fumier. Je ne me promène plus comme un corps sans âme, ni comme une âme sans corps. Je suis un homme. J'existe.

Les secousses, pour un peu, me feraient vomir le café au lait que j'ai bu ce matin. Une grande rasade puisée à plein gosier au goulot de notre bidon d'eau fraîche me remet le cœur en place. De nouveau je suis assis, je me cramponne pour ne pas me cogner. Encore une fois je réfléchis...

A quelle algèbre invraisemblable ma vie est-elle livrée ? Si je voyage, c'est pour tenter de donner corps à cette image que je porte accrochée au firmament de mon esprit, comme l'étoile des rois mages : deux prunelles, deux lèvres, deux seins... Et pour rien autre !

Un bon bain à Gedaref me repose et me nettoie. La ville n'est plus dans le quasi état de siège où nous l'avions laissée, entourée d'un cordon de troupes pour l'arrestation de six prisonniers abyssins évadés.

23 avril.

Nuit trouble. Nous avons dîné hier soir chez le district commissioner avec le commandant des troupes de la région de Gedaref. Grand, fort, un peu rouquin, gesticulant, volontiers hilare, bellâtre et mi-cinglé, le commandant ou *bimbashi* a l'air autant d'un vieux lutteur forain que d'un gigolo de film américain. Il y a avec lui un de ses subordonnés, large et haut comme une bibliothèque. A peine arrivé, le *bimbashi*, parlant avec de grands gestes, envoie son pied dans le plateau à boissons, ce qui renverse tous les verres. « Heu... Heu... *Awful !... Dreadful !... Horri-*

ble ! » s'excuse-t-il. Mais toutes ces exclamations sont proférées sans la moindre conviction.

Je n'aime pas ces dîners d'hommes. Je ne suis pas militariste non plus et, tout compte fait, même les soldats à la Kipling ne me plaisent pas. Le chien de brousse (qui, à vrai dire, est un chacal femelle) lui aussi m'a dérangé : il a sauté sur mon lit, m'a léché la figure, a tiré sur les cordes de mon lit. A plusieurs reprises, j'ai été obligé de le chasser. Le reste de la nuit a été coupé de songes confus et pénibles auxquels étaient mêlés les passagers du *Gedid* et les gens de Paris. La femme qui, lors du débarquement à Kosti, était venue caresser le chacal, m'apparaissait horriblement flétrie sous la forme d'une vieille rombière décolletée et impudique. Il y avait aussi Georges Bataille, avec qui je sortais d'un théâtre devant la porte duquel nous rencontrions un bœuf géant — qu'on appelait, je crois, « bœuf royal » et qui était haut comme un éléphant — avec des poteaux de bois, de métal ou de carton en guise de pattes, un réservoir cylindrique de métal en guise de corps et, sur la tête, à l'emplacement des cornes, un énorme lustre ou chandelier garni de cierges dont je ne me rappelle pas s'ils étaient ou non allumés. Bataille et moi circulions autour de l'animal, et je m'étonnais que ce monstre ne fût pas plus dangereux.

Peu avant l'aube, brusquement, désespoir aigu d'être tout seul. Désir violent d'une société féminine, pas forcément pour l'érotisme, mais simplement en tant que société. Sentiment de privation atroce, subie depuis de longs mois. Rien de plus sinistre, décidément, que tous ces dîners d'hommes...

Musiques militaires ce matin, pour accueillir le gouverneur, qui arrive à la gare.

Mais l'arrivée inespérée de lettres me tire de cette détresse. Je passe un agréable après-midi de paresse, faisant une ou deux courses et lisant le reste du temps les *Pickwick papers* trouvés dans un lot de volumes abandonnés au rest-house.

24 avril.

Pas grand-chose : suite des musiques militaires, suite des *Pickwick papers,* besognes bureaucratiques. Le chacal devient de plus en plus assommant. Il a déchiré un coin de mon plaid.

25 avril.

Suite des musiques militaires, suite des besognes bureaucratiques, suite du chacal. Engagement d'un chauffeur abyssin, qui, bien que crevant de faim, marque très bien avec son pantalon de flanelle grise, sa casquette, sa petite moustache. Au coucher du soleil, comme je lis les *Pickwick papers* installé sur la terrasse, j'aperçois le district commissioner, puis son jeune assistant, rentrer de leur partie de polo, bottés vernis et culottés de blanc, leurs chevaux pomponnés lancés en un temps de galop.

Dans le courant de la journée, Griaule a découvert que le vieux garde du campement, que nous croyions arabe, est à vrai dire abyssin et qu'il a pris part autrefois — côté Derviches — à la « guerre » de Métamma.

26 avril.

Suite des musiques militaires, mais pas longtemps. Suite des *Pickwick papers*.

Sieste troublée par des hurlements inhumains venant de la prison. Est-ce un fou ? un homme qu'on fouette ? Jamais je n'en saurai rien...

27 avril.

Deux télégrammes :

1º Lutten, qui nous a déjà fait télégraphier qu'il était obligé de retourner jusqu'à Bangui pour prendre le matériel de campement, annonce qu'il sera à Juba le 4 mai, ayant eu une panne à Bangassou. Résultat : comme il n'aura pas de bateau avant le 15 ou 16 mai et que, lorsqu'il arrivera à Gedaref, la piste Gedaref-Gallabat ne sera plus praticable que par chameaux, il ne nous rejoindra guère avant mi-juin au Lac Tana. Jusque-là nous serons privés de campement...

2º D'Addis Ababa, le Ministre de France transmet la réponse de l'Empereur à notre télégramme : autorisation d'entrer avec tout notre matériel et de nous en servir, — à l'exception du moteur du bateau, qui devra être rapporté à Addis Ababa démonté ou mis sous scellés. Pratiquement, cela revient à nous empêcher d'utiliser notre bateau.

Lettre immédiate pour solliciter la permission d'employer le moteur. Une consolation : si nous ne montons pas le bateau, son tauld nous permettra de nous construire un très joli hangar, en attendant Lutten et le campement...

28 avril.

Hier, 40/42° à l'ombre. Cris d'hyène cette nuit, éveillant un tintamarre d'oiseaux.

Demain Griaule et moi allons à Gallabat avec la voiture légère, pour transmettre au guérazmatch la réponse de l'Empereur et voir jusqu'à quel point il est possible de s'avancer en automobile en direction du Lac Tana.

Abruti par l'onanisme et la chaleur. Ventre ballonné d'avoir trop englouti d'eau. Il est urgent de réagir, si je ne veux pas tourner au gâtisme ou au coup de bambou.

Rêve désagréable de chemin de fer, de faubourg Saint-Germain et d'honneurs officiels, qui accentue la mauvaise bouche que me donnent quinine et soif conjuguées, me pousse à retomber dans ma sempiternelle manie d'autocritique.

Être dans les faits comme un enfant. C'est à cela qu'il faudrait arriver. J'y arriverai...

Depuis hier je me suis découvert une sorte de haine, tournant facilement à la brutalité, à l'égard de certains animaux. Le petit chacal, qui d'ailleurs est une peste, l'a expérimenté. Derniers sursauts, peut-être, de mon refus d'admettre la nature, tout ce au sein de quoi je suis plongé...

Courses avec le chauffeur abyssin. Il n'est pas très habile et commence par écorner un des piliers de l'entrée du rest-house. Après, cela va un peu mieux. Selon la bonne courtoisie orientale, le négociant arménien chez qui je fais des achats m'invite à m'asseoir et m'offre un ginger-beer.

29 avril.

Gedaref-Gallabat : parcours moins dur que la première fois

car, au lieu du camion à roues jumelées, nous avons la voiture légère. Griaule conduit. Le chauffeur abyssin se prélasse derrière. Pas de chance : deux pneus crevés et de façon irréparable. Aux deux tiers de la route, monceau de vautours — supérieurs en envergure à tous ceux que j'ai vus — dévorant un chameau mort. Ils sont si pleins de viande qu'à notre approche c'est à peine s'ils peuvent s'envoler.

A la douane de Gallabat, le guérazmatch et son acolyte l'interprète louche à tête de bas maquereau semi-européen continuent leur politique de pourboire. Le télégramme du Ministre de France les laisse froids. Évidemment : il est rédigé en français (qu'ils ne lisent pas) et signé du Ministre de France (dont ils feignent d'ignorer les droits)... Le bas maquereau, surtout, qui n'a pas reçu de cadeau, cherche à tout embrouiller.

Du côté des mulets, rien de neuf. Mais un nouveau télégramme nous arrive, du Ministre des Affaires Étrangères éthiopien, cette fois. Confirmation de l'autorisation avec la même réserve quant au moteur (avec cette variante que, si nous voulons, nous pourrons le remporter, — ce qui est la troisième version, un deuxième télégramme du Ministre de France nous ayant annoncé entre-temps que l'Empereur serait disposé à acheter le moteur)... Nous montrerons ce télégramme la prochaine fois que nous irons aux douanes, c'est-à-dire lorsque nous reviendrons de Gedaref avec un nouveau chargement.

Vaines tentatives du chauffeur pour réparer les pneus. Il sort tous les outils, les regarde, les étale, nous les fait admirer. Il laisse tout traîner et mélange tout. S'il touche à la manivelle, il perd la manivelle. S'il enlève les boulons, il perd les boulons ; on cherche les boulons, puis on s'aperçoit qu'ils n'étaient pas perdus, mais à leur place normale.

Après la visite aux douanes, Griaule et moi sommes allés faire un tour en Abyssinie, à pied, escortés par un jeune homme à fusil Gras et ceinture-cartouchière sur le ventre. La piste, à la rigueur, est praticable en automobile, mais cela demanderait un certain travail et encore n'y a-t-il que les premiers kilomètres de possibles... Nous n'allons pas plus loin qu'une église, paillote ronde plus délabrée que la plus modeste des cases-fétiches vues ailleurs. En revenant, nous remarquons des cercles de pierre, comme des traces d'habitations ruinées : tout ce qui reste de l'ancienne Métamma, champ de bataille où l'Empereur Jean fut tué lorsqu'il rencontra les Derviches.

30 avril.

Le chauffeur, qui a passé la soirée avec des amis, est complètement saoul. Il faut l'empêcher de faire quoi que ce soit, car il casserait tout. Le retour sans pneus de rechange est assez inquiétant : avec un peu de malchance le moindre accroc pourrait nous bloquer pour deux ou trois jours. Heureusement tout se passe bien... Il faut nous arrêter souvent, l'ivrogne ayant d'incessantes envies de pisser et se plaignant pâteusement en abyssin...

La charogne de chameau est maintenant abandonnée par les vautours. Elle est complètement nettoyée. Il ne reste que les os.

Il a plu hier. La piste est assez boueuse. Quel bourbier cela doit être quand les pluies sont installées !

Griaule envoie un nouveau télégramme à Addis Ababa, informant que la douane de Gallabat ignore aussi bien les visas de passeports que les télégrammes en français à nous adressés.

Au soir, tornades menaçantes. Ciel plus que jamais croulant de nuages hypertrophiés. Veinures d'éclairs. Lambeaux de ciel couleur de soufre ou bleu d'acier. Grande sueur et petite pluie perlent en gouttelettes. Monté romantiquement sur la terrasse, pour voir la procession d'orages s'avancer ; descendu pour dîner.

1ᵉʳ mai.

Nuit venteuse. A travers le treillage anti-moustiques de la verandah où je dors, sifflements d'air comme au théâtre. Un peu de pluie tombe sur moi, mais pas assez pour que je doive battre en retraite.

Rêve : je dois accompagner à un grand match de boxe le conservateur du Musée du Congo Belge à Bruxelles-Tervueren ; mais je dois le prier de m'attendre, n'arrivant pas à mettre la main sur un vêtement décent. La salle sera bondée de monde. Aurons-nous de la place ?

2 mai.

Vent toute la nuit et toute la journée. Ce matin, le district commissioner est venu nous voir. Il nous a donné quelques nouvelles de la région : des six prisonniers abyssins qui s'étaient évadés quatre ont été découverts morts de soif à quelques kilomètres d'ici, un autre a été pris vivant. En échange nous l'avons mis au courant de nos démêlés avec les douanes abyssines.

Visite vespérale aux officiers — en la personne du *bimbashi* que nous trouvons, vêtu d'un pyjama rouge vif, en proie à une crise d'asthme et s'aérant au moyen d'un ventilateur portatif mû par un moteur à air chaud. La première fois que nous l'avions vu c'était un lumbago qu'il avait.

Larget fait observer, tandis que nous dînons au rest-house, que si quatre évadés sont morts de soif c'est pour une très simple raison : à savoir que tous les points d'eau du pays étaient gardés militairement.

3 mai.

Insomnie. Images louches : je parcours des étages et des corridors qui sont plutôt des rues ou des passages vitrés sur lesquels s'ouvrent des bordels. Je décline les offres des prostituées.

Sans doute, cela est-il en liaison avec la partie des *Pickwick papers* relative à Flet-Street et à la prison pour dettes, lue dans l'après-midi.

Tout aujourd'hui, préparatifs de départ. Demain, nous quittons définitivement Gedaref pour Gallabat.

Corps moite. Courant d'air soyeux. Maniant des feuilles de papier, l'air dans mes poils me fait par instants croire que j'ai les mains empêtrées dans des toiles d'araignées.

Dîner chez le *bimbashi* qui (j'aurais dû m'en douter) est irlandais. Grande orgie d'airs écossais et irlandais, au bagpipe, les joueurs indigènes tournant autour de la table tandis que nous prenons le café. Aujourd'hui le *bimbashi* n'a ni asthme, ni lumbago ; il tousse.

4 mai.

Mal à la tête. Mal au cœur. Malgré ce que pouvaient avoir de réussi certains rites (tel le va-et-vient régulier des cornemuses, pour obtenir des *piano* et des *forte* selon l'éloignement et le rapprochement ; tel l'exorcisme final de la table par les mêmes instruments vous cornant aux oreilles), j'en ai soupé du cérémonial anglais. La couleur du régiment étant le vert, la vaisselle du mess est ornée de filets verts et ces messieurs portent comme ceinture du soir, sur leur pantalon de flanelle grise, une pièce d'étoffe verte soigneusement enroulée. Seul un petit chef de musique, qui est de Khartoum, était en pantalon bleu foncé à double bande rouge et courte veste blanche, ouverte sur plastron dur ; cet uniforme, joint à ses cheveux pas assez bien collés et au col cassé muni d'un nœud de cravate noir sous son visage de voyou londonien, lui donnait l'air d'un acrobate. Il n'a cessé de faire le snob, racontant des histoires plaisantes et discutant couleur d'uniformes avec le *bimbashi*. Ce matin (en son honneur sans doute) encore de la musique...

La route, aujourd'hui, est compliquée : piste très sèche et très dure qui arrache définitivement les pneus ; un des ressorts semble flancher. Nous prenons retard sur retard et devons coucher en brousse, à une soixantaine de kilomètres de Gallabat. Contre tout ce qu'on était en droit d'attendre, la piste est extrêmement fréquentée : de nombreuses caravanes passent ; une vache échappée à son maître folâtre tout près de notre literie tandis que nous dînons.

5 mai.

Toute la nuit, sur la route, gens, chameaux, et même camions. Menace de pluie. Froid. En conséquence très mal dormi et réveillé avec un mal de gorge.

Nous repartons et arrivons, lentement mais sans incident notable, à Gallabat, où nous retrouvons notre capitaine anglais. Revenu de sa patrouille, il s'apprête à quitter définitivement Gallabat et son fortin pour Kassala, chef-lieu de la province. Un de nos commensaux d'avant-hier soir viendra le remplacer.

Pour ne pas en perdre l'habitude, je vais rendre visite au guérazmatch. Son interprète, de plus en plus traître de mélo, me regarde d'un œil de plus en plus torve. Comme nous le prévoyions, il ne peut me répondre d'une façon précise quand je lui

295

montre le télégramme que nous avons reçu du Ministre des Affaires Étrangères abyssin.

Sur mon insistance (je lui ai dit de faire attention à sa réponse, vu que M. Griaule la transmettrait par télégramme au gouvernement français) consultation d'un contrôleur des douanes en tournée, le *balambaras*[1] Gassasa. Très étudié dans ses manières et « distingué », ce grand Abyssin me reçoit, un éventail en forme de drapeau de garde-barrière à la main. Il trône sur un divan, devant une petite table boiteuse sur laquelle gisent des cigarettes, une savonnette et des papiers gouvernementaux à en-tête écrits en amharique et en français. Sous la table, un tapis poussiéreux. La pièce dans laquelle nous nous trouvons est une paillote ronde dont le sol, couvert d'un lit de paille, est en fait un fumier. Après un long conciliabule avec le traître, le balambaras, très affable, décide de nous laisser passer. Une seule condition : nous fournirons une copie du télégramme, avec sa traduction anglaise, le tout signé par le receveur des postes de Gallabat.

De plus, comme le balambaras quitte après-demain Métamma pour rentrer à Gondar, je devrai lui remettre les noms de tous les membres de l'expédition qui doivent passer.

Je rapporte la réponse à Griaule, qui trouve que cela commence à s'arranger un peu trop bien. Lettre au post-master, que je vais porter. Naturellement le post-master, qui ne connaît pas le français, ne peut traduire le télégramme et déclare, de plus, qu'il ne serait pas réglementaire d'établir un tel papier. Je lui fais écrire tout cela en bas de la lettre de demande que nous lui avions adressée.

Retour au fortin à nuit noire. Comme j'ai oublié de prendre une lampe, je bute dans les pierres, manque de m'égarer et rentre droit dans une des grandes portes garnies de barbelés. Je ne me fais aucun mal, heureusement.

6 mai.

Au réveil, mon mal de gorge a presque disparu. Les affaires abyssines m'égayent. Je suis heureux d'avoir fait un pas de plus vers l'est (puisqu'il est entendu que je ne reviendrai pas à Geda-

---

1. Titre militaire inférieur à celui de *guérazmatch*.

ref lorsque Griaule et Larget y retourneront). Tout va bien.

Le bouc en chaleur, qui poussait hier des cris si lamentables (et si humains, que les hurlements entendus à Gedaref un après-midi et pris par moi pour ceux d'un homme qu'on fouettait ou torturait dans la prison me semblent maintenant n'avoir jamais eu d'autre cause), le bouc paraît décidé à ne plus faire son bruit hideux.

Tout à l'heure je vais aller rendre visite aux Abyssins avec la réponse du post-master. Que diront-ils ?

. . . .

Première rencontre en descendant en ville : un agent des douanes en kaki et turban, qui m'interpelle en arabe. Je ne comprends que goutte à ce qu'il dit. Un vieux Grec sordide à moustache tombante, l'air d'un ancien lad, avec ses bandes molletières, ses breeches coupés au-dessus du genou pour faire shorts, passe non loin de là. L'homme l'interpelle. La vieille épave, qui baragouine un peu d'anglais, s'approche, me serre la main. Puis il fait l'interprète. Il paraît que le superintendant de la douane anglo-égyptienne (que le post-master, hier soir, avait alerté en tant que « sincère ami des douaniers abyssins » et homme capable d'aplanir bien des difficultés) est à ma disposition. Si je veux, mon interpellateur va tout de suite le chercher. J'acquiesce.

Paraît un gros Égyptien moustachu, vêtu d'un uniforme du Soudan anglais et porteur d'une ombrelle couleur chair. Quelques mots sont échangés. Apprenant que je vais à la douane abyssine, il propose de m'accompagner. Escorté par lui et par le vieux lad grec, je traverse le lit-de-torrent-frontière et me rends chez le guérazmatch. Celui-ci — qui est couché — s'assied pour nous recevoir et fait apporter des sièges. Je lui remets une lettre de Griaule, rendant compte que, vu l'impossibilité dans laquelle se trouve le post-master de traduire le télégramme, il se rendra à Gedaref pour faire faire officiellement cette traduction par le district commissioner anglais. L'interprète-abyssin-grand-premier-rôle-de-l'Ambigu (que j'ai fait demander) vient sur ces entrefaites et répète en abyssin au guérazmatch la traduction anglaise que je lui fais de la lettre. Longs discours : en abyssin du guérazmatch à l'interprète ; en arabe de l'interprète au superintendant. On a la bonté de me les traduire en anglais. MM. les Abyssins font leurs plus plates excuses ; ils sont charmés, en vérité, que nous voulions rendre visite à leur pays. A Addis Ababa Français et Abyssins sont comme des frères. Mais, fonctionnaires, ils tiennent à être en règle et, si M. Griaule veut bien aller à Gedaref faire traduire le télégramme, tout sera très bien. Incidemment, l'interprète insinue que sur la route du Lac Tana il y a des *chifta*[1] et qu'il vaudrait peut-être mieux pour nous que nous nous arrangions pour avoir une escorte de soldats. Mais, comme je déclare que ceci est une autre question, il n'insiste pas.

Voyant que tout va bien, le superintendant se retire, au moment où arrive le balambaras, que j'ai fait appeler. Plus élégant que jamais, le balambaras est le portrait craché d'un acteur de quartier, jouant le rôle du duc de la Trémouille dans *Patrie,* celui de Saverny dans *Marion de Lorme,* voire l'abbé de Gondy dans une pièce genre *Jeunesse des Mousquetaires.* Enveloppé dignement dans sa toge abyssine, il porte un gros revolver au côté et tient, entre le pouce et l'index de la main droite, plusieurs bouts de papier dont quelques-uns sont verts, entre l'index et le majeur un long crayon. On dirait qu'il pose pour être peint en premier ministre s'apprêtant à signer un édit. Il s'est assis sur une caisse, adossé au lit du guérazmatch qui, lui, s'est recouché et roupille à moitié, les mains croisées derrière la nuque et les genoux gonflant les draps. Nouvel échange d'excuses et de mirifiques compliments. Je remets à ce haut fonctionnaire une lettre de Griaule avec les noms des membres de l'expédition (liste qu'il m'avait demandée hier) et un petit paquet contenant des savons, un bloc-notes et un flacon de parfum. Va bien pour la lettre, mais il s'enquiert de ce qu'est le petit paquet. Je réponds que c'est un simple don de bienvenue, rien du tout, enfin ! rien de notable...

Exquise urbanité du très haut fonctionnaire : quand je m'en vais, lui et les autres se confondant en excuses, moi en remerciements, le petit paquet gît à terre, sans qu'il ait pris la peine de le dénouer. Le balambaras quitte la case et le paquet reste — parfaitement clos et inviolé — au pied du lit du guérazmatch.

1. Rebelles ou brigands.

298

7 mai.

Les drinks du soir (pris hier chez le captain) ont été égayés par quelques propos ou incidents :

1° Le jeune captain nous demande avec une désarmante naïveté quel est le but de notre mission et si nous ne sommes pas une mission secrète !!! A quoi, bien entendu, nous répondons que non ;

2° Lui aussi trouve qu'Emil Ludwig était *too soft* pour l'Abyssinie. Mais il m'apprend une chose que j'ignorais, à savoir que le pauvre Ludwig est bien entré en Abyssinie, mais qu'après quatre jours de marche vers le Tana, il est tombé malade et a dû revenir. Il voulait se documenter pour son livre sur les sources du Nil ;

3° Le captain aime bien le mess de Gedaref, mais n'apprécie pas les bagpipes, qu'il abandonne aux Écossais ;

4° Mis au courant de nos démêlés avec les douanes, il s'offre à établir et signer la fameuse traduction (je l'attends ce matin pour cela) ;

5° Les drinks du soir ont été coupés, entre deux verres, par la brusque et réglementaire apparition du superintendant des douanes soudanaises, venant rendre compte au captain que ces messieurs de la douane abyssine s'étaient, dans le courant de la journée, emparés d'une petite caravane de marchands arabes comprenant, je crois, 7 hommes et 7 ânes et, si j'ai bien compris, les retenaient plus ou moins prisonniers. Le captain doit se rendre à Métamma ce matin, au sujet de cette affaire ; faisant d'une pierre deux coups, il me prendra avec lui et nous irons ensemble exhiber la traduction du télégramme à Messieurs les douaniers.

Quant aux drinks du soir, j'ai pu m'en tirer moyennant un whisky à l'eau, deux gin bitter à l'eau et un sherry, mais rien à faire pour m'en tirer à moins.

. . . .

Devant le captain (qui, je l'ai appris par lui au cours de cette démarche, est un Gallois), l'interprète patibulaire — que nous sommes allés visiter — n'hésite pas à déclarer que la traduction dûment signée et certifiée faite par cet officier peut contenir des erreurs. Il réclame le texte français ; mais tout s'embrouille de nouveau, car il semble qu'il exige maintenant non pas copie du télégramme, mais le télégramme lui-même (?). Il conférera en tout cas avec le guérazmatch et le balambaras et j'irai le revoir cet après-midi.

Le capitaine gallois est un peu épaté...

Larget commence à parler de « tirer la barbe du guéraz-match », voire de passer sur le ventre des douaniers, « sans payer le prix du sang ».

Vers 4 h 30, mon ambassade maintenant bi-quotidienne au guérazmatch. Toujours affable, ce dernier, tandis que nous attendons son interprète, m'offre une cigarette parfumée à la rose ou à je ne sais quoi qui, sitôt que j'en ai tiré quelques bouffées au long tube de carton qui la prolonge : 1° manque de me faire vomir ; 2° me donne mal à la tête. Survient l'interprète qui, d'une voix maussade, fait au guérazmatch un long discours dans lequel revient perpétuellement le mot « télégramme ». Comme la réponse du guérazmatch est encore plus longue et que, malgré qu'y revienne fréquemment le mot « Europa », je n'en comprends pas un mot et que je commence à m'ennuyer (en dépit des saillies, petits rires, petites mines — très appréciées des auditeurs — dont il est émaillé), l'interprète à l'œil torve m'offre à son tour une cigarette qui, bien que non parfumée, ne me remet pas de la première. Finalement, l'interprète prend la parole en anglais (d'une voix encore plus molle qu'auparavant) et me déclare ceci : c'est bien le télégramme original qu'il faut — et non pas sa copie — en plus de la traduction. De plus, il ne faut pas que nous nous attardions ici, à cause des pluies — qui sont proches —, à cause des mulets (dont 15 vont arriver incessamment) qui, si nous les gardions ici trop longtemps, tomberaient malades, à cause de bien d'autres choses encore, qui restent imprécisées. Il faut que nous nous hâtions. Et le mieux serait même que nous allions « avec eux » jusqu'à Tchelga, chef-lieu de la région. Par ce « eux », j'ignore s'il entend le guérazmatch et lui-même, le balambaras et ses gens, ou simplement une quelconque escorte abyssine, honneur à double tranchant, car nous serions aussi complaisamment servis que dûment espionnés...

Demain matin, j'irai revoir l'interprète, pour lui rendre la traduction, que je lui ai redemandée, le capitaine désirant en garder une copie.

. . . .

Accroc imprévu : vers 6 heures, télégramme de Faivre, le botaniste que nous attendons. Nous le croyions à Khartoum depuis le 4 mai, mais il n'y est arrivé sans doute que mercredi dernier ou hier vendredi, ayant été retenu au Caire par des formalités.

8 mai.

Je suis allé hier changer une livre chez le commerçant grec. Ce matin, il vient de refuser à Makan — qui faisait le marché — une des pièces qu'il m'a données hier. Griaule veut que j'aille réclamer. Cela m'ennuie prodigieusement. Pour un peu, j'inventerais un truc pour ne pas y aller... Une si petite chose est pour moi un monde de complications. Que serait-ce s'il m'arrivait de devoir lutter réellement pour ma vie? si je me trouvais, par exemple, dans le cas de recevoir ou de donner des coups de fusil? Rien ne me permet de dire *a priori* si ce ne serait pas l'effondrement complet et si je ne me conduirais pas comme un capon.

. . . .

Un détachement militaire est arrivé ce matin. C'est sans doute la relève du détachement du capitaine, puisque ce dernier s'en va à Kassala. Avant-hier, tout un groupe de femmes était parti en camion, avec un homme jouant du tambour tandis qu'elles poussaient des youyous. Sans doute étaient-ce des femmes de soldats.

Deux gradés anglais sont là. Comme le captain est occupé à les recevoir, je ne vais pas le voir pour lui apporter la copie de la traduction. Ne pouvant faire cette démarche, j'attendrai jusqu'à demain pour mon ambassade aux Abyssins. Partant, je ne descendrai pas aujourd'hui en ville. Partant, je n'irai pas chez les Grecs pour l'histoire de la pièce fausse. De fil en aiguille, me voilà débarrassé — jusqu'à demain — de cette corvée.

. . . .

Fini la lecture des *Pickwick papers*. Curieuse coupure opérée par ce livre, dans mon état d'esprit au cours de ce voyage. Cela double l'espèce d'entr'acte constitué, sur le plan matériel, par le séjour au Soudan anglo-égyptien. Cela correspond peut-être aussi à un retour de ma part à cette très ancienne et banale opinion, que les aventures au milieu desquelles on se démène avec les bras et les jambes ne sont pas forcément plus excitantes que celles qui se déroulent dans la tête.

. . . .

Brusque arrivée du cuisinier abyssin récemment engagé : Balay, notre ivrogne de chauffeur, vient d'être mis en taule s'étant battu avec un autre Abyssin pour une histoire de femme. Makan constate d'autre part que le nommé Balay, avant d'aller faire la foire en ville, lui a fauché sa « montror ». En principe, on attend notre intervention pour relâcher le prisonnier. Mais la question ne sera réglée que ce soir, avec le captain, chez qui nous dînons.

. . . .

Tandis que le captain prenait son bain avant de se changer pour nous recevoir, un soldat est venu lui apprendre que notre chauffeur s'était mis en devoir de casser la prison et avait déjà détruit deux portes et une fenêtre... Comme le malheureux Balay n'est pas une perle en tant que domestique, rien ne s'opposera à ce que le captain réalise son désir de le faire reconduire de l'autre côté de la frontière.

9 mai.

Fatigué, à cause de l'ingestion de liquide dont s'est accompagnée — c'était inévitable — la réunion d'hier soir.

Ce brave captain gallois est bien gentil, mais tout de même insiste un peu trop pour vous faire boire. Sortant de chez lui après dîner — sans lampe et à nuit noire — pour aller chercher des cigarettes au campement, j'ai manqué la passe : d'abord, je suis tombé sur le cul en arrivant brusquement sur le creux d'un petit vallonnement que, étant donné la parfaite obscurité, je n'avais évidemment pas vu ; ensuite, je me suis écorché la cheville en rentrant, comme l'autre jour, dans des chevaux de frise garnis de barbelés.

Inaction presque complète aujourd'hui. Allé à Métamma, mais pas trouvé l'interprète des douanes. En remontant, rencontré à la poste le Grec à la pièce fausse. Naturellement, je ne lui ai rien dit. Je me suis contenté de ne pas lui tendre la main.

Faivre n'arrivera que dans huit jours ; un télégramme de Khartoum nous l'apprend.

Toute la journée, obsessions érotiques. Je suis hanté depuis ce matin par l'image d'une femme nue, à cheveux blonds cendrés et corps très blanc, en bas champagne, vue de dos. Je perçois avec une acuité extrême la forme de ses fesses et le goût de sa peau.

Envie d'écrire un essai sur la masturbation. Comment, en dépit de la qualification de « vice solitaire » qu'on lui donne souvent, la masturbation possède un caractère éminemment social, du fait qu'elle est toujours accompagnée de représentations d'ordre hallucinatoire. Que les figures qui viennent rôder autour de l'homme sur le point ou en train de se masturber soient totalement imaginaires, ou bien qu'elles soient (comme c'est, je crois, le cas le plus fréquent) constituées par un unique souvenir ou plusieurs souvenirs amalgamés, il n'est pas question que le masturbateur puisse jamais se satisfaire de lui-même. Il lui faut l'appui externe de ce ou de ces partenaires illusoires, et l'expression courante est erronée qui veut que l'onaniste « se suffise à soi-même ». C'est à ce caractère d'hallucination (évanouie sitôt que l'homme vient d'éjaculer) que la masturbation doit son côté grandiose et son côté raté.

. . . .

Assassinat du président Doumer. Le captain gallois — qui est très distrait — l'annonce brusquement et apporte les dépêches, qu'il a reçues hier, mais oublié de nous communiquer. Rien de nouveau en ce qui concerne les élections.

10 mai.

Avec sa face de Musée Grévin, sa barbe empesée, le président Doumer avait bien le physique du président tragique, celui qui fait la guerre ou meurt assassiné. Je me rappelle, peu avant notre départ, cette nuit passée au Sénat, pour le vote de la loi qui consacrait définitivement la mission et lui assurait sa base matérielle. Je ne sais si c'est le local, la fatigue, l'aspect terreux des gens, leur façon périmée de s'habiller, l'air de maquerelles des grandes vedettes ministérielles ou, sur le socle de la tribune, le buste spectral de celui que, lors de son élection à l'Élysée, un journal satirique appelait « président de Borniol », mais j'ai toujours eu de cette nuit — si énervante, traversée d'inquiétudes si immédiates (puisque c'est d'elle que dépendait notre départ) — le souvenir qu'on a d'une nuit blanche passée auprès d'un opéré ou d'un agonisant. Je constate également, dans l'ordre des coïncidences, que le seul haut personnage politique qui m'ait jamais serré la main (le président Doumer, lorsque, justement à la fin de cette séance, il nous avait félicités et souhaité bon voyage) est mort assassiné...

. . . .

Visite à la douane abyssine, où tout se passe, aujourd'hui, sur un ton hypermondain. Une femme arabe assez agréable (sans doute une « servante de cuisse » du guérazmatch) sert du café européen. L'interprète est charmant (effet, peut-être, du récent flacon de parfum). On veut que nous passions sans encombre, qu'il ne nous arrive rien. Mais il faut nous dépêcher, car tout le poste actuel va quitter Métamma et aller à Tchelga durant le temps de la saison des pluies. Des hommes « moins bons » les remplaceront. Il n'y aura plus de traducteur. De nouveau, nos papiers ne vaudront rien. Et peut-être ces gens voudront-ils visiter nos marchandises... Le ton de l'interprète en me disant cela me permet d'inférer que cette « visite » pourrait se faire selon des méthodes et d'après une conception des douanes quelque peu tendancieuses. On reparlera de tout cela, du reste, demain matin au rest-house, où l'interprète doit venir rendre visite à Griaule.

. . . .

A la fin du déjeuner, apparition de Balay, notre chauffeur prisonnier. Il est très amaigri et porte des menottes. On ne lui donne ni à boire ni à manger. Il vient nous voir, accompagné d'un gardien et de l'agent du gouvernement qui s'occupe de l'achat de nos mules. Il veut que Griaule, seul « parent » qu'il ait ici, se porte son garant pour la somme qu'il doit verser afin d'être relâché. Naturellement, Griaule lui donne quelques piastres, mais il ne se portera qu'un peu plus tard son garant, désirant que les quelques jours qu'il passera en taule l'empêchent de recommencer à se saouler un peu trop immédiatement.

Bien entendu, le palabre entre l'homme enchaîné et son patron dure fort longtemps. Il semble à vrai dire que les dégâts qu'on l'avait accusé d'avoir faits dans la prison soient très inférieurs à ce qu'on avait primitivement dit.

. . . .

Le captain nous fait passer les dépêches Reuter, qui donnent le résultat des élections françaises. Il y a un net mouvement à gauche. Sans doute cela ne changera-t-il rien, à peu près à tous les points de vue, mais c'est un signe intéressant quant à l'état de l'opinion.

11 mai.

Hier, le nouveau captain est arrivé. Le Gallois lui passe les consignes : les entrées du fortin sont barricadées, une mitrailleuse apparaît sur la terrasse.

A l'heure de l'apéritif, je vais remettre le courrier au captain gallois pour qu'il l'emporte en s'en allant demain matin. C'est le nouveau captain qui régale. Il fait marcher son phonographe. J'écoute *Le Beau Danube bleu,* deux idioties de Mistinguett, un long morceau à faire pleurer les chiens par un ténor anglais. Pas de visite de l'interprète ce matin. Peut-être y a-t-il eu malentendu et a-t-il cru que ce serait Griaule qui viendrait le voir.

12 mai.

L'hyène a crié cette nuit, moins fort pourtant qu'une de ces dernières nuits. Mais il a été, comme d'ordinaire, possible de suivre ses déplacements en écoutant le déplacement des aboiements de chiens. Insomnie, compliquée du fait qu'une des cordes de mon lit s'est cassée au milieu de la nuit. Pas de lumière pour réparer. J'ai dû rester enfoncé dans la toile détendue, comme dans un hamac. Pensé à toutes sortes de choses : *a)* à la psychanalyse, qui, si elle ne m'a pas guéri de mon pessimisme, m'a donné du moins la force d'accomplir sans trop de défaillance la tâche qui m'incombe aujourd'hui, en même temps qu'elle m'infusait le minimum exigible d'optimisme pour que je ne considère plus, ainsi qu'auparavant, mon pessimisme comme une chose à tel point dérisoire qu'il soit justiciable d'une cure psychanalytique ; *b)* à cette espèce de charité, qui est l'apanage de certaines putains, et que je serais tenté d'appeler « bonté animale de vagin ».

Notre ami gallois est parti. Son remplaçant a entrepris quelques réformes : par mesure d'hygiène, il va faire mettre des boîtes à ordures dans le camp.

Rien à signaler du côté des Abyssins.

13 mai.

Rien. Refait pour la troisième ou quatrième fois depuis trois jours une nouvelle édition du rapport général de la mission. Pas d'autre distraction.

Makan, qui était souffrant hier, est debout aujourd'hui. Le pauvre type, il est de plus en plus dépaysé ! Il attend impatiemment que son copain le chauffeur Mamadou Kamara revienne avec Lutten, pour avoir à qui causer. A quel point un type comme Makan peut être plus malheureux que nous dans une aventure pareille, je crois que cela s'imagine difficilement. Alors que nous sommes là entre nous, et parce que nous le voulons bien, il y est, lui, tout seul et parce que c'est son *métier*. Il est enchaîné à nous comme à d'incompréhensibles et instables démons. Privé de noix de kola, il fait son service de plus en plus mal et se fait constamment engueuler. Plus de compatriotes à éblouir du fait qu'il sert des gens si riches. Plus de copains, plus de tamtam, plus de femmes, plus rien. Si le mot « exotisme » a un sens, c'est pour lui qu'il doit en avoir un...

Je vais à la poste. Le nouveau captain, m'apercevant, me hèle pour les drinks. J'y vais. Il les prend avec son subordonné, l'officier égyptien à tête de Chinois, déjà assez ému. Disques de phonographe. Lotte Schœne, Élisabeth Schumann. Mistinguett, qu'on vénère en tant que *sixty years old lady* chantant si bien... Vieux disques anglais qui me font plaisir. Tous les drapeaux du Soudan anglo-égyptien ont été mis en berne, eu égard à notre Président. Dans notre conversation, le captain me fait remarquer que je ne dois pas être tellement bien accointé avec l'armée française. J'en suis vexé comme s'il me reprochait de ne pas appartenir à telle société secrète...

14 mai.

Encore rien. Un type vient s'offrir comme domestique : on découvre que c'est un Sénégalais, originaire de Boundou, près Tamba-Counda, donc presque un pays à Makan (qui, du reste, le regarde avec méfiance).

Faute d'autre bouquin, je tombe avec rage sur les *Notes and Queries on anthropology* du Royal Anthropological Institute de Londres. Je tombe sur le passage suivant (qui m'intéresse parce que j'y trouve l'explication de l'extraordinaire incapacité d'adaptation que peuvent présenter des gens tels que Makan ; parce qu'il touche aussi au point le plus tragique de la colonisation) : « *Dans les sociétés sauvages qui n'ont pas été désorganisées par le contact des blancs, les enfants tendent à être élevés dans des conditions à peu près uniformes. Il est sans doute très rare qu'ils souffrent de la négligence, du manque d'affection ou des " disabilities " sociales. Les tendances innées ont donc des chances de se développer plus également et il s'ensuit la formation d'un type psychologique plus uniforme. Cette uniformité relative de conditions n'est pas favorable à de grandes variations dans la formation du caractère et, par*

suite, dans la faculté d'adaptation aux changements du milieu.
C'est un élément qui intervient peut-être dans cette rapide dégéné-
rescence, qui suit si fréquemment le changement de conditions
provoqué par l'introduction soudaine de la culture européenne. »
Certes, Makan n'est pas un sauvage, et il y a beau temps que lui
et les siens ont dégénéré au contact des Européens. Mais c'est à
l'uniformité en question que lui et ses pareils — à plus forte raison
des gens plus intacts — doivent d'être dépaysés sitôt qu'ils sont un
peu loin de chez eux, démoralisés presque aussitôt qu'un corps
étranger gênant est venu bouleverser leurs coutumes...

Un corbeau blessé a voulu se réfugier chez nous. Larget a eu
beaucoup de mal à le chasser, et il lui a mordu la main.

Griaule informe avec un nègre, sujet abyssin.

Quant à moi, je ne fais rien, sinon éplucher ce livre, écrire
n'importe quoi — pour me distraire — sur ce cahier, faire
semblant de méditer, et parfois somnoler.

Hier nous avons eu une pluie assez sérieuse. Il vente très fort
aujourd'hui ; le ciel est couvert et sans doute ce soir y aura-t-il
encore de la pluie. Il y a trois jours que je n'ai pour ainsi dire pas
mis les pieds dehors. Jusqu'à quand serons-nous ici comme des
prisonniers ?

Oublié, parmi les disques entendus hier soir, une sélection de
Carmen et un Caruso.

Selon le captain les courriers, en saison des pluies, ne sont pas
sûrs. Non pas tellement parce que de Gallabat à Gedaref le
transport se fait par chameaux, mais parce que, après Gedaref, le
train a souvent plusieurs jours de retard, la voie ayant été
emportée par les pluies.

15 mai.

Départ de Griaule et Larget pour Gedaref, où Faivre doit
arriver lundi, c'est-à-dire après-demain.

Je suis tout seul.

Curieuse vision prémonitoire : bien que je ne me souvienne pas

308

que le captain (qui est venu nous rendre visite hier soir) ait dit quoi que ce soit ayant trait à cela, j'ai rêvé d'une grande fantasia exécutée par les soldats de l'Eastern Arab Corps, à grand renfort de décharges de fusils.

Ce matin, la première chose que je vois, c'est le terrain d'exercice [1] du fortin — situé juste au-dehors de l'enceinte, tout à côté de notre campement — transformé en champ de tir. Il y a des cibles ; tous les soldats sont alignés, avec leurs fusils. Ayant une horreur quasi maladive des détonations (je me rappelle, malgré mon enthousiasme pour leurs cérémonies, combien j'ai souffert à ce point de vue chez les Dogon !), je crains un instant qu'ils ne tirent réellement. Heureusement il n'en est rien ; ils se contentent de s'entraîner au maniement des armes, avec des cartouches fictives.

N'ayant toujours rien à faire (puisque je ne peux pas informer, faute d'interprète), je me rejette sur mon seul livre — les *Notes and Queries* — qui, du fait de son unicité, est devenu comme une Bible. J'y relis le passage suivant, remarqué déjà hier : « *Bien que Freud, à qui nous devons le premier exposé clair des mécanismes du rêve, pense que la sphère sexuelle a sur eux une influence prédominante, des recherches plus récentes, en particulier l'expérience des névroses de guerre, montrent qu'une émotion quelconque, spécialement si elle est accompagnée d'un conflit psychologique, comme c'est le cas dans la lutte entre la peur et le devoir, peut être une cause efficiente de rêves. Jung (si nous l'avons bien compris) regarde le rêve comme une tentative, généralement par voie d'analogie, de s'adapter aux difficultés ou aux besoins présents ou à venir. On a suggéré d'autre part qu'une des fonctions du rêve serait de rendre certains problèmes de la vie plus clairs pour le rêveur.* »

Je serais tenté de rattacher, symboliquement, mes principales phobies aux quatre éléments. Au *feu* doit se rapporter ma crainte des détonations ; à l'*air* ma tendance au vertige, à l'*eau* l'horreur que m'inspire un exercice physique tel que la natation ; à la *terre* mon dégoût des araignées et de certains insectes.

---

1. D'ordinaire, les soldats indigènes y jouaient au football, — au moins depuis l'arrivée du nouveau captain, plus coulant que le précédent.

« ... le ..... tout est .... » a-t-elle dit ....
quoi que ce soit avant mini à cela, j'ai rêvé d'une grande fantasia ...

Petite pointe de cafard, mais je découvre sur la table de Griaule un exemplaire du tirage à part de son article *Mythes, croyances et coutumes du Begamder*[1]. Je m'en repais. Il y a une histoire étonnante d'oiseau sans mâle, fécondé dans les airs par le vent, et dont certains œufs, portant des signes énigmatiques qui signifient : « Jésus le Nazaréen, Roi des Juifs », permettent dans certaines conditions de découvrir un fruit souterrain merveilleux qui donne science et bonheur à celui qui le mange... Cette histoire me fait songer à la pierre philosophale et aux symboles de l'alchimie.

C'est si bon, d'être un peu seul ! C'est un peu triste aussi, car, au fond du cœur, on se demande ce que vraiment on est venu faire ici...

Journée très calme tout compte fait, à part quelques minimes paniques : extrême difficulté de m'entendre avec le cuisinier (qui ne parle qu'abyssin), impossibilité d'allumer la lampe à compression perfectionnée, massacre du poulet qui constitue mon dîner, pour la grande joie du petit chacal à qui j'abandonne une part énorme d'os avec lesquels je n'ai pas su — ni même voulu — convenablement me débrouiller.

J'ai ce soir, pour me tenir compagnie, le phonographe du captain, que j'entends de loin.

16 mai.

Nouveaux exercices militaires, avec des fusils mitrailleurs, cette fois ; mais toujours silencieux.

Je remonte le courant. Je me moque de moi, de mes examens de conscience constants, de mes phobies. Je m'entends très bien avec le chacal.

. . . .

Je m'en défends, mais je commence à ressentir à l'égard de mes

1. Cf. *Journal Asiatique*, janvier-mars 1928.

310

compagnons cette espèce de haine (ou plutôt d'irritation) qui plusieurs fois déjà m'a fait me séparer de groupes et de gens. Il semblerait que j'en veux à mes amis de leur avoir été intellectuellement uni à un moment donné, d'avoir été plus ou moins influencé par eux, de m'être solidarisé avec certains de leurs points de vue. Cette façon de réagir ne m'a pas abandonné en Afrique. Je m'en aperçois surtout aujourd'hui que je suis seul. Ma tête de Turc, naturellement c'est Griaule...

Objectivement, rien à dire : bu de l'hydromel, essayé de m'arranger avec le cuisinier pour qu'il m'apporte moins à manger ; tornade le soir (plus forte que celle d'hier).

17 mai.

11 h 15 : le captain passe au campement. Il vient d'apprendre que la route de Gedaref est coupée ; Griaule, Larget et Faivre ne seront donc pas là ce soir. Le captain m'invite à dîner.

13 h 45 : le cuisinier arrive à me faire comprendre que le *dedjazmatch* [1] Wond Woussen, vice-gouverneur de la province et fils du Ras Kasa, aurait écrit ou téléphoné (?) à la douane de Métamma pour qu'on nous laisse passer. Il aurait donc reçu les instructions envoyées d'Addis Ababa.

14 h 15 : « Le sociologue et le psychologue ont beau serrer de plus en plus leurs réseaux de connaissances, toucher de plus en plus près à l'*objectivité,* ils seront toujours des observateurs, c'est-à-dire situés en pleine *subjectivité.* Tous les savants en sont là. Quant aux philosophes, ils ne semblent pas près d'établir une équation satisfaisante entre ces deux faces de Janus. Un seul homme peut prétendre avoir quelque connaissance de la vie dans ce qui fait sa substance, le poète ; parce qu'il se tient au cœur du drame qui se joue entre ces deux pôles : objectivité — subjectivité ; parce qu'il les exprime à sa manière qui est le *déchirement,* dont il se nourrit quant à lui-même et dont, quant au monde, il est le *porte-venin* ou, si l'on veut, porte-parole. Mais il y a toutes sortes de manières d'être poète. Tenir une plume ou un pinceau n'est pas forcément la meilleure. »

16 h 10 : « Le suicide — dont le plus sûr résultat est de

---

1. Titre militaire élevé signifiant « chef d'arrière-garde ».

supprimer le sujet en tant qu'objet — est peut-être une solution élégante au problème précité. »

16 h 20 : Le cuisinier m'apporte de l'hydromel dont je bois la moitié et lui laisse l'autre moitié.

19 h 30 environ : tandis que je prends les drinks avec le captain, arrivée de Griaule-Faivre-Larget, qui ont passé sans trop de difficulté, mettant seulement des pierres en deux endroits. Ils s'installent au campement tandis que je dîne avec le captain et oublie toutes autres billevesées.

18 mai.

9 h 30 : Je vais à Métamma porter la copie du fameux télégramme que Griaule a fait établir à Gedaref et signer par le D.C. L'interprète, qui arbore aujourd'hui un superbe pantalon de cheval, m'exhibe — vide — le flacon de parfum que je lui ai donné l'autre jour. A l'en croire le flacon était dans cet état quand je le lui ai donné... Sans doute l'évaporation ! Peu importe, du reste. De nouveau les choses se compliquent. Le dedjazmatch Wond Woussen a bien envoyé des instructions pour que nous passions en franchise, mais nous n'irons pas directement à Zaghié [1]. Nous devrons d'abord aller à Tchelga, beaucoup plus au nord, puis, y déposant nos marchandises, jusqu'à Dabra-Tabor — où réside le dedjazmatch — c'est-à-dire de l'autre côté du Tana. D'un bout à l'autre du chemin, on nous assurera la nourriture, en même temps qu'une bonne escorte veillera à notre sécurité... L'interprète, à qui je me plains, convient qu'évidemment, si nous allons jusqu'à Dabra-Tabor, il y a des chances pour que nous y passions toute la saison des pluies. Il serait toujours possible ensuite, si nous y tenions absolument, de nous rendre à Zaghié... Mais l'interprète ne dit pas quand.

11 heures : retour au camp et compte rendu à Griaule qui me fait porter un télégramme pour le Ministre de France à Addis Ababa, stipulant que s'il n'intervient pas de solution il en référera à la S.D.N.

1. Point prévu pour notre jonction avec Gaston-Louis Roux et l'établissement de nos quartiers d'hiver, sur la rive sud du lac Tana. De là — avec notre bateau démontable — nous aurions rayonné sur le lac.

17 heures : le chauffeur Balay (cette fois sans menottes) vient voir Griaule, qui se décide à lui payer son amende (une livre égyptienne), voyant que ses geôliers ont l'air d'être partis pour le garder jusqu'à perpétuité, s'il ne paye pas ; Balay considère cette politesse comme tellement naturelle qu'il n'a pas remercié.

17 h 30 : tornade.

19 mai (Anniversaire du départ du s/s *Saint-Firmin*)

Larget a appris à Gedaref, par le commerçant arménien, que le guérazmatch Hayla Sellasié, chef de la douane de Métamma, allait être relevé de ses fonctions, ayant un petit peu trop tiré sur la ficelle en matière d'exactions. La tournée du balambaras n'avait d'autre but, paraît-il, que de vérifier ses comptes. Son départ prochain, que je croyais lié à la saison des pluies, n'a sans doute pas d'autre signification.

9 h 30 : visite au guérazmatch, pour demander copie, en amharique, de la lettre de Wond Woussen. Je le trouve avec l'interprète et deux familiers. Conversation préliminaire sur la fièvre. En avons-nous chez nous ? Je réponds qu'au Congo et au Soudan il y en a. Sur ce, l'interprète, pour expliquer au guérazmatch où se trouve le Congo, trace du bout de sa canne un cercle sur le sol, puis le divise en divers petits casiers inégaux au moyen d'arcs de cercle ou de cercles et, çà et là, marque des points. C'est la carte d'Afrique, montrant l'Abyssinie, les colonies avoisinantes et les villes principales. Du bout de sa canne, il touche le sol à l'extérieur du cercle, indiquant où se trouve l'Europe. Puis il entame de longues explications, dont, évidemment, je ne comprends pas un traître mot. J'entends les noms de diverses nations occidentales (entre autres le nom : « América »), le mot *manguest* (gouvernement), le mot *machina* et, sans doute aussi, le mot *abou gédid,* nom d'une cotonnade de traite répandue dans toute l'Afrique Orientale. Je ne serais pas étonné qu'il fasse à ses auditeurs un exposé des visées de l'impérialisme colonial européen.

Les visiteurs s'en vont. J'expose ma requête. Croyant que nous voulons établir nous-mêmes la copie (c'est-à-dire, bien entendu, la falsifier), mes interlocuteurs commencent par refuser. Après de laborieuses explications, ils finissent par comprendre que cette copie sera faite par eux-mêmes et se résignent à accepter. L'arrivée de trois nouveaux visiteurs, qui saluent très bas le guérazmatch et reçoivent de lui l'accolade, met fin à l'entretien.

En m'en allant, je jette un coup d'œil sur un groupe de mulets parmi lesquels doivent se trouver dix des nôtres, qui, nous a-t-on dit ce matin, viennent d'arriver.

14 heures : visite d'un Abyssin, ancien soldat anglais, que Griaule a déjà rencontré et qui lui a offert ses services comme caravanier. Il a un certificat très élogieux : « Excellent type du bon soldat abyssin. Parfaitement honnête, sobre et sûr. N'a été licencié que pour des raisons médicales (hypertrophie de la rate). » Il propose de former notre caravane, avec des mulets en location. Cela nous reviendrait beaucoup moins cher qu'en procédant avec Osman, l'agent qui s'est chargé de nous en procurer. Il convient d'ailleurs, selon lui, que nous nous méfiions d'Osman. Quant à la route, il est exact que le chemin direct pour Zaghié est très mauvais : les mulets crèvent, et il y a un passage difficile où ils risquent de tomber dans un ravin.

. . . .

Balay, enfin libéré, travaille pour rembourser sa guinée, sous la direction de Makan, qui lui en veut toujours de lui avoir chipé sa montre, car il n'a pu la récupérer que cassée.

Visite du capitaine, à qui il manque pour ses mots croisés deux expressions que nous lui fournissons : monnaie roumaine de trois lettres (LEI), nom du fondateur de la première ligne transatlantique (CUNARD).

Visite d'Osman, l'agent pour les mules. Il confirme ce que Larget avait entendu dire du guérazmatch : il a en effet volé 2 800 thalers à la douane, et c'est sur cette affaire que le balambaras est venu enquêter. Son remplaçant, un nommé Nourou, ami d'Osman, est déjà là, en territoire anglais. Mais le guérazmatch ne veut pas lui laisser la place, prétendant ne pas connaître les ordres du Ras Kasa, gouverneur de la province (en résidence à Addis Ababa), mais seulement ceux de Wond Woussen son fils (de Dabra Tabor). A la faveur de ces révélations sur la politique locale, notre affaire commencerait-elle à s'éclaircir ?

Retour du captain, à la nuit, apportant à Larget une cornière de fer dont il avait besoin, et aussi ses mots croisés, qu'il me laisse car décidément il ne s'en tire pas. Je vais les lui porter un peu plus tard, en rien plus avancés. Je le trouve en train de prendre sa leçon d'arabe avec l'officier égyptien Ce dernier en profite pour boire force whisky.

20 mai.

Visite au guérazmatch qui me remet, en présence de l'interprète et du superintendant des douanes de Gallabat, la copie demandée. L'interprète Lidj Damsié pense que si le Ras Kasa et le dedjazmatch Wond Woussen ne nous ont pas permis de nous rendre immédiatement à Zaghié, c'est parce qu'ils ont cru que nous avions toujours l'intention d'entrer notre bateau. Au cours de l'entretien, le guérazmatch m'offre d'un abominable cognac, dans un petit gobelet de corne auquel il boit le premier, par politesse. Je refuse d'abord, puis accepte, bien que je sache qu'il y a quelques mois le guérazmatch est allé à Gedaref faire soigner sa vérole... Il est vrai qu'un tel tord-boyaux doit être un merveilleux désinfectant ! Damsié, très réglementaire à cause de la présence du superintendant, me demande d'établir une liste de tous nos bagages, qu'il aura l'amabilité de ne pas visiter.

En redescendant, escorté par l'interprète, j'aperçois Griaule et Faivre quittant le poste de douanes et s'en allant vers Gallabat. J'apprends par l'interprète, qui vient lui-même de l'apprendre à l'instant, que Griaule était venu voir ses mulets (stationnés à Métamma), mais qu'un garde l'a empêché de passer et qu'il est parti furieux... Afin de tout arranger, on m'amène les mulets. Trois sont jolis, mais quelques-uns des autres sont blessés. Il est vrai que je n'y connais rien. Il faudra que Griaule les voie, avant de conclure quoi que ce soit...

A peine franchi la frontière-torrent, je rencontre le captain qui, allant lui-même faire son premier tour aux douanes de Métamma me demande de l'accompagner. Il voit les mulets, qui lui semblent bons. A Damsié, avec lequel il parle un peu — histoire de faire connaissance — il pose quelques questions aimables : où a-t-il appris l'anglais qu'il sait parler si bien ? Où peut-on trouver des timbres abyssins, car lui, le captain, en a besoin pour envoyer à un petit garçon qu'il connaît? Quel est le mot abyssin pour mulet? Y a-t-il à Métamma une équipe de football, car on pourrait peut-être arranger un match?

De retour au camp, je donne à Griaule la copie de la lettre. Il la lit attentivement et me la traduit. D'après les termes, il s'agit bel et bien de nous emmener jusqu'à Dabra Tabor sous escorte et de faire de nous, pratiquement, des prisonniers en même temps que des hôtes honorés.

17 h 45 : un télégramme du Ministre de France arrive, disant qu'il y a eu malentendu, que de nouvelles instructions ont été envoyées et que nous pourrons passer par où nous le jugerons bon.

Dîner chez le captain. A la fin du repas Faivre prend, au magnésium, une photo de la tablée. Larget, qui s'est bourré de piment rouge, propose de tirer un feu d'artifice (deux « Krakatoa » qu'il va chercher au camp) mais le captain n'y tient pas, de crainte que les soldats de l'Eastern Arab Corps ne sautent sur leurs fusils, croyant à une alerte.

21 mai.

« Quelle est cette merveilleuse odeur qui frappe mon nez? » disait hier l'informateur nègre abyssin de Griaule, comme un postulant *achkar*[1] venait, avec le pan de sa toge, de faire tomber à terre une bouteille de fine Martell et de la casser. Le même gaillard à odorat si délicat apporte ce matin à Griaule un spécimen d'une plante dont il lui a parlé en cours d'enquête et tombe juste au milieu d'une quinzaine de postulants qui discutent leur salaire, en présence de l'agent Osman (toujours en turban et en burnous éclatant) et de l'Abyssin ancien soldat anglais (vêtu comme d'habitude de shorts et d'un bush-shirt gris-vert).

Deux des postulants sont très beaux : ce qu'on appelle communément des « têtes de saint Jean-Baptiste ». Mais ce ne sont peut-être pas les meilleurs... Les autres, à quelques exceptions près, sont plutôt mal bâtis. Il y a un grand vieillard ignoble, chauve, édenté, presque imberbe et ridé qui, tout le temps de la discussion, ramasse des détritus avec les doigts d'un de ses pieds.

1. C'est-à-dire serviteur armé ou muletier.

Un autre bien plus jeune, qui porte un veston noir, a le visage tout grêlé. Je l'ai déjà rencontré à Métamma.

Ma visite à la douane s'effectue cette fois-ci avec Griaule et Larget, qui viennent voir les mulets. Sachant que c'était ce matin qu'ils devaient examiner les bêtes, le guérazmatch est sorti de sa case et venu au-devant de Griaule. Mais sachant aussi que dans sa colère d'hier il a déclaré aux serviteurs « qu'il n'avait pas d'ordre à recevoir d'un petit chef voleur », le guérazmatch, après avoir salué, reste à l'écart accoté à un arbre, le dos tourné, feignant de lire des papiers, comme un écolier puni, à la fois craintif et boudeur. Griaule parti, je montre le dernier télégramme au guérazmatch et à son acolyte ; ils semblent décidés à ne plus faire aucune difficulté.

A chacun d'eux, en guise de cadeau, j'ai donné une boîte de cachets d' « orthogénol », spécialité pharmaceutique dont le but est de pallier les méfaits de « l'automnose », c'est-à-dire les maladies de l'âge moyen et du grand âge, dit le papier. Je suis obligé d'avaler moi-même un des cachets, pour faire voir au guérazmatch comment il convient qu'il s'y prenne. Comme je l'ai avalé très vite avec à peine une gorgée d'eau, et que le guérazmatch n'y a guère vu plus qu'on ne voit quand quelqu'un exécute devant vous un tour de prestidigitation, j'espère que le vieux sacripant s'étranglera à la première occasion.

22 mai (dimanche).

Départ de Griaule et de Larget à Gedaref, pour aller chercher Lutten qui y arrive demain soir. Hier après-midi ont été réglées diverses affaires : engagement de 6 achkars (qui seront commandés par l'ancien soldat anglais), achat de 10 mulets. Le paiement de ces 10 mulets à Osman Ibrahim Zaki et l'établissement du reçu de la somme a donné lieu, entre Osman et l'ancien soldat anglais — qui voulait défendre nos intérêts — à une longue explication, au cours de laquelle l'ancien soldat, toujours en drill gris-vert, touchait parfois l'épaule du Soudanais en vêtement toujours soyeux, pour mieux lui faire saisir ses arguments. Il effectuait ce geste en éloignant simultanément la tête, par un gracieux mouvement du torse orienté vers l'arrière et vers le côté ;

regardant Osman en même temps, il avait l'air d'un peintre qui, au lieu d'en vouloir à sa toile, toucherait son modèle du bout du pinceau et se reculerait pour juger de l'effet.

Travail : nouveau remaniement de mes bagages en vue du transport par mulets (je ne fais que cela depuis Gedaref), essai de me familiariser un peu avec l'alphabet amharique, inspection côté mulets pour voir comment ils sont nourris.

23 mai.

Trouvé un serpent aux W.-C. dans les circonstances suivantes : jetant selon l'usage dans la tine que j'avais souillée une certaine quantité de gravier (puisée à l'aide d'une vieille boîte de conserve dans une caisse de métal placée là à cet effet), je constate au fond de la tine un instantané et mystérieux grouillement, comme si les matières s'étaient tout à coup animées... En un clin d'œil je reconnais qu'il s'agit d'un serpent, qui devait dormir dans la caisse de gravier et que j'ai dû puiser. C'est une bête très mince, un peu plus longue qu'une vipère, au corps tacheté, dans l'ensemble violacé. Griaule et Larget en ont capturé une pareille, il y a quelques jours, derrière des caisses. Celle-là, très jeune, était inoffensive. Mais je ne sais pas ce qu'il en est quant à sa congénère merdeuse... C'est en tout cas à Faivre, naturaliste, que revient l'honneur de lui coincer la tête entre deux bouts de bois et de la noyer dans une boîte de conserve remplie d'eau.

Après cette performance, réglage des comptes d'hier avec le cuisinier (par l'intermédiaire d'un jeune domestique abyssin engagé après présentation par l'interprète des douanes et dont j'ai découvert aujourd'hui seulement qu'il parlait anglais). Ordonnance d'un déjeuner strictement abyssin, à tel point abyssin que le cuisinier — par dignité ou ignorance réelle ? — déclare qu'il ne pourra le préparer lui-même et qu'il devra amener une cuisinière du marché.

. . . .

Le déjeuner se prend avec le captain, que j'ai invité sachant que, colonial récent, il est curieux de toutes les nourritures indigènes. Le plat de viande au *berbéri* [1] — que finalement le cuisinier a préparé lui-même — est exquis quoique fortement « hot ». Les galettes qui servent de pain sont très bonnes. Mais il n'y a rien autre... Moi qui pensais avoir ordonné tout un repas abyssin ! Je suis confus devant notre invité. D'autant plus qu'au moment du café le domestique fait constater qu'il ne reste que trois morceaux de sucre et que déjà pour le dessert, ayant fait servir une boîte de crème de marron que le captain avait eu la politesse de déclarer exquise, j'avais commandé qu'on en ouvrît une autre, ignorant à ce moment qu'il n'en restait plus. Aussi ai-je toujours été un exécrable popotier ! Griaule n'est pas près de perdre le souvenir de mes débuts dans ces fonctions, lors de l'excursion de Yougo et d'un certain entremets glacé au lait condensé et aux lentilles, préparé par erreur avec une farine destinée à être consommée comme bouillie de légumes...

L'après-midi presque entière se passe avec le captain. Je descends aux souks avec lui, porteur des deux serpents, chacun dans un bocal d'alcool, pour les faire identifier par les indigènes (qui ne sont pas d'accord et leur donnent, ainsi que j'aurais dû m'y attendre, tous des noms différents). De là nous allons visiter le jardin du captain, puis « mes mulets » (que je vais inspecter comme un bon maréchal des logis, bien que ne connaissant rien de rien à l'affaire), puis, pendant qu'on y est, le guérazmatch, qui s'affole à la vue des serpents, pensant que ces animaux dont l'ancêtre a fait la perte de nos premiers parents vont lui porter malheur, à tel point que, pour le rassurer, je dois lui faire conter l'histoire de la Vierge écrasant la tête de la bête immonde sous son pied et affirmer qu'en conséquence la vue des serpents tués est un grand plaisir pour la mère de Dieu... Le guérazmatch bat des mains. Le captain, qui pratique la politique de gentillesse avec les indigènes et cherche la popularité, apprécie hautement l'apologue.

24 mai.

C'est aujourd'hui qu'en principe Griaule et Larget ramènent Lutten. Cela me fait plaisir de revoir ce dernier. Malgré tout ce

1. Sorte de piment très fort.

que je puis dire sur mon sentiment de solitude, je constate que le voyage a peu à peu instauré — sans même qu'on s'en aperçoive — entre mes compagnons de base et moi, une solidarité. Beauté et ignominie de la vie d'équipe...

Journellement, les corbeaux disputent sa pitance au chacal. Aujourd'hui, comme il a bu trop de lait et comme il a été malade, ils mangent sa vomissure tandis qu'il dort.

25 mai.

Griaule-Larget-Lutten sont arrivés pour dîner comme prévu. Lutten, qui a fait le Nil sur le même bateau que nous, a appris par l'engineer l'accident survenu à sa civette. Le chacal, qui a été malade toute la journée d'hier, semble aller mieux.

Grosse journée. Afin de reconnaître la route, Griaule veut aller faire un tour dans la matinée en Abyssinie, avec la voiture qu'il a ramenée de Gedaref. Vers 6 h 1/2 du matin, il m'envoie en avant prévenir le guérazmatch. Celui-ci, naturellement, refuse, prétendant que notre autorisation d'entrer avec tout notre matériel ne s'applique pas aux voitures. Je m'en retourne, allant au-devant de Griaule, que je rencontre à mi-côte, en voiture avec Lutten et Faivre. Je monte à côté d'eux et reviens ainsi à la douane. Nous nous arrêtons devant le « bureau », près de l'endroit où sont stationnés nos mulets. Sur l'ordre de Griaule, je vais annoncer au guérazmatch son intention ferme de passer. Tremblant (de peur ?) et écumant (de rage) le cher homme, après quelques secondes passées à se débattre pour chausser ses souliers, se précipite dehors, ceinturé de cartouches, suivi par moi et par quelques hommes armés de fusils. Griaule renouvelle sa demande au guérazmatch, invoquant les télégrammes d'autorisation. Le guérazmatch persiste à refuser. Griaule exige alors un ordre écrit, que le guérazmatch refuse d'établir. Il se met alors au volant. Je grimpe dans la voiture, bien que le guérazmatch essaye de me retenir par un poignet. Faivre grimpe à ma suite. Les gardes à fusil entourent la voiture. Je pense que Lutten va monter lui aussi et que, de force, Griaule va démarrer. Mais le guérazmatch ordonne d'arrêter « par Ménélik ». Cette formule ayant été prononcée rien à faire. Mais « Par Ménélik », Griaule exige que le guérazmatch écrive sa décision sur un papier. Sinon il passera outre. A Gallabat il a du reste des fusils... Le guérazmatch obtempère. Griaule et moi allons chez lui pour la rédaction du document. Griaule, de son côté, donne au guérazmatch une lettre déclarant qu'il considère comme « inamical » de nous refuser l'entrée d'un engin compris dans notre permission.

Le chauffeur Balay, l'ancien soldat chef de caravane et le domestique qui parle anglais, accourus de je ne sais où au moment de l'échauffourée, ont été tous trois arrêtés. Lutten, que nous rejoignons à la voiture, nous raconte qu'il a joué des pieds et des mains pour les délivrer. Il a réussi à ce qu'ils ne soient plus tenus, mais, en principe, ils sont toujours en état d'arrestation. Aussi, dès que Lutten a tourné la voiture, Griaule, d'autorité, les fait monter dedans et ordonne à Lutten de les conduire à Gallabat, tandis que Faivre, lui et moi nous en retournerons à pied.

De retour au camp, Lutten donne des détails sur la mêlée. Il a été frappé au côté avec le canon d'un fusil. Un autre homme l'a menacé d'un coup de crosse. Un troisième a levé sur lui une hache. Télégramme immédiat de Griaule au Ministre de France à Addis et lettre au guérazmatch — que j'irai porter — annonçant qu'une plainte est déposée à Addis Ababa.

Ma démarche suscite un énorme palabre. L'interprète officiel — qui s'est planqué pendant toute la bagarre — n'est pas là. Il est malade, paraît-il... Un jeune Égyptien qui est présent et qui connaît l'anglais fait l'interprète. Grandes protestations : Lutten a donné un coup de pied d'abord, nous n'étions pas autorisés à entrer avec l'automobile, etc. Je fais répondre au guérazmatch que s'il a quelque chose à dire il n'a qu'à, lui aussi, écrire à Addis Ababa... On appelle le « chef des gardes » — homme très grand et décharné, véhément, à l'œil d'alcoolique ou de syphilitique — et le palabre reprend de plus belle. Je tonitrue, quant à moi, en anglais.. Brusquement, le guérazmatch trouve sa riposte : les serviteurs qui veillent sur nos mules causent du dérangement dans le village, il faut que nous les prenions en territoire anglais, sinon, il les refoulera sur Addis Ababa. Un peu interloqué tout d'abord — car laisser les mules seules c'est les vouer à être attaquées par les hyènes ou à tout simplement crever de faim, les entrer en territoire anglo-égyptien, c'est se mettre dans l'obligation de payer des droits de douane très élevés — je ne sais que répondre. Mais comme le guérazmatch demande que j'emmène les serviteurs tout de suite, je me récuse, disant que je n'ai pas qualité pour cela, n'étant que messager. De plus, je réclame un papier. On me montre un soi-disant règlement relatif aux domestiques, écrit au crayon en amharique et en arabe. Je veux le prendre, mais un tollé s'élève et je dois le restituer. Le guérazmatch promet toutefois d'envoyer par un soldat une lettre à Griaule dans le courant de la journée et de ne rien faire d'ici là quant à l'expulsion des muletiers...

Pour la sixième fois depuis ce matin, je passe la frontière abyssine (c'est mon troisième retour) et laisse la bande de mauvais plaisants veiller tout leur saoul à la sécurité de leur frontière, avec leurs ventres barrés de ceintures cartouchières, à l'exemple de leur chef qui, lors de ce tout dernier entretien, avait cru bon de s'envelopper dans son caban sombre de saison des pluies, pour bien montrer que tant de trouble le rendait malade.

Il était certainement écrit que le pauvre Balay, en territoire abyssin comme en territoire anglais, serait voué de toute éternité à se faire coffrer !

. . . .

Le guérazmatch n'envoie pas le papier mais, à la fin de l'après-midi, Lutten, qui est allé aux mulets, revient avec un des achkars ; ce dernier annonce que leur chef, l'ancien soldat (qui se nomme Damsié, comme l'interprète de la douane) vient d'être incarcéré. Le capitaine anglais et un docteur venu de Gedaref se sont présentés en auto à la douane pour aller visiter l'église située à quelques kilomètres de là. On les a pas laissés passer et on a appréhendé le chef des muletiers sous prétexte que ce devait être lui qui avait amené la voiture.

Lutten et moi, escortés du muletier qui est venu avertir et de Wadadjé, le jeune domestique parlant anglais, allons à la douane. Le guérazmatch et l'interprète (qui n'est plus malade) nous renvoient au chef des gardes, alléguant qu'ils ne savent rien. Le chef des gardes, purement et simplement, refuse de libérer le prisonnier, ne consent même pas à nous le laisser voir et ne veut pas donner de procès-verbal écrit des événements. Je déclare alors que nous nous portons garants du caravanier, ce qui, selon la coutume abyssine, devrait entraîner sa libération immédiate, pourvu que le montant de l'amende réclamée soit versé entre les mains du juge. On n'accepte pas de libérer le prisonnier tant que Griaule n'aura pas écrit une lettre comme quoi il se porte garant. Il fait nuit. Tous se lèvent, pour marquer que l'entretien est terminé. Wadadjé — qui a peur de se faire, lui aussi, arrêter — nous engage à ne pas insister « It's too bad... It's too bad... », me dit-il à mi-voix, d'un ton très effrayé.

Il nous explique ensuite que tous nos interlocuteurs sont saouls et que plusieurs d'entre eux ont parlé de frapper Lutten, au cas où ce dernier s'aviserait de « lever la main ». Il a entendu également qu'on se proposait de nous faire verser 16 guinées pour relâcher le prisonnier...

lorsque nous avions pris congé, l'abject chef de la police, à demi titubant et grimaçant de toute sa face de vieil alcoolique, avait tendu ses mains en coupe vers Lutten, exprimant ainsi son attente d'un pourboire [1].

Demain matin, si l'affaire ne peut s'arranger à l'amiable, je me porterai personnellement garant du caravanier et, refusant évidemment de verser le montant de l'amende, me ferai arrêter.

26 mai.

Coup de théâtre sur coup de théâtre. A 8 h 1/2 du matin, Ayyêlê le cuisinier vient trouver Griaule et lui dit confidentiellement que le caravanier — l'homme pour lequel je comptais me porter personnellement garant et me faire, au moins théoriquement, emprisonner — n'a pas seulement été arrêté pour les raisons qu'on nous a dites, mais à cause d'un meurtre commis en territoire anglais à propos d'une affaire de mulets. Des gens de

1. Lutten m'apprit deux jours après ce que n'était pas le chef des gardes qui avait tendu les mains vers lui, mais un homme plus jeune qui se trouvait à côté du chef des gardes. J'ai su plus tard par Osman Ibrahim Zaki que ce jeune homme était le caissier de la douane.

Tchelga se proposeraient même de le tuer, au cas où il pénétrerait plus avant en territoire abyssin.

A 9 h 15, je me rends à Métamma, sans qu'il soit plus question, bien entendu, d'aucune garantie. La première chose que j'apprends d'un jeune garde que je rencontre en arrivant, c'est que l'interprète Damsié vient de quitter Métamma, non pour Tchelga (où normalement il devait aller), mais pour Addis Ababa ; de même, le guérazmatch partira pour Addis Ababa dans cinq jours. Il est probable que notre affaire, faisant boule de neige avec l'affaire des 2 800 thalers, les aura fait rappeler jusqu'à Addis Ababa, en plus de leur primitif fendage d'oreille. Peut-être aussi Lidj Damsié fait-il lui-même courir ce bruit, trouvant ainsi une élégante façon de se dérober !

Au soir, le vent tourne : nous apprenons que le meurtrier présumé a été relâché... J'en suis heureux, car j'étais tourmenté à l'idée que si nous ne payions pas ses 16 guinées (prix un peu supérieur au prix du sang) et s'il était reconnu meurtrier, il serait vraisemblablement condamné à la potence.

Le district commissioner et le nouveau commandant des troupes de Gedaref sont arrivés, en tournée. Un dîner très gai nous réunit tous. Le D. C. a eu son lit partiellement incendié, l'ayant monté sur la terrasse du fort et une flammèche venant de la cuisine d'un des soldats étant tombée dessus.

Autre nouvelle que j'oubliais : l'escorte envoyée sur l'ordre de Wond Woussen pour nous conduire en prisonniers d'honneur jusqu'à Tchelga va arriver. Son chef est déjà là.

27 mai.

Les journées commencent à être si lourdes d'événements et de nouvelles souvent contradictoires, que j'ai beaucoup de peine à trouver le temps de les noter dans ce journal. Tandis que les autres sont chez les Anglais, à boire les drinks et faire partir les deux « Krakatoa » de Larget, je reste au campement ayant prétexté l'obligation (réelle d'ailleurs) d'établir de nombreux rapports relatifs aux affaires abyssines.

Je suis content aussi d'échapper aux drinks, dont nous commençons tous à être bien fatigués... Je récapitule la journée :

8 heures : visite d'Osman Ibrahim Zaki, accompagnant un

serviteur du guérazmatch Ennayo — le chef de notre escorte — porteur d'une lettre du *fitaorari* [1] Asfao à lui adressée et comme quoi : les gardes nous conduiront jusqu'à Métchela, où nous serons pris en charge par un certain Lidj Abto. Selon le messager nous serions, de Tchelga, conduits à Dabra Tabor ; Griaule spécifie qu'il est entendu qu'il ne va pas à Dabra Tabor et que, si l'on persiste dans cette attitude, il refusera de suivre les gardes. A quoi le messager répond qu'il lui semble que nous pourrons aller où nous voulons. Griaule réplique que nous partirons pour le lieu qui nous conviendra dès que tous les mulets seront là.

Le messager parti, Osman rappelle, de la part du guérazmatch Hayla Sellasié, que Griaule a parlé lors de leur première entrevue (et quand tout n'était encore que sourires) d'un cadeau de cartouches. Le guérazmatch devant de toute façon nous accompagner jusqu'à Tchelga (par où nous passerons, car il semble que ce soit réellement le meilleur chemin), Griaule répond qu'arrivés à Tchelga on verra.

8 h 15 : visite du prisonnier relâché. Il s'explique sur le meurtre dont on l'accuse : il s'agit d'une simple rixe qui n'a pas entraîné mort d'homme. Il ajoute que les Abyssins lui en veulent d'avoir servi comme soldat anglais.

18 heures : un soldat du guérazmatch Ennayo apporte à Griaule la lettre suivante : « *Qu'elle arrive à l'honorable Monsieur le Ministre Grêyol. Par le Sauveur du Monde, que Dieu vous donne la santé ! Moi disant, j'ai levé la main pour vous saluer. Il y a des gens qui disent : " Cet homme qui s'appelle Damsié a tué notre parent. " Étant donné ceci, il ne doit pas passer. J'ai dit que je vous protégerais avec des gardes solides. Je fais connaître qu'il ne convient pas que travaillent avec vous des hommes comme celui-ci. Guenbot 19. — (Signé) Guérazmatch Ennayo.* »

Le garde s'en va, porteur d'un cadeau de parfum pour son maître.

Demain matin, j'irai rendre visite à ce dernier, afin de savoir qui il est exactement et s'il ne serait pas, par hasard, le même que ce chef des gardes qui a joué un si grand rôle dans les incidents d'avant-hier.

---

1. Titre militaire intermédiaire entre celui de *gagnazmatch* (chef de droite) et celui de *dedjazmatch* et signifiant « chef d'avant-garde ».

Hier et aujourd'hui, durant une partie de la journée, Makan a fait son service vêtu de vieilles robes de femme qu'il a découvertes dans je ne sais laquelle de nos caisses.

28 mai.

7 h 50 : visite de l'ancien soldat Damsié, à qui Griaule fait savoir qu'étant donné la grave accusation qui pèse sur lui, il ne peut l'emmener. Je lui remets, de sa part, un cadeau de poudre de riz et de parfum.

14 heures : un garde du guérazmatch Hayla Sellasié apporte une lettre du guérazmatch comme quoi il ne faut pas engager, comme chef de caravane le nommé Walda Maryam — protégé d'Ennayo que Griaule a vu ce matin et qui était recommandé par le cuisinier — parce que cet homme, qui était employé du gouvernement abyssin, aurait volé un livre de comptes. Le guérazmatch viendra lui-même au rest-house pour parler de cela. Il fait ajouter oralement qu'il recevrait volontiers un petit cadeau.

15 h 15 : accompagné de Wadadjé, je vais à Métamma rendre visite au guérazmatch Ennayo. Bien que j'en aie eu la pensée, je suis tout de même un peu interloqué en reconnaissant le « chef des gardes » des histoires du 25 mai. Dès les politesses échangées, Ennayo me demande si nous avons reçu sa lettre, et si ce n'est pas à ce sujet que je viens le voir. Je le remercie de la lettre, mais déclare que, ignorant que je le connaissais déjà, j'étais venu lui faire une visite de politesse, ayant appris que le chef de l'escorte envoyée par Wond Woussen venait d'arriver à Métamma. Une fois de plus j'exprime notre intention de n'aller à Dabra-Tabor qu'après nous être installés à Zaghié. Ennayo répond que ce que nous ferons après Tchelga ne le concerne pas, étant donné qu'il a mission de nous conduire jusqu'à l'endroit où nous serons pris en charge par le fitaorari Asfao. Sa mission accomplie, il reviendra à Métamma, où il a beaucoup de travail. Tous ses gens sont prêts et la nourriture est déjà préparée sur le parcours pour notre caravane. Il espère que tout ira bien pour nous à Addis Ababa, où il semble penser que nous serons conduits en ricochant d'escorte en escorte. Comme il me reparle de sa lettre à propos de Damsié

l'ancien soldat, je lui rappelle notre « petite contestation » de l'autre soir et j'ajoute que puisqu'il a donné cette lettre — pièce écrite ! — nous ne demandons rien de plus. Tout se termine dans un nimbe de compliments et de politesses.

17 heures : le cuisinier vient apprendre à Griaule que les deux guérazmatch — que la dénonciation de Walda Maryam, protégé d'Ennayo, par Hayla Sellasié, venant après celle de l'ancien soldat Damsié, par Ennayo, nous faisait croire rivaux — « boivent et mangent ensemble ». Quant au livre de comptes disparu, c'est l'interprète Lidj Damsié qui l'aurait emporté en partant à Addis Ababa.

18 h 10 : renvoi de l'ex-chauffeur Balay qui a terminé le temps de travail qu'il nous devait en échange de la livre égyptienne payée pour le tirer de prison.

18 h 35 à 19 h 35 : visite promise de Hayla Sellasié. Politesses. Il déclare qu'Ennayo est un imposteur, qu'il n'a pas qualité pour venir nous chercher, mais que lui a reçu une lettre régulière d'Addis Ababa. Il a des ordres pour que nous allions avec lui jusqu'à Dabra-Tabor par Tchelga, en laissant nos bagages à Tchelga. Il vaut mieux partir tout de suite : Ennayo n'est pas un homme sûr, il visitera les bagages, nous fera toutes sortes de difficultés. Lorsque l'interprète Lidj Damsié est parti à Addis Ababa, il avait prêté son livre de comptes à Walda Maryam et ce dernier ne le lui a pas rendu. Par contre, Damsié, l'ancien soldat, est accusé faussement de meurtre par Ennayo et ses gens : il y a deux mois qu'il est venu de Gedaref à Gallabat et personne ne dit rien contre lui. A Tchelga, nous pourrons nous expliquer, disposant du téléphone. En attendant, il va essayer de nous trouver des ânes en location. Il tient à partir avec nous pour nous protéger contre Ennayo, et c'est pour cela qu'il retarde son départ.

Il se retire.

D'après le témoignage de Wadadjé, ce serait un des hommes d'Ennayo qui aurait frappé Lutten avec son fusil. Il semble aussi que ce soient ces gens-là qui aient arrêté les trois domestiques. Ce sont eux qui, en tout cas, étaient saouls et avec qui nous avons eu le palabre du soir.

Le guérazmatch Hayla Sellasié avant de venir nous voir s'est entretenu quelques instants avec les officiers anglais. Durant que

Hayla Sellasié était chez nous, l'un de ces officiers — le commandant des troupes de Gedaref — est venu nous rapporter ses propos : en route les gens d'Ennayo seront perpétuellement saouls et nous aurons toutes sortes d'histoires.

29 mai.

Bien que la vie abasourdissante continue, il semble qu'on s'achemine vers un certain éclaircissement.

De 7 h 30 à 7 h 50 : visite d'Osman Ibrahim Zaki, que Griaule avait fait demander. Il donne divers renseignements : le balambaras Gassasa a investi des fonctions de chef de la douane le nommé Nourou, musulman, ami d'Osman, qui attend chez ce dernier en territoire anglais que Hayla Sellasié veuille bien lui céder la place, le guérazmatch dégommé ayant promis qu'il le tuerait dès qu'il paraîtrait en territoire abyssin. Les deux guérazmatch — Hayla Sellasié et Ennayo — sont, paraît-il, des hommes honorables. Le nommé Walda Maryam est un garçon honnête : c'était le subordonné de l'interprète Lidj Damsié. Quant à Lidj Damsié lui-même, il n'est qu' « un peu ami avec le guérazmatch ».

8 h 40 à 9 h 35 : visite d'Ennayo à Griaule. Le gouvernement du Soudan ayant accordé l'autorisation d'entrer les mulets en franchise, Griaule a décidé de les faire amener à proximité du rest-house. Ennayo, qui a appris cela, s'en inquiète, pensant que peut-être Griaule le fait parce qu'il n'est pas content des Abyssins. Il confirme ce qu'il m'a dit hier, déclare lui aussi qu'à Tchelga nous pourrons, comme nous voudrons, nous expliquer par téléphone. Hayla Sellasié est bel et bien renvoyé et ne veut pas s'en aller. Ennayo se porte garant de Walda Maryam, qui était le secrétaire particulier de Lidj Damsié et est resté à Métamma simplement parce que ce dernier, partant à Addis Ababa, n'avait plus besoin de secrétaire. Griaule lui spécifie qu'il veut bien aller avec lui à Tchelga, mais que si, de Tchelga, il va à Dabra-Tabor, ce sera comme prisonnier.

11 heures : visite d'un commerçant grec, qui changerait des thalers à 5 piastres 50.

Du côté caravane, pas mal de nouvelles : Hayla Sellasié nous a trouvé 40 ânes en location ; les âniers ne voulant pas attendre plus de deux jours, je partirai sans doute avec Faivre, effectuant un premier voyage qui permettra d'emporter une grosse partie du matériel, car Osman Ibrahim Zaki, de son côté, nous a trouvé 6 chameaux qui pourront aller au moins jusqu'à Wahni (Métchela), résidence habituelle du guérazmatch Ennayo, à mi-chemin de Tchelga.

Du côté anglais : les deux majors (le district commissioner de Gedaref et le commandant des troupes de la région) sont partis cet après-midi emportant notre courrier ; le captain a fait installer dans le camp des soldats une balançoire pour les enfants.

A 6 h 45, le coup de théâtre quotidien : télégramme de Paris annonçant que le Ras Haylou, gouverneur du Godjam, sur l'hospitalité duquel nous comptions à partir de Zaghié [1], a été arrêté. Je vais porter la nouvelle à notre ami le captain. Nous parlons de politique abyssine, de politique locale, d'entomologie et, de fil en aiguille, passons à quelques vérités premières sur la syphilis et la blennorragie.

30 mai.

Pluie cette nuit. Hyène. Lutten a dû se lever pour aller voir les mulets. Pluie ce soir. L'hiver commence. Peu d'événements aujourd'hui. Je pars demain ; la caravane se forme : 2 mulets de selle, 9 chameaux, 25 ânes, des hommes en conséquence.

Ce matin, Ennayo est venu voir Griaule accompagné d'un jeune homme qui fait moitié arabe et moitié abyssin et qui n'est autre que le trésorier de la douane. Drôle de trésorier sans doute ! Mais peu importe, le principal est que les deux hommes ont voulu embrasser les genoux de Griaule en signe d'absolue soumission...

Cet après-midi, je suis allé rendre visite à Hayla Sellasié, puisque nous devons faire route ensemble. L'entretien a été très cordial, mais il a insinué que, parfois, il visitait les bagages... Il est vrai qu'il m'a fait dire en sous-main qu'un cadeau de cartouches pourrait remplacer cette formalité. Il est venu ce soir le réclamer à

---

1. Lors d'un premier voyage en Abyssinie (1928-1929), Griaule avait séjourné plusieurs mois sur les terres du Ras Haylou. Ce dernier l'avait royalement reçu et lui avait promis toutes facilités de travail pour un futur voyage.

Griaule, qui le lui a promis pour Tchelga à condition que tout aille bien.

Dîner d'adieux bien agréable, avec mon ami le captain. Lui demandant son adresse londonienne, il me répond : « Naval and Military club » ; j'ai le plaisir de le devancer en ajoutant : « 94th Piccadilly », car c'est l'adresse que le major aux éléphants nous a déjà donnée...

31 mai.

La caravane se forme : on prépare les charges des ânes, puis celles des chameaux. Les hommes arrivent, enfin les animaux. Les ânes sont pitoyables et gentils. Les chameaux mauvais comme des gales. Ils allongent leurs grands cous de serpents et grincent sinistrement.

A près de 6 heures du soir — à la fin d'une journée éreintante, passée à remettre à l'endroit les charges préparées à l'envers, à régler de nouveaux démêlés avec la douane abyssine (qui trouve d'abord la déclaration en douane insuffisante, puis arrête la caravane sous prétexte de visiter les bagages, — ce qui amène Griaule à faire un esclandre : donner d'abord aux caravaniers l'ordre de retourner, puis tenter d'attacher le caissier de la douane — qui avait fait stopper pour cette visite — par sa toge à celle de l'un des domestiques, acte qui aurait permis, selon la coutume, de l'emmener jusqu'à Addis Ababa pour demander justice ; incident d'abord grossi d'une engueulade entre Hayla Sellasié et son successeur, qui se trouve là avec Osman, puis résolu par le caissier lui-même, qui explique que nos âniers — rusés — ont ajouté à nos chargements des ballots d'abou gédid qu'ils veulent passer en contrebande), on se décroche. C'est-à-dire que, marchant cahin-caha avec notre caravane et escortés par Griaule et le caissier de la douane, à pied, nous allons camper près d'une source au lieu dit Maryam Waha, à 2 kilomètres à peine de Métamma. Griaule reviendra demain matin voir si tout est en ordre et le caissier de la douane viendra visiter les âniers. En suite de quoi nous partirons, s'il n'y a pas d'autres difficultés...

Peu joui de la soirée en brousse, ayant peur des accrocs et étant fatigué. Multitude de papillons de nuit et d'insectes. Scorpions noirs sur le sol craquelé.

1er juin.

A peine dormi. Éveillé au moindre bruit et attentif. Crainte que les mulets ne se sauvent, qu'on ne vole des bagages. Mon compagnon, qui voit tout en boy-scout et qui ronfle la nuit, m'ennuie. J'aimerais mieux être tout seul ou avec quelqu'un comme Lutten, Larget, Griaule. Une des premières choses que je constate ce matin, c'est qu'un pied pour planchette à relevés topographiques, prêté par le district commissioner de Gedaref, a été cassé. J'en suis extrêmement mortifié. Les chameliers ont aussi une habileté quasi surnaturelle pour mettre à l'envers, sitôt vos talons tournés, la caisse qu'à la seconde vous aviez vue à l'endroit.

Il faut maintenant attendre les douaniers. Qu'ils sont longs ! Et Griaule aussi... Anes et chameaux sont partis aux pâtures. Mon compagnon chasse les papillons. Faute des qualités de commandement que je voudrais avoir, mais que je n'ai pas, je suis désemparé.

. . . .

Je me suis mépris hier soir. Voici le chef des âniers qui revient ayant arrangé ses affaires à la douane. Griaule n'ayant dans ce cas aucune raison de venir, il n'y a qu'à donner le signal du départ. J'envoie Faivre en avant-garde avec les 11 chameaux. Je pars derrière avec les ânes, qui sont maintenant plus de 30, le chef des âniers ayant — peut-être pour profiter de la sécurité que nous offrons nous et nos gardes — ramené ce matin d'autres ânes, avec un autre cargo, qui doit être le fameux abou gédid, mais n'a en tout cas rien à voir avec le cargo de la mission. Quand j'ordonne mon propre départ, l'un des gardes à fusil souffle dans une trompette qui ressemble à une trompette de laitier. Je presse mes ânes et je suis bien content... Plus rien de cette appréhension d'hier. Voyageant avec des bêtes en location (puisque seuls les mulets nous appartiennent), n'ayant donc pas à redouter de les voir crever, il me semble que rien de grave ne peut arriver. C'est encore un peu le chemin de fer, la route ou le bateau... Le seul ennui se limite au mulet, qui ne peut souffrir les chameaux, prend peur dès qu'il en voit un d'un peu près, veut parfois donner des coups de pied aux ânes et s'arrête net aussitôt que, dans un village, il aperçoit un chien.

Arrivée à 3 heures au point d'eau et installation du camp. Le village habité par des païens, des « *chankalla* »[1], des nègres, des « animal people » comme dit notre Anglais Wadadjé, s'appelle Qoqit.

Naturellement, quelques ennuis : les cordes de bâtage des chameaux sont sciées par les angles des caisses ; un grand nombre ont cassé. Puis c'est une caisse d'âne qui suinte, une bouteille de vinaigre qu'elle contenait s'étant brisée. Le marteau aussi, dont le manche est coupé ras, à cause d'un coup trop violent donné sur un piquet de tente ; et moi, imbécile, qui le laisse passer au feu pour le désemmancher, oubliant qu'il est en plomb ! On m'en rapporte deux petites flaques... Pour finir, Wadadjé, fouillant dans la caisse cuisine, se fait piquer par un scorpion.

2 juin.

Encore pas de tornade cette nuit. Jusqu'à quand durera cette chance ?

Au point de vue abyssin, décidément les choses se compliquent... A 5 h 1/2 du matin, un homme du guérazmatch Ennayo arrive de Métamma, annonçant que Griaule et les deux guérazmatch seront ici ce soir. Cela suffit pour que les autres gardes — qui ont intérêt à attendre la grosse caravane pour bénéficier d'une meilleure nourriture — parlent avec les âniers. Ceux-ci ont traité à forfait ; ils n'ont pas de raison de retarder la marche, mais sans doute auront-ils aussi leur part du festin. Quant aux chameliers, qui semblent pourtant les plus sérieux, ils ne se pressent pas, car ils sont payés à la journée. L'annonce faite au dernier moment qu'un des bâts à chameaux est cassé trouve bien moyen de faire gaspiller encore du temps. Mais le clou est le palabre avec le vieux chef des âniers qui avant d'apprendre l'arrivée de l'autre caravane, voulait partir sur-le-champ, puis maintenant ne veut plus

---

1. Terme de mépris employé par les Abyssins pour désigner les populations de race négroïde.

partir, alléguant, tantôt que les ânes sont fatigués, tantôt qu'il en a perdu trois. Comme il en a plus qu'il ne lui en faut pour nos bagages (à cause de cet autre cargo), nous jouons franc jeu. L'entêtement du vieux ne résiste pas à la menace de ne pas le payer s'il cherche à nous rouler et le signal du départ est vite donné.

Comme hier, Faivre est parti devant avec les chameaux, mais les ânes ont vite fait de le rattraper. Les âniers veulent même le dépasser : il me le fait savoir par un mot, car, lui en tête, moi en queue, et entre nous cette caravane si composite, nous ne pouvons autrement communiquer. Les chameaux traînant, je les prends à ma charge et laisse les ânes (qui sont passés en tête) au soin de Faivre. Mais ils vont de plus en plus lentement, gênés par la piste caillouteuse, en pays de plus en plus montagneux ; se couchant, se raclant (ou plutôt raclant les caisses) aux parois des remblais, geignant lamentablement. Pour une fois, j'ai chaud. Coups de soleil aux bras, au cou. J'engloutis presque tout un bidon. J'ai sommeil, car cette nuit je me suis encore levé plusieurs fois. Je désespère de rattraper Faivre et je lui fais porter un mot lui demandant de ralentir. Il fait tout ce qu'il peut pour refréner la fougue des âniers, mais il arrive à l'étape à 11 h 35, soit une heure avant moi. Comme tous les colis cuisine et campement sont transportés à dos de chameau et que lui n'a que les ânes, il ne peut rien préparer. On n'aurait pas idée de donner comme travail à quelqu'un de veiller à ce que voyagent de conserve un groupe de triporteurs, plusieurs camions automobiles et deux ou trois brouettes. C'est ce qui se passe malheureusement avec ces caravanes mixtes.

A l'étape (point d'eau en pleine brousse, près d'un ruisseau très large, mais apparemment à sec), tout le monde se refait et s'occupe : les chameliers (dont deux s'appellent Abd-el-Krim) tressent des cordes de fibre, pour remplacer les liens usés. Les domestiques abyssins causent. Les soldats — assis à l'ombre d'un grand arbre — ne font rien. Les chameliers font bande à part, étant tous Soudanais et musulmans.

3 juin.

Histoire de la journée · un coup de pied que je donne dans le plat de *shoumbra*[1] grillés que Wadadjé, en plein travail de paquetage du campement, se fait apporter par le muletier Ayaléo. Je deviendrai sauvage moi aussi : hier soir, comme la tornade, que je m'étonnais de ne pas voir venir, arrivait enfin et que du monceau de caisses dont j'ai la garde, avec la petite bâche dont nous disposons, je ne savais lesquelles couvrir, j'avais laissé cette bâche aux domestiques pour qu'ils couchent dessus. Il ne faut pas plus que ce minimum d'humanité pour qu'ils se croient tout permis et deviennent assommants : ce matin, Faivre et moi, avons dû plier nos lits nous-mêmes, aidés du vieux Makonnen, tandis que ces messieurs Wadadjé et Ayaléo, sans rien nous demander, étaient allés se baigner... C'est pourquoi, au moment du repas, j'ai perdu patience et ai donné le coup de pied...

En route, Wadadjé fait la tête. Par contre les deux gardes qui, comme hier, restent derrière avec moi, s'apprivoisent. Il s'établit même un rudiment de conversation dont noms de lieux et noms de personnes font presque tous les frais. Mon mulet, lui, ne s'apprivoise pas. Chaque fois que je veux l'arrêter pour attendre des traînards, commence un véritable gymkhana à travers les arbres. La difficulté n'est pas de ne pas être désarçonné, mais d'éviter d'être jeté dans les arbres, quand la bête se met à marcher sur le côté, reculer ou virevolter.

Brousse magnifique, coupée de torrents à sec. Grandes descentes pierreuses, qui font souffrir les chameaux. Comme hier, tas de pierres çà et là : tout ce qui reste des poteaux de la ligne télégraphique, qui durant quelque temps (avant d'être détruite par ordre du Ras Gougsa, lors de sa rébellion contre l'Empereur) relia Gallabat à Tchelga. Vers 11 heures moins le quart, passage à gué de la Guendoa, qui n'est rien à passer actuellement, mais dans un mois sera infranchissable.

... A 11 h 15, étape du point d'eau dit Napwin. Soldats, âniers et chameliers sont tous d'accord pour déclarer qu'il ne saurait être question d'aller plus loin. Je demande à voir...

Tout à l'heure, un des soldats et le muletier Ayaléo ont grimpé dans un arbre, armés d'une hache et d'un tison, pour dévaliser une ruche. Tasamma Haylou, chef des âniers, ouvre quelques-uns de ses ballots d'abou gédid et en montre le contenu aux soldats et

1. Sorte de pois chiche.

334

aux autres âniers. Peut-être cette tentative de vente (?) ajoute-t-elle aux causes de retard.

Quelques minutes avant la tornade, maintenant quotidienne, je fais un petit tour comme qui dirait de pont et, comme le patron du bateau avant la tempête, veille à ce que tout soit en ordre : rassembler le plus possible les bagages, mettre des pierres sous certains (ceux des chameaux, qu'on ne peut déplacer beaucoup, car il faut qu'au matin chaque bête puisse venir se coucher entre ses deux charges pour qu'on les lui remette sur le dos), veiller à ce que la tente soit parée, faire serrer tout ce qui traîne, etc... Quelle joie ! et quelle joie plus encore quand je ferai tout seul la route de Wahni à Tchelga. Une lettre de Griaule, qui m'est parvenue hier soir par messager, me donne pour consigne de pousser jusqu'à Tchelga. Il doit, quant à lui, avant de passer la frontière, attendre des instructions du Ministre de France à Addis Ababa.

Après la pluie, le muletier Ayaléo qui me rappelle mon ami dogon Ambara, par sa petite barbiche et certains détails bizarres d'accoutrement tels : un bouton de col en nacre qu'il porte en guise de boucle d'oreille, un chapeau mou européen qu'il a décoré à l'encre violette de figurations de la croix (ou *masqal*), mon ami Ayaléo, confus peut-être de l'histoire de ce matin, m'apporte à manger des sortes de tubercules qu'il a trouvés dans les parages et fait cuire sous la cendre.

Réflexion en passant : je suis le contraire d'un militaire mais il semble que j'aurais assez aimé être mercenaire ou chef de bande...

Dernière friandise que m'offre Ayaléo : un gâteau de cire rempli de larves d'abeilles qu'il est allé dénicher. Il y a même un morceau de choix qui comporte une abeille tout entière.

Après dîner — pour essayer d'éviter que se reproduisent des incidents semblables à ceux de ce matin — petit cérémonial de passage des consignes ; Faivre et moi, assis à notre table, devant la tente, éclairés par la lampe tempête, faisons appeler successivement : le cuisinier (à qui sont donnés des ordres pour le thé), les muletiers (qui reçoivent des instructions relatives à leurs bêtes et au paquetage du campement) puis, ensemble, le chef des gardes, le chef des âniers et le chef des chameliers, à qui nous exprimons notre volonté d'aller au moins jusqu'à Maka, point que nous avons repéré sur la carte du Survey Department du Gouvernement du Soudan. Nos gens acquiescent absolument. Ils réclament toutefois que chameaux et ânes fassent route ensemble, car avant Maka, les arbres sont très denses et il y a des *chiffa*.

4 juin.

Série d'ennuis, d'ailleurs sans gravité : notre imbécile de cuisinier, dûment stylé par la leçon d'hier, se lève avant le jour pour préparer le thé. Rien ne bouge dans le camp, sauf du côté des chameliers. Je me lève, éveille Faivre. Nous nous habillons, faisons plier les lits, avalons notre thé. Rien ne bouge, tant du côté des soldats que du côté des âniers. Le jour ne paraît pas. Je constate alors, en regardant ma montre, qu'il est un peu plus de 2 heures et demie du matin... Rien autre à faire que rentrer sous la tente, qui n'a pas encore été pliée, enfiler mon imperméable, m'allonger par terre et dormir, avec ma selle pour oreiller...

Deuxième ennui : voyant que tout le monde ce matin est parti en bon ordre et que la marche a l'air de bien s'annoncer, remarquant d'autre part, à une heure quarante de notre étape d'hier, un point d'eau avec traces de campement et en tirant cette conclusion que nos gens décidément ne sont pas bien pressés (hier nous n'avons fait que quatre heures dix de marche, aller jusqu'à ce nouveau point d'eau n'aurait pas fait plus de six heures en tout), sachant par ailleurs que ce point d'eau est à mi-chemin de Maka, je fais passer un mot à Faivre lui disant d'aller au moins jusqu'à Abay, qui ne doit pas être à plus de deux heures au delà de Maka. Entendu.

A peine ai-je reçu la réponse de Faivre que quelques chameaux commencent à traîner : l'un d'eux, celui qui porte entre autres choses le pied du cinéma, le tuyau de poêle, la pelle, la pioche, la grande échelle, s'enfonce une patte jusqu'au jarret dans une crevasse du cotton-soil. Furieux, il secoue dans tous les sens son chargement et se met à hurler. Il faut quatre hommes pour le remettre sur pied. Un peu plus loin, juste comme je viens d'apercevoir Faivre remonter l'autre rive du grand torrent au bord duquel j'arrive, un chameau se couche. On le cingle à grands coups en travers de l'anus. Rien à faire pour qu'il se relève. Je pense que cela va s'arranger et ne juge pas utile de rappeler Faivre. Et en effet la bête repart, après qu'Ayaléo lui a donné un feuillard à manger. Nous passons ainsi le torrent, Faivre tout à fait hors de vue, maintenant. Nous arrivons à un grand camp (espace semé d'arbres, avec les résidus de paille et les traces de foyer de la dernière caravane, tout cela très « paysage », mais sentant le vide comme une scène de théâtre dépeuplée). Les autres chameaux y sont stationnés, prêts à repartir. Mais le chameau fourbu se couche définitivement. Cet endroit est justement Maka où nous devions nous arrêter. Faivre est trop loin pour que je l'envoie chercher ; il ne peut plus maintenant qu'aller à Abay. Je fais décharger la bête fatiguée, et envoie sur Abay les autres chameliers, porteurs d'un mot pour Faivre, par lequel je réclame une ou deux bêtes de secours.

J'écris ces lignes assis sur l'une des trois caisses abandonnées, — justement celle qui porte le numéro 13 et dans laquelle j'ai rangé tous mes complets et chemises blancs, ainsi que cravates, inutiles maintenant pour des mois. Tout près de moi, s'agite mon mulet dessellé. Il n'est guère plus de 10 heures du matin et j'attends patiemment mon équipe de secours. Pour me distraire, je sors ma trousse de toilette, que je porte dans une musette pendue à ma selle, et me rase.

Ayaléo, le garde et le chamelier restés avec moi, me donnent une part de leur repas de tubercules. En mangeant je remarque qu'une autre des trois caisses en panne est le fameux moteur hors-bord qui nous valut tant de télégrammes et de soucis[1].

Ne voyant pas venir le secours attendu, je donne l'ordre de repartir. Il est alors un peu plus de midi. Le chamelier va chercher sa bête. Avant de remettre le bât, il lui caresse longuement le dos et lui adresse, à mi-voix, un flot de paroles. Je ne sais s'il parle directement à l'animal ou s'il incante. Peut-être les deux à la fois. Le chameau veut bien reprendre sa charge et son chemin, mais à peine une demi-heure après il retombe. Rien à faire pour le relever. Ayaléo, le soldat, le muletier et moi, conjuguons vainement nos efforts pour placer deux des caisses sur le dos de mon mulet (qui exécute une terrible sarabande), quand arrivent les deux chameaux sauveteurs. Ils se partagent le colis en rade et

---

1. Espérant couper court à toutes les histoires, Griaule avait décidé finalement de laisser le bateau démontable à Gallabat et d'en faire don au Gouvernement du Soudan, n'emportant que le moteur hors-bord.

nous repartons, mais un peu plus loin le chameau déchargé s'échoue définitivement. Il faut l'abandonner lui et son conducteur...

A 5 h 1/4 j'arrive à Abay et retrouve Faivre, qui a fait la connaissance d'une autre caravane : celle d'un pasteur protestant suisse et d'un ingénieur qui viennent d'Addis Ababa. Cela fait soixante-six jours qu'ils sont en route. En chemin, ils ont entendu parler des « cinq Français qui viennent avec un bateau à moteur ». Comme ils se rendent à Khartoum, il est entendu que nous leur remettrons des lettres.

En cours de route, j'ai remarqué qu'Ayaléo, à qui j'avais fait dessiner hier sur une fiche une des belles croix qui ornaient son chapeau, les a — pour je ne sais quelle raison — effacées. Quant au vieux Makonnen, son feutre, à lui, ferait plutôt penser à celui d'un brigand calabrais...

A la nuit, je constate le retour de mon chamelier égaré. Je lui donne un thaler à partager avec les deux de ses compagnons qui sont venus le chercher. Tous trois me remercient. Je verrai demain matin jusqu'à quel point cette politique de pourboire porte des fruits. Tout à l'heure, l'ingénieur suisse avait sauté, paraît-il, sur son fusil croyant entendre un lion. Je parierais gros que ce lion n'était autre que le chameau en panne, rageant d'être si fatigué...

5 juin.

Hier soir, grand bruit au camp des Suisses et dans les environs : coups de fusil, appels, coups de trompe, bruits de sabots. J'apprends aujourd'hui par l'ingénieur, à qui je dis au revoir, que tous ses mulets s'étaient sauvés. Il a dû partir lui-même à leur recherche et poursuivre l'un d'eux jusqu'à une colline proche.

Le pasteur est un petit homme sec, d'environ 60 ans, genre professeur. Il voyage depuis plus d'un an et a fait le tour de l'Afrique. Il doit rentrer par le Soudan anglais, l'Égypte et la Palestine [1].

---

1. J'ai su depuis que cet homme avait en réalité 69 ans. Plus d'un an de voyage en Afrique, et 66 jours de caravane, depuis Addis Ababa jusqu'à Abay, où je l'ai rencontré : assez brillante performance !

Départ. Bouquets de bambous. Arbres de plus en plus serrés. Il faut souvent couper les branches pour livrer passage aux chameaux. Changement net d'altitude. Nous sommes maintenant dans une sierra qui me fait penser à Don Quichotte et à ses histoires de muletiers.

Vers 10 h 3/4 le soldat qui m'escorte sonne la trompe : la caravane est dans les terres du guérazmatch Ennayo.

. . . .

Installation à Wahni. Elle n'est pas terminée que les complications recommencent. A 15 h 30 un messager arrive, portant, insérée dans la fente de son petit bâton, une lettre de Griaule dont l'enveloppe porte mon nom en amharique et en français. En voici la teneur :

Gallabat, le 3 juin 1932 — 18 h 1/2.

Arrêtez-vous à Wahni avec matériel. Instabilité politique en Abyssinie. Si les âniers ne veulent pas attendre, les payer au mieux. Faites patienter les chameliers pour les utiliser au retour si besoin est.

Je fais préciser par Paris.
N'ayez aucune crainte.
Affectueusement.

A quoi je réponds, à proprement parler par retour du courrier :

Wahni, 5 juin 1932.

Arrivés à Wahni à la fin de la matinée. Reçu ton mot à 15 h 30.

Politique : *Les Suisses que nous avons croisés hier et qui ont fait Addis Abada, Dabra Tabaor, Gondar, Tchelga n'ont rien dit qui puisse laisser supposer une instabilité quelconque. L'un d'eux, qui travaillait comme ingénieur pour le compte du gouvernement, s'est plaint un peu et m'a fait l'éloge du livre d'Armandy* [1]

---

1. *La désagréable partie de campagne,* pamphlet contre l'Abyssinie.

Réception : *Reçu à 17 heures la visite de Lidj Abto et de la vingtaine d'hommes qu'il commande et qui doivent constituer notre escorte jusqu'à Tchelga. C'est un type de 25 à 30 ans qui fait, je crois, Abyssin très classique (un peu genre Kasa Makonnen). Je l'ai trouvé sympathique et ils nous ont, ses hommes et lui, témoigné beaucoup de respect et de courtoisie. J'ai dit à Lidj Abto que je venais de recevoir un message de toi m'ordonnant d'attendre à Wahni jusqu'à nouvel ordre. Je lui ai transmis tes salutations et me suis montré aussi succulent que possible. Lui et ses hommes ont installé leur camp près du nôtre pour nous garder.*

Installation : *La maison mise à notre disposition par Ennayo semblant aussi peu pratique que possible (située sur le flanc d'une colline, elle est difficile d'accès et éloignée des points d'eau), nous monterons notre camp à l'emplacement habituel des caravanes, près du principal point d'eau.*

Âniers : *Le vieux Tasamma Haylou vient d'avoir l'heureuse inspiration de me demander congé sous prétexte d'aller voir son père. Je le lui ai immédiatement accordé car cela fait gagner la journée de demain. J'aviserai par la suite.*

Chameliers . *De toute manière, les renseignements concordent quant à l'impossibilité de se rendre par chameau à Wahni à Sounkwa, qui est la première étape normale sur la route de Tchelga. Je leur fais dire comme aux âniers que c'est demain repos. De même que pour ces derniers, j'aviserai par la suite.*

Dernière heure : *Sur la demande de Lidj Abto, j'ai fait écrire par Wadadjé une lettre en amharique au fitaorari Asfao, dont voici à peu près la teneur :*

« Monsieur Leiris au fitaorari Asfao :

Arrivant à Wahni je vous envoie les meilleures salutations de M. Griaule, le chef de la mission scientifique française qui se propose de visiter l'Abyssinie, ainsi que mes meilleures salutations à moi aussi.

Je suis très heureux d'avoir rencontré Lidj Abto et vous remercie beaucoup de ce grand honneur.

J'ai quitté Métamma avant M. Griaule et j'attends ses ordres à Wahni. »

Cette lettre part ce soir par courrier à Tchelga, accompagnée d'une lettre à Lidj Abto, que ce dernier m'a fait communiquer avant de l'envoyer. Il rend compte de notre arrivée et joint ma lettre.

NOTE IMPORTANTE : *Pas de mulets à Wahni ni dans les environs.*

Affectueusement à tous trois, etc.

6 juin.

Attente anxieuse du prochain message de Griaule. Faudra-t-il revenir après avoir vu si peu de l'Abyssinie ? Cette fameuse épreuve que j'ai tant désirée sera-t-elle en fin de compte la conduite correcte d'une sorte de retraite ?

J'ai réglé ce matin la question des chameliers : moyennant un acompte sur la somme qui leur est due, ils ont accepté d'attendre jusqu'après-demain matin. Je réglerai ce soir la question des âniers.

. . . .

Comme je sors de la tente pour déjeuner, j'aperçois Lidj Abto — qui me guettait sans doute — venir vers moi, escorté de quelques hommes. Je vais à lui, échange quelques vagues salutations, puis appelle Wadadjé pour faire l'interprète. Ainsi qu'il l'avait déjà insinué hier soir, la place où nous sommes campés est, selon Lidj Abto, malsaine. Devant rester là plusieurs jours, ses hommes y tomberaient malades. Il vaudrait mieux que nous allions camper un peu plus loin, du côté de la colline. Avec cette ridicule faiblesse qui me fait souvent répondre oui à n'importe quelle demande ou n'importe quelle question (quitte à le regretter après), j'acquiesce. Mais au cours du repas Faivre me fait observer à juste titre quel embarras cela serait de faire recharger encore une fois les animaux pour transporter les bagages à quelques centaines de mètres. Je me rends compte aussi que nous ne sommes pas à la disposition de ces gens et qu'ils en prennent un peu à leur aise avec nous. Le mot « honneur » a toujours eu pour moi un sens si flou que je suis plus lent que quiconque à prendre feu pour une question de « point d'honneur », voire simplement à me rebiffer... Ne voulant pas revenir sur l'acquiescement que j'ai donné à Lidj Abto, j'adopte un biais tout à fait dans le style politique abyssine : 1° J'envoie Wadadjé au dénommé Abto, pour lui offrir un flacon de parfum et lui demander d'envoyer un soldat pour montrer l'emplacement où il voudrait s'installer avec nous ; 2° si la tornade qui vient est suffisamment proche au moment où le soldat arrivera, je dirai qu'il ne peut être question de sortir maintenant et remettrai la chose à demain matin ; 3° en dernier ressort, d'accord avec Faivre, je dirai que c'est lui qui, chargé de l'organisation matérielle du camp, trouve que l'endroit n'est pas convenable ; 4° j'ajouterai que, ne voulant à aucun prix que les hommes de Lidj Abto soient malades, je leur donne pleine permission de camper où ils veulent. Si Lidj Abto juge qu'il est absolument nécessaire de nous garder, il désignera pour chaque nuit quelques hommes.

Je n'ai malheureusement que peu d'espoir que les gardes acceptent cette dernière solution. Ainsi nous en serions pourtant si élégamment débarrassés...

La question des âniers s'est par ailleurs réglée d'elle-même, le vieux Tasamma Haylou étant venu me demander après le déjeuner quand nous comptions partir, alléguant lui aussi que, si nous restions plus de trois ou quatre jours, ses hommes tomberaient malades. Il a été entendu qu'il partirait au plus tôt après-demain.

Il est tombé une petite averse. Nous en avons profité pour faire monter une tente et ranger les marchandises les plus fragiles dedans, faisant dire à Lidj Abto qu'il était maintenant trop tard pour déménager et que nous irions demain matin voir son terrain. Ainsi, qu'il s'agisse des chameliers, des âniers, des policiers, la seule tactique consiste à temporiser... Nous avons gagné aujourd'hui la journée de demain. Mais à 6 h 1/2 du soir, comme c'était à prévoir, pas de message de Griaule. Je serais étonné, à vrai dire, d'en recevoir un avant trois jours, car il faut qu'il attende la réponse de Paris. Heure par heure, si je puis dire, c'est ce minimum de trois jours qu'il va falloir gagner.

7 juin.

Bonne tornade hier soir (une vraie celle-là) qui nous a fait craindre un moment que nos tentes ne soient emportées. Impossible de rester ainsi plus longtemps : il faut que dès aujourd'hui, où que ce soit, nous nous installions définitivement.

Accompagné de Wadadjé et de trois soldats, je vais voir l'emplacement proposé. Impossible de s'y installer : il est situé sur le contrefort d'une colline, peu abrité, et pour aller au point d'eau le plus proche il faut traverser deux à trois cents mètres de cottonsoil.

Il n'est donc plus question de changer d'endroit. Je fais dire à Lidj Abto que pour le moment nous nous installons ici et que par la suite nous verrons, quand sera arrivée la lettre de Griaule. Le projet Faivre est adopté, qui consiste à rester sur place, renforçant simplement les amarres des tentes et mettant des pierres tout autour pour fixer solidement les parois et empêcher le vent de s'engouffrer.

De 10 à 11 heures, montage de la grande tente, par Wadadjé, les deux muletiers et le cuisinier, qui voulait aller chercher la nourriture de la domesticité, mais que j'ai retenu au camp car, chaque fois qu'il va au village, il y reste des heures. Après déjeuner, transport sous cette tente du restant des marchandises chameaux. Je n'ai pas voulu demander aux chameliers d'aider les domestiques, de crainte de les mécontenter. Sans entrain, nos hommes travaillent... Vers 13 heures, comme je viens de commander qu'on transporte maintenant les marchandises ânes, Wadadjé déclare péremptoirement qu'il ne travaillera pas avant d'avoir mangé. Je réitère mon ordre. Il refuse à nouveau. Je déclare que je le mets à la porte. Il me dit : « Où aller ? » Les trois autres domestiques refusent également de travailler. Je ne peux vraiment pas les ficher tous quatre à la porte. Où iraient-ils, d'ailleurs ? Je sens l'absurdité de ma situation avec une singulière acuité. Je leur dis bien qu'ils seront renvoyés sitôt l'arrivée de Griaule, mais je n'ai aucun moyen pratique de les forcer à travailler : je ne puis pourtant pas les rouer de coups, ni les menacer d'une arme...

Je rentre sous la tente avec Faivre et appelle Wadadjé : je lui dis que le travail est urgent, car l'averse menace, et qu'il mangera après qu'il aura travaillé. Le visage maintenant haineux et les yeux exorbités, tapant du pied, il me rappelle le jour où « j'ai joué au football » avec son plat de nourriture, et ajoute, au comble de la fureur, que nous ne sommes plus ici « dans la terre des Européens mais dans celle des hommes noirs ». Un autre que moi eût peut-être jugé incompatible avec sa dignité d'accepter de telles paroles ; il eût fallu qu'il écrasât au moins sur place le coupable d'un tel crime de lèse-majesté. Mais, je l'ai déjà dit, le sens de l'honneur (et surtout d'un *certain* honneur) m'est absolument étranger. Le seul point pour le moment où soit en jeu mon amour-propre est d'exécuter convenablement la tâche qui m'est assignée. Sans me mettre en colère — plus calme que je ne l'étais au début de l'affaire, car c'est un élément nouveau qui s'est manifesté — j'invite Wadadjé à s'apaiser. Me rendant compte qu'à moins d'employer des moyens très violents (ce qui n'est pas mon fort, et serait d'ailleurs vraisemblablement des plus impolitiques) je ne puis qu'ignominieusement me dégonfler, je cherche simplement à le faire en en ayant l'air le moins possible. Je fais donc retomber la faute sur le cuisinier, qui ne sait pas se débrouiller. J'édicte un règlement pour l'avenir. Pour aujourd'hui j'adopte un compromis : deux travailleront, tandis que deux autres mangeront. Mais le cuisinier déclare que dans ces conditions il fera la grève de la soif et de la faim jusqu'au retour de Griaule. Je lui fais dire alors presque en riant, qu'il est un idiot et qu'il doit aller immédiatement chercher la nourriture réclamée mais ne pas s'absenter trop longtemps. Avec les domestiques l'affaire est donc arrangée. Avec quelque ridicule pour moi sans doute, mais tout de même provisoirement arrangée... Toutefois il reste ceci de grave : la réaction des chameliers, des âniers et des soldats de Lidj Abto[1], quand ils verront que je ne suis pas obéi des domestiques. C'est alors qu'intervient la Providence, sous la forme de ce vieux singe de Tasamma Haylou, qui se présente devant la tente faisant signe qu'il veut me parler. Je rappelle Wadadjé. Tasamma Haylou qui a appris que nous nous proposions de lui enlever les colis ânes (que lui et ses hommes ont entassés les uns sur les autres et recouverts de claies de paille pour se faire des abris) déclare que, si ses hommes et lui doivent attendre ici plusieurs jours, il faut leur laisser ces abris ; sinon ils tomberont malades. Il ajoute que les marchandises sont d'ailleurs

---

1. Je me rappelle que Faivre avait attiré mon attention sur ces derniers, qui commençaient à rigoler de me voir en difficulté.

bien protégées. Solution inespérée, qui permet de faire d'une pierre deux coups : d'une part, le palabre avec les domestiques se trouve réglé d'une manière apparemment honorable, puisque la cause du litige est supprimée, d'autre part les âniers, qu'il s'agissait de retenir, s'engagent à rester. J'accepte donc et me rends avec Faivre, suivi du vieux Tasamma Haylou et de Wadadjé, au camp des âniers pour m'assurer que les marchandises sont bien conditionnées. Au retour, désireux de travestir ma défaite en magnanimité, je dis à Wadadjé que contrairement à ce dont je les avais menacés, je ne rendrai pas compte des événements à Griaule. Un des soldats venant offrir un quartier de viande (qu'il ne peut être question de refuser d'acheter, sans grande insolence), je vais jusqu'à décréter qu'il sera partagé entre nous, les domestiques, les âniers et les soldats de Lidj Abto. Pas les chameliers, car, musulmans, ils tuent eux-mêmes leurs bêtes à viande.

Je me demande jusqu'où me mènera cette politique de Louis XVI ?

Faivre m'a fait observer — avec raison (mais pourquoi ne me l'a-t-il dit qu'après l'incident ?) — que j'avais demandé à nos gens une tâche « qui dépassait les forces humaines ».

. . . .

Arrivée de nouveaux soldats, qui viennent de Tchelga, où l'on s'étonne que Griaule ne soit pas encore arrivé. La domesticité est de nouveau souriante. Les soldats et les âniers n'ont pas voulu de notre viande, prétextant que c'était jeûne. Il est probable que personne n'en mangera, les domestiques semblant partager les opinions des soldats et des âniers, et nous-mêmes ne pouvant, dans de telles conditions, en consommer sous peine d'y laisser ce qui nous reste de prestige.

De-ci de-là, le bric et de broc, de fil en aiguille, de Charybde en Scylla, de Caïphe à Pilate, la débâcle se précise. Nous constatons tout à coup que trois des chameaux sont partis : ni hommes, ni bêtes, ni bâts. Un seul des chameliers au début de l'après-midi avait vaguement prévenu... Nous approchons décidément des grandes histoires classiques : mutinerie, désertion.

Après dîner, comme je demande au « mutin » Wadadjé, s'il n'y a pas moyen, comme il est d'usage en Abyssinie, de se faire rendre des cartouches comme petite monnaie lorsqu'on donne un thaler pour une denrée de valeur moindre, Wadadjé répond qu'ici nous sommes dans les « tropical countries » et qu'on emploie pas les cartouches comme monnaie, car tous les gens sont des voleurs.

Le village où l'on nous avait préparé deux maisons et dont nous avions vu le chef à l'air si vénérable, ce village — c'est-à-dire Wahni — est un village de voleurs. Le guérazmatch lui-même, et ses hommes sont des *chifta*. Lorsqu'un voyageur passe sans ordre du gouvernement, le guérazmatch descend avec ses hommes de la montagne où il habite, vole les bagages la nuit et déclare ensuite qu'il ne sait pas ce qu'ils sont devenus. Il prend également des esclaves en territoire anglo-égyptien et les vend en Abyssinie. Un des gardes qui nous accompagnait (et qui, les dernières nuits, nous donnait gentiment son fusil à garder sous la tente pour qu'il ne soit pas mouillé) est un Soudanais qu'il a enlevé ou acheté. Si nous n'avions pas les soldats pour nous garder, nous serions volés. Wadadjé ajoute que, d'ailleurs, les soldats sont eux aussi des chifta, étant donné que soldats et chifta c'est la même chose. Il en est ainsi dans toute la zone comprise entre Gallabat et Tchelga.

Je commence à me demander si, au cas où Griaule nous donnerait l'ordre de revenir, il nous serait tellement facile de repartir...

Dernière nouvelle : les chameliers viennent en troupe annoncer leur décision irrévocable de nous quitter demain matin.

8 juin.

Nous sommes à peine levés qu'arrive Tasamma Haylou, notifiant son intention de partir le jour même. Wahni étant à peu près à mi-chemin de Tchelga, j'offre demi-paiement. Il refuse et réclame plein paiement prétendant que Wahni est tout près de Tchelga. Je lui réponds que j'ai mes cartes, que je sais bien que Tchelga est à au moins cinq jours de Wahni et que c'est la partie la plus difficile du chemin. Tasamma Haylou n'insiste pas et s'en va.

7 h 15 : départ des chameliers qui, presque tous, sont venus nous saluer. Un seul était parti hier — celui qui avait prévenu — et non trois comme nous l'avions cru (ce qui prouve à quel point un témoignage est facilement tendancieux et montre en consé-

quence le peu de valeur qu'il convient d'accorder aux témoignages en général et aux témoignages judiciaires en particulier).

Sitôt les chameliers partis, galopade effrénée des soldats pour s'approprier les claies qui leur servaient d'abris. Viennent ensuite les vautours qui dévorent les résidus de nourriture. Puis un grand chien s'en mêle.

En l'honneur du Muséum, Faivre tire l'un des vautours et passe son après-midi à le naturaliser.

Calme, calme partout. Les soldats se sont construit un grand abri. Quelques-uns se sont fait dans les arbres comme des nids d'oiseaux.

A 6 h 1/2, un messager arrive porteur de deux lettres du guérazmatch Hayla Sellasié : l'une pour nos âniers (qui transportent en même temps que les nôtres des marchandises du guérazmatch), l'autre pour Lidj Abto. Selon ce messager, Griaule quitterait Gallabat demain. Bruit vraisemblablement faux, mais qui met tous nos hommes de bonne humeur. Nous n'avons garde de le démentir...

Ce matin j'ai expédié à Griaule, par les chameliers, un plein compte rendu de tous les événements.

9 juin.

Rêves : nous revenons tout de suite à Paris, ayant manqué non le voyage en Abyssinie, mais celui au Cameroun. De ce séjour à Paris découlent : 1° étrange histoire de mariage avec une très jeune fille — presque petite fille — que j'ai rencontrée une fois dans la réalité ; 2° aventure dans l'autobus : je suis debout, une jeune femme ou jeune fille me caresse l'anus. Voyant qu'elle va descendre, je me retourne, lui baise la main et lui dis de m'attendre, car j'ai perdu mon pardessus. Je recherche ce dernier, sans succès, dans les « vestiaires » du métropolitain. Je retourne ensuite vers l'endroit où m'attend la jeune fille. Avant que j'aie pu lui faire signe que j'arrive, je la vois qui s'en va. Je la suis rapidement. Je suis alors en pyjama et en casque colonial. Au bout d'une rue je l'aperçois qui disparaît. J'entre dans la maison où je suppose qu'elle est entrée : c'est une vaste villa à jardins à terrasses ; des personnages nus y sont accouplés, la tête en bas, avec des statues priapiques Il y a de nombreuses salles où des

347

femmes assises et habillées attendent, comme chez la manucure, leur tour de passer par divers sièges et instruments de jouissance maniés par des matrones. Dans un couloir, je croise un gros vieil homme tout nu. Étant alors nu moi-même, je m'efface le plus possible pour éviter de le toucher. Je suis déçu, ayant cru que l'aventure de l'autobus était une aventure unique et m'apercevant maintenant que j'ai dû avoir affaire à une spécialiste.

6 h 30 : un messager apporte un mot de Griaule. Ils ont quitté Gallabat hier. Je dois continuer sur Tchelga avec les âniers. Hayla Sellasié aurait reçu une bonne engueulade d'Addis Ababa. Joie.

9 h 30 : visite à Lidj Abto, à qui j'annonce que j'ai reçu des nouvelles de Griaule et que je compte partir demain matin pour Tchelga. Lidj Abto pense qu'il vaudrait mieux que tout le monde voyage ensemble et qu'en conséquence il serait préférable que j'attende l'arrivée de Griaule, si je n'ai pas une tâche urgente qui m'appelle à Tchelga. Je réponds que la seule raison que j'ai de partir dès demain est que les âniers s'impatientent et que je dois accompagner les marchandises pour les surveiller. Il me dit d'abord de ne pas m'inquiéter de cela, qu'il parlera aux âniers, puis, au comble de l'amabilité, qu'il parlera à ses soldats, leur demandant s'ils tiennent à voyager tous ensemble ou s'ils veulent bien se séparer. Je me retire. Quelques minutes après, devant fermer la lettre pour Griaule (que je donne au messager qui s'en retourne) j'envoie Wadadjé aux nouvelles : Lidj Abto me fait dire qu'il ne veut pas que Griaule soit en colère à son arrivée, qu'il me donne des soldats et que je partirai demain. La lettre du guérazmatch Hayla Sellasié qu'il a reçue hier contenait-elle quelques mots sur la bonne engueulade ?

Le reste du temps, gros travail avec les âniers. Ils me trouvent un par un jusqu'à huit ânes en plus, de sorte que je puis prendre parmi les bagages des chameliers, pour les transporter jusqu'à Tchelga, l'équivalent de plus de deux charges chameaux. Ainsi, avec ce que la caravane Griaule pourra peut-être prendre en surcroît, il ne restera plus que très peu de marchandises à Wahni, et une seule caravane envoyée de Tchelga suffira pour les prendre.

Nombreuses combinaisons pour la répartition des bagages. Le lit et les montants de tente sont particulièrement délicats à caser, en raison de leur longueur. De la caisse popote que j'emporte, je suis obligé de supprimer pour alléger — car les ânes ne sont pas forts — la farine (je mangerai du *dourra*[1] ou des galettes abyssines), la moitié du sucre, le bidon d'huile et la plupart des conserves de viandes préparées (en boîtes trop grandes pour être commodes pour un seul).

Tout finit cependant par s'arranger.

Je reçois alors la visite de Lidj Abto, qui m'apporte deux lettres : l'une du fils du fitaorari Asfao, comportant deux textes, un de salutations pour moi, un de salutations pour Griaule ; l'autre d'Asfao le père, de salutations pour Griaule. Le père pour Griaule, le fils pour moi, j'admire beaucoup ce protocole[2].

Comme, bien qu'il me demande encore une fois si je ne veux pas attendre pour partir l'arrivée de Griaule afin de faire le voyage tous ensemble, je renouvelle à Lidj Abto ma déclaration quant à l'intention que j'ai de partir demain matin, il acquiesce à nouveau ; mais peu de temps après s'être retiré, il me fait communiquer officieusement par Wadadjé une lettre qui lui vient du fitaorari Asfao. Le fitaorari Asfao lui fait savoir qu'il a reçu mandat du dedjazmatch Wond Woussen, de Dabra Tabor, d'arrêter un fitaorari rebelle dont les quartiers sont établis à proximité de Wahni. Lidj Abto me fait donc dire qu'il comptait me donner six soldats, mais que, la région étant actuellement troublée, il serait plus prudent que j'attende l'arrivée de Griaule et que nous fassions route en une seule caravane. Je fais répondre que je ne vois aucun inconvénient à cette solution si Lidj Abto s'arrange avec les âniers pour que ceux-ci veuillent bien attendre. Quelques minutes après, Lidj Abto, suivi de quelques hommes, va aux âniers. Bref palabre. Les soldats repartent. Tasamma Haylou vient à moi et me fait demander si je suis bien d'accord pour attendre Griaule à Wahmi. Je fais répondre que je suis en effet d'accord, puisque tel est le désir du fitaorari Asfao. Et comme il y a, ainsi que dit Wadadjé, « plenty of donkeys » dans la région, je demande à Tasamma Haylou de me réunir — pendant

1. Céréale.
2. J'ai su depuis par Griaule que Wadadjé s'était trompé, quant au signataire des lettres. Celle à texte unique était un message de salutations adressé par Asfao père à Griaule et à moi, celle à deux textes un message de salutations à moi adressé par Asfao fils, et un autre message de salutations pour moi émané du *balamwal* ou favori du fitaorari Asfao.

les deux ou trois jours que nous avons devant nous — un nombre suffisant d'ânes pour emporter le reste des bagages. Il m'en promet une vingtaine dont le prix reste à débattre. Mais j'espère qu'ainsi le temps passé à Wahni n'aura pas été perdu et que nous pourrons aller tous à Tchelga en une seule grande caravane...

Quant à Lidj Abto, s'il a si bien eu raison des âniers, c'est qu'il a dû, en tant que policier, leur intimer purement et simplement l'ordre de rester.

10 juin.

De grandes fleurs ont poussé, sortes de lys blancs et rouges montés par groupes sur une même tige et ressemblant à des chandeliers modern-style. Je me demande si les herbes nous envahiront...

Grande consultation médicale de Faivre, qui a une bonne demi-douzaine de clients.

De mon côté, laborieux calculs pour savoir si mon affaire d'ânes est vraiment aussi avantageuse que je l'ai cru de prime abord. Tout compte fait le transport des marchandises en litige reviendra probablement moins cher, de Wahni à Tchelga, qu'il n'était revenu de Gallabat à Wahni, par chameau. Et comme de nouveaux soldats arrivent et qu'il se confirme de plus en plus qu'il y a un dissident dans la région — non pas un fitaorari mais le fils du dedjazmatch Barihun (?) — il devient de moins en moins probable qu'on nous laisse nous diviser.

Les quatre domestiques, en prévision sans doute des délices de Tchelga, lavent, recousent, reconstituent leurs frusques. Wadadjé — le mutin —, qui m'a offert ce matin un des chandeliers végétaux, va faire un tour au village — sous prétexte d'acheter du dourra — paré de bas de football cerclés rouge et vert vif.

Assis en rond auprès des arbres les soldats causent, groupes bien nets comme posés sur des plats.

Demain sans doute arrivera la caravane Griaule. Je reverrai mon vieil ami Hayla Sellasié, après qui je languis un peu depuis notre passage de douane en final d'Opéra, lorsque, au milieu d'une foule de partisans vêtus de blanc et dans le bruit des bêtes, lui et son successeur le musulman Nourou s'étaient trouvés brusquement affrontés.

11 juin.

Songeries nocturnes : 1° je pique de la pointe d'un poignard le pied de droite, côté tête, du lit de mort de mon père, le corps étant encore dedans ; 2° flirt clandestin, au cours duquel je rencontre successivement les amis chez qui j'habitais à Dakar, un cousin (qui m'a accompagné jusqu'à Bordeaux lorsque je me suis embarqué sur le *Saint-Firmin*). A la suite (?) de cette aventure, comme mes cheveux qui commencent à être longs (ce qui est exact à mon point de vue dans la réalité) me gênent, je me fais raser le crâne par un chef nègre, qui offre une bouteille de vin blanc à chacun de ceux qui subissent de ses mains cette opération.

Suite de la consultation médicale de Faivre : rien que des plaies syphilitiques. Pourriture dont même l'Afrique française ne peut donner idée.

Visite de courtoisie à Lidj Abto, qui me fait part de son intention d'aller au-devant de Griaule avec ses hommes dès qu'on saura que la caravane est proche. Il me demande si j'irai avec lui. Je dis oui, naturellement, et élabore une petite mise en scène, sitôt rentré sous la tente. Wadadjé et Ayaléo (qui ne ressemble plus du tout à Ambara depuis qu'il s'est rasé, et est d'ailleurs beaucoup plus jeune) m'escorteront, munis chacun d'un Colt en bandoulière et d'une ceinture cartouchière. Quant à moi, je mettrai le vieux casque recouvert de filali crème qu'en raison de sa légèreté j'emploie d'ordinaire au camp. Je chausse dès maintenant, en place de mes bottes lacées, des bottes foulbé en filali crème, qui me viennent de Garoua. De plus, je fais cueillir par Wadadjé des fleurs chandeliers et en fais attacher un bouquet au poteau de devant de chaque tente. Comme cela je pense que les Abyssins seront contents...

Dès le signal donné, Ayaléo sellera mon mulet.

. . . .

Arrivée de Griaule, qui ne met pas pied à terre pour répondre au salut de Lidj Abto. La situation est grave : Griaule a appris, par un télégramme chiffré anglais que le commandant du fort de Gallabat lui a traduit, une nouvelle qui ne se sait pas encore dans toute l'Abyssinie : si le ras Haylou a été arrêté, c'est pour avoir conspiré avec Lidj Yasou, petit-fils de Ménélik et rival de l'Empereur, qui était détenu et vient de s'enfuir vers le Godjam, où il est poursuivi par les troupes du gouvernement. De ce fait, Roux n'est pas encore à Zaghié, où nous devons le rejoindre, mais à Dabra Marqos, chez le Consul d'Italie, probablement réfugié. Cette ébullition au Godjam serait en relation avec une ébullition parallèle chez certaines tribus arabes du Soudan Anglo-Égyptien.

12 juin.

Dans la caravane de Griaule sont arrivés l'inévitable Balay — si collant que la force des choses a fait de lui une sorte de domestique de confiance — et le meurtrier Damsié, qui voyage au pair avec sa femme et qui ne s'est pas encore fait tuer.

Le travail ethnographique reprend : puisqu'il n'est plus question d'aller vite et que Dieu sait quand nous serons à Zaghié, il faut dès maintenant s'arranger pour travailler. Série de photographies au village. Les dames chifta sont jolies mais pas assez lavées. Vieilles femmes et petites filles ont de belles croix pendues au cou. Le vieil Ennayo, qui nous pilote, serait presque sentimental. Il n'est pas saoul aujourd'hui.

Nous nous promenons accompagnés d'une nombreuse escorte. Une colline sur laquelle nous grimpons est un splendide poste d'observation. De ce point, rien de ce qui se passe ne peut rester inaperçu. On est sûr de repérer tout ce qui est détroussable. Plusieurs enfants portent des fusils, dont les hommes du village venus pour nous honorer les ont chargés. Quelques instants, un veau nous précède en gambadant. A part cela collecte de plantes, prise en note de leurs noms.

Grand marchandage avec les loueurs d'ânes de Wahni qui ne veulent pas céder à moins de cinq thalers. Qu'ils remontent chez eux ! Nous attendrons pour partir qu'ils diminuent leurs prétentions. Mais il faut commencer à refaire les charges. Et ce n'est pas commode... Tasamma Haylou veut en reprendre le moins possible. On a du mal même à lui faire reconnaître les colis que ses hommes ont apportés quelques minutes auparavant à celui d'entre nous qui en avait besoin. Le vieux singe vient jusqu'à rapporter devant ma tente un sac, en disant que la charge sur laquelle je veux le mettre est trop lourde. Papier en main, je dois lui démontrer que cette charge est ainsi exactement la même qu'elle l'était de Gallabat à Wahni... A la fin, de part et d'autre, on rit.

Les palabres se font selon le ton tragique. Griaule note des termes de botanique. Faivre triangule. Lutten et Larget soignent les mulets blessés. Grosse pluie en fin de journée.

Grand crime de Makan qui, avec son copain Mamadou Kamara le Vérolé a bu, faute de dolo, le *talla* (bière d'orge) que nous avions acheté comme levure pour faire le pain. Discussion avec les muletiers qui, les domestiques ayant une tente, en réclament une aussi.

Ma politique ânière a très mal réussi ; comme, alors que je devais aller seul à Tchelga, j'avais loué par Tasamma Haylou quelques ânes de plus au prix exorbitant de cinq thalers, la nouvelle s'en est répandue dans le pays et cela a fait hausser les prix. Pas moyen d'en avoir à trois et demi ni même à quatre thalers. Si les loueurs d'ânes n'en rabattent pas sur leurs prétentions, nous partirons demain avec les mulets, nous arrêterons à deux heures de marche et les renverrons prendre le restant des marchandises. Il paraît qu'à deux heures de marche il y aurait moyen de trouver autant d'ânes qu'on en voudrait (Lidj Abto *dixit*).

13 juin.

De très bonne heure, réveil. Le peuple ânier — qui cette nuit comme toutes les autres a décoché des chœurs d'hihans — le peuple ânier, hommes et bêtes, s'activent les premiers. Les gens des mulets sont plus lents ; il y a deux femmes parmi eux : l'une, trop grasse mais quand même pas trop mal, est l'épouse de l'assassin Damsié ; l'autre, grosse fille foncée et sale en robe rose, a été amenée par l'un des muletiers.

Je pars un peu avant 8 heures, derrière la troupe des ânes. Des soldats sont devant. Il est entendu qu'ils s'arrêteront à deux heures de Wahni, au lieu dit Sounkwa. La caravane mulets, qui doit partir une ou deux heures après moi, y déchargera ses bagages et les animaux retourneront à Wahni prendre Faivre et les marchandises restantes.

Sentier en montagnes russes, parfois difficile. Au bout de deux heures de route, un point d'eau. Mais ce n'est pas Sounkwa. Je descends de mon mulet, me mets en travers du chemin pour arrêter la caravane (car si je vais plus avant, cela fera une étape trop longue pour que les mulets puissent revenir à Wahni et revenir encore). Les ânes passent sur les côtés. Les âniers montrent la plus mauvaise volonté possible. Faute d'interprète, Wadadjé étant avec la caravane Griaule, je suis débordé. Force m'est donc de repartir, tous s'efforçant de me faire croire et comprendre que Sounkwa n'est pas loin. A 10 h 55, ne voyant rien venir (cela fait trois heures un quart de route) j'envoie un message à Griaule l'informant de ma situation. On marche encore longtemps. Pour soulager leurs bêtes éreintées, deux âniers doivent prendre l'un un sac de piquets de tente, l'autre une caisse sur l'épaule. Je suis à la traîne de la caravane, à cause d'un petit âne fourbu qui sue, saigne et tremble sur ses jambes. Je laisse le soldat qui est avec moi l'activer sans pitié. Des gardes du guérazmatch Hayla Sellasié, qui est parti ce matin lui aussi, me doublent ; une femme très prognathe (à robe rayée bleu et blanc et chapeau de feutre gris posé, très sur les yeux, par-dessus le voile) marche avec eux.

Bientôt arrive à ma rencontre un nouvel âne, qu'on est allé chercher devant pour me dépanner. A midi et demi (soit après quatre heures cinquante de route), complètement furieux, j'arrive au camp.

Un peu de pluie. Mes affaires massées sous un arbre ne sont pas mouillées. Mais je m'impatiente... A 2 heures moins le quart, arrive Ayaléo (que j'avais envoyé porter le mot à Griaule). Il me donne la réponse. *« Qu'ils campent où ils veulent. Reviens au-devant de nous, toi seul. Nous camperons peut-être avant. »* Donc en selle ! Mais c'est à peine si j'ai démarré que je rencontre les soldats, puis Lutten, et la tête de la caravane qui arrive. Je retourne au camp.

Trop tard pour aller chercher Faivre. Il restera à Wahni. Il n'a pas son lit (qui est ici), mais dispose d'une tente. Un homme est envoyé pour lui apporter de la nourriture. Demain matin, Lutten et les mulets iront le chercher.

Constaté, comme ennui commençant, que plusieurs mulets sont déjà blessés. Larget est comme un crin.

. . . .

Je comptais me reposer demain, tandis que Lutten irait chercher Faivre. J'ai eu tort de prévoir : les âniers en ayant décidément par-dessus la tête d'attendre réclament auprès du guérazmatch Hayla Sellasié, qui vient d'arriver. Comme il n'y a pas de raison de retarder éternellement ces pauvres gens, il est décidé qu'ils s'en iront demain matin et que je les accompagnerai. Je n'ai donc plus qu'à préparer mes affaires, et dormir jusqu'au petit jour.

Griaule, qui a quitté Wahni ce matin sans voir le guérazmatch Ennayo, a laissé à son intention un cadeau, en échange d'un mulet dont Ennayo lui a fait don au départ de Gallabat. A la nuit, arrive un homme d'Ennayo, porteur d'un message. Le guérazmatch, qui déclare qu'il n'est pas un homme d'argent, mais qu'il cherche « l'amitié des hommes », remercie du présent et reconnaît qu'il correspond largement au prix du mulet. Toutefois, puisque Ennayo a l'amitié de faire cadeau en surplus de la *selle* et du *mors* (sans réclamer aucun paiement), Griaule pourrait avoir l'amitié, non certes de faire un cadeau en échange, mais d'augmenter un peu le cadeau fait pour le *mulet*.

14 juin.

7 h 40 : départ. Les âniers, naturellement, ayant demandé hier eux-mêmes à partir, ce matin ne sont plus pressés. Cheminé quelque temps avec le Suisse déjà rencontré à Abay, lorsqu'il accompagnait à Gallabat son compatriote le vieux pasteur ; il en revient maintenant.

Tunnels de verdure. Il faut se coucher sur l'encolure, jouer à cache-cache avec les branches. M'attardant derrière mes ânes, je laisse le Suisse filer devant.

Sentier à fleur de précipice, incessant serpentement. La vue perce. On circule à travers des caps et des isthmes.

12 h 10 : étape à Sabasguié, point d'eau. Le Suisse l'a dépassé. J'en suis content. Mais peu de temps après moi arrivent Hayla Sellasié, la femme prognathe, la chaise cannée portée à tête d'homme, la tente comique de cotonnade blanche et toute la maisonnée.

Grande pluie. Déjeuner d'une conserve de poisson quelconque et d'une galette au piment faisant partie du *dergo*[1] donné hier soir à nos gens par le chef du village voisin. Pas rasé depuis trois jours. Sentiment enivrant de vivre comme une punaise ou un termite.

Pourtant, cet après-midi, je vais me raser... Je me rattraperai, il est vrai, en me contentant d'un potage pour dîner. Pensé beaucoup à Z., à l'amour en général, à la poésie.

Mes bottes sont boueuses, mes cheveux longs, mes ongles sales. Mais je me plais dans ce fumier, tout ce que j'aime y devenant tellement pur et tellement lointain.

. . . .

Terminé ma toilette. J'ai même fait cirer mes bottes... L'averse est finie. Gai soleil. Je vais me promener.

Quelques pas vers un mont en éperon, couronné de quelques arbres. J'arrive au bord d'un ravin très chaotique. De l'autre côté, un vieil ondin m'interpelle. C'est Tasamma Haylou qui récolte à mi-pente de l'herbe pour ses animaux. Le petit homme me montre le chemin avec insistance, croyant sans doute que je cherche le point d'eau. A grands gestes évasifs je lui montre le ciel, le soleil, les arbres pour signifier que je me promène.

Le destin m'a rivé aux âniers. Peu à peu, je m'attache à eux et peut-être eux à moi, que sais-je ? Drôles de gens et drôles de bêtes, toujours à braire, à souffrir ou essayer de forniquer.

Grande émotion vers le soir : les ânes reviennent du pâturage et j'apprends que les mulets sont perdus. Il faut près d'une heure de recherche de mes trois domestiques pour les retrouver. Je me promets, demain, de ne pas les quitter des yeux...

15 juin.

Rêve : sur une berge de la Seine (ou sur une route), je commets un acte de sabotage (dont la nature reste imprécise). Le jeune médecin à qui je suis remis en premier lieu ne donne pas suite, car

---

1. Sorte d'impôt en denrées que les paysans fournissent aux passagers officiels.

il me reconnaît moralement irresponsable. J'en suis ému aux larmes et honteusement ravi.

Réveil, sur le coup de 2 h 1/2, par une fanfare d'hihans. Les âniers courent et crient. Wadadjé, à qui je demande quelle est la cause du tumulte, me dit qu'un « ours » (?) a essayé de manger deux des ânes. Mais les âniers ont mis en fuite la bête sauvage. Je me rendors...

L'étape d'aujourd'hui (6 h 45 à 11 h 45) a presque entièrement consisté à contourner l'éperon rocheux vu hier, qui n'était qu'un promontoire faisant partie d'un système beaucoup plus important. Descentes et remontées, pour passer des gorges ou des lits de torrents pleins d'euphorbes candélabres. Je déchire ma chemise aux épines. Une pièce de harnais casse. Il faut la réparer avec un bout de cuir coupé le long d'une autre courroie. Ce qui n'a pas d'importance, car ma selle et tous ses accessoires sont décrépits. Arrêt à Wali Daba, face à une nouvelle montagne.

Pour n'en pas perdre l'habitude, les âniers ont une heure ou plus de palabre avec un marchand faisant partie d'une caravane que nous avons croisée. Ce dernier, ayant perdu un âne et sa charge, veut perquisitionner chez mes âniers. Devant le chef de mon escorte tout le monde gesticule, accompagnant chaque argument d'un mouvement du buste et du bras comme pour lancer une pierre. Griaule m'avait déjà parlé de cette façon de jeter l'argument ainsi qu'on jette un sort.

Nous sommes à une marche de Tchelga.

Pendant la pluie, seul sous la tente, copulé avec la terre et vendu mon âme aux fourmis...

16 juin.

Rêve : m'arrêtant à une douane abyssine (?) j'assiste au combat d'un phacochère et d'une énorme panthère. Bien que les deux bêtes soient apprivoisées et luttent pour jouer, on arrête le combat. Le phacochère devient une vedette de music-hall, en maillot de bain, coiffée d'un large sombrero.

Un peu avant de plier bagage, détonation. Un des gardes a tiré sur une petite biche et me l'offre. Je dois la refuser faute de pouvoir la transporter.

A 6 h 50, départ.

Tasamma Haylou, que je vois quelque temps marcher devant moi, ne se promène plus jambes nues comme un faune. Approchant de lieux civilisés il a mis un pantalon.

A mesure qu'on s'élève — rapidement et avec des à-coups parfois difficiles, qui mettent en difficulté ânes et mulets — le panorama, tel un temps pétrifié, m'offre une rétrospective de mes étapes précédentes. Je vois Gallabat (qui, d'ici, fait figure de montagne fermant l'horizon) ; les monts de Qoqit, l'étape où il y avait tant de scorpions et où Tasamma Haylou avait voulu nous arrêter un jour de plus sous prétexte d'ânes volés ; les « sept montagnes » proches de Wahni, et celle en haut de laquelle Ennayo a établi son repaire ; la grande montagne de Wahni ; le pic à trois pointes de forme semblable et régulièrement espacées que j'apercevais du camp de Sabasguié ; le grand éperon rocheux dont j'avais vu un fragment lors de la même étape ; la falaise, enfin, au pied de laquelle j'ai dormi cette nuit. Quelque part à vingt-quatre heures de moi, la caravane Griaule chemine à travers ce paysage...

L'arrivée sur la crête (qui s'effectue par un vaste espace d'herbe en pente douce, suivant les escarpements par lesquels on accède au plateau) me réserve une bien autre surprise : la vue du lac Tana qu'on me montre tout à coup. Il est vrai que nous sommes à 2 000 mètres de haut... J'imagine difficilement que nous sommes si près de ce lac, l'un des grands buts de notre voyage et l'un de ceux certainement que nous aurons le plus de mal à atteindre. Les nuages sont si près qu'ils paraissent verticaux.

Peu avant cette crête, inévitable incident avec les âniers. Des gens les arrêtent tout à coup et tout le monde se met à brailler. Puis les âniers se mettent en route au milieu d'une vague bagarre dont les ânes font tous les frais : les âniers et les gens de mon escorte les frappant derrière pour les faire avancer, les autres les frappant devant pour les empêcher de passer. J'apprends qu'il s'agit de douaniers qui veulent faire respecter leur barrière et faire déclarer aux âniers, ici même, leurs ballots d'abou gédid, alors que mes gens veulent qu'on laisse passer ma caravane et que les opérations douanières s'effectuent seulement à Tchelga, eu égard à ma dignité. Finalement les cris cessent et, tous devenus bons amis, on repart.

Tchelga est situé au delà de la crête, et il faut redescendre légèrement. A regret, je vois disparaître le Tana...

Région fertile. Prairies, terres labourées, bétail, maisons, gens.

A midi 30, Tchelga, qui n'est pas une ville ni même un village compact — ainsi que naïvement je l'attendais — mais un ensemble très lâche de groupes de cases dispersées. Ma suite s'est accrue et tous mes gardes portent maintenant correctement leur fusil sur l'épaule. On approche de la colline où habite le fitaorari Asfao. Au dernier moment, dévalant le sentier, ce dernier vient à ma rencontre, entouré des hommes de sa suite. Il est monté sur une mule recouverte d'une housse écarlate. Au-dessus de sa tête, on tient un petit parasol de vannerie. Grand, fort, il me fait penser à Othello. Pied à terre. Politesses. Puis choix de l'emplacement du camp. Une des premières personnes que je rencontre durant cette dernière cérémonie est Lidj Damsié, l'interprète de la douane de Métamma rappelé à Addis Ababa. Par crainte des représailles, il a dû s'arrêter ici. La tête entourée, comme d'un turban, de son cache-col de soie artificielle, un paletot de voyage élimé jeté sur les épaules, il est minable... Mon choix fait, congé du fitaorari, avec promesse que j'irai le voir dans l'après-midi. Je prends congé également de deux personnalités dont j'ai fait la connaissance : le qagnazmatch X..., chef des douanes de la région ; un guérazmatch à parasol de vannerie venu au-devant de nous de Dabra-Tabor et qui, vraisemblablement, se propose de directement nous y emmener...

Contre un petit coteau et face à une immense prairie, je m'installe. A peine ai-je terminé, que je reçois un mot du Suisse que j'ai laissé passer devant à Sounkwa. Il est ici depuis hier et m'invite à dîner. A peine ai-je fini de faire ranger les caisses par les âniers, constaté avec inquiétude qu'une de ces caisses semble manquer et englouti une boîte de thon et une boîte de crème de marron en guise de déjeuner, qu'arrive un mot du même Suisse. Il se trouve chez le fitaorari Asfao et ce dernier me prie de venir à l'instant pour causer. C'est le Suisse qui fera l'interprète. Je vais donc chez le fitaorari Asfao. Il me reçoit dans un kiosque fermé et surélevé, très délabré. On y accède par un amoncellement de pierres qui font un grossier escalier. A côté de ce kiosque — et je verrai tout à l'heure le fitaorari diriger lui-même les travaux — des prestataires en construisent un nouveau qui sera sans doute plus grand et plus beau.

Conversation strictement polie et banale, à laquelle participe debout, un frère plus jeune du fitaorari Asfao. Un beau jeune homme (qui porte l'épée au côté, a l'occiput tonsuré et fait partie de mon escorte depuis Sounkwa) sert l'hydromel. Il y a trois sortes d'hydromels, de plus en plus alcoolisés. On boit en même temps du café turc légèrement salé. Une servante noire (crâne tondu, croix de cuivre, robe terreuse de coupe monacale) à deux reprises apporte des nourritures solides : grandes galettes molles de sorgho, sorte de mayonnaise au berbéri ; puis mêmes galettes (dont l'une sert de nappe) avec sauce liquide au berbéri et viande crue. Le fitaorari, à de nombreuses reprises, me fait l'honneur de me saucer lui-même des bouchées et de me les présenter. Aucun de ces mets n'est mauvais, mais il y a le mélange et surtout la quantité. Crainte de succomber, il me faut m'excuser. Ce qui n'est pas facile et me vaut une invitation à déjeuner pour demain, avec promesse de ne rien manger dans la matinée afin d'être prêt à tout. Il y aura des « épinards », qui poussent dans un potager que j'ai pu admirer. Une dernière fois un petit garçon nous passe l'aiguière pour nous laver les mains et nous sortons.

Rentré au camp je constate que les gardes ont installé leur tente tout à côté de la mienne, ce qui ne laisse pas de m'irriter. A dîner chez le Suisse — où je ne bois que du thé — j'apprends les dernières nouvelles : Lidj Yasou a été rattrapé ; donc tout danger de guerre civile est écarté. Mais, en ce qui nous concerne, la situation reste mauvaise : on s'imagine que dans nos caisses se trouvent une quantité d'armes et de munitions que nous destinons au Ras Haylou. Quels que soient les ordres d'Addis Ababa, aucune des autorités locales n'est disposée à nous laisser prendre le chemin du Godjam. Il y a quelques jours on songeait (projet heureusement abandonné) à entourer notre camp d'un cercle de soldats sitôt notre arrivée, puis à nous conduire sous bonne escorte à Dabra-Tabor, en embarquant au besoin de force nos bagages sur les mulets.

Forte pluie cette nuit. Sorti deux fois pour défendre les cordes de la tente et recouché transi. Les âniers, qui n'ont plus nos caisses à protéger — et pour se protéger — ne doivent pas s'amuser. Fini l'agréable symbiose des hommes et des marchandises.

17 juin.

Lidj Damsié fait remuer des pierres par un serviteur, sur le coteau derrière ma tente. Je crois qu'il fait seulement reconstituer une bordure de chemin écroulée, mais je n'aime pas le voir rôder ainsi auprès du camp. L'ingénieur suisse m'a raconté hier soir que Lidj Damsié lui avait demandé s'il n'aurait pas un travail pour lui.

Règlement partiel des âniers, car je suis obligé de dire aux malheureux que je ne puis leur payer les 24 ânes de Gallabat, tant que je ne saurai pas ce qu'est devenue la caisse disparue. Je règle donc : un âne venu de Gallabat appartenant à un soldat nommé Tegou, les 7 ânes loués pour 5 thalers à Tasamma Haylou à partir de Wahni, 3 ânes loués à un nommé Fanta pour 3 thalers 1/2 chaque à partir de Sounkwa. Les âniers sont si habitués aux histoires que ma décision leur paraît naturelle et qu'ils ne protestent pas.

Tandis que je compte les thalers et fais imprimer les empreintes de pouces sur les reçus, j'entends Damsié qui continue à faire remuer ses pierres. Ayant fini de ranger les papiers et l'argent, je regarde de son côté. Il est maintenant en train de creuser. Tout à coup, un homme survient en vociférant et chasse Damsié ignominieusement ; j'apprends que c'est le propriétaire du terrain sur lequel Lidj Damsié voulait se construire une maison, juste derrière notre campement... Mais le traître revient peu de minutes après et reprend ses travaux quelques mètres plus loin.

Déjeuner avec le Suisse chez le fitaorari, à grand renfort de piment, d'hydromel et de viande crue. Conversation sur Jérusalem, la bataille d'Adouah et l'assassinat du président Doumer. En cure-dent, Lidj Damsié vient faire de l'agitation. La servante noire est décidément très jolie. Chaque fois qu'elle apporte un plat c'est à elle que, patriarcalement, le maître de maison, avant de servir quiconque, remet une part de nourriture. Elle la reçoit profondément courbée.

Rentré au camp, étendu sur mon lit, je bavarde longuement avec Wadadjé qui, de mutin, est devenu domestique de confiance...

Départ des âniers, des soldats. La prairie est si vaste que j'en arrive à regretter cette compagnie. Toutefois, à la tombée du jour, un homme et deux enfants viennent avec la tente du guérazmatch chef de mon escorte et la plantent à deux pas de la mienne malgré que je leur aie indiqué un emplacement un peu plus loin.

Aux dernières nouvelles, cette tente si proche n'est pas pour les gardiens, mais pour les marchandises.

18 juin.

Pas un soldat n'a couché là cette nuit. Peut-être y a-t-il une détente ?

Je me suis ressenti du festin Asfao et ai dû me lever plusieurs fois. Ce n'est pas impunément que l'on mange de la viande crue découpée, avec un grand couteau qui ressemble à une faucille, à même la pièce de bœuf qu'un serviteur debout tient devant lui ainsi qu'un tablier.

Je pense à ma conversation d'hier avec Wadadjé, qui m'a donné beaucoup de renseignements sur Lidj Damsié. Lidj Damsié n'est pas un pur Abyssin, mais un Galla. Il a été élevé à la Mission américaine de Gambeila, l'enclave soudanaise sur le Sobat. Il se fait appeler « *Lidj* » (infant) parce que c'est un « clerk », mais n'a aucun droit à ce titre, car c'est le fils d'un homme obscur. Wadadjé, avant de rencontrer Damsié à la douane de Métamma (où Damsié avait fait semblant de ne pas le reconnaître), l'avait connu à Khartoum. Faute de travail, Damsié avait dû revenir à pied de Khartoum à Addis Ababa. C'est alors que son instruction lui avait valu le poste d'interprète qu'il occupait à Métamma. Sa femme, qui est une Abyssine d'Addis Ababa, est une rien du tout : elle vendait de l'hydromel sur les marchés.

Construction de water-closets en paille, pour faire pendant à la cuisine déjà bâtie hier.

Plus de bruit de pierres derrière moi. Damsié semble avoir renoncé à ses projets de bâtiment. Le Suisse — qui vient me voir — a reçu sa visite hier, en fin de journée. Damsié lui a dit que nos caisses étaient remplies d'armes et de munitions destinées au Godjam. On raconte par ailleurs que nous irions peut-être au Tana en vue d'y commencer les travaux du barrage (qu'ont étudié diverses missions anglaises et américaines et qui aurait pour but de réglementer le cours du Nil Bleu), barrage qui, aux yeux des

Abyssins, n'aurait d'autre résultat que de dessécher la région et de la ruiner en faisant mourir le bétail. On dit aussi que notre groupe électrogène, notre appareil pour l'enregistrement sonore, etc... pourraient bien être des machines à fabriquer les fusils.

Damsié et le guérazmatch Hayla Sellasié ne veulent pas continuer leur chemin sur Addis Ababa. Prétextant qu'ils sont malades, ils resteront ici jusqu'à la fin de la saison des pluies. Le Suisse pense comme moi que Damsié est un des principaux artisans des difficultés soulevées contre nous. Mais il ne croit pas que les mobiles de sa politique soient d'ordre purement vénal; selon lui, il est réellement persuadé que nous introduisons des armes dans un but d'agitation. Il paraît, d'autre part, que depuis le couronnement on témoigne aux Européens beaucoup d'arrogance à Addis Ababa. Il n'y a pas très longtemps, le Ministre d'Amérique a été violemment frappé par des gardes pour avoir heurté accidentellement (et sans lui faire grand mal) une femme avec son auto.

De même qu'hier matin, le frère du fitaorari vient me saluer. J'essaie sans grand succès d'amorcer avec lui un peu d'information. Il m'apprend que Griaule sera là demain.

Renvoi d'une *chermouta*[1] à bébé dans le dos et œil gauche fermé qui vient me présenter ses respects, c'est-à-dire m'offre ses services. Comme je suis pour déjeuner, autre visite. La tente ne désemplit pas! Cette fois c'est l'interprète du Suisse, — homme distingué, qui sourit finement dans sa barbe courte et sait parler italien. Il est allé ce matin à la maison du téléphone (cabane de paille située en face de ma tente, à trois cents mètres environ, sur une extrémité de l'éminence à un bout de laquelle se trouve la demeure du fitaorari Asfao). Sur l'ordre de son maître, il a adressé un message au Ministre des Affaires Étrangères d'Éthiopie afin d'arranger nos histoires. Le projet — dont l'ingénieur suisse m'avait parlé, mais sans me dire qu'il téléphonerait — est le suivant : le Suisse emploierait le crédit que lui donne sa situation d'ingénieur du gouvernement abyssin pour obtenir de nous accompagner lui-même jusqu'à Zaghié. Il serait en quelque sorte notre répondant. Désireux de se faire bien voir — et d'ailleurs fort gentil — l'interprète m'apprend quelques nouvelles qui lui

1. Prostituée.

viennent de la maison du téléphone. Il y en a quelques-unes que je savais déjà : emprisonnement du Ras Haylou, évasion et capture de Lidj Yasou. Mais il y en a une que j'ignorais : à Metcha du Godjam, un Italien vient d'être assassiné par des chifta. Je récompense l'informateur par le cadeau d'une boîte de poudre.

Dans le courant de l'après-midi, je vais rendre une visite de politesse au Suisse en question pour le remercier de ce coup de téléphone (dont, à vrai dire, on se serait bien passé). Il boit le *talla* avec quelques Abyssins. D'emblée, il m'apprend une dernière grande nouvelle : le Ras Kasa, qui comme Haylou était en résidence à Addis Ababa, viendrait d'être arrêté, ayant trempé lui aussi dans le complot Lidj Yasou. Il s'ensuit que son fils, le dedjazmatch Wond Woussen, qui est le grand fauteur de tous nos ennuis, va être rappelé de Dabra Tabor. L'Empereur en a fini maintenant de tous ses rivaux et ses ordres seront respectés...

Quittant le Suisse, je ne puis me défendre, malgré sa bonhomie de gaillard blond, gras et fort, d'une légère méfiance... Il me semble qu'il a tendance à exagérer, d'une part les complications, d'autre part, quand cela se présente, leur simplification. Je crois qu'il serait flatté de jouer vis-à-vis de nous le rôle d'un *deus ex machina*. Je ne le soupçonne pas, pour le moment, d'être intéressé, bien que, dans ce dernier entretien, sa proposition de nous accompagner ait pris un étrange tour : nous prendrions à notre charge son personnel et lui deviendrait en quelque sorte, bénévolement, notre caravanier ; j'ignore s'il entend nous prêter ses mulets, nous les vendre ou nous les louer. Aussi bien, l'imbroglio d'histoires dans lesquelles nous sommes lancés depuis le mois dernier m'a-t-il rendu exagérément méfiant... Mais que j'aime ce pays, où l'on se sent si vivant parce que pas un homme n'y est sûr !

Après mûre réflexion, je me décide à faire part à Wadadjé de la nouvelle de la détention « amicale » du Ras Kasa au palais de l'Empereur. Il la répandra, et l'on saura que nous sommes bien informés. Écoutant mes paroles (prononcées à voix basse comme si je lui confiais un grand secret, à ne pas répéter), il joint ses lèvres et siffle légèrement, la mine tout à fait atterrée...

18 heures : retour du messager que j'ai dépêché ce matin à Griaule pour l'informer que, contrairement à ce qu'il m'avait

demandé, je garde avec moi Wadadjé, qui m'est utile comme interprète. Le messager m'apporte un mot daté de Wali Daba, 1 heure de l'après-midi. La caravane est en difficulté. Les bêtes sont fatiguées et blessées. Il faut que j'envoie un mulet de secours.

19 juin (probablement, à Paris, dimanche du Grand Steeple).

3 h 45 : départ du muletier Malassa, vers Wali Daba, avec mon mulet de charge (qui est blessé) et une lettre pour Griaule.

8 h 30 : trois petits enfants, qui habitent une maison proche de chez moi et que je vois souvent, viennent se poster à une dizaine de mètres en face de la tente. Le plus jeune — qui peut avoir 3 ans — relève sa robe et pisse en riant. Les deux aînés — qui ont peut-être 6-7 ans — se concertent, drapent la loque qui les habille comme on drape la *chamma* [1] en signe de respect, puis s'avancent en m'adressant de gracieuses révérences. Plusieurs fois je réponds à leur : « *Tenaystèlliñ!* ». Mais ils s'enfuient subitement, peut-être rappelés par quelqu'un de leur famille, peut-être aussi s'imaginant que je vais les gronder.

. . . .

Imagerie africaine :

L'Africaine, l'opéra de Meyerbeer, avec son fameux « unisson » et le grand air de Vasco de Gama ;
la casquette du père Bugeaud et la smalah d'Abd el Kader ;
Aïda, que Verdi composa pour les fêtes d'inauguration du Canal de Suez ;
l'histoire du prêtre Jean ;
la mort de Livingstone ;
Fachoda ;
Arthur Rimbaud vendant des armes à Ménélik ;
Savorgnan de Brazza ;
le Prince impérial tué par les Zoulous ;
les massacreurs Voulet-Chanoine ;
les dynamiteurs Gaud-Tocquet ;

1. Toge abyssine

365

l'affaire de la N'Goko Sanga ;
le scandale du Thiès-Kayes ;
le Congo-Océan ;
la bataille des Pyramides ;
le coup d'Agadir ;
la conférence d'Algésiras ;
Impressions d'Afrique ;
la reine Ranavalo ;
les amazones de Béhanzin ;
et le sirdar Kitchener, et la guerre du Mahdi, et Samori, etc.

J'étais plongé dans cette ambiance l'autre jour tandis qu'Asfao, du haut de sa tête argentée de vieux rastaquouère juif à teint foncé mais portant beau, me parlait des bonnes relations qu'il avait eues avec le Consul Lagarde au temps de la bataille d'Adouah.

Renvoi d'un individu qui vient demander à m'acheter du parfum moyennant deux cartouches. Je fais répondre avec une noble indignation que « je ne suis pas un marchand mais un consul ».

Contrairement aux jours précédents, le frère du fitaorari n'est pas venu me saluer ce matin. Peut-être est-ce parce que je lui ai demandé ce travail : m'écrire quelques-unes des histoires locales qu'il connaît ?

Réception d'une petite caravane d'âniers, qui a quitté Wali Daba avant Griaule, apportant 27 caisses, deux bâches et trois sacs de campement.

Dû faire acheter pour protéger mon mulet contre les piqûres de mouches (recette Ayaléo) un litre de pétrole pour un demi-thaler. Donné un Marie-Thérèse et reçu deux cartouches comme monnaie. Tandis que je réceptionne les marchandises, le fitaorari envoie quelqu'un pour me saluer et m'apporter une gourde de lait mi-caillé. Déjà hier soir il m'avait fait porter une grande pièce de viande parfaitement immangeable.

20 juin.

Griaule est arrivé hier, avec toute sa caravane, alors que je ne l'attendais plus. Il s'en est suivi une grande orgie de boisson et de nourriture à laquelle assistaient (habillés en camériers du pape comme le fitaorari) le guérazmatch Tasamma, chef des sbires envoyés de Dabra Tabor, et le qagnazmatch Malassa, chef des douanes. Il y avait aussi le petit page à aiguière, devenu porte-trompette et porte-bouclier.

Entretien très solennel, par voie de double interprète (Wadadjé et moi). Griaule déclare que nous sommes venus, non, comme certains l'ont dit, pour la guerre, mais pour étudier l'Abyssinie afin d'être à même de la défendre contre les ennemis qu'elle a à la Société des Nations. Fatigué par la route, Griaule aurait voulu s'en aller avant les nourritures. Mais le fitaorari l'a retenu. L'estomac soudain révulsé par les foudroyantes épices, il vomit. Des serviteurs s'empressent autour de lui et étendent des étoffes pour le masquer.

Il a été malade toute la nuit. J'ai rêvé quant à moi que je faisais l'amour, en toute amitié, avec une femme froide et fuyant l'homme qu'il s'agissait d'animer. Je m'y employais longuement, mais mon ingéniosité demeurait presque vaine. Pour l'exciter, je l'injurie et la traite, entre autres choses, de « salope ». Nous nous quittons très tendrement amis, mais aucun de nous deux n'a joui.

Personne, sinon Griaule, ne se ressent de la petite fête d'hier, au cours de laquelle nous nous sommes tous montrés d'une fantaisie très abyssine... Griaule est reparti sur la mule de Lidj Abto soutenu par ce dernier d'un côté et par quelqu'un d'autre de l'autre côté. J'ai tenu quant à moi de grands et érotiques discours et suis rentré appuyé fraternellement sur l'épaule du jeune homme tonsuré. Mais tous les Abyssins sont ravis...

Quantité de visites ce matin : le fitaorari, — le qagnazmatch Malassa, — des envoyés du guérazmatch Tasamma apportant en cadeau un mulet, — la servante noire du fitaorari (qui, vue au grand jour, n'est qu'une vilaine pauvresse) et quelques petits boys apportant, sous la conduite de Lidj Abto, une cruche d'hydromel, une corbeille de galettes, un bol de choux. Au fitaorari j'ai montré l'usage de la machine à écrire ; il a suivi ma démonstration une main affectueusement appuyée sur ma cuisse droite.

Nombreuses consultations médicales de Larget : au guéraz-match Tasamma d'abord (qui lui donne aussi un réveil à réparer), à un vieil homme que je ne connais pas, puis au fils du fitaorari, que je vais voir avec lui.

Dans l'obscurité complète de la grande case où l'on nous introduit, nous ne voyons d'abord rien. Nous apercevons qu'il y a un feu au milieu et nous sentons qu'il y a des gens. Pas à pas, on nous conduit. Je ne saurai que plus tard que l'homme qui nous accueille est le fitaorari lui-même et que son fils est couché derrière lui. J'avais cru serrer la main du fils alors que je serrais la main du père... Nos yeux s'habituant peu à peu, nous distinguons la grande case circulaire à galerie, à la fois cuisine, poulailler, salle à manger et qui contient dans sa galerie les chambres à coucher. Il y a des hommes, des femmes, des filles, des serviteurs, des mets qui cuisent, des enfants, de la volaille... Des rires étouffés dans des coins. Larget envoie chercher sa lampe électrique, pose un certain nombre de questions, examine le malade (devant lequel on tend une toge pour l'isoler des autres regards), annonce qu'il reviendra demain avec des médicaments. Le fitaorari nous invite alors à passer dans le kiosque aérien des orgies et nous escaladons l'amoncellement de pierres branlantes. Bien que le fitaorari l'invite à « manger trop », Larget ne se laisse pas faire. Son excuse est excellente : sobriété de rigueur pour maintenir intact son cerveau d'homme de science. Quant à moi, qui ai suffisamment payé ma dîme hier, je laisse bien le vieil homme m'enfourner lui-même dans la bouche un certain nombre de bouchées, mais je l'arrête, disant qu'aujourd'hui je tiens à être raisonnable... Le fitaorari gave alors Wadadjé (qui fait l'interprète), puis donne de gros morceaux de galette à un petit bébé de deux ans et demi qui se trouve là et doit être un rejeton d'une branche quelconque de la progéniture du patriarche. Comme d'habitude, les porte-fusils qui nous escortaient sont alors introduits et nourris. Vient enfin la cérémonie du lavement des mains. Le maître de la maison commence, caché par plusieurs toges qu'on étend devant lui... En sortant, je constate que l'escalier est quasi impraticable même quand on a la tête solide. Comment avons-nous pu le descendre sans catastrophe après le banquet d'hier ?

Le fitaorari a tellement admiré la lampe électrique de Larget que le doyen a dû lui promettre de lui en donner une pareille.

Dernières nouvelles :

1° Le guérazmatch chef de l'escorte de Dabra Tabor, qui est venu saluer Griaule ce matin, semble disposé à nous laisser aller où nous voulons ;

2° L'ancien soldat assassin Damsié est suivi depuis Sounkwa par trois hommes qui se sont mêlés à l'escorte et qui veulent le tuer ; c'est pourquoi, en route, il s'arrange pour être toujours à proximité de Griaule ;

3° Le Suisse part demain matin vers Gondar. Il admettrait volontiers que c'est son coup de téléphone qui a tout arrangé ;

4° Je suis appelé comme témoin dans l'affaire des âniers ; je ne puis refuser et cela, d'autre part, m'amuse assez ;

5° L'Italien tué près de Dabra Marqos est le commerçant de Gondar, qui voyageait dans cette région ;

6° Par rapport aux pays d'où nous venons, on claque de froid. Le soir, les chandails sont devenus insuffisants. Il faut sortir aussi les vestons.

21 juin.

Aujourd'hui, marché. De longues files de femmes en robes longues bordées en bas de rouge se hâtent, portant des charges, conduisant des ânes ou tenant au-dessus de leur tête de petits parasols d'osier.

Escorté de Wadadjé, je me rends au téléphone. Il s'agit de deux messages de salutations pour Addis Ababa : l'un s'adresse à l'Empereur, l'autre au Ministre de France. Franchissant une terre labourée, nous atteignons la case à toit de chaume d'où s'échappe le fil rejoignant poteau à poteau, parfois touchant presque terre, parfois tout tortillé, renoué en un endroit comme s'il avait été cassé. Un garçon d'une douzaine d'années est assis sur le seuil de la case ; il tient à son oreille un écouteur large comme une soucoupe, qu'il porte par moments à sa bouche et dans lequel il parle : « *Aloalo Gonndderr... !* (bis). » Cabane aux murailles de pierres sèches au centre d'un enclos limité par un mur lui-même de pierres sèches. Devant et derrière moi, les prés où paissent les bœufs, ânes et mulets. Tout autour, les montagnes Cabane aussi merveilleusement insolite qu'un phare au milieu d'un terrain vague ou qu'une vespasienne pour marquer l'emplacement du Pôle Nord...

Le jeune garçon remplace actuellement son père. Il attend une communication puis il s'en ira déjeuner. Sur ma demande, d'une voix stridente il hèle son père. Ce dernier — qui se trouve au village de l'autre côté de la terre labourée et du pré sur lequel est monté notre camp — fait d'abord la sourde oreille mais après quelques appels se décide à se montrer. Je lui communique les deux messages rédigés par Wadadjé. Il se chargera de les téléphoner. « *Aloalo Gonndderr...* » dit-il lui aussi. Comme il n'obtient pas de réponse et que la séance se prolonge, je le laisse avec Wadadjé.

En rentrant du téléphone, je trouve chez Griaule un serviteur du guérazmatch Hayla Sellasié avec un télégramme que son maître a reçu du Ras Kasa. Il reste parfaitement entendu que nous pouvons aller où nous voulons, mais on nous déconseille le Godjam vu son état de rébellion. Au cas où nous voudrions quand même y aller, il faudrait donner au gouvernement abyssin une lettre dégageant toute responsabilité. La requête est parfaitement correcte et il est normal qu'on nous déconseille d'aller dans une région en pleine ébullition. Il n'y a qu'à s'incliner. C'est à Gondar que nous irons et de Gondar que nous descendrons au Tana. Mais que va devenir Roux et comment opérerons-nous notre jonction ? Je ne puis m'empêcher de penser que Roux — parti, paraît-il, nourri de Bruce et des anciens récits de voyageurs — doit trouver qu'il est servi !

Je ne vois plus la tente du Suisse. Il est bien parti. De plus en plus je suis persuadé qu'il a essayé de me bluffer...

Griaule et moi sommes allés l'après-midi visiter deux très pauvres églises, toutes deux (selon la norme) sur une colline, au milieu d'un bois sacré.

Au retour, noblement assis devant ma tente, j'ai donné le témoignage qu'on me demandait pour l'affaire des âniers. Une trentaine d'hommes étaient là : plaideurs debout, juge et ses hommes assis. Tasamma Haylou prend la parole le premier. Au milieu de la nuit, à l'étape de Sabasguié, n'ai-je pas vu qu'un âne étranger était venu se joindre à la caravane ? Je me rappelle m'être levé cette nuit-là à cause d'un grand tumulte que Wadadjé m'avait dit d'abord être dû à ce qu'un « ours » avait mangé deux des animaux. Je sais aussi que Tasamma Haylou est accusé par un marchand, croisé entre Sabasguié et Wali Daba, d'avoir pris un âne qui ne lui appartenait pas et de l'avoir joint à sa caravane. Je fais répondre que j'ai vu beaucoup d'ânes durant cette nuit, que je n'avais malheureusement pas de raison de les compter, que je ne les ai pas comptés, que je suis donc incapable de dire s'il y en avait un, deux, trois ou quatre en plus ou s'il y en avait un, deux, trois ou quatre en moins. Tout le monde s'en va ravi...

Aujourd'hui, dergos particulièrement somptueux, portés cérémonieusement par de longues théories de petites filles, de femmes, d'enfants, dont certains disparaissent presque sous leur charge. Un dergo vient du fitaorari, un autre du guérazmatch Tasamma, un autre des quatre employés de la poste. Il y a en tout : 60 galettes, 51 œufs, 2 cruches d'hydromel, 3 cruches de bière, 1 calebasse de lait, 1 poulet, 1 pot de viande, 1 bol de choux, 4 charges de fourrage et 2 charges de dourra. Le tout, soigneusement énuméré par les représentants des donateurs, est non moins soigneusement consigné dans notre agenda.

Avant-hier, quelques-uns des muletiers ont été renvoyés. Cet après-midi, augmentation de personnel. L'assassin Damsié (qui n'avait fait jusqu'à présent que suivre bénévolement la caravane) est engagé comme *agafari* ou intendant, le voleur du livre de comptes restant *alaqa* ou chef des muletiers. Un prêtre défroqué est engagé comme muletier. C'est Griaule qui est garant de l'assassin. C'est l'assassin qui sera le garant du prêtre défroqué. Au bas de la déclaration de garantie, il appose une empreinte digitale rouge, celle de son pouce maculé au tampon d'encre.

Retour du courrier qui, de Sounkwa, était parti à Gallabat.

22 juin.

Je ne me séparerai jamais des âniers : je paye définitivement Tasamma Haylou — qui n'a que trop attendu — mais peu d'instants après il me rapporte l'argent, me demandant de le garder jusqu'à son départ de Tchelga. C'est donc maintenant qu'il est payé qu'il commence à être ennuyé, car il a peur d'être volé.

Le fitaorari, chez qui personne n'est allé hier, est inquiet. En conséquence, il vient voir Griaule. Il part après-demain à Dabra Tabor. Griaule lui dit que nous pensons passer la saison des pluies à Gondar. Il remet aussi au fitaorari plusieurs médicaments et la belle lampe, avec trois piles de rechange. Caractère éphémère et pour un peu tragique de ce cadeau : qu'en fera le fitaorari quand toutes les piles seront usées ? Il est probable toutefois qu'il en fera un objet d'apparat, ou bien que s'étant convenablement amusé avec il s'en fichera.

Griaule promet qu'il ira l'après-midi prendre des photos chez le fitaorari. Mais il est retardé par deux visites inattendues : d'abord un certain qagnazmatch, qui vient d'arriver et dont on ne sait pas bien qui il est jusqu'à ce qu'il ait répété qu'il est l'intérimaire du fitaorari, rappelé à Dabra Tabor ; ensuite un serviteur du guérazmatch Tasamma, qui vient réclamer une mule dont son maître, hier ou avant-hier, a fait don à Griaule. Griaule a fait porter en échange au guérazmatch — qui l'a accepté — un cadeau de cartouches et de parfumerie. Mais aujourd'hui le serviteur vient dire que la mule n'était pas au guérazmatch mais à lui. Le guérazmatch a accepté le cadeau pensant que c'était un présent de simple amitié. Lui, le domestique, réclame donc le paiement de sa mule. Colère de Griaule qui lui dit de la reprendre (ce que le domestique ne fait pas) et déclare que dans ces conditions il n'ira pas chez le fitaorari. Mais il y va quand même car le vieux bonhomme insiste. Et il ne suffit pas de lui et de Lutten : Faivre et moi, on nous envoie chercher ensuite, pour faire une fois de plus l'ascension du kiosque. Larget seul est épargné, son âge lui permettant d'être fatigué.

Griaule prend ses photos, réussit à manger plus que modérément. Quant à moi — qui ai sans doute acquis une réputation de gourmand — le maître de maison me gave d'un nombre invraisemblable d'énormes bouchées. Je suis honoré aussi d'un verre d'hydromel grand comme un demi. Pourquoi ai-je déclaré l'autre jour au fitaorari que dans l'ancienne Europe on disait de l'hydromel que c'est le breuvage qu'on boit au paradis ?

Avant mon arrivée, buvant avec le fitaorari, Griaule et Lutten ont assisté à la signature de l'ordre formel d'arrestation du cher brigand Ennayo.

Lidj Abto, qui retourne dans son pays, vient prendre congé. Il reçoit 20 thalers de cadeau. Le garçon tonsuré et un autre seigneur, qui reçoivent l'un un rasoir, l'autre deux grandes boîtes de poudre avec miroir, s'en vont sans remercier.

23 juin.

Le guérazmatch Tasamma — l'homme de la mule — envoie de bon matin des serviteurs qui rapportent les cadeaux. Griaule refuse de les reprendre, répète comme hier qu'il ne veut plus de la mule et la fait restituer.

Village calme aujourd'hui. Pas d'enterrement comme hier. Pas de double courant (ascendant et descendant) de pleureurs et pleureuses au flanc de notre coteau. Pas de cortège vers l'église. Seulement des chants et quelques plaintes.

J'écris ces lignes avec un porte-mine qui l'a échappé belle hier, car le fitaorari avait commencé à jouer avec et à s'y intéresser, comme l'autre jour il s'était intéressé à la lampe. J'avais, pour sauver l'ustensile, feint de le croire cassé et l'avais remis dans ma poche avant que le fitaorari eût le temps de me faire comprendre qu'il convenait de le lui donner.

Deux fois dans la journée, le guérazmatch Tasamma se présente. Deux fois, occupé à développer des photos, Griaule ne le reçoit pas. Petite histoire en fin de journée : le jeune employé des douanes qui avait fait arrêter ma caravane sur la crête avant Tchelga, et qui est un subordonné du balambaras Gassasa, réclame que soit établie en amharique la déclaration en douane que je lui ai remise hier établie en français et que lui soit également indiquée la répartition des charges par animal. Personne n'étant maintenant d'humeur à se laisser embêter, il est purement et simplement éconduit.

Incessamment, nous irons à Gondar. Nous habiterons sans doute au consulat d'Italie. Un mot du Consul italien, arrivé à Tchelga le jour même où y arrivait Griaule, nous invite en effet à considérer ce consulat « comme un consulat de notre nation ».

A côté des Abyssins aux allures de Romains, l'ancien chauffeur Mamadou Kamara, avec sa robe de chambre à ramages et son chapeau mou, et engraissant de plus en plus, ressemble à un acrobate ou à un lutteur forain.

24 juin.

Promenade au lieu dit *Esata Gamara* (« feu de géhenne »). Lit de torrent en canyon étroit, dans la pierre tendre, feuilletée, étonnamment friable. Tranches de lignite roussies. Pierres chaudes saupoudrées de fleur de soufre. Çà et là des vapeurs puantes s'élèvent. Tout autour, cotton-soil, terre de tourbière. Un feu couve là depuis un an, sans doute accidentellement allumé dans les couches de lignite. Selon les gens, le pays a prospéré depuis l'existence de ce feu ; le prix des denrées a baissé. *Gamara,* qui veut dire « géhenne », est le même mot sémitique que Gomorrhe. Aussi les vapeurs sentent-elles le bitume comme j'imagine que doivent sentir les alentours de la Mer Morte...

Visite du qagnazmatch Tayé, intérimaire ou successeur du fitaorari Asfao. Cet homme — qui semble le plus digne de tous — ne fait de difficultés, ni ne sollicite de cadeaux ; il demande seulement qu'on le recommande au dedjazmatch Wond Woussen, au Ras Kasa et à l'Empereur, et veut qu'on soigne sa syphilis.

Je ne sais toujours pas qui est le *balamwal* ou favori. J'ai cru longtemps que c'était le jeune homme tonsuré qui m'avait guidé au sortir du festin. Mais le *balamwal* (qui m'a envoyé une lettre revêtue d'un cachet) doit être un personnage bien plus considérable que ce dernier, simple lieutenant de Lidj Abto.

25 juin.

Les choses, qui semblaient tendre à s'éclaircir, deviennent confuses à nouveau. Définitivement nous oscillons comme des pantins...

Le fitaorari, qui vient au camp ce matin et qui, entre autres choses, laisse entendre qu'il a été vexé que nous soyons allés voir le Feu de Gomorrhe sans lui en demander l'autorisation (car c'est la curiosité du pays, l'endroit qu'on montre aux étrangers et sans doute aurait-il aimé nous y conduire en grande pompe), révèle — après avoir éloigné tous les gens de sa suite ainsi que le qagnazmatch Tayé, son intérimaire présumé (qui se trouvait là en grand cortège d'hommes en armes et petit boy porteur du beau fusil et des superbes godasses cloutées) —, le fitaorari révèle à Griaule qu'il vient de recevoir une lettre de Dabra Tabor lui disant de rester... Il n'est donc pas rappelé. Nous avons fait une formidable gaffe en ne l'avertissant pas de notre proche départ et en n'en communiquant la date qu'au qagnazmatch Tayé. Griaule rattrape cela comme il peut, alléguant qu'ici nous nous embrouillons dans le compte des jours et oublions le temps. La date du départ est fixée à lundi, c'est-à-dire après-demain.

Mais vers 3 heures arrive l'ahurissante nouvelle : Roux et Mlle Lifszyc sont à Zaghié. C'est ce que nous lisons en post-scriptum, dans une lettre du Consul d'Italie annonçant à Griaule qu'il nous attend à Gondar et que nous pourrons monter notre camp sur le terrain du consulat. Ainsi Roux et Lifszyc ont pu quitter Dabra Marqos ! Le Godjam n'est donc pas tant que cela en révolution... Mais il est trop tard pour changer encore une fois les batteries. La mission hivernera à Gondar et c'est là que nos amis devront nous rejoindre.

Il fait de plus en plus froid. Larget en complet à martingale et col ouvert fait Parisien en vacances dans un petit trou pas cher de Bretagne ou du Nord.

26 juin.

5 h 30 : départ du prêtre défroqué vers Zaghié, porteur d'un mot enjoignant à Roux-Lifszyc de se rendre en *tanqwa*[1] au point de la côte le plus proche de Gondar et leur annonçant qu'une caravane haut-le-pied viendra les y chercher.

7 heures : Tasamma Haylou vient reprendre l'argent qu'il m'avait confié. Le vieux filou est si reconnaissant (et, qui sait ? peut-être si étonné) de me voir le lui restituer qu'il me baise la main avec effusion.

J'accompagne Lutten, qui va faire des photos chez le fitaorari. Griaule nous a chargés de diverses commissions : 1° l'excuser auprès du fitaorari en prétextant qu'il a reçu hier par Gondar un gros courrier du gouvernement français et qu'il doit y répondre. Entre autres lettres, il y en aurait eu une du Consul d'Italie et ce dernier ne manquait pas d'envoyer ses salutations au fitaorari ; 2° dire que Griaule part irrévocablement demain, conformément aux ordres de son gouvernement ; 3° dire que de Gondar, comme il se promènera tout le temps, il ne manquera pas de revenir à Tchelga dire bonjour au fitaorari et que, si ce dernier vient à Gondar, nous serons charmés de le recevoir au consulat d'Italie ; 4° que Roux, grand peintre français, lui fera son portrait,

---

1. Sorte de radeau de joncs.

grandeur nature et en couleurs durables, s'il vient nous visiter durant notre séjour à Gondar.

Le fitaorari, très maussade depuis la gaffe d'hier, réagit très mal à ces quatre points sortis un à un, au fil de la conversation : le premier le renfrogne : il feint de ne pas s'épater ; il a reçu lui aussi une lettre du Consul d'Italie, qui parle de venir à Tchelga et dit également au fitaorari de ne pas manquer de lui rendre visite s'il se trouve à Gondar. Le deuxième, bien entendu, le crucifie ; il prétendra à la fin de l'entretien que la belle case ronde que j'ai vu construire et qui est maintenant presque finie était destinée expressément à notre réception. Le troisième, vraisemblablement, lui apparaît plus que douteux. Quant au quatrième, il le prend sans doute pour une pure galéjade et une manière de refuser de photographier, sur-le-champ, les diadèmes et les étoles qu'il exhibe. Ces parures, qu'il a fait tirer d'une sorte d'oubliette masquée par un coussin de cuir et percée dans le sol surélevé du kiosque des orgies, il les fait rapidement renfourner, jugeant probablement nos compliments insuffisants. Il y avait pourtant deux diadèmes garnis de poils de lion sur lesquels il avait projeté, de ses joues gonflées, une bonne rasade d'hydromel pour les mouiller et pouvoir ensuite, de ses mains, les lustrer...

Mais le pire de tout est la conduite scandaleuse de Lutten qui, comme il n'est guère plus de 8 heures du matin, refuse de se laisser gaver. J'essaye bien de boire un peu et de manger, mais il n'y a rien à faire. Il me faut rapidement m'arrêter. Le fitaorari, alors, devient tout à fait froid. D'une chèvre qu'il nous a donnée hier, il demande si nous l'avons mangée. Nous sommes obligés de dire non. Avec une jovialité teintée du plus souverain mépris, il dit alors qu'hier il a songé à nous envoyer une pièce de viande, mais qu'on l'en a détourné car : « Pourquoi enverrait-on une pièce de viande à des hommes qui se mettent à cinq pour un petit poulet ! » Le refus de manger se complique, du fait que, le *balamwal* (que j'ai enfin identifié : c'est lui que je prenais pour le frère du fitaorari) s'étant plaint d'avoir mal au ventre et m'ayant demandé un médicament, je lui ai dit que les médecines étaient bonnes mais qu'elles ne portaient vraiment effet qu'à condition de rester une semaine sans beaucoup boire, ni beaucoup manger... Et Lutten a le malheur de dire, pour excuser son manque d'appétit, qu'il a pris ce matin un médicament ! Le fitaorari s'imagine sans doute que nous voulons à toute force blasphémer contre la nourriture, la considérant comme un poison opposé à tout médicament...

Tout s'embrouille du fait de l'interprète, qui traduit mal. Je parachève les gaffes en m'intéressant à peu près exclusivement, durant toute la fin de la séance, à une toute petite fille d'environ deux ou trois ans... Lutten la photographie. La servante noire semble être aux petits soins pour elle. Je demande à Wadadjé, pour le noter sur le carnet photo, qui est ce petit enfant. Wadadjé répond qu'il ne peut pas me le dire. Je devine alors que c'est un enfant que le fitaorari a eu de la servante.

Une consultation médicale de Larget au fils du fitaorari (décidément très, très malade ; il a la fièvre, mal au ventre et a vomi, ayant essayé de boire de l'hydromel après s'être mis toute la journée au régime de l'eau miellée) n'arrange rien. Le fitaorari a par ailleurs compris, sur une erreur de l'interprète, que Griaule compte s'en aller sans lui dire au revoir.

La séparation est des plus fraîches. Cela n'empêche pas le fitaorari d'envoyer des denrées à l'heure du déjeuner et de recevoir en échange un flacon d'eau de Cologne...

Visite du qagnazmatch Malassa. Comme l'autre qagnazmatch il veut faire soigner sa vérole, mais son rêve est un gros revolver, pour se défendre des bandits. Le Colt que Griaule lui montre le ravit.

27 juin.

« *Me faire sauter avec mes cabinets pour que le traître Damsié ne puisse en hériter...* » Telle est la sentence dont la pensée m'effleure, regardant, cependant qu'on plie bagages, les W.-C. que j'ai fait construire et la maison que Lidj Damsié, depuis trois ou quatre jours, bâtit à proximité, comme s'il avait supputé — après l'échec de sa tentative d'établissement à flanc de coteau — que cette place-là serait bonne et qu'il pourrait après notre départ employer nos aménagements. Le fitaorari, qui vient saluer Griaule en allant à l'église, est d'abord très froid, puis, redescendant de l'église, très chaud et exige qu'on passe lui dire au revoir...

Les charges sont longues à préparer. Il y a des histoires avec les muletiers, dont il faut congédier quelques-uns, puis, tant bien que mal, les remplacer. Le motif de la grève était l'interdiction d'ajouter leurs propres affaires aux charges des mulets. En effet, il n'y a déjà que trop de bêtes blessées. Les ânes supplémentaires sont longs à trouver. Il n'y en aura d'ailleurs pas assez et Faivre devra rester pour garder le surplus des marchandises.

« UN PARI STUPIDE : *il avait parié d'avaler douze œufs durs sur les douze coups de midi.* » Autre sentence — en forme de manchette journalistique — qui me vient à l'esprit tandis que, pris au piège des adieux, je suis bourré effectivement d'œufs durs par le fitaorari. Cet homme magnanime — qui semble avoir oublié sa mauvaise humeur d'hier et prendre son parti de ne pas recevoir de considérable cadeau — me gave aujourd'hui si rapidement que j'ai à peine le temps d'engloutir des torrents d'hydromel (heureusement très doux) pour éviter le sort du stupide parieur, c'est-à-dire périr étouffé.

L'étape d'aujourd'hui est très petite. A peine deux heures de marche, juste de quoi dire qu'on s'est décroché.

Coucher au village d'Anker, d'où l'on aperçoit Tchelga avec le *guébi*[1] du fitaorari et la tente blanche de Lidj Damsié. Nous sommes tout à fait entre nous car l'escorte et son chef nous ont plaqués et sont restés à Tchelga. Je n'aurais jamais cru que nous pourrions quitter cette ville sans une nouvelle dégelée d'incidents.

28 juin.

Quatre heures de route pas difficile, jusqu'au point d'eau proche de l'église Makwamya Maryam et d'un village dont j'ignore le nom, les habitants n'ayant rien voulu savoir pour nous le dire.

La caravane, qui est partie très allongée, arrive très ramassée, Griaule, passé en arrière, faisant mener un train d'enfer aux ânes. Les petites bêtes trottent et parfois même — dans les descentes — galopent. « Ce ne sont pas des ânes, ce sont des lions », dit l'assassin Damsié qui chevauche à côté de Griaule.

Une dame à toge romaine et ombrelle de vannerie passe,

---

1. Grande habitation formant fortin.

précédée d'un serviteur et d'un garde à fusil. On échange des saluts.

Le camp s'installe dans un joli coin herbeux. On se croirait sur une pelouse, n'était notre attirail qui transforme instantanément ce lieu en paysage parisien du temps des fortifications. Le tuyau du fourneau ayant été bêtement laissé à Tchelga, Larget pour le reconstituer se propose de nous faire consommer exclusivement des boîtes de conserve cylindriques : tripes à la mode de Caen, cassoulet toulousain, telles sont les boîtes les mieux calibrées pour constituer des segments de tuyau. Au soir, le tuyau de poêle ne comporte encore qu'une boîte. Demain il se sera élevé d'un minimum de deux ou trois.

L'aspect « zone » de notre aménagement est complet. Au coureur convoqué ce soir et qui partira demain matin pour Gallabat Griaule remet, en guise de boîte aux lettres, une ancienne boîte de petits-beurre qui contient le courrier.

29 juin.

Départ de Lutten vers Tchelga, pour aller chercher Faivre et les bagages. Départ de Griaule et moi — pour la journée — vers une église que le qagnazmatch Malassa nous a signalée comme contenant des peintures. C'est une des rares dans la région qui soit dans ce cas ; les Derviches ont tout ravagé ; on a reconstruit des églises mais on ne les a pas repeintes.

Nous partons donc à mulet. Traversée de villages hostiles. Les gens ne répondent pas quand on leur parle ou répondent de mauvaise grâce au bout de très longtemps. Hier, tandis que nous faisions un tour au village proche de notre camp, beaucoup de femmes avaient peur. Il paraît qu'en nous baguenaudant ainsi, allant de case en case et regardant, nous ressemblions aux Abyssins qui cherchent des esclaves. Car ici nous sommes en pays *qemant...* Et les Amhara, bons coloniaux, ne se gênent pas pour prendre des Qemant comme esclaves...

Long paysage de collines aux pentes infiniment douces. On ne s'imagine pas qu'on est si haut. Pourtant, après une heure de marche on voit le lac Tana et les montagnes qui sont derrière. Mais paysage plein de traquenards : on est en vue de l'église, à deux kilomètres environ à vol d'oiseau, et l'on croit qu'on va l'atteindre. En vérité on en est éloigné de plus d'une heure, car il faut passer une vallée profonde, celle de la Lout, torrent qui autrefois sauva l'église — selon le prêtre que nous verrons — lorsque le conquérant musulman Gragne arriva dans la région, car un prodige solaire laissa illuminée la rive où le conquérant se tenait, alors que la rive de l'église était sombre ; ne voyant pas l'église, le conquérant s'en alla, sans que la Lout eût été franchie, limite d'eau entre lumière et ombre.

Arrivée à l'édifice deux fois miraculé (les treize moines qui le fondèrent asséchèrent préalablement, par leurs prières, le pays alentour, qui était submergé) sur la croupe la plus haute. Elle est tapie dans un bois abondant, masquée d'un rideau de grands arbres où s'injurient des corbeaux et des singes. A part ces cris, quel calme !

La bâtisse est classique : grande case ronde à toit de chaume surmonté d'une croix de fer, galerie périphérique à piliers. Le tout en bois et en torchis. A chacun des points cardinaux, grande porte à deux battants couverts de graffiti charbonneux ou rougeâtres. Joie immense de voir, sous une forme aussi vivante que l'art des pissotières, un art pour le moins aussi noble que, par exemple, l'art roman...

Un jeune prêtre arrive au bout d'un certain temps. Il porte barbe noire, caban à pointe sur l'épaule et haute calotte approximativement cylindrique (coiffure ecclésiastique). Il est méfiant, ne veut pas prendre sur lui de laisser entrer. Après maints pourparlers, il se décide à faire prévenir par un petit berger le notable du pays qui a la garde de l'église. En attendant qu'arrive ce dernier, Griaule et moi allons casser la croûte sur l'herbe, en dehors de l'enclos sacré, à l'endroit où sont arrêtés nos mulets. Déjeuner trop frugal, et troublé par les fourmis. De retour à l'église, Griaule doit retirer ses bottes dans lesquelles se sont glissés deux ou trois de ces insectes, qui le mordent cruellement. C'est alors que le jeune berger revient et nous apprend que le notable refuse de se déranger. Nous aurons donc fait deux heures et demie de route pour ne pas visiter cette église...

Toutefois, compatissant, le jeune prêtre consent, moyennant quelques thalers, à nous laisser jeter un coup d'œil à l'intérieur, subrepticement.

Furtif, il pousse l'une des portes (qui n'était pas fermée, et que nous aurions si bien pu ouvrir nous-mêmes) et nous introduit. A pas rapides nous faisons le tour du *maqdes*, gros cube (surmonté d'un cylindre) qui renferme l'autel et dans lequel les prêtres seuls ont le droit d'entrer. Juste le temps d'apercevoir, dans la pénombre, du haut en bas de ce réduit central, des peintures d'allure archaïque, mais admirables de fraîcheur, si vives, si brillantes, depuis les tranquilles figures de saintes gens jusqu'aux démons cornus qui s'agitent dans les basses zones d'un jugement dernier...

Le prêtre, en nous quittant, prie Griaule de le recommander à Addis, pour qu'on le nomme à un rang supérieur.

Retour. Éclatement de la pluie. Pied à terre. Un quart d'heure au moins d'attente sous l'eau et la grêle. Petite inquiétude au moment de traverser la Lout, que l'averse a gonflée. Le torrent, qu'en venant nous avons traversé autant dire à pied sec, coule maintenant presque aussi haut — en un point du gué — que le ventre de nos mulets. Sur les pentes glissantes nous avançons lentement. Faute de piste bien nette, peu avant d'arriver nous faisons, croyant prendre un raccourci, un détour totalement inutile. En définitive, quatre heures de route, pour refaire en sens inverse un chemin de deux heures et demie, dont — suivant les renseignements reçus au préalable — nous étions en droit d'espérer qu'il ne durerait qu'une heure. Tout ceci, pour faire un tour de voleurs dans la demi-obscurité d'un monument... Qu'importe! je me délecte à cette existence archaïque. Je me laisse vivre. J'oublie tous mes tourments.

30 juin.

Rêve : au cours d'une fête (réceptions, banquets, etc...) qui a lieu à Paris au moment de notre retour, mon collègue F..., avec qui je suis très mal, me traite de « *francofiasse* ». Je lui réplique que je suis, non « *francofiasse* », mais *francophobe*. A ces événements sont mêlés : les principaux membres de ma belle famille ; quelques Allemands ; une israélite de nationalité douteuse, raseuse entre deux âges dont je ne parviens pas à me débarrasser et qui, dans le rêve, doit être quelque chose comme la mère putative de mon collègue F... Il y a aussi le cocher d'une sorte d'omnibus qui, entre autres objets, transporte mon lit de camp. A diverses reprises mon collègue s'inquiète de savoir si je lui ai donné un pourboire suffisant[1].

Ledit Faivre arrive de Tchelga vers 2 heures de l'après-midi, juste comme nous nous apprêtons, Griaule et moi, à nous rendre à mulet jusqu'à l'église de Maqwamya Maryam (une demi-heure de notre campement). Lutten et Faivre ont encore été invités chez le fitaorari, ont refusé. Le fils du fitaorari a demandé à Lutten des cartouches d'un modèle que Lutten n'a pas été en mesure de lui donner. Quant au fitaorari lui-même, Lutten lui ayant fait porter par l'interprète un cadeau de 39 cartouches, il les a refusées, parce qu'il y en avait 39 et non 40, chiffre annoncé. Au préalable, il a accusé l'interprète d'en avoir volé une... Bref, il paraît qu'il est furieux. Allant à l'église Griaule et moi, nous sommes mis au courant par Ayaléo d'une rumeur assez saugrenue : on racontait à Métamma que Larget — *choumagalié*[2] très redoutable — était l'homme qui avait tué le Ras Gougsa au cours de la bataille que lui livrèrent les troupes du gouvernement lors de sa rébellion. Bruit des plus flatteurs pour Larget, mais qui nous plonge, Griaule et moi, dans la plus complète hilarité...

A l'église, achat pour 13 thalers d'une très jolie peinture sur parchemin. Le *gabaz* (intendant de l'église) vient l'apporter au camp. Mais il la remporte, car, brusquement, il ne veut plus la vendre et prétend qu'il est venu pour la montrer seulement. Il restitue les 13 deniers et reprend la peinture, Judas pas assez éhonté.

Vers l'heure du déjeuner, Larget, le féroce *choumagalié*, nous avait entraînés vers un buisson dans lequel, chassant aux papillons, il avait entendu le bruit d'un gros animal, qui peut-être n'était qu'un âne, ajoutait-il. Griaule avait cependant pris son fusil, le doyen son revolver et ils étaient entrés dans le fourré. Pas

---

1. Sans broder, je crois pouvoir préciser que, dans ce rêve, le suffixe *fiasse* est une contraction des deux mots *fiotte* et *chiasse*. Le premier est vraisemblablement une allusion à l'effet déplorable que je pense qu'ont dû produire sur mon collègue certains propos d'ordre pédérastique qui figurèrent, paraît-il, dans le discours romantique que je tins lors du festin chez le fitaorari. Le second intervient, soit comme simple dérision à l'égard du côté « calotin » de mon compagnon, soit comme allusion au caractère volontiers bas et trivial de nos propos d'hommes chastes.

2. Homme mûr et respectable.

d'animal, mais un vaste trou noir dans un tronc d'arbre. Le doyen, qui était le premier, s'est penché sur le trou noir, m'ayant auparavant confié son couteau de poche afin que je puisse désarticuler en un point quelconque de ses vertèbres l'animal en question si c'était un serpent enroulant ses anneaux autour du *choumagalié*... Bien entendu, nous avons fait buisson creux, mais notre mobilisation guerrière a dû affermir notre entourage dans sa croyance aux vertus meurtrières du *choumagalié*

1er juillet.

Arrivée à Gondar, après pluie diluvienne et avalanche de grêlons. Sur les pentes gazonnées, de vrais torrents se forment. Derrière l'écran d'eau, les vieilles ruines attribuées aux descendants des Portugais (qui, avant l'orage, se profilaient) maintenant disparaissent.

Le Consul italien est un petit homme à barbiche et binocle, à casquette blanche de marine et vaste pantalon dans des bottes de facteur. Ancien officier de bersaglieri, et très affable. Son bureau (dans un bâtiment rectangulaire séparé de celui de sa chambre, très confortable) est fermé par une porte épaisse, renforcée par de grosses ferrures. A nous les geôles fascistes et les plombs de Venise... Sa salle à manger, aux murs blancs très propres, sent la poudre insecticide, mais on y mange d'excellente cuisine. Il y a l'électricité, avec un moteur dans une case à part. Un vaste magasin — organisé en coopérative — contient des vivres solides et liquides en abondance. Et pas cher ! Du vermouth à 2 thalers 1/2 ! Dans un autre bâtiment, le canot à moteur du Consul qui (tel le nôtre, demeuré au Soudan) n'a pas encore été mené jusqu'au lac Tana, le dedjaz Wond Woussen ayant trop envie que le Consul lui en fasse cadeau pour ne pas soulever quelques petites complications. Tous ces bâtiments divers et les cases rondes des soldats (car il y a au consulat une garnison de 70 hommes, pour beaucoup Érythréens) sont dominés par une sorte de moulin sans ailes en haut duquel flotte le drapeau national. C'est le corps de garde.

Émergeant des chaumes de la ville, ainsi que sui une colline proche, de hautes constructions de pierre, qui sont tout ce qui reste des constructions portugaises d'il y a quatre siècles.

Installation du camp sur le terrain du consulat. Nouvelle pluie. Dîner chez le Consul avec son assistant le radiotélégraphiste.

Et tout de suite des nouvelles : ce n'est pas le commerçant de Gondar qui a été tué au Godjam, mais un colonel italien retraité ; l'assassinat (coup de feu au bas-ventre, la nuit, par un inconnu soulevant la paroi de la tente) a eu lieu près de Zaghié ; c'est au camp de Roux qu'on a amené le cadavre, et c'est en rendant compte qu'il l'avait enterré, aussi dignement que possible avec les moyens réduits dont il disposait, que Roux est entré en rapport avec le Consul. Le bruit court décidément que l'homme qui a tué Gougsa fait partie de la mission. L'aviateur M..., ayant pris part à la bataille où a péri le Ras, porte aux yeux des Abyssins la responsabilité de cette mort ; M... est ami de Griaule ; Griaule a lui-même été aviateur ; il n'en faut pas plus pour que la confusion se produise et qu'on accuse un de ses compagnons (en l'occurrence Larget) d'être le meurtrier. En ce temps d'agitation et avec l'histoire de balle dans le ventre arrivée près de Zaghié, il vaudrait évidemment mieux qu'un tel bruit ne coure pas.

Ras Kasa, paraît-il, n'est pas en résidence forcée. Il est toujours à demi en grâce. Haylou a été condamné à la réclusion perpétuelle et remplacé comme gouverneur du Godjam par le dedjaz Emrou. Il y a dans la région de Gondar un gros trafic d'esclaves, ce dont nous pourrons nous convaincre en en achetant. C'est ce que Griaule compte faire...

2 juillet.

Premier contact précis avec les ruines. Vu trois églises, chacune emmêlée à un reste de forêt. A la première sont attenants les restes d'un palais royal qu'habitèrent les épouses des ancêtres d'Haylou. A proximité, un bouquet de grandes palmes abrite une source miraculeuse. La deuxième et la troisième église (Saint-Jean et celle de l'Empereur Fasil) forment des parcs très calmes où vient paître le bétail. Celle de l'Empereur Fasil est entourée d'un large fossé formant devant l'église une esplanade en contre-bas. S'agirait-il d'une piscine pour le baptême (maintenant séchée), pour l'immersion rituelle des objets sacrés ? ou d'une représentation matérielle du mythe qui veut que tant d'églises aient été tirées des eaux ?

L'intérieur de ces lieux de culte, plus encore que les sanctuaires dogon ou ceux du Dahomey, est un fumier.

Retour du coureur envoyé à Roux : il nous a rapporté une lettre de celui-ci. Roux a dû s'embarquer aujourd'hui au coucher du soleil. Pour venir d'Addis, c'est Haylou qui lui avait donné escorte et caravane. Dans deux ou trois jours, nous irons au-devant de lui.

Grands changements de fortune au sein du personnel : l'ivrogne Balay (que Lutten avait mis à la porte pour deux jours à Tchelga et qui était parti définitivement) est maintenant employé comme mécanicien au consulat d'ici ; il a troqué la casquette à carreaux et le beau pantalon de flanelle anglais qu'il avait à Gedaref contre la cape italienne ; ainsi vêtu, il vient saluer Griaule affectueusement. L'assassin Damsié — formellement accusé maintenant d'avoir été complice d'un meurtre commis à Gedaref sur la personne d'un Abyssin — est réclamé pour jugement par un fitaorari de Gondar. Le Consul d'Italie (dont Damsié est automatiquement le ressortissant, puisque étant notre domestique il se trouve comme nous en territoire italien) a promis au fitaorari que Damsié serait là pour le jugement. En consé-quence, après consultation de Griaule et sur l'accusation formelle d'une parente de la victime, le Consul décide de s'assurer de la personne de Damsié. L'assassin s'en va, escorté de deux Éry-thréens à mousqueton, cape italienne et fez rouge.

3 juillet.

Nouvelles d'Europe : tentative d'assassinat contre Mussolini ; le coupable a été fusillé.

C'est dimanche aujourd'hui. Un vieux père lazariste français qui réside à 10 kilomètres d'ici, ayant appris que des compatriotes à lui étaient arrivés à Gondar, vient dire la messe au consulat. Sur son autel pliant il officie, face à une image de la Vierge, à sa gauche l'effigie du roi, à sa droite celle de Mussolini, sur les meubles des faisceaux de licteurs en métal doré.

Le Consul est l'auteur d'une vie de Robespierre.

Faivre, resté encore en arrière avec l'excédent de bagages, revient avec un *midaqwa*, petite biche dont on nous a fait cadeau à l'étape de Doqmit. Cela augmente la ménagerie : chacal devenu plus gros et cassant à tout instant sa chaîne, poules envahissant perpétuellement les tentes et qu'il faut expulser bruyamment, sans compter tous les mulets, et la bonne chienne qui suit Griaule depuis Qoqit.

Pour faire concurrence aux Portugais, de grands travaux de construction ont été commencés. Il s'agit d'une muraille en fer à cheval dans laquelle nous abriterons notre camp. Il y aura des appentis pour la cuisine et divers débarras. Après notre départ, le consulat héritera du bâtiment et l'utilisera.

Dernières révélations sur les bruits à notre sujet : quand nous étions à Gallabat, on a dit au Consul d'Italie que nous venions en Éthiopie pour délivrer Lidj Yasou.

4 juillet.

Le midaqwa est mort. La petite bête était déjà presque morte de froid dans l'après-midi à cause du vent violent. Faivre et moi l'avions ranimée en l'emballant dans une couverture et lui ingurgitant du lait. Hier soir, je l'avais prise sous ma tente et attachée à la tête de mon lit. Cette nuit, elle avait mangé, ruminé. Remuant beaucoup, elle avait emmêlé sa corde aux pieds de mon lit, au pommeau de ma selle. De crainte qu'elle ne s'étranglât, je l'avais attachée au poteau de devant de la tente et m'étais rendormi l'écoutant ruminer. C'est au réveil que je l'ai trouvée au dehors, agonisant dans le petit fossé creusé autour de ma maison de toile pour l'écoulement des eaux. Ni couverture, ni lait n'ont pu la ranimer. Petite bête, trop jeune, peut-être pas encore sevrée, et à coup sûr pas habituée au vent d'ici.

Suite des reconnaissances avec Griaule. Cette fois-ci, nous nous attaquons au cœur même des monuments, ceux qui émergent de la ville et font l'effet, de loin, d'un si beau décor en silhouettes, sans profondeur. A peine dépassé une église — noyée dans ses arbres, sur son monticule, avec des mulets harnachés à la porte et un chœur de voix d'hommes ponctué de tambours s'échappant de ses murs (car c'est la fête du saint dont cette église se recommande) — nous arrivons aux ruines et constatons leur réalité, leur épaisseur. Espace énorme, hérissé de murailles, de vieux palais, avec donjons, créneaux, tours à coupole et toute la lyre des anciens romans de chevalerie. Constructions énigmatiques, dont pour beaucoup, en ce qui concerne leur exacte destination, la clef est perdue. Escaliers croulants menant à des vestiges de plafonds vertigineux. Traces de fresques. Graffiti. Certains (figures à une face, deux profils et trois cornes) font songer à des Janus. Ils représentent un maudit : l'Empereur des Juifs. Aux deux bouts d'une vaste salle, sculpté, le sceau de Salomon. Et, griffonné au charbon en deux endroits, son labyrinthe tracé ici par simple jeu, brouillamini de pistes et de lignes. Quelques gens de la ville, étonnés de nous voir porter une telle attention à ces vieilles pierres dont ils se fichent, nous disent qu'en creusant il serait possible de trouver des trésors. Sans doute croient-ils que c'est cela que nous cherchons.

L'assassin Damsié n'a pas encore été jugé.

Les autorités abyssines de Zaghié ont refusé l'autorisation de transporter à Gondar le cadavre du colonel assassiné, pour qu'il y soit inhumé. Les deux coureurs envoyés à Dabra Marqos par le Consul d'Italie, pour porter le courrier diplomatique, ont été dévalisés près de Delgui, sur la rive ouest du lac Tana. Cette région — nommée Taqousa et par laquelle primitivement nous devions passer — est aux mains du fitaorari rebelle Damsa et d'un chifta nommé « Chouggoutié » (mon revolver) à cause de sa taille très brève. Cet homme se vante d'avoir tué 18 hommes, alors que tant d'autres n'ont tué que des lions ou des éléphants. Selon ce qu'il a annoncé, Roux doit arriver ce soir à Delgui en tanqwa. C'est demain matin que Griaule et moi devons nous mettre en route pour aller au-devant de lui.

5 juillet.

Il y a décidément trop à faire à Gondar ; Griaule y restera. Je pars seul à la rencontre de Lifszyc et Roux.

Parcours absolument sans histoire. Descente progressive vers le Tana.

Une église que je visite, parce qu'on nous l'avait signalée pleine de peintures, n'est qu'une belle ruine qui ne contient rien de peint.

Campement à Darasguié, d'où l'on a vue sur le lac.

Mais je m'ennuie comme jamais je ne me suis ennuyé depuis que nous sommes en Abyssinie...

Promenade à l'église, ainsi qu'il sied. L'enclos, boisé comme d'ordinaire, est envahi par les bambous. Le mur circulaire lui-même est de bambou. Contre le cube sacré sont entassées des gerbes de chaume pour la réfection du toit. Malgré sa pauvreté cette église fait peut-être un peu moins pourrie que les autres. Et puis, naturellement, il y a les graffiti.

J'ai donné un thaler au gardien de l'église, vieil homme en train de travailler son champ. A peine suis-je rentré sous ma tente, que le vieil homme vient, escorté d'un enfant. Cadeau de deux poulets et quelques œufs auquel, ayant déjà donné un thaler, je réponds par la classique (au moins pour nous) boîte de poudre, que les gens apprécient d'habitude, car ils s'en servent pour parfumer leurs vêtements. Le vieillard s'en va mécontent. Il avait escompté, m'apportant ses poulets, que je lui ferais un cadeau d'une valeur plus que double. Le premier thaler que je lui avais donné n'avait eu pour effet que d'éveiller sa cupidité. Mais n'est-il pas normal que le rôle de l'homme honorable soit d'encore et toujours donner ? Lui eussé-je fait cadeau la première fois de 10 thalers que, me croyant dix fois plus riche, il eût été la seconde fois dix fois plus mécontent. Sans doute aurait-il eu raison...

Conformément aux instructions de Lutten, je fais couper les tiques des mulets. Mes ciseaux de poche font les frais de cette opération.

6 juillet.

Interminable traversée de la plaine du Tana, à laquelle je suis parvenu après une assez brève descente. Abondance de champs qu'il faut contourner, pâturages, maisons nombreuses plus propres qu'en montagne. Çà et là, des arbres, des haies de bambou. Plus on approche du lac, plus la terre est plate. Un gué, que les mulets passent avec de l'eau bourbeuse jusqu'au ventre, et la chienne à la nage. Un groupe d'enfants et de filles du village (fillettes à la tournure de premières communiantes, jeunes filles plus grandes) regardent la caravane traverser, car c'est une attraction. Encore de longs serpentements à travers champs. Démêlés avec ma monture, qui se refuse obstinément à tourner à droite quand je veux la faire sortir de la file. A gauche, toutefois, cela va un peu mieux.

Encore un gué, puis on arrive à Attiégtcha, lieu du rendez-vous. Quelques centaines de mètres plus loin, c'est le lac. J'y vais, mais ce bord de mer est nu comme la main. Pas de Lifszyc, pas de Roux.

J'écris ces lignes assis sur un pliant, à proximité de ma tente, dans la prairie qui borde le lac. Mes mulets paissent, mêlés à un troupeau de vaches. Les femmes qui viennent de puiser l'eau s'arrêtent en arrivant à ma hauteur et me regardent comme un phénomène, échangeant à mi-voix des réflexions. Un courant réciproque de plaisanteries s'établit entre ces belles et mes muletiers.

7 juillet.

Dès le réveil, dergos divers, dont l'un consistait en une calebasse de lait portée par un enfant de 4 ans. Après avoir reçu son cadeau, le petit reste là, du côté des muletiers. Tout à coup il s'avance vers la tente d'un pas nonchalant, puis fait brusquement demi-tour et se sauve à toutes jambes. Le jeune chifta vient de s'emparer d'une boîte de conserve vide que j'ai jetée hier soir.

Tour au village pour essayer de prendre des photos, art dans lequel je reste malhabile. Retour au camp un peu avant 10 heures et bain dans le Tana. De même qu'à Wali Daba avec la terre, j'ai signé cette fois un pacte avec l'eau et me suis livré au limon. Deuxième élément avec lequel je me marie ; troisième, si les succubes qui hantent mes songes sont les démons de l'air ; et quatrième, si l'amour pur et simple est forniquer avec le feu.

Pensé, par ailleurs, en fonction de ma vie actuelle, au grand thème légendaire du voyage et à ce qui s'y rattache :

traversées du ciel et descentes aux enfers ;

Œdipe tuant son père au cours d'un voyage lointain :

révélation que l'initié reçoit toujours au loin (dans l'anti-
quité : Moïse, Pythagore, Apollonius de Tyane, Jésus-
Christ, etc... chez les primitifs : découvertes techniques ou
mystiques, qui toujours se font en brousse) ;

quête de la Belle au Bois-Dormant, absence de Barbe-
Bleue ;

tour de France des apprentis pour devenir compagnons,

pèlerinages de chevaliers errants, alchimistes voyageurs (dont il est question dans toute l'histoire de l'hermétisme européen) ;

de nos jours, grands raids sportifs qui, à certains égards, font figure d'épreuves, etc.

Je suis bien obligé de constater, quant à moi, que j'attends encore la révélation... L'histoire de voyage qui me frappe le plus est celle de l'homme qui s'en va de chez lui et, quand il revient, ne reconnaît personne, ayant plus de 100 ans.

. . . .

13 h 05 : un tanqwa est en vue.

13 h 45 : accostage du tanqwa. Il ne contient pas d'Européens. Wadadjé, que j'envoie aux nouvelles, m'apprend que ce sont les soldats envoyés à Zaghié par le Consul italien pour ramener le colonel assassiné et qui reviennent sans le cadavre. Ils ont rencontré hier un courrier envoyé par Roux à Griaule, de Zaghié. Selon toute vraisemblance, Roux et Lifszyc ne seront pas là avant après-demain.

Faute d'autre occupation — car la pluie m'empêche de sortir — je relis les deux derniers mois de ce journal. Je corrige un nombre invraisemblable de lapsus, fautes d'orthographe, répétitions, erreurs de tous ordres. Ces fautes sont dues, partie au peu de temps dont je dispose pour écrire, partie à l'amnésie causée par la quinine (supprimée pourtant depuis un certain temps), la vie qu'on mène et le climat. Mes compagnons et moi avons souvent constaté à quel appauvrissement de vocabulaire (au point de ne plus savoir écrire une lettre) nous amenaient le manque de lecture et le peu de renouvellement de nos conversations.

Ma vie est de plus en plus animale. Faute de pain (car je suis parti avec très peu de provisions), je mange de la galette abyssine. Faute d'eau potable, je bois de la bière d'orge. Dégoûté des conserves, je me nourris de lait, d'œufs, de miel et de poulet au berbéri.

Au coucher du soleil, comme hier soir, une multitude de canards sauvages sont venus camper sur le lac, à l'endroit où les femmes puisent l'eau.

8 juillet.

La jonction est enfin opérée. A 7 h 50, deux tanqwa sont en vue. A 8 h 45, ils accostent. Lifszyc et Roux arrivent trempés. Dès le début de leur voyage, au départ d'Addis, ils ont été mouillés, les tentes légères qu'ils avaient emportées étant insuffisantes. En tanqwa, évidemment, l'eau a achevé de faire valoir ses droits.

Tristes récits, quant aux événements de Zaghié : il n'y a pas de chefs, l'anarchie règne, les prêtres, seuls, ont un peu d'influence. Hostilité très nette à l'égard des étrangers. Le cadavre du colonel, qui a été exhumé mais qu'un ordre arrivé d'Addis Ababa par avion jusqu'à Dabra Marqos a empêché d'emporter, est en train de pourrir sous une tente, gardé par des soldats italiens que la puanteur empêche d'approcher et par des Abyssins qui craignent qu'ils ne l'emportent. La veille du départ en tanqwa, le garde de la maison où Roux et Lifszyc étaient installés a eu la tête fendue d'un coup de bâton au cours d'une rixe. L'effervescence est grande. A chaque instant une bataille risque d'éclater entre soldats italiens et soldats abyssins, groupés autour du mort en décomposition.

9 juillet.

Campement de romanichels à trois, sous la tente que j'ai apportée, les autres étant décidément inefficaces contre la pluie.

Longues causeries. Dernières histoires de Paris, si funambulesques, si vagues et si vaines. Ici, le jeu continue : les sept mulets de selle que Roux avait envoyés par voie de terre avec l'interprète, quatre domestiques et deux guides nous ont rejoint cet après-midi... Mais les hommes ont été enchaînés pendant trois jours à Delgui par ordre d'un certain fitaorari Ayané sous prétexte que l'interprète n'était autre que le fils de Lidj Yasou... Ils ont été délivrés grâce à une lettre qu'a envoyée de Tchelga le fitaorari Asfao. Les mulets sont splendides ; ils marchent à l'amble correctement. J'en essaye un, qui me change de ma vieille carne et que j'ai l'intention d'adopter.

Préparatifs pour le départ, fixé à demain matin. Encore beaucoup de bavardages (de ma part surtout). Bain d'amitié. Puis de bonne heure, une fois tout réglé, coucher. Mais encore conversations et plaisanteries très longues.

10 juillet.

Lent retour vers Gondar.

Départ tardif, car les charges, formées de caisses de dimensions très différentes, sont longues à préparer. Les mulets en location, qui portent entre autres choses le matériel de peinture de Roux, partent encore plus tard.

5 h 3/4 de marche, aux heures les plus chaudes. En venant, l'étape ne m'avait pas paru si longue.

En arrivant, tout le monde est fatigué. Lifszyc et Roux souffrent de mal de tête. Ils se ressentent évidemment de leur dure traversée.

Nous avons tant bavardé à Attiégtcha, tant dit de choses que naturellement le temps me manque pour les consigner : le Ras Haylou n'a pas entièrement donné les mulets mais les a vendus à très bas prix, tenant tout de même à les faire payer ; le colonel assassiné était, paraît-il, un curieux type d'aventurier ; Lifszyc et Roux avaient déjeuné auparavant avec lui à Dabra Marqos, chez la princesse fille de Haylou. Lifszyc et Roux, par ailleurs, n'ont jamais été en résidence au consulat italien de Dabra Marqos, ainsi qu'on l'avait télégraphié de Paris ; ils y ont seulement déjeuné une fois. Tant le Ministère des Affaires Étrangères est bien renseigné ! A Addis le Ministre de France ne les a tenus au courant de rien, a simplement fait allusion, comme par hasard et en riant, à l'histoire du bateau... Tout le monde est très snob là-bas, genre bal de sous-préfecture. C'est gai ! J'espère bien qu'il y aura à ce moment-là possibilité d'aller faire un tour à Harrar, sitôt sacrifié aux plus urgentes corvées officielles !

Campement à Darasguié ; dergo apporté par une femme très digne, en manteau de bure comme les hommes, mais sans pointe sur l'épaule gauche ; elle est, paraît-il, la femme du « chef des cavaliers » (?) du Ras Kasa. Autres dergos à caractère purement commercial dont nous renvoyons la plupart.

11 juillet.

Retour de la femme du « chef des cavaliers » (?) au moment du départ. Sa cape a une pointe mais elle la porte dans le dos, pendante et non en érection sur une épaule comme les hommes. En échange des œufs d'hier, nous lui donnons quelques médicaments, car elle souffre du ventre.

La route se fait rapidement. Presque sans y penser nous voilà à Gondar. Un ennui pour moi : celui de ne pas ramener la chienne, qui m'avait suivi ; hier, au moment de quitter Attiégtcha nous l'avons trouvée morte devant une tente.

L'abracadabrance des nouvelles continue : le bruit court que Lidj Yasou n'a pas été repris ; entre Gondar et le Tana, près de la route que nous avons suivie, il y a eu dans la nuit d'avant-hier à hier une bataille entre soldats et paysans ; des morts, plusieurs blessés (dont une femme et un enfant) qui sont venus au camp se faire soigner par Larget ; hier, deux chifta ont été tués au village arabe de Gondar ; c'est à ce village que se pratique la vente des esclaves.

Le Consul nous apprend que le transfert des cendres du colonel est maintenant décidé : moyennant 50 thalers, l'affaire s'est trouvée immédiatement arrangée. Pour comble, les télégrammes européens annoncent que le problème des réparations est résolu, grâce à une conférence Mac Donald à Lausanne. Quelle comédie ! Tout s'enchevêtre. Drôle de chose que tout cela, vu au moment de se coucher.

12 juillet.

Travail. Traduction de manuscrits. Réception dérobée de vendeurs, qui apportent des livres ou des amulettes, rouleaux de parchemin ornés de figures magiques.

La construction avance. Demain on commencera le toit. La bataille de l'autre nuit a eu lieu à Azzezo, le village où, allant au Tana, j'avais visité une église, la croyant pleine de peintures. Le guérazmatch Makonnen, chef des soldats qui ont pris part au combat, a été arrêté par un représentant du Ras Kasa. Il allègue qu'il se proposait d'arrêter des chifta et que les paysans ont pris parti pour ces derniers. Je me demande si cette femme à cape de bure rencontrée à Darasguié, et qu'on nous donnait pour l'épouse du « chef des cavaliers », ne serait pas tout simplement la femme du représentant qui a opéré l'arrestation du guérazmatch Makonnen. En dernière heure, deux des blessés sont morts.

13 juillet.

Je visite avec Lifszyc l'église de Dabra Berhan, qui contient d'admirables peintures. Reçus par deux prêtres, dont l'un — roi mage en chiffons rouge, blanc, vert — encense l'église en priant. Nous montrons une piété exemplaire. La juive et le mécréant baisent dévotement la croix que leur présente le mage. En récompense, ce dernier les invite à assister demain à une cérémonie pour la fête de l'église.

De son côté Griaule, qui dispose d'émissaires mystérieux, achète manuscrit sur manuscrit En une journée, Ronx a peint une crucifixion, du plus pur style abyssin. Nous l'offrirons à une église, tâchant d'obtenir une fresque en échange.

Au soir, grande alerte : coups de feu, trompette italienne. Le Consul et ses hommes se lancent à la poursuite — hors du territoire consulaire — d'un voleur, qui a dévalisé une femme habitant le champ. L'homme est appréhendé sur une colline, ramené au champ. En casquette blanche et manteline bleue à pompons et broderies orange, le Consul donne l'exemple. Au milieu des soldats érythréens chantant et dansant, il assène au voleur un grand coup de courbache. Dégoûté, je retourne au camp et continue d'étudier l'alphabet amharique, que j'ai commencé d'apprendre ce matin. Ma seule maîtrise de moi-même (ou ma seule lâcheté) consistera à ne pas me jeter, l'arme au poing, sur les lyncheurs — tout au moins à ne pas faire un complet scandale. Au retour de mes compagnons, j'apprendrai que l'homme a été condamné, sans jugement, à recevoir 25 coups de courbache. A dîner chez le Consul, je saurai, de la bouche de ce dernier, que l'objet du vol n'était qu'une chamma. Sous couleur de plaisanter, Roux ne manque pas d'observer que la femme volée qui a donné l'alerte mériterait bien une fessée...

Le cadavre du colonel assassiné arrivera demain. Il sera solennellement réinhumé, en présence du père lazariste de Kerker

Toujours désireux de se montrer politique fin et averti, le Consul nous annonce que le colonel Lawrence s'agiterait pas loin de nos régions ; quoi qu'il en soit, il semble de plus en plus vraisemblable que nous allons rire..

14 juillet.

Obsèques du colonel. Honneurs guerriers, grand drapeau italien, salut militaire à la croix. Amateur, sans doute, d'inaugurations, le Consul jette la première pelletée de terre sur le cercueil, comme hier il a donné le premier coup de courbache au voleur. Tout se passe sous une pluie abondante. La version du meurtre la plus probable est que le colonel, qui faisait du commerce dont il vivait assez misérablement, a été tué par ordre du qagnazmatch Balay, chef de Zaghié, son débiteur.

Impossible d'aller à la fête religieuse à laquelle on nous avait invités, à cause du temps. Une course à mulet pendant une éclaircie me fait plaisir. J'ai une cravache, un tapis de selle, un nouveau harnais. Désir d'être une brute ; d'avoir, par exemple, une esclave ; de courir à travers les pays. Amble du mulet, si doux, comme dans les rêves érotiques où l'on vole.

Plat du jour : meurtre, à Attiégtcha, du qagnazmatch Mashshasha, par ses soldats ivres ; en Europe, grève générale et émeutes en Belgique, bagarres en Allemagne, occupation par la Norvège d'une partie du Groënland.

Arrivée à Dabra Marqos, en avion, d'Abba Jérôme, grand lettré abyssin, prêtre catholique interdit par Rome. A Addis Ababa, Lifszyc et Roux avaient demandé à l'emmener comme interprète, mais n'avaient pas eu le temps d'attendre la décision du gouvernement. Abba Jérôme appartient au Ministère des Affaires Étrangères éthiopien. C'est un ennemi des Italiens. Pourquoi, soudainement, vient-il ici ? Que s'agit-il d'espionner : nous, nos achats de manuscrits ou l'activité des Italiens ?

15 juillet.

Je me réveille bien avant l'aube. Ne peux me rendormir. Je songe avec agacement au repas du soir au consulat. Vite, une expédition secondaire ! Sitôt levé, je décide d'aller faire une reconnaissance dans les environs de Gondar pour tâcher de trouver un village situé à une heure de marche et dans lequel il y a des gens intéressants, les *Koumfel,* païens qui auraient conservé, paraît-il, leur langage primitif, distinct de l'amharique. Griaule me conseille de passer voir, en m'en allant, un vieux prêtre qui est un de ses principaux informateurs.

Je pars, me rendant chez l'alaqa Johannès, le vieux prêtre en question. Naturellement, je ne le trouve pas. Ne sachant trop auprès de qui me renseigner pour trouver mon village, je rentre au camp. Griaule se moque de moi : je n'ai qu'à demander aux gens, me débrouiller, il y a d'autres prêtres à Gondar que le vieux Johannès, etc... Assez mortifié, je repars. Je songe : décidément je ne sais pas m'arranger tout seul, jamais je ne suis à la hauteur des événements ; sur ce mulet, avec ce harnachement dont hier j'étais si fier, je ne parviens à composer qu'une creuse figure de théâtre ; je parle toujours de me « marier », je ne le fais jamais ; je n'ai aucune virilité. Côté harnais : ils sont faits de cuir extrêmement bon marché. Côté selle : elle vient d'être entière-ment rafistolée. Côté tapis de selle : c'est une vieille loque rouge usée que Griaule, en recevant une neuve, m'a donnée. Côté cravache : elle n'est même pas à moi ; Lutten me l'a prêtée. Et dire qu'hier, à dîner, je déclarais, contre le Consul qui se plaignait, être ravi de l'Abyssinie, en raison même des difficultés qu'on y rencontre !

Prise de renseignements, tous négatifs. Pas de Koumfel dans la région, sauf à Alafa, village du Taqousa, sur la rive ouest du lac Tana. Pas question, donc, d'y aller... Retour. Je remonte en selle. Un craquement : une de mes étrivières est cassée. Je rentre au pas, piteusement, désirant éviter le tape-cul. Demain on achètera du cuir au marché et les étrivières seront remplacées.

Le reste de la journée ne bouge pas. La pluie ralentit encore les travaux de construction. Notre maison est bien loin d'être habi-table. Le Consul persiste à jouer au grand consul, à raconter ses petites malices en matière de politique abyssine. Il a demandé à Roux de lui faire son portrait dans le style du pays. Que m'importent les nouvelles ? Je me fiche bien de savoir qu'un nouveau gouverneur de Gondar a été désigné par l'Empereur pour remplacer le vieux Makourya ; que ce nouveau gouverneur est âgé de 15 ans ; qu'il est accompagné de sept hommes dont un tuteur ; que tous habitent sur le territoire italien désirant être en sécurité. Un seul fait marquant, d'ordre strictement intellectuel, d'ailleurs : sur une petite peinture qu'il a achetée, Griaule a remarqué, aux pieds du Christ en croix, la classique tête de mort. Un détail singulier, pourtant : la tête est à l'envers, et (qui plus est) le sang du Christ lui coule dans la bouche. Griaule interroge le prêtre défroqué que nous avons engagé parmi nos serviteurs. Selon ce dernier, ce n'est jamais un *crâne* mais un *vase* qui est représenté aux pieds du crucifix. Entre le *crâne* et le *vase,* étrange rapport... Les Kirdi que nous avons vus conservent les crânes des morts dans des vases ; partout nous avons constaté le rôle mortuaire des canaris ; Schæffner est même tombé sur une histoire de beuverie dans un crâne. Serait-ce un crâne (ou un équivalent de crâne) aussi, que le vase dans lequel a coulé le sang du Christ et qui n'est autre que le Graal de Joseph d'Arimathie ?

16 juillet.

Le traintrain continue. Achats, traductions de manuscrits. Je perds pied dans la politique abyssine. A moitié endormi durant le dîner d'hier, j'ai commis quelques erreurs : le garçon de 15 ans n'est pas venu pour remplacer le fitaorari Makourya, mais pour gouverner sept villages à proximité d'ici ; de même la femme rencontrée à Darasguié n'était pas la femme du « chef des cavaliers » du Ras Kasa, mais celle d'un de ses trésoriers [1]. Cela importe peu d'ailleurs...

Roux peint, et flirte avec une indigène. Lutten a des plaies aux pieds ; il est couché. Larget menace toujours les boys de châtiments terribles dont il ajourne l'exécution. Griaule négocie avec les gens. Faivre, placé entre les relevés topographiques qu'il fait, l'herbier et son courrier adressé à tout le ban et l'arrière-ban des scouts de France est quasi invisible. Lifszyc joue gentiment son rôle de jeune fille polonaise et érudite. Quant à moi, peu à peu, je m'aperçois que je recommence à m'emmerder. Je ne tiens pas en place. J'ai la flemme. Je voudrais qu'arrivent d'autres histoires ou aller me promener.

---

1. Autre erreur, ainsi que je le saurai plus tard, quand j'aurai fait sa connaissance.

17 juillet.

Un rêve m'attendrit, me tire presque les larmes des yeux : après des déplacements, des aventures compliquées, je retrouve Z., qui est presque une petite fille, et constate qu'elle a une liaison avec un de mes amis. Aussi est-ce bien ma faute : je l'ai trop abandonnée. Je lui explique en quelques mots. Elle me revient tout de suite. Mais c'est sur moi que pèse le remords... J'éprouve par-dessus tout une terrible pitié.

18 juillet.

Diverses choses m'apparaissaient. Une grande partie de ma névrose tient à l'habitude que j'ai de coïts incomplets, inachevés, à cause d'un malthusianisme exacerbé. L'horreur que j'ai de la pharmacopée amoureuse et la crainte, par ailleurs, que j'éprouverais à pousser une femme à se faire avorter m'emprisonnent dans un imbécile dilemme. Faute de pouvoir — pour des raisons morales liées à mon pessimisme — renoncer à ce malthusianisme, faute de pouvoir au moins l'exercer bravement, sans reculer devant les moyens médicaux, je ne me sens pas un homme ; je suis comme châtré. Et voilà peut-être, au fond, tout mon problème. Pourquoi je voyage, pourquoi je m'ennuie, pourquoi, à une certaine époque, assez platement je me saoulais. Voilà aussi ce que depuis longtemps je m'avoue ; mais je n'ai pas encore osé l'écrire, même pour moi, encore bien moins le dire à qui que ce soit. Il m'a fallu quelques semaines à peine de vie abyssine pour être au pied du mur et comprendre avec la plus indiscutable lucidité que — coûte que coûte — il faut changer [1].

Visite d'églises. Dans l'une, les prêtres disent les prières. Debout un enfant tète sa mère accroupie. Toute une marmaille s'affaire. Des adultes rient. Le service divin va son train. C'est la vie.

Le fameux Abba Jérôme est arrivé. Il est venu en avion jusqu'à

---

1. Solution par trop simple et dont je suis à même — maintenant — de mesurer l'inanité (*septembre 1933*).

Dabra Marqos, a traversé le petit Nil à la nage. Cela ne l'empêche pas d'avoir l'allure correcte d'un vieux professeur : lunettes, barbe et cheveux frisés sur la brune calvitie, pardessus élimé, pantalon à raies, souliers vernis. Il n'a pas l'air d'être très bien avec les Italiens et va même jusqu'à insinuer qu'ils pourraient ne pas être étrangers à la mort du colonel, qui était antifasciste et avait, pour cette raison, perdu son poste de commandant du port de Massaouah. Il paraîtrait aussi que l'Empereur et son entourage ont fait main basse sur les richesses du Ras Haylou. On a trouvé dans ses trésors de Dabra Marqos plus de 3 millions de thalers, 30 femmes et 15 « mademoiselles » intégralement vierges.

19 juillet.

Même état. Écrit à Z. une longue lettre érotique. Plus de goût au travail. Abba Jérôme — qui devait venir déjeuner et avec qui Griaule m'avait dit d'enquêter sur la possession par les génies qu'on appelle « *zar* » — ne vient pas.

Nombreuses visites : vendeurs de manuscrits et amulettes, peintres (dont l'un vient de Maqwamya Maryam et habitera chez nous, dans le bâtiment qui, incessamment, va être terminé et sera plus important qu'on n'avait songé primitivement), alaqas, etc...

Morne dîner chez le Consul, qui a voulu faire un menu partiellement abyssin. Cela commence par du *tedj* (hydromel) en petites carafes et du poulet au berbéri, finit par « Giovinezza » au phonographe. Il n'est pas question, évidemment, pour le maître de maison, de gaver les invités, ni que ceux-ci soient ivres, discourent ou dégueulent.

20 juillet.

Encore un rêve pénible : je caresse Z... Elle me dit que je pense à autre chose en la caressant, que je la caresse mal. Je m'éveille, pas particulièrement de mauvaise humeur, mais plutôt découragé. Le temps lui aussi est maussade. Je regrette les tornades africaines.

Abba Jérôme vient déjeuner. Il a toujours ses souliers en cuir verni et drap bleu, sa mise correcte de professeur.

Grande séance démoniaque la nuit dernière, chez la chefesse de zar où il est descendu. Deux « mademoiselles » armées de fouets sont grimpées tout à coup jusqu'au premier étage où il habite. Il les a invitées simplement à retourner au rez-de-chaussée se livrer à leurs exercices de fustigation. Chants, battements de mains, tambour, détonations (produites par des jets de poudre dans le feu) montèrent de ce rez-de-chaussée. Un des serviteurs d'Abba Jérôme, qui assistait à la séance, ayant voulu — surexcité — prendre une des « mademoiselles », la chefesse indignée lui aurait dit qu'un tel désir ne pouvait se réaliser que dehors. Néanmoins, elle lui aurait permis de faire son choix à l'intérieur.

Abba Jérôme va s'employer auprès des zar pour nous obtenir nos entrées... Il a été, quant à lui, introduit dans la maison le soir même de son arrivée. Le fitaorari Makourya, à qui il s'était adressé pour avoir l'hospitalité, ayant refusé de lui ouvrir, il restait sous la pluie, mais un ami d'Addis avec qui il se trouvait, professeur juif, l'avait emmené à la maison de la chefesse de zar comme à une hôtellerie.

21 juillet.

Première nuit dans la maison, où l'on claque de froid, les murailles n'étant pas encore sèches. Il faut lutter à l'aide de feux de braises qui piquent les yeux.

Enquête sur les zar avec un *dabtara*[1] boiteux, petit quand il se tient sur un pied, grand quand il se tient sur l'autre. L'homme est encore jeune, mais ravagé, l'œil voilé comme d'une taie commençante. Assisté d'Abba Qesié, notre domestique le prêtre défroqué — qui est au courant des histoires de sorciers —, il m'énumère les noms des quatorze rois d'esprits, avec leur lieu d'habitation (fleuves ou rochers) et les pays sur lesquels ils commandent. Il y a treize rois, dont l'un, *Kirouf,* est plus grand que les autres, et une reine, *Tchertcherlit,* qui porte des vêtements d'or et vit, telle Loreley, dans une grande roche surplombant un torrent.

Abba Jérôme — qui porte aujourd'hui, en raison de la pluie, des souliers jaunes sans lacets et un grand macfarlane de caoutchouc noir — est venu s'installer chez nous. Une des tentes (libre depuis que Griaule et moi avons déménagé) lui a été conférée.

1. Clerc, qui connaît la magie et fait métier de guérisseur.

Depuis hier, Roux travaille dans son atelier avec le vieux peintre venu de Maqwamya Maryam. Les deux confrères ont l'air de s'entendre très bien.

Nouvelles politiques : le Ras Haylou a été transféré à Harrar où il est détenu dans la même prison que Lidj Yasou. Dans le pays d'Atchéber, au sud-ouest du lac Tana, ses fils (qui se sont rebellés) ont vaincu les troupes du gouvernement, après un combat de trois heures et demie. Il y aurait une centaine de morts, paraît-il.

Dans la région de Gondar, on s'assassine toujours, mais au compte-gouttes.

Abba Jérôme fait l'éloge d'un de ses domestiques, garçon hardi et décidé, à tel point que, s'il y a des brigands, c'est lui qui attaque le premier... Abba Jérôme ne donne pas de renseignements sur la méthode qu'emploie son domestique pour reconnaître les brigands.

22 juillet.

Abba Jérôme est allé rendre visite au Consul. Toujours peau brune, calvitie, sur les côtés barbe savante, il a fait le salut à la romaine, s'est cogné le front à la lampe puis s'est assis. Le grand érudit, malgré sa situation de fonctionnaire abyssin, a eu pas mal de déboires durant son voyage. Il nous raconte, à Griaule et à moi, comment il a dû traverser une forêt à quatre pattes, les chifta ayant fait tomber les arbres. On voyait sur le sol, nous dit-il, les traces laissées par les bagages volés, qu'ils avaient traînés pour les emporter.

Demain — afin de nous faire bien voir — Abba Jérôme ira chez son amie la « dame » chef des zar et lui offrira de notre part un thaler de cadeau, un thaler pour le pourboire, plus une bouteille de raki. Les zar, déclare Abba Jérôme, adorent les dons et les flatteries.

Mon boiteux, en ce qui le concerne, m'offre — par l'intermédiaire du prêtre défroqué — de me montrer les *ganyèn*, qui sont les mauvais esprits. J'affecte la plus grande indifférence, afin de ne pas provoquer une hausse du tarif. Il m'apprend par ailleurs qu'à l'inverse des autres « zarines » (comme dit Abba Jérôme) la belle *Tchertcherlit*, reine des zar, n'a jamais de menstrues. Les rois de zar, quant à eux, n'ont pas de sperme.

23 juillet.

Travail intense, auquel je me livre avec une certaine assiduité, mais sans une once de passion. J'aimerais mieux être possédé qu'étudier les possédés, connaître charnellement une « zarine » que connaître scientifiquement ses tenants et aboutissants. La connaissance abstraite ne sera jamais pour moi qu'un pis-aller...

Donc, le voyage continue. Ou plutôt il se traîne. Nous voici dans une maison pour jusqu'à la fin de la saison des pluies. Personnages très pittoresques certes (tels Abba Jérôme, l'ancien prêtre Abba Qesié, notre carbonaro de Consul, le dabtara boiteux...), toujours belles ruines, paysage demeuré somptueux. Mais rien au centre, pas de vie, sinon un labeur sec de savant.

Notre collègue boy-scout arrive à ne plus même exister pour moi. Je ne le vois pas. Littéralement, il n'est pas là...

Pas de grand pessimisme, mais une souveraine indifférence. Être ici ? Être là ? Revenir dans six mois ? Revenir dans six ans ? Quitter Gondar pour un autre pays ? Y rester ? Qu'est-ce qui vaut le mieux ? Je ne sais pas...

24 juillet.

Travaillant avec Abba Jérôme à traduire et commenter les notes qu'il a prises comme au vol durant sa visite d'hier à la chefesse des zar, je me passionne un peu, car cela réveille mon goût maladif du grimoire.

Le dabtara boiteux est décidément sympathique, avec sa jambe repliée (peut-être par pure névropathie), sa mine de Méphistophélès déguisé en très jeune étudiant.

Néanmoins, tous ces jours restent creux. Je m'active comme une pure mécanique. De nouveau je suis porté à haïr mes compagnons.

25 juillet.

Les coureurs que nous avions envoyés à Gallabat et dont nous commencions à nous inquiéter — car ils étaient en retard - - sont revenus. Ils ont perdu du temps, ayant dû faire un grand détour, car la Guendoa — qu'entre Gallabat et Wahni, j'avais passée presque à pied sec — est maintenant si haute qu'il n'est plus possible de la traverser même à la nage.

La femme de l'assassin Damsié est arrivée elle aussi, venue de Tchelga pour faire libérer son mari. Un de nos achkar sera le garant du mari, ce qui automatiquement amènera sa délivrance.

Invité chez le dabtara boiteux, Abba Jérôme y a passé l'après-midi. Le dabtara a une jolie maison, une femme, une famille. Son infirmité lui a, dit-il, été infligée par les zar. Il paraît aussi que l'Empereur Ménélik, qui commandait tous les esprits, est mort frappé par eux pour les avoir traités avec une excessive tyrannie.

Quant à Griaule, il attend pour demain un trafiquant qui lui présentera une esclave à vendre, mère d'un petit enfant et enceinte. On effectuera la libération aussitôt que possible.

L'idée anti-esclavagiste ne me plaît qu'à moitié. Le monde bourgeois s'indigne ; mais je ne vois pas qu'il y ait tellement lieu d'être scandalisé qu'il existe encore des pays où se pratique couramment la traite des esclaves si l'on songe à la situation qu'ont dans nos sociétés, par exemple, les ouvriers. Éternelle hypocrisie… L'exposé de cette opinion m'attire la réprobation des membres de la mission.

26 juillet.

Achat de l'esclave et libération. Coût : 270 thalers, les marchands ayant fait valoir la grossesse de la femme et les trois ou quatre ans de l'enfant déjà existant. Ce dernier est très gentil. Il est très noir de peau et fait presque aussi nègre que sa mère, ce qui n'est pas peu dire. La mère, quand elle a appris qu'elle était libérée, s'est inclinée pour dire merci. Mais elle est restée parfaitement indifférente, n'ayant sans doute — et pour cause — rien compris.

Elle couche avec son gosse, dans la pièce qui sépare la chambre de Griaule de la mienne. Une masse informe sous les couvertures, c'est tout ce qu'on voit de la mère et du petit. L'une ronfle, l'autre tousse : ils donnent ainsi la preuve qu'ils existent.

Par le Consul, plus beaucoup de nouvelles politiques. Toutefois le fitaorari Tasamma, fils du Ras Haylou, qui s'était battu à Atchéber contre les troupes du gouvernement, a été pris et envoyé à la prison de Dabra Marqos. Il y retrouvera le qagnazmatch Balay, qui décidément doit être responsable de la mort du colonel italien (à qui il devait 300 et quelques thalers) et a été incarcéré sous ce chef d'accusation.

Le fitaorari Makourya, chef de la justice de Gondar et possesseur d'un chapeau mou qui doit dater du temps de Mazzini ou Bolivar, dort toujours sur ses deux oreilles, sans se soucier le moins du monde qu'on pille ou assassine. Sympathique vieux bonhomme ! qui ne tient qu'à ce qu'on lui foute la paix...

Devant envoyer à Dabra Tabor, pour y être jugé, le guérazmatch Makonnen, fauteur des événements d'Azzezo qui se soldent au chiffre de huit morts et une douzaine de blessés, le vieil ours Makourya est allé voir le coupable pour tâcher de le persuader de se laisser emmener. Il s'est fait simplement appeler « vieil imbécile » et, philosophe, a décrété que, Makonnen son insulteur étant évidemment fou, il n'y avait pas lieu de contrecarrer ses volontés...

27 juillet.

La nuit s'est assez mal passée : respiration sonore de l'esclave, quintes de son fils. Selon leur habitude les mulets, abrités derrière le mur, broutent le toit.

La pièce où couche l'esclave empeste, même quand elle n'est pas là. Demain, la pauvre fille ira se laver. Elle est absolument passive. Il semble qu'à tout instant elle s'attende à être violée. Peut-être est-elle surprise qu'aucun de nous ne l'ait encore touchée ? Bientôt sans doute, voyant notre inertie, elle pensera que nous sommes tous rongés par quelque vice secret...

Son môme, bien au contraire, bien qu'il n'ait que 3 ans, est déchaîné. Il rit, il court, il piaille. Comme tous les autres petits noirs ou Amhara de son âge, les mouches dont il a le visage couvert ne le gênent pas... Cet après-midi, jouant avec Griaule, il l'a menacé d'un clou de plus de 10 centimètres de long et, Griaule l'ayant traité de « fils de crocodile », il lui a lancé un caillou en l'appelant « chifta ».

28 juillet.

Visite à la dame chef des zar, la vieille amie d'Abba Jérôme. Elle habite une maison ronde à étage vers l'une des extrémités de la colline de Gondar. Très familière, à la fois rieuse et radoteuse, elle participe de la maquerelle, du pitre et de la pythonisse. Les deux servantes adeptes qui nous accueillent nous baisent les mains et les genoux. Ce sont des possédées guéries, qui n'ont plus guère de crises qu'à date fixe ou pour les jours de grandes sorties des zar. Jolie démone, l'une d'elles sait à merveille manier le regard en coulisse. C'est, paraît-il, la pupille de la patronne, celle qu'un des domestiques d'Abba Jérôme avait voulu violer. Quand la patronne l'a adoptée, elle lui a sucé les doigts de pied.

Eau miellée, galettes dites *injéra,* salade cuite[1], lait. Le ton est d'abord assez morne. La vieille divague, manifestant l'un des trois grands esprits qui la possèdent. Mais toujours elle flagorne l'Européen. Elle semble très contente du collier et du bracelet de pacotille que je lui ai fait donner, mais ne s'anime réellement que quand arrive la bouteille de raki, apportée par mon porte-bouclier, sur le conseil d'Abba Jérôme. La cérémonie du café vient de se terminer : l'une des adeptes a d'abord présenté à la patronne la plaque de tôle sur laquelle elle fait griller les grains, puis, le café prêt, un petit plateau dénommé *guenda* (« abreuvoir ») et chargé de 13 tasses, sans compter une plus grande remplie de marc de café. La patronne a récité une oraison, tandis qu'on brûlait de l'encens ; puis l'adepte a servi le café, prenant soin d'en verser un peu dans les tasses restées sans destinataires et de faire une libation à la tasse de marc de café. Trois services, puis nouvel encens et nouvelle oraison, et l'adepte remporte le plateau. C'est peu de temps après qu'apparaît la bouteille de raki. La patronne (dont le mari, qui servait du côté des Italiens, a été tué à la bataille d'Adouah) lui décoche le salut militaire, puis fait boire à la ronde — une seule fois — faisant soigneusement ranger dans sa resserre la bouteille encore à moitié pleine. Elle congédie alors — pour la seconde fois — les domestiques mâles[2] et se met à

1. Ce que j'ai appelé tantôt « épinards » et tantôt « choux ».
2. Qui, en réalité, sont ceux d'Abba Jérôme. L'un est resté le pensionnaire de la patronne, l'autre celui d'une de ses voisines.

405

chanter. Après avoir écouté, pris quelques notes, Abba Jérôme et moi manifestons l'intention de nous retirer. C'est alors qu'on apprend que le mulet d'Abba Jérôme s'est sauvé. La vieille annonce qu'il ne sera pas long à retrouver, car elle a délégué un esprit pour le chercher. En attendant, elle nous montre une de ses amulettes et la jolie démone exhibe une corbeille de vannerie coloriée à laquelle elle travaille et qu'elle nous portera au camp, afin de nous la faire acheter. Déjà, la patronne m'a fait voir le fouet (à cinq lanières de cuir plus une clochette au bout du manche) avec lequel elle corrige les possédées dont le zar est rebelle ou celles qui ne veulent pas bien danser. Tandis que je regarde l'instrument, les deux adeptes rient comme si on les chatouillait.

Le mulet enfin retrouvé (je me demande si la patronne ne l'avait pas fait emmener exprès), nous prenons décidément congé. Sachant qu'il y a en ce moment chez la patronne une malade en cours de traitement, je demande à Abba Jérôme — qui connaît la maison — de me conduire auprès d'elle. Nous entrons dans une pièce circulaire de rez-de-chaussée, assez obscure. Dans cette pièce, deux alcôves formées chacune de deux cloisons de bambou disposées à angle droit. Chaque alcôve est percée d'une petite porte. Dans l'une, couche un des domestiques. Dans l'autre, la malade. Par Abba Jérôme, je la fais interroger. Elle souffre de brûlures dans tout le corps, elle ne peut pas marcher. Elle sent comme une boule qui monte et qui descend. Elle n'est pas guérie, n'ayant pas encore confessé le nom de son zar...

Survient la patronne (qui se demandait sans doute ce que nous faisions, n'étant pas sortis de chez elle après avoir pris congé). Elle nous montre la pluie menaçante, nous engage à rentrer au camp. Sans doute ne tient-elle pas expressément à ce que l'on confère avec ses malades...

Retour. Dîner chez le Consul. Celui-ci annonce à Griaule que le Négadras Balay Guérazguier, qui a vendu l'esclave, demande si nous voudrions avoir maintenant un eunuque, auquel cas il en fabriquerait un spécialement, avec un enfant qu'il ferait enlever dans les environs.

29 juillet.

Atrocement mal dormi. Brûlures d'estomac, à croire que je suis possédé. Coliques. Longues pluies torrentielles dont, à travers le toit, des gouttes tombent périodiquement dans mon lit. Foin des nourritures abyssines ! L'expérience d'hier après-midi est la dernière que je fais.

La maison est terminée. Mais à peine achevé le toit de l'aile nouvelle craque et s'effondre. Il faut le reconstituer, ce qui n'est pas très long, du reste.

Faivre — notre ami le pur et l'hygiéniste, qui bouffe comme quatre — souffre de l'estomac tellement plus que moi qu'à l'heure du dîner il doit rester couché. Il s'embête d'ailleurs ici, n'entrave que dalle à l'ethnographie, s'inquiète de son retour (qu'il souhaite prématuré, mais qui se trouve reporté aux calendes grecques, en raison de la saison des pluies).

Chez le Consul, chansons napolitaines au phonographe. Je réclame « *Santa Lucia* ». Puis courte digression sur Robespierre et Napoléon.

Je suis rongé de puces.

30 juillet.

Faits divers : une femme de Gondar a été tuée cette nuit par son mari d'un coup de fusil ; le torrent étant très gros à cause des pluies, une petite fille qui accompagnait sa mère pour chercher du bois s'y est noyée.

Lutten, enquêtant auprès de l'esclave, a obtenu d'elle le récit de sa vie. Vraisemblablement, elle n'a guère plus de 20 ans ; volée à ses parents à l'âge de 7 ans, elle en est avec Griaule à son sixième propriétaire, soit — en moyenne — un patron pour un peu plus de deux ans. Appartenant au Ras Haylou, quand les biens de celui-ci, il y a quelque trois mois, furent saisis, elle a été une première fois libérée ; une femme qu'elle connaissait, sous couleur de la protéger, l'a confiée à un homme qui devait l'emmener chez des parents ; celui-ci l'a vendue à un chef du Métcha, guérazmatch Taffara, qui l'a vendue lui-même au Négadras Balay, à qui Griaule vient de l'acheter. Histoire assez peu gaie, au même titre qu'une histoire de bordel...

Faivre, qui ne pense plus qu'à s'en aller, parle de revenir à pied. Avec acharnement, je pourchasse ma vermine.

La vieille garce des zar a envoyé un émissaire pour solliciter de nous une prochaine visite. Il est entendu que j'y retournerai mardi avec Abba Jérôme et notre amie Lifszyc, que la « zarine » voudrait connaître parce que, dit-elle, elle est sa « petite sœur »...

31 juillet.

Tandis que, le dos tourné, je plie mes couvertures, je reçois une énorme fessée. C'est le petit de l'esclave — qui s'est glissé subrepticement dans ma chambre et s'enfuit maintenant en riant aux éclats — qui me l'a donnée. La captivité n'a pas l'air de l'avoir embarrassé beaucoup dans le genre espièglerie. Peut-être aussi tient-il à profiter d'ores et déjà de sa qualité d'homme libre.

Suite de l'enquête avec le dabtara boiteux, qui pratique la magie noire, avoue sans fausse honte qu'il a évoqué les démons et déclare, pour la forme, qu'il a renoncé à ces déplorables pratiques. Abba Jérôme jubile. Ce n'est pas pour rien qu'on est prêtre interdit de Rome...

A dîner, conversation sur les Suisses du pape, ses gardes-nobles, le Vatican. Larget — toujours en veine de relations — découvre que son père a parfaitement connu un de nos plus récents papes, par l'intermédiaire — non de Lucrèce Borgia — mais d'un certain prince Prospero Colonna.

Gazette : le Consul accuse le fitaorari Makourya d'être une vieille tante. Mais peut-être parle-t-il au figuré...

1ᵉʳ août.

Train du diable cette nuit. D'abord l'hyène, plus fort que d'habitude, et, simultanément, les chacals. Naturellement, les chiens du consulat s'en mêlent. Cela dure ce que cela dure, mais à peine s'est-on rendormi que des tambours éclatent. Déjà la nuit dernière, pas très loin de chez nous, on les avait entendus jusqu'à l'aube. Il s'agissait d'une femme possédée par un zar qu'on faisait danser et hurler en vue de la soigner. Cette nuit, cela n'a pas duré par trop longtemps. Puisque la question des zar m'intéresse, j'aurais dû y aller, mais il était plus de minuit et j'ai eu la flemme de me lever... Cette alerte finie, nouveau bruit : l'esclave noire qui ronfle.

Un songe très déplaisant (à cause surtout de son caractère louche) m'a achevé : encore une fois, j'étais trahi. Le pire est que j'étais au lit, la coupable couchée nue entre moi et une sorte de gigolo danseur ou acrobate (vêtu seulement d'un soutien-gorge et d'un cache-sexe) qui était son amant. La seule cause que je plaidais était la nécessité d'un choix : ou lui, ou moi, mais pas les deux. Et pourtant, par faiblesse, c'est peut-être cette dernière solution qu'aurait préférée celle à qui je posais ce dilemme...

Aussi, en ai-je assez de cette vie qui toujours se déroule entre des songes stériles, des cancans politiques et des spéculations vaines. Mes derniers rêves, d'ailleurs, m'apparaissent comme des reproches très nets à l'égard de mon défaut d'humanité. Je rêve que je suis cocu et c'est toujours une sorte de châtiment, punition de ne pas être un homme, de voyager très loin de tout amour, perdant mon temps à des occupations glacialement intellectuelles.

Mieux vaudrait-il, sans doute, me balader comme une bonne brute qui tire son coup de temps en temps, pour se distraire ou par hygiène.

Travailler. Se dessécher. Vieillir...

2 août.

Par hasard, l'information prend un tour qui me touche. Il semble décidément que la danse, la poésie soient reliées pour tous les peuples aux démons et aux génies. Abba Qesié le défroqué allait jusqu'à me dire hier que même la médecine la plus simple est opposée à Dieu ; n'est-ce pas Dieu qui impose à l'homme sa souffrance et n'est-il pas impie de réagir contre celle-ci ? Pas une technique, sans doute, qui ne soit, en dernière analyse, satanique. La poésie — soit comme formule magique qui veut contraindre, soit comme revendication — l'est de toute évidence, au premier chef. Je pense à la parole de William Blake (que je me rappelle très approximativement) : « Si Milton paraît plus à son aise dans le *Paradis perdu* que dans le *Paradis retrouvé*, c'est que les poètes sont toujours du côté des démons, sans le savoir. » Souvent en le sachant ajouterai-je...

Appris ce matin, du dabtara boiteux, l'histoire de Tewani, inventeur abyssin de la plupart des recettes actuelles de magie et d'une des formes principales de poésie. Il fut initié à ces deux arts par des femmes invisibles qui l'emportèrent dans les airs, composa, parmi ses premiers vers, une énigme totalement incompréhensible aujourd'hui, contraignit par talisman l'ange de la mort à attendre sept ans devant sa porte et écrivit, durant le temps de cette lutte contre le trépas, un grand poème commençant par ces mots :

« J'aimerais mieux être eau au ventre de ma mère. »

La patronne des zar, chez qui je vais, me raconte elle aussi un beau mythe de sirène. Elle me paraît, aujourd'hui, non plus maquerelle mais vraie illuminée. Sa fille — princesse au visage de cire, mariée à un homme du Consul italien — a tenu à venir, sachant qu'il y aurait Lifszyc.

La jolie démone, qui parle d'une voix cassée et fait de petites mines d'enfant, déclare que l'esprit qui la possède porte le nom militaire de *Fitaorari Sabrié*. Il ne faut pas plus que ce nom genre colonel Ramollot pour que réapparaisse la face trouble...

3 août.

Événement peut-être (localement au moins) assez important : au Taqousa, le bandit Chouggoutié a vaincu en un combat de cinq heures les troupes du fitaorari Ayyalé (qui avait refusé de lui laisser lever l'impôt) et celles du fitaorari Damsié, l'ex-rebelle, maintenant soumis au dedjaz Wond Woussen et en règle avec le gouvernement. Il y a 14 morts et 33 blessés. Les troupes officielles se replient sur Gondar. Vu d'ici, c'est-à-dire du territoire italien, cela paraît terriblement lointain. Pourtant, — sans dire toutefois qu'il s'agit de cela — le Consul semble préoccupé. Il a envoyé un radio à Addis Ababa. Ce soir, au lieu de rentrer chez lui après dîner, il est allé travailler au bureau du consulat. C'est lui qui nous a donné la nouvelle. Les hommes de Chouggoutié seraient armés de mousquetons anglais. Par ailleurs le vieux Makourya s'est décidé à expédier sur Dabra-Tabor, pour jugement, le guérazmatch Makonnen, l'homme de l'affaire d'Azzezo. Mais Makonnen, bien que théoriquement enchaîné, voyage gardé par ses propres hommes, avec seulement le chef de police de Gondar pour le surveiller.

Griaule et Roux continuent à démaroufler les peintures de l'église Antonios, remplacées au fur et à mesure par des copies

410

éblouissantes exécutées par Roux. Ce travail a été commencé il y a quelques jours, après accord avec l'intendant et le chef de l'église.

La fille de la patronne des zar est venue voir Lifszyc, ainsi qu'elle l'avait promis hier. Elle était accompagnée d'une ancienne possédée au teint de suie, logée également au camp, et vue hier elle aussi. J'ai une certaine sympathie pour cette dernière, à cause de ses cheveux crépus, courts, mais incultes, de ses dents blanches mal plantées et proéminentes, de ses yeux ronds de folle d'hospice.

4 août.

Encore une fois, tout se tasse : les troupes battues ne se replient pas sur Gondar ; elles se sont arrêtées je ne sais pas où. Peut-être l'inquiétude du Consul n'avait-elle rien à voir avec cette vague histoire ? Par contre, c'est maintenant à Dabra-Tabor que la situation, à l'entendre, est un peu compliquée. Il raconte — d'ailleurs en riant, car la politique abyssine lui fournit ample matière à exercer sa verve — qu'il y a là-bas quatre partis : celui du Ras Kasa, celui de Wond Woussen, celui de l'*abouna* ou évêque, celui des téléphonistes. Chacun de ces partis étant en antagonisme avec les autres, cela fait *n* puissance *n* possibilités de conflits... Possibilités qui, jusqu'à nouvel ordre tout au moins, restent purement théoriques.

Les Européens ont toujours grand plaisir à parler de l'anarchie abyssine. Ils aiment à s'en gargariser. Au fond de leurs discours, toujours ce *leitmotiv* : tout se passerait pour le mieux dans ce pays, qui serait le meilleur des pays, si seulement on en faisait une colonie...

5 août.

Abba Jérôme est un informateur précieux, mais un peu fantaisiste. Si on ne le serre pas de près, il aime à s'évanouir dans le paysage. Aussi ai-je pris le parti de ne pas le quitter d'une semelle et de le suivre dans ses promenades de digestion, afin d'être sûr de pouvoir le ramener au bercail. Allègrement, il bondit par-dessus les herbes, comme un démon barbu... Son carnet de notes est aussi à surveiller, car il écrit presque au hasard et, si on ne le retient pas, à peu de chose près dans tous les sens. Mais c'est un homme qui a l'instinct *poétique* de l'information, c'est-à-dire le sens du détail apparemment insignifiant, mais qui situe tout et donne au document son sceau de vérité. Bien qu'il m'énerve quelquefois, je m'entends, au fond, très bien avec lui.

Les grandes opérations picturales continuent. Roux ne suffisant plus pour exécuter les 60 mètres carrés de toile qui doivent remplacer les peintures d'Antonios, des peintres improvisés ont surgi : Griaule, Lutten, et même moi.

Ma vie immobile m'a engraissé ; c'est ce qu'une photo hideuse m'a montré. Je suis tout à fait dégoûté ; je me trouve un air de curé.

6 août.

Abba Jérôme, qui a admiré hier, parmi notre vaissèle, un dessous de plat circulaire en métal à décor perforé formant rosace, demande aujourd'hui à Roux de lui dessiner en grand une pareille rosace solaire afin d'y inscrire, allant du centre à la périphérie, des noms de zar, classés par générations. Il se préoccupe, par ailleurs, de la question — à jamais pendante — du péché originel.

De plus en plus, il me semble que je suis mort. Je fais fi de ces représentations qui autrefois m'auraient tant passionné...

Ce sont de maigres subterfuges, avec lesquels je sais que je ne parviendrai plus à combler mon vide...

Un seul journal entre nos mains : *La Croix*, dont le père lazariste nous fait régulièrement envoyer les numéros qu'il a fini de lire. J'y ai lu, entre autres choses, que je ne sais quel évêque ou archevêque, avait, prévoyant le « glissement » vers la gauche, recommandé à ses ouailles de « prier pour les élections ».

7 août.

Dimanche. Mal de tête. Pas de messe, heureusement ! Peu sommeillé, comme si j'étais hanté par des succubes...

A l'improviste, visite de la dame des zar. Comme un vieillard honorable, elle porte toge à large bande rouge et grand bâton

412

ferré. Sa fille — la princesse au pur visage de cire, mais aux mamelles flétries — l'escorte, ainsi que la charmante *Fitaorari Sabrié,* qui regarde toujours aussi sournoisement et de plus en plus me fait l'effet de n'être qu'une quelconque petite putain. La plus gentille est décidément la noire Ballatatch, que nous invitons puisqu'elle habite le camp, et dont la chevelure est aujourd'hui bien nattée et beurrée. A cause, peut-être, de son humble condition de servante de l'infirmier du camp, elle fait moins d'embarras que les autres, ne joue pas à la sibylle et ne cherche pas à étaler, comme la jolie Dinqnèsh (que possède le zar du nom de *Fitaorari Sabrié*) de brillantes relations de parenté.

Nous offrons à ces dames de la fine Martell et du café. Je fais un peu d'information. Mais quel bois mort que tout cela! Il me semble avoir perdu mon sang, et même mes os...

Quant aux jeunes femmes, elles ont l'air de figurantes en robes crasseuses mimant une intrigue Renaissance ou bien les Guerres de Religion.

8 août.

Réveil dans un brouillard complet. On ne voit pas Gondar. Il bruine. Le torrent gronde.

Je me remémore certains détails de la scène d'hier : la belle couverture rouge à figure de lion qu'Abba Jérôme (lors de son passage à Dabra-Marqos) a prélevée dans les richesses saisies du Ras Haylou et dont, hier, il avait garni notre table pour recevoir les zar ; les grandes fleurs jaunes que Lifszyc avait données à celles-ci qui, sagement, les tenaient à la main et parfois les humaient, vraies vierges préraphaélites ; le café grillé sur un plateau, présenté fumant à la patronne par la même Lifszyc, afin que la chère saltimbanque récite son oraison et effeuille sur nos têtes les habituelles bénédictions.

J'ai toujours plus ou moins regardé le coït comme un acte magique, attendu de certaines femmes ce qu'on peut attendre des oracles, traité les prostituées comme des pythonisses... Aussi, je pense toujours à la vieille entremetteuse mystique avec un respect mêlé d'affection. Quel dommage qu'il n'existe plus, de nos jours et en nos pays, de prostitution rituelle !

Travaillé avec mon boiteux ce matin et, pour de menus faits

413

(échantillons de poudres pour faire l'encre à amulettes qu'il m'a apportés en quantité ridiculement minime, en échange d'un thaler que je lui avais donné, — découverte d'une lacune dans le rituel d'exorcisme des possédés, qu'il m'avait révélé), je me prends à le haïr de façon suraiguë, — à croire que brusquement je suis moi-même devenu sorcier... Je lui parle durement, ainsi qu'à Abba Jérôme. Peu s'en faut que je n'envoie tout promener. La vraie raison de ma colère est qu'il y a des domaines où les choses, par trop, brûlent et où nécessairement il apparaît scandaleux de se promener avec sang-froid, crayon en main, fiches sous les yeux. A cela joint, l'appel sexuel puissant des pratiques maudites, en même temps que le sentiment très net de cet extravagant mensonge qu'est la magie.

Deux heures après peut-être, j'apprends que la nommée Ballatatch que, d'accord avec le Consul (puisqu'elle est la servante de son infirmier), je voulais engager comme informatrice, refuse tout net de venir travailler, sous prétexte qu'elle est trop occupée, ayant, outre sa profession, un ménage à elle... Cela finit par s'arranger pourtant, car — vraisemblablement stylée par son patron — elle vient d'elle-même au camp déclarer qu'elle est à notre disposition, bien que son ignorance, dit-elle, la rende incapable du moindre service quant aux matières qui nous concernent. Je l'engage néanmoins, comptant sur cette ignorance même pour faire son témoignage plus pur et plus vivant. Moyennant un thaler tous les deux jours, elle viendra en principe chaque après-midi.

9 août.

Grande scène avec le boiteux : il cherche à nous refaire de quelques thalers sur le prix qui doit lui être payé pour un manuscrit qu'il est en train de nous copier. A bout de nerfs, je lui mets le marché en main : ou ne pas chicaner sur le prix convenu, ou partir immédiatement. Devant moi sont posés les 7 thalers et la cartouche que je lui dois pour son travail jusqu'aujourd'hui. Griaule intervenant, le boiteux se dégonfle et finit par travailler comme un ange : il m'ouvre enfin une porte matérielle sur la confrérie des zar ; il s'agit du fameux plateau aux tasses à café, du *guenda,* sorte d'autel en même temps que signe de commandement, conféré par un ermite musulman du Tigré à ceux qu'ont possédés plusieurs esprits et qui sont venus, chargés de dons, en pèlerinage jusqu'à lui pour le servir dévotement pendant un an. Avec sa bénédiction, il leur donne le droit d'avoir chez eux le plateau à café et de guérir, à leur tour, les possédés.

Donc bonne matinée, tout compte fait. Mais sale après-midi, car cette rosse de Ballatatch, contrairement à ce qu'elle avait dit, n'est pas venue.

. . . .

Lutten écrit, sur les indications de Makan, une lettre pour le frère de celui-ci, à Tamba-Counda :

> *Mon cher Sambasam,*
>
> *Je te donne salutations.*
>
> *Demande à Mamadou Bakel, la somme de 250 francs que je lui ai donnée pour toi lorsqu'il a quitté la mission à Yaoundé (Cameroun). Il est parti avec un blanc de la Mission par le même bateau jusqu'à Dakar.*
>
> *Salutations à Kodaye.*
>
> *Mon complet tu gardes bien, avec les souliers.*
>
> *A Mamadou Sissoko, donne salutations. N'oublie pas les 20 francs qu'il me doit.*
>
> *Donne salutations à Diokounda Kamara. N'oublie pas les 40 francs qu'il me doit.*
>
> *Salutations à Konkodougou. Il a acheté mon boubou pour 20 francs. Il doit payer.*
>
> *Salutations à Moussa Keyta. Il doit donner 40 francs pour trois couvertures que je lui ai vendues.*
>
> *Salutations à Toumani taraoré (chauffeur).*
>
> *Salutations à Mariam.*
>
> *Salutations à Fili.*
>
> *Maintenant on est bien loin, on marche à pied dans les grandes montagnes, il n'y a pas de route, les blancs et les bagages marchent sur les mulets. Il fait très froid. Il n'y a pas de campement. On couche dans la tente (maison en toile). Mamadou Kamara est toujours là, mais il fait pas le chauffeur puisqu'il y a pas de camion.*

On rentrera par Marseille, au mois de février-mars peut-être, de l'année prochaine.

Je te donne salutations.
Ton frère.

Pour Makan Sissoko,
E. LUTTEN.

. . . .

10 août.

Lorsque la femme zar est venue, il paraît que le cuisinier a eu très peur. Abou Ras est un Béni-Choungoul très noir, très musulman et très superstitieux. Il a 45 ans, un turban, un veston européen croisé, de larges bottes de caoutchouc toutes droites, une démarche sévère d'automate ou de golem. Bien plus encore que de la vieille, il avait été l'autre jour effrayé par un serpent mort que je ne sais plus qui avait apporté dans un bocal. Il s'était d'abord écarté du camp, après s'être armé de pierres pour être sûr que nul ne l'approcherait, puis enfermé dans sa cuisine, d'où personne n'avait pu le déloger, ni même lui parler, tant Abyssin qu'Européen.

Le *jiratam* (« homme à queue », c'est-à-dire anthropophage, — ainsi l'esclave appelle son petit enfant) prend des libertés de plus en plus étonnantes. Revenant d'enquêter avec Ballatatch (qui s'est décidée à venir), je le vois, à travers la tenture qui obture ma porte, en train de déféquer debout, sa chemise relevée sous les bras, à deux pas de chez moi. Ensuite, comme sa mère n'est pas là pour l'essuyer, il s'accroupit et chiale. La pauvre femme arrive, le nettoie, puis, soigneusement, enlève de terre les excréments.

Peu à peu, le Consul s'humanise. Voilà maintenant cinq mois qu'il est ici. Petit à petit, après avoir senti durement sa solitude, il se prend à aimer les Abyssins, au moins les petites gens. Pour ma part, quelles que soient parfois mes colères, je suis attaché à ces gens. La vieille « zarine » me domine comme une mère. Ses adeptes sont mes sœurs, qu'elles s'en doutent ou non. J'aime jusqu'à la fausseté de leur possession, à ces chères filles qui introduisent un peu de fantaisie clinquante dans leur vie, échappent à leurs maris et, par la vertu des saints esprits, se hissent

416

jusqu'à l'irréel qui leur fait oublier l'écrasante masse des coutumières conneries...

11 août.

Interrogatoire d'hier avec Ballatatch :

1° Son mari précédent l'a quittée parce qu'elle avait découché, étant allée chez des parents pour une commémoration d'enterrement ; actuellement, elle est la « servante de cuisse » de l'infirmier du camp ; elle est chrétienne, lui musulman ;

2° Depuis son enfance, elle connaît la vieille guérisseuse Malkam Ayyahou[1] qui depuis longtemps est célèbre à Gondar ; c'est elle qui l'a soignée gratuitement ; Ballatatch participe maintenant aux *wadadja* (réunions de danse pour guérir les possédés), aux fêtes et va de temps en temps chez la vieille pour préparer le café ;

3° Elle est possédée par ordre du zar Imam, parce que, l'ayant croisé en allant à l'église, elle n'avait pas voulu se joindre à ceux qui lui rendaient hommage ; elle insiste sur le fait qu'elle portait ce jour-là une robe toute blanche. Son nom de zar (c'est-à-dire le nom du zar qui l'a blessée, par ordre d'Imam) car *Abbaba Negousié.* Elle nous convie à voir (pour la prochaine wadadja, qui aura lieu dans la nuit de mercredi à jeudi prochain) combien, parée en *Abbaba Negousié,* elle sera belle ;

4° Elle a un fils de 8 ans, qui vit chez des parents ; toutes les nuits elle rêve de lui. Pourtant, dit-elle, les zar n'aiment pas avoir d'enfants.

Mais aujourd'hui elle ne vient pas. Elle s'étonne, je le sais, de ce travail que je lui demande, qui consiste uniquement à causer. Alors qu'elle a des travaux de ménage, venir causer, même payée, lui semble perdre son temps. Sans doute trouverait-elle plus naturel que je la fasse venir pour moudre du grain, ou pour coucher. Et puis ces histoires de zar ne sont-elles pas histoires vaguement secrètes ? condamnées par les prêtres ? interdites par le gouvernement ?

Une fillette de 15 ans vient de mourir, prise par un *bouda* qui,

---

1. Ce nom veut dire : « J'ai vu de belles choses » ou « J'ai vu bellement ».

en deux jours, l'a mangée invisiblement... Sans tirer de conclusion, les gens n'ont pas manqué de noter que le mal l'a prise juste comme elle venait de faire vacciner son petit enfant à l'infirmerie du camp.

12 août.

Longue déposition du boiteux, que je fais transcrire littéralement en amharique par Abba Jérôme. Le cas le plus normal de possession par les zar est celui d'une femme par un esprit mâle. Il y a rapports sexuels imaginaires. Il n'est pas rare que, des maisons voisines, on entende une femme qui couche seule prier, suppliant l'esprit qui vient la visiter de la laisser, de cesser de la faire souffrir à force de la besogner. L'homme qui est pris par un zar femelle a des pollutions diurnes et nocturnes, ne peut plus avoir de rapports avec aucune femme réelle, tant il est épuisé...

Au moment de la *wadadja* — danse collective des possédés — le possédé s'identifie à son zar, n'étant plus que son « cheval » qui obéit comme un cadavre aux caprices que l'esprit lui inspire. Tous les zar sont orgueilleux ; ils se disent grands et puissants, se donnent pour fitaorari ou dedjazmatch, comme font, dans la vie réelle, les chifta, qui se disent toujours investis de pouvoirs officiels. Et c'est alors que ceux que possèdent les vrais grands zar les fouettent, pour les faire retourner dans le rang.

Ballatatch n'est pas venue. Je vais la voir avec Lifszyc ; et nous la trouvons occupée aux travaux de ménage, sa peau noire constellée d'ocre, car elle prépare la pâte pour les galettes. Elle promet de nous visiter, non pas demain, jour du marché, mais dimanche.

Abba Jérôme, après bien des difficultés, car il craint de se compromettre, raconte à Lifszyc comment la femme de Ménélik, pour se guérir de la lèpre, a fait égorger des enfants et remplir une grande jarre avec leur sang. Cela me rappelle un rêve fait l'une de ces dernières nuits. Je voyais une longue procession de zar — qui n'étaient autres que les pensionnaires d'un lazaret — défiler en cagoules et robes blanches avec une tache rouge au niveau de la bouche ; les hommes avaient une tenue identique à celle des femmes, mais portaient sur l'épaule des fusils.

Griaule qui, aidé de Lutten, a peint dans sa journée d'hier une

418

Nativité pour l'église Antonios, a commencé une *Assomption* dans l'après-midi.

Le temps est moins pluvieux, mais il y a beaucoup de vent et il fait de l'orage sur le Tana.

L'esclave Desta, qui travaillait avec Lifszyc, lui a appris entre autres choses qu'elle n'est pas enceinte, ce qui est contraire à ce qu'on nous avait dit et prouve que celui qui l'a vendue nous a volés.

13 août.

Un petit clan musulman s'est formé. Mamadou Kamara, Makan, le golem Abou Ras. Tous les matins, nous raconte Mamadou, Abou Ras les réveille, lui et son ami Makan, de trois coups de pied au cul pour qu'ils fassent la prière.

J'ai décidé d'aller avec Abba Jérôme chez Malkam Ayyahou. Abba Jérôme découvre brusquement qu'il n'y aurait aucun cadeau plus agréable à la vieille zar que quelques onces de poudre à canon pour jeter dans le feu. Aussi Abba Jérôme et moi, allant chez elle, faisons-nous un détour pour nous rendre au marché. Nous y faisons l'emplette, moyennant 1 thaler, d'une quantité de poudre équivalant à 50 pleines douilles de cartouches Gras, plus le contenu d'une douille qu'on nous donne par-dessus le marché. Nous emportons l'achat soigneusement enveloppé dans mon mouchoir, jusque chez la vieille qui, sitôt le don fait, nous baise les mains, est dans tous ses états. Instantanément elle a revêtu la personnalité d'*Abba Qwosqwos,* le zar militaire qui la possède, alors que nous ne l'avions guère connue jusqu'à présent que sous l'aspect d'*Abba Yosèf,* le zar religieux, ou de *Rahiélo,* la Circé. Il y a avec elle la fidèle Ballatatch, une autre adepte, une esclave, ainsi qu'un jeune garçon qui vient lui apporter de l'orge acheté au marché. Longtemps, ils en discutent le prix.

Une première pincée de poudre dans le feu met *Abba Qwosqwos* de belle humeur. Le poing sur la hanche, le torse haut, il chante des chansons militaires, tape des mains, redresse la tête ainsi qu'un vieux grognard. Sur ces entrefaites arrive la jolie Dinqnèsh (*Fitaorari Saberié,* ou Lidj Saberié, de son nom de zar). Elle a très mauvaise mine, marche à pas de somnambule, parle d'un ton dolent, de sa petite voix d'enfant. Après avoir salué la

419

patronne, elle disparaît puis revient, quelques minutes après, l'air encore plus défait. Elle s'avance rapidement vers la vieille, s'incline, lui baise les genoux. De ses deux mains étendues à plat, la vieille lui claque fortement le dos, deux ou trois fois, en récitant une oraison. Assis à côté de la vieille, je vois, pendant les coups, la face de Dinqnèsh qui se crispe et je l'entends gémir comme une femme qu'on fait trop jouir. Un peu calmée elle s'accroupit, à droite de la patronne. Elle est allée se baigner tout à l'heure et, se trouvant nue au bord de la rivière, a été frappée par l'esprit. Elle est en effet possédée par un djinn et, les djinns étant des esprits des eaux, les bains lui sont pour le moment contraires...

Les chants d'*Abba Qwosqwos* sont un instant interrompus par l'apparition de la malade que j'avais vue en bas, lors de ma première visite, dans son clapier obscur. Rétablie maintenant et en voie de guérison définitive, elle vient saluer la patronne.

Mais cette dernière, excitée par les chants et la conversation, trouve qu'une seule pincée de poudre n'est pas suffisante pour le bonheur d'*Abba Qwosqwos*. Un mot à mi-voix à Dinqnèsh et celle-ci va chercher le reste de la provision. Le fond de la calebasse où se trouvent les braises est avancé jusqu'au milieu de nous. Quelques grains jetés par Dinqnèsh tombent à côté des braises et ne s'enflamment pas. Dinqnèsh rejette une pincée. Deux ou trois secondes, puis la pincée s'enflamme. Une première flamme moyenne ; une gerbe d'étincelles ; puis un grand « pssssssshuuuuuut... » et une énorme flamme. Sensation violente de cuisson complétant l'éblouissement. Opaques volutes de fumée, d'où émergent un instant les deux talons d'Abba Jérôme qui, d'un bond, a plongé de l'autre côté de la pièce. Me sentant, quant à moi, l'enfer au visage et aux bras, je me lève en un clin d'œil et monte sur l'espèce de divan bas en terre séchée où j'étais précédemment assis. Quelques secondes de stupeur, puis, dans la fumée épaisse, tout le monde tousse, s'époussette, tandis que la vieille, invulnérable aux flammes, déclame des tirades guerrières et rit aux éclats. Dinqnèsh et elle n'ont rien, mais Abba Jérôme a des brûlures aux doigts, une jambe de pantalon et la barbe roussies. J'ai, pour ma part, les cheveux, les sourcils et les cils un peu atteints, mais surtout les avant-bras à peu près entièrement épilés. La pauvre Ballatatch a le devant de sa chamma complètement gâté. Quant à la maison de la vieille, nous constatons qu'en dépit de ce qu'on aurait pu croire elle est toujours debout.

Sortie quelques instants, Ballatatch revient, la fumée enfin dissipée, et prend à partie la petite Dinqnèsh, cause maladroite de l'accident. Jetant sa pincée de poudre dans le feu, elle a négligé en effet d'écarter la provision, de sorte qu'une étincelle jaillie a mis le feu au tout. Ballatatch, furieuse, la traite de « mal élevée ». Puis elle prend congé, devant aller préparer le dîner de son amant et patron l'infirmier. Afin de la consoler, je lui donne une boîte de poudre à miroir que j'ai prise avec moi.

Abba Jérôme et moi rions, mais Malkam Ayyahou est si joyeuse qu'elle en délire. L'esprit est descendu, l'un des grands *awolya,* chefs de la brousse et protecteurs des bêtes — éléphants, buffles et autres — dont les zar sucent le lait. Il ne fallait pas moins que cette fumigation de poudre, évocatrice de chasse, pour la mettre à un aussi lyrique diapason. Plus aucun incident ne compte, ni une femme, mûre mais très belle, qui vient consulter pour son jeune frère et que la patronne congédie, après une oraison accompagnant la combustion d'une substance d'aspect pierreux et extraordinairement odorante, qui n'est autre que de l'encens ; ni la visite de la « fiancée » que Malkam Ayyahou a trouvée pour le domestique d'Abba Jérôme, après qu'il eut tenté de violer Dinqnèsh. Très surexcitée, la patronne menace le domestique, devant sa « fiancée », de le châtrer par maléfice, s'il ne sert pas toujours Abba Jérôme avec le dévouement voulu.

Encore quelques chants, puis nous nous retirons. Dernière surprise, juste comme nous venons de monter sur nos mulets : trottant menu comme une très petite fille, retroussant sa chamma pour ne pas l'éclabousser aux flaques, Malkam Ayyahou vient vers nous. Minaudant, elle s'entoure coquettement le visage de son voile, nous sourit, nous fait les yeux doux. Car, subitement, elle n'est plus *Abba Qwosqwos* le vaillant militaire, mais *Chankit* la petite négresse, servante de *Rahiélo,* qui s'inquiète de nous laisser partir sans que nous ayons rien mangé.

Rentré au camp pour apprendre que — cependant que nous jouions avec le feu et la poudre à canon — la poutre faîtière de l'atelier de Roux s'est cassée et que Roux a dû, cariatide vivante, pour éviter l'effondrement complet du toit, soutenir celui-ci de la pointe d'une canne ramassée au hasard, en attendant l'arrivée des secours.

14 août (dimanche).

Endormi sur la vision réconfortante des pieds de Berhanié
(« Ma lumière », ainsi Malkam Ayyahou nomme-t-elle Abba
Jérôme) flottant à mi-hauteur du plancher au plafond dans l'antre
de la sorcière, j'ai passé une bonne nuit. Le pauvre Berhanié a dû
dès hier soir se confier à Larget, qui lui a mis de l'acide picrique
aux doigts et retaillé la barbe, pour la rectifier. Quant à
Ballatatch, naturellement, elle ne vient pas nous voir ; mais
Lifszyc la rencontre dans la soirée : elle a le bras bandé, car ses
brûlures sont assez sérieuses. Au moment de la déflagration, c'est
vers elle et vers Abba Jérôme que la flamme s'est dirigée.

Le père lazariste de Kerker (qui est venu dire sa messe), le
Consul, son aide technique et le commerçant italien qu'on appelle
« Ministre du Commerce » viennent déjeuner. A en croire le
père, le nombre des possédés a beaucoup augmenté depuis
l'année dernière. Il y a dans son village trois personnes qui
présentent, selon lui, les signes les plus certains de la possession
démoniaque. J'essaie de lui tirer des renseignements, mais la
seule chose qui le préoccupe c'est la *réalité,* non les *modalités* de la
possession ; de sorte que je n'obtiens rien d'intéressant.

L'après-midi, information avec le domestique d'Abba Jérôme,
celui qui attaque les chifta, qui est « fiancé » par les soins de la
vieille et que celle-ci aime bien, en raison de sa qualité de
chasseur d'éléphants. Il me raconte comment, sitôt entrés dans la
zone de chasse, les chasseurs enlèvent leur *mateb* (cordon de cou
que tout Abyssin porte sa vie durant, en signe qu'il est chrétien),
échangent des serments d'entraide, puis sacrifient un chevreau
blanc et se vouent au *bèlès* qui est la même espèce de figuier
que l'arbre du Paradis. Dénouant le lien et égorgeant, ils ont
quitté leur religion, sitôt entrés dans cette zone, et se trouvent
maintenant sur le plan des grandes bêtes de brousse, des zar,
des fantômes, au pays où certains végétaux règnent invisiblement...

15 août.

Le *bèlès* auquel sacrifient les chasseurs n'est pas le même *bèlès* que le figuier arbre de vie. Il y a là simple homonymie [1]. Le *bèlès* des chasseurs est le grand esprit de la brousse, protecteur des animaux, qu'il dissimule, si l'on n'a pas pris soin de se concilier ses faveurs.

Pour les chasseurs, l'éléphant, le lion, le rhinocéros, le buffle, la girafe sont les cinq gibiers d'honneur, les cinq bêtes dont plus tard ils devront porter les trophées, en même temps qu'ils porteront le poids de leur esprit, qui vient nicher en eux comme un remords, ou comme les zar se nichent au corps des possédés. Et c'est à peine si le sang des sacrifices parviendra provisoirement à les délier...

Car, décidément, l'étranger, la brousse, l'extérieur nous envahissent de toutes parts. Nous sommes tous, soit des chasseurs qui renions tout, nous vouons volontairement au monde du dehors pour être pénétrés, faire notre nourriture et nous enorgueillir de certaines forces supérieures, grandes comme le sang qui bout au cœur des animaux, l'inspiration fatalement diabolique, le vert des feuilles et la folie ; soit des possédés que cette même marée du dehors vient un jour déborder et qui, au prix de mille tourments qui parfois les font mourir, acquièrent le droit de signer définitivement le pacte avec l'éternel démon imaginaire du dehors et du dedans qu'est notre propre esprit.

Je suis loin de mon indifférence de ces jours derniers. Certains diraient, peut-être, que je commence effectivement à être possédé. Sans doute me reprendraient-ils aussi au nom de l' « objectivité scientifique »...

16 août.

J'ai eu un troisième entretien avec Kasahoun le chasseur. Il est formel. Celui qui a tué un éléphant est bien un possédé. L'esprit l'habite et, si tous les éléphants d'une brousse ont été exterminés, le génie de cette brousse vient habiter sur les tueurs, par-dessus les *abbigam* (ou esprits des éléphants) dont ils sont déjà possédés. Il règne ainsi sur un grand troupeau d'hommes, qui remplace l'ancien troupeau de bêtes. Et ces hommes doivent veiller jalousement à leur honneur — qui n'est autre chose que l'honneur

1. D'autres informateurs, par la suite, m'ont affirmé le contraire.

de l'éléphant — sous peine d'être assaillis de maux, comme les gens que frappent les zar, et de sombrer, au moins pour un temps, dans une demi-folie. Ils doivent toujours être propres, bien nourris, bien vêtus et, si possible, ne jamais travailler. Kasahoun, qui avait à Zaghié un champ qu'il labourait, a dû partir, car l'*abbigam* qui l'habitait ne pouvait supporter d'être ainsi humilié. Une fois même il a été malade, a déliré, et ses amis lui ont raconté plusieurs jours après, quand il eut repris conscience, qu'il chantait, dansait et aussi « sifflait comme un éléphant ». Il sert maintenant Abba Jérôme, qui est un homme honorable, équivalent à un grand chef. Il peut le faire sans déroger, comme il serait aussi chifta et comme je soupçonne qu'il maquereaute... Tant qu'il a du café, de l'hydromel, de la viande, tant qu'il danse (chez Malkam Ayyahou, où il habite) avec les possédés, l'*abbigam* le laisse en paix, mais bien que fier et gai il supporte une éternelle malédiction, prête à resurgir d'une manière tangible, au premier choc de la misère... Ainsi vit-il, plus joyeux qu'un autre quand il a sa suffisance, plus abattu quand il manque, mais constamment chargé d'un équivoque fardeau d'honneur.

17 août.

Rien autre que cette découverte : à Malkam Ayyahou succédera, comme possédée guérisseuse, sa fille Emawayish [1], la belle — bien qu'un peu flétrie — princesse de cire. Penser que cette femme d'aspect si calme, si réservé — malgré les rots puissants qu'elle pousse quand elle mange des *inféra* — deviendra, quarante jours après la mort de sa mère, malade et folle comme celle-ci l'a été en son temps, qu'on lui dira que pour guérir il faut qu'elle apaise les esprits qui hantent la maison en leur rendant les habitudes qu'ils avaient prises étant les hôtes de la mère, penser qu'après les rites et sacrifices d'usage elle reprendra l'héritage de névrose en même temps que le fonds de commerce, qu'elle deviendra peut-être, elle aussi, un vieux clown, une vieille grognasse à échappées sublimes, me déconcerte... J'en arrive à voir cette femme beaucoup plus belle qu'elle n'est flétrie.

1. « Je te confie mes peines. »

18 août.

Visite nocturne à Malkam Ayyahou, pour la veille de la Saint-Michel. Espérant que les zar se manifesteront, je vais avec Abba Jérôme, et Roux se joint à nous.

18 h 30 : arrivée chez Malkam Ayyahou, que nous trouvons seule avec Kasahoun et la fille que Malkam Ayyahou lui a choisie pour fiancée.

18 h 55 : Roux allume un des feux de Bengale que nous avons apportés pour faire plaisir à la vieille. Aussitôt se manifeste le zar *Mansour,* achkar d'*Abba Yosèf.*

A 19 heures, nous exhibons les deux bouteilles de mastika dont nous nous sommes munis. La vieille, ravie, les bénit d'une oraison, tandis que continue la conversation.

Si Ballatatch a été brûlée c'est, selon *Mansour,* parce que avant de venir elle avait passé la nuit avec un homme. De plus elle est orgueilleuse (n'avait-elle pas refusé de servir le café ?). C'est l'*awolya* qui l'a punie.

A 19 h 05, voulant couper les ponts (car je compte toujours que cette veille de Saint-Michel amènera les zar à un certain degré d'excitation), je renvoie les achkars et les mulets.

J'ai apporté le fouet de cuir de Griaule (que, n'ayant pas de cravache à moi, je lui emprunte toujours quand je sors à mulet).

Roux, à qui j'ai raconté les pratiques de fustigation auxquelles se livraient les zar, s'est emparé du fouet et s'amuse à le faire claquer. Sur sa demande la fiancée de Kasahoun vient s'incliner devant lui et reçoit, en souriant, deux simulacres de coups de fouet.

Dinqnèsh, qui ne va pas bien depuis que le jour du marché un djinn l'a frappée au bain, fait une courte apparition. Elle se plaint d'une douleur au côté, respire difficilement. La vue du fouet de Roux la terrorise.

Mise en joie par une distribution d'eau de Cologne que fait Abba Jérôme, Malkam Ayyahou enlève tous ses colliers pour les faire parfumer et les malaxes dans ses mains. Ravie aussi par les feux de Bengale (un peu moins cependant que le jour de la poudre à canon), elle chante, siffle (les lèvres entrouvertes et immobiles), danse, incarne un nombre infini de personnalités, correspondant aux zar qui l'habitent.

425

Roux mis en fuite par une armée de puces qui l'ont envahi, elle tire d'un gros sac une série de parures, tenues de gala de divers zar. Elle nous montre le diadème en crinière de lion, le bandeau de front vert et l'étole de cotonnade noire à broderies multicolores qui sont l'apanage de *Seyfou Tchenguer,* le plus illustre de ses zar ; le bandeau de front, également vert, mais plus court, que porte Dinqnèsh quand elle est le *Fitaorari Sabrié :* le bandeau de front noir d'*Abba Touqour* (= Père Noir) ; le pagne et la ceinture noir et blanc bigarré d'*Abba Nebro* (= Père Léopard) ; d'autres oripeaux appartenant à des zar moins importants. Revêtue de la parure de *Seyfou Tchenguer,* elle fait le guerrier fanfaron et donne des explications. Puis toutes les merveilles s'engloutissent dans le sac...

Un peu avant minuit, comme Abba Jérôme et moi remontons du jardin (où nous sommes allés faire un tour cependant qu'on préparait le lit de cuir tressé sur lequel nous devons coucher), nous trouvons Malkam Ayyahou en train de chanter — reprise en chœur par la « fiancée », la vieille esclave noire et le plus âgé des domestiques d'Abba Jérôme — un chant en amharique dont chaque strophe commence par :

> « *Allahou meseli*
> *Ya Rabbi Mohammedi* »...

et dont l'air est arabe. Elle chante avec force et recueillement, assise et balançant le corps rythmiquement. N'ayant pas peur du syncrétisme, elle invoque dans le même chant la Trinité.

Abba Jérôme et moi nous couchons tout habillés, après avoir reçu sa bénédiction. Tous se retirent. Elle-même s'installe pour dormir dans sa resserre. Au milieu de la pièce, seules, couchent la vieille esclave et sa petite fille.

Je dors d'abord un peu, mais, dès 1 h 1/2, c'est l'invasion. La lampe électrique d'Abba Jérôme me révèle des punaises, qui ne me permettront plus de fermer l'œil.

A 4 heures du matin, j'entends Malkam Ayyahou soliloquer dans sa resserre. Couchée sans doute, elle parle à mi-voix et prononce, comme en une invocation, les noms de plusieurs de ses zar. Je reconnais celui d'*Abba Qwosqwos* le militaire, celui d'*Abba Tchenguer.*

A 6 h 25, Malkam Ayyahou se lève. Une cliente l'a fait réveiller, demandant une consultation d'urgence pour son fils malade. Malkam Ayyahou va recevoir cette cliente, puis fait un tour dans sa maison donnant des ordres pour le café et visitant les femmes malades qui habitent l'autre bâtiment. A 7 heures elle revient, et nous reprenons notre conversation. Visiblement fatiguée, ayant mal aux yeux (elle me demande pour cela un médicament), elle répond à toutes les questions, non sur le plan d'exaltation mythologique habituel, mais d'une façon très pondérée. Puis la « fiancée » de Kasahoum sert le café. Malkam Ayyahou récite l'oraison sur le plateau rituel, puis nous parle de ses tasses.

Il y a *Chankalla* (« négresse »), tasse bleue ; *Weyzero* (« dame »), petite tasse blanche à filets rouges ; la tasse spéciale à certains traitements, sorte de pot blanc cylindrique ; la tasse de corne où boit la petite noire *Chankit* (que mime si bien Makkam Ayyahou) ; la grande tasse enfin (verte à croissants et étoiles blanches), qui est « le trône et le juge » et contient le marc de café qui sert à cicatriser les plaies et que dans certains cas les adeptes emploient comme khol pour se noircir religieusement les yeux...

Le café pris, Abba Jérôme et moi nous en allons, car les mulets que j'ai fait demander sont arrivés. C'est le jour de Michel, mon saint patron. Je tombe dans une sortie d'église, regarde les soldats qui, en caban sombre et fusil sur l'épaule, escortent gravement un homme honorable. J'écoute le bruit des gros tambours des prêtres. J'écoute les chants. Et je pense à Malkam Ayyahou, à ses mythes, à ses étourdissantes transformations de personnalité, à ses histoires de djinns et de sirènes, à son chant musulman...

19 août.

Toute la journée, récolement, avec Abba Jérôme, des notes que nous avons prises lors de la nuit chez Malkam Ayyahou.

Lutte énergique contre les punaises et les puces que j'y ai attrapées.

20 août.

Cela va mieux. Les démangeaisons ont diminué. Malkam

Ayyahou, qui maudissait l'autre soir les puces dont Roux était la proie (« Que les langues des puces soient coupées ! Que leurs dents soient brisées ! »), m'a peut-être dispensé quelque baume invisible...

Aujourd'hui, jour de marché, Griaule a fait acheter, pour le lui envoyer, un beau bélier tout blanc à sacrifier.

Je songe à la déclaration qu'elle fit, durant cette calme mais mémorable veillée de Saint-Michel : « Il y a vingt-trois ans, avant de posséder Malkam Ayyahou, *Abba Yosèf* a fait avorter son « cheval » (c'est-à-dire Malkam Ayyahou), car il ne veut entrer que dans les endroits propres. » Les événements sont pauvres, à l'échelle de ces paroles...

Les peintures de l'église Antonios continuent à s'enlever. Pourtant, les téléphonistes de Gondar ont pris sur eux d'alerter le dedjaz Wond Woussen. Le fitaorari Makourya, quant à lui, n'a rien voulu faire, estimant que la « réfection » d'une église n'a rien en soi de particulièrement blâmable.

Le plus jeune des domestiques d'Abba Jérôme a attrapé la gale.

21 août.

Revu Malkam Ayyahou qui, comme c'est dimanche, est allée visiter sa fille. Je vais chez celle-ci avec Abba Jérôme.

Malkam Ayyahou dicte, au nom d'*Abba Yosèf,* une belle lettre de remerciement au sujet du bélier. Ne sachant pas écrire, elle signe de quatre croix : une simple, pour bénédiction de Griaule ; une autre simple, pour Roux ; une double, pour Abba Jérôme et moi ; une à anse pour Mlle Lifszyc.

Elle nous raconte le mariage de sa fille, comment à dater de ce jour-là, *Abba Yosèf* l'a baptisée *Weyzero Tchenguer* (« Princesse Tchenguer ») et comment le gendre — dabtara connu — ayant refusé de « devenir grand par l'appui de sa femme » fut possédé presque à mort par un choix des plus mauvais zar que pouvait lui envoyer sa belle-mère.

Emawayish ne cache plus qu'elle doit succéder à sa mère, ni même qu'elle est déjà possédée. Mais elle semble toujours un peu gênée et effrayée quand on parle de ces choses-là. Sous sa crasse, elle fait distingué et a des lettres... J'imagine qu'elle doit viser à devenir épouse ou concubine d'un Européen du consulat. Et mieux vaut, pour cela, ne pas être par trop démoniaque. Voyant mes bras, elle s'apitoie sur les traces qu'y ont laissées les brûlures de la poudre et surtout les morsures des punaises.

Sa mère repartie vers Gondar à vastes enjambées, nous restons un peu à bavarder avec elle. Puis vient la pluie, juste comme nous allons partir. Pour nous faire patienter, Emawayish prend dans un coin un numéro du journal officiel éthiopien et, posément — comme elle réciterait le « David » — nous le lit. L'article de tête est naturellement consacré au Ras Haylou, qui (comme c'est l'habitude depuis son arrestation) fait le bouc émissaire. La pluie finie, nous partons. Nous reverrons Emawayish mardi, chez sa mère, à une fête à laquelle nous sommes invités ; les fêtes de la Vierge seront finies, et les zar pourront recommencer à danser.

Au camp, comme c'est demain l'Assomption, l'esclave a reçu quelques cartouches pour s'acheter du *talla*. Elle nous en offre gentiment, très honorée que nous acceptions.

Le jardinier du Consul, qui s'était fait engueuler, parce que depuis quelques jours le jardin était ravagé par un porc-épic et qu'il ne parvenait pas à le capturer, est devenu fou. Il a frappé violemment sa femme et ses enfants. Dans la prison du corps de garde où il est maintenant enchaîné, il ne peut parler d'autre chose que du porc-épic.

22 août.

Tristesse de jour de fête. Pas d'informateurs : rangement dans les caisses, revue de papiers pour boucher l'oisiveté. Avant tout, lugubres réflexions...

Revenir ; être vieux ; avoir derrière moi ce que j'avais devant. Que d'occupations il me faudra m'ingénier à trouver pour ne pas tomber fou ! Comment pourrai-je jamais revivre en France ? C'est pour tâcher de m'oublier que je projette étude sur étude, publication sur publication. Mais quelle misère, quelle fin de tout et quel égorgement de tout espoir !

23 août.

Le jardinier, que le Consul a mis hier en liberté momentanée pour qu'il aille à la messe, a promis un paquet de chandelles à

Saint-Jean, contre la mort du porc-épic. Il s'agit ici, je n'en doute pas, d'un genre nouveau de possession...

Depuis hier au soir, l'esclave est demi-saoule. Elle vient à tout bout de champ offrir de son talla ou poser, au sujet de son travail, des questions absolument hors de propos. Son fils, qu'elle a gavé, a vomi trois fois cette nuit.

24 août.

Autre nuit chez Malkam Ayyahou, tumultueuse celle-ci, mais au cours de laquelle je m'ennuie. J'étais parti de très bonne humeur pourtant et avais traversé joyeusement le torrent considérablement enflé par la pluie. Pourquoi faut-il que les danses des zar qui étaient là (Malkam Ayyahou et une adepte en grand costume), leurs tournoiements de tête, leurs déclamations entrecoupées de rugissements m'aient paru à tel point frelatés ? Et quelle crasse, quel désordre, quels oripeaux misérables ! La présence aussi d'hommes m'a gêné, comme celle — macabre — des garçons de café dans les brasseries-bordels. Ne parlant pas l'amharigna et me trouvant, seul observateur, au milieu de gens uniquement soucieux de s'amuser ou délirer, je me suis senti terriblement étranger. Vis-à-vis d'Abba Jérôme, j'avais l'attitude d'un pion, l'obligeant constamment à noter. Un seul souvenir agréable, celui d'Emawayish, encore qu'à son allure de princesse se mêle un certain côté succube, à chair molle, moite, froide, qui m'écœure, en même temps qu'il me fait un peu peur. Et n'est-elle pas prédestinée ? Et son premier mari, quand il est devenu fou, ne se sauvait-il pas de la maison pour s'en aller hurler dans les ruines des châteaux de Gondar ?

Non ! Il n'y a rien à faire : c'est ici l'Abyssinie et l'on y est plus lointain que même dans l'autre monde...

Les quatre bouteilles de cognac apportées (offertes chacune à l'une des personnalités de la vieille : une pour *Abba Yosèf*, une pour *Rahiélo*, une pour *Abba Tchenguer*, une aussi spécialement pour la petite *Chankit*) provoquent une danse militaire, qu'exécutent — à grand renfort de poussière — Malkam Ayyahou et l'adepte déguisée, dont le nom de zar est *Dedjaz Debbeb*.

Les deux femmes sont en grande tenue : diadème de chasseur en crinière de lion ; bandeau de front de chasseur d'éléphant (en étoffe, à longs bouts flottants) ; pour Malkam Ayyahou, sorte d'étole noire brodée ; et les reins ceints, toutes deux, de pagnes quadrillés noués par-dessus la chamma. Elles sont munies chacune du fouet à clochette qui sert à dompter les zar récalcitrants.

Parmi les assistants il y a un prêtre, qui est un frère puîné de Malkam Ayyahou. Il n'est ici, dit-il à Abba Jérôme, que parce qu'il vient prier pour la guérison de sa sœur... De fait, quand la nuit sera venue et que les invités mâles seront partis, il s'étendra sur une banquette et la plupart du temps dormira, voire ronflera.

J'apprends par hasard que la fête a commencé hier et que, toute la nuit, on a dansé. Je pense que c'est exprès qu'on ne nous a pas prévenus, qu'on nous a fait venir aujourd'hui pour être sûrs que nous ne venions pas hier, et j'entre dans une grande colère. Je demande à Abba Jérôme de déclarer à Malkam Ayyahou que « je tiens *Abba Yosèf* pour un calotin et pour un pur salaud ». Naturellement, Abba Jérôme ne traduit pas. Eût-il traduit, mes paroles seraient restées sans conséquence, car on m'aurait dit possédé par le zar. A dire vrai j'étais plutôt, je crois, possédé par l'hydromel... Je m'en rends compte maintenant, me remémorant d'autres petites, si l'on veut, « incorrections » que j'ai commises.

Une nouvelle danse guerrière des deux femmes s'accompagne de cris tels que : « Vive Adouah ! » et de vantardises telles que : « Moi, (zar un tel), tueur de dabtara... » Le *Dedjaz Debbeb* — grande garce noire qui a l'air tantôt ahurie et tantôt malicieuse — danse ensuite seule, avec furie. La tête animée d'un ample mouvement de rotation dans un plan vertical (geste qui me rappelle celui qu'avaient à Sanga les masques croix de Lorraine grattant le sol avec leur cime), elle danse et rugit, le rugissement commençant au moment où la tête est baissée, se terminant par une brusque émission au moment où, relevée, elle se penche en arrière pour reprendre respiration ; entre le début du rugissement et l'émission définitive du souffle se place, comme une sorte de contre-chant, la récitation (très rapide) du *foukkara* ou thème de guerre.

Quelques minutes après, *Dedjaz Debbeb,* qui s'est arrêté hors d'haleine, se penche au-dessus du feu pour recevoir une fumigation de poudre. La dose est heureusement moins forte que le jour de la fameuse déflagration...

Danses violentes, Dinqnèsh, en transe, s'agite en rugissant, puis se couche à terre, du reste assez mollement. Elle ne se roule pas dans la poussière. Chants musulmans, en chœur, accompagnés de battements de mains. Malkam Ayyahou, jouant du tambour, mène la ronde. Elle est envahie par des zar de plus en plus nombreux. A chaque nouvelle possession, dès que le nouveau zar s'est révélé, tous se lèvent et le saluent, comme un invité qui vient d'arriver.

Les chants durent longtemps. Les hommes qui étaient là se retirent. Puis c'est le dîner, que nous prenons, Malkam Ayyahou, Emawayish, Abba Jérôme et moi, groupés autour de la grande corbeille contenant les galettes molles ou *injéra*, sur lesquelles Emawayish étale avec ses doigts les choux ou pose les œufs durs qui constituent l'essentiel du repas.

Après dîner, Emawayish s'excuse : elle veut dormir et s'étend sur une banquette avec son bébé. Mais les punaises l'empêchent de reposer. Pour passer le temps — et comme la pluie nous empêche, Abba Jérôme et moi, de repartir — elle prend le tambour et se met à chanter. Beau visage, qui parfois se gratte entre les doigts de pied...

Elle chante des chansons d'amour, semi-improvisées. Il y est question de son divorce, qui l'a déliée ; de son mépris des richesses, si négligeables à côté de l'amour ; du garçon que la passion pousse à se faire chifta ou qui voudrait être vermine, pour mieux pénétrer sa bien-aimée. En poèmes, elle reproche à sa mère — qui lui répond — de l'avoir frappée de maladie, traitée avec dureté... Et ainsi s'établit un long dialogue chanté.

De temps en temps, la vieille pique une crise ; elle reste maintenant assise, se couvre la tête de sa chamma et s'agite ainsi, en râlant ou parlant avec volubilité. Vers 2 heures du matin, *Abba Yosèf* se manifeste ; sitôt la crise violente passée — la chamma rejetée — *Abba Yosèf* donne aux adeptes (qui tour à tour viennent se mettre à ses pieds) des conseils de moralité. A Dinqnèsh : « Tu as tort de coucher ainsi avec les domestiques. » A la fiancée de Kasahoun : « Tu regardes trop les officiers. » A Kasahoun lui-même : « Ne tue pas d'antilope ! » Chacun des sermonnés reçoit la bénédiction et promet de ne plus recommencer. Je suis quant à moi très maussade et me sens de plus en plus isolé. Des chansons, je ne saisis que ce qu'Abba Jérôme a le temps de me traduire. Je reste aussi vexé de ne pas avoir été invité la veille au soir. Cruellement, je perçois à quel point je suis « l'étranger ». Emawayish, qui me voit toujours prendre des notes ou en faire prendre à Abba Jérôme, m'engage à faire comme les autres, à m'amuser... Mes achkars, qui sont là, assis pas très loin de moi, chantant, riant, battant des mains, m'agacent. J'évalue très bien à quel point ils me mépriseront si je descends à leur niveau, si je me laisse aller... Horrible chose qu'être l'Européen, qu'on n'aime pas mais qu'on respecte tant qu'il reste muré dans son orgueil de demi-dieu, qu'on bafoue dès qu'il vient à se rapprocher ! Par deux fois, je demande les mulets pour nous en retourner. Abba Jérôme, qui prend grand plaisir aux chansons (bien que les punaises commencent à l'attaquer lui aussi), allègue divers prétextes : le manque de clair de lune ; les hyènes, qu'étant sorti pisser il dit avoir entendu hurler.

Fatigué, dégoûté, je me résigne à rester. Pourtant, les chansons ravissantes mais incompréhensibles continuant, et mon irritation croissant, je commande fermement les mulets. Les achkars vont les chercher.

Emawayish — qui désire aller en Europe, au moins peut-être en Érythrée — s'extasie sur les vêtements européens. Elle palpe ma bush-shirt, ma culotte de bedford, le pantalon à raies d'Abba Jérôme... Au moment des adieux, le prêtre se réveille et, comme tous, nous souhaite bon retour.

25 août.

Amertume. Ressentiment contre l'ethnographie, qui fait prendre cette position si inhumaine d'observateur, dans des circonstances où il faudrait s'abandonner.

Visite de Kasahoun, qui annonce que (grâce à sa diplomatie) le dernier mari d'Emawayish — celui dont elle vient de se séparer — se remet avec elle. La fille ne voulait pas, car l'homme est avare et jaloux, mais on l'a décidée. Il est d'ailleurs le père du bébé. Prétextant qu'il a pris un médicament, Kasahoun se retire de bonne heure, en vérité pour aller à la fête qui a lieu chez les époux réconciliés.

Chez nous aussi, on prépare une grande fête. Notre brave

prêtre défroqué Abba Qèsié va se marier, avec une fille de Qwosqwam, dans une des paroisses les plus proches. Pour le repas de cette nuit un bœuf a été tué. Tout le sol, sous une des tentes, est tapissé de viandes saignantes que les collègues d'Abba Qèsié, nos domestiques, vont porter à Qwosqwam par quartiers. Abba Qèsié lui-même, très excité, se promène, le torse demi-nu sous la chemise déchirée. Il tient en main un grand couteau, souillé du sang de quelle virginité ?

26 août.

Désirant compléter les chansons notées fragmentairement l'autre nuit par Abba Jérôme, j'envoie un domestique chez Emawayish, pour lui demander si elle peut nous recevoir dans l'après-midi. Brièvement, elle fait répondre que non, étant donné que sa mère ne sera pas là. Je suis assez mortifié de cette déclaration et pense que décidément les choses se compliquent depuis la réconciliation.

Abba Jérôme, soudainement inspiré, déclare que nous n'avons qu'une chose à faire : demander aussitôt deux mulets et aller chez la mère. Pluie, ce qui retarde déjà. De plus tous les achkars sont sortis, sauf un, qui doit aller au pâturage rechercher seul les mulets. Je chausse mes bottes, d'abord pour ne pas trop me mouiller en passant le torrent, ensuite pour me protéger des punaises qui infestent la maison de notre vieille amie. Nous nous promenons un peu de long en large, causant d'un incident tout à fait différent : coups qu'a subis hier en ville l'interprète Wadadjé, de la part de soldats du fitaorari Makourya, pour ne pas avoir salué un de ceux-ci. Enfin les mulets arrivent, on les selle, et nous partons.

Nous trouvons la vieille accroupie sur son lit de sangles, tête et épaules nues. Des adeptes éplorées l'entourent, car elle est malade. De ses paroles apocalyptiques, il ressort peu à peu que, rentrant hier de Gondar, elle a failli se noyer en passant le torrent, si gros à un certain moment de la journée que deux femmes et un âne se sont noyés. Celles de ses adeptes qui l'attendaient à la maison la crurent morte et se mirent à hurler. Lorsqu'elle arriva, elle était ruisselante d'eau, n'ayant dû son salut, au moment d'être emportée, qu'à l'intervention du zar

434

Merkeb (« navire »), venu à son secours avec une cinquantaine d'invisibles. Il s'en est suivi une nuit de complet affolement, de délire, de possession, au cours de laquelle une vingtaine de génies descendirent pour faire crier et se tordre les femmes, et dont le point culminant fut marqué par la brusque irruption (à travers une des minuscules fenêtres) d'une cinquantaine de lions et d'une cinquantaine d'hyènes, envoyés par le zar *Sheikh Ambaso* (« Sheikh Lion »).

D'autres drames, d'ailleurs, se sont produits avant-hier, ce qui explique la surexcitation. Emawayish et son mari ne se sont pas, comme je croyais, réconciliés. Le mari avait fait la paix avec la mère, en conséquence de quoi la fille avait consenti à se raccommoder. Venant visiter cette dernière pour demander pardon, le mari l'avait trouvée en train de prendre le café avec deux des jeunes gens que j'ai rencontrés moi-même chez Malkam Ayyahou lors de la nuit de danse et qui seraient, paraît-il, des parents. Immédiatement furieux et convaincu d'être trompé, le mari avait renversé le café puis sorti un revolver chargé et avait voulu tuer la malheureuse Emawayish. Les assistants étant intervenus, l'énergumène s'est calmé, mais la réconciliation a été ratée.

L'histoire sitôt entendue, je fais savoir à Malkam Ayyahou qu'Abba Jérôme et moi sommes entièrement dévoués à sa fille et qu'elle peut compter sur nous en toute occasion. Je lui promets que je vais réfléchir sur ce qu'il me semble qu'il y a de meilleur à faire. Pour faire traduire ces paroles, je prends un ton de chevaleresque indignation, mais, dès que je me suis tu, j'évalue à quel point mon appui a des chances de demeurer platonique et j'ai honte d'un enthousiasme qui reste dans l'abstraction.

Peu avant qu'elle tentât la traversée de la rivière, la foudre était tombée tout près de Malkam Ayyahou, manquant de la tuer. C'était *Abba Yosèf* qui l'avait lancée, indigné contre Malkam Ayyahou et ses adeptes, parce qu'elles avaient travaillé et étaient sorties ce jour-là, fête des Apôtres.

La conversation se poursuit sur un ton pondéré, d'enquête plus que de révélation. Je me livre à quelques pitreries amicales, telles que lire dans les lignes de la main de ces dames. Je dépeins Malkam Ayyahou comme un grand caractère, Aggadètch *(Dedjaz Debbeb)* comme une personne compliquée. Je songe déjà à décrire Dinqnèsh comme une gentille petite putain, mais elle ne me donne pas sa main.

Je dispense également des consultations médicales : à Aggadètch, qui a mal au ventre ; à Dinqnèsh, qui a mal aux pieds. J'apprends incidemment que cette dernière, il y a quatre ans, a eu la vérole ; Malkam Ayyahou attribue son mal de pieds, moitié à des suites de cette maladie, moitié au fait que — sortant souvent la nuit à la recherche d'hommes — il lui arrive de fouler l'urine (ou le sperme) des djinns.

Peu avant que nous ne partions, Aggadètch s'excuse de ne pas m'avoir dit au revoir l'autre nuit. Je suis un moment éberlué, car je me rappelle parfaitement lui avoir serré la main, mais j'apprends qu'à ce moment elle n'était plus le zar *Debbeb* mais le zar *Seggoudem*...

Au retour, Kasahoun, qui nous accompagne, nous donne de nouveaux détails sur l'histoire d'Emawayish. Son mari ayant renversé le café, qui pour elle est « le sang de Dieu », elle a juré devant les prêtres de se faire plutôt musulmane que se réconcilier avec lui.

27 août.

Travail languissant de traduction de texte avec le boiteux. Songeant aux fulgurations incessantes de la vieille, au charme insolite qui émane de sa fille, mesurant l'immense prix que j'attache à fixer leurs paroles, je ne peux plus supporter l'enquête méthodique. J'ai besoin de tremper dans leur drame, de toucher leurs façons d'être, de baigner dans la chair vive. Au diable l'ethnographie ! Le carnet d'Abba Jérôme — sur lequel je lui fais noter au vol ce que dit la vieille, ou bien sa fille, ou bien quelqu'un de l'entourage — m'est un monde de révélations dont la traduction, chaque fois, me plonge dans le délire... Je suis dans un état nerveux curieux ; détaché, mais préoccupé fatalement de ces choses. Avant tout angoissé à l'idée que ce bel édifice peut craquer, pour des raisons à mon point de vue absurdes, comme par exemple si Emawayish, par crainte de son ancien mari, s'obstinait à ne pas nous recevoir. Sur plusieurs pages du carnet figurent des fragments de poèmes qu'elle a chantés l'autre nuit, et je n'aurai de cesse qu'ils ne soient complétés.

Comme je suis en train de traduire, avec Abba Jérôme, les notes prises au cours de la visite d'hier, vient le fils aîné d'Emawayish (qui fréquente beaucoup notre camp, en quête de menus travaux susceptibles de lui rapporter de petites récompenses). Il m'apporte un brin d'une plante odoriférante, genre basilic. Je l'envoie aussitôt m'en chercher une brassée. J'en jonche le sol au-dessous de mon lit ; cela chassera peut-être les punaises que j'ai rapportées hier et, en tout cas, m'aidera à plonger dans la magie, car c'est avec cette plante qu'on jonche le sol de la maison quand on veut évoquer les zar ou les démons.

Un peu avant 5 heures, la traduction est finie. N'ayant pas d'informateur sous la main, je propose à Abba Jérôme de faire un tour. Incidemment, je lui dis mon regret d'être obligé d'attendre, pour compléter les belles chansons... Abba Jérôme — décidément homme d'initiative — saisit la balle au bond. Nous irons tout de suite chez Emawayish, escortés de son fils, qui nous annoncera au dernier moment. Nous emportons du thé et du sucre afin de ne pas gêner en nous faisant offrir le café.

. . . .

Un grand nombre de chansons ont pu être complétées. Emawayish a récité aussi d'autres poèmes. Elle est, comme d'habitude, attentive et aimable, mais parfois sombre. Bien qu'elle soit femme à se défendre (parfois son visage durcit et son regard semble indomptable), il est évident que la proximité de l'homme au revolver n'est pas sans l'inquiéter. En la quittant, je lui fais renouveler par Abba Jérôme ma protestation de dévouement et lui dis que j'espère que demain elle accompagnera sa mère, qui doit venir à notre camp.

Revenant avec Abba Jérôme, je suis sombre. Il est dommage de ne pouvoir rien faire pour cette fille, de ne pouvoir la soustraire à la brutalité d'un homme stupide. Mais il est évident que pour cela il faudrait la prendre en charge, se substituer à cet homme, en un mot : l'enlever. Pour cela il faudrait un homme disponible et, pour que cela ne tourne pas à la ridicule plaisanterie, un homme qui l'aime et qu'elle soit susceptible d'aimer... Hors de cela, rien à faire, et toutes les protestations de dévouement resteront verbiage platonique.

28 août.

Lifszyc m'a appris hier une nouvelle dont je ne sais encore si elle est vraie ou fausse mais qui, sur-le-champ, m'a sidéré. Kasahoun, le domestique d'Abba Jérôme, lui a dit qu'Emawayish était maintenant sauvée : il y a un homme qui veut l'épouser ; ainsi qu'elle le désire elle ira en Europe, car cet homme fait partie de la mission. Et le membre en question de la mission n'est nul autre qu'Abba Jérôme !!!

J'ai longuement réfléchi à cette histoire depuis hier. Il est bien probable que c'est un simple racontar. Mais Abba Jérôme, alors que je croyais qu'il traduisait mes paroles, n'aurait-il pas fait sa cour ? Je me suis décidé à avoir, dès ce matin, un entretien avec lui. S'il me dit que la chose est vraie, je lui offrirai mon appui. Je ferai ainsi quelque chose pour le salut de l'étonnante fille. Égoïstement, j'y gagnerai de ne pas voir se tarir brusquement la source de poésie et de sceller, en quelque manière, mon pacte avec les zar, auxquels je suis redevable de me déplacer actuellement à quelques pieds au-dessus de terre, en pleine mythologie. Et qui sait ? si Emawayish vient avec nous en caravane, j'y gagnerai peut-être autre chose...

J'ai dit à Abba Jérôme ce que je voulais lui dire. Il n'a pas du tout réagi. Selon lui, simple bavardage de domestiques. Que cela soit vrai ou faux, cette conversation dégonfle entièrement mon délire ; tout redescend sur un plan de comédie.

Emawayish est certainement de taille à se défendre. Elle n'attend sûrement après personne, si elle tient réellement à se débarrasser de son mari. Pour en être sûr, il suffit de la voir comme je l'ai vue hier, trônant chez elle en matrone, avec son esclave cultivateur, sa jeune esclave qui sert le café, le bébé du cultivateur et toute la maisonnée indécise, comprenant ses deux propres enfants, plus une ou deux fillettes du voisinage et les « hôtes de Dieu », étrangers, parents ou amis de passage, tel ce lépreux avec lequel nous avons pris le thé et dans la tasse duquel, sans d'ailleurs y penser, il me semble que j'ai dû boire. Il serait

438

puéril de songer à secourir Emawayish quand on l'a vue, assise au bout de l'alcôve de banco clôturée de bambous (qui abrite son argent, son coton à filer, ses lettres d'amour, le sommeil dangereusement peuplé d'incubes qu'elle doit à sa situation d'épouse sans homme, et peut-être ses rêveries de femme sans clitoris), quand on l'a vue comme je l'ai vue, attentive au moindre bruit dans son domaine, veiller au respect du « dieu blé » et envoyer péremptoirement son fils aîné dehors, afin de chasser un âne qui s'attaquait aux céréales... Digne fille de sa mère, malgré la douceur soudaine de certains gestes (comme, par exemple, pour palper mes bras brûlés par les flammes de la poudre ou la cicatrice que j'ai au-dessus de l'œil gauche depuis des années), digne princesse héritière, capable de tenir tête à sa mère elle-même et de lui reprocher fermement de l'avoir frappée de possession en vue d'assurer la continuité dynastique.

Comme il était convenu, elle vient au camp cet après-midi, avec sa mère, Aggadètch et Dinqnèsh. Je reçois les quatre femmes dans ma chambre, afin qu'Abba Jérôme, elles et moi puissions causer tranquilles. Je fais servir le café, puis du thé que, soucieux de manières, je tiens à verser moi-même, assaisonné d'abord de sucre, puis de miel. Dans un brasero qu'il a fait apporter, Abba Jérôme jette de l'encens ; tout le monde répond pieusement : « Amen ! » aux oraisons qu'à cette occasion récite notre vieille amie. La réunion est très gaie, très familiale. Emawayish, qui semble d'abord mal à l'aise, se tient assise derrière sa mère. Elle s'en éloigne soudain, disant que le rayonnement de cette dernière la brûle, et vient s'appuyer au pied de mon lit. Elle est en état de possession, car *Merkeb* ne lui a pas encore pardonné d'avoir refusé d'accompagner Malkam Ayyahou jusqu'à la rivière le jour que celle-ci a manqué de se noyer. Emawayish sent le zar lui peser sur les épaules. Elle éprouve une sensation si pénible qu'elle veut s'écarter davantage de sa mère et me demande la permission de s'asseoir sur mon lit. Quelques instants après, elle saisit ma main droite et la place sous son aisselle pour que je sache à quel point elle est brûlante. Mais sitôt que sa mère, parlant au nom du zar fâché, lui a donné sa bénédiction en lui claquant fortement le dos des deux mains étendues à plat, Emawayish se remet et la conversation reprend, sur un ton enjoué.

Malkam Ayyahou est très en verve aujourd'hui. Elle a été

ravie, ayant reconnu les traits du militaire *Abba Qwosqwos* dans le portrait sur fond doré du Ras Haylou, exécuté à Paris par Roux et qui, faute d'avoir pu être offert au ras maintenant prisonnier, décore une cloison de ma chambre. Plusieurs fois dans l'après-midi, elle manifeste un nouveau zar. A chaque arrivée, nous nous levons tous et nous inclinons cérémonieusement devant elle, comme s'il s'agissait d'un nouveau visiteur.

Abba Jérôme note beaucoup de choses, souvent intéressantes : nouveaux exemples du caractère vindicatif et exterminateur des zar qui possèdent Malkam Ayyahou, — chants musulmans que les quatre femmes chantent en se couvrant la tête de leur chamma pour faire comme les Arabes, — histoire du python qui garde, dans une grotte, le plateau à café rituel de *Rahiélo*, enroulé tout autour, comme le serpent qui entoure le monde, etc.

J'écoute, je questionne, j'offre beaucoup de thé. Emawayish commence à parler de s'en aller : son plus jeune fils est à la maison et seule, la mère peut veiller... Mais j'apprends par Abba Jérôme que ce n'est qu'un prétexte et que, le thé étant un diurétique, les quatre femmes ont envie d'uriner. Avec la liberté que lui confère son âge, Malkam Ayyahou vient en effet de me faire demander la permission de se retirer — la pluie l'empêchant d'aller dehors — dans la pièce à côté, qui est la chambre de photographie. J'acquiesce, naturellement, et elle s'y rend avec sa fille, car il est dangereux d'être seul pour pisser. Dinqnèsh et Agga-dètch s'isolent à leur tour. Puis, mes quatre amies se trouvant soulagées, la conversation se ranime et il n'est plus question de s'en aller. Je ne raconterai pas cela à Griaule, car il ne serait sans doute pas très content de savoir qu'a été souillé d'urine l'endroit où il développe ses photographies. Je trouve, quant à moi, cela très gentil et nullement incompatible avec une certaine mondanité.

Quand mes amies prennent congé (assez tard, car elles ont été retenues par maintes averses) je fais quelques pas pour les accompagner. Nous nous quittons tous très bons amis et (il me semble) très satisfaits les uns des autres. Il ne s'agit plus maintenant que de pouvoir recommencer.

29 août.

Une dernière fumigation, sitôt le départ des femmes, a annulé leur odeur aigre de crémerie. Nom de zar d'Emawayish : *Sanselèt*, c'est-à-dire : « menottes » ou chaîne à lier les mains. Cet après-midi, je compte aller rendre visite à son premier mari, qui, revenu de sa folie, exerce — avec beaucoup de succès, paraît-il — son métier de dabtara dans le quartier de Baata, qui est celui de la belle-mère.

. . . .

Retour à la politique : 1º Wadadjé fait passer un billet à Abba Jérôme, comme quoi il ressent de violentes douleurs internes depuis qu'il a été molesté ; il dénonce le coupable et demande, ce qui est son droit au point de vue de la coutume abyssine, que ce dernier soit arrêté ; 2º vers 11 heures, Abba Jérôme est appelé au bureau du consulat, pour rencontrer un envoyé du fitaorari Makourya ; après de nombreuses excuses et protestations d'amitié au nom du fitaorari, l'envoyé communique un message téléphoné du dedjaz Wond Woussen interdisant aux Français de poursuivre leurs travaux de construction. L'ordre arrive un peu tard, puisque la maison est terminée. Comme elle est située, du reste, sur le territoire italien, le fitaorari Makourya fait demander au Consul de nous interdire lui-même de continuer les travaux. Naturellement, le Consul se récuse, dit qu'il est maître chez lui et qu'il nous a lui-même donné l'autorisation. Il ajoute que nous travaillons en plein accord avec le gouvernement éthiopien et présente Abba Jérôme, représentant officiel de l'Empereur, chargé d'assister la mission dans ses études.

Chez Malkam Ayyahou — où je me rends avec Abba Jérôme, n'ayant pas trouvé le premier mari d'Emawayish (qui n'habite plus Gondar depuis un certain temps) — on me reparle de l'affaire Wadadjé. Malkam Ayyahou déclare que si elle — ou plutôt *Abba Qwosqwos* — avait été présente, cela ne se serait pas passé comme ça ! L'esclave cultivateur et Kasahoun, qui se trouvent là, rapportent les bruits qui courent en ville au sujet de l'incident : on aurait voulu entraîner Wadadjé dans un sous-sol, l'y dépouiller, puis l'y tuer et l'y enterrer ; ce projet n'ayant pas réussi, on aurait voulu le libérer vers 9 heures du soir afin de lui faire son affaire lorsque au retour il passerait le torrent. Tout cela, parce qu'il avait déclaré être le domestique des *françawi*... Ce ne sont évidemment que racontars, mais tout de même significatifs. Devant Malkam Ayyahou (à qui j'ai apporté une boîte de cachets fortifiants), Dinqnèsh (à qui j'ai donné de la métaspirine pour ses douleurs de pieds), *Dedjaz Debbeb* (qui a bénéficié de quatre comprimés à la rhubarbe pour se purger), je fais dire par Abba Jérôme, avec prière de le répéter à Gondar, que celui qui aura le malheur de toucher à l'un des domestiques de la mission devant l'un quelconque d'entre nous sera abattu aussitôt d'une balle de revolver. Depuis trois jours, décidément, je prends un genre bien matamore...

A dîner, conférence entre Griaule et le Consul. Le Consul protestera, parce qu'on a voulu lui donner un ordre pour une question qui ne regarde que sa concession. Griaule protestera : 1° auprès du gouvernement éthiopien, déclarant que la mission se rendra à Djibouti, non par Addis Ababa, mais par l'Érythrée, si, en octobre, Wond Woussen est encore à Dabra-Tabor ; 2° auprès du fitaorari Makourya, par l'intermédiaire du Consul, pour réclamer l'arrestation du responsable de l'affaire Wadadjé ; 3° auprès de Wond Woussen lui-même, pour lui signifier que, ses ordres allant à l'encontre de l'appui que nous donne le pouvoir central, il se range ainsi délibérément dans la catégorie des chifta. Tout cela partira, par lettre ou téléphone, dès demain matin.

Ces complications nouvelles sont attrayantes, mais je reste obnubilé par les zar. J'aime mieux des réunions comme celle d'hier, avec la vieille à tout moment prête à tomber en transe, et sa fille touchant à tout (lacets de bottes, pyjama, plaid, matelas) tacitement émerveillée par tant de luxe européen. Et j'aime mieux aussi la même Emawayish, écolière belle et sage, ramassant prestement une paille auprès de son pied nu et la cassant d'une main, pour suivre et épeler, au début du dictionnaire de Guidi, l'alphabet amharique transcrit en italien. Même gravité que l'autre jour chez elle pour baiser son *David* imprimé avant de nous en faire admirer la typographie et les illustrations : au début, le roi David jouant de la harpe ; à la fin, Lidj Yasou revêtu d'une parure de lion.

30 août.

Grandes démonstrations militaires : Lifszyc et Faivre, accom-

442

pagnés de deux achkars en armes, sont allés au téléphone envoyer le message à Wond Woussen ; le Consul, qui s'est rendu solennellement à l'inauguration d'une église, a eu les genoux baisés par les agresseurs de Wadadjé ; ceux-ci viendront au camp demain faire des excuses publiques.

Toute la journée, ou presque, je traduis avec Abba Jérôme les notes prises ces jours derniers. Je remonte de l'abîme où j'étais enfoncé.

Après-demain, nous irons visiter Emawayish, lui portant un carnet, de l'encre, un porte-plume et de belles plumes d'acier. Nous tenterons de la persuader d'écrire ses chansons. Les lettres seront sans doute moins finement dessinées que les croix bleues du dessus de ses mains et la collerette de tatouages qui pare son cou. Mais qu'importe !

On raconte à Gondar que les Français sont venus pour faire de la magie et maléficier la terre. Abba Jérôme et moi sommes sans doute les premiers responsables de cette fâcheuse réputation.

31 août.

Dans la matinée, lettre d'Emawayish. Elle aimerait bien que je lui fasse cadeau d'une couverture. Désir bien naturel, après mes chevaleresques déclarations de dévouement... Je n'accuserai jamais un indigène de vénalité. Qu'on s'imagine la richesse insensée que pour des gens si pauvres l'Européen représente et quels joyaux obsédants constituent les moindres objets de son confort !

Dès cet après-midi, avec Abba Jérôme, je vais voir Emawayish et lui remets des plumes, de l'encre, un carnet pour rédiger elle-même — ou dicter à son fils — le manuscrit, laissant entendre que le chef de mission, s'il est content, lui fera le cadeau désiré.

Le début de transe de l'autre jour, le manège pour s'éloigner de la mère n'avaient peut-être pas d'autre but que se rapprocher, d'abord, puis s'asseoir sur mon lit, pour mieux palper les couvertures...

Juste avant dîner, Lutten dit incidemment qu'il a envie (et il en parle comme si c'était déjà fait) de coucher avec Emawayish. Bien qu'elle me préoccupe, je ne suis pas amoureux de cette fille ; je ne

443

la désire pas non plus. Pourtant les paroles de Lutten me déchirent, car elles me font toucher ma plaie, toujours bien là, malgré que j'aie cru durant plusieurs mois que le voyage, la vie active l'avaient effacée : impossibilité de me contenter comme les autres, de traiter les choses de l'amour nonchalamment, impossibilité même de jouir, faculté seulement de m'inventer de prestigieux tourments.

Frénésie intellectuelle avec laquelle je tente de pénétrer ce que pense Emawayish pour arriver surtout à mieux saisir ses rapports avec sa mère ; désir passager éprouvé par un garçon, pour qui j'ai, d'ailleurs, de l'amitié, mais pour qui faire l'amour est question de plaisir ou d'hygiène ! tels sont les éléments en balance ; tels sont les termes contradictoires que je ne parviendrai jamais à concilier en moi ; telle est la racine de mon affreux malheur et de ma maladie. Pétrifié, certain que, dans aucun sens, je ne ferai un geste, je mesure la valeur de ce mot : ÉTERNEL. Un revolver dirigé contre soi serait le bon moyen de tout arranger : supprimer la contradiction, ne pas vieillir, ne pas souffrir, faire même (puisque je tiens à ce genre de choses) un geste parfaitement propre et élégant. Ce geste unique, je ne l'accomplirai pas, pour des raisons, sans doute, de pure lâcheté...

Mais aussi je suis trop seul. Je ne reçois plus de lettres. Il n'y a personne à qui je puisse, du fond du cœur, parler. Des fantômes engendrés par cette espèce d'internement, je suis victime ; petits fantômes à vrai dire, qu'il suffirait de moins d'un chant de coq pour faire crouler mais qui, malgré leur vanité, restent terribles, car ils sont un doigt mis sur la blessure mal cachée.

Paroles d'Emawayish cet après-midi quand, lui parlant du manuscrit, je lui disais qu'il serait bon surtout qu'elle écrive des chansons amoureuses, comme celles de l'autre nuit : *Est-ce que la poésie existe en France ?* Puis : *Est-ce que l'amour existe en France ?*

1er septembre.

Nuit très mauvaise. Insomnie pour commencer, puis, très tard, bref sommeil. Rêvé de Z..., rêvé que je reçois du courrier, ce qui me fait du bien. Puis, brusquement, monte à mes narines l'odeur des herbes dont j'ai fait joncher ma chambre. Moitié en rêve, j'éprouve la sensation d'une sorte de tournoiement (comme si, faisant tourner ma tête et rugissant, je faisais le *gourri* caractéristique de la transe) et je pousse un hurlement. Cette fois-ci je suis réellement possédé... Mais sur cette constatation je m'endors, jusqu'à 5 heures ; car, à ce moment, la trompette italienne sonne l'alerte : un prisonnier (l'un des domestiques du colonel assassiné soupçonné d'avoir trempé dans le meurtre) vient de s'évader...

Dans la journée, bien qu'énervé et fatigué, je vais mieux. Je me rends compte que je suis surmené, que je me suis trop passionné pour une enquête dans un domaine dangereux. Je commence à discerner aussi à quoi tient, en grande partie, la violente douleur qui m'a ému : brusque constatation, quant à moi-même, d'un doute sur ces histoires. Poésies pas aussi belles, sans doute, que je n'avais cru. Possession peut-être pas aussi profonde, se réduisant à de vagues phénomènes névrotiques, servant aussi à couvrir de son pavillon pas mal de marchandises... Mais surtout, et contradictoirement à cela, sensation ardente d'être au bord de quelque chose dont je ne toucherai jamais le fond, faute, entre autres raisons, de pouvoir — ainsi qu'il le faudrait — m'abandonner, à cause de mobiles divers, très malaisés à définir, mais parmi lesquels figurent en premier lieu des questions de peau, de civilisation, de langue.

Un exemple qui m'éclaire un peu ce casse-tête me montre bien l'écart irréductible de deux civilisations : Emawayish raconte hier incidemment qu'elle ne lave pas son plus jeune fils, de crainte qu'il ne soit frappé de maladie par *Rahiélo*. Or, *Rahiélo* est l'un des principaux zar qui possèdent sa mère... Disant cela, elle pense bien qu'un des esprits qui habitent dans la tête de sa mère est capable de faire mourir son enfant. Mais elle tient, de cela, sa mère pour irresponsable, ne lui faisant grief — quand elles controversent — que d'affaires de famille ou d'intérêt. Ainsi donc chaque personne, Emawayish, sa mère, Kasahoun le chasseur (avec l'*abbigam* de la bête qu'il a tuée), Abba Jérôme, moi-même, tous enfin, avons la tête peuplée de petits génies qui vraisemblablement commandent à tous nos actes (un pour chaque catégorie), sans que nous en soyons aucunement responsables. C'est ce qui ressort de toute la conduite de mes amis et de tous leurs propos. Et ainsi les parents, sans cesser de se voir, discuteront leurs intérêts sordides, les hommes voleront ou tueront, les femmes se prostitueront... Climat aussi splendide qu'irrespirable. Du moins pour moi, imbu, quoi que je fasse, d'une civilisation où l'on est porté à donner à toutes choses une coloration non pas magique, mais morale. Et c'est là le grand pas que je ne franchirai jamais... J'ai peine à croire, par exemple, qu'en ce moment ce n'est pas moi qui souffre et qui divague, que je suis sans aucun doute pris par un mauvais génie — succube, peut-être —, qu'en tout cas on ne serait fondé en rien — demain, par exemple, si je suis gai — à faire état de mes paroles prononcées aujourd'hui, puisque demain je ne serai plus le même, étant alors inspiré par un génie plus gai. Tel est pourtant ce que penserait de mon actuel état n'importe lequel de mes amis d'ici.

Les agresseurs de Wadadjé sont venus officiellement faire des excuses. Trois hommes à têtes de chifta...

Deux souvenirs. L'un récent, d'une chanson d'Emawayish :

Quand on contemple son cou, ses seins, sa taille,
Elle tue en souriant. Ne croyez pas qu'elle soit femme !

L'autre, plus ancien, ce que me racontait mon vieil ami Mamadou Vad des sorcières de Ségou : « Quand on a mangé leur couscous, on oublie tout. On ne sait plus d'où l'on est venu, ni pourquoi l'on est venu. »

2 septembre.

Hier soir, j'ai fait du tir à la carabine pour me distraire. Ce matin, j'accompagne Lutten à l'église Antonios. J'éprouve un besoin impérieux de prendre l'air.

La promenade me réussit. J'aide Lutten à mettre les dernières peintures en place et je rentre de bonne humeur.

Je vais l'après-midi chez Malkam Ayyahou. Je la trouve un peu éteinte, pas très brillante tout compte fait. Je me suis sans doute beaucoup exagéré l'importance des histoires conjugales de sa fille. Il semblerait, à l'entendre aujourd'hui, que le mari d'Emawayish se soit borné à menacer celle-ci et à montrer son revolver chargé aux deux jeunes gens qui prenaient le café. Reste toutefois l'affaire même du café et des tasses renversées. De toute l'aventure c'est sans doute l'élément le plus grave. Ainsi qu'il m'arrive souvent, il est probable que, prenant cette histoire au tragique, j'ai cédé à un mouvement d'exagération romantique et pris mes désirs de drame pour une réalité.

Des propos tenus par Lutten, je commence à penser maintenant qu'ils n'avaient d'autre raison d'être que de me taquiner. Ainsi tout s'égalise...

Je m'aperçois que j'ai négligé de mentionner, parmi les événements d'hier, deux nouvelles qu'on peut tenir pour importantes : arrivée du courrier d'Europe, avec, pour moi, quelques lettres qui ont contribué beaucoup à me réconforter ; annonce, par le Consul, d'un accident survenu au courrier descendant d'il y a quinze jours : le sac postal a été emporté par les eaux durant la traversée du Takazé ; les porteurs ne se sont pas noyés.

3 septembre.

Visite du fils d'Emawayish. Il m'apporte le carnet de chansons terminé, ainsi que deux étiquettes d'une marque quelconque d'anisette, ornées au dos de graffiti. L'une est de lui ; elle représente un nommé Gabra Mikaël et un de ses serviteurs tenant un aigle en laisse ; peut-être parce qu'il s'agit de Mikaël, elle m'est dédiée. L'autre, soi-disant de sa mère (mais j'ai quelques doutes à ce sujet), représente deux petites filles — Waletté Kidanè et Walettè Maryam — qui habitent le même groupe de cases qu'Emawayish.

Je fais voir le carnet à Griaule. Les chansons sont très courtes. Il trouve qu'une couverture est un cadeau exagéré pour si peu de travail. Pour avoir sa couverture, il faut qu'Emawayish ajoute d'autres chansons. Je suis ennuyé d'avoir à transmettre cela, éprouvant de la répugnance à marchander cette couverture à une femme dont je sais bien que, si habituée qu'elle soit à la dure et quelles que soient par ailleurs les arrière-pensées de gain qu'elle puisse avoir, actuellement elle a froid. Ne pouvant aller à l'encontre de ce que dit Griaule et sachant, d'autre part, que sa politique de fermeté est la seule possible au point de vue du travail, je fais sa commission. Mais je renvoie le fils d'Emawayish avec un collier pour sa mère et un thaler pour lui.

Dans l'après-midi, c'est Kasahoun qui vient et m'offre un

bouquet de fleurs. Je ne lui fais pas de cadeau car — sentimentale-
ment — je n'ai pas pitié de lui. Il est de plus régulièrement payé
comme informateur et comme domestique d'Abba Jérôme.

Les histoires politiques se sont élevées encore d'un échelon
dans la complication : le Consul apprend à Griaule que l'alaqa
Sagga, chef des églises de la province (qui mercredi dernier était
venu voir Griaule et avait donné son plein accord pour le
remplacement des décorations de l'église Gondarotch Maryam
par des peintures neuves), vient d'envoyer deux messages télé-
phonés, l'un à l'Empereur, l'autre au dedjaz Wond Woussen pour
dire que l'enlèvement des peintures anciennes des églises mécontente le clergé de Gondar... Lors de la première affaire Wond
Woussen, il avait déjà été question d'aller à Djibouti par
l'Erythrée au lieu de passer par Addis Ababa, si Wond Woussen
n'était pas rappelé. C'est maintenant tout à fait décidé, si la
nouvelle histoire ne reçoit pas de solution.

J'attends pour demain la visite de Malkam Ayyahou, de sa fille
et de ses adeptes préférées. J'ai fait commander du café. Par
Abba Jérôme, j'ai fait également demander du *tchat*[1] à Abou
Ras, qui en est très friand en tant que musulman. Très ému de ma
demande, Abou Ras a répondu à Abba Jérôme qu'il était heureux
de voir les hommes marcher vers la vérité. Il a ajouté — je pense
pour moi — qu'il y a un an, au Soudan, un fonctionnaire anglais
s'était fait musulman...

4 septembre.

Comme nous finissons de déjeuner, Malkam Ayyahou se fait
annoncer. Vite, je fais apporter des caisses dans ma chambre, y
dispose des couvertures pour que les visiteuses puissent s'asseoir.
Une fois prêt, je donne l'ordre d'introduire. Mais Malkam
Ayyahou est seulement escortée de son petit-fils, le fils aîné
d'Emawayish. Comme d'habitude, elle porte le haut bâton ferré
dit *ankasié,* mais sans escorte, séparée de sa fille et de ses adeptes,
ce n'est plus la sorcière ; elle n'est plus qu'une pauvre vieille
paysanne abandonnée. Elle excuse sa fille, dont le plus jeune fils,

1. Plante à propriétés excitantes, dont les musulmans mâchent les
feuilles.

dit-elle, est malade ; fièvre et boutons qu'un zar lui a infligés. Elle excuse ses adeptes, restées à la maison pour préparer les boissons fermentées et le repas que Malkam Ayyahou doit offrir dans quelques jours aux prêtres de l'église Qeddous Yohannès (paroisse dans laquelle se trouve la propriété de famille habitée par sa fille) en l'honneur de la Saint-Jean. Elle-même est venue ici, non seulement pour voir sa fille, mais pour soigner un homme qui a les testicules gonflés, ayant été frappé par *Rahiélo*. Étant donné qu'elle est le « cheval » de *Rahiélo*, l'entourage du malade a pensé qu'elle seule serait capable d'obtenir la guérison. Donc elle a brûlé de l'encens et prié *Rahiélo* de pardonner...

Malkam Ayyadou a l'air triste aujourd'hui. Réellement, elle est abandonnée... Elle chante peu, manifeste peu de zar, improvise peu de poèmes. Je pense qu'il doit y avoir de nouvelles histoires de famille, soit à propos du gendre, soit pour des questions d'intérêt. C'est ce qui expliquerait son abattement et l'absence de sa fille.

J'appelle Abou Ras et lui demande le *tchat* promis ; il acquiesce avec un bon sourire. Quelques minutes après il revient, les bras chargés d'un paquet d'herbes soigneusement ficelé. Comme un petit enfant, le grand golem enturbanné se courbe, presque à genoux, pour l'offrir à la vieille. Celle-ci lui baise les mains. Abou Ras les lui baise à son tour, puis elle le bénit. Fraternisation sous les auspices de la plante sacrée.

De sa provision, la vieille distrait quelques feuilles qu'elle nous donne à manger. Tandis que nous causons, mâchons, buvons le thé, je fais fumer de l'encens qu'Abou Ras, sans que je le lui ai demandé, a apporté. La vieille étend les mains, récite une prière, à laquelle Abba Jérôme et moi répondons : « Amen ! » Puis, comme Abba Jérôme est sorti un instant pour s'isoler, je remets de l'encens dans le feu, faute de pouvoir parler à Malkam Ayyahou. Pour moi seul elle redit l'oraison et, me sentant comme son fils, je m'incline sous sa bénédiction.

Très peu d'instants, Malkam Ayyahou a dompté sa tristesse. Pour lui faire plaisir, j'ai fait venir Griaule. Elle a été très honorée et très heureuse de rencontrer enfin le grand chef de la mission. Mais cela ne l'a pas empêchée de retomber presque aussitôt dans sa mélancolie. Elle a tenu à partir de bonne heure, prétextant qu'elle devait rentrer chez elle, à cause des préparatifs de la Saint-

449

Jean. Je n'ai rien fait pour la retenir, me rendant bien compte qu'elle a pour le moment de gros soucis. Quelques minutes avant de s'en aller, elle est devenue encore plus triste, a parlé de notre départ proche, a supputé sans doute ce que redeviendrait sa vie après la séparation :

> *« Petit monde, tu es un passant,*
> *Et je ne crois pas en toi...*
> *Ma santé, tu es un passant,*
> *Et je ne crois pas en toi... »*

5 septembre.

Il a été décidé que nous irions remplacer les peintures de Gondarotch Maryam comme si de rien n'était et comme si nous ignorions les deux phonogrammes que l'alaqa Sagga a envoyés. Mais, pour parer à tous incidents, nous partons en force : une douzaine d'achkars armés de sept fusils, Griaule, Larget, Roux, Lutten et moi, tous armés, plus Abba Jérôme avec son habituel parapluie.

Chemin difficile, en terrain détrempé, où les mulets peinent beaucoup.

Dès que nous sommes arrivés, Griaule, apprenant que l'alaqa Sagga se trouve là, l'envoie chercher. Les paysans, bien que nous les traitions avec aménité, ont très peur. Abba Jérôme, de son côté, n'est nullement rassuré. Il est visiblement ennuyé d'être embarqué, en tant que représentant officiel du gouvernement, dans une pareille histoire. Il sait que Griaule a l'intention, si l'alaqa Sagga se présente et refuse de laisser remplacer les vieilles peintures de l'église par les peintures neuves que nous avons apportées, de traiter l'alaqa Sagga de fourbe et d'exiger de lui un garant, pour le procès qu'il lui intentera à Addis Ababa. Afin de faire diversion et pour dissiper l'ambiance de malaise, Abba Jérôme s'empare d'un fusil et fait le pitre avec ; se met à genoux ; fait semblant de tirer. Triste spectacle que celui d'un homme de 50 ans, homme charmant par ailleurs, mais que la frousse change en bouffon. Je m'étonnerais qu'il ait pu passer le Nil à la nage, s'il ne m'avait dit ce matin qu'il l'a passé en bateau. Je m'étonne, bien plus encore, d'avoir poussé l'aberration jusqu'à songer à l'appuyer au cas où il enlèverait Emawayish et d'avoir écrit en pensant à lui : « Un homme qui l'aime et qu'elle soit susceptible d'aimer... » Il est vrai qu'à ce moment-là, cheveux tondus et barbe bien taillée, Abba Jérôme était en somme présentable, si l'on tient compte de l'auréole dont le parent ses belles manières et sa qualité d'homme de confiance du gouvernement.

Parmi les paysans, je reconnais Qiès Ayyèlé, le frère de Malkam Ayyahou, rencontré chez elle lors de l'Assomption et dont je savais d'ailleurs qu'il appartenait à Gondarotch Maryam. Je reconnais aussi une vieille pour l'avoir aperçue un dimanche chez Emawayish. Tout comme Abba Jérôme, les pauvres gens semblent embêtés d'être mêlés à cette histoire.

Les paysans sont assis de leur côté et règlent un palabre en attendant. Nous sommes assis du nôtre et les regardons palabrer. Le temps est long. Enfin un représentant de l'alaqa vient dire que ce dernier, dès le matin, est parti à Gondar, où il avait rendez-vous avec Griaule (!!!). Aucun des hommes qui, à l'origine, étaient venus eux-mêmes demander à Griaule de s'occuper du remplacement des peintures, n'est là. C'est évidemment un coup monté par l'alaqa Sagga, qui devait s'attendre à un fort pot-de-vin et est furieux de n'avoir encore rien reçu.

Naturellement les paysans déclarent qu'en l'absence de l'alaqa ils ne sauraient permettre qu'on remplace les peintures de l'église bien qu'ils souhaitent vivement cette remise à neuf. Griaule n'insiste pas, car l'embarras de ces gens, placés entre un chef qui peut leur attirer des ennuis et les Européens, qu'ils craignent, est évident. Peintures, échelles, etc. auront donc été amenées inutilement.

Déjeuner sur place et départ ; puis, presque tout de suite, pluie torrentielle. J'ai la malchance de perdre mon porte-mine et la pluie rend infructueuses les recherches consécutives. Je rentre de mauvaise humeur.

Tour avec Griaule jusqu'à un point du camp italien, dit le « belvedere » et proche de l'atelier de Roux. De là, on embrasse tout Gondar. En bas de la colline consulaire, scrutant minutieuse-ment les arbres, Roux se promène, carabine à la main, car depuis quelques jours il s'est pris de passion pour la chasse aux petits oiseaux. Du belvédère, on voit aussi le quartier Qeddous Yohannès, juste au pied de la colline, avec son église et la maison d'Emawayish.

451

Le fils de cette dernière, qui a suivi Roux dans sa chasse, est revenu au camp avec lui, portant les oiseaux abattus. Abba Jérôme, qui se repose des émotions du matin, s'entretient un certain temps avec Tebabou (c'est le nom de ce garçon) à propos d'un livre de magie que le garçon veut vendre. Abba Jérôme me rapporte l'entretien, qui m'apprend enfin l'histoire réelle du premier mari d'Emawayish. Je la reproduis intégralement d'après mes fiches :

Alaqa Haylé Mikaël *(de la paroisse Baata) avait connu Emawayish toute enfant. Étant beaucoup plus âgé qu'elle, il lui donnait du sucre, du miel, etc. Malkam Ayyahou ne tenant pas à ce mariage, Haylé Mikaël enleva Emawayish et l'installa chez lui. Malkam Ayyahou ne s'opposa plus à l'union. Tebabou naquit.*

Haylé Mikaël, ne voulant pas qu'Emawayish continuât à aller chez sa mère (alors à son apogée), récita des formules magiques sur une chatte, pour rendre celle-ci folle. Il avait apporté la chatte chez lui, attachée : celle-ci, devant la mère et l'enfant, se mit à sauter, crier, gratter partout, déchirer tout. Emawayish, très effrayée, demanda à Haylé Mikaël pourquoi il faisait cela. Haylé Mikaël répondit : « Si tu ne restes pas tranquille, je ferai la même chose pour toi. » Emawayish raconta cela à sa mère, qui demanda le divorce et l'obtint selon la loi.

Haylé Mikaël était parti jeune dans la région du Yedjou (entre le Wollo et le Tigré), où se pratique la « chasse aux chankalla », sorte de joute où deux partis combattent, des deux côtés d'une rivière. Armé d'un bouclier, d'un sabre, d'une lance, d'un couteau, Haylé Mikaël suivit (à contrecœur, parce qu'il ne se sentait pas en train ce jour-là) ses amis qui partaient à la chasse à l'homme. Il fut chargé par un adversaire, dont la lance tomba juste devant ses pieds. Haylé Mikaël ramassa cette lance et la lança contre l'adversaire, qu'il blessa mortellement au cou. Le mort était un grand awolya. Deux de ses zar, Shifara et Abba Qend, et d'autres zar passèrent sur Haylé Mikaël. C'est lorsqu'il évira sa victime que, devant le sang, il fut pris par ces zar. Il fit le gourri et ses compagnons durent le ligoter avec des lanières faites en déchirant ses habits. On le reconduisit au village où, durant un an, un awolya tenta de le guérir en le maintenant constamment dans l'obscurité. La cure ne réussit pas. Haylé Mikaël garda les doigts des mains repliés et paralysés et

resta fou par intermittence. Toutefois amélioré, il retourna à
Gondar et s'y maria avec Emawayish, en qualité de diacre.

Actuellement, il est à Attiégtcha, pauvre et demi-fou. Mécontent
de sa situation matérielle, le zar Shifara, sans le quitter tout à fait,
est allé posséder une jolie femme d'Addis Ababa.

Allant à Attiégtcha, Haylé Mikaël avait emmené son fils
Tebabou et lui avait légué sa « Couronne des Rois » ainsi que
d'autres livres de magie. Raison de ce départ : un autre dabtara
avait maléficié une femme pour la faire péter ; Haylé Mikaël ayant
guéri cette femme, l'autre dabtara avait menacé de le tuer.

Il vit à Attiégtcha chez un vieillard centenaire. Il continue à écrire
des amulettes et à soigner.

6 septembre.

Information avec Tebabou. Il m'apporte des détails intéressants quant à sa grand'mère et à sa mère. Lorsque le roi Walda Giorgis entra à Gondar, il y eut combat et des coups de feu furent échangés dans les ruines des châteaux. Couvert de sang, un homme tomba mort à côté de Malkam Ayyahou ; effrayée, elle fit le *gourri* et récita le *foukkara* auprès du mort. Elle était possédée par les zar *Abba Yosèf* et *Abba Lisana Worq.*

Emawayish elle-même a été frappée des zar, par la volonté de sa mère, au moment de son premier divorce ; sa mère voulait qu'elle se séparât, mais elle avait refusé, alléguant qu'elle était enceinte et d'autre part mariée religieusement. C'est pourquoi les esprits qui possédaient sa mère l'avaient punie.

Tebabou me dit aussi que sa mère est *shotalay,* c'est-à-dire incapable d'avoir normalement des enfants, vouée à la stérilité, à l'avortement ou à la mort en bas âge de ses produits. Avant Tebabou, elle mit au monde un fils qui, au lieu d'avoir comme tout le monde un centre unique de spirale de cheveux à l'occiput, en avait sept dispersés sur la tête et, en conséquence, ne vécut pas. De Tebabou lui-même, elle accoucha difficilement ; le mari dabtara étant allé jusqu'à la colline de Qwosqwam chercher une plante médicinale pour faciliter l'accouchement, il fut menacé par un démon qui le poursuivit jusque chez lui. Avant la naissance il avait rêvé que l'enfant porterait au côté une marque blanche et en effet Tebabou a eu cette marque jusqu'à l'âge de 7 ans. Le petit

Guiétatcho (celui qui est malade actuellement) semble être venu à peu près normalement. Mais, peu de temps avant notre arrivée à Gondar, elle a eu un nouvel avortement. Son mari le pharmacien du consulat — dont elle n'était pas encore séparée — ayant refusé obstinément de faire à *Abba Moras Worqié*, le principal des zar qui la possèdent, les sacrifices que ce dernier réclamait, *Abba Moras*, furieux de ne pas avoir de sang, a fait tomber l'enfant.

Quelques détails sur *Abba Moras* : il veut en sacrifice un bouc ou un bélier, de couleur blanc et feu ; après le sacrifice, en y trempant le bout du doigt, Emawayish goûte le sang et, si *Abba Moras* a très soif, en boit tout chaud dans une petite tasse. Puis, sur le sang répandu, on jette de l'encens, du café, de l'eau miellée et de la bière ; tous se retirent et *Abba Moras* boit le mélange invisiblement. La graisse du péritoine forme une espèce de voile qu'Emawayish se met alors autour de la tête. La peau bien préparée lui servira pour s'asseoir, mais elle devra la suspendre quand elle aura ses règles, car *Abba Moras* n'aime pas ce genre de sang.

Tandis que Tebabou me raconte cela et d'autres choses encore, une idée (que j'ai déjà caressée vaguement) prend corps en moi : offrir une bête en sacrifice à Emawayish et participer à la cérémonie. Tebabou disant que la prochaine Saint-Jean nécessite justement un tel sacrifice, je le charge d'annoncer à sa mère que la mission lui offre une chèvre et que j'irai la voir cet après-midi pour parler de cela en même temps que pour prendre des nouvelles de l'enfant.

Vers 3 heures je me rends, accompagné de mon fidèle Abba Jérôme, chez Emawayish. La première chose que je vois, accrochée au mur, est une belle peau de chèvre de couleur blanc et feu. Emawayish la présentant comme la propriété d'*Abba Moras* et étant d'autre part assise à même la banquette de boue séchée, j'en conclus qu'elle a ses règles. Je m'inquiète de l'enfant, qui est très chaud et dont elle semble effectivement soucieuse. Je l'engage à le faire soigner soit à l'infirmerie du consulat, soit par Larget, à la mission. Mais j'ai, dès l'origine, la certitude qu'elle ne suivra pas ce conseil. Ensuite j'aborde la question *Abba Moras*. Immédiatement éclairée dès que je lui parle de son zar, Emawayish me fait voir la peau, pour que je puisse choisir exactement la couleur qui convient. Elle préfère un mouton à une chèvre, car dans le cas d'une chèvre elle serait, pour des raisons, je crois, rituelles, obligée de la manger seule, alors qu'elle pourra partager le mouton avec sa mère et les autres assistants. Il est convenu que dimanche au point du jour nous viendrons chez elle apportant le mouton, qui sera égorgé au lever du soleil et que tous nous consommerons. Commande et rendez-vous bien enregistrés, je parle d'autre chose.

Sans faire de difficultés, Emawayish parle de l'avortement, et même de son propre avortement. Avant de la faire avorter, *Abba Moras* a déclaré : « Vous qui m'avez refusé mon sang, vous ne serez pas contents ! L'enfant qui a été conçu, j'en ferai mon *maqwadasha* (offrande sacrificielle) ! » Ayant dit, il a fait avorter Emawayish, a bu invisiblement le sang de la mère et consommé la chair de l'enfant. Sur une question précise de ma part, Emawayish déclare qu'en pareil cas la femme ne goûte ni à son propre sang ni à la chair de l'enfant ; c'est le zar qui consomme invisiblement. Durant un certain temps, le zar laisse la femme en paix, car l'avortement a remplacé le sacrifice.

Nous parlons assez longuement de cela ainsi que de la question des règles. Puis, comme il se fait tard, qu'Emawayish a parlé beaucoup et qu'elle est invitée à boire le café chez une voisine, nous prenons congé. Au dernier moment, comme je prends confirmation de la commande du mouton, elle repousse à lundi la date du sacrifice, alléguant que dimanche est le jour même de la Saint-Jean et que le lendemain sera certainement plus propice. Je m'incline mais ne puis me défendre d'appréhender vaguement une supercherie. Le véritable sacrifice n'aurait-il pas lieu, sans moi, dimanche ? Et le sacrifice de lundi ne serait-il qu'un sacrifice de seconde main ? J'offre en tout cas à Emawayish d'égorger moi-même le mouton, au cas où il n'y aurait personne pour remplir cet office. Mais elle répond que Tebabou s'en chargera. Donc, je n'insiste pas.

Rentré au camp, je reprends un peu contact avec les nouvelles : ce matin Roux a porté au téléphone le message de plainte à l'Empereur contre l'alaqa Sagga. Un nouveau projet a été formé pour remplacer l'itinéraire Dabra-Tabor : gagner Addis par le Godjam, en nous faisant protéger, durant la traversée du Taqousa, par le vrai maître de cette région : le bandit Chouggou-tié.

7 septembre

Je ne verrai pas Emawayish goûter le sang ni coiffer le péritoine du mouton égorgé. J'apprends qu'il y a deux sortes de sacrifices : le *maqwadasha*, sacrifice majeur réclamé par le zar lui-même et qui, en principe, n'a lieu qu'annuellement (à la Saint-Michel de Hodar) ; le *djebata*, sacrifice mineur ayant lieu pour les fêtes moins importantes, ou offrande que font bénévolement des parents, des amis ou des personnes pieuses comme moi. Le sacrifice de lundi matin sera donc un vulgaire *djebata*, à rituel beaucoup plus simple que pour le *maqwadasha*, et la séance aura plutôt le caractère d'un repas de famille que d'une cérémonie religieuse ou magique.

Je ne verrai pas Emawayish trôner dangereusement en déesse de la maison (gardée à vue, car durant toute cette journée elle risque d'être tuée par un *ganyèn* attiré par le sang), mais je l'entendrai sans doute réciter des poèmes, et c'est déjà beaucoup.

Visite à Malkam Ayyahou, chez qui c'est grand branle-bas : on prépare le repas qui doit être offert aux prêtres de Qeddous Yohannès le matin de la Saint-Jean et on nettoie la maison pour la réunion de zar de la veille au soir. Malkam Ayyahou elle-même a la tête découverte et les pieds boueux, car *Abba Qwosqwos* est en train de refaire les banquettes de boue séchée de la case hôpital.

Le chef de l'église Saint-Jean se trouve là, sans doute pour collaborer aux préparatifs de son repas. Il se montre d'abord très fermé à nos questions et d'une orthodoxie rigoureuse, puis voyant que nous connaissons les choses de l'*awolya* se déboutonne et donne pas mal de renseignements, notamment en ce qui concerne les zar européens, dont l'offrande distinctive — ou *maqwadasha* — est l'absinthe, le signe vestimentaire caractéristique le chapeau mou et l'activité essentielle le travail de fabricants d'armes ou d'architectes.

Peu après le départ de cet homme (dont Malkam Ayyahou nous apprend qu'il a été pendant deux ans malade et possédé), une femme éplorée se présente. Elle est la belle-sœur du balambaras Gassasa, que j'ai rencontré à Métamma et qui habite Gondar. La femme du balambaras, récemment accouchée, vient d'être prise par le zar ; il faudrait que Malkam Ayyahou vienne tout de suite

456

en consultation. Mais Malkam Ayyahou accueille la demandeuse aussi mal que possible et refuse la cartouche que cette dernière lui tend comme premier paiement. Elle consent toutefois à faire brûler une portion de l'encens qu'a apporté la femme, lui rendant l'autre portion après l'avoir fumigée en récitant une oraison. Le fragment d'encens ainsi restitué devra être brûlé chez la malade.

La consultante partie, Malkam Ayyahou nous expose les griefs qu'elle a contre elle. Elle déclare tout d'abord que « ce n'est pas une heure pour visiter un grand *awolya* comme elle », que le zar qui a frappé la femme sera fâché et celle-ci encore plus malade. De plus la consultante, au lieu de l'appeler « *Abbatié* » (Mon Père) ainsi qu'il sied quand on s'adresse à *Abba Yosèf,* lui a parlé au féminin. Elle ajoute qu'il n'y a rien d'étonnant à ce que la femme du balambaras soit malade, vu que, quand elle et son mari sont arrivés d'Addis Ababa, ils ont négligé d'offrir un sacrifice au génie protecteur de Gondar. En outre le balambaras n'a pas même enlevé son chapeau quand il a croisé *Abba Yosèf.*

De la part de Griaule, j'offre à ma vieille amie un cadeau de 5 thalers pour l'aider à préparer sa fête. Elle l'accepte avec joie. Il est convenu que nous viendrons samedi au coucher du soleil pour assister à la *wadadja.*

8 septembre.

Enquête avec Tebabou. Malkam Ayyahou m'a raconté hier comment, pour qu'Emawayish puisse le mettre au monde, il avait fallu sacrifier un chevreau noir. Malkam Ayyahou pense qu'elle tient son mal de *shotalay* de son premier mari le dabtara. Car ce dernier lui-même avait le *shotalay* : d'une femme précédente, il avait eu neuf enfants, tous morts de suite ; un premier enfant qu'il avait eu d'Emawayish est mort âgé de 3 semaines, simplement parce que, un jour qu'il était découvert, il l'avait regardé. Pour guérir Emawayish de son *shotalay* un nouveau sacrifice de chevreau sera sans doute nécessaire.

Tebabou me donne des nouvelles de son jeune demi-frère qui, finalement, semble n'avoir qu'un sérieux mal de gorge. Emawayish l'a amené à l'infirmerie du consulat et il semble qu'elle soit décidée à le soigner rationnellement. J'irai demain chez elle sous couleur de prendre des nouvelles.

457

Le *shotalay* de la pauvre fille n'est vraisemblablement qu'une solide syphilis que son premier mari a dû lui refiler.

9 septembre.

Tebabou m'apporte, terminé, le carnet de chansons qui devait être complété. A vrai dire, il n'y a pas grand'chose de sa mère : une formule de salutation écrite de sa main en première page, un poème liminaire de louanges, qu'elle a dicté, quelques autres poèmes et c'est tout. Le recueil presque entier est de Tebabou. Cela n'a du reste pas grande importance ; l'essentiel est d'avoir un recueil de chansons. A Tebabou, je donne un pull-over de laine ; pour sa mère, je remets une enveloppe à matelas dont je ne me suis jamais servi et qu'elle n'aura qu'à bourrer avec n'importe quoi pour pouvoir y sommeiller ou jouir tout à son aise. L'enveloppe porte une étiquette de toile avec mon nom, ce qui ne laisse pas que de m'amuser...

Tebabou m'annonce, de la part de sa mère, que celle-ci ne pourra me recevoir cet après-midi, devant aller chez la grand'mère afin que cette dernière fasse boire la tisane de *tchat* au petit enfant malade et le guérisse grâce à cette décoction de la plante sacrée des awolya. J'aime qu'Emawayish ne s'en tienne pas aux soins de l'infirmerie du consulat et juge plus sûr de se vouer un peu à tous les saints...

Pour ne pas perdre ma journée, je décide, puisque Emawayish va chez sa mère, d'y aller. Je commande les mulets tout de suite et pars avec Abba Jérôme aussitôt le déjeuner. Mais, dès que nous sommes arrivés, j'ai l'impression d'avoir fait une gaffe. Dans la case hôpital, nous trouvons Malkam Ayyahou et Dinqnèsh travaillant à la réfection des murs et des banquettes. Quant à la case de réception, elle est consignée. Emawayish y est, paraît-il, en train de se faire recoiffer. Assis sur le perron, face à la porte, le petit enfant près de ses genoux, un homme semble en conversation avec quelqu'un de l'intérieur, vraisemblablement Emawayish. S'agit-il d'un parent, d'un prétendant, d'un émissaire du mari pour réconciliation ? Je ne sais. Il me semble reconnaître pourtant un des trois jeunes gens déjà vus lors de la fête de l'Assomption.

Deux petites filles (enfants, je crois, d'une malade) qui nous avaient dit l'autre jour : « Est-ce que vous venez pour nous manger ? » demandent aujourd'hui : « Est-ce que vous venez contre nous ? » Puis elles m'embrassent le genou en m'appelant : « Mon père ».

Afin de ne pas déranger, Abba Jérôme et moi nous retirons et allons faire un tour. Nous traversons la place du marché, descendons un peu et atteignons une table de rocher, d'où l'on domine Addis-Alam, le quartier musulman. Nous restons assis quelque temps là, à deviser, puis revenons, faisons encore une petite station sous le grand figuier du marché et rentrons chez Malkam Ayyahou.

Elle nous reçoit dans la case hôpital, où se trouvent Ema wayish, son enfant, une malade, Dinqnèsh, à côté de celle-ci le jeune homme de tout à l'heure, les deux petites filles (toujours à entrer et sortir), ainsi que la « fiancée » de Kasahoun, qui fait le service du café. En entrant, nous avons croisé un jeune soldat du gouvernement[1], tenant à la main des menottes. Interrogé, il nous a dit que c'était pour enchaîner un prisonnier.

Sitôt chez Malkam Ayyahou, je ressens une paix merveilleuse. Les adeptes maintenant si familières, Emawayish si placide et si belle, Malkam Ayyahou elle-même, si vivante, à travers toutes ses roueries et méchancetés. Et c'est avant-veille de Saint-Jean : grand échange familial de pardons, de bénédictions, de serrements de mains et d'embrassements réciproques. Emawayish exige, pour que la fête de demain soit bonne, que les deux domestiques d'Abba Jérôme (qui hier voulaient se battre) fassent aujourd'hui la paix. J'insiste de mon côté. Solennellement, et bénis par la vieille, les deux hommes se réconcilient, puis vont acheter chacun une cruche de *talla* pour sceller tous ensemble le pacte d'amitié.

Genou contre genou, je suis assis près de la vieille. Elle me décerne un génie protecteur, un invisible nommé *Kader,* dont les principaux traits sont d'être savant, puissant et pur. Je ne ris aucunement de la comédie...

Pour amuser le petit enfant, Malkam Ayyahou fait sonner devant lui comme un hochet une chaîne de fer, qu'elle a ramassée

---

1. Je saurai plus tard que c'est un des fils du balambaras Gassasa, personnage dont, décidément, nous entendrons parler partout.

sur la banquette où nous sommes assis. Comme si c'était une habitude (n'est-ce pas elle que Roux avait si fort effrayée avec un *alanga* et qu'il avait encore menacée en plaisantant l'autre dimanche ?) il est encore une fois question de fouetter Dinqnèsh. Aujourd'hui c'est le parent ou prétendant qui, voyant mon *alanga* en peau d'hippopotame garni de cuir orange et noir (don du « ministre du commerce »), parle en riant de s'en servir pour lui administrer une rossée. Plus confuse qu'épouvantée, Dinqnèsh se cache... Comme elle n'est pas très bien portante aujourd'hui, elle s'est massé le corps — les mains passées sous la chamma — avec un peu de café sanctifié par Malkam Ayyahou.

Viennent plusieurs visiteuses, puis un jeune homme. Il semble que l'approche de la fête attire beaucoup de monde et qu'en même temps que le côté église de cette maison se développe son côté bordel... Église et bordel, du reste, ne sont-ils pas identiques, en tant qu'endroits où l'homme vient chercher la paix ?

Comme de coutume, nous rentrons un peu avant la nuit. Je reste préoccupé par cette histoire de chaînes et de menottes. Je me demande s'il n'y a pas une relation entre elles et deux des zar d'Emawayish, celui qui s'appelle *Sanselèt* (« chaînes de mains ») et celui qui s'appelle *Eguer Berèt* (« chaînes de pieds ») ?

10 septembre.

C'est aujourd'hui marché. L'interprète Wadadjé doit m'acheter le mouton blanc et feu, le café et l'encens nécessaires au sacrifice que je compte offrir à *Abba Moras* après-demain matin. J'ai convoqué Tebabou de bonne heure, afin qu'il accompagne Wadadjé et choisisse un mouton de robe correspondant exactement à ce qui convient pour sa mère. Or il est déjà tard, et Tebabou ne vient pas... Qu'a-t-il pu se passer ? Nouvelle histoire de famille ou bien mécontentement à cause du remplacement de la couverture promise par une enveloppe à matelas ? Cette dernière supposition me met dans une olympienne fureur, car j'ai fait ainsi un cadeau beaucoup plus beau que si j'avais donné une couverture de traite. J'annonce à Abba Jérôme que, si Emawayish ne m'a pas fait remercier dans la journée, *Abba Moras* n'aura qu'à bien se tenir à la réunion de ce soir... Heureusement, Tebabou arrive. Il n'a pu venir plus tôt car, comme c'est demain

Saint-Jean, il est allé laver. Sa mère me remercie, me souhaite longue vie ; quant à lui, il ira rejoindre Wadadjé au marché. Mais ce qui me met dans une exquise humeur, c'est qu'il me confirme la supposition faite hier et, comme je l'interroge sur les chaînes, me répond qu'en effet les génies qui ont pour mission d'enchaîner les zar violents sont *Sanselèt* et *Eguer Berèt*, les deux zar de sa mère, et qu'en conséquence il croit bien que la chaîne qu'on faisait tinter devant l'enfant appartient à cette dernière [1].

Après déjeuner, j'envoie Abba Jérôme faire la sieste et me prépare, de mon côté, à faire mon courrier. Il s'agit d'être frais pour la séance de ce soir.

. . . .

11 septembre.

Rentrant ce matin de Gondar, tout poussiéreux des danses de la nuit, j'ai à peine passé le torrent que j'aperçois un nombreux cortège qui descend la colline du consulat. C'est le Consul qui se rend à l'église en grande pompe, en l'honneur de la Saint-Jean. Je le croise juste au pied de la colline et, un peu plus haut, je rencontre Griaule, qui va de son côté à la cérémonie. Comme il me demande de l'accompagner, je tourne bride au lieu de remonter au camp. Les prêtres de Qeddous Yohannès se doutent-ils du sacrilège que je vais commettre en baisant la croix sans même m'être lavé, après une nuit aussi impie ? Mais n'y a-t-il pas, parmi les ecclésiastiques chamarrés, un homme qui a été possédé pendant trois ans, le chef de l'église lui-même, que je connais pour l'avoir rencontré chez Malkam Ayyahou, où il vient encore de temps en temps prendre le *tchat* et le café ? N'y a-t-il pas, parmi les servants, tenant une ombrelle rouge et vêtu d'une livrée à broderies d'or, mon informateur Tebabou qui, avec les fonctions de sacrificateur pour sa mère, cumule celles de diacre, car il a reçu les ordres à Dabra-Tabor ? Et Malkam Ayyahou elle-même ne

---

1. Cette déclaration ne m'a été confirmée par aucun autre informateur. Interrogée ultérieurement, Emawayish elle-même nie qu'il y ait quelque rapport entre ces chaînes matérielles et les zar *Sanselèt* et *Eguer Berèt*.

viendra-t-elle pas cet après-midi offrir un grand repas aux prêtres, après avoir baisé la croix ?

Quand tous les prêtres, à la fin de la cérémonie, chantent en dansant sur place et agitant leurs sistres, tandis qu'on frappe le gros tambour, je comprends toute la réalité de l'exorcisme... Les gens qui sont là connaissent très bien le diable : plus que n'importe qui ils se trouvent menacés.

. . . .

Hier soir, ç'a été le sabbat. Pourtant sans volonté de satanisme. Je n'ai pas relevé un signe d'impiété pour l'impiété. Même quand des femmes enlèvent leur *mateb*, sous prétexte de mieux danser, il n'y a pas là, je crois, d'intention sacrilège ; simplement reconnaissance implicite de l'incompatibilité qu'il y a entre leurs principes religieux et leur désir de transe [1]. Même quand Malkam Ayyahhou, au cours d'un *foukkara*, déclare, parlant au nom d'un de ses zar :

« *Profanateur du temple !*
Châtreur de taureau ! »

il s'agit avant tout de montrer sa puissance.

Les plus démoniaques parmi les adeptes, toutefois, seraient peut-être celle dont le nom de zar est *Dèm Temmagn* (« J'ai soif de sang »), petite femme maigre et borgne, assez jolie malgré son œil en moins et son allure de chipie (durant presque toute la nuit, parée de la crinière de lion de Malkam Ayyahou, c'est elle qui a battu le tambour et dirigé le chant) ; — une autre aussi, grosse commère ignoble, possédée par un zar tigréen dont j'ignore le nom ; quand elle danse, elle fait sauter sa croupe et ses seins ; à un moment donné de la nuit, même, elle se met à faire le pitre, prend la guitare de l'un des musiciens et l'imite, soutenue au tambour par *Dèm Temmagn* qui, de même que toute l'assemblée, rit beaucoup de la plaisanterie. Je parle de sabbat, parce que c'est à

---

1. J'ai su depuis que les femmes effectuaient ce geste lorsqu'elles étaient possédées par un zar musulman. Il y entre donc tout de même une part d'apostasie.

cela que font songer en premier lieu les apparences, mais ce n'est pas de cela qu'il s'agit, à moins qu'on n'admette que toute réunion de secte rassemblant des gens qui appartiennent à la foi officielle mais se regroupent en dehors de celle-ci sur d'autres bases mystiques soit une réunion de satanistes et de sorciers.

Je reprends les faits, d'après les notes que j'ai écrites sur place.

18 h 30 : Abba Jérôme, Lutten et moi arrivons. Il est un peu trop tôt et personne n'est prêt pour la séance. Nous sommes salués à l'entrée par cinq musiciens mercenaires qui chantent nos louanges. De la case à gauche de l'entrée, Dinqnèsh sort en gémissant, soutenue par une compagne ; encore une fois, elle est malade.

Vers 7 heures nous nous installons dans la case hôpital.

. . . .

14 septembre.

Pas pu tenir au courant ce journal depuis les trois derniers jours. Trop occupé, trop vu de choses.

J'ai bien failli être privé du sacrifice à *Abba Moras Worqié,* un drame de famille (enlèvement d'une fille, suivi d'une bagarre, ou menace de bagarre) étant survenu dimanche chez Emawayish, à Qeddous Yohannès, son quartier. Mais malgré le trouble causé par l'affaire, le sacrifice a eu lieu lundi matin comme convenu. J'ai vu Emawayish en transe faire le tournoiement de tête et le battement du buste en pendule qui constituent le *gourri.* Je l'ai entendue, d'une voix plus grave que sa voix habituelle, déclamer le thème de guerre d'*Abba Moras Worqié,* entremêlé de rugissements. Je l'aie vue boire le sang. Je l'ai même vue assise, coiffée du péritoine et l'intestin roulé autour du front puis passant depuis le milieu des sourcils jusqu'à la nuque, en crête, — voile délicat et cimier orgueilleux miroitant dans la pénombre, avec un éclat un peu bleuté rappelant la couleur de ses gencives, teintées à l'abyssine au-dessus des dents couleur de lait. Et jamais je n'avais senti à quel point je suis religieux ; mais d'une religion où il est nécessaire qu'on me fasse voir le dieu...

10-9-32.

… Vers 7 h 1/4, début des danses.

Les adeptes échangent des effusions entre elles.

Un homme entre, le visage défait, et portant sa femme malade (genou enflé) sur le dos. Ils s'installent dans un coin.

Le portier zar Aggado Berrou (femme grasse avec un œil vitreux) demande à Abba Jérôme, qui est sorti et veut rentrer, de fournir un garant. Il indique pour garant Berhanié, *nom que lui a donné la patronne.*

Fumigation à Dinqnèsh, malade et le visage couvert. Toutes chantent autour d'elle, assises et battant des mains. Prières : shashi amel maloshi lemamma bé sha.

7 h 50 : transe de Malkam Ayyahou, devant qui on tend des voiles. Derrière cet écran, toutes les adeptes viennent tour à tour formuler leurs doléances. Dinqnèsh se confesse. Bénédictions à tous. Un par un, nous sommes appelés derrière l'écran, d'ailleurs bientôt supprimé.

Des coups de feu sont salués par des youyous.

8 h 15 : on engage plusieurs adeptes à enlever leur mateb *pour plus commodément danser.*

8 h 30 : chant arabe. Malkam Ayyahou fait asseoir d'un coup de fouet une femme qui continue à danser malgré le chant.

Dinqnèsh sort de l'alcôve, où la femme de Kasahoun se tenait à côté d'elle, la main posée sur son cœur.

De temps à autre, Malkam Ayyahou remet un bouqdadié *(bandeau de couleur) à une adepte, qui s'en ceint le front.*

8 h 45 : conclave magique : il semble que toutes les adeptes cherchent à entourer du plus près possible Malkam Ayyahou, se tassant les unes contre les autres.

Chant : « Mahomet l'awolya ».

9 h 10 : Malkam Ayyahou passe sa crinière de lion à Dèm Temmagn, *se couvre la tête et le visage, puis devient* Abba Boullié, *« wouriéza » (page) du grand zar* Wassan Galla.

10 heures environ : *la femme de Qiès Ayyèlé, le frère prêtre de Malkam Ayyahou, vient dire discrètement à cette dernière qu'il serait temps que la petite esclave noire* Chankit *se manifeste pour donner à dîner.*

10 h 25 : *Malkam Ayyahou se couvre la tête et le visage. Ses adeptes l'aident à se mettre en transe en battant des mains. Vient* Chankit. *Vers la fin de la transe, quand arrive le* foukkara *en règle qui permet d'identifier le zar, youyous des partenaires.*

(Collation seuls, dans la case d'habitation, puis retour à la case hôpital.)

La femme qui était entrée portée sur le dos de son mari est exhortée à révéler le nom du zar qui l'a frappée. Lui tenant une main dans ses deux mains, Malkam Ayyahou parle au zar et lui demande de se révéler. Par la mort de plusieurs de ses zar, Malkam Ayyahou conjure l'esprit de lui donner « un signe ».

Reprise des chants et battements de mains, qui s'étaient interrompus. La femme s'affale le visage près du tambour, tenu par Dèm Temmagn *qui depuis que Malkam Ayyahou lui a remis la crinière de lion semble diriger les opérations.*

Chant : « Le tchat *est à vous. »*

Minuit 10 : *transe de* Dèm Temmagn. *Balancement violent du buste en pendule d'avant en arrière, alternant avec les tournoiements ; manifestation de* Djemberié, *achkar d'*Abba Moras. *Après être restée longtemps assise, la borgne se lève, danse, puis reçoit les salutations. Malkam Ayyahou décrète que, comme* Dèm Temmagn *est fatigué, il lui faut un* maqwadasha. *A minuit 20, on interrompt la séance pour distribuer du raki (maqwadasha de* Djemberié *et* Dèm Temmagn).

Danse d'une jeune adepte, dont le nom de zar est Adal Gwobena.

Chants des musiciens.

Premier service de café. Avant, chant : Qoha molla (*« Le café est achevé »*). *Après, chant :* Nébiya nébiyé (*« Prophète, ô mon prophète ! »*).

Souhaits pour l'année nouvelle.

Chant : Salamalékoum nébiyé, *avec un couplet à chaque zar.*

Transe de Dinqnèsh.

465

Chant : « L'awolya est miséricordieux. »
Chansons diverses.
La femme au genou enflé s'égaye un peu, cause avec les autres
femmes, accompagne les chansons en battant des mains.
Transe de Malkam Ayyahou, pour Sheikh Ambaso. *Dinqnèsh*
et Dèm Temmagn *s'opposent à ce que j'allume la lampe électrique*
pour prendre plus commodément des notes.
Danse pour le zar Bachay Zaodié.
Deuxième service de café (1 h 50).

2 h 20 : *foukkara de* Dèm Temmagn.

2 h 45 : *troisième service de café, dit* baraket *(= bénédiction).*

3 heures : *Dinqnèsh est fumigée par une grosse femme, qui a fait*
des gourri très violents et est possédée par un zar tigréen. Elle reste
accroupie entre ses genoux.
Chanson chantée par Dèm Temmagn, *la belle-sœur de Malkam*
Ayyahou improvisant des paroles (louanges à Emawayish absente)
et les lui dictant. Puis une femme dicte de même une chanson à l'un
des musiciens. A son tour, Dèm Temmagn *dicte, obligeant le*
musicien (qui, volontairement ou non, répète inexactement) à
répéter avec exactitude des louanges à Malkam Ayyahou.
Conversation en langue de zar, dont Abba Jérôme *ne saisit que*
des bribes. Les femmes s'adressent à nous en nous parlant au
féminin.
Danse de Dinqnèsh et du gros zar tigréen. A la fin de la danse,
Dinqnèsh s'assied à terre, l'autre la tenant par la main. La
tigréenne lui tire sur chaque bras alternativement, comme pour la
relever, lui secoue la tête de gauche à droite et de droite à gauche en
la prenant par le menton, lui masse le dos, puis se cogne front à
front avec elle (Dinqnèsh restant passive). Malkam Ayyahou fait
alors de la morale à Dinqnèsh, qui parle mal des gens et est une
débauchée. C'est Abba Qwosqwos *qui sermonne. Il exige de*
Dinqnèsh, comme garantie, cinquante coups de fouet.

3 h 45 : *le gros zar tigréen s'adonne délibérément au burlesque.*
Il s'empare d'une guitare et singe l'un des musiciens. Chansons et
danses profanes. Grand relâchement. Tout le monde rit et s'amuse.

A 4 h 50, la femme au genou gonflé entre en transe, mais elle ne révèle toujours pas son nom de zar. Sa transe finie, elle échange congratulations et baisemains avec tous les assistants.

J'apprends qu'une fillette — qui ne dit rien et se tient près de Malkam Ayyahou — est possédée par le zar Abba Lafa.

A 6 h 1/2, départ.

. . . .

12-9-32 (*sacrifice à* Abba Moras Worqié).

9 heures environ : Abba Jérôme (*portant le café*), Tebabou (*portant le mouton mi-blanc mi-roux sur ses épaules*) et moi (*portant l'encens*) arrivons chez Emawayish. Je me suis habillé avec une certaine recherche, comme s'il s'agissait de me marier.

Emawayish est avec sa mère et la belle-sœur de celle-ci. Il y a de plus un frère de Malkam Ayyahou, cultivateur, homme très grand et très fort, qui est venu pour la palabre familiale consécutive à l'enlèvement de la veille.

9 h 15 : combustion d'encens par Malkam Ayyahou et présentation du donateur. Je me tiens debout. Abba Jérôme, debout également, est à ma gauche; il me tient la main gauche.

Le frère de Malkam Ayyahou se retire.

Grillage du café, sur une plaque de fer, que Dinguètié, la jeune esclave d'Emawayish, présente un instant à cette dernière, pour la fumiger, tandis que Malkam Ayyahou récite une oraison.

9 h 1/2 : nouveau grillage du café (sur le foyer près du poteau central, comme d'habitude), sans prière. Tout le monde (Malkam Ayyahou, sa fille, sa belle-sœur, son petit-fils, Abba Jérôme, moi-même) les deux mains ouvertes en coupe et remuant légèrement les doigts pour attirer la chance.

Tebabou, qui doit aller couper de l'herbe fraîche pour en joncher le sol, commence par refuser, prétextant que, comme c'est fête de Saint-Jean, il risque, allant couper les herbes au bord de la rivière, d'être pris par le zar.

467

La belle-sœur voudrait reculer le sacrifice, de crainte que, vu le trouble familial, Abba Moras *ne descende pas.*

Malkam Ayyahou (actuellement le zar Merkeb*) déclare qu'*Abba Moras *viendra, même s'il ne fait pas le* gourri.

Tous les visiteurs qui se présentent sont successivement éconduits par Malkam Ayyahou.

Tebabou revient avec l'herbe fraîche, que Malkam Ayyahou répand sur le sol en priant. Abba Jérôme et moi — qui sommes installés sur la banquette de droite en entrant — nous nous asseyons en tailleur. Portant des souliers noirs, Abba Jérôme est tenu de les enlever. Ayant quant à moi des bottes crème, je ne suis pas obligé de me déchausser.

Le mouton est resté dans la case, couché juste devant le lit. Étant mi-blanc mi-feu, il est entendu qu'il sera non seulement pour Abba Moras *mais pour* Seyfou Tchenguer *(le grand protecteur de la famille) afin que* zar *de la mère et* zar *de la fille ne soient pas jaloux.*

L'esclave étant sortie pour aller chercher du bois, Emawayish s'assied à sa place, devant le foyer et appuyée contre le poteau central. Elle surveille la cuisson des grains de shoumbra *qui doivent être servis immédiatement avant le premier café.*

Tebabou, dès le début, a enlevé sa chamma. Il n'a gardé que sa culotte et le pull-over sans manches que je lui ai donné. Abba Jérôme et moi changeons de place; Malkam Ayyahou nous fait en effet asseoir sur la banquette située à gauche de la porte en entrant (c'est-à-dire côté cuisine, cette banquette s'adossant à la cloison qui sépare la case approximativement en deux : à gauche, cuisine; à droite, pièce d'habitation). Malkam Ayyahou vient elle-même s'installer sur la banquette de droite (celle qui s'adosse au mur extérieur).

Malkam Ayyahou fait le foukkara *de* Merkeb.

9 h 55 : *Tebabou affûte son couteau sur une pierre, près du foyer.*

Un visiteur, arrivé à quelques pas de la porte, n'a pas insisté, apercevant le sol jonché d'herbe fraîche et devinant sans doute que quelque chose va se passer.

Emawayish, son plus jeune fils sur les genoux, est assise à gauche de sa mère.

Combustion d'encens dans un tesson de poterie contenant des braises (comme d'habitude).

Invocation de Malkam Ayyahou : « Arrive ! »

Tebabou fait lever le mouton, qui était toujours près de l'alcôve (située face à la porte).

On envoie chercher une femme qui gardera l'enfant.

Le mouton mange des bouquets de fleurs apportés pour le nouvel an. On le laisse faire.

Tebabou goûte du shoumbra. *Tout le monde en goûte ensuite. Le mouton prend quelques grains dans la main d'Emawayish. Il vient me manger dans la main. Je le laisse faire. Il me mord le pouce. Les grains étant très durs, il éprouve beaucoup de peine à les mâcher.*

Malkam Ayyahou vient s'installer sur la banquette de droite.

10 heures : *reviennent les vieillards de la famille. On leur cède la banquette de droite. Emawayish vient s'asseoir à terre auprès de moi, sur une planche.*

Service général de shoumbra *et de café.*

L'enfant est emporté dans la cuisine.

Pour prendre part à la discussion des affaires de famille, Malkam Ayyahou devient Abbatié Tchenguerié.

Le frère de Malkam Ayyahou prend la parole le premier. Il est un laboureur, dit-il, « ni qagnazmatch, ni fitaorari ». Ses fils seront aussi des laboureurs, « ni qagnazmatch, ni fitaorari ».

Emawayish s'essuie les mains à l'herbe qui jonche le sol.

Discours du frère sur les affaires de famille.

Réponse de Malkam Ayyahou, qui dit entre autres choses : « C'est moi, Tchenguerié, *qui suis le soutien de la famille. » Elle dit aussi qu'elle a fait le* tazkar *(fête commémorative) pour neuf personnes de la famille tuées par les Derviches. Malkam Ayyahou ajoute qu'*Abba Yosèf *a passé la nuit chez Emawayish pour éviter que les affaires en question entraînent mort d'homme. Elle ne semble pas disposée à accepter facilement de faire la paix.*

Les deux vieillards se retirent. On peut alors commencer...

L'esclave Dinguètié apporte deux tessons contenant des braises. Tebabou y jette de l'encens. Il y a un foyer pour chacun des deux zar.

L'esclave est retournée à la cuisine.

Emawayish (son voile sur la tête, mais ne lui cachant pas le visage) reçoit de sa mère une fumigation d'encens. Elle entre immédiatement en transe, assise sur la banquette de droite, du côté de la porte, face au poteau central. Elle se couvre le visage de sa toge et se drape comme un fantôme. Elle commence à faire le gourri, ahanant et rugissant. Le tournoiement de tête alterne avec le balancement pendulaire d'arrière en avant. Enfin, éclate sur ses lèvres le foukkara d'Abba Moras, qu'elle déclame en faisant tourner amplement son buste et rugissant.

Lorsque Malkam Ayyahou décrète que c'est assez, d'un geste brusque elle rejette sa toge de son visage, mais garde la tête couverte.

Tebabou fait lever le mouton et l'amène devant Emawayish, le présentant comme mon offrande. Debout, j'appuie momentanément les mains dessus. Puis Abba Jérôme et moi allons nous rasseoir, sur la banquette de gauche. La belle-sœur s'assied près de nous, tournant le dos pour ne pas voir le sang, et les épaules courbées.

Le mouton est couché par terre par Malkam Ayyahou et Tebabou, à mi-chemin d'Emawayish et du poteau central. Le mouton est orienté la tête vers la porte, et la gorge vers Emawayish parfaitement immobile.

Tebabou coupe le cou transversalement.

Sitôt l'incision faite, la tête de la bête est tournée gorge vers le poteau central et le sang qui gicle recueilli dans un grand bol de bois, puis (à même le jet) dans une petite tasse à café à décor fileté, instruments apportés de la cuisine par l'esclave. Le bol de bois est immédiatement remporté. Malkam Ayyahou tend la petite tasse à Emawayish, qui la reçoit dans sa main droite, la boit debout, puis se rassoit. Tous les assistants viennent alors, individuellement, lui demander sa bénédiction; ils embrassent ses genoux et elle leur impose les mains sur le dos. Je m'incline moi-même; elle baise mes mains, je baise les siennes. Puis Emawayish, toujours assise, tombe prostrée sur la banquette, le buste orienté la tête vers l'alcôve.

Personne ne dit mot. Emawayish a le corps entièrement recouvert de sa chamma, comme si elle dormait. Sitôt mort, le mouton est tiré parallèlement à la banquette de droite, dans la direction de l'alcôve.

Malkam Ayyahou ramasse une poignée d'herbe et essuie le sang qui a coulé à terre, puis va jeter l'herbe dehors.

Elle rentre quelques instants après avec des plantes fraîches et en donne deux ou trois coups sur les reins cambrés d'Emawayish, qui revient à elle, se redresse et se découvre.

Emawayish se lève et va vers la cuisine, où elle se lave la bouche, parce que, dit sa tante, elle aime la viande mais le sang lui fait mal au cœur [1].

Tebabou, qui est resté assis quelques instants sur la banquette de droite, côté alcôve, commence à dépecer.

Pour meubler la conversation, la tante montre une amulette, en fait montrer une par Malkam Ayyahou, puis par Emawayish. Cette dernière, qui s'est lavé la main droite (celle qui a tenu la tasse) ne manie son amulette que de la main gauche. Sa main droite est humide d'eau ; elle n'a pas été essuyée. Je l'aide moi-même à rouler l'amulette pour la rentrer dans son sachet de cuir.

Durant tout le temps qu'elle a été Abba Moras Worqié, *Emawayish a gardé la tête couverte. Elle a repris maintenant l'enfant.*

Malkam Ayyahou a recouvert de plantes fraîches l'endroit du sol où a coulé le sang et ceux où elle a prélevé des poignées d'herbe pour essuyer. Elle déclare qu'elle est Kabbalié, *le domestique zar qui nettoie le sang.*

Tebabou a enlevé la peau du mouton, la fendant longitudinalement. Il continue le dépeçage sur le seuil, aidé par l'esclave mâle.

L'estomac est porté le premier à la cuisine, pour y être préparé. Puis le péritoine est enlevé. Tebabou le roule sur lui-même, puis le déroule et le remet à Malkam Ayyahou. Celle-ci veut le placer directement sur la tête d'Emawayish, assise sur la banquette de droite, côté alcôve et allaitant l'enfant [2].

Emawayish s'oppose à ce que le péritoine lui soit mis directement. Malkam Ayyahou lui noue alors son propre voile, descendant jusqu'aux sourcils, puis le péritoine, noué derrière la nuque comme le voile et recouvrant complètement ce dernier.

On dévide les intestins, sous la direction de Malkam Ayyahou ; on les lave, puis Tebabou les gonfle en soufflant dedans. Malkam Ayyahou engage Tebabou à ne pas souffler trop fort, de manière à

---

1. Personnellement, ce geste m'a fait souffrir comme une espèce de reniement.
2. Je vois encore ses grandes mamelles jaunes de louve.

471

ne pas les crever. Malkam Ayyahou enroule l'intestin grêle gonflé autour du front d'Emawayish, une partie revenant en crête depuis le milieu du front jusqu'à la nuque.

La belle-sœur nous dit : « Si vous aviez vu, quand elle était jeune, comme elle était jolie ainsi ! » Je ne pense pas à des pièces d'anatomie, mais à une tiare de mercure...

J'essaie de dessiner la façon dont l'intestin est noué. Je n'y parviens pas, étant trop troublé et n'ayant, du reste, jamais su dessiner. Me voyant perdre du temps, Emawayish demande à ne pas rester trop longtemps ainsi parée, à cause des voisins qui peuvent survenir. J'acquiesce et Malkam Ayyahou lui enlève la coiffure. Le péritoine est alors collé sur le poteau central, à un peu plus que hauteur de visage, face au mur de droite. Un morceau d'intestin est suspendu à la cloison de bambou située immédiatement à gauche en entrant, dans le prolongement de la cloison de la cuisine.

Un visiteur arrivant, Malkam Ayyahou fait cacher Emawayish dans son alcôve. Emawayish s'accroupit sur son lit, derrière le rideau tiré, face à la porte.

La tasse qui a reçu le sang a été laissée à terre, près du foyer. Elle a été lavée, mais reste tachée de quelques gouttes de sang mêlé d'eau.

Malkam Ayyahou reçoit le visiteur au dehors, un peu devant le seuil. Elle l'éconduit et revient.

La viande a été mise peu à peu en réserve dans l'alcôve, placée dans les grandes corbeilles à nourriture habituelles. Les cuisses sont pendues à part, du côté de la cuisine. Les pieds, coupés un peu audessous des jarrets, ont été mis de côté.

Emawayish reste cachée dans son alcôve. Invisible, elle prépare elle-même son festin d'ogresse : mélange de douze parties de l'animal, qu'elle mangera cru avant de quitter l'alcôve.

Vers midi surviennent deux adeptes : Aggadètch en bandeau de front rouge, et une autre femme nommée Fantay. Toutes deux maigres, dégingandées rappellent ces vieilles filles un peu timbrées, égayeuses de patronages.

Aggadètch commence immédiatement à danser et à faire le gourri. On la calme.

Les deux femmes expliquent qu'elles viennent aux nouvelles, la patronne n'ayant pas reparu à sa maison de Baata depuis hier soir, à cause de l'histoire de famille. La consternation règne là-bas. Les deux adeptes, qui ont faim, reprochent à la patronne de les avoir abandonnées.

Elles sont pardonnées en mon nom. Aussitôt, elles dansent et font le foukkara. *Emawayish les fait s'arrêter, « par la Croix ».*

La tasse restée sur le sol a été enlevée dès le moment où Emawayish a commencé à manger.

Un visiteur arrivant dit à Emawayish qu'elle est devenue « nouvelle épouse », parce que, de derrière le rideau de son alcôve, elle lui a dit qu'elle était en train de manger [1].

Midi 15 : l'enfant, qui était avec Emawayish dans l'alcôve, se met à pleurer. Emawayish descend de l'alcôve pour sortir avec l'enfant. Elle est saluée par des youyous.

Malkam Ayyahou proteste contre l'enfant. « Il n'y a pas un enfant maudit comme celui-ci ! » Elle ajoute que les enfants dérangent les cérémonies.

Malkam Ayyahou expose à ses adeptes l'affaire de la veille au soir.

*Bien qu'*Abba Moras *soit parti, on continue à appeler Emawayish au masculin et on continuera à l'appeler ainsi durant un certain temps.*

Nom de zar de Fantay : Amor Tchelat.

Nom de zar d'Aggadètch : Debbeb.

Malkam Ayyahou (qui prépare les viscères, aidée de l'esclave cultivateur) découpe les poumons, assise sur la banquette de gauche. Elle dit à ses adeptes que les grands zar ne sont pas encore venus. Elle dit qu'il faut achever ici la cérémonie.

Tebabou prend le cœur et le pique au bout d'une baguette.

Il coupe le cœur en deux et observe les deux moitiés. Comme il n'y a pas de sang coagulé, cela signifie qu'il est pur.

Au fur et à mesure que s'accomplit la préparation, les morceaux de viscères préparés sont rentrés dans l'alcôve. Durant tout ce temps, on boit du talla.

---

1. On considère comme une « nouvelle épouse » celle qui vient de se lier au zar par le sacrifice. La coutume veut, d'autre part, que la nouvelle épouse mange cachée.

473

Midi 40 : *Emawayish donne un petit morceau de viande de dessous l'alcôve à l'enfant de l'esclave cultivateur.*

Les adeptes, priées dès leur arrivée de se tenir tranquilles, se tiennent tranquilles.

Emawayish sort maintenant elle-même pour recevoir et congédier les gens.

Deux visiteurs se sont assis, avec qui l'on cause.

Les deux adeptes s'absentent.

Malkam Ayyahou sort, pour régler la palabre familiale. Elle revient à 13 heures, la tête couverte de sa chamma.

Danse de Malkam Ayyahou et Dedjaz Debbeb, *devant le café.*

. . . .

Je remonte au camp, laissant à Abba Jérôme le soin de noter les événements. Je suis heureux de prendre l'air et d'absorber de la métaspirine, car j'ai mal à la tête.

Quelques minutes de conversation avec Roux, à qui je raconte l'affaire du matin : comment — bloqué dans cette pièce avec des gens guettant le moment propice (celui où il n'y aurait pas de voisins), une fille belle et altière, et un animal dont il était décidé qu'il ne sortirait pas vivant — comment j'ai cru participer à un crime crapuleux dans un hôtel garni.

Vers 1 h 1/2, je vais rejoindre Abba Jérôme. Le nombre des visiteurs et des *balazar* (possédés) a considérablement augmenté. Beaucoup de bruit : danses, chants, cris, poussière, transes violentes. Seule Emawayish reste calme. Une fille toute jeune, très grande et brune, à l'air sauvage, veut taper à grands coups de tête sur les trois pierres du foyer ; on tente de la mater ; son zar se révolte, la fait cracher partout. Une sorte d'idiot de village, après sa transe, est couronné par les femmes avec des copeaux qui enveloppaient une bouteille d'eau de Cologne apportée par Abba Jérôme.

La palabre est réglée. Rentrant après avoir négocié la paix, *Abba Qwosqwos,* accompagné de ses adeptes, a dansé une danse victorieuse. Revenu encore une autre fois, le frère cultivateur a dit : « Je suis un cultivateur, moi ! Je ne gagne pas mon pain avec la magie ! »

Vers minuit, nous partirons. De retour au matin, nous constaterons que la foire dure toujours.

Dans l'après-midi de ce deuxième jour, nous allons à la maison de Baata voir Malkam Ayyahou, qui est rentrée chez elle. Nous y restons jusqu'à minuit et assistons au traitement de diverses malades :

la grosse Tigréenne, qui reçoit deux coups de fouet parce qu'elle danse trop frénétiquement ;

la femme d'un des musiciens de l'autre nuit, à qui — comme elle s'avance, remuant et se traînant comme si elle allait faire le *gourri* — Malkam Ayyahou dira qu' « ici ce n'est pas une maison de fous », puis quand elle se sera mise en transe régulièrement et effectuera le mouvement pendulaire du buste : « Frappe au ciel ! » ;

la femme de Kasahoun, qu'on fait entrer en transe d'un seul coup en plaçant le tambour sur son dos et battant ;

la femme du musicien, de nouveau, qui s'est mise à renifler comme une hyène et s'avance à genoux vers le foyer, les phalanges repliées en crochets, faisant mine de chercher à manger des cendres et du feu. Malkam Ayyahou la fait danser, la calme, lui donne un peu de cendre à manger. Elle est prise par le zar *Azaj Douho,* qu'on appelle le « lépreux de la brousse ». Dansant, il sautille en grenouille, accroupi et reniflant ; parlant du nez, il réclame un poulet et se plaint que son « cheval » ait été négligé par le mari ; — etc., etc.

La fillette rencontrée lors de la nuit de la Saint-Jean est là, c'est la nièce de Malkam Ayyahou, qu'elle ne quitte pas. Elle est affligée d'écrouelles.

Je reprends mes comptes rendus de séances, que je viens de remplacer ici par un résumé fait après coup.

. . . .

15 septembre.

(Abba Jérôme et moi sommes depuis l'après-midi chez Malkam Ayyahou, qui revient de Qeddous Yohannès où elle a participé à l'élection d'un intendant pour l'église.

475

Malkam Ayyahou nous a offert un mélange d'hydromel et de tisane de *tchat* dit « hydromel de *tchat* ».

J'ai raconté à Malkam Ayyahou un rêve fait la nuit précédente et qui m'a impressionné : un chacal me monte sur la poitrine et m'empêche de respirer. Selon Malkam Ayyahou, cela signifie que je suis poursuivi par un zar femelle. Le chacal est en effet une des formes sous lesquelles les zar femelles se présentent en rêve. Pour me délivrer de l'obsession, un moyen sûr serait que je sacrifie moi-même ou fasse sacrifier un mouton couleur de l'animal en question.

Une vieille *balazar* aveugle est là, antique pauvresse à laquelle Malkam Ayyahou semble témoigner un grand respect.)

19 h 50 : *installation dans la « maison des* wadadja » *(ainsi Malkam Ayyahou nomme-t-elle la case hôpital).*

Allocution de Malkam Ayyahou, avant de s'installer avec l'aveugle à sa gauche : « Si vous avez de la mauvaise humeur, l'awolya échappe. » Des adeptes — qui s'étaient chicanées et qu'elle vient de réprimander — baisent les pieds de Malkam Ayyahou.

Chant : Allahou masalli.

19 h 55 : *une femme (pas vilaine, mais dégradée et déguenillée) qui habite chez Malkam Ayyahou apporte le tambour. C'est la mère d'une des petites filles qui m'appellent « abbatié » (mon père).*

Chant : Anta oyé.

A gauche de l'entrée : un homme, avec une femme allongée, la tête sur ses genoux.

Pour que la wadadja *soit bonne, dit Malkam Ayyahou, il faut être nombreux et unis. « La beauté de l'homme, c'est l'homme. »*

Une femme claire de peau et une autre femme viennent demander protection. Elles n'ont pas apporté d'offrande. Malkam Ayyahou dit qu'il faudra lui verser 2 thalers, qu'elle restituera en cas de non-guérison. La femme claire de peau s'en va. Malkam Ayyahou dit qu'elle a été frappée parce qu'elle est restée cinq ans sans venir.

Retour de la femme claire de peau avec une plus jeune qu'elle et plus noire, pour laquelle elle venait demander consultation.

20 h 05 : début du chant avec tambour.

Encens. Malkam Ayyahou renvoie le brûle-parfum, la fille noire étant une fille qui ne s'est pas encore déclarée comme zar.

20 h 15 : bâillement rugissant d'Aggadètch (indice que l'esprit vient).

Un homme a fait apporter comme offrande une jarre de talla.

La fille noire est prostrée, la tête sur les genoux d'une compagne.

Nouveaux bâillements d'Aggadètch.

La fille noire est maintenant assise normalement.

Malkam Ayyahou l'insulte : « Fille de péteuse[1] *! »*

Suit une fumigation de myrrhe, avec prière.

Elle lui pose la main gauche sur la tête et la balance légèrement, en mesure. De temps à autre, dans la prière, le Seigneur est invoqué.

Elle balance la malade plus fort. Celle-ci geint et cherche à éviter la fumigation. La main gauche sur son épaule, Malkam Ayyahou la secoue. L'autre s'affale.

Malkam Ayyahou la cravache légèrement en la tirant par un bras. L'autre cherche à se dégager. Malkam Ayyahou lui passe son fouet autour du cou et la secoue ainsi.

Nouvelle fumigation. La fille geint et se renverse sur le dos. Malkam Ayyahou la redresse en la fouettant légèrement (la lanière du fouet mise en boucle et réunie dans la main gauche avec le manche).

Malkam Ayyahou est debout, tirant la fille à genoux par la main gauche, la secouant rythmiquement et la fouettant. Aggadètch bat le tambour.

Malkam Ayyahou donne des coups de pied à la fille (qui est borgne). Elle la tire par les deux bras, jusqu'à ce qu'elle fasse le gourri.

Un instant, Malkam Ayyahou fait elle aussi le gourri.

Elle menace du fouet la fille enfin en transe, pour qui plusieurs adeptes debout battent des mains.

La fille s'allonge à plat ventre par terre. Malkam Ayyahou la relève. La fille refait le gourri, *encouragée spécialement par Aggadètch.*

1. C'est-à-dire « démon » (et non zar).

La fille ne fait plus le gourri, *mais se tortille à genoux et crie.*

Dinqnèsh, debout, entre en transe, fait le tournoiement et le pendule. Malkam Ayyahou fait relever la malade, qui fait le tournoiement avec Dinqnèsh, puis s'affale à nouveau. Malkam Ayyahou la relève en la fouettant et secouant. La fille s'assied mais, presque tout de suite, veut se recoucher.

Encouragée par les battements de mains, la fille refait un peu le tournoiement.

20 h 40 : *Malkam Ayyahou se rassied. La fille reste assise au milieu et tournoie la tête, puis commence un* foukkara, *mais s'interrompt.*

Nouveau gourri, *assez calme.*

Dinqnèsh est debout devant elle.

Malkam Ayyahou commande à la malade de se lever, car son chef (Fitaorari Saberié, zar de Dinqnèsh) est debout.

La fille finit par se lever. Au commandement : « Tourne ! » *elle tournoie.*

Malkam Ayyahou lui secoue le bras en tirant la main et respire en rauquant (ainsi que Dinqnèsh). Mais la fille se recouche.

La femme qui était allongée sur les genoux d'un homme — je la reconnais pour la femme au genou gonflé de la nuit de la Saint-Jean — est transportée par cet homme devant les genoux de l'aveugle.

La fille noire reste assise au milieu, calme. Elle bat des mains avec les autres.

Agitation, pendule et tournoiement de Dinqnèsh. Elle termine en se couchant à terre.

Malkam Ayyahou dit à la fille noire que c'est son tour. Puis, le fouet à la main, elle lui commande de lui baiser les pieds. L'autre se lève et fait le tournoiement, puis se couche à terre.

Malkam Ayyahou lui commande à nouveau de lui baiser les pieds. L'autre obtempère. Malkam Ayyahou lui donne sur les reins quelques coups de fouet, puis lui dit qu'elle la fera danser quand toutes les offrandes seront prêtes. « Ton garant : douze coups de fouet. »

20 h 55 : *chant, tambour et battements de mains pour la femme au genou enflé.*

Fantay ceint un bandeau de front. Aggadètch s'est couvert la tête de sa chamma.

Fumigation d'encens à la nouvelle patiente.

Les yeux de la femme s'étant fermés, Malkam Ayyahou cesse de la fumiger. Elle place sa main gauche sur l'épaule de la patiente.

Le bout des doigts maintenant placé derrière la tête de la malade, Malkam Ayyahou commence à la faire osciller d'arrière en avant, puis lui couvre la tête et le visage avec la chamma.

21 h 15 : *pas encore de signe. La femme se découvre le visage. Malkam Ayyahou le lui recouvre.*

21 h 25 : *gémissement de la malade. Elle se tient le menton dans la main, le coude posant sur le genou. Elle a l'air lointain et amer d'une sibylle.*

Gémissement plus violent. Léger changement de position.

La malade se contorsionne, se renverse, puis appuie son front contre le poteau central, face auquel elle est assise.

En un mouvement très lent de rotation, elle s'écarte, se renverse, puis revient s'appuyer, la tête au poteau central.

Bientôt pendule et tournoiement. Malkam Ayyahou lui recommande de prendre garde à ne pas se heurter la tête au poteau central.

Fin du chant, que remplace un foukkara *de Malkam Ayyahou.*

21 h 30 : *fin de la transe. Malkam Ayyahou prie le zar de ne plus « manger la chair » de la malade.*

Reprise du gourri. Foukkara *de la vieille aveugle, pour encourager.*

Fin du gourri. *Les deux vieilles échangent des baisements de mains.*

Malkam Ayyahou, faisant taire la musique, prie le zar de laisser la malade en paix. Le mari, consulté, promet de faire les offrandes nécessaires.

Bénédiction d'un homme que le zar a frappé.

Sortie de Malkam Ayyahou qui, à son retour, embrasse l'autre vieille.

Essai de mettre en transe la fillette aux écrouelles : Malkam Ayyahou la fait accroupir devant elle et lui couvre la tête de la chamma.

La fillette fait le gourri, *consciencieusement. Elle tournoie la tête, mais ne rugit pas. Sur le commandement :* « Bats en tournant ! » *elle combine le pendule et le tournoiement. Lorsqu'elle a fini, Malkam Ayyahou, comme d'habitude, lui parle, s'adressant à son zar.* « C'est une nouvelle épouse ; elle n'a pas eu le temps de faire du mal ; laisse-la tranquille ! »

23 h 15 : *café. Chants.* « Prophète, ô mon Prophète ! »

23 h 40 : *Fantay rejette tout à coup son* mateb, *après s'être couvert la tête. Elle fait* gourri *et* foukkara, *accompagnée par des battements de mains et des exclamations :* léla !… léla !…
Elle baise le sol devant le plateau à café, puis recommence. Elle baise encore le sol devant le plateau. Elle a été frappée par Abba Lafa, *zar musulman, qui a laissé sur elle son représentant.*
Elle remet son mateb.

23 h 55 : *le troisième café vient d'être pris. La fillette aux écrouelles baise le plateau et se fait donner dans une petite tasse un peu du marc contenu dans la grande tasse. Elle va à Malkam Ayyahou. Celle-ci trempe son index droit dans le marc de café, en oint les écrouelles de la fillette, puis verse le restant de la tasse sur la plaie.*
Une tasse analogue est envoyée à la femme au genou droit gonflé. Elle s'oint le genou de marc.
Prière par Malkam Ayyahou. Elle et l'autre vieille donnent les bénédictions ensemble.
Transe de Malkam Ayyahou. On tend des voiles devant elle.
L'aveugle monte debout sur la banquette, à côté d'elle, et surveille, appuyée sur son haut bâton. L'homme à côté de moi monte lui aussi sur la banquette. Abba Jérôme et moi en faisons autant. Moment très solennel…
Chant : « Prophète, ô mon Prophète ! » *Malkam Ayyahou étant encore couverte.*
Une adepte passe sous les voiles un réchaud, qui remplace en cette occasion les tessons brûle-parfum.
Oraison de Malkam Ayyahou, toujours couverte.
Quand elle se découvre, on fait tomber les voiles. C'est Seyfou Tchenguer.

480

A minuit 15, *départ*.

. . . .

18 septembre.

Depuis le sacrifice à *Abba Moras Worqié,* nous sommes devenus presque de la famille. Avec Malkam Ayyahou et les siens, on ne se quitte autant dire plus. En somme, nous faisons partie de la secte. Nous sommes des affidés.

Abba Jérôme ayant mal à la gorge, Malkam Ayyahou, sa belle-sœur, Emawayish et Fantay sont venues rendre visite hier matin. Malkam Ayyahou a soigné Abba Jérôme en lui tirant sur tous les doigts successivement jusqu'à ce qu'ils craquent, lui massant la gorge, lui embrassant la nuque, puis lui tournant la tête à droite et à gauche en faisant craquer les vertèbres du cou. Pour un rêve que j'ai fait — au cours duquel un chacal me mordait le petit doigt de la main gauche et un chien le poignet droit — elle m'a fait subir un traitement analogue.

Emawayish est toujours belle et douce. Et l'on oublie — regardant son visage — son corps fini de femme qui a déjà subi plusieurs maris, nourri pas mal d'enfants et (je le sais depuis quelques jours) est mère d'une fille qui en est à son deuxième mariage. On ne pense plus à ses manies d'avare, à ses discussions avec sa mère à propos d'eau de Cologne ou de n'importe quelle chose qu'il s'agit de partager ou de ne pas partager, à son accoutumance si puérile aux cadeaux que maintenant elle ne juge même plus utile de remercier...

Ce matin dimanche, Malkam Ayyahou est revenue prendre des nouvelles d'Abba Jérôme, en même temps qu'apporter des citrons et une bouteille d'hydromel au *tchat.* Elle était accompagnée de Dinqnèsh, que le zar poursuit si opiniâtrement que maintenant elle crache le sang. Larget l'a examinée sommairement, lui a donné un flacon de pilules qui ne la guériront pas de sa tuberculose, mais il a engagé la vieille à l'envoyer à l'infirmerie du consulat, où elle pourra suivre au moins un traitement antisyphilitique.

Invités par Emawayish, nous sommes allés chez elle cet après-midi. Il s'agissait de manger le reste du mouton sacrifié lundi dernier. Il y avait là Malkam Ayyahou et Dinqnèsh, pas encore remontées à Gondar, devant se rendre auparavant près de l'église Qeddous Yohannès pour l'élection de l'intendant, opération à propos de laquelle on palabre depuis bientôt huit jours.

Il paraît que Kasahoun (qui ne peut plus dormir depuis je ne sais combien de temps, car tous les soirs ou presque, à la maison de Baata, il y a *wadadja*, — avec sa femme en crise et lui obligé de passer la nuit assis avec le mioche de sa femme dans les bras, car les banquettes où l'on couche habituellement sont occupées par les assistants), il paraît que Kasahoun a voulu enlever sa femme de la maison aujourd'hui. Malkam Ayyahou est intervenue, naturellement, et il y a eu une scène violente. La femme de Kasahoun, émue, en est restée partiellement paralysée. Elle aurait, paraît-il, la tête penchée et le bras replié.

Comme Emawayish, mère attentive, a purgé son enfant en lui faisant manger du beurre, à deux reprises le gosse chie dans la pièce. Un grand nombre de fois, il pète. Tout le monde rit beaucoup de la chose. Et moi tout le premier.

N'importe ! Je ne renie pas les zar amis. Ils m'ont donné déjà plus que je n'attendais d'eux et je n'ai à les juger que sur leur plan de merveilleux. Qu'est-ce que cela peut faire, après tout, que Malkam Ayyahou gruge ou non ses malades, fasse ou non la maquerelle, qu'Emawayish soit une femme de tête et une matrone très dure sous son air ingénu, que les renseignements et les spectacles qu'on me donne soient dus plus au désir de gain qu'à une sympathie même relative pour un Européen ?

Il doit rester bien entendu que la sainteté n'a jamais eu rien de commun avec l'intelligence ni la moralité et que c'est le « sacré » — non le bon ou l'utile — qui définit le « saint ». Sur le poteau central de chez Emawayish, le péritoine n'a pas bougé depuis la cérémonie...

. . . .

Pour la *Masqal* (fête de la Croix), mobilisation générale à Dabra-Tabor. 15 000 fusils environ seront rassemblés. Comme il semble probable qu'à cette époque Wond Woussen va être rappelé pour être remplacé — vraisemblablement — par le fils de l'Empereur, on peut se demander s'il n'a pas l'intention de se mettre en dissidence.

Le Consul envisage l'éventualité de défendre le consulat.

. . . .

21 septembre.

Deux nuits passées chez Malkam Ayyahou, à l'occasion d'un sacrifice de brebis offert par Griaule à *Rahiélo* [1], pour le cinéma et la photographie. Griaule voulait refaire le sacrifice à *Abba Moras Worqié* car, du fait que j'y suis allé seul, on n'en possède ni film ni photographies. Mais cette reconstitution me répugnait et je ne voulais pas — surtout ! — que d'autres Européens que moi vissent Emawayish faire le *gourri*... Aussi ai-je organisé le sacrifice à *Rahiélo*, plus indiqué, du reste, puisque c'est un plus grand zar et, qui plus est, l'un des zar de la mère, certainement plus disposée à se donner en spectacle que la fille.

Malkam Ayyahou nous ayant priés, Abba Jérôme et moi, de ne plus nous en aller de chez elle au milieu de la nuit (tant pour ne pas troubler l'harmonie de ses réunions que pour notre sécurité, étant donné qu'on peut toujours rencontrer des brigands et que, de toute manière, il est dangereux de passer le torrent la nuit à cause des esprits), Abba Jérôme et moi avons apporté nos lits dès la veille de la cérémonie.

Bien que tout ait commencé très mal, que j'aie été de très mauvaise humeur (éprouvant plus que jamais cette sensation d'abîme qui, en Afrique comme en Europe, me sépare de tous les gens, des femmes principalement), ma rancune s'est fondue dans l'atmosphère de repas de famille qui a succédé au sacrifice proprement dit. Malkam Ayyahou a été à la fois la bonne grand'mère dont les rejetons souhaitent l'anniversaire et la sibylle magnifique. Guillerrette et chantant, contente de sa brebis comme d'un Saint-Honoré, il semblait, vers la fin de la soirée, qu'elle avait oublié les paroles prononcées le matin, sitôt le sacrifice, en qualité de *Rahiélo :* « Je suis la peste, je suis le choléra, je suis la variole... », paroles de menace à l'égard de Kasahoun, qui avait

1. « Rachel », sœur de *Seyfou Tchenguer*.

483

commis le grand crime d'arriver trop tard pour pouvoir aider aux travaux de dépeçage. Emawayish, de son côté, à la fois maîtresse femme (assistant sa mère, coupant la viande à coups de serpe, dirigeant les travaux de boucherie) et celle dont, dans les familles bourgeoises, on dit que « c'est une petite fée »... Avec elle surtout, je me suis moralement réconcilié.

Suit le compte rendu.

19-9-32.

A 6 h 3/4 environ, Abba Jérôme et moi partons du camp, avec nos mulets de selle et un mulet de charge portant nos lits. Devant Qeddous Yohannès, nous rencontrons Emawayish; elle nous attend pour faire route avec nous, ce qui est sans doute plus sûr étant donné la nuit tombante. Elle porte son enfant sur son dos et est accompagnée de l'esclave cultivateur, porteur lui-même d'une grande boîte de roseaux qui servira à joncher le sol de la maison pour le sacrifice de demain.

Arrivée à 19 h 30.

Tout le monde est installé dans la case des wadadja. *Sur la banquette devant l'alcôve, Malkam Ayyahou est assise, ayant à sa gauche la vieille aveugle, la borgne maigre dont le nom de zar est* Dèm Temmagn *(et le nom de femme Dinqié[1]) et celle à l'œil vitreux qui, la veille de la Saint-Jean, faisait le portier. Les deux vieilles et Dinqié mangent du* tchat.

Conversation. Bâillements rugissants de celle à l'œil vitreux.

Grillage du café et oraison de Malkam Ayyahou, accompagnée d'« amen » chantés et soupirants de la part des principales femelles.

Dinqnèsh apporte de l'eau à Malkam Ayyahou. Celle-ci mâche du tchat, *remplit d'eau sa bouche et asperge de trois jets successifs le visage de Dinqnèsh, qui lui baise ensuite les genoux. Elle fait de même avec la grosse tigréenne, lui crache aussi sur les deux mains, puis au visage de nouveau, en lui mettant la main gauche sur la tête.*

Les crachats de tchat *font rire celles qui les reçoivent.*

Malkam Ayyahou tire successivement chacun des doigts de la

---

1. « Ma merveille ».

main gauche de la tigréenne, puis elle lui frappe le bras du plat de la main, priant son zar de ne pas faire le gourri.

Crachats à la figure de Dinqié : « Pars, œil d'ombre[1] ! »
L'encens brûle plus loin.
Chants.
Qwosqwos *remplace* Chankit. *Salutations. Reprise des chants.*
Aggadètch, qui ne vient pas recevoir la bénédiction, déclare qu'elle n'est pas « en condition de s'approcher », c'est-à-dire — vraisemblablement — qu'elle a ses règles.

19 h 50 : foukkara *bénin de Malkam Ayyahou, finissant par* « Roi du Nil Blanc ! »
Arrivée, inattendue pour moi, d'Enqo Bahri, le chef de l'église Qeddous Yohannès qui fut possédé pendant trois ans. Bénédictions diverses, distribuées par Malkam Ayyahou.

Enqo Bahri raconte — sur le ton « Il m'en est arrivé une bien bonne ! » — qu'il a rencontré dans l'après-midi, près des grands sycomores qui se trouvent immédiatement hors de la ville devant le quartier Baata, une créature qu'il a prise d'abord pour un homme, parce qu'elle parlait, puis qu'il a reconnue pour une hyène. Malkam Ayyahou répond sur le même ton qu'elle a vu aussi cette créature, mais qu'elle l'a chassée d'une gifle.
Chants. Commencement du tambour par Malkam Ayyahou. Gourri *instantané de celle à l'œil vitreux. Comme elle se calme un peu, Malkam Ayyahou l'invite à faire le* gourri *plus fort. Mouvements du bras gauche, comme de coups de patte. Puis elle s'assied à terre et reprend ensuite le mouvement pendulaire, à genoux.*
Elle le fait de nouveau, les bras croisés derrière le dos.

20 h 15 : *elle se couche à terre, finit sa danse debout, puis reçoit la bénédiction de Malkam Ayyahou.* C'était Gwolemshèt, *qui est parti, laissant sur la femme à l'œil vitreux son achkar* Qourtet[2].
Emawayish, qui était jusqu'à présent dans un autre bâtiment,

---

1. Variété très mauvaise de génies.
2. « Celui qui coupe ». *Gwolemshèt,* zar très mauvais, aime la chair humaine.

vient s'installer, son enfant sur les genoux, entre sa mère et Enqo Bahri.

. . . .

(La veillée s'est passée comme d'habitude, avec chants, danses, transes, fumigations, baisements de pieds à la vieille, cris. Comme les autres, Enqo Bahri le chef d'église a chanté les chants musulmans.

Vers minuit et demi, Emawayish s'est couchée dans l'alcôve, avec son enfant. A 1 heure, Abba Jérôme et moi sommes allés à la case d'habitation, où étaient installés nos lits de camp. Malkam Ayyahou y est venue coucher aussi, sur son lit de cuir, où a pris place également la fillette aux écrouelles.

Vers le milieu de la nuit, j'ai entendu Malkam Ayyahou abondamment pisser, vraisemblablement à même le sol de la pièce.)

. . . .

20-9-32.

7 h 30 : *retour à la maison des* wadadja. *Combustion de myrrhe, à l'intérieur, devant la porte, pour chasser les mauvais esprits. Café.*

Enqo Bahri (qui a passé la nuit là, avec son jeune fils) raconte qu'un de ses amis, faisant les sacrifices et préparant sa maison de la manière voulue, voyait d'abord les invisibles en rêve, puis, à l'état de veille, les faisait apparaître, disant seulement : « Viens ! »

Continuation d'un palabre commencé vers 7 heures du matin, à propos d'une fille que la pensionnaire déguenillée (mère des deux petites filles qui m'appellent « papa ») a fait sauver de chez ses parents la veille de son mariage.

La plaignante, qui est là, laisse la discussion — vu la présence du guenda, *sur lequel est servi le café — mais déclare qu'elle la reprendra au tribunal du fitaorari Makourya. La discussion recommence entre elle et la déguenillée, mais s'éteint brusquement. Malkam Ayyahou prie la plaignante de laisser Dieu faire sa justice, manière de s'en laver les mains...*

486

8 h 35 : *un visiteur âgé raconte que chez un guérisseur d'Addis Alam une de ses parentes, qui ne révélait pas le nom de son zar, a été fouettée si fort qu'elle a maintenant le dos couvert de plaies.*

La paix se fait entre la plaignante et la déguenillée. Tous les assistants sont debout.

Enqo Bahri dit que, « le jour du sang », il ne faut pas irriter la patronne.

9 h 10 : *arrivée de Griaule à la maison des* wadadja.

9 h 20 : *présentation de la brebis, puis des aromates (encens, myrrhe, bois de* sandal), *que trie Emawayish. Tebabou arrache la boue collée aux poils de la brebis.*

Conversation avec un visiteur musulman d'Addis Alam, illuminé prétentieux et antipathique.

10 h 10 : *grillage du café. C'est le visiteur musulman, et non Malkam Ayyahou, qui récite la prière.*

Dinqnèsh pile le café.

Retour d'Emawayish, qui vient d'aller à l'église.

10 h 40 : *premier service de café. Le musulman donne la bénédiction.*

Griaule prend une photo au magnésium. Immédiatement, sur Malkam Ayyahou, le militaire Qwosqwos *remplace l'esclave* Chankit.

Le musulman se plaint de ne pas avoir été fumigé à l'encens.

Avec le grain grillé, on a servi des boulettes faites de miel et de graines de noug *broyées,* maqwadasha *de Rahiélo.*

Le musulman, pour demander du tchat, *dit qu'il veut « manger des feuilles vertes ».*

Service de fèves crues, après le café. Aux gens qui sont loin d'elle, Malkam Ayyahou les jette, pour conjurer le mauvais sort.

Dinqnèsh et la déguenillée se font menacer du fouet, parce qu'elles causent.

11 h 30 : *troisième service de café. Malkam Ayyahou veut faire prononcer l'oraison par le musulman, mais celui-ci refuse et elle la dit elle-même.*

11 h 45 : *passage à la case d'habitation, où doit avoir lieu le sacrifice. Un réchaud et un tesson de poterie sont apportés pour brûler les encens.*

Malkam Ayyahou revêt une chamma neuve et s'assied sur le perron, face aux marches de l'escalier. Elle se couvre la tête de la pièce de tissu que nous lui avons récemment offerte en présent. Elle a pour siège une caisse recouverte d'une peau de mouton.

Tebabou amène la brebis.

Malkam Ayyahou entre en transe.

Les adeptes apportent à Malkam Ayyahou les réchauds à aromates et la corbeille contenant les grains grillés et les boulettes au noug.

Griaule présente officiellement la victime.

Offrande d'eau de Cologne et d'eau miellée au tchat.

Prenant à deux mains la tête de la brebis, Malkam Ayyahou fait cogner le front de l'animal contre son propre front.

Devant le seuil, sur le perron, la brebis est renversée par Dinqié et Tebabou, qui coupe la gorge transversalement. Le sang est recueilli dans un grand bol de bois.

Dinqié prélève dans le bol une tasse de sang et la tend à Malkam Ayyahou.

Malkam Ayyahou se lève, baise le seuil et boit la tasse.

Dans le même récipient, elle boit de l'eau miellée puis de la bière sans se rasseoir.

Projection d'eau miellée sur le cou coupé de la brebis. Puis Malkam Ayyahou, Fantay et Dinqié, successivement, boivent de l'eau miellée et en crachent dans trois directions. Les autres adeptes en boivent à leur tour.

Malkam Ayyahou fait le foukkara *de Rahiélo. Du bout des doigts de la main droite, sous son voile, elle se marque le dessus de la tête avec du sang.*

Emawayish met un morceau de beurre sur la tête de Dinqié, qui en fait autant aux autres adeptes.

La tasse est laissée sur le seuil, posée sur un peu d'herbe qui le jonche comme le reste du sol.

Dinqié recouvre d'herbes sèches le sang répandu.

Malkam Ayyahou chante, accompagnée par des battements de mains.

En bas, dans le jardin, Tebabou dépèce la brebis, dont le

cadavre a été descendu. Fantay et Dinqnèsh, debout à côté de lui (et changeant de place de temps à autre, comme pour tourner autour de la brebis), tiennent à la main, l'une un carafon d'eau miellée, l'autre un carafon de bière. Elles s'en servent pour asperger la blessure de la brebis. L'encens brûle à côté.

Fantay remonte l'escalier, approche de Malkam Ayyahou la plaque de fer sur laquelle grille le café, puis la remporte.

Adeptes et sympathisants (Abba Jérôme, moi-même...) ont reçu la bénédiction de Rahiélo.

Malkam Ayyahou reste assise sur le perron, entourée de Dinqié, Fantay, la femme à l'œil vitreux, la fillette aux écrouelles, toutes quatre debout, comme une garde du corps. Puis elle rentre dans la maison pour aller se reposer sur son lit. Elle s'installe sur les sangles et s'y tient tantôt accroupie, tantôt mi-étendue. La fillette aux écrouelles et la femme à l'œil vitreux, dès le début, sont avec elle.

Avec ce que lui apportent les adeptes, Malkam Ayyahou commence à préparer le mélange des douze parties, qu'elle doit consommer cru.

13 h 15 : Tebabou et un autre jeune garçon, qui est le fils de Dinqié, remontent avec la viande de l'animal, qu'ils viennent de dépecer.

Emawayish, un coutelas à la main, et Dinqnèsh commencent à préparer la viande.

13 h 25 : Emawayish place sur la tête de sa mère (qui a gardé son voile) le mora *de la brebis. (J'avais pris jusqu'à présent ce* mora *pour la graisse du péritoine ; mais le* mora *est le diaphragme, la « toilette » en langue de boucherie.)*

Elle lui noue autour du front le gros intestin, dont une partie passe en crête sur le dessus de la tête. Puis elle coupe le bout trop long qui pend derrière avec la serpe qui lui sert à découper la viande. Ainsi coiffée (la pièce de soierie blanche que nous lui avons donnée et qu'elle a gardée lui retombant sur les épaules), Malkam Ayyahou reste assise sur son lit.

A chacune des adeptes qui l'entourent debout, elle remet un long bâton, dont le haut se recourbe légèrement en crosse. Les adeptes sont ses pages ou wouriéza.

Emawayish continue à préparer la viande.

Les éclairs de magnésium de la photographie sont salués par des youyous.

Malkam Ayyayou fait prendre à ses adeptes, ainsi qu'à Abba Jérôme et à moi-même, quelques brins de l'herbe qui jonche le sol. Elle nous fait tenir ainsi, les avant-bras se croisant et, dans chaque main, des tiges portées comme un cierge. Nous sommes devenus ses mizié (garçons d'honneur). Sur un signe d'elle wouriéza et mizié viennent à elle et lui projettent les herbes sur la tête, les femmes et Malkam Ayyahou elle-même poussant des youyous. Puis elle sort de l'alcôve et vient s'asseoir sur la banquette la plus proche, celle qui fait face à la porte d'entrée. On lui apporte la peau de la brebis dépecée. Comme d'un dolman, elle se couvre l'épaule droite et le dos de la peau retournée. C'est le « vêtement de sang », dont Rahiélo *est parée comme une reine...*

13 h 45 : *tous sortent, sauf les adeptes, pour laisser Malkam Ayyahou manger.*

De retour à la case d'habitation, au moment du repas rituel, j'assiste au départ de Rahiélo, *qui quitte Malkam Ayyahou, avec transe de celle-ci et battements de mains des pages et garçons d'honneur.* Rahiélo *est immédiatement remplacée par sa fille* Shashitou. *C'est cette dernière qui, par la bouche de Malkam Ayyahou cachée derrière les chamma de ses adeptes, mange le mélange des douze parties.* Rahiélo, *hautaine déesse, s'est contentée de boire le sang.*

Le repas terminé, Malkam Ayyahou, toujours cachée, chante avec ses adeptes. Elle déclare que, maintenant que les soldats de Rahiélo *sont descendus des ruines du château, leur résidence habituelle, ils vont lâcher l'épidémie sur toute la ville.*

La fille noire borgne et l'esclave cultivateur aident Emawayish dans son métier de bouchère. La fille noire coupe l'estomac avec un long éclat de bois, provenant d'une tige de bambou qu'elle a arrachée du toit.

La tasse qui a contenu le sang se trouve sur la corbeille où l'on prépare les viandes.

14 h 35 : *chansons derrière les voiles. Emawayish apporte l'eau de Cologne.*

14 h 45 : *ouverture des voiles. Chanson roulant sur le sang et sur le* mora.

15 heures : *nouvelle transe.* Shashitou, *fille de* Rahiélo, *est remplacée par* Dammana (= *nuage*), *son porte-parasol.*

15 h 05 : *Malkam Ayyahou ceint un bandeau de front noir,* Dinqié *la crinière de lion (mais elle ne la gardera que peu de temps).*

15 h 15 : *sur le* guenda *qui sert au café rituel, on apporte de l'eau miellée chaude, boisson dite « café de miel ». Mais on n'en donne qu'une fois et on ne prononce pas d'oraison.*

Remerciements à Griaule pour le sacrifice : « Il m'a fait toucher ce vert (c'est-à-dire l'herbe qui jonche le sol). »

. . . .

22 heures : *Malkam Ayyahou se couche. Il y a plus d'une heure qu'elle a enlevé son casque de viscères. On l'a accroché tel quel à une patère. « C'est lourd comme la couronne », a dit* Enqo Bahri.

. . . .

22 h 30 environ : *coucher. On s'oppose à ce que le lit d'Abba Jérôme soit placé trop près du seuil, où a coulé le sang. Restent avec nous dans la case d'habitation :* Malkam Ayyahou, *Ema-wayish et son enfant, la vieille aveugle, la fillette aux écrouelles,* Dinqié *(juste derrière la tête de mon lit) et une fille mariée de 16 ans dont le nom de zar est* Adal Gwobena. *Le reste de l'assistance couche pêle-mêle dans la case aux* wadadja.

Au-dessus de mon visage, pendent des lambeaux de graisse et un bout de bidoche, accrochés à une traverse du plafond.

La peau de la brebis a été fixée à la porte d'entrée, étendue de manière à recouvrir du haut en bas la face extérieure de celle-ci, le poil tourné vers le dehors. La porte restant ouverte, on voit la peau blanche pendre dans l'obscurité.

491

21-9-32

Très bien dormi. Mieux qu'à notre maison du camp, où la lune passant à travers les murs d'abou-gédid me réveille. Vers 6 heures, lever.

Vers 7 heures, Malkam Ayyahou raconte que cette nuit plusieurs zar ont discuté entre eux, n'étant pas venus faire la garde d'honneur : *Siol, Aodemdem, Waynitou,* etc.

La conversation se poursuit, sur un ton à la fois familier et mondain. Emawayish se moque de moi, du néant de mes connaissances en amharigna. M'entendant toujours questionner Abba Jérôme pour être au courant de ce qui se passe, elle a appris cette phrase en français : « Qu'est-ce que c'est ? » qu'elle prononce : « *kèskesiééé?* » Elle sait dire également : « Oui ! » Cela semble l'amuser beaucoup de répéter ces mots. J'énumère tous les vocables que je connais en amharique, quelques formules de politesse, quelques noms d'animaux, les quatre éléments, etc. A chaque mot nouveau que je prononce, elle rit gaiement.

Une vieille feuille de journal italien fait également les frais de la conversation. Sur un côté, il y a les photos d'un groupe d'ingénieurs qui ont réussi à percer un puits de mine jusqu'à 1 000 mètres de profondeur. Ils sourient. Emawayish et sa mère comptent le nombre de leurs dents. Les autres dames sont appelées à juger. L'avis général est qu'ils ne sont pas jolis, car ils font trop voir leurs dents.

L'autre côté de la page — uniquement rempli de photos de boxe — intéresse aussi Emawayish. De l'un des boxeurs — gigolo au large torse, aux cheveux noirs plaqués — elle dit : « *Malkam* (joli) ! »

A 7 h 1/2, café de miel servi, comme la veille, en un seul service.

Presque aussitôt après, départ. Dinqié me recommande son fils, qu'elle voudrait que nous engagions comme achkar lorsque nous irons à Addis Ababa. Sur le sentier du retour, je remarque que les prairies, à perte de vue, sont émaillées de jaune. Ce sont les fleurs de la Masqal qui ont poussé, pendant le sacrifice...

22 septembre.

Dès hier, j'ai été fixé sur le compte du postulant achkar. L'interprète Wadadjé, m'ayant vu revenir de Gondar avec ce garçon portant ma lampe, est venu me trouver. Le fils de Dinqié a, paraît-il, été son boy et lui a chipé un thaler. Il ne convient donc pas de l'engager. A Abba Jérôme, par ailleurs, Wadadjé révèle encore plus, à savoir que le garçon l'a traité, lui Wadadjé, de « sale catholique », ce qui prouve qu'il n'aime guère les Européens ni ce qui touche aux Européens. Donc, n'en parlons plus...

Dès l'après-midi, un nouveau postulant se découvre : Tebabou, qui vient, selon la formule courante, m'annoncer que je suis « son père et sa mère » et qu'il veut être mon domestique, pour jusqu'à Addis et même jusqu'en Europe, si je veux. Je lui réponds qu'on verra après la Masqal et lui promets de le recommander à Lutten, qui est le chef du personnel. Après avoir songé à enlever la mère, cela me ferait plaisir d'emmener au moins le fils...

Ce matin, c'est Emawayish elle-même qui vient rendre visite. Accompagnée d'une vieille femme de son quartier qui a le crâne tondu et semble en l'occurrence jouer un rôle de duègne, elle est allée « embrasser » l'église de Qwosqwam. Passant par notre camp, elle est venue saluer. Comme d'habitude, j'abreuve les visiteuses de café, cependant que nous bavardons.

Quand Emawayish se retire, j'ai l'idée de lui montrer, pour l'amuser, la guenon que la mission vient d'acquérir. Mais Abba Jérôme m'en empêche, car Emawayish est peut-être enceinte et, selon la croyance abyssine, voyant un singe elle courrait le risque d'enfanter un monstre.

23 septembre.

La deuxième moitié de la journée d'hier s'est, pour moi, drôlement passée. Informant avec Tebabou, j'ai appris de lui que ni le sacrifice à *Rahiélo* ni le sacrifice à *Abba Moras Worqié* n'ont été réguliers.

Faute de l'aide nécessaire pour immobiliser les victimes, Tebabou, les deux fois, a coupé le cou transversalement, au lieu de le couper longitudinalement ainsi qu'il aurait dû pour ne pas abîmer la peau. Quand on abat ou tue pour une raison quelconque, on coupe transversalement, mais pour les *awolya* on coupe longitudinalement, ce qui est beaucoup plus grave, au point de vue du courroux de Dieu (car l'âme de l'animal s'en va longuement et péniblement), mais respecte l'intégrité de la peau et permet par la suite, quand elle sera pendue au mur ou étendue pour s'asseoir, qu'elle soit l' « image » stricte de l'animal.

Apprendre que tout ne s'est pas passé selon les règles est pour moi un couteau dans une plaie. Savoir que les deux sacrifices n'avaient pas été de véritables *maqwadasha*, mais de simples *djebata* déjà me crucifiait. Mais découvrir que les animaux ont été tués comme s'il s'était agi d'un vulgaire abattage, c'est bien pis ! J'en arrive à me demander si je n'ai pas été dupé, si — par exemple — *Abba Moras Worqié* est bien descendu lui-même sur Emawayish quand elle buvait le sang, si l'on n'a pas joué devant moi une misérable comédie, dans le seul but de contenter le « frendji » que je suis... Je me rappelle Emawayish se rinçant la bouche après la tasse de sang, avec cette même absence de tentative pour masquer son dégoût qu'ont certaines fellatrices professionnelles quand elles se lavent les dents... Je me rappelle ce pauvre petit sacrifice où presque tout manquait, parce que j'avais cru qu'il suffisait que j'offrisse la victime, le café et l'encens et que j'avais pensé qu'Emawayish pourvoirait au reste...

Il faut que Tebabou me rassure, qu'il m'affirme que, puisque sa mère m'a remercié et m'a dit : « Dieu vous sauve ! » c'est qu'*Abba Moras Worqié* a bien accepté son sang. Que, puisqu'elle a fait le *gourri*, c'est qu'il est effectivement descendu, et qu'il n'a pas non plus l'habitude d'agir par représentant...

Je songe aussi à diverses choses : plusieurs jours après le sacrifice, le diaphragme du mouton était encore collé au poteau central de chez Emawayish, ce qui prouve bien qu'elle croyait à sa vertu ; elle ne voulait pas non plus, sitôt le sacrifice, manier son amulette de la main droite parce que, je l'ai su depuis, c'est le côté droit du corps qu'*Abba Moras Worqié* vient habiter quand il descend ; et la grande colère de Malkam Ayyahou contre Kasahoun, le jour de la brebis, parce qu'il n'avait pas aidé à tuer, n'était-elle pas due à ce que, considérant avec sérieux ce sacrifice, elle lui en voulait d'avoir été cause qu'il y ait eu un manquement ?

Peu à peu, je me rassure donc. Mais, ayant décidé avec Griaule qu'après la Masqal *Seyfou Tchenguer* sera honoré d'un sacrifice de bœuf, je prends la résolution de faire le nécessaire pour que tout soit exécuté rigoureusement. Aussi, irai-je voir Emawayish pour m'entendre avec elle à ce sujet.

. . . .

J'ai été voir Emawayish. Nous avons parlé du sacrifice, dont la victime sera un taureau rouge. J'ai dressé une liste des denrées nécessaires (boissons, grains, parfums, encens) pour que tout soit complet. Calculé que, pour 8 thalers 1/2, nous pourrions donner une fête dont tout le monde serait content. Prévu l'édification, dans le jardin de Malkam Ayyahou, d'un *das* — c'est-à-dire d'un pavillon de branchages, tente ou abri provisoire — où tout pourrait se dérouler dans des conditions d'éclairage propices au cinéma et à la photo.

Il me semble que nous discutons en famille à propos d'un grand mariage ou d'un repas de première communion. « Où placera-t-on la tante une telle ? » Dès demain, Malkam Ayyahou sera alertée, afin que nous prenions date.

Durant tout l'entretien, Emawayish, selon son habitude, fait sauter alternativement hors de sa chamma ses seins très décevants, pour que son fils les suce équitablement. Le gosse a inventé un jeu : pressant les outres maternelles, il tente de remplir un petit gobelet de métal que Tebabou a confectionné avec une pile électrique cylindrique usée dont Abba Jérôme lui a fait don. Sans doute l'enfant trouve-t-il cela plus honorable que de téter directement ?

A dîner j'apprends par le Consul que les gens du camp italien me prennent pour un musulman...

24 septembre.

Tebabou vient travailler ; il est allé chez sa grand'mère, lui a rapporté la conversation que j'ai eue hier avec Emawayish. Ayant constaté que deux denrées avaient été oubliées, Malkam Ayyahou a dicté pour moi à Tebabou le billet suivant :

> « *Berbéri pour faire l'*awazié [1].
> *Sel sec pour faire le même.*

1. Sauce pour la viande crue.

Oui ! Soyez les bienvenus ! Ce qu'il faut faire, Weyzero Ema-
wayish vous le dira, afin que l'awolya ne soit pas fâché si une chose
manque. »

Tebabou m'apprend aussi le nom d'un zar femelle qui possède sa mère. C'est un zar très mauvais, qu'elle ne nous avait pas encore avoué. Mais Tebabou, hier, bien qu'ignorant son nom, nous en avait parlé. Je lui ai demandé d'interroger sa mère, et aujourd'hui il m'apporte le nom. Il s'agit de *Dira*, fille de *Rahiélo*, succube, qui rend les hommes impuissants et empêche les femmes d'avoir des enfants.

Il y a quinze jours, apprendre qu'Emawayish était habitée par un tel zar m'aurait bouleversé. Aujourd'hui cela me laisse à peu près indifférent. La magie s'est dissipée... Serait-ce le sang des sacrifices qui aurait tout effacé, en même temps que tout consommé ?

Depuis peu, je sais aussi qu'Emawayish est grand'mère. Elle a une fille qui en est à son deuxième mari. Elle a beau n'avoir, je crois, pas plus de 30 ans, elle fait figure, à mes yeux, moins de succube que de matrone. Et surtout, à mesure que les choses des zar perdent pour moi de leur mystère, tout glisse sur un autre plan. Fini la frénésie de ces dernières semaines, fini la possession, fini de réagir romantiquement. Les zar (que pourtant j'aime toujours bien) ne me sont plus que des parents...

25 septembre.

Double visite de Malkam Ayyahou : ce matin, avec Fantay et la fillette aux écrouelles ; cet après-midi, seule, puis rejointe par Fantay. Elle est allée à Qeddous Yohannès, où Emawayish donnait un grand repas de famille, suite archilointaine au baptême (vieux au moins d'un an) de son enfant.

Nous avons choisi jeudi en huit pour la date du grand sacrifice, samedi prochain pour un sacrifice moins important, quelques poulets que Griaule offre aux femmes malades, afin qu'elles les fassent égorger, selon la coutume, en attendant de pouvoir se payer des victimes plus importantes. Comme, avec un animal de la dimension d'un poulet, il est impossible d'accomplir le rite du diaphragme, le cérémonial est différent. C'est le poulet entier — tout à fait vidé, mais respecté absolument quant à la forme extérieure — que les femmes coifferont.

26 septembre.

Lundi, veille de la Masqal. J'ai déjà décidé d'échapper au début des réjouissances consulaires, qui doit prendre place ce soir. Malheureusement, je n'y parviens pas. Je pensais qu'il y aurait une fête à Qeddous Yohannès. J'y vais, précédé de Tebabou, mais il ne se passe rien. Simplement, peu avant mon arrivée, les prêtres ont fait, en disant des prières, trois ou quatre fois le tour du bûcher qu'ils allumeront demain.

Il y a salves et feu d'artifice (fourni par nous) sur le champ italien. Nos achkars eux-mêmes demandent la permission de tirer chacun un coup de feu. Puis ils chantent et dansent. L'esclave Desta est ravie. Peut-être suppute-t-elle quel nombre d'hommes elle a des chances qu'il lui passe sur le ventre cette nuit ?

J'ai demandé à Abou Ras de faire pour moi l'emplette d'une grosse botte de *tchat*. Il me l'apporte — avec un contentement muet d'augure — et je me mets à en mâcher les feuilles consciencieusement. Ce n'est décidément pas bon, et bien piètre comme excitant...

Pauvres *awolya*, combien doit-il falloir qu'ils se battent les flancs pour parvenir à leurs transes, à leur folie de pacotille... Tout sent la fête foraine aujourd'hui. Enivrantes possédées, comme il y a dans les baraques d'enivrantes femmes torpilles, des sirènes à jeux de miroirs et, dans des cercueils de verre, de prestigieuses princesses de cire à quatre seins...

27 septembre.

La mauvaise humeur continue, ainsi qu'il sied pour une telle fête. Dès avant l'aube, il y a eu des cris, des chants, des torches. Cela m'a réveillé, mais je ne me suis levé que quand il n'y a plus eu moyen de faire autrement...

Comme pour la Saint-Jean (bien plus encore) tous nos gens et des tas de gens que nous ne connaissons pas viennent depuis hier

497

apporter des bouquets pour avoir des cadeaux. Suivant ma faiblesse lamentable, je donne ma montre à Tebabou, qui ne la méritait pas. Dès le matin, je me gave de *tchat*.

En ville, le bûcher de Masqal doit être officiellement allumé sur la place où le fitaorari Makourya rend la justice. Après bien des tergiversations, je décide d'y aller. Lifszyc, Roux, Lutten, Faivre, Abba Jérôme viennent aussi. Larget et Griaule restent seuls à la maison. Bien leur en prend, car les événements de cette matinée n'ont rien de particulièrement fait pour vous calmer. Abba Jérôme, en veine de chichis, a remarqué que chaque famille, dehors, fait bouillir son café sur l'emplacement de son bûcher de Masqal particulier. Il tient à ce que soient prises des photographies et nous entraîne chez les gens sous prétexte de leur souhaiter bonne fête. Naturellement les villageois sont très embêtés d'être envahis par des inconnus, pour la plupart européens. Pour rompre les chiens Abba Jérôme se livre à diverses simagrées : offre des fleurs, se couronne d'herbes. Cela ne laisse pas, Lifszyc, Roux et moi, qui de nous irriter. Arrivés à la place de justice, nous apprenons que, contrairement à ce que nous pensions, le bûcher ne sera allumé qu'à la fin de la matinée. Entendant les chants et le tambour, Lifszyc et moi décidons d'aller à l'église. Scrupuleusement, nous écoutons la messe, pestant vers la fin, car le Consul, arrivé sur la place avec son escorte pour assister à la cérémonie du bûcher, trouble tout avec le vacarme de sa fanfare abyssine.

Sortis de l'église, nous cherchons dans la foule où se trouvent les Européens, invisibles tout d'abord. Mais comme nous approchons de l'arbre des procès et arrivons à l'orée d'une double haie de gens, nous apercevons le Consul trônant en barbe, binocle et cape bleu ciel. Cela suffit pour qu'instantanément Lifszyc et moi réclamions nos mulets, entraînant Roux.

Retour au camp sans escorte. Petit incident à la hauteur de Qeddous Yohannès, un groupe d'hommes nous ayant aperçus du flanc de la colline consulaire et ayant aussitôt dévalé vers nous en chantant et dansant pour nous offrir l'humble bouquet de fleurs de nouvel an en échange duquel l'offrant espère qu'il recevra quelques thalers. Activant nos mulets, nous les bousculons légèrement.

Rentré chez moi, j'épanche ma bile, remâche un peu de *tchat*.

Apéritif. Pommes de terre frites (car le banquet consulaire, auquel nous sommes invités, n'aura lieu que plus tard et nous avons grand'faim).

Courte apparition de Malkam Ayyahou, qui vient, en tenue de parade, chanter et danser avec quelques adeptes ; tout cela voix éraillée par la fatigue de la nuit, et viande plutôt saoule.

Je passe sur le banquet : le Consul, en chemise noire, a fait au dessert un discours tellement tendancieux au point de vue politique que je ne savais où me mettre. Pour me donner un semblant de contenance, j'ai mangé des fleurs, en demandant ostensiblement de différentes espèces. Tous, tant Européens qu'Abyssins, nous buvons comme des trous. Après le repas, chants des prêtres, sous la direction de mon ami Enqo Bahri, à qui j'ai refilé quelques petits verres de cognac, à un moment de la fête où lui et les autres prêtres étaient assis à terre derrière nos chaises. Danses par les achkars du consulat. Nous sommes menés ainsi jusqu'à 6 heures du soir.

Me laissant entraîner par l'ambiance de fête populaire, je vais tirer quelques coups de revolver à proximité de chez Roux.

Je finis la soirée chez Malkam Ayyahou, où me pousse irrésistiblement le désir d'échapper au dîner consulaire, qui n'est que la suite du banquet du matin. Je rencontre là-bas un possédé très bellâtre et poseur, qui distribue force bénédictions et réclame, d'une voix de phonographe, un grand nombre d'offrandes. Du temps de sa maladie, c'était paraît-il un grand assassin, qui tuait dans les rues de Gondar. Il est maintenant guéri et ne tue plus.

Je donne ma propre bénédiction (trois grandes claques dans le dos, selon la règle) à un homme qui me la demande, le mari de la femme au genou gonflé. Je lui fais ensuite cadeau d'une boîte de poudre, car la fraternité créée par ma bénédiction l'enhardit à me faire cette deuxième demande. Sa femme est plus gaie, semble aller mieux. Influence bienfaisante de la secte, qui tout de même apaise indiscutablement les gens.

28 septembre.

Je vais chez Emawayish, pour établir définitivement l'affaire du taureau et remettre les 10 thalers que Griaule a alloués comme crédit pour l'achat des denrées complémentaires.

Le sacrifice à *Abba Moras Worqié* n'a décidément pas été réussi. Comme il manquait beaucoup de choses (grains grillés, boulettes au miel, eau miellée, *talla*...) le zar a été fâché et a fait souffrir Emawayish pendant huit jours, la frappant à la tête et aux épaules. Encore maintenant, elle se sent lourde. *Abba Moras Worqié* lui apparaît en rêve pour lui faire des reproches ; il la poursuit dans des plaines interminables ; il la fait pleurer. « Le maître, même s'il donne des coups de fouet, on le remercie », déclare Emawayish, insinuant que sans le vouloir je lui ai fait beaucoup de mal.

Je la rassure quant à ses rêves, lui dis que pour en être délivrée il suffit de me les raconter. D'autre part je prends sur moi toute l'offense faite à *Abba Moras Worqié*.

Toute la conversation est coupée par des allées et venues incessantes de gens qui viennent, soit pour la bière et le café, soit pour raconter les nouvelles du quartier.

L'enfant, qui est allé chez des voisins et a bu du *talla*, est saoul. Il titube, il ne sait plus téter sa mère. Deux autres gosses sont là. J'apprends par Emawayish que l'un d'entre eux est un fils de son dernier mari. Elle lui donne du *talla*.

Retour de Tebabou, qui était absent. Il chuchote mystérieusement à l'oreille de sa mère. Celle-ci, dès lors, devient distraite et ne se prête plus que difficilement à notre conversation. Comme, d'autre part, il fait presque nuit, nous levons la séance.

Rentrés au camp, nous apprenons qu'une sérieuse bagarre a eu lieu entre les achkars italiens et nos propres achkars, qui buvaient l'hydromel dans une maison proche du camp. Il a fallu que Lutten arrête le combat en tirant des coups de revolver en l'air et fasse rentrer nos gens à coups de fouet. Il y a, de part et d'autre, sept blessés. La prison du corps de garde est pleine, tous les hommes qui portaient des traces de sang ayant été arrêtés.

29 septembre.

Dès le matin, Emawayish, sa tante et une autre vieille femme viennent aux nouvelles. Elles ont appris qu'il y avait eu bagarre (c'est cela que Tebabou était venu annoncer à Emawayish mystérieusement) et, sous couleur de s'assurer qu'il ne nous est rien arrivé de mal, rendent visite pour compléter leurs renseignements. Tout le monde serait peut-être heureux ici que les « frendji » se mettent à s'entre-dévorer... Les dames admirent la bravoure de notre ex-chauffeur Mamadou Kamara, qui, disent-elles, a tenu tête tout seul à une demi-douzaine d'Érythréens, renvoyant les pierres que ceux-ci lui envoyaient.

Pour Emawayish, la nuit s'est bien passée . *Abba Moras Worqié* ne s'est pas manifesté.

L'après-midi, je vais avec Abba Jérôme chez Malkam Ayyahou pour fixer définitivement la date des sacrifices. Il y a là la femme au genou gonflé, son mari et les adeptes habituelles. Le sang a été versé ce matin pour la femme au genou gonflé. Trois dépouilles de poulets pendent, accrochées à la porte.

La malade m'exhibe deux minces jambes de fillette, pour que j'examine son genou et voie si quelque médicament ne pourrait aider à la cure sacrée. Je reste évidemment perplexe. Malkam Ayyahou déclare que « aussi vrai qu'elle s'appelle *Chankit,* la nuit ne se passera pas sans que ce genou soit dégonflé ». Puis, derrière un voile tiré, la femme mange. Il est entendu que pour guérir elle doit absorber à elle seule toute la viande des volailles sacrifiées. Derrière le voile, Malkam Ayyahou exhorte la malade à tout manger, bien qu'elle pousse d'horribles rots et même, je crois, dégueule. Assis extérieurement, le dos contre le voile, le mari caresse doucement la cheville de sa femme, je pense pour l'encourager.

Une diversion est faite par l'arrivée du chef d'église Enqo Bahri, qui sort complètement saoul d'un banquet chez le fitaorari. Son petit garçon — le gaillard qui, quand on lui donne du raki, dit : « J'aime mieux ça que le lait ! » — est avec lui, portant le parasol. L'ivrogne m'agaçant par sa conversation, je prends congé. Il est convenu que le sacrifice de poulets aura lieu mardi matin, et celui du taureau samedi matin.

30 septembre.

Balade à Addis Alam, pour tâcher de trouver des *balazar* musulmans. Dans l'ensemble le village musulman fait plus riche, plus propre, mieux tenu que les quartiers chrétiens. La mosquée — case ronde à laquelle nous arrivons par hasard — est incomparablement plus nette que les églises. Aucun fumier, aucun sacristain louche. Des hommes en habits bien lavés prennent le café dedans.

Nous rencontrons dans la petite cour de la mosquée le fils du *négadras* (marchand) que nous comptions aller voir pour demander nos renseignements. Abba Jérôme connaît déjà père et fils, s'étant reposé chez eux (avant d'être éconduit par le fitaorari et de s'installer chez Malkam Ayyahou) lorsqu'il arriva à Gondar sous la pluie.

Le négadras est absent, étant allé surveiller le sarclage de ses champs. Mais son fils nous conduit à la maison. Il y a là plusieurs hommes avec qui nous causons, tandis que le fils de la maison fait servir un café à la girofle absolument délicieux.

Il y a là un vieux Derviche, qui connaît Suez pour y être allé en qualité de prisonnier des Anglais ; un ancien soldat de l'Émir Fayçal ; quelques marchands.

J'oriente la conversation vers les *awolya,* vers les *zar,* que je voudrais connaître du côté musulman. Mais ce que j'obtiens est assez pauvre ; mes interlocuteurs semblent peu disposés à manifester de l'indulgence à l'égard des possédés. Peut-être aussi sont-ils méfiants. Selon eux, il n'y aurait pas un seul grand *balazar* dans le quartier.

Retour au camp et nouveau contact — assez brutal — avec la politique : le Consul informe Griaule que Dabra Marqos, la capitale du Godjam, vient d'être prise par le fils de Lidj Yasou et deux des fils du Ras Haylou, à la suite d'un combat avec les troupes du gouvernement ayant coûté, de part et d'autre, 500 morts. Le représentant du Ras Emrou, nouveau gouverneur du Godjam, aurait été tué. Ce qu'il y a de grave, c'est qu'il y a des chances pour que la rébellion se généralise et pour que Wond Woussen se mette en dissidence, si la nouvelle du succès des rebelles arrive à Dabra Tabor avant le départ des chefs qui y ont été rassemblés pour les fêtes de la Masqal.

Depuis quelques jours, le dedjaz Kasa Mishasha, petit-fils de l'Empereur Theodoros et prétendant théorique à la couronne, est l'hôte du territoire italien. Il se dit malade et ne se montre pas. Que fait-il ici, alors que normalement il devrait être avec les autres chefs de la région à Dabra Tabor ?

1er octobre.

Mauvaise journée. Histoire minime, mais désagréable, dès le matin. Tebabou a fait des insinuations l'autre jour pour qu'Abba Jérôme prête son mulet à Emawayish, celle-ci devant aller prochainement à une journée ou deux de marche d'ici rendre une visite de condoléances à sa fille, qui vient de perdre un parent du côté de son mari. Abba Jérôme a fait la sourde oreille. Tebabou, d'autre part, à propos du grand sacrifice, a insinué qu'un certain nombre de denrées ont été oubliées sur la liste que j'ai fait établir par Emawayish. Sans doute voudrait-on que j'augmente la subvention de 10 thalers que j'ai versée à celle-ci. Mais moi aussi je fais la sourde oreille.

Ce matin, l'interprète Wadadjé est allé au marché (escorté de Tebabou, qui doit le conseiller dans le choix de la couleur) pour l'achat du taureau. Emawayish de son côté s'occupe, avec les 10 thalers et pas un de plus, de l'achat des denrées.

Or, tandis que je travaille avec Abba Jérôme, un boy vient transmettre une requête de la part d'un émissaire mystérieux — une vieille femme amie d'Emawayish — qui se tient à l'entrée du camp. Emawayish demande simplement si Abba Jérôme peut lui prêter 3 thalers, dont elle a besoin. Bien que cette nouvelle demande m'irrite, je dis à Abba Jérôme d'accepter mais de respecter la fiction que c'est lui qui prête l'argent et de bien spécifier qu'il s'agit d'une aide absolument privée. Car je ne veux pas que les gens se croient tout permis à l'égard des fonds de la mission.

Ainsi est fait, mais me voici maussade pour toute la journée. L'arrivée du taureau — assez beau — ne me déride pas.

Il faut que j'aille voir Emawayish pour savoir comment s'est arrangé l'achat des diverses denrées.

Je trouve Emawayish en train de rouler du coton sur des fuseaux. Sa chamma relevée, elle fait rouler sur sa cuisse nue le fuseau maintenu horizontal et sur lequel s'enroule le fil provenant du dévidoir planté au milieu de la case. Au poteau central, le diaphragme du mouton est toujours collé. Sur la banquette à côté de moi, Abba Jérôme, muni comme d'habitude de mon stylo, recueille scrupuleusement sur son carnet les propos d'un vieux dabtara ivre, qui lui raconte des histoires se rapportant plus ou moins aux zar, naturellement.

Je ne parle pas. A qui parlerais-je ? Je mange les grains qu'on me donne, bois le café qu'on me tend. Je regarde ces trois choses : le carnet d'Abba Jérôme, le diaphragme du mouton, le genou nu d'Emawayish, et sens plus que jamais mon irrémédiable isolement. C'est comme si ces trois points, formant un triangle dans ma tête (du fait que je suis seul à connaître tous leurs liens), coupaient autour de moi l'univers au couteau comme pour m'en séparer et m'enfermer à jamais dans le cercle — incompréhensible ou absurde pour quiconque — de mes propres enchantements...

Je reviens dans un état d'assez grande détresse, qui prend une forme de dessèchement.

Dernières nouvelles : encore deux cents (?) morts, mais les rebelles de Dabra Marqos sont cernés par les troupes du gouvernement. Le dabtara ivre rapportait aujourd'hui des bruits qui courent dans le pays : les Européens vont conquérir l'Abyssinie, conformément à une prophétie ; s'ils ne l'ont pas fait jusqu'à présent, c'est par pure timidité, mais tout le monde les attend ; il suffirait qu'une colonne anglaise entre par Métamma, pour qu'à Addis l'Empereur chie de peur. On dit aussi que le futur Empereur serait le dedjaz Kaza Mishasha, qui régnerait avec les Italiens.

2 octobre.

Tebabou vient, comme convenu, avec un vieux flacon de pharmacie, dans lequel je lui verse de l'eau de Cologne qui servira le jour du sacrifice. Il me demande aujourd'hui une vieille bouteille, dont a besoin Emawayish pour son voyage au Dembia. Je lui donne une fiasque vide de Chianti.

De meilleur poil aujourd'hui, plus détaché, je ne m'irrite plus des demandes de ces gens. Je n'en finirais pas si je voulais énumérer toutes les petites astuces qu'ils ont mises en œuvre contre moi, soit au cours du travail rétribué, soit hors du travail, mais quand je pense que leur demande la plus exorbitante n'a pas encore dépassé 3 thalers, je me juge moi-même très sévèrement. Je sais très bien à quoi ont servi ces 3 thalers et peut-être même le reliquat des 10 thalers de subvention ; hier, j'ai vu des tasses neuves ; Tebabou m'a montré fièrement une chaîne pour accrocher la montre que je lui ai donnée à la Masqal ; pendant le café on a fait fumer l'encens. Mais pourquoi voudrais-je qu'à moi, sorte de nabab étranger, qui ai par ailleurs toujours protesté de mon dévouement, on ne demande pas — voire en le roulant un peu — la satisfaction de quelques caprices d'enfants ? Folie que d'exiger, dans de telles conditions et de la part de gens pour qui je suis si différent, du désintéressement...

La bataille continue autour de Dabra Marqos, mais tout reste calme à Dabra Tabor.

. . . .

4 octobre.

Le sacrifice de poulets a eu lieu. Abba Jérôme et moi sommes venus — avec nos lits — pour passer la veillée. Chants, transes et danses, selon la coutume. La femme au genou gonflé est là, avec son mari. Elle va mal, souffre et gémit. Le sang qu'a reçu son zar ne l'a pas délivrée. Faute de l'espoir de ces jours derniers elle est affreusement triste.

Bâillements de cette femme, puis crachats. Elle baise longue-ment le genou de Malkam Ayyahou, qui joue le tambour. Enfin elle fait le *gourri,* avec de petits mouvements de la main gauche, comme pour battre la mesure. C'est le zar *Galla Berrou* qui se manifeste. Interrogé par Malkam Ayyahou, il autorise l'interven-tion du chirurgien. Au matin, Abba Jerôme et moi insisterons pour que l'opération se fasse à l'infirmerie du consulat, mais il restera entendu qu'un dabtara ou médecin de Gondar s'en chargera. Plaise aux zar que la malheureuse ne soit pas estropiée pour la vie !

La danse est menée cette fois-ci par une femme grande, maigre, au visage grêlé, qu'il me semble reconnaître. Elle se remue beaucoup, parle la langue corrompue des zar, fait la petite folle, réclame du raki. De sa propre bouche je saurai que je ne me suis pas trompé en la reconnaissant : il s'agit de cette femme de si austère allure qui — comme je revenais du Tana avec Lifszyc et Roux — nous apporta un dergo à Darasguié, suivie de plusieurs hommes armés. Je reste stupéfait de rencontrer une pareille femme ici... Avant le sacrifice, elle disparaît.

Dès le début, la cérémonie donne lieu à quelques discussions. Presque tout le monde est mécontent. La plupart des femmes boudent : les unes n'ont pas de poulet, ayant acheté du parfum avec l'argent que Malkam Ayyahou leur a donné sur la somme que nous lui avons remise ; celles à qui des poulets sont offerts trouvent que la couleur du plumage n'est pas celle qui conviendrait exactement à leur zar et qu'on traite celui-ci par-dessous la jambe. Le zar de la Tigréenne va même jusqu'à faire déclarer à celle-ci qu'il « refuse le sang ».

Cependant, tout se tasse. Le cinéma est installé. Griaule est prêt à prendre les photos.

Le programme se trouve corsé d'une offrande imprévue : un bélier brun foncé qu'Enqo Bahri (profitant de l'occasion car, mêlant son sacrifice au nôtre, il évite les frais accessoires) donne à Malkam Ayyahou pour le zar *Teqwer*.

La cérémonie se déroule dehors (pour la commodité des photos), Malkam Ayyahou abritée sous un parapluie que tient une des adeptes.

Devant la porte de la case aux *wadadja*, les poulets sont présentés à celles qui doivent en recevoir. Nouvelle discussion à propos de leur attribution. Fumigation d'encens à toutes les adeptes par Malkam Ayyahou, puis *gourri* de chacune. Danse collective. Embrassades réciproques.

Distribution des poulets : chaque adepte, après trois saluts, reçoit le volatile Malkam Ayyahou, disant : « *Djeba !* (offrande) », lui donne ; puis elle danse, bâton en main et poulet sur la tête.

Danse collective. Départ vers un autre point du jardin, choisi comme lieu du sacrifice. Les adeptes réclament du raki ; Griaule en envoie chercher.

Transe de Malkam Ayyahou, qu'on cache derrière des chammas. C'est *Wassan Galla*. Dans son *foukkara*, ce zar se déclare entre autres choses : « Mangeur d'Enqo Bahri ! » Enqo Bahri vient saluer Malkam Ayyahou, après sa transe. Puis, tenant le bélier entre ses jambes, comme s'il était à cheval dessus, il le présente à Malkam Ayyahou. Celle-ci, toujours assise, prend le bélier par les cornes et l'expose à une fumigation d'encens. Elle l'étend ensuite à terre et lui pose le pied droit sur la tête, souhaitant un semblable écrasement aux ennemis d'Enqo Bahri.

Dégustation du raki par Malkam Ayyahou et ses adeptes, puis par tous les assistants. Malkam Ayyahou tient un moment le couteau du sacrifice ; puis c'est Enqo Bahri qui le reçoit et le fait affûter sur une pierre, par un homme à la face hébétée que j'ai reconnu pour l'espèce d'idiot de village déjà rencontré chez Emawayish.

Malkam Ayyahou présente le premier poulet à la nommée Fantay, qui fait le *gourri* lentement, puis met le poulet sous sa chamma. On la cache. Le zar femelle *Dira,* descendu sur elle, jure qu'il accepte le sang, et, de nouveau, Fantay fait le *gourri.*

Transe de Malkam Ayyahou, sur qui descend le zar *Gragn Sellatié.* Bénédictions aux adeptes.

Tour à tour, celles-ci présentent leurs poules ou coqs à Enqo Bahri. Elles tiennent les pattes du volatile. Enqo Bahri prend la tête et coupe la gorge. L'adepte se penche, colle sa bouche à la blessure et — goulûment — suce le sang.

Lâché alors sur le sol, le gallinacé se débat, volette, quelquefois même se lève et cherche à se sauver. Fantay, la bouche sanglante, se trémousse devant un de ses poulets, lui disant en riant : « Viens ! Nous allons danser avec toi ! »

Dinqnèsh ne suce pas le sang directement. Malkam Ayyahou arrache une plume de la queue de la victime, la passe dans la blessure, puis entre les lèvres de Dinqnèsh, qui semble dégoûtée. Ce n'est plus maintenant Enqo Bahri qui tue, mais le possédé hébété.

Même rite pour la fillette aux écrouelles que, de plus, Malkam Ayyahou marque au front d'un trait de sang horizontal. Pour le second poulet qu'elle reçoit, la plume est passée plusieurs fois entre ses lèvres, puis une grande croix est tracée sur son front.

Le sol est entièrement jonché de volaille morte.

Enfin, aidé du possédé, Enqo Bahri le chef d'église couche le bélier brun à terre. Le possédé maintient la tête, Enqo Bahri pince la peau du cou, la tire et coupe selon la juste règle : c'est-à-dire incisant superficiellement (de manière que la peau seule soit coupée) et selon la ligne de la trachée, au lieu d'égorger, comme on fait pour l'abattage commun, transversalement. Puis, l'animal toujours solidement maintenu, la peau fendue est écartée, les deux lèvres de la blessure dénudant la trachée. De la pointe du couteau passée par en dessous, celle-ci est alors fouillée, comme si on voulait l'extirper.

Malkam Ayyahou, debout, boit la tasse de sang.

Le bélier, que les sacrificateurs ont lâché, se relève. Il se tient sur ses quatre pattes, comme un taureau mal estoqué. Le possédé l'enlève, le jette violemment à terre, puis, comme il ne meurt toujours pas, recoupe la trachée et, d'un geste brusque, plie en arrière la tête de l'animal, de manière à lui casser le cou, définitivement.

Librement, le sang s'est répandu à terre.

Malkam Ayyahou projette du *talla* sur la blessure, d'abord avec un carafon, puis de sa propre bouche. Toutes les adeptes goûtent du *talla*. Tout le monde goûte du grain grillé. Le possédé (parce qu'il dépèce), Enqo Bahri (parce qu'il a tué) reçoivent chacun, en plus du grain, un verre de raki. Sitôt le sacrifice, Enqo Bahri est allé à Malkam Ayyahou et a reçu sa bénédiction.

La fille noire borgne reçoit un bandeau de front rouge. Fantay en porte un blanc à rayures noires. Malkam Ayyahou boit du raki et mange du grain grillé. Dépeçage du bélier, à l'ombre de l'escalier : la peau des pattes de derrière est d'abord enlevée, en fendant longitudinalement. Puis les pattes sont coupées, un peu au-dessous du jarret.

11 h 15 : *gourri* de Malkam Ayyahou. Tenant en main un carafon de bière, elle danse avec la Tigréenne et la fille noire. Elle donne un peu de son *talla* à chacune des adeptes, qui le reçoit dans ses deux mains jointes en gouttière jusqu'à la bouche. Abba Jérôme et moi sommes honorés aussi d'un peu de boisson dans le creux de la main droite, afin que, buvant, nous participions à la communion.

Les poulets morts sont rassemblés en tas, à l'ombre. Le bélier, porté un peu à l'écart, est maintenant suspendu au mur de la maison d'habitation par deux cordes traversant les pattes de derrière et le dépeçage continue, effectué par le possédé abruti et le mari de la femme au genou gonflé. La fille noire se tient à côté d'eux, un carafon de bière à la main.

Malkam Ayyahou, qui s'était absentée, revient participer au dépeçage des poulets. La peau est d'abord enlevée sans plumer.

Le ventre est fendu dans le sens de la longueur, ainsi que le cou. Puis l'intérieur du cou, sorti de la peau, est tranché, la tête restant intacte au bout de la dépouille. Au fur et à mesure que les poulets sont prêts, les adeptes auxquelles ils appartiennent s'en coiffent. Bec pendant sur le nez, ailes battant les deux joues, elles dansent, parées de ces étranges chapeaux.

Malkam Ayyahou a préparé elle-même les deux poulets de la fillette aux écrouelles. Après avoir frotté ses plaies avec la face interne de la première dépouille, elle l'en coiffe, mais la fillette enlève tout de suite le poulet et s'essuie les cheveux. Elle fait de même pour le second poulet, quand Malkam Ayyahou le lui met sur la tête. J'apprendrai plus tard que ses deux zar ont refusé le sang...

11 h 50 : arrivée de la vieille possédée aveugle, dont les pieds vont tâtonnant.

Insufflation d'eau, par l'anus, dans l'intestin du bélier, pour chasser la merde, qui s'en va, hésitant comme un ludion.

Arrivée d'autres gens : le possédé ex-assassin, toujours aussi pédant ; une vieille *balazar* d'Addis-Alam qui est folle, possède de très beaux yeux encore lubriques et me rappelle feu Louise Balthy ; elle apporte à Malkam Ayyahou une offrande de plantes médicinales.

Café. Repas de Malkam Ayyahou, puis repas en commun, sur le bélier sacrifié. Toutefois, celles qui ont reçu des poulets prennent leur repas à part : ceux qui toucheraient à leur viande seraient frappés par contagion. Une fillette — borgne elle aussi — qui est la fille de Fantay et se trouve là pour aider aux énormes travaux préparatoires qu'exige le prochain sacrifice du taureau, est invitée à prendre part au repas des génies : « Mange avec nous ! Plus tard, tu seras des nôtres... »

Tandis que Malkam Ayyahou, momentanément repue, sommeille, Abba Jérôme et moi, nous nous retirons.

A une traverse du plafond de la maison d'habitation l'intestin gonflé du bélier a été accroché, enroulé plusieurs fois sur lui-même comme un long pneu.

5 octobre.

Le fleuve des événements politiques n'a pas cessé, pour si peu,

509

de couler : hier, le gouvernement central a décrété la mobilisation générale. Que les gens obéissent ou n'obéissent pas, c'est l'anarchie : s'ils n'obéissent pas, c'est qu'ils se rebellent ; s'ils obéissent et s'en vont, les villages, sans défense, sont livrés aux bandits, — sans compter le pillage des soldats eux-mêmes, qui est, à beaucoup près, le principal élément de désordre.

Qiès Ayyèlé et sa femme (qui sont venus à Gondar pour collaborer aux préparatifs de la journée du taureau) me rendent visite dans l'après-midi. Je leur demande ce qu'on raconte dans le pays. Il paraît que les gens n'ont pas l'air très décidés à remuer pour la mobilisation. On dit d'autre part que les Européens (c'est-à-dire nous, en collaboration avec les Italiens) vont prendre le pays, d'accord avec le gouvernement central, qui pourrait bien ne décréter que pour cela la mobilisation. Certains sont contents de cette chose, d'autres ne sont pas contents. Qiès Ayyèlé et sa femme, naturellement, se rangent parmi ceux qui sont contents.

Selon ce que dit le Consul ce soir, des pourparlers seraient peut-être envisagés entre Addis Ababa et les rebelles. Somme toute, on ne sait pas grand'chose de la situation... Toujours est-il que le fitaorari Makourya, prudent, a déposé tout l'argent qu'il possède à la caisse du consulat.

6 octobre.

La folle d'Addis-Alam, qui est venue chez nous hier et, de fil en aiguille, a passé la nuit sous le grand abri de toile qui occupe notre cour centrale, est partie calme ce matin.

Hier, elle s'était agitée, demandant toutes sortes de choses : fumigations d'encens, poudre à canon (que je lui ai refusée), eau pour sa toilette intime (qui lui a été accordée). Elle a accepté une bouteille de lait, quelques menues pièces de monnaie, mais a par contre refusé de manger. Pour rester (car elle est sans domicile), son truc consistait à dire, soit qu'on ne lui avait pas servi le troisième café (ce qui était parfaitement faux), soit qu'un instant après elle allait partir chez notre voisin le dedjazmatch.

Ce dernier est venu ce matin dire au revoir à Griaule. Il part à Dabra-Tabor pour la mobilisation. Il est encore malade, et ce déplacement ne l'amuse pas...

Brusquement, une triste nouvelle : Ayaléo, notre achkar (celui qui m'avait accompagné de Métamma jusqu'à Tchelga), est mort. Depuis longtemps il ne travaillait plus, malade de la poitrine.

L'enterrement, selon la coutume, a lieu immédiatement, à Qeddous Yohannès notre paroisse. Tout le quartier — femmes surtout — s'est déplacé. Griaule, Lifszyc, Faivre, Lutten, Abba Jérôme et moi sommes là. Les prêtres, largement payés, font bien les choses. Peu d'Abyssins auront eu un aussi bel enterrement. Mais cela ne change rien quant au pauvre garçon.

Emawayish, qui vient l'après-midi faire ses condoléances, accompagnée de deux voisines, raconte un rêve curieux.

Un chien noir, qui la poursuit, veut manger un enfant qu'elle tient dans ses bras. Pour sauver l'enfant, elle le cache sous sa chamma. Mais le chien pénètre sous la chamma en passant par en bas et déchire l'enfant en morceaux. Emawayish arrive à une foule très dense, et triste, composée de gens habillés en rouge. Mais elle ne se mêle pas à cette foule. Impressionnée par le chien, elle regarde plus loin.

Selon la vieille voisine, qui interprète le rêve, l'épisode du chien se rapporte à une promesse qu'Emawayish a dû faire à l'église, qu'elle n'a pas dû tenir et que l'église lui réclame. Quant à la foule, elle figure prophétiquement la foule présente aux obsèques du matin.

7 octobre.

Autre visite de condoléances : mon vieil ami Enqo Bahri, accompagné d'un autre prêtre de Qeddous Yohannès qui a l'un des deux yeux tout blanc. Connaissant Enqo Bahri, je fais immédiatement apporter le raki.

. . . .

14 octobre.

Entr'acte d'une semaine. J'ai fait un grand plongeon. J'habite maintenant chez Malkam Ayyahou. J'attends ma tente demain pour m'installer définitivement.

Cela s'est passé d'une façon très simple.

Après la nuit de veillée précédant le sacrifice, nous comptions

511

passer encore une nuit et partir le lendemain. On a commencé par nous démontrer qu'en notre qualité d'offrants — ou de représentants d'offrant (puisque c'est Griaule qui a payé le taureau) — nous devions rester au moins trois jours. Puis, le soir du quatrième jour, on nous a appris — comme par hasard — que le lendemain à l'aube, on verserait « un sang noir en brousse » pour deux adeptes, et que nous pourrions assister à la cérémonie ; comme il s'agit d'un rite maléfique, qui s'accomplit en grand secret, naturellement nous acceptons ; la *wadadja* nocturne qui s'ensuit nous entraîne jusqu'au sixième jour. Au sixième jour nous apprenons que c'est le lendemain qu'on « balaye le *tchèfié* » (roseaux dont la maison a été jonchée à l'occasion du sacrifice) et qu'il est nécessaire que nous assistions à la cérémonie. Aussi, aujourd'hui, jour de ladite cérémonie, afin d'éviter les demandes et renvois constants de mulets qu'entraînent ces changements de programme, ai-je décidé purement et simplement de faire venir de quoi habiter sur place, dans le jardin de Malkam Ayyahou.

Encore une fois, j'utilise mes comptes rendus.

. . . .

7-10-32.

20 h 30 : *installation sous le* das *(abri provisoire pour banquets), construit avec des toiles de tente de la mission entre la case des* wadadja *et la case d'habitation.*

Il y a beaucoup de monde, de l'herbe fraîche sur le sol et presque toutes les femmes ont des chamma très blanches. Trois foyers permanents d'encens, correspondant chacun à l'une des ouvertures du das *: les deux entrées (une à chaque bout), le grand espace non clos compris entre les deux cases et donnant sur la plantation de maïs. Parmi les assistants il y a : Ballatatch (la femme de l'infirmier du consulat, celle que la poudre avait brûlée) ; la vieille aveugle ; la femme de Qiès Ayyèlé (qui s'appelle Bezounèsh) ; Lidj Mangoustou (le grand assassin rencontré l'autre nuit, qui descend de l'Empereur Mikaël Sehoul et souffre d'une orchite) ; Enqo Bahri, qui, avec le dessus de sa tête quasi chauve consciencieusement oint de beurre et sa barbe grisonnante bien taillée, fait très vieil abonné de l'Opéra (il est arrivé en retard et sa femme, partie un peu avant lui, le croyait assassiné).*

512

Deux jeunes soldats, qui sont venus chercher la fille noire borgne et sont entrés en négligeant de s'annoncer, ainsi qu'ils auraient dû, comme « enfants de la wadadja », sont expulsés, ainsi que la fille noire elle-même, pour qui des hommes ont échangé des coups de fusil il y a quelques nuits, à Gondar.

Dans la coulisse — c'est-à-dire à l'intérieur de la case d'habitation — Emawayish et son oncle Qiès Ayyèlé s'affairent aux préparatifs.

Lidj Mangoustou est assis à la place d'honneur, à côté de la patronne, près du lit de repos, qui s'adosse au mur de la case d'habitation.

Nombreux chants, nombreuses transes, dont une très solennelle, derrière des voiles tirés — de Lidj Mangoustou, pour le zar arabe Bachir.

Belle descente du lépreux Azaj Douho. Parlant du nez comme quelqu'un dont la cloison et les narines sont rongées, il demande de la cendre à manger.

Une parente d'Emawayish, femme d'un nommé Kabbada qui a travaillé quelquefois pour nous comme informateur, fait le gourri. Au cours du foukkara, son zar déclare qu'il a frappé l'enfant qu'une femme présente porte sur le dos. On prie le zar de laisser en paix l'enfant.

1 h 05 : le zar est prié à genoux par la femme portant son enfant sur le dos. La femme de Kabbada et Malkam Ayyahou passent leurs mains sur le dos de l'enfant. Le zar promet qu'il partira demain. Il avait frappé l'enfant parce que la mère l'avait appelé « faux zar ».

Gourri, inattendu pour moi (car je la considérais comme le type de la femme posée et de bon sens) de Bezounèsh, la tante d'Emawayish. Descendent sur elle Bachay Galla, puis Gorgoro. Par la suite, couchée (au moment où les gens commenceront à s'étendre sur place pour dormir) elle imitera, pour rire, des bruits de pets avec sa bouche.

Formule pour arrêter les danses : « La Croix est debout ! »

Fin vers 3 heures.

Je couche sur le perron de la case d'habitation, où j'ai fait installer mon lit de camp. Endroit bien aéré et où, pourvu qu'on ait un lit, on n'a pas à craindre la vermine.

Abba Jérôme couche, quant à lui, à l'intérieur de la case d'habitation. Y couchent aussi : Emawayish, son enfant, la femme de l'esclave-cultivateur, l'enfant de cette dernière, Qiès Ayyèlé et peut-être encore une ou deux personnes que je n'ai pas déterminées.

8-10-32.

7 h 15 : *dans la case d'habitation, Malkam Ayyahou crache du tchat sur les oreilles, la face, le front, la nuque de l'enfant qu'avait frappé le zar. Finalement, le visage entier est couvert de crachats. Crachat à l'occiput du fils d'Emawayish, puis du premier enfant.*

Café sous le das. Arrivée du taureau, qu'amènent Tebabou et un achkar de la mission (7 h 45). Malkam Ayyahou va examiner la bête et la trouve à son goût.

Elle se rend ensuite à la case d'habitation, suivie des adeptes, à qui, après qu'elles sont entrées en transe et ont reçu sa bénédiction, elle remet les parures : crinière de lion à Aggadètch, crinière de lion à la femme de Kabbada, bouqdadié aux autres.

9 h 02 : *Malkam Ayyahou remet à son frère le couteau que celui-ci est venu lui demander pour sacrifier.*

La vieille aveugle est là, vêtue maintenant d'une toge à bande rouge.

9 h 06 : *Malkam Ayyahou sort de chez elle avec l'aveugle et les adeptes. Elle se rend au das. Une grande fille aux yeux chassieux nommée Tiénat tient le parapluie. Malkam Ayyahou porte son ankasié. Fantay et celle à l'œil vitreux tiennent chacune un bâton courbe, l'aveugle un bâton fourchu.*

Danse à sept, avec rauquement régulier, claquement du sol des deux pieds à la fois, en même temps que les fesses, d'une détente brusque, sont pointées en arrière. Bâtons, parapluie et ankasié — lances fictives — sont tenus dans la main droite, fer en bas, et le bras rejeté vers l'arrière, comme pour un geste de menace dans une parade guerrière.

La femme d'Enqo Bahri, la fille de Fantay, Bezounèsh et les

514

hommes battent des mains. Assise, la Tigréenne fait un peu le gourri, *puis se mêle au groupe des sept. A la fin de la danse, toutes baisent les pieds de Malkam Ayyahou.*

Bénédictions aux arrivants. Distribution de parfum. Communion à l'eau miellée.

A 9 h 50, Malkam Ayyahou annonce que le moment de procéder au sacrifice est arrivé.

On passe à l'emplacement fixé pour la cérémonie, c'est-à-dire l'espace compris entre le das *et l'abri cuisine, au pied de l'escalier de côté qui monte au premier étage de la case d'habitation. L'une des adeptes tient une grande corbeille contenant des offrandes solides : mélange de grains grillés et éclatés, boulettes au miel, sortes de petits pains nommés* dabbo.

Mais l'égorgement du taureau est encore un problème.

Qiès Ayyèlé et le cultivateur ligotent les pieds de devant. Les pieds de derrière sont entravés ensuite. La queue, ramenée entre les jambes de derrière, est tirée sur la droite. Un homme placé devant le taureau le tient par les naseaux et par une corne. Un autre tient l'autre corne.

Lutte relativement longue. Le taureau est renversé sur le côté gauche. Mais ce n'est pas le bon côté : il faut le mettre sur le côté droit. Alors le taureau se dégage de ses liens. Il faut le réentraver. Enfin, on le renverse sur le côté droit. Il s'en est fallu de peu que cela ne tourne à la corrida...

Aspersions de talla *par Malkam Ayyahou. Un pieu est enfoncé dans la gueule de l'animal pour qu'il reste tranquille. Emawayish apporte les corbeilles d'offrandes.*

La bête enfin en place, Qiès Ayyèlé fend la peau du cou longitudinalement — selon le fanon — et écarte. Le bord inférieur se charge de sang comme une cuvette.

Enqo Bahri emplit la tasse, puis la tend à Malkam Ayyahou, qui la vide au milieu des youyous.

Le taureau, long à mourir, gronde, pendant qu'on lui charcute la trachée.

. . . .

Malkam Ayyahou a non seulement coiffé le diaphragme, mais elle se l'est mis en pèlerine ; on lui a posé dessus l'estomac de la victime — bien lavé et séché — en le lui fixant devant avec une épingle de nourrice.

La fille noire est venue demander son pardon, apportant en offrande du café et un citron. J'ai vu aussi la folle d'Addis Alam, que Malkam Ayyahou a fouettée pour lui apprendre à vivre. La femme au genou gonflé — Yeshi Arag — était là, elle aussi, très mal en point, toujours incapable de marcher. Son mari s'est décidé à la faire soigner à l'infirmerie du consulat. Il est convenu que lundi matin nous enverrons un mulet à nous pour le transport de la malade.

Vers la fin de l'après-midi, Abba Jérôme et moi allons, pour nous détendre, faire un tour au marché. Mais il n'y a déjà plus grand monde...

Revenant vers la maison du sacrifice, nous rencontrons la femme maigre à tresses, au visage marqué de petite vérole, vue pour la première fois à Darasguié. Elle rentre du marché, toujours sérieuse et noble. D'une main elle tient son parasol, de l'autre une calebasse de grain. Une esclave portant les grosses charges la précède de quelques pas. Après les salutations — faites sans s'arrêter (car la femme craint peut-être de se compromettre) — cheminant ensemble nous échangeons quelques phrases. La femme sait qu'on a versé le sang chez la patronne ; mais elle n'est pas venue et ne veut pas venir, craignant qu'à cause du sang répandu son zar ne lui fasse mal.

Elle dit cela. Pourtant nous la reverrons le soir même et — croix de cou tournoyant — elle fera un merveilleux *gourri*...

9-10-32.

La femme maigre à tresses est partie de bonne heure ; un porteur de fusil et une petite esclave sont venus la chercher dès le matin. Elle m'a demandé du parfum. Je lui ai promis de lui en donner, à condition qu'elle vienne au camp comme informatrice.

15 heures : café. Malkam Ayyahou réclame — au nom de Moulo Kedda, *neveu de* Seyfou Tchenguer — *la tasse dans laquelle, la veille,* Seyfou *a bu le sang. Durant sept jours, cette tasse devra lui être réservée.*

Principal jeu, auquel on se livre depuis le matin : procès burlesques, à propos d'interdictions auxquelles donnent lieu le

516

guenda et l'herbe qui jonche le sol. Les coupables sont jugés selon les règles et condamnés à une amende, qui sert à payer des boissons. Ceux qui ne veulent pas fournir de garant se voient confisquer leur chamma. L'aventure arrive à Kasahoun, qui la prend assez mal. Défense, entre autres choses : de s'asseoir sur le support des cruches à bière ; de donner une bouchée — non pas de la main à la main — mais directement à la bouche, d'homme à femme ; de poser sa tasse à café à terre après l'avoir finie ou de la replacer soi-même sur le plateau ; etc...

Un homme qui palabre sérieusement parce que quelqu'un lui a volé sa canne dit : « Que le guenda vous fasse voir ! » au lieu de la formule habituelle : « Que Dieu vous fasse voir ! »

Arrive un nommé Seyd, musulman, ancien esclave, dont le nom de zar est Dèm Temmagn (comme la borgne Dinqié). Presque tout de suite il fait le gourri, puis parcourt l'assemblée, distribuant çà et là quelques coups de fouet. Ensuite, au milieu des rires, il joue la comédie suivante, à laquelle l'assistance collabore :

Des adeptes lui donnent un carafon plein de talla. Il lui fait décrire plusieurs cercles au-dessus de sa tête, disant : « Médecine ! Médecine ! » puis le boit en dansant, la tête renversée. Il mime ainsi l'homme qui prend une purge. Il s'en va un peu à l'écart et fait semblant de déféquer, puis tombe à terre comme s'il était mourant. On le rapporte au milieu de l'assemblée et l'aveugle lui fait baiser une croix fabriquée avec quelques tiges de roseau. Il meurt. On le recouvre d'une étoffe blanche. Mais Abba Qwosqwos (Malkam Ayyahou) le ressuscite, en le faisant communier avec un morceau de dabbo. Il demande alors du raki, qu'il appelle « sang du Christ ».

Dinqnèsh a apporté un gros tambour, de ceux qui servent pour les noces. Sitôt qu'on en joue, la femme maigre à tresses — qui est revenue, escortée par deux jeunes gens qu'elle a présentés comme ses frères — se lance dans un gourri violent, éperdu. Assis derrière elle, ses deux parents s'efforcent de la recouvrir quand elle se découvre. Ils replacent la chamma qui glisse et dénude son épaule, renouent sa ceinture dénouée. La transe finie, un haut bâton en main — une houlette — elle va prendre sa place dans la danse avec les autres. C'est Senker qui est descendu.

La femme au genou gonflé — Yeshi Arag — a une transe elle aussi. Toute la journée, elle a souffert. A la fin de la transe, toutes

ensemble, les femmes se jettent à plat ventre devant elle et crient :
« Abièt! Abièt! » (Pitié! Pitié!) — comme crient ceux qui
demandent justice — pour supplier son zar de la laisser...

Le tueur Mangoustou, dans le courant de l'après-midi, a confié
ses peines à Abba Jérôme. Il ne peut pas aller à Addis faire valoir
ses droits de famille, car il y a tué un homme. A Gondar, il en a tué
deux. Il s'apprêtait à aller en brousse, comme tous les ans, pour
lever l'impôt à son compte (c'est-à-dire faire le chifta) mais voilà
que ses jambes et ses testicules se sont mis à gonfler, le gênant pour
marcher... Pas de chance!

Abba Jérôme et moi avons dîné en haut, dans la case d'habitation, avec Emawayish. Tandis que nous mangions les injéra et la
viande à la sauce, elle rongeait, cru, un os énorme... Des adeptes
sont venues vers elle, attirées par l'espoir d'avoir elles aussi
quelques bouts d'os.

C'est l'herbe (celle-ci non sacrée) dont le sol est jonché qu'Emawayish emploie pour torcher son gosse.

Dans la soirée, sous le das, le zar descend sur Mangoustou.
Derrière les voiles baissés il se dandine, chante plus fort et bat des
mains, pointant de temps en temps son menton vers quelque
femme. Lorsque l'exaltation est à son comble, il fait relever les
voiles, se lève et s'avance, toujours battant des mains et chantant,
au milieu de l'assemblée. Enthousiasmées, les femmes, debout,
font cercle autour de lui, battent des mains et chantent. Puis il va se
rasseoir et Malkam Ayyahou interroge son zar. Le zar refuse de le
laisser en paix : « Je ne quitterai pas ce wedel (gros âne qui brait
tout le temps parce qu'il veut tout le temps baiser). Il tue partout et,
quand il rentre à Gondar, il fait partout des prostituées. » Assis en
tailleur, les genoux largement écartés, il reçoit les adeptes qui
viennent supplier. Prosternée, chaque femme lui baise les cuisses et
l'entrejambe.

La femme maigre à tresses — dont c'est le tour de faire la
keddam ou esclave volontaire — sert le café, la toge drapée au
respect.

L'idiot de village fait un gourri lui aussi. Après transe et danse,
prosternements répétés un grand nombre de fois, dans les quatre
directions. Les prosternements se font à partir de debout, après
claquement des mains sur les cuisses en roulement. Chaque phrase
du foukkara est reprise en chœur.

Une femme mince et galeuse, en loques, avec une figure assez gentille de petite guenon, fait le gourri *d'Azaj Douho. Accroupie, entièrement disparue sous le voile vague de spectre, elle saute ridiculement en grenouille. Suit un discours en voix du nez, enchifrenée, avec des « amen » de tous en répons. On lui donne à manger de la cendre. A Azaj Douho succède sur la même femme* Mafodié, *sa servante de cuisse, qui est elle aussi une lépreuse avec le nez tout à fait écrasé...*

La nuit est très avancée. Abba Jérôme et moi montons nous coucher. De mon lit, j'entends Emawayish qui chante en bas, car elle est redescendue, son travail terminé. Sa voix est fine, étranglée, à mi-chemin du spasme et du sanglot. Un peu plus tard, j'entends au loin les chants des prêtres d'une église, avec ce bruit des gros tambours qui n'a pas fini, lui non plus, de m'émouvoir et m'étonner.

10-10-32.

C'est ce matin qu'on quitte le das. *L'herbe a été enlevée par les deux vieilles esclaves. Maintenant on brûle de l'encens.*

On doit passer à la maison des wadadja : *déménagement de l'encens, des peaux pour s'asseoir et des autres accessoires ; mais il faut attendre Malkam Ayyahou pour s'installer. Fantay déclare : « Nous sommes restés trois ans en brousse ; maintenant il faut rentrer. » La brousse, c'était le* das ; *les trois ans, ces trois jours derniers...*

Malkam Ayyahou prête, on se rend en procession à la maison des wadadja, *dont le sol est jonché d'herbe fraîche. C'est Malkam Ayyahou qui marche en tête.*

Vient un mendiant, qui s'assied à droite de la porte. Son bras gauche tremble convulsivement sous la chamma. Ses mâchoires bougent ; sa bouche s'agite de haut en bas.

Combustion d'encens, avec prière par Malkam Ayyahou. Grillage du café, de même.

Malkam Ayyahou fait donner deux cartouches au mendiant.

Des adeptes qui n'avaient pas assisté, ou assisté seulement au début du sacrifice, viennent rendre hommage. Arrivant dans la nouvelle pièce, elles poussent des youyous.

Broyage du café, qu'on écrase au pilon.

7 h 55 : Enqo Bahri, qui ne nous a pas quittés depuis ces trois jours, découpe un grand pain rond dit « balai du tchèfié ». Un homme vient lui exposer un palabre, debout sur la banquette de droite en regardant la porte. Fantay, assise sur la banquette de gauche, face à l'homme, l'écoute en tendant au-dessus de ses genoux sa chamma à deux mains. Elle dit que les zar font ce geste afin de ne pas oublier, de même qu'on écrit.

On attend en ce moment un gâteau spécialement préparé pour le lépreux Azaj Douho. *Ce zar, subordonné à* Sheikh Ambaso *le grand zar de la lèpre, est le « coupeur » de ce dernier. C'est lui qui donne les gales et les plaies. Après tout sang, il lui faut son* maqwadasha *car c'est lui qui veille à ce que les promesses faites aux* zar *soient bien exécutées et à ce que rien ne reste en arrière. Il habite le foyer de la maison; son achkar* Yè Taqara Tor *(« lance de suie ») est la suie du toit de la maison.*

Transe de Malkam Ayyahou : c'est Azaj Douho.

Bénédictions avec voix du nez. Conseil : « Ne versez pas d'eau à l'endroit des cendres » (parce que cela ferait venir contre vous Azaj Douho).

On apporte à Azaj Douho *un gobelet de purée de* talla *non fermentée. Malkam Ayyahou le vide, sans relever son voile.*

Massage de la cuisse gauche d'Enqo Bahri, par Malkam Ayyahou. Le gobelet de talla *est passé à tous par Fantay, pour la communion. Enqo Bahri, qui est affligé non seulement de* Sheikh Ambaso *mais d'Azaj Douho et a les jambes gonflées, semble-t-il, par une espèce d'éléphantiasis, se montre particulièrement respectueux de ce zar, qu'il dit « le plus méchant de tous ».*

Sur Malkam Ayyahou, Azaj Douho vient d'être remplacé par Yè Teqara Tor. *Traction des doigts à la tigréenne, massage de la jambe d'Enqo Bahri et souffle sur les doigts de pied.*

On apporte le gâteau d'Azaj Douho, dans une cuvette de bois qu'on pose devant Malkam Ayyahou, sur trois pierres disposées en trépied. C'est un gâteau à base de céréales, relevées par divers ingrédients. Il est de forme sensiblement hémisphérique, surmonté d'un dôme arrondi qu'on appelle la « coupole » et dont le sommet est orné d'une petite boule. Autour de la coupole, un peu plus bas, disposées en triangle, trois autres petites boules. Plus bas encore, encore trois autres petites boules. La petite boule du haut représente le faîte de poterie qui orne le toit de chaume de la maison. Les trois boulettes du milieu figurent les trois pierres du foyer. Quant aux boulettes du bas, elles se rapportent à Chankit, correspondant aux trois petites touffes de cheveux qui composent sa coiffure.

La femme qui a préparé le gâteau (vieille femme, ayant passé la ménopause) s'est lavé les mains mais ne les a pas essuyées, de même que Dinqié qui aide au service.

La coupole est enlevée par les deux femmes, qui préparent des boules avec le reste de la masse. Malkam Ayyahou, mains croisées, donne à chacun deux boules, qui sont reçues mains croisées. Elle reçoit pour elle-même la coupole, dont elle distribue quelques petits morceaux à ceux qu'elle veut favoriser.

Les boules ont été servies chaudes. Les restes sont donnés aux gens du dehors, par les adeptes.

Communion au talla, versé dans les mains jointes en coupe.

La cérémonie a eu lieu entre le deuxième et le troisième café.

10 h 30 : Malkam Ayyahou refuse de recevoir des gens. On ne doit pas recevoir le jour du « balayage du tchèfié ». C'est ce jour-là que le zar frappe le plus facilement.

Scène comique jouée par une vieille qui a fait le gourri :

Elle sort, puis revient avec canne (celle d'Abba Jérôme), parasol et voile sur la tête ; c'est une religieuse qui vient consulter Abbatié Tchenguerié (nom qu'on donne le plus communément à Malkam Ayyahou, d'après le nom du plus grand de ses zar). Fumigation d'encens à la canne d'Abba Jérôme. Gourri simulé burlesque devant l'encens, jet du mateb, parodie d'enquête sur l'identité du zar, puis sortie. La vieille mime l'aventure arrivée à une de ses parentes, religieuse qui méprisait le zar et a été frappée. Retour de la vieille. Elle demande l'absolution à Lidj Mangoustou, qui est là et se trouve promu au rôle de prêtre. Il répond : « Que Dieu te f… ! » Nouveau gourri de la vieille, qui termine en jetant son voile à Malkam Ayyahou pour signifier qu'elle renonce à la religion. On lui remet son voile, Malkam Ayyahou la réinterroge. Une adepte suggère que, si le confesseur de la religieuse ne l'autorise pas à verser le sang, il sera frappé par le zar. La religieuse demande aux adeptes (qui figurent des amies) ce qu'il faut faire pour guérir. « Il faut aller chez Tchenguerié et faire le gourri. » La religieuse demande une fumigation d'encens à une adepte qui représente sa fille; puis celle-ci va à Malkam Ayyahou afin de consulter. Mais Tchenguerié *refuse de soigner. Gémissante, la religieuse se couche sur la banquette, à côté de Malkam Ayyahou. Elle dit qu'elle va mourir et veut se confesser à Lidj Mangoustou. Ce dernier y consent, moyennant promesse d'un bœuf. La vieille sort, puis revient non déguisée. Baisemains à la ronde. Deux adeptes mettent fin à la comédie, annonçant que la religieuse a été enterrée car, ayant méprisé le zar, elle n'a pas reçu le secours de* Tchenguerié.

11 h 50 : *Malkam Ayyahou asperge de* talla *additionné d'eau de Cologne :*

l'emplacement du das *;*

les toiles de tente qui le constituaient (maintenant roulées pour être remportées) ;

les murs de la case aux wadadja *;*

l'emplacement compris entre la porte de celle-ci et la porte d'entrée sur la rue.

Puis, du seuil de la case aux wadadja, *elle asperge les gens de l'intérieur avec de l'eau de Cologne.*

Plus tard arrivent des profiteurs, les habituels pique-assiettes de sacrifices. Coq en pâte, Mangoustou se fait masser le pied gauche par les femmes.

Abba Jérôme et moi passons à la case d'habitation, où se trouvent Emawayish et Fantay. Causerie sur divers sujets : plaisir qu'on éprouve à faire le gourri, *histoire de Fantay, — fille de* balazar *et que sa mère, lorsqu'elle était petite, massait après s'être massée elle-même, pour lui passer ses propres douleurs.*

A la chute du jour, Malkam Ayyahou asperge l'emplacement du das, *avec de l'hydromel, cette fois. Dans l'obscurité grandissante, les adeptes jouent. Face à face, se tenant par les deux mains, les pieds joints, elles tournent rapidement, comme font les filles dans toutes les campagnes. Pensionnaires en récréation dans une cour d'internat...*

Tournant ainsi, la grosse Tigréenne tombe. Malkam Ayyahou survient, l'engueule, et le jeu cesse.

Rentrée dans la maison des wadadja. *La Tigréenne arrive, un coq blanc sur la tête. C'est l'un de ceux dont nous avons appris — par Dinqié la borgne — qu'ils devaient être tués demain matin.*

Dinqnèsh raconte qu'il y a dans la maison de la patronne un génie protecteur qui est un léopard. Lorsqu'il vient, c'est toujours par le côté des sycomores. On l'entend faire « dem... dem... » quand il grimpe le long de la maison.

Le poulet que la Tigréenne avait sur la tête et un autre poulet sont mis dans un coin. Je crois qu'ils passeront la nuit là.

Les adeptes apportent à Malkam Ayyahou les offrandes préparées pour le sacrifice du lendemain. Malkam Ayyahou les vérifie. Il y a des dabbo, de petits injéra, de grosses boules au noug... Malkam Ayyahou dit qu'il faut réduire ces dernières, attendu qu'il s'agit non pas de les manger mais de les jeter en brousse.

. . . .

11-10-32.

Nuit presque blanche. Par suite d'un malentendu, Lutten n'a pas donné mon lit aux hommes que j'avais envoyés au camp pour le reprendre (je l'avais en effet évacué le matin, pensant rentrer dans la journée). Pour comble de malheur, les mulets venus l'après-midi pour me chercher et que j'avais renvoyés à vide (sachant alors que le lendemain on jetterait « un sang noir dans le fourré ») sont repartis avec les selles contrairement aux ordres donnés au muletier. Je n'ai donc rien pour dormir, pas même une couverture. Enveloppé dans mon imperméable, avec ma sacoche soudanaise pour oreiller, je m'étends sur le perron, à même le sol. Trop de vermine. J'essaye les marches mêmes du perron. Trop dures. Puis le lit de Malkam Ayyahou, qui se trouve dans la cour, ayant été mis à sécher au soleil. Trop froid, trop de punaises. De guerre lasse, je rentre dans la case d'habitation. J'arrive à dormir un peu, malgré les insectes qui me rongent, assis sur une étroite banquette de boue séchée, située entre le lit de camp d'Abba Jérôme (que, plus heureux que moi, il a pu faire rapporter) et la banquette principale où couchent Emawayish et son enfant. Encore dois-je me lever fréquemment, pour lutter contre la courbature.

Je songe bien à joindre Emawayish, mais il y a son enfant à côté d'elle, Abba Jérôme dans la pièce ; sans doute me repousserait-elle ? Et tant d'autres raisons, ne serait-ce que le manque de la plus élémentaire hygiène... Bref, je ne fais rien.

Cela a l'utilité de m'amener jusqu'au moment où j'entends

Malkam Ayyahou et ses adeptes se préparer à sortir pour le sacrifice en brousse. Il est probable que si je n'avais pas été éveillé, elles y seraient allées sans moi.

. . . .

5 h 30 : *départ, dans la nuit. Nous sommes huit : Malkam Ayyahou, Dinqié, la grosse Tigréenne, la chassieuse au parapluie, celle à l'œil vitreux, Fantay, Abba Jérôme et moi.*

Cinq minutes de marche environ — en silence et sans lumière — dans la direction approximative du marché. Arrêt dans un lieu désert.

Combustion d'encens sur le tesson de poterie qui contient les braises apportées de la maison. Le plat à galettes et à grains est déposé à terre.

Tandis que deux adeptes vont chercher l'un des poulets noirs, qu'elles ont oublié, changement d'emplacement. On va se placer sous le fil téléphonique, dans un endroit entouré de fourrés.

Dinqié et celle à l'œil vitreux tiennent chacune un carafon (eau miellée et talla). La grosse Tigréenne (à qui est destiné un des poulets noirs) se tient debout, face à l'est. Le soleil n'est pas encore sorti de l'horizon. Malkam Ayyahou, face à l'ouest, est debout devant elle.

On attend.

Reviennent les deux adeptes, avec le poulet.

La Tigréenne est maintenant assise à terre, tournant le dos à l'est. Malkam Ayyahou est debout en face d'elle.

Tenant le poulet par les ailes, Malkam Ayyahou masse avec lui la tête de la Tigréenne, d'avant en arrière, c'est-à-dire du front à la nuque. Elle masse en appuyant beaucoup. Tête d'abord ; puis visage ; puis tout le corps. Enfin la terre est frappée violemment avec le poulet, à gauche et à droite de la Tigréenne.

Malkam Ayyahou achève le poulet en l'étranglant sur le sol, devant la Tigréenne, puis elle le jette dans un fourré épais, situé un peu en arrière de la patiente, vers la droite.

Projections d'eau miellée, de talla et de nourritures de tous côtés. Boules au noug, dabbo et galettes sont jetées dans le fourré. La tête de tous les assistants est ointe de beurre parfumé.

Communion avec les liquides et le restant de chacune des

524

sortes de solides. Quelques parcelles de solides sont jetées à terre.
Même cérémonie pour la chassieuse au parapluie, avec un autre
poulet noir.

Fin à 5 h 50, le soleil pas encore au-dessus de l'horizon.

Comme suite à cette opération, la première personne qui passera
près du buisson attrapera les maux des deux adeptes en faveur de
qui on a versé le sang, et ces dernières seront guéries.

Retour à la maison, où les zar de la Tigréenne et de celle au
parapluie doivent recevoir leurs coqs de couleur appropriée, après
que le sang des poulets noirs a fixé les mauvais génies — en
l'occurrence des « yeux d'ombre » — en brousse.

. . . .

Emawayish s'est absentée, ayant à faire chez elle, mais elle est
revenue à la tombée du jour, pour la wadadja *de la nuit.*

Dans le jardin, Dinqié danse en rauquant, ayant placé devant
elle l'enfant d'Emawayish. Puis elle fait de même, l'enfant sur le
dos. Comme lors du repas que les adeptes firent partager à la fille
de Fantay, peut-être y a-t-il ici volonté de contagion ?

Deux à deux les adeptes dansent en rond en se tenant les mains,
sur l'emplacement du das. Celle à l'œil vitreux accompagne en
battant des mains et rugissant à la zar.

19 h 20 : *service de* talla, *dans la case aux* wadadja. *Bénédiction*
par Qiès Ayyèlé, assis entre Malkam Ayyahou et la vieille aveugle.

Arrivée des adeptes. Début immédiat des danses, pour saluer une
nouvelle malade, qui est venue escortée par deux esclaves, — les
trois femmes admirablement propres, les deux esclaves qu'on sent
avoir été choisies par leur acheteur du point de vue de la seule
robustesse. Une de celles-ci offre de la myrrhe, au nom de la
malade.

Dinqié dirige les chants et les danses, assise entre Malkam
Ayyahou et l'aveugle, à la place de Qiès Ayyèlé, qui s'est retiré.

La Tigréenne, couchée sur le dos sur une des banquettes, la tête
dans la direction de l'encens, ouvre le chant. Enlèvement de
l'encens, fin du chant.

19 h 45 : *tandis que tous ceux — assistants ou adeptes — qui*

n'ont pas reçu le sang aujourd'hui commencent à manger une poule noire que Malkam Ayyahou a fait tuer exprès pour eux, la malade, qui tient à peine debout, est conduite auprès de la patronne.

Assisté de Dinqié, Malkam Ayyahou la bénit à coups de fouet légers et répétés. La malade s'accroupit devant elles deux.

Fin du repas, auquel celle à l'œil vitreux a refusé de prendre part, rageant que son zar n'ait pas reçu de poulet.

La malade tousse fréquemment.

20 heures : *Malkam Ayyahou abreuve de* talla *la Tigréenne les mains jointes.*

Début du tambour par Dinqié, avec chants et battements de mains. Dinqié tient le tambour entre ses jambes, incliné obliquement vers elle. La malade, les yeux baissés, bat timidement des mains avec les autres, puis s'interrompt. Malkam Ayyahou prend sa main droite et chante en la remuant rythmiquement.

Fumigation de myrrhe à la malade, qui s'est fait enlever sa ceinture par une de ses esclaves. Malkam Ayyahou l'incline sur la fumée en lui mettant la main droite sur la tête et en la faisant osciller. Elle amorce un gourri *devant elle. Main sur la nuque, elle imprime à la tête un mouvement plus violent.*

Malkam Ayyahou récite devant la malade des bribes de foukkara. *Elle lui tapote le dos avec le fouet, rythmiquement.*

Danse des adeptes, debout. Malkam Ayyahou couvre la tête de la malade et continue à la secouer. Elle la lâche.

L'une des deux esclaves si propres apporte un fagot de bois pour le café. Malkam Ayyahou s'étant absentée, leur maîtresse se découvre.

Malkam Ayyahou revient avec quelques feuilles de tchat, *qu'elle déchire et mâche, et humecte de* talla *dont elle gonfle ses joues.*

Crachats de tchat *au visage, en tenant la tête entre les mains, les doigts appuyés près des tempes. Elle fait ainsi osciller la tête et remet le voile.*

Crachat sur la nuque. Nouvelle fumigation. Nouveaux crachats.

Malkam Ayyahou imprime franchement à la tête le mouvement du gourri.

Fumigation. Nouveaux crachats. Toux de la malade. Nouvel essai de faire faire le gourri. La tête commence à osciller d'elle-même.

21 h 05 : *nouveaux crachats de* tchat. *Plusieurs adeptes miment le* gourri, *pour encourager. Remontrances au zar, entremêlés de crachats.*

21 h 15 : *Emawayish, qui est présente, prend le tambour et la direction du chant.*
Chant : « De brousse, nous sommes de brousse... » Nouvelle fumigation à la malade.
Le tambour est pris par un garçon. Puis Emawayish le reprend. Le chant devient plus animé.

21 h 45 : *grillage du café. Invocation aux zar pour qu'ils descendent sur la malade et qu'elle parle. Malkam Ayyahou vient s'asseoir vers le milieu, face à la porte. Elle prend la malade devant elle.*

. . . .

22 h 30 : *je reviens d'une battue dans le jardin, où l'on avait signalé un voleur de maïs. Le revolver au poing, j'ai cherché dans les tiges, tandis que Malkam Ayyahou, munie d'un fort gourdin, visitait un autre côté, suivie de la petite Woubaloush, celle dont le nom de zar est* Adal Gwobena. *L'esclave cultivateur et notre boy Tèklè Maryam parcouraient le jardin avec moi. Toujours prudent, Abba Jérôme était resté à proximité de la cuisine et se contentait d'envoyer dans les maïs le faisceau lumineux de sa lampe électrique. Avant que nous rentrions, il a exigé que je tire quelques coups de revolver en l'air, pour effrayer les voleurs.*
La malade est restée seule au milieu de la pièce. Venant s'asseoir derrière elle, Malkam Ayyahou la reprend et la balance rythmiquement.
Deux adeptes, puis trois, font simultanément le gourri.
Malkam Ayyahou abandonne la malade, qui n'est pas entrée en transe ; le zar était descendu un peu, mais il est reparti.
Café, avec les grains habituels.
Malkam Ayyahou déclare qu'elle fera un zezzef *(ablution avec de l'eau contenant des plantes magiques) à la malade.*
Celle-ci dort accroupie sur le sol, la joue appuyée sur la cuisse d'une de ses esclaves. Sous chaque œil, elle a une grosse croûte

verte de tchat *collé. Elle était venue avec une robe apparemment toute neuve, les cheveux bien beurrés et les mains passées au henné.*

. . . .

12-10-32.

La fin de la soirée a été orageuse. Brusquement, *Abba Moras Worqié* est descendu, non sur Emawayish, mais sur Malkam Ayyahou, reprochant à cette dernière le sang en brousse du matin et les crachats de *tchat* du soir, parce que cela s'est fait moins de sept jours après le sacrifice du taureau. D'autre part Tebabou (qui depuis quelques jours est, avec tous, insolent et hargneux) doit fournir un garant car il a mis dehors la tasse dans laquelle, le jour du taureau, *Seyfou Tchenguer* a bu le sang. La grand'mère accuse le petit-fils de l'avoir fait exprès et déclare que la faute est très grave. Le zar d'Emawayish, dit-elle, aurait très bien pu frapper Tebabou sur-le-champ, et lui faire faire immédiatement le *gourri*.

A un moment donné de la soirée, Emawayish, qui s'est assombrie, donne des signes de fatigue ou d'énervement. Elle reste un moment le coude au genou, le menton dans la main. Je m'attends à ce que, d'un instant à l'autre, elle entre en transe. Pourtant elle se remet. Durant toute la fin de la soirée elle dirige le chant. Depuis longtemps, Dinqié (jalouse ?) s'est endormie. Très gaie, Emawayish fait alterner chants de zar et chants profanes. Elle est même si animée qu'elle parle zar avec ses compagnes. J'en suis irrité, car cet argot, dans sa bouche, a je ne sais quoi d'impur et me fait souvenir, une fois de plus, que je suis étranger.

A 2 heures du matin, Abba Jérôme et moi nous nous sommes couchés, sous la viande qui commence à pourrir. Comme toute la maison en est garnie, perron compris, partout cela empeste. Il est temps de s'en aller. En me déshabillant j'ai remarqué que les cornes du taureau étaient accrochées à la toiture du perron.

. . . .

Ce matin, j'étais décidé à prendre congé. J'avais même fait reprendre les lits. Mais les adeptes ont insisté pour qu'Abba Jérôme et moi nous restions. Il y aura demain matin une autre

528

petite cérémonie. Rien autre à faire, donc, que redemander les lits. Toutefois, Abba Jérôme et moi allons passer la journée au camp, afin de pouvoir changer de linge et nous laver convenablement avant de repasser une nuit.

Quant à Emawayish, elle rentre chez elle définitivement.

13-10-32.

La *wadadja* s'est encore déroulée dans une certaine ambiance de surexcitation. La femme à l'œil vitreux, qui était allée boire au dehors, a reçu des coups de fouet. Dans le jardin, elle s'était roulée à terre avec de grands cris, étendue les bras en croix. Plus tard, elle a pris à partie — vraisemblablement à juste titre — trois ex-soldats érythréens venus pour trouver des femmes. Elle les a accusés du vol d'un savon de toilette que lui avait donné Abba Jérôme.

La fillette aux écrouelles elle-même, d'ordinaire si calme, a fait entendre un rugissement de lion parce qu'on avait oublié de lui servir du café. Fantay a eu mal à l'épaule. La Tigréenne, selon son habitude, a poussé des hurlements. Tebabou s'est réconcilié avec sa grand'mère, qui lui a donné sa bénédiction en se cognant contre lui front à front, comme pour un mouton prêt à être sacrifié.

Bien que couché encore à 1 heure du matin passée, je me suis levé de bonne heure, désireux d'assister à la cérémonie promise. Mais, arrivant à la maison des *wadadja,* j'apprends qu'elle a eu lieu sans moi. Nous étions encore endormis et l'on n'a pas osé nous réveiller. Il n'y avait du reste pas grand'chose à voir. L'herbe qui jonchait le sol de la case a été ramassée, enveloppée dans une des peaux de bœuf qui servent pour dormir, portée jusqu'à un endroit broussailleux et jetée dans un buisson. Communion et projections avec *talla* et nourriture. Tout a été fait avant le jour. Combustion d'encens à la fin. Renversement sur place des braises et de l'encens. Il paraît que l'autre jour, lors du démontage du *das,* le même rite a été accompli avec l'herbe qui était dessous.

Pour pallier ma déception, Malkam Ayyahou recommence la cérémonie pour l'herbe qui est restée sur les banquettes. Elle sort en tête de la procession et revient en queue. Danse guerrière en rentrant.

Dès le début de l'après-midi, nombreuses visites : le Juif

Guiétié, qui a introduit Abba Jérôme chez Malkam Ayyahou (il a toujours son chapeau mou, sa barbe de Judas, son veston européen, ses leggings de garde-chasse) ; un concurrent de la patronne, qui était déjà venu nous voir au camp, mais s'était montré peu loquace ; aujourd'hui, sachant que nous sommes là, il ne veut pas entrer de peur que nous n'écrivions ses paroles et son nom ; un marchand d'Addis-Alam que nous connaissons ; Emawayish, qui vient filer et faire de la couture, aidée de l'idiot de village et d'un jeune garçon qui l'a accompagnée.

C'est le Juif Guiétié qui, en qualité de visiteur de marque, bénit le troisième café. Malkam Ayyahou prononce une malédiction contre les méchants. Emawayish ayant parlé à ce moment, Malkam Ayyahou lui prédit que des troupes ravageront son quartier.

Ses travaux de couture terminés, Emawayish prend congé et nous montre, à Abba Jérôme et à moi, l' « habit de nuit » ou grand manteau qu'elle vient de se faire confectionner. C'était de cela qu'elle avait envie et non, comme nous l'avions cru, d'une couverture... Telle était sans doute aussi la raison de l'emprunt de 3 thalers de ces jours derniers. Ayant un habit neuf, elle nous demande à chacun notre bénédiction. Je lui donne la mienne bien volontiers.

Abba Jérôme apprend incidemment — de je ne sais plus qui — un détail qui nous a échappé lors du *danqara* ou « sang noir en brousse ». Le poulet n'est pas simplement étranglé, mais au préalable lacéré, le bec étant pris à deux mains, écarté violemment et déchiré le plus loin possible le long du cou, un peu comme un drapier divise une pièce d'étoffe. Le cou est alors tordu et le volatile jeté. Puis le sacrificateur trempe son gros orteil droit dans le sang qui a coulé.

Il faisait très sombre lors du *danqara* et je n'osais pas m'approcher par trop près de Malkam Ayyahou en train d'officier. C'est pourquoi cette chose m'avait échappé. Mais je me rappelle que, bien que se débattant, le poulet n'avait pas crié... Sans doute parce que, dès le début de l'opération, on l'avait mis hors d'état de le faire !

18 h 15 : dans la case d'habitation, Malkam Ayyahou oint de beurre la tête d'Adanètch, la femme à l'œil vitreux. Adanètch est

530

blessée à la paupière droite et au nez, marqués d'une longue zébrure. Elle a reçu un violent coup de fouet de Malkam Ayyahou, au nom d'*Abba Qwosqwos,* pour être allée dans la journée chez une *balazar* rivale, y avoir fait le *gourri* et avoir reçu le bandeau de front lui conférant un génie attitré.

Vers 6 h 1/2-7 heures, arrivée d'Enqo Bahri, sans sa femme. Malkam Ayyahou décroche de la muraille un grand os de taureau encore garni de viande et recourbé en crosse. Elle le met sur son épaule comme une hache ou un fusil et danse ainsi en riant.

La pièce de viande — destinée par Malkam Ayyahou à Enqo Bahri — est consommée crue par Adanètch, Enqo Bahri, Tebabou, le fils de Dinqié et elle-même.

En bas, les trois jeunes gens érythréens sont encore là. Dinqnèsh, qui s'est fait fortement réprimander à leur sujet par la patronne, a pleuré. Je l'ai surprise peu après allant serrer dans un coin les sandales à clous de l'un d'eux. Cette nuit, d'autre part, au moment du coucher, on les fera passer subrepticement dans la petite case à gauche de l'entrée de la cour, la « maison d'étrangers », où peuvent se passer des choses que Malkam Ayyahou ne tolérerait dans aucune des deux cases qui constituent à proprement parler sa maison d'*awolya*.

20 heures : passage à la maison des *wadadja,* dont le sol a été jonché de grands rameaux d'eucalyptus. Je pense aux feuilles de laurier, aux pythagoriciens et aux philosophes grecs. Dans le courant de la soirée, je constaterai avec plaisir que l'odeur de l'eucalyptus est antagoniste aux punaises.

. . . .

14-10-32.

9 heures : café dans la *wadadja bièt.* Défense à Abba Jérôme et à moi — qui voulions nous en aller — de nous retirer pendant qu'on le sert, car notre *wouqabi* (esprit gardien) resterait là et nous n'aurions plus de protection.

9 h 35 : admonestation au zar de l'idiot de village, qui a le hoquet et se plaint : « Un homme mâle ne devrait pas crier. » Son

génie — djinn à cheveux longs qu'il a dû prendre au Yedjou — le fait « crier comme un chacal ».

Lidj Mangoustou arrive, flambant vêtu d'abou-gédid tout neuf, et saoul. Entrée tumultueuse de ruffian. Fessée à *Chankit* qui lui a dit qu'il *était* (au passé) beau. Fanfaronnades militaires, relatives à son père, fitaorari Debalqo, qui a fichu une raclée aux Italiens vers le temps de la bataille d'Adouah. Mépris écrasant à l'égard des trois Érythréens, qui sont « des ouvriers » ; lui, Mangoustou, ne se bat que tout seul.

Il se montre avec moi d'une familiarité contre laquelle je ne manque pas de lutter. Sachant peut-être que j'ai décidé d'habiter là, ou encore — selon le bruit qui court et qu'elle-même m'a rapporté — qu'Emawayish serait ma « fiancée », il s'offre publiquement à me trouver « une *bonne* femme ». Je décline la proposition, en plaisantant, mais sur un ton quand même irrité.

Les choses en restent là. Le gaillard, d'ailleurs, n'est pas antipathique ; il importe seulement de le tenir en place...

Retour au camp pour déjeuner et apprendre les dernières nouvelles : politiquement tout se tasse ; on va même démobiliser. Localement, les bruits se confirment à mon sujet : je suis l'amant d'Emawayish et c'est Abba Jérôme qui fait l'entremetteur.

15 octobre.

Visite à la malade que j'ai fait hospitaliser au camp. Elle a l'air d'aller mieux. Il semble qu'Ibrahim, l'infirmier du consulat, ait tenu à faire des merveilles. J'espère que d'ici quelques jours elle marchera. Mais les histoires, pas plus que les racontars, ne cessent d'aller leur train...

Durant mon absence, une esclave évadée s'est réfugiée chez nous. Alerte à son sujet pendant le déjeuner : on nous apprend qu'un homme vient de s'introduire sous la tente où elle couche et a tenté de la reprendre. Nous sortons immédiatement et le type, aussitôt saisi, est conduit par les domestiques jusqu'à la prison du consulat. C'est un parent du maître défunt de l'esclave ; il la réclame au nom de la veuve. Pas question, naturellement, de restituer... L'homme, que le Consul a relâché ne pouvant le retenir, ira se plaindre où il voudra.

21, 22, 23, 24. Les châteaux de Gondar.

26

27

26. Possédée en transe, lors d'une visite au camp pour la fête de la Masqal (27 septembre).

27. Aggadètch s'apprête à boire le sang du poulet qu'Enqo Bahri est en train d'égorger (4 octobre).

28. Obsèques du muletier Ayaléo, à l'église Saint-Jean, paroisse d'Emawayish (6 octobre). ▶

◀ 25. Chez les « zar ». De gauche à droite : Tebabou (debout) ; Emawayish (allaitant son enfant) ; Malkam Ayyahou ; la femme de Darasguié. Assise au premier plan : l'adepte Aggadètch.

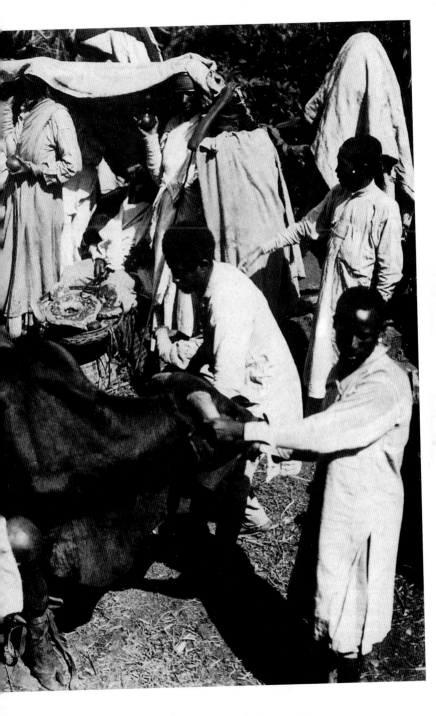

30

30. Un coin du quartier Saint-Michel, où habitait la borgne Dinqié.

31. Visite du guérisseur Alaqa Taggagn (l'homme au parasol) à Malkam Ayyahou (la tête couverte, debout devant le seuil de sa case hôpital). La scène — qui se passe dans la cour — est vue du perron où je couchais (13 octobre).

◄ 29. Sacrifice du taureau à Seyfou Tchenguer (8 octobre).

32

33

32, 33. La caravane en marche dans le Wolqayt,
avant la douane de Ketch (6 décembre).

34. Les gorges de Selasil, dernière étape avant l'Erythrée (16 décembre). ▶

35

35. Non des bagnards, mais des Somalis travaillant aux salines...
(Djibouti, 15 janvier).
36. Un coin du marché à Addis-Ababa (21 janvier 1933).

16 octobre.

Yeshi Arag va décidément mieux. La ponction qu'Ibrahim lui a faite paraît avoir guéri son épanchement de synovie.

Abba Jérôme et moi avons pris deux rendez-vous : l'un, le matin, avec le négadras Enguéda Shèt, une de nos connaissances d'Addis-Alam, pour aller visiter un grand *woliy* [1] de la mosquée ; l'autre avec la borgne Dinqié, chez elle, pour informer.

Le premier rendez-vous claque : une nuée de sauterelles a envahi le Dembia ; comme il a des champs, le négadras a dû y aller ; nous ne le trouvons pas chez lui.

Quant au deuxième — à l'autre bout de la ville — un incident marque notre arrivée dans le quartier. Comme, nous arrêtant devant l'église, nous sommes aussitôt entourés d'une bande d'enfants étudiants qui nous font fête et que, par ailleurs, nous devons attendre un peu avant d'entrer chez Dinqié pour lui laisser le temps de se préparer, nous décidons de visiter l'église, à la grande joie des jeunes étudiants. Nous ne dérangeons personne, car c'est dimanche et l'église est ouverte. Nous jetons un coup d'œil : elle est miteuse, les peintures sont affreuses. En partant, je veux donner, selon notre habitude, 1 thaler pour l'encens. Abba Jérôme trouve que c'est trop. Je donne 8 tamouns. Le prêtre nous bénit. Mais les 8 tamouns ne resteront pas longtemps. Un homme nous les rapportera, jugeant la somme insuffisante. Je les arracherai des mains d'Abba Jérôme et les lancerai dans un buisson, tel le poulet du *danqara*. En bagarrant, les jeunes étudiants se les disputeront. L'incident fait un certain bruit dans le quartier et c'est très réussi dans le genre inauguration.

Chez Dinqié, je trouve avec plaisir, non pas une, mais trois informatrices. Car elle a autour d'elle une sorte de sous-groupe, comprenant des femmes ou filles plus ou moins de sa famille, telles Woubaloush et une femme très agréable nommée Allafètch, veuve d'un négadras et rencontrée (sous le nom de *Galla Berrou*) lors de la Saint-Jean...

Au retour, autre incident : un homme tente d'éventrer une femme près du torrent. La femme et un complice du meurtrier

---

1. Illuminé musulman. Selon certains informateurs, synonyme d'*awo-lya*.

533

(appréhendé après poursuite) sont amenés devant le Consul. La femme est la maîtresse de l'interprète Wadadjé et a été déjà le prétexte de beaucoup d'histoires. L'homme est le frère ou le parent d'un autre amant. Il a menacé du revolver la femme d'abord, puis les poursuivants (auxquels Faivre, bon boy scout, s'était joint). Le Consul confisque le revolver mais relâche le délinquant, l'affaire n'étant pas de son ressort.

17 octobre.

C'est aujourd'hui que je m'installe chez Malkam Ayyahou. Je suis ravi d'échapper pour un temps indéterminé à ce qui nous restait d'habitudes européennes, notamment les dîners consulaires.

L'espace compris entre la case d'habitation et la case des *wadadja* qui (lors des fêtes du taureau, avec les gens en mouvement qui le remplissaient) m'avait paru énorme (genre grande salle de banquet de tableau orientaliste) est en réalité si restreint que j'ai peine à y caser ma tente.

Malkam Ayyahou inaugure mon habitation selon les règles : aspersion de tisane de *tchat* sur le sol, combustion d'encens, service de café.

Dinqié, qui se trouve là et prend le café avec nous, est souffrante. Elle a rêvé qu'une femme « grande comme Emawayish et rouge [1] comme elle » lui apparaissait ; elle ne voulait pas lui dire son nom et lui jetait un méchant regard. Depuis, Dinqié a le ventre si dur qu'on pourrait « écraser des puces dessus ». Je soupçonne que le rêve de Dinqié provient de la crainte qu'elle doit éprouver d'être frappée par un des zar d'Emawayish (furieux à l'idée que je puis changer de crémerie). Quant au ventre gonflé, simple conséquence, probablement, du *talla* bu hier...

En dehors de cela, Dinqié est affairée : c'est sa fille qu'on a voulu tuer hier. La chamma seule a été déchirée, mais Dinqié a l'intention d'engager un grand procès. Que le couteau ait fendu la chamma au lieu de fendre le ventre, c'est la même chose, dit-elle, au point de vue juridique.

---

1. C'est-à-dire claire de peau, — ce qui est une beauté.

18 octobre.

Visite de Roux. Les bruits qui courent sur mon compte lui ont été rapportés officiellement hier soir au consulat. Il est évident que mon installation ici ne va que les confirmer : les gens raconteront simplement que j'habite chez ma belle-mère... Je me demande, d'ailleurs, jusqu'à quel point Emawayish est mécontente de ces bruits. Être femme d'Européen constitue toujours un pedigree flatteur ; peut-être cela lui rendra-t-il plus facile de se remarier ?

Emawayish arrive à la nuit, pour je ne sais quelle raison (affaire de famille ou de propriété). Elle a les cheveux bien coiffés et beurrés et — pour la première fois depuis que je la connais — une chamma très blanche. C'est tout de même une fille que j'aime bien et avec qui j'ai plaisir à tenter de causer. Pourquoi faut-il qu'elle soit venue se présenter devant moi, vers la fin de ce voyage, comme s'il s'agissait uniquement de me rappeler que je suis hanté intérieurement par un fantôme, plus mauvais que tous les zar du monde ?

19 octobre.

Emawayish nous quitte en emmenant sa mère, qui doit aller chez le Consul pour porter plainte, le berger du consulat ayant mené — exprès ! paraît-il — un bœuf paître sur son champ de Qeddous Yohannès.

Livrés à nous-mêmes, Abba Jérôme et moi enquêtons. Il nous est plus facile de le faire en l'absence de la patronne que si elle était là, car elle est très jalouse et les adeptes n'osent pas, devant elle, avoir l'air de lui faire concurrence en nous donnant des renseignements.

En passant, nous enregistrons au tableau trois nouveaux syphilitiques : Emawayish, l'idiot de village, la grosse à l'œil vitreux. Tous sont allés aux eaux pour se soigner. Vu l'absence d'hygiène et la multiplicité des mariages, il est probable qu'il n'y a pas une seule personne saine dans le pays.

20 octobre.

Grosse affaire. La belle-mère de Kasahoun (qui est aussi la

marraine d'Emawayish) s'est ébouillantée. Selon Malkam Ayyahou, l'accident est dû à ce qu'autrefois la famille n'a pas accompli un sacrifice qu'elle avait préconisé.

Malkam Ayyahou n'ira pas faire de visite de condoléances. Elle ne doit rien à cette famille, Kasahoun et sa femme Adannakoush s'étant mal conduits. Le jour du taureau, en effet, Adannakoush, durant un *gourri*, a cassé deux carafons et ni elle ni Kasahoun ne se sont excusés.

Emawayish, quant à elle, va faire sa visite. Le village de sa marraine étant un peu loin, elle envoie dès l'aube l'esclave cultivateur demander à Abba Jérôme permission d'emprunter son mulet. Abba Jérôme acquiesce. Le cultivateur part. Mais l'histoire n'est pas finie...

Tebabou arrive vers la fin de la matinée, annonçant que sa mère est partie à pied. Le mulet n'a pu être attrapé à temps et elle s'est impatientée... Il propose d'emmener lui-même le mulet demain matin. Mais Malkam Ayyahou fulmine, car elle pense qu'il l'a fait exprès, afin de pouvoir monter lui-même sur le mulet. « J'aime mieux qu'Emawayish revienne à pied, plutôt que voir son fils monter sur le mulet ! » Tebabou est un *ganyèn* (démon), bien digne de son père... S'il n'y avait pas les liens du sang, il y a longtemps qu'elle lui aurait interdit sa porte. Il ne veut rien faire, insulte tout le monde dans la maison (hier, n'a-t-il pas encore dit à Adanètch qu'elle était une putain ?), n'aide pas sa mère, répond — si on lui demande quelque chose — que « son travail, c'est d'écrire » (et ce disant il montre un nouveau carnet que je lui ai donné pour faire un manuscrit). Pire que cela, il fait partie de la bande des voleurs de maïs !

Le soir, Malkam Ayyahou, malade de l'incident, décommande la *wadadja* qui devait avoir lieu. Il y a aussi Adanètch qui s'est saoulée et qu'elle a renvoyée. Adanètch, saoule, avait jasé de tous côtés, protestant contre Tebabou et contre tout. Elle nous avait mis secrètement, Abba Jérôme et moi, en garde contre la patronne, qui ne veut pas voir ses adeptes nous parler, tenant farouchement à conserver son monopole. Il paraît que la patronne serait capable de les tuer... A propos de Tebabou, elle dit qu'il a de qui tenir, vu son père et sa mère. Actuellement, Emawayish a, selon elle, encore plus de zar que la patronne elle-même, mais on les cache, afin qu'elle ne reste pas sans mari...

Malkam Ayyahou a traité Tebabou de « fils de Juif » et lui a annoncé que tous ses zar à elle et les zar du père passeraient sur lui. Sur le café du soir, pendant que Dinqnèsh remplit les tasses, solennellement elle le maudit : « Que les yeux du fils d'Emawayish crèvent et tombent en liquide[1] ! »

Je songe quant à moi aux deux battues que j'ai faites dans le jardin, revolver en main, contre les voleurs de maïs, durant ces dernières nuits. Je n'avais pas l'intention de tirer, mais on ne sait jamais. Peut-être aurais-je tué le fils d'Emawayish ? Peut-être ma chère famille — que j'aime de plus en plus parce qu'elle est un monument biblique — en aurait-elle profité pour me réclamer un joli prix du sang ?

21 octobre.

Abba Jérôme et moi sommes allés chez Dinqié. Vraie escapade : nous sommes partis profitant de ce que la vieille était occupée, presque littéralement : pendant qu'elle avait le dos tourné.

Dinqié a encore mal au ventre. Un rêve qu'elle a fait lui a fait ameuter les voisins. La mission venait aux châteaux (auxquels le quartier de Dinqié est adossé) faire partir des pièces d'artifice. Puis Lutten (de feu comme le zar *Esat Nedded*)[2] posait toutes sortes de questions à Dinqié. Chaque fois qu'elle commençait à se rendormir, Lutten redevenait de feu, — souvenir probable des enquêtes et des photos au magnésium. Toute la mission dormait dans la grande maison à étage du carré.

La jolie veuve de négadras a rêvé, quant à elle, d'Abba Jérôme « guide des Français », qui venaient chez elle et chez Dinqié.

Au cours de l'information, devant mentionner les noms de ses zar, Dinqié, superstitieuse, fait fumer feuilles et encens, craignant, nommant les génies, de les faire venir et de subir leurs coups s'il n'y a rien dans la maison qui puisse les contenter. Parlant de son zar *Djember*, qui a droit à un siège de bois, elle

---

1. Tebabou a mal aux yeux.
2. Ou *Rom Nedded*, celui qui a fait le feu sur la mer Rouge en se frappant le front avec l'index (Enqo Bahri *dixit*).

approche le siège qui lui est préposé et s'y accoude comme pour se protéger.

Pour Dinqié, le zar est comme un mari et vient parfois visiter sa femme en rêve.

Quand nous partons, elle nous supplie de ne rien dire à la patronne. « Vous connaissez, dit-elle, le caractère de notre mère... » Il est convenu que quand nous verrons Dinqié ce soir, à la *wadadja* qui a lieu pour la veillée de Saint-Michel, nous feindrons de ne pas l'avoir vue depuis longtemps.

A cette *wadadja* Emawayish assiste un peu, revenue de sa visite de condoléances. Elle a juste eu le temps, en deux jours, d'aller et revenir à pied et s'est construit pour dormir en route un abri de feuillage. Fatiguée, elle se fait masser les pieds par la petite fille d'une des esclaves, pauvre gosse dont les orteils sont à tel point pourris de chiques qu'elle ne peut marcher que sur les talons[1].

Plus tard — Emawayish couchée — inexplicablement la même petite fille pleure. Pour la consoler, Malkam Ayyahou lui donne une poignée de grains grillés et éclatés. Puis la petite change de place, vient un peu plus en avant. Peut-être était-elle malheureuse d'être à l'écart ?

22 octobre.

Aujourd'hui Saint-Michel (une autre Saint-Michel) et, en cet honneur, *talla* sous ma tente. Échange de discours sentimentaux entre Malkam Ayyahou, Enqo Bahri et moi principalement. Je déclare que je ne désire ni être chef ni rien de ce que Malkam Ayyahou peut me souhaiter quand elle prononce les vœux sur le café, mais seulement revenir le plus vite possible à Gondar et y retrouver mes amis...

Comme c'est aujourd'hui marché, Malkam Ayyahou et Enqo Bahri vont acheter le mouton et la volaille que j'ai décidé d'offrir en sacrifice à *Azaj Douho*, comme banquet d'adieux. Peu de

---

1. C'est durant cette soirée — si je m'en souviens bien — que j'ai reçu d'Emawayish la caresse la plus douce qu'elle m'ait jamais donnée : baiser au creux de ma paume, que j'avais humectée d'eau de Cologne et mise en bâillon sur sa bouche, pour la faire respirer.

538

temps après leur départ, quelqu'un ramène un beau bélier couleur *danguilié* (mélangé blanc et feu) qu'on attache dans le jardin. Il coûte, paraît-il, 2 thalers. N'ayant pas sur moi de quoi payer, je demande à Abba Jérôme de me passer 2 thalers sur ceux que Griaule lui a confiés quand nous nous sommes installés. Mais Abba Jérôme m'avoue ingénument qu'il les a donnés pour nous faire bien voir dans la maison, qu'il ignorait que je pouvais compter dessus et ne croyait aucunement que je tenais à être prévenu à mesure qu'il les dépenserait.

Je suis très irrité par l'incident, sachant que, pour un Européen en pays exotique, il n'est pas de coup plus mortel porté au prestige que se trouver, même momentanément et pour une raison quelconque, à court d'argent. J'envoie immédiatement au camp français le domestique d'Abba Jérôme, avec un billet demandant de l'argent, mais il en a, aller et retour, pour une bonne heure.

Devant aller de toute manière au marché pour participer au choix de la volaille, je décide de m'y rendre tout de suite, car j'y rencontrerai sans doute notre interprète Wadadjé, que je pourrai taper... Mais Abba Jérôme arrange la chose autrement, empruntant les 2 thalers au dabtara boiteux Gassasa — notre ancien informateur — venu en voisin pour nous rendre visite. Cela ne m'empêche pas d'aller illico au marché et de foncer droit sur Wadadjé, car je veux rembourser le boiteux aussi vite que possible afin qu'il n'ait pas le temps de propager dans le quartier la nouvelle que je suis sans argent.

Au marché, je m'amuse bien. Cela me rappelle l'avenue du Bois (que je fréquentais, adolescent, à la grande époque des surprises-parties). Je rencontre des tas de gens : la femme du tapé Kabbada (qui est parente d'Emawayish) ; elle est là pour vendre je ne sais quel produit ; la femme maigre à tresses rencontrée pour la première fois à Darasguié et qui fait toujours très grand style ; je l'invite pour le prochain sacrifice ; la jeune Woubaloush, qui vend — je crois — des condiments ; le vieux Lidj Balay, l'un des hommes de confiance du consulat italien (c'est lui qui a été chargé de l'enquête sur l'affaire du colonel assassiné) et père de mon informatrice Dinqié ; Kasahoun le chasseur (qui, parce qu'il s'est fait tondre, porte une espèce de turban et a la mine d'un parfait brigand) ; la belle-sœur de Malkam Ayyahou ; l'esclave noire d'Emawayish ; la folle d'Addis Alam ; Ibrahim, l'infirmier du consulat (que je félicite pour les soins donnés à ma malade) ; ... sans compter tous les gens que je ne connais que de vue et qui me saluent.

Je me promène, flanqué d'Abba Jérôme et d'Enqo Bahri, lui-même précédé de son môme frais tondu, portant la crête de cheveux des enfants de son âge comme une brosse à cirage posée sur le crâne ou comme une longue tablette de chocolat.

Il fait beaucoup de soleil. Il fait chaud. Je m'évente avec mon chasse-mouches. J'ai l'impression de connaître tout le monde. Je suis content.

Nous joignons Malkam Ayyahou et je lui passe l'argent nécessaire à l'achat de la volaille et du miel destiné à la fabrication du *berz*. De mon côté j'achète de l'encens, de la myrrhe et un autre aromate dont j'ignore le nom, car je compte après-demain (Malkam Ayyahou devant s'absenter pour aller cultiver son champ de Qeddous Yohannès) rendre visite à Dinqié et veux fournir les fumigations propres à faciliter la conversation.

Demain, Malkam Ayyahou qui, comme tous les dimanches, va chez Emawayish, viendra au camp avec celle-ci pour faire de l'enregistrement sonore.

La volaille d'*Azaj Douho* se compose d'un poulet bigarré et de deux beaux coqs blancs.

23 octobre.

J'ai fait demander deux mulets au camp et ai annoncé qu'Abba Jérôme et moi viendrions déjeuner, pour assister à la séance d'enregistrement. Étant devenu Gondarien, je considère que je vais en visite et je me suis endimanché. Nous emmenons le bélier d'*Azaj Douho,* qui aura — en attendant le jour du sacrifice — un meilleur pâturage chez nous qu'à Baata. Nous emportons aussi le petit tambour de Malkam Ayyahou, nécessaire pour l'accompagnement. Elle nous demande de le cacher, afin qu'on ne sache pas que ses adeptes et elle viennent chez nous et qu'on ne puisse pas dire « qu'elles font le *gourri* partout ». Abba Jérôme a un mauvais pressentiment. Il sait que Lidj Mangoustou, à qui j'ai parlé assez durement l'autre jour (parce qu'il s'était plaint d'avoir été mal reçu au camp par Lifszyc), fait de l'agitation contre nous ; il a dit notamment à Malkam Ayyahou qu'une femme « aussi grande » qu'elle ne devrait pas se déplacer comme cela et consentir à venir chez nous pour moins de 20 thalers. Il y a aussi des histoires du côté d'Enqo Bahri, à qui tous les propriétaires de Qeddous Yohannès (dont Malkam Ayyahou) reprochent d'avoir gardé pour lui tout seul, au lieu de les partager, les 5 thalers que Griaule a donnés à l'église, à l'occasion de l'enterrement d'Aya-léo.

Abba Jérôme conseille qu'avant d'aller au camp nous passions à Qeddous Yohannès, afin de préparer le terrain en avertissant nous-mêmes Emawayish et ses voisines de la réunion de cet après-midi et en les invitant.

Je me mets en colère en passant le torrent. Alors que, contrairement à l'habitude, pensant que c'est un chemin plus court, je veux aller à Qeddous Yohannès en contournant par la gauche le bois qui entoure l'église, l'homme qui conduit le bélier se détourne vers la droite pour passer le torrent à son point ordinaire. Je quitte la direction dans laquelle je suis engagé, vais jusqu'à l'homme en m'irritant beaucoup de ce qu'il n'ait pas entendu mes cris et lui fais toutes recommandations pour qu'arrivé au camp le bélier soit mis bien à part et ne risque pas d'être abattu, confondu avec les bêtes de consommation courante. Puis je retourne vers la gauche et parviens à Qeddous Yohannès, après m'être aperçu que le chemin que nous avons pris est moins commode que le chemin de droite et bien plus long.

Nous trouvons Emawayish un peu maussade. Elle fait allusion aux bruits qui courent sur son compte. Sur la cloison à gauche de l'entrée pendent deux dépouilles. Une brebis enceinte a été frappée par un voisin dont elle était allée brouter le champ. Il a fallu l'abattre ; dans son ventre on a trouvé le petit dont la peau pend à côté de la sienne.

Au poteau central, le diaphragme du mouton d'*Abba Moras Worqié* achève de se dessécher...

Nous prenons le café et faisons nos invitations. Un deuxième café nous réunit chez une voisine — la belle-mère de Kabbada, dont la plus jeune fille a divorcé le matin même — qui tient à nous inviter parce que nous l'avons invitée.

C'est là que Malkam Ayyahou nous rejoint, flanquée de Dinqnèsh et Dinqié. Puis on retourne chez Emawayish et l'on se quitte, ayant confirmé le rendez-vous pour l'après-midi.

Prenant des notes chez Emawayish, Abba Jérôme a reçu sur la tête — tel un portrait d'ancêtre se décrochant de la muraille — la peau de bouc blanc et feu dédiée à *Abba Moras Worqié,* pendue au mur juste derrière lui.

24 octobre.

Hier, Malkam Ayyahou n'est pas venue. Longtemps, nous avons attendu, jusqu'à ce que Woubié — l'innocent de village — vienne réclamer, sans explication, de la part de la patronne, la courroie avec laquelle nous avons emmené le mouton ce matin. A peu près en même temps, le mari de Yeshi Arag, que nous avions envoyé aux nouvelles, vient annoncer qu'*Abba Qwosqwos* est descendu subitement, reprochant à Malkam Ayyahou d'avoir sorti le petit tambour sans son autorisation et d'avoir voulu se déplacer sans être payée d'avance. A la suite de quoi, Malkam Ayyahou, Dinqnèsh et Dinqié ont repassé immédiatement le torrent.

Abba Jérôme et moi, furieux, déblatérons contre la vieille : c'est une avare, qui veut tout le bénéfice pour elle et a soigneusement détourné de nous ceux des gens de sa connaissance qui auraient pu devenir nos informateurs (ex. : deux illuminés venus du Yedjou ou du Woguera, qui se seraient présentés chez elle durant la semaine du taureau et qu'elle aurait évincés pour éviter une rencontre avec nous)...

Nous apprenons par ailleurs que l'offensive engagée contre nous est violente : en ville, Lidj Mangoustou et l'alaqa Alamou — *awolya* que nous avons dédaigné, par égard pour « notre père Tchenguer » — l'ont accusée ouvertement de ne pas assez nous faire payer ; au camp italien, celui qui mène la danse, c'est Bayana le pharmacien, ex-mari d'Emawayish, qui fait courir le bruit qu'elle et moi sommes amants et que le pavillon des zar couvre beaucoup de marchandises...

N'importe, je ne pardonne pas à la vieille de s'être laissé influencer, non plus qu'à Emawayish de ne pas se ficher que je passe pour son amant. Dans l'un comme dans l'autre cas, je ne vois que question d'argent. Sans doute, la mise en avant de ces difficultés n'a qu'un but : amener l'augmentation des prix...

Tout de suite, je me rends à Baata avec Abba Jérôme et, au milieu de la consternation, fais démonter ma tente et la renvoie immédiatement au camp.

La vieille sent qu'elle est allée trop loin, s'excuse, avoue franchement qu'elle a « écouté des serpents ». J'accepte une réconciliation de forme, consens même à assister à la *Wadadja* de la nuit mais reste absolument glacial. Je ne réagis même pas quand on me dit en sous-main qu'*Abba Qwosqwos* va être consulté et qu'on lui demandera permission de faire une *wadadja* au camp l'une de ces prochaines nuits, sous prétexte de soigner la malade que nous hospitalisons. Je me retire sitôt le café du matin.

Abba Jérôme m'a fait remarquer que Malkam Ayyahou, le jour de mon installation chez elle, avait chanté une chanson prophétique :

> « *Les amis, c'est bien de loin.*
> *Mais, de près ?* »

25 octobre.

Je reste tranquille au camp. Je suis sûr que l'enlèvement immédiat de ma tente a produit son effet et je m'attends à recevoir un émissaire.

Cela ne tarde pas : le plus âgé des domestiques d'Abba Jérôme, le grand Ounètou, qui habite toujours là-bas, vient demander de la part de la vieille si elle peut venir passer la nuit au camp avec quelques adeptes et donner une *wadadja*. La seule condition qu'elle pose est que nous nous occupions de recueillir du *tchèfié* pour mettre sur le sol du lieu de danse. Je réponds oui, naturellement, et je m'occupe des préparatifs : herbe, *talla*, raki, *tchat*, encens, café. Il me tient à cœur de me comporter en bon maître de maison.

Jusqu'au dernier moment je crains qu'encore une fois tout ne se démolisse et je suis impatient. Mais, un peu avant 7 heures, on m'annonce l'arrivée de l'équipe.

26 octobre.

La réunion de cette nuit a été, somme toute, réussie. Malkam Ayyahou est venue avec six adeptes : Dinqié, la grande bringue Aggadètch, la grosse Tigréenne, la noire borgne, la petite guenon galeuse et l'innocent Woubié. Il y avait de plus Enqo Bahri (qui, lui-même, avait demandé permission de venir) ainsi que Yeshi Arag et son mari, que j'avais invités. Emawayish, seule, n'était pas là, crainte, je pense, de se compromettre...

Au cours des *foukkara*, plusieurs zar de la patronne ont fait leur soumission complète et se sont déclarés « esclaves des Français ». *Azaj Douho,* descendu sur la galeuse, n'a pas manqué de rappeler le rendez-vous pris pour jeudi, redoutant sans doute que les récents événements ne fassent passer à l'as son mouton.

L'animation a été telle que Griaule, couché chez lui, s'est fait servir au lit, faute de pouvoir dormir, des pommes de terre sautées sur le coup de 1 heure du matin.

Tous les invités ont couché sur place, dans la salle à manger tapissée d'herbe. Je me suis couché, quant à moi, vers 3 heures.

Au départ — ce matin, après le café — on a pris rendez-vous pour le soir, à la maison de Baata, afin de « tirer » la *wadadja* de rigueur, puisque c'est demain qu'*Azaj Douho* le lépreux doit recevoir son bélier.

A Dinqié, subrepticement, j'ai fait don d'un miroir, cadeau politique destiné à m'assurer son amitié. Quant à la vieille, elle a reçu 5 thalers de Griaule.

27 octobre.

Cette nuit, au cours de la *wadadja*, scène assez émouvante. L'alaqa Mezmour — un *balazar* déjà rencontré chez Malkam Ayyahou, qui a le côté droit à demi paralysé — nous annonce la mort de Sheikh Mohammed Zayd, grand guérisseur du Tèmbièn, qui est comme le pape des *awolya*, au moins pour la Haute-Éthiopie. C'est Sheikh Mohammed Zayd qui a intronisé Mezmour, lui ordonnant de se rendre à Gondar et de s'y faire

544

construire une maison par les dabtara du quartier Baata afin d'y « ouvrir un *guenda* »[1].

Après un long chant très extasié (les yeux fermés, avec un balancement de tête de plus en plus accentué, et, à deux ou trois reprises, touchant de la main droite le poteau central comme s'il éprouvait le besoin d'être en contact avec un axe de référence), Mezmour entre dans une sorte de transe placide et déclare brièvement qu'il va se rendre au Tèmbièn sans retard, qu'il marchera s'il le faut un mois, mais qu'il fera ce pèlerinage en mémoire de Sheikh Mohammed Zayd.

. . . .

Début de matinée très Paul et Virginie. Assis tous par terre devant l'abri cuisine, nous mangeons des cannes à sucre qu'Emawayish est allée récolter dans le jardin. Il y a là Abba Jérôme, moi, quelques adeptes, dont la femme de Darasguié (qui est venue dès hier soir, exacte au rendez-vous pris samedi dernier au marché).

Griaule passe un instant, désireux de photographier le gâteau sculpté d'*Azaj Douho*. Mais comme nous apprenons que ce gâteau ne sera fait que le troisième jour (pour le balayage du *tchèfié*) il repart sans attendre le sacrifice

Ce dernier ne m'apprend pas grand'chose de nouveau. Comme il ne s'agit pas de cinématographier il a lieu, non dehors, mais dans la *wadadja bièt*. La gorge du bélier est fendue longitudinalement et les deux lèvres de la plaie largement écartées, le couteau fouillant profondément des deux côtés du cou pour séparer la peau de la chair. Au moment précis où la trachée est sectionnée, *gourri* d'Aggadètch. L'agonie de la bête est bien plus longue que d'ordinaire. Un mouton qu'on m'a fait acheter pour 1 thaler 1/2 dans la matinée (car il s'est découvert tout à coup que, le bélier étant dédié à *Azaj Douho,* zar lépreux et mendiant, personne autre que Malkam Ayyahou ne devait en manger) est abattu sans rite particulier.

1. C'est-à-dire de s'établir comme guérisseur, avec le plateau à café sacré. Cette prescription visant la construction d'une maison par ses confrères les *dabtara*, Mezmour, type faible et timide, — avant tout malade, — ne l'a pas exécutée.

Avant le sacrifice, un gobelet de *talla* a été servi à Malkam Ayyahou, *maqwadasha* obligatoire d'*Azaj Douho*. Mais comme il s'agit de *talla* ordinaire et non de *talla* préparé sur-le-champ (presque bouillie de grain), ainsi qu'il eût fallu pour *Azaj Douho* le gueux à qui l'on donne les mets les plus grossiers qu'il y ait à la cuisine, Malkam Ayyahou le refuse, fait de vifs reproches à Emawayish (qui s'est occupée des préparatifs) et il faut qu'Emawayish promette d'indemniser *Azaj* au troisième jour.

Communions habituelles, consécutives au sacrifice. Ainsi qu'à tous, Emawayish m'a oint la tête de beurre. Elle m'a soigneusement coiffé, après cet excellent shampooing. Elle tend ensuite ses deux paumes jointes et (en signe de remerciement?) je dois crachoter trois fois dedans.

Comme d'habitude, nous recevons aussi la bénédiction d'*Azaj Douho*, qui vous passe ses mains sur le dos, les doigts repliés en moignons.

Supplément imprévu au début de l'après-midi : quelqu'un apporte à Malkam Ayyahou les deux coqs blancs achetés au marché samedi dernier. Assise, elle les prend sur ses genoux, les tenant face à face, comme si elle voulait les faire se toucher du bec. Puis, elle s'avance vers nous et disant : « *Djeba!* » offre l'un à Abba Jérôme (pour le zar *Akreredis*), l'autre à moi pour *Kader*. Devinant ce qui va se passer, je fais dire à Enqo Bahri (qui, en tant que sacrificateur, se trouve à côté de nous) que je tiens à n'éviter aucune formalité. Quant à Abba Jérôme, étant végétarien, il refuse son poulet qui sera remplacé par des œufs. C'est donc *Kader* tout seul qui recevra les deux sangs que nous offre *Gragn Sellatié* au nom de son maître *Seyfou Tchenguer*. Je ne sais pourquoi, il me semble tout à fait étrange, voire comiquement absurde, qu'il y ait un rapport entre le végétarianisme et refuser un sang...

Malkam Ayyahou, Enqo Bahri, Abba Jérôme et moi (tenant un poulet de chaque main) sortons dans la cour et nous plaçons à quelques pas du seuil. Je tiens le premier poulet par les pattes ; Enqo Bahri, qui le tient par la tête, l'égorge au couteau. Malkam Ayyahou arrache vivement une plume blanche, l'humecte en la trempant dans la blessure. Puis elle me trace une grande croix sur le front et, par trois fois, me passe la plume entre les lèvres, pour me faire goûter le sang. Sitôt le sang goûté, Enqo Bahri lâche le poulet et je dois moi-même le lancer à quelques pas. Idem avec le second poulet. Malkam Ayyabou m'engage à observer leur agonie et à regarder comment ils tombent. Le premier meurt sur le dos, les pattes en l'air, ce qui est excellent ; le deuxième sur le côté gauche, ce qui n'est pas bon.

S'asseyant alors sur une pierre, contre le mur de la *wadadja bièt*, et me faisant asseoir à ses côtés, Malkam Ayyahou commence le dépeçage des poulets, m'invitant à regarder comment on prépare le « trophée ».

Enqo Bahri apporte un carafon de *berz*. Malkam Ayyahou en boit, en crache sur les pieds d'Abba Jérôme, puis sur les miens.

Le dépeçage de la première victime terminé, Malkam Ayyahou me place la dépouille sur la tête, les pattes pendant derrière et les ailes me couvrant les joues. Enqo Bahri (toujours très grave et très exact dans son rôle de maître des cérémonies) me met la dépouille un peu plus en arrière, ce qui me découvre le front. J'ignore s'il fait cela pour que la croix reste visible ou parce qu'il juge que c'est plus coquet.

Comme il ne peut être question que je fasse le *gourri* en coiffant le poulet, c'est la grosse Tigréenne, venue en curieuse, qui le fait à ma place cependant que Malkam Ayyahou récite mon *foukkara*.

La deuxième dépouille est prête. Malkam Ayyahou essuie le sang que j'ai au front avec sa face interne : puis elle me coiffe de cette dépouille, par-dessus la première. Jusqu'à ce que le dépeçage soit terminé je reste ainsi, toujours assis, ne m'interrompant pas dans la prise de mes notes.

A 1 h 15 (soit une demi-heure après le début de la cérémonie), Malkam Ayyahou — qui vient de finir de dépecer — m'enlève les deux dépouilles de la tête et les accroche au mur extérieur de la case d'habitation, sur l'emplacement qu'ont occupé successivement : le *das* de la fête du taureau, pendant trois jours, et ma tente, pendant une semaine.

A 1 h 25, je rentre dans la *wadadja bièt*. Abba Jérôme est assis sur la banquette de gauche, Malkam Ayyahou sur celle de droite, derrière un voile. Je vais pour m'asseoir à côté d'Abba Jérôme, mais Enqo Bahri m'en empêche et me fait asseoir à la droite de Malkam Ayyahou, qui est en train de manger les douze parties crues de son bélier.

Malkam Ayyahou me fait offrir par Abba Jérôme un gobelet

d'eau miellée. Puis Enqo Bahri m'apporte dans un bol, rituellement, les foies grillés des deux coqs. Je les mange, avec un peu d'*injéra* que Malkam Ayyahou prélève sur sa part. Son repas terminé, la vieille s'allonge sur la banquette et s'endort.

Resté sur la banquette, je me sens très séparé, très saint, très élu. Je pense à ma première communion : si elle avait été aussi grave que cela, peut-être serais-je resté croyant ; mais la vraie religion ne commence qu'avec le sang...

Plus tard, je m'en vais au jardin et m'assieds au soleil ; mais Emawayish me fait passer à l'ombre, car il est indécent de rester au soleil quand on a reçu le sang.

Vers le milieu de l'après-midi, une querelle éclate : le propriétaire du mouton acheté ce matin envoie des polices, prétendant que, l'achat ayant été conclu avec sa femme, c'est comme si le mouton avait été volé, car il n'était pas d'accord. Le prix du mouton (1 thaler 1/2) ayant été payé avec une pièce et des cartouches, il réclame d'autre part que les cartouches lui soient changées contre des tamouns. La discussion, d'abord assez violente (les gardes avaient chargé leurs fusils), finit par se calmer. La paix se fait devant le café, que les trois polices viennent prendre avec nous. Les deux plus jeunes reçoivent même la bénédiction de Malkam Ayyahou. Malkam Ayyahou attribue cette palabre à la colère de *Yè Teqara Tor* (« Lance de suie », *wouriéza* d'*Azaj Douho*) mécontent que les achkars de la mission soient partis ce matin sans rien boire.

Un peu avant le soir, repas. Malkam Ayyahou reçoit une large part de son bélier, Abba Jérôme ses œufs et moi mes deux poulets. J'ai bien l'idée de demander si je ne puis pas en offrir un morceau à Malkam Ayyahou en tant que donatrice, un morceau à Emawayish en tant que cuisinière, un morceau à Enqo Bahri en tant que sacrificateur, il n'y a rien à faire : je suis obligé de manger tout. Ils passeront du reste assez bien et j'en laisserai très peu. Les os que j'ai rongés sont recueillis soigneusement dans le plat, car il est nécessaire qu'ils soient enterrés.

28 octobre.

Aujourd'hui, je finis mes poulets. Je suis étonné de constater combien hier j'en ai laissé peu. Il faut vraiment que ce soit le zar qui mange, non le « cheval », car je ne me serais jamais soupçonné une telle capacité.

Enqo Bahri prépare la peau du bélier. Après avoir enlevé la graisse, il tend la peau au soleil, clouée au sol à l'aide de petits piquets. Selon lui, la peau est plus importante que la chair qu'on consomme parce qu'elle est le *mesel* (image) de l'animal et parce qu'elle est durable. Il compare la forme courbe que prend la tête ainsi fixée au sol à un arc-en-ciel ou à une arcade de mosquée. C'est prosterné sur cette peau dont la tête coïncide alors avec sa propre tête, que le vrai *woliy* doit faire sa prière...

Dinqnêsh, qui a découché tous ces derniers jours, reparaît d'une manière inattendue pour demander pardon. Elle se met une grosse pierre sur la nuque et vient vers Malkam Ayyahou pour la bénédiction. Mais *Abba Qwosqwos* est très fâché : Malkam Ayyahou, qui boude, va momentanément se coucher.

Tandis qu'*Abba Qwosqwos* « profondément chagriné » fait dormir son cheval, nous buvons du raki dans le jardin, car Enqo Bahri a découvert un certain droit d'inauguration de la peau devant se payer en raki et, moyennant 1 thaler, j'ai fait prendre quatre bouteilles.

A la nuit, dans la *wadadja bièt*, Malkam Ayyahou, sortie de son sommeil, fait le *gourri*. Ce n'est plus *Abba Qwosqwos,* mais *Azaj Douho* qui lui reproche d'avoir passé une partie de l'après-midi au soleil (à causer avec nous et écosser des légumes), d'avoir mangé hier soir l'estomac du bélier pas assez bien lavé et trouve par ailleurs mauvaise la bière que Dinqnêsh a apportée pour la réconciliation.

Enqo Bahri va déclouer la peau, afin d'éviter qu'elle soit touchée par des chiens durant la nuit, ce qui rendrait tout le monde malade.

29 octobre.

Balayage du *tchèfié,* selon le rite habituel. En même temps que l'herbe, les dépouilles de mes poulets sont jetées dans le fourré. Quant aux os, afin que les chiens ne les mangent pas (ce qui me donnerait des rhumatismes), ils sont enterrés par Emawayish, dans un petit trou qu'elle creuse à droite de la cuisine.

Commencement d'une longue série de palabres.

Appuyées sur leurs longs bâtons de *wouriéza,* Aggadètch et la Tigréenne, debout dans la maison des *wadadja,* réclament une amende à Enqo Bahri, qui n'a pas l'air très content. Il paraît qu'une de ces dernières nuits, afin d'éviter les discussions, il aurait accepté d'être garant pour une femme que les *wouriéza* auraient surprise couchant avec un homme venu à la réunion exprès pour la rencontrer. Bien que (ainsi que nous l'explique Emawayish) l'affaire ne soit pas très grave, le coït ayant eu lieu dans une maison voisine et non dans la maison elle-même, Enqo Bahri mérite amende et il devra payer une jarre de *talla.*

Tapé hier d'un thaler par Emawayish pour acheter du café, je le suis encore aujourd'hui pour acheter du *berz.* L'esprit commercial s'accentue, selon un rythme un peu accéléré...

Rentré dans la *wadadja bièt* après l'enterrement de mes os, je trouve Malkam Ayyahou dormant encore une fois, couchée sur la banquette. C'est Lance de Suie qui est fâché, car l'eau manque pour le café.

Quand elle revient à elle, c'est pour faire le *zefzef* à la malade si maigre, qui tousse si lamentablement et que, depuis qu'elle est venue, on ne cesse pour ainsi dire pas d'abreuver de crachats de *tchat* et de secouer pour déterminer le *gourri.* La scène se passe dehors : la malade, nue, est accroupie. Décharnée, elle grelotte sous la douche froide, au moment où la vieille — debout derrière elle — renverse la calebasse. Toujours accroupie, la malheureuse se rhabille. Il faut qu'un homme l'aide à se relever.

On rentre à la maison pour le gâteau sculpté d'*Azaj Douho.* Il est servi après un excellent *talla* qu'Enqo Bahri est allé chercher lui-même pour prix de son amende.

Souhaits. Lance de Suie nous accompagnera au cours de notre voyage.

Communion à la purée de *talla,* cette boisson ignoble qu'Emawayish avait négligé de préparer le jour du sacrifice. Malkam Ayyahou boit la sienne éventée par un petit chasse-mouches, car le lépreux *Azaj Douho* est toujours couvert de mouches.

Sitôt le café, les palabres recommencent.

Des quatre bouteilles de raki que j'ai fait acheter hier, une a été consommée sur place pour l'inauguration de la peau. Sur le conseil d'Enqo Bahri (paternellement soucieux de m'éviter de nouveaux frais) j'en ai donné une autre à Asammanètch (la femme maigre à tresses dont le nom de zar est *Senker*), lui ayant fait précédemment une garantie, pour je ne sais plus trop quoi. Une troisième bouteille a été servie, mais on a vite fait de reconnaître qu'elle n'était pas à moi : c'est Dinqnèsh qui l'avait apportée, pour sceller sa paix. Il manque donc deux bouteilles...

C'est alors qu'on découvre qu'Enqo Bahri les avait cachées, non, certes ! pour les déguster, mais, dit-il, pour les mettre à l'abri de l'avidité des domestiques. On sort donc les bouteilles retrouvées et on sert. Tebabou, qui assure le service, renverse un verre dans un geste d'humeur. Enqo Bahri, appelé à juger, cherche, pour arranger l'histoire, à réduire son importance. Tebabou doit seulement baiser les pieds de Malkam Ayyahou et recevoir d'elle plusieurs coups d'un petit morceau de bambou.

Mais moins d'une heure après, *Azaj Douho* descend sur la Tigréenne, qui fait le *gourri*, et force Enqo Bahri à fournir une garantie pour avoir jugé de mauvaise foi l'affaire de Tebabou. *Azaj* appelle ensuite Abba Jérôme et l'on découvre une autre chose qui a manqué : deux barres de sel, qui auraient dû être posées sur l'herbe avant le balayage, avec lesquelles Malkam Ayyahou (*Chankit*) aurait dansé au retour de la jetée de l'herbe et que *Chankit* aurait gardées, comme pourboire... Encore une fois, il va falloir raquer.

Azaj Douho, enfin, daigne accepter de la galeuse un poulet bigarré qu'il avait réclamé en offrande il y a deux ou trois jours[1].

Pour le sel, cela s'arrange assez bien car, d'accord avec Enqo Bahri, je fais dire à Emawayish qu'elle remette à sa mère la monnaie qui m'est due sur le thaler que j'ai donné pour acheter du *berz*. Je ne perds rien car, comme je n'aurais pas réclamé cette monnaie, on ne me l'aurait jamais rendue.

Emawayish sort donc le thaler en question et le donne à Abba Jérôme. Abba Jérôme le donne à Malkam Ayyahou, qui le donne à la Tigréenne (actuellement *Azaj Douho*), qui le donne à Emawayish, qui le donne à Malkam Ayyahou. Il ne va pas plus loin : il est rangé soigneusement par cette dernière.

. . . .

---

1. Sans doute ce même poulet acheté au marché avec les deux coqs blancs.

30 octobre.

Visite de Dinqié, qui a demandé hier matin la permission de venir entendre les enregistrements phonographiques faits l'autre nuit. Manifestement désireuse de se faire bien voir, elle apporte quelques œufs.

Elle déplore la décadence actuelle des *awolya*. Du temps du Ras Gougsa Olié, homme au teint rouge, tout était beaucoup mieux que sous Kasa, homme noir.

Comme d'habitude, je fais servir le café.

Dinqié raconte diverses histoires. Elle semble se soucier assez peu du phonographe, se console assez facilement que Lutten — trop occupé — ne puisse le faire marcher. Je crois que sa demande était un pur prétexte pour venir chez nous...

Au moment de s'en aller, elle lâche brusquement une confidence : la patronne est jalouse d'elle, comme de sa disciple la plus ancienne, la plus savante, la plus susceptible de rivalité.

Dinqié a en effet de très grands zars, tel *Gragn*, l'un des plus importants du Godjam, qu'on peut presque comparer à *Seyfou*. Peut-être Dinqié ambitionne-t-elle d'ouvrir un *guenda* à son compte ? Peut-être aussi le vieux principe entre-t-il en jeu, comme quoi l'initié doit tuer l'initiateur ?

31 octobre.

Je commençais à me lasser de l'enquête. Malkam Ayyahou et sa famille commençaient à m'ennuyer. J'étais de moins en moins capable de voir des mages et des Atrides dans ces paysans tout simplement d'une avarice sordide. Emawayish et sa mère ne m'éblouissaient plus. J'étais écœuré que toute cette aventure — qui durant longtemps m'avait semblé si parfaite — s'abîmât brutalement dans ce qui depuis toujours avait constitué son armature plus ou moins secrète : une question de gros sous. J'étais devenu tout à fait froid. Je souhaitais me reposer...

Pourtant, il n'a fallu rien de plus que la confidence de Dinqié pour me réexciter. J'envisage la possibilité de toute une nouvelle couche d'informations, sur un plan tout nouveau : rivalités de possédés. Et peut-être pourrai-je jouer là-dessus pour découvrir

552

des choses qu'on m'a toujours niées ; par exemple si, quand un zar « jette » un enfant, c'est la femme elle-même qui se fait avorter.

Dinqié doit venir après-demain. Elle est borgne d'un œil et l'autre commence à se prendre. Il ne me viendrait pas à l'idée de coucher avec elle. Pourtant je suis fébrile comme s'il s'agissait d'un véritable rendez-vous.

Je veux voir aussi Enqo Bahri. Je fais acheter du raki, dont je lui apporterai une bouteille ce soir. Car je compte aller chez lui.

Je suis atterré quand l'émissaire que j'ai envoyé à sa maison de Qeddous Yohannès (mystérieusement, afin qu'Emawayish — et par contrecoup sa mère — ne le sachent pas) revient et me répond qu'Enqo Bahri n'est pas libre, ayant été convoqué pour le soir même par Malkam Ayyahou à sa maison de Baata.

Demain, c'est mardi, jour faste. Il y a aussi certaine information notée durant l'affaire *Azaj Douho* : mouton blanc promis par Asammanètch à son zar *Senker*. Sûrement, Enqo Bahri a été convoqué comme sacrificateur. Ce maudit sang qu'on va verser demain matin va tout bloquer pendant au moins trois jours. Et nous partons lundi prochain ! Combien de fois — si même je la revois ! — pourrai-je parler avec Dinqié ?

1er novembre.

J'ai à peine fini de me raser, Abba Jérôme et moi nous sommes à peine mis au travail dans ma chambre qu'on annonce une visite : celle de Malkam Ayyahou, qui vient d'arriver au camp, escortée par le petit garçon d'Enqo Bahri. Je la fais introduire, surpris de sa venue, puisque je croyais qu'elle avait un sacrifice.

Enqo Bahri la rejoint peu après et je comprends que, sentant le départ proche, Malkam Ayyahou veut tout à fait se réconcilier. Enqo Bahri tient de son côté à nous être agréable (il ne peut qu'y gagner) ; mais n'osant sans doute pas informer avec nous en dehors de la vieille (crainte de sa jalousie), il a dû prendre le parti de l'accompagner.

Comme d'habitude, je fais préparer le café. Mais je sors également du raki et je fais commander un repas abyssin.

Visiblement, Malkam Ayyahou veut que les nuages de la semaine dernière soient effacés. Jamais d'aussi bonne grâce elle ne s'est prêtée à l'enquête.

La poitrinaire va beaucoup mieux ; elle a pu aller jusqu'à sa maison en marchant elle-même et s'est purgée. Elle avait paraît-il le tænia.

Sur un bloc que je lui donne, Enqo Bahri note la recette d'inhalations à l'eucalyptus que je préconise pour la malade [1].

Incidemment je me plains de Tebabou et parle de lui comme d'un des responsables principaux des histoires survenues entre nous. Malkam Ayyahou abonde dans mon sens, disant que Tebabou tient de son père et que ce dernier est maudit — prêtre autrefois, il ne peut plus, depuis longtemps, dire la messe — parce qu'il a couché avec une sœur d'Emawayish. Il a toujours été « insatiable de femmes » ; du temps qu'il était écrivain du Ras Olié, avant son mariage avec Emawayish, il fut condamné à recevoir 40 coups de fouet, pour avoir couché avec une femme du Ras. Après le divorce (qu'Emawayish demanda définitivement à partir du moment où Haylè Mikaël cessa d'appeler Malkam Ayyahou « *Abbatié Tchenguerié* » pour l'appeler au féminin « *Weyzero Tchenguerié* ») *Seyfou Tchenguer* donna comme châtiment à Haylè Mikaël le zar musulman *Shifarrao*, lui imposant le raki comme *maqwadasha* et lui interdisant le café, afin qu'il devienne alcoolique. Actuellement Haylè Mikaël boit trois litres de raki par jour... De plus le titre de « negous » fut ajouté mensongèrement au nom de *Shifarrao* afin que, se prenant pour un roi, Haylè Mikaël devienne orgueilleux, prodigue et extravagant.

Malkam Ayyahou raconte aussi comment l'alaqa Gassasa, mon informateur boiteux, la menaça de « serrer son bois de chance » si elle allait chez nous, étant donné que lui n'y allait plus... Il lui disait aussi qu'on ne gagnait rien avec nous. Il a maintenant mal aux testicules, *Chankit* l'ayant frappé.

Malkam Ayyahou fait tout ce qu'elle peut, parle beaucoup, s'en va très tard, mais en vain : le charme est bien rompu.

2 novembre.

Griaule a eu hier une affaire très sérieuse : ayant fait sacrifier

1. Le 15 novembre, j'ai appris qu'elle était morte. Sentant que tout était perdu, Malkam Ayyahou ne l'avait-elle pas renvoyée chez elle ainsi que cela se fait souvent dans nos cliniques ou sanatoria ?

une vache par les *Falacha*[1] d'un village proche de Gondarotch Maryam, il a voulu aller photographier l'église de Gondarotch, — celle pour les peintures de laquelle il y a déjà eu un différend. Interdiction formelle d'entrer (par ordre de l'alaqa Sagga, le responsable du premier incident), palabre, menace de coup de fusil par un garde de l'alaqa, coup de pied dans l'aine de Griaule par un autre homme, obligation de frapper les achkars pour les empêcher de tirer sur les gens afin de venger Griaule insulté... Tout a fini par s'apaiser mais c'est l'histoire la plus grave qu'ait encore eue la mission.

Visite à Dinqié, qui devait venir, mais n'est pas venue, sous prétexte que, sortant hier de chez Emawayish (qu'elle était allée voir pour affaire) elle a été frappée par le zar en passant le torrent. La vraie raison est, je crois, que notre interprète Wadadjé ayant habillé à neuf la fille de Dinqié (dont il est l'amant), la fille offre le *talla* en remerciement, d'où petite fête de famille.

Imbroglio : Lidj Balay, l'homme de confiance du consulat que je croyais père de Dinqié, est un de ses anciens maris. Elle l'appelle « père » parce qu'elle a un fils de lui, que c'est un « grand homme » et qu'il la soutient encore dans ses procès.

Quant à sa politique à notre égard, Dinqié démasque brusquement ses batteries : elle déclare que tous les sacrifices que nous avons fait faire par Malkam Ayyahou ont été sabotés et qu'elle, Dinqié, moyennant 10 thalers, nous en aurait fait exécuter un en observant minutieusement les règles.

Quand nous partons, la fille de Dinqié demande à nous accompagner, disant qu'elle a peur de passer seule le torrent. C'est là en effet qu'elle a failli être assassinée... Mais arrivée au torrent, elle nous plaque car c'est aussi là l'endroit où, prostituée, elle attend ses clients.

3 novembre.

Visite de Malkam Ayyahou, qui avait rendez-vous. Je reste parfaitement maussade et ne parviens pas à être aimable.

1 Juifs d'Abyssinie.

555

Emawayish a chassé de chez elle Tebabou, qui ne veut rien faire dans la maison. Malkam Ayyahou pense qu'elle a tort de le chasser et qu'il vaudrait mieux verser en brousse un sang noir pour le débarrasser des sept djinns que son père a lancés sur lui le jour qu'il l'a maudit.

4 novembre.

Nouvelle visite à Dinqié, qui est devenue ma principale informatrice.

Hier, un serpent est entré chez elle et a mangé des petits oiseaux dont le nid était dans le chaume de la toiture. Dinqié est contente que ce serpent soit venu, parce qu'elle pense que c'est le *qolié* (génie gardien) de la maison.

Selon elle, quand le zar descend et fait faire le *gourri*, c'est une espèce d'accouplement...

5 novembre.

Accident invraisemblable cette nuit. Je rêve qu'une prophétesse, au cours d'un incendie, secoue une branche de feuillage à demi desséchée ; de ce fait, un grand nombre de personnes deviendront aveugles. Je m'éveille, juste pour constater qu'un pet foireux vient de souiller mon lit. Sans doute le *talla* bu hier...

Au cours de cette matinée, arrivée inopinée d'Asammanètch, la femme maigre de Darasguié. Elle est toujours aussi haute, sèche, grêlée et belle, avec sa farce d'avaricieuse qui met de la mort aux rats dans la soupe de son mari. Elle vient de l'infirmerie du camp, où elle s'est fait faire une piqûre (probablement antisyphilitique) et est escortée d'une fillette qui est sa nièce.

Elle souffre dans tout le corps. Elle se plaint que le zar l'ait toujours empêchée d'avoir des enfants. Elle trouve que j'ai rajeuni et embelli depuis qu'elle m'a vu à Darasguié, déclare que je suis très « *seltoun* »[1] parce que je fais servir trois cafés et, réglementairement, fais brûler de l'encens. Il n'en faut pas plus pour que je sois ravi...

1. Même racine que le mot « sultan ». S'emploie pour désigner quelqu'un de raffiné, poli, civilisé.

La *wadadja* du samedi soir chez Malkam Ayyahou (à laquelle je vais parce que je l'ai promis) ne fait que m'ancrer dans cette idée que, d'elle à moi, c'est fini l'amitié. J'ai beau (comme je l'ai déjà fait une fois) pousser la faiblesse jusqu'à consentir à battre le tambour pour accompagner les chants, la communion n'y est plus.

6 novembre.

C'est dimanche. J'ai convoqué Dinqié pour travailler. Il y a à peine une heure et demie qu'elle est là que Malkam Ayyahou arrive avec la fille noire borgne et Tebabou. Elle ne veut plus nous lâcher d'une semelle. Du fait de son arrivée, l'information avec Dinqié se trouve naturellement tout à fait bouleversée...

Je fais venir à manger pour tout le monde.

Quand Malkam Ayyahou s'en va, Dinqié s'en retourne avec elle, n'osant rester. Encore faut-il que je lui donne un médicament quelconque, pour qu'elle puisse dire à la patronne qu'elle est venue seulement se faire soigner.

Quant aux affaires générales, Griaule est maintenant menacé de mort par toute la région de Kerber, village où habitent les propriétaires de l'esclave réfugiée. Le père lazariste, qui vient comme d'habitude dire sa messe, conseille à Griaule de s'entendre coûte que coûte avec les propriétaires. La population, en effet, ayant entendu dire que Griaule se proposait d'aller à Dabat (pour rendre visite au dedjaz Ayyaléo Bourou et lui demander de nous faciliter le passage par le Nord) a décidé que « si Griaule allait à Dabat, il n'en reviendrait pas ». Comme il ne peut être question de rendre la réfugiée, une solution s'impose : indemniser les maîtres. Moyennant 200 thalers, c'est ce qui est fait.

7 novembre.

Deuxième visite d'Asammanètch à qui j'ai dit de venir quand elle retournerait se faire piquer, lui promettant de la faire examiner par Larget.

Elle souffre des cuisses et du ventre, à tel point qu'elle se couche par moments sur la natte et les peaux que j'ai fait préparer, la tête appuyée aux genoux de sa nièce.

Je sais déjà qu'elle est stérile. J'en ai l'explication simple aujourd'hui, car il est entendu qu'elle est syphilitique. Elle l'est devenue étant encore petite, un peu plus âgée que sa nièce...

Autrefois elle était riche. Son mari de maintenant, qui a le titre de « cavalier », est chef du village de Darasguié. Après mon passage dans ce village, comme j'avais donné un thaler pour l'église, le bruit a couru que j'avais laissé une pleine caisse d'argent pour la faire reconstruire.

Asammanètch soupire sur son actuelle pauvreté, sur son état de maladie, souhaite que « je charge tous les zar de Gondar et que je les emporte avec moi »...

La journée est troublée par des clameurs formidables. L'interprète Wadadjé, qui est allé chez le fitaorari pour retirer le laissez-passer qu'on devait nous donner pour la route Nord et un autre papier sans importance (une autorisation d'aller et retour pour Dabat, qu'Abba Jérôme et moi aurions utilisée pour partir dès demain matin visiter le dedjaz Ayyaléo) s'est vu refuser les deux pièces. Griaule, complètement furieux, appelle Abba Jérôme et le menace de lui faire quitter le camp s'il ne prend pas ses responsabilités en ce qui concerne sa qualité de représentant de l'Empereur. Puis c'est une discussion entre Larget et Lutten, sur un ton encore plus véhément. La pauvre Asammanètch, avec qui je suis resté, semble tout à fait affolée.

Durant une des absences d'Abba Jérôme, n'étant pas capable de converser, je me mets en devoir d'examiner les bijoux de mon informatrice. Le plus remarquable est une griffe de lion sur monture d'argent. Elle a aussi un petit anneau de corne brune dont je devine que c'est du buffle...

Au retour d'Abba Jérôme, elle me le donnera et je le prendrai avec un grand plaisir. Sans doute pense-t-elle bien qu'elle récupérera ce cadeau au centuple, et certainement — quant à sa valeur marchande — ne vaut-il à peu près rien. Je le conserve néanmoins, seul cadeau non officiel que j'aie reçu depuis le commencement de ce voyage, anneau fait par un chasseur, anneau qui a fait le *gourri*, anneau donné comme porte-chance, sans aucun doute anneau précieux...

8 novembre.

Arrivée impromptue d'une vaste délégation : Malkam Ayyahou, Engo Bahri, la fille noire, Tebabou, le fils d'Enqo Bahri, suivis de près par Emawayish, en chamma à peu près propre et ceinture de soie multicolore. Il s'agit de demander pardon pour l'un des principaux coupables de l'affaire Gondarotch, celui qui a donné le coup de pied à Griaule, car c'est le neveu de Malkam Ayyahou. On va jusqu'à proposer une indemnité.

Je consulte Griaule, qui ne se montre pas. Il est entendu qu'il faut une lettre comme quoi le coupable déclare avoir agi sur ordre, et non de son propre chef, lettre après laquelle le coupable devra venir demander son pardon. Je retourne auprès de mes amis et leur fais part de cette décision. Aussitôt, Enqo Bahri me demande du papier, de l'encre et se met en devoir de rédiger la lettre, que Malkam Ayahou signe de l'empreinte de son pouce droit.

Je fais servir le café, sans sucre, car depuis quelques jours on me l'a supprimé, mes dépenses de réception devenant affolantes. Doucement mais avec insistance, Emawayish réclame du sucre ; le plus aimablement possible j'élude sa demande. Naturellement on fait fumer l'encens.

Malkam Ayyahou, qui observe l'encens, déconseille la route Nord. Le pays est malsain. Rien ne peut nous y arriver que de mauvais. Ce qui est bon c'est le Sud. Le bruit court, d'ailleurs, qu'il serait arrivé une lettre de l'Empereur nous obligeant à aller vers le sud. Il est évident que Malkam Ayyahou est au courant des menaces des gens de Kerker et de notre impopularité générale dans la région.

Depuis longtemps nous ne savions que faire du grand portrait sur fond d'or primitivement destiné au Ras Haylou et dans lequel Malkam Ayyahou avait reconnu *Abba Qwosqwos*. J'avais déjà proposé de le donner à la vieille, mais ma proposition avait été rejetée. Roux en reparle aujourd'hui et, comme il devient de plus en plus certain qu'étant donné les événements nous ne rencontrerons personne à qui doive être fait un tel présent, il est entendu que le tableau sera propriété d'*Abba Qwosqwos*. Roux en fait l'annonce solennellement ; Malkam Ayyahou pousse un grand rugissement, penche le buste brusquement en avant puis se redresse, et *Abba Qwosqwos* accuse réception. Tout le monde reçoit sa bénédiction.

Peu de temps après c'est Emawayish qui s'étire et bâille

bruyamment, comme les femmes qu'envahit la possession. « Le *kouragna*[1] me frappe » dit-elle. Sans doute son *kouragna* est-il jaloux de la vieille, qui vient de recevoir un si somptueux cadeau... Il s'écoule à peine une minute qu'Emawayish, affectueusement, m'attrape les deux mains et, à voix basse, me demande du parfum. Brusquement, je suis dégoûté plus que par n'importe quel manège de putain. Et c'est sous le signe de ce geste que s'achève pour moi la journée...

9 novembre.

J'attends Asammanètch qui, pour des raisons de travail et des raisons d'ordre divers, est devenue mon informatrice de premier plan. C'est la première femme avec qui j'ai parlé en Éthiopie. Elle a un visage de sainte ou de virago. Elle m'a vu, apparemment sans rire, coiffé de mes dépouilles de poulets... Elle semble une femme exclusivement pratique et qui n'a peur de rien ; quand il était question qu'un dabtara incisât le genou de notre malade Yeshi Arag, elle avait proposé d'emblée (comme si même elle désirait pratiquer cette opération) de se charger de l'affaire, pourvu qu'on lui prêtât un bon couteau... Elle pousse l'esprit d'économie si loin que, chaque fois qu'elle me voit faire brûler de l'encens, elle trouve que j'en mets trop.

On enterre ce matin un domestique du Consul, un de ceux qui nous servaient à table. Son fusil lui ayant été volé alors qu'il servait au banquet commémoratif de la marche sur Rome (banquet auquel je n'ai pas assisté, étant comme par hasard à Gondar), le Consul lui a enlevé sa place et l'a employé, depuis, à casser des pierres. D'un tel changement de situation est résultée une méningite, qui l'a emporté...

Asammanètch ne vient pas. Peut-être son absence est-elle liée au trouble que l'enterrement a mis dans le camp ?

Notre situation politique — pourtant déjà bien compliquée — s'aggrave encore ; hier, une démarche d'Abba Jérôme et Lutten chez le fitaorari Makourya en vue d'obtenir les passeports a été sans résultat. Aujourd'hui on apprend que, la région de Kerker à

1. Euphémisme pour *zar*. Littéralement : homme avec qui l'on est enchaîné, pour cause de procès.

peine calmée par l'arrangement à l'amiable de l'affaire de l'esclave Arfazé, c'est l'Armatcheho et la région de Tchelga qui se soulèvent contre nous. Tout ceci à cause d'un prêtre qui a reconnu il y a quelque temps parmi nos achkars un ancien esclave à lui, évadé depuis dix ans ; il a réclamé cet esclave et nous avons refusé, bien entendu, de le restituer.

Griaule, entièrement excédé, fait dans la salle à manger une sortie violente contre les Éthiopiens et leur Empereur. Abba Jérôme, qui de moins en moins ne sait où se mettre, s'en tire, comme cela lui arrive souvent, par une pitrerie : il se pend par les deux mains à un bois de traverse et, durant quelques instants se balance et cabriole, tel un cynocéphale...

10 novembre.

Un peu plus tard qu'à l'ordinaire, à un moment où je commence à craindre qu'elle ne vienne pas, Asammanètch arrive avec sa nièce.

Tout de suite, elle flaire un flacon d'eau de Cologne qu'Abba Jérôme a dans sa poche et demande un peu de parfum. Abba Jérôme lui en donne.

Elle n'est pas venue hier parce qu'elle a rencontré, en sortant de chez elle, un homme au teint noir qui lui a paru de mauvais augure.

Je lui parle de sa santé, du médecin italien qui vient d'arriver. Elle ne veut pas que ce médecin l'examine au « télescope », car c'est bon seulement pour les *chermouta* du Tigré. Je la raisonne, lui promets qu'un examen au spéculum serait très bon pour elle, lui promets de la recommander.

D'un rêve qu'elle me raconte — thaler trouvé dans une maison vide, que des femmes lui arrachent des mains, puis qui se métamorphose en ferronnerie de lampe-tempête peu avant qu'éclate un incendie — il ressort, selon sa propre interprétation, qu'Asammanètch attribue sa stérilité à la haine des zar femelles qui, chaque nuit, lui arrachent ce qui se formait dans son sein.

Elle a été ravie l'autre jour par un illuminé musulman, un peu rasant, mais très gentil, très précieux et très distingué. Toujours très propre, avec turban orange, barbe frisottée sans moustache et chasse-mouches pour les gestes élégants. Il me semble que l'illuminé doit jouer pour les femmes d'ici un peu le rôle que joue l' « artiste » pour certaines femmes européennes...

Asammanètch veut m'amener une informatrice, parente à elle qui habite normalement Gedaref, qu'elle dit très « civilisée » et dégoûtée de l'Abyssinie. Je prends d'abord sa proposition au sérieux, mais, songeant à une affaire de selle qu'elle voulait nous vendre et que j'ai refusée, réfléchissant aussi à l'insistance qu'elle a mise à me décrire sa parente comme très « civilisée », il me vient à l'idée que, bonne commerçante, elle veut rattraper l'affaire manquée et me mettre en rapports avec une femme à marier.

Comme cadeau pour quand je reviendrai à Gondar (car j'ai dit à tout le monde que, après avoir repris contact avec l'Europe, nous comptions bien revenir ici) elle me demande un chapeau de feutre. Cela s'accorde bien avec la première vision que j'ai eue d'elle : cape d'homme, lorsqu'elle nous apporta le dergo à Darasguié.

11 novembre.

Depuis quelques jours Abba Jérôme a découvert qu'il avait la gale. Il n'y a pas à chercher bien loin où il l'a attrapée... Il a une peur bleue que Malkam Ayyahou s'en aperçoive et se vante de l'avoir fait frapper par le zar. Comme cette dernière doit venir aujourd'hui, qu'il veut s'oindre les bras de pommade et qu'il ne veut à aucun prix que Malkam Ayyahou le voie dans cet état, il m'annonce qu'il va déserter. Ne pouvant guère travailler en dehors de lui, je décide de m'en aller aussi. Donc, nous passons la journée à Qwosqwam, à traduire nos documents, mais, plus encore, à flâner...

L'itinéraire de retour est toujours indécis. L'esclave réclamé a été racheté lui aussi, de sorte que Tchelga et l'Armatcheho sont calmes. Mais il n'y a rien de nouveau quant aux laissez-passer. Nous sommes entrés en relations avec un *chifta* assez sympathique, qui pourra nous escorter si nous prenons la route Nord. Pour raisons judiciaires, il a intérêt à passer en Erythrée et cela ne lui est possible qu'en nous accompagnant.

Au soir, j'ai une discussion avec Griaule, véhémente quant au ton (car, après dix-huit mois d'Afrique, le diapason facilement s'élève) mais amicale. Il me reproche ma faiblesse vis-à-vis des informatrices. Furieux, car je sais qu'il a raison (quand il me dit, par exemple, que recevoir plus ou moins à l'indigène, loin de toucher les gens, n'a pour résultat que de me faire mépriser), je lâche le grand mot, mets en avant mon masochisme, le goût que j'ai de m'humilier... Mais tout cela sonne faux et je m'en rends bien compte. Mieux vaudrait que j'avoue simplement que je me suis trompé, que j'ai surestimé ces gens et que j'ai été aveuglé par le prestige que leur conféraient leurs coutumes...

Quoi qu'il en soit, à dîner, je me tais. Une honte ridicule m'empêche de recommander au docteur la femme de Darasguié.

12 novembre.

Hier soir, le fusil volé au serveur a été retrouvé. Revenant un peu derrière moi de Qwosqwam, Abba Jérôme, sur le sol, a aperçu la cartouchière. Il l'a rapportée au Consul, qui a envoyé immédiatement des hommes fouiller le lieu de la trouvaille. Ils ont exhumé le fusil, que le coupable, vraisemblablement, avait enterré là, pris de remords après la mort du malheureux serveur. Tout le monde, Consul compris, a crié : « Vivat ! » Le domestique d'Abba Jérôme (qui avait découvert la cartouchière) et chacun des fouilleurs ont touché 1 thaler. Mais le serveur ne reviendra pas...

Très énervé ce matin, j'expédie Malkam Ayyahou et Emawayish, qui viennent me voir au sujet du neveu qui doit demander pardon pour l'affaire Gondarotch. Je tiens à faire la place libre à Asammanètch.

Celle-ci arrive, toujours escortée de sa nièce mais sans la parente annoncée. Elle me rappelle ma promesse de la recommander au docteur et même de l'accompagner jusqu'à l'infirmerie. Je lui affirme que j'ai parlé d'elle au docteur, que je n'ai pas besoin d'aller avec elle, que le docteur l'examinera. La femme s'en va et revient un peu moins d'une heure après. Je l'interroge : l'infirmier Ibrahim lui a fait, comme d'ordinaire, sa piqûre mais a refusé de la faire examiner par le docteur. La pauvre est atterrée ; elle refuse de rester, tient à rentrer chez elle avant que le soleil soit haut.

Toute la journée, j'ai honte de l'avoir dupée... Je n'ignore pas, pourtant, qu'Ibrahim sait ce qu'il fait, que l'examen du docteur aurait été pour elle une satisfaction toute platonique, que la chose la plus urgente et la plus importante est le traitement antisyphilitique.

Malkam Ayyahou revient me voir le soir, accompagnée cette fois d'Enqo Bahri. Je les trouve trop familiers et demeure très maussade.

13 novembre.

Visite de Malkam Ayyahou, Enqo Bahri, Emawayish et Ballatatch. Il s'agit du pardon. Le neveu de Malkam Ayyahou et le soldat qui avait mis en joue baisent les genoux de Griaule, demandent pardon à Lifszyc, — pas à Lutten (car, prenant des photos, il reste extérieur à la cérémonie) — ainsi qu'à l'interprète Chérubin.

Sitôt la formalité accomplie, tout le monde s'en va et je ne cherche à retenir personne.

Roux a toujours la maladie cutanée qui le tient aux pieds depuis quelques jours. La gale d'Abba Jérôme et ma colique diminuent.

Je suis toujours irrité d'avoir (par un artificiel souci de correction : un docteur n'a-t-il pas un dévouement égal pour n'importe lequel de ses malades ?) volontairement omis de recommander Asammanètch. J'ai peur qu'elle ne vienne pas demain.

Enqo Bahri a rêvé qu'un python femelle passait sur la tombe de notre achkar Ayaléo et qu'un python mâle s'enfonçait entièrement dans la vulve du premier python. Cela signifie, selon Malkam Ayyahou, qu'Ayaléo est mort mangé par un *bouda*.

14 novembre.

Asammanètch n'est pas venue. Pour quelle raison ? Peut-être a-t-elle été déçue de ne pas avoir cette consultation dont elle attendait, j'imagine, une immédiate guérison... Femme pas jeune et tachée de petite vérole, mais grande (Abba Jérôme, qui ne se rappelle jamais très bien les noms, parle d'elle en disant « la haute ») et si pleine de prestige ! « En montant une longue côte, avez-vous jamais été à bout de souffle ? » disait-elle pour exprimer la douleur qu'elle ressentait en faisant le *gourri*.

Je sais très bien que c'est un enfantillage. Je n'ai pas à intervenir dans l'emploi du temps du docteur, qui n'a déjà que trop à faire. Je n'ai pas à solliciter, pour faire plaisir, des examens qui, au maximum, ne feraient que révéler la nécessité d'interventions impraticables dans les conditions d'ici. Je n'ai pas même à me soucier, après tout, de la santé d'une avare qui, faute d'avoir pu me vendre une selle, voulait sans doute me placer une concubine. Je n'ai pas à l'encourager quand elle veut se servir de moi pour passer sur le dos des autres...

Mais j'ai l'idée de mon groupe, de ma partie. Ceux avec qui je travaille me sont unis. Même s'ils ne m'aiment pas, j'estime que je dois les défendre...

Si je m'en veux, toutefois, de ne pas avoir tenu ma promesse, je m'en veux encore plus — par démagogie et pour avoir l'air gentil — d'avoir promis.

J'ai passé l'après-midi sous la tente de Yeshi Arag, la malade au genou gonflé, que j'ai bien négligée ces jours derniers. Sa jambe ne va pas beaucoup mieux et maintenant son bras gauche s'ankylose. Étant allée avant-hier, appuyée sur un bâton et soutenue, jusqu'à l'infirmerie pour sa piqûre, elle est tombée au retour... Elle s'affole également parce que Lutten, qui doit rassembler tout le matériel de campement pour notre proche départ, a signifié ce matin à son mari qu'il ait à s'arranger pour bâtir une toucoule, car il faut démonter la tente qui était à leur disposition.

A la fin de l'après-midi (à un moment où, pour ainsi dire, personne n'attendait plus quoi que ce fût qui dénouât normalement la situation) nous parvient une copie d'un phonogramme du dedjaz Wond Woussen, comme quoi nous sommes autorisés à passer par le Nord.

Il adresse en même temps au Consul la demande suivante : le médecin qui vient d'arriver à Gondar est-il venu en Ethiopie avec l'autorisation de l'Empereur ? Ce qui équivaut, dans l'esprit du dedjaz, à une interdiction. pour le médecin, de soigner les malades...

15 novembre.

Il est entendu que nous partons après-demain. Lutten travaille à tout préparer.

Visite qui me fait plaisir : Asammanètch. Elle est de bonne humeur, ayant été, enfin ! examinée par le médecin. Pourtant un rêve lui fait croire que le zar est fâché et qu'il vaudrait peut-être mieux qu'elle renonce aux remèdes italiens :

Un nommé Tasamma Ndalammo (qu'Asammanètch a connu vaguement à Tchelga) vient vers elle tandis qu'elle est assise sur son lit. Faisant semblant de l'embrasser, il la mord à la joue. Asammanètch crache dans sa main un morceau de chair semblable à un thaler, détaché par la morsure, et le montre à Tasamma. « Tu vois ce que tu m'as fait en faisant semblant ! » L'autre répond : « C'est pour jouer, n'aie pas peur ! » Un achkar d'Européen (vêtu, dit Asammanètch, « comme l'homme qui recrépit la maison du Consul » — c'est-à-dire d'une façon semi-européenne) arrive avec une pince de forgeron, en touche Asammanètch au front — sans lui faire mal — et sort. Asammanètch s'enfuit, de crainte que l'achkar ne revienne la toucher avec sa pince. Elle va se cacher dans un souk proche appartenant à Tasamma. L'achkar à la pince la poursuit jusqu'au souk, mais il s'en va sans avoir trouvé Asammanètch, qui était collée contre le mur. Il revient encore une fois : Asammanètch est alors cachée derrière la porte. L'achkar ferme la porte. Asammanètch croit qu'elle a été vue et fait : « Hein !!! » mais l'achkar ne l'avait pas vue. Ce dernier parti, Asammanètch va se rasseoir sur son lit comme au début. L'achkar à la pince la retrouve et lui pince les cuisses çà et là avec son instrument. Elle lui dit : « Tu m'effrayes ! Je vais le dire à ton maître pour qu'il te fasse payer l'amende. » Mais d'autres personnes, dont Tasamma, qui se trouvent là lui disent que c'est pour jouer et qu'il ne faut pas qu'elle ait peur.

Depuis ce rêve (fait dans la nuit de samedi à dimanche) Asammanètch ne se porte pas bien. Elle pense que Tasamma et l'achkar à la pince représentent deux génies mécontents et en conclut qu'il vaut sans doute mieux incliner du côté du zar et des remèdes spirituels que du côté médecine.

Lui faisant mes adieux et tous mes vœux pour tout ce qu'elle peut désirer, je lui dis qu'à mon avis il serait mieux qu'elle continue à se faire soigner à l'infirmerie, en même temps qu'elle prierait le zar, et que je ne vois pas pourquoi le zar serait fâché... Asammanètch m'écoutera-t-elle ? Venue à Gondar exprès pour se faire soigner et installée chez sa sœur, je crois qu'elle a par-dessus tout envie de retourner chez elle, à Darasguié.

Deux visites de Malkam Ayyahou, que j'éconduis, car j'évalue trop bien maintenant à quel point ces visites sont intéressées. La seconde fois elle nous apprend qu'on fait ce soir *wadadja* chez Enqo Bahri, pour sa femme qui est en train d'accoucher. On nous y invite et je décide d'y aller.

. . . .

16 novembre.

A 2 heures du matin, Mme Enqo Bahri n'avait pas encore accouché. Outre les chants et le tambour, divers procédés avaient été mis en jeu : crachats de *tchat* sur le cul de la patiente : friction de sa vulve et de son ventre avec du beurre sur lequel chacun des assistants — trois fois — avait crachoté ; coups de revolver tirés par moi au dehors, afin de faire sentir les douilles vides à la patiente, d'abord, puis à la femme de Kabbada sur qui *Azaj Douho* descendu avait réclamé une offrande de poudre à canon ; évocation d'une quantité de zar (qu'on attirait sur toutes les femmes de la famille, successivement) afin de découvrir le responsable des difficultés de l'accouchement et de pouvoir faire la paix avec lui. Tout cela, pratiqué pendant les services de café, de *talla* ou de nourriture solide, n'a mené à rien — du moins pendant que j'étais là car, dans le courant de la journée, j'ai appris que le brave Enqo Bahri était devenu père d'un garçon. A 2 heures du matin, Mme Enqo Bahri s'étant endormie, Abba Jérôme et moi avons pris congé, laissant toute la famille — grands et petits — rassemblée autour d'elle, avec Malkam Ayyahou et son tambour de magicienne, Enqo Bahri et sa dignité dans les devoirs de maître de maison.

Le fitaorari Makourya ayant refusé de donner à l'interprète Wadadjé notre laissez-passer (sous prétexte que l'affaire des deux esclaves réclamés n'est pas encore réglée, et prétextant aussi une histoire relative à l'un de nos mulets, acheté à Gallabat, mais dans lequel quelqu'un déclare reconnaître un mulet qui lui aurait été anciennement volé), il est décidé que je vais avec Abba Jérôme chez le fitaorari réclamer les papiers. Afin de lui démontrer que, du côté esclaves, tout est bien arrangé, je lui ferai voir les reçus qu'ont signés les propriétaires lorsque nous les avons dédommagés. Au cas où il trouverait cela insuffisant, nous dirons que Griaule est prêt à laisser les esclaves à la garde du Consul jusqu'à règlement du litige.

Parmi les premières personnes que je reconnais dans l'entourage du fitaorari, il y a les deux polices qui ont voulu tirer sur les domestiques d'Abba Jérôme lors du sacrifice à *Azaj Douho*. Je reconnais aussi, parmi l'intimité immédiate, un des hommes qui a dû demander pardon à Wadadjé pour l'agression dont il a été victime au marché.

Le fitaorari lui-même, assis sur son perron derrière un voile, rend la justice.

Dès le début de l'entretien, il parle des esclaves : dans ses phrases, le mot « *barya* » revient tout le temps. L'affaire du mulet est reléguée au second plan.

Parmi les chefs qui assistent à la séance ou arrivent au tribunal, je reconnais deux relations de Métamma : le guérazmatch Hayla Sellasié, qui vient me serrer la main ; le balambaras Gassasa, qui ne me reconnaît pas (c'est lui qui, jusqu'à l'Angarèb, doit être notre chef d'escorte). Déjà, il y a quelques jours, Lutten a rencontré, chez le fitaorari, Lidj Damsié, qui est revenu de Dabra Tabor décoré par le dedjaz Wond Woussen d'une chemise d'honneur, en récompense sans doute des vexations qu'il nous a fait subir...

Je montre au fitaorari les reçus des esclaves. Il se les fait lire, et écoute attentivement. Abba Jérôme, qui les a relus, semble très embêté ; il me dit qu'il ne faudra plus, à l'avenir, exhiber ces reçus, car l'un d'eux est mal rédigé, de sorte que le texte peut être retourné contre nous.

Le fitaorari, ayant froid sur son perron, nous fait rentrer dans sa maison. L'entretien se poursuit tant bien que mal, avec du *talla* et du champagne européen servi dans des verres à liqueur... « Entretien » est une façon de parler, car avec Makourya, terrible vieux roublard, il est presque impossible de parler de quelque chose de défini. Sitôt dite, une proposition s'évanouit en fumée.

Durant quelque temps, un jeune chef est là, qui vient présenter ses hommages avant de prendre son commandement. Il est venu sur un mulet à harnachement d'argent. Il porte une longue cape bleue à col de velours rose, par-dessus la toge blanche à large bande rouge. C'est un garçon d'environ 16 ans, à face de crétin, d'alcoolique précoce ou d'onaniste.

Quand il s'en va, j'essaye de reprendre la conversation avec le fitaorari. Mais tout est vain : la menace de trois télégrammes d'alerte qui partiront demain matin — l'un à Genève, l'autre à Paris, l'autre à Addis — ne le fait pas changer d'avis. Il refuse de délivrer le laissez-passer, posant comme condition que nous lui donnions d'abord une lettre de Griaule comme quoi, spontanément, il a décidé de remettre les esclaves au Consul.

Ne pouvant obtenir le laissez-passer, j'exige — conformément aux instructions de Griaule — un papier par lequel le fitaorari notifie son refus. Le fitaorari m'engage à me retirer, promettant d'envoyer le document. Il allègue que son secrétaire n'est pas là. Je déclare que je ne m'en irai pas avant d'avoir obtenu le papier.

Finalement le fitaorari se résigne à faire écrire un papier comme quoi, ayant téléphoné à l' « honoré » (il s'agit du dedjaz Wond Woussen, à qui il a effectivement téléphoné, pour le mettre au courant de l'affaire des esclaves, et derrière la décision duquel il se retranche, affirmant ne pouvoir nous accorder le laissez-passer avant d'avoir reçu sa réponse) il attend, pour nous laisser partir, un phonogramme de « l'honoré ».

Le papier m'est remis. Je constate d'abord qu'il n'est pas daté. Et c'est très important, puisqu'un phonogramme du dedjaz est arrivé il y a quelques jours nous accordant libre passage sur le Sétit et qu'il faut pouvoir établir que l'obstruction — bien ou mal fondée — du fitaorari est postérieure à cette autorisation. J'exige donc que la date soit ajoutée. Ensuite, c'est le cachet du fitaorari (sa seule signature, étant donné qu'il ne sait pas écrire) que le rédacteur de la lettre s'est arrangé pour ne pas humecter d'encre, de façon que rien ne soit visible, hormis une empreinte circulaire. A deux reprises, je dois le faire réimposer. Encore, ne puis-je obtenir une empreinte qui n'est lisible que d'un seul côté.

Je voudrais avoir une quatrième empreinte plus nette, mais le fitaorari, vraisemblablement excédé, met fin à l'entretien d'une manière très simple : il se met à gémir, se tient le ventre, dit qu'il est vieux, qu'il est malade, qu'il a envie de pisser... Il n'y a plus qu'à s'incliner, et nous prenons congé.

Griaule et le Consul, mis au courant, décident d'envoyer tout de suite au fitaorari une lettre de chacun d'eux comme quoi, spontanément, la mission remet ses esclaves libérés au Consul. Il sera toujours temps, après, de voir comment tirer d'affaire ces malheureux...

A la nuit, je retourne chez le fitaorari avec Abba Jérôme pour lui porter les deux missives. Mais un domestique nous répond qu'il est couché et dort, ayant pris froid au tribunal cet après-midi. Nous y retournerons demain à la première heure, de manière à pouvoir partir aussi tôt que possible dans la matinée.

17 novembre.

On se lève presque dès l'aube. Les charges sont liées depuis hier, mais il reste pas mal de choses à faire. Je fais seller tout de suite mon mulet et celui d'Abba Jérôme de manière à pouvoir partir, sitôt prêts, chez le fitaorari.

J'expédié Emawayish, qui est venue nous dire au revoir et — poliment — montre de la tristesse, comme à une visite de condoléances. Elle surtout, je ne puis plus la supporter... Elle ne s'en va pas sans avoir obtenu deux vieilles caisses que nous avons abandonnées.

Juste comme nous partons, à la tête du chemin qui descend la colline nous rencontrons Malkam Ayyahou, qui vient aussi nous dire au revoir suivie de Dinqnèsh portant son parapluie. Je descends tout de même de mulet, car j'ai témoigné, autrefois, trop d'égards à cette vieille pour ne plus lui en témoigner aucun aujourd'hui. Mais je dis que nous sommes très pressés, que nous allons chercher des papiers, que nous la verrons tout à l'heure. A la *wadadja* de cette nuit, dit-elle, les « grands » sont descendus et on nous a pleurés...

A 7 h 1/4, Abba Jérôme et moi arrivons chez le fitaorari. On nous dit qu'il n'est pas encore éveillé mais, à 7 h 1/2, nous sommes introduits. Il nous reçoit au lit.

Je lui remets la lettre du Consul et celle de Griaule, comme quoi les serviteurs en litige sont confiés au consulat d'Italie. J'exprime le but conciliant de notre démarche, destinée à éviter l'envoi des télégrammes de compte rendu au cas où le fitaorari ne se mettrait pas d'accord. Le vieux Makourya, qui ne sait pas lire, n'a pas décacheté les lettres ; il les a laissées au pied de son lit et a envoyé chercher son secrétaire.

Je m'impatiente un peu, car je crains fort que Makourya — sans même chercher très spécialement à nous embêter, mais seulement parce qu'il est Abyssin — ne fasse traîner la chose toute la matinée. La conversation, de plus, se présente mal. Makourya revient toujours à l'affaire des esclaves, à la conversation d'hier, déclare — ainsi qu'il l'a déjà dit hier — qu'il ne comprend pas les raisons de notre inimitié. Bien plus, c'est nous qui sommes dans notre tort. Nous avons procédé à un *achat* d'esclaves alors que les lois de l'Empire interdisent le commerce des esclaves. Nous nous sommes mis ainsi en contradiction non seulement avec le code éthiopien, mais avec les principes que les Européens eux-mêmes ont introduits dans ce pays. Plus encore : notre propre gouvernement, s'il était au courant de notre conduite, ne pourrait que nous désapprouver.

Par trois fois, le fitaorari formule l'accusation. La première fois, bien qu'en colère, je réponds calmement que les sommes versées aux propriétaires des esclaves pour les indemniser ne constituent pas des prix d'achat, mais des « rançons de libération ». La deuxième — je suis un peu plus énervé, car le fitaorari a refusé formellement de prendre connaissance des lettres avant l'arrivée du secrétaire — je fais dire par Abba Jérôme que je proteste avec « la dernière énergie » contre une telle accusation, portée dans de telles conditions et en un tel pays. Abba Jérôme se lève et transmet ma sentence avec, apparemment, beaucoup de fermeté, mais il n'a pas dû traduire, évidemment, le « tel pays ». La troisième fois — comme le ton du fitaorari lui-même s'est monté — je me lève brusquement, fais dire que, puisqu'il en est ainsi, je ne peux pas rester une minute de plus et sors, abandonnant Abba Jérôme consterné. J'espère vaguement qu'il arrivera à faire lire les lettres au fitaorari, — qui sait ? à dissiper quelques malentendus sans que ma dignité en soit diminuée, puisque je ne serai pas là.

Mais j'ai à peine franchi la porte du guébi et fait quelques pas sur mon mulet que je suis rejoint par un domestique du fitaorari, qui m'a couru après et me tend, d'un geste courroucé, les deux lettres non décachetées. Apercevant Abba Jérôme qui arrive lui aussi, je lui fais signe de venir vite, pour avoir toutes explications. Il me dit qu'il est inutile que j'insiste et que je n'ai qu'à reprendre ces lettres que le fitaorari m'a renvoyées.

Je reprends donc les lettres, me remets en marche mais, ma colère tombant peu à peu, je suis atterré. Je me rends compte seulement maintenant de tout ce que mon départ de chez le fitaorari engage. Il ne s'agissait pas d'un simple geste, mais bel et bien d'une rupture et même — à proprement parler — d'une rupture diplomatique.

A toute allure, je rentre au camp pour rendre compte. Je longe Qeddous Yohannès au grand trot ; grimpe la pente de la colline au galop. Abba Jérôme est loin derrière.

Compte est rendu à Griaule, qui ne me donne pas tort, mais trouve que l'époque est passée des « *foukkara* » et des déclarations véhémentes...

Visite immédiate au Consul, à qui sont remises les deux lettres refusées ; il se chargera de les faire porter. Radiogramme au Ministre de France, où Griaule l'avertit que, puisqu'on ne nous laisse pas partir, il se « considère comme prisonnier ».

A 9 h 1/4, l'interprète principal du Consul vient annoncer à Griaule qu'il peut donner l'ordre de charger. Les deux lettres ont été remises au fitaorari et l'interprète lui a insinué que, tant que le laissez-passer ne serait pas délivré, l'infirmerie consulaire serait fermée aux chefs. Il a promis d'envoyer le laissez-passer.

On charge donc. Les deux esclaves femelles, qui savent qu'on va les laisser, pleurent. Malkam Ayyahou est là et regarde, avec Dinqnèsh, Tebabou et la femme de Kasahoun. Il y a beaucoup de monde : les dabtara qui ont vendu des manuscrits à Mlle Lifszyc, des gens de Qeddous Yohannès, des gens de Qwosqwam, un grand nombre de putains qui ont été liées aux achkars... Le chargement s'opère très vite : en un peu plus d'une heure tout est prêt. Il est convenu que Lutten partira devant, Larget, Abba Jérôme et moi derrière. Mais on attend toujours le laissez-passer.

Vers 11 heures, un jeune homme vient demander Abba Jérôme. C'est le frère du qagnazmatch Ayyana, chef des douanes. Il vient remettre une lettre de ce dernier, jointe à un mystérieux phonogramme, non signé, venu de Dabra-Tabor. On demande des explications sur l'affaire des esclaves et « les choses non convenables que le peuple a faites, dans son ignorance »... Il s'agit probablement des peintures d'églises, des manuscrits et de toutes les choses qu'en général nous avons pu acheter. Abba Jérôme fournit les explications nécessaires et rédige une lettre dans laquelle il déclare que nous avons toujours agi conformément au droit international.

Mais, vu ce nouvel incident — et comme le laissez-passer n'est pas arrivé —, d'accord avec le Consul, Griaule décide de faire décharger. Les caisses sont donc réempilées. Les esclaves, qui voient que nous restons, commencent à se rasséréner.

Il va falloir réhabiter la maison maintenant tout à fait dénudée. Pour simplifier les choses, nous prendrons désormais nos deux repas à la table du Consul. Notre situation est celle de réfugiés...

Pendant le déjeuner, Bachay Ogbankiel, l'interprète en second du consulat, apporte une lettre de Makourya. Non content de demander que les esclaves soient remis au Consul, il exige maintenant que les reçus signés soient également donnés.

Dans l'après-midi, l'affaire se corsera encore. Le Consul, de chez qui sortent le qagnazmatch Ayyana et le balambaras Gassasa, annonce à Griaule que tout va s'arranger. Les peintures et autres choses ne sont pas considérées comme importantes ; seule la question des esclaves est retenue. Le qagnazmatch Ayyana et le balambaras Gassasa déclarent que les vendeurs seront emprisonnés ; moyennant destruction des papiers de vente, l'argent donné en indemnité sera rendu et transmis à la Légation de France. Le balambaras Gassasa pousse l'amabilité jusqu'à, sortant de chez le Consul, passer au camp et demander à Lutten quand nous comptons partir.

Mais, à 18 h 20, Griaule, qui se promène avec le Consul, apprend de plus fraîches nouvelles. Accompagné d'un grand nombre de notables de la ville, un homme du fitaorari Makourya viendra demain matin et annoncera solennellement aux Français qu'ils ont contrevenu aux lois de l'Empire, s'étant livrés à la traite des esclaves. Ils doivent laisser ceux-ci et, s'ils refusent, ordre sera donné à des gardes d'arrêter les esclaves et de ne laisser passer que les Européens et leurs bagages.

Il est convenu qu'à 7 h 30 demain matin les esclaves seront au corps de garde. Nous viendrons ensuite nous-mêmes pour la cérémonie.

18 novembre.

Nous avons passé la nuit dans notre maison dévastée comme un appartement après la saisie des huissiers. Plus d'électricité, plus de baies fermées à l'abou-gédid, plus de cloisons. Notre clientèle d'informateurs nous a désertés. Les tentes qu'habitaient nos domestiques et qui servaient d'antichambre aux visiteurs sont repliées. Il n'y a plus de circulation devant chez nous. Tout est mort. Nous faisons figure d'hommes ruinés.

Et les histoires continuent...

Vers 7 h 1/4 le fidèle Abba Qèsié (le prêtre défroqué) vient annoncer à Griaule que Chérubin et Sersou, nos deux interprètes, licenciés en raison du départ, ont été arrêtés, en tant qu'employés de la mission, comme ils partaient sur Kerker, village du père lazariste, chez un collègue abyssin duquel ils comptaient séjourner en attendant de partir à Addis Ababa.

A 7 h 30 exactement, les quatre esclaves (l'achkar Radda, Arfazé, Desta et son petit garçon) sont remis au corps de garde du consulat.

A 8 h 30, le caravanier qui a traité avec nous pour transporter une partie de notre matériel vient annoncer que, sortant hier du camp, il a été arrêté par ordre du qagnazmatch Ayyana et du balambaras Gassasa et enchaîné. Il a été relâché, fournissant un garant.

A 8 h 45, toutefois, bon radiogramme du Ministre de France : le Ministre des Affaires Étrangère d'Éthiopie va téléphoner au dedjaz Wond Woussen de donner l'ordre au fitaorari Makourya de laisser passer la mission, le rendant responsable de tout retard.

Mais la situation locale n'est guère brillante, il paraît qu'hier tous les abords de la ville étaient gardés pour nous empêcher de passer. Il n'y a pas seulement l'affaire des esclaves. On nous soupçonne d'emporter dans nos caisses un grand nombre de *tabot* (planche sacrée d'autel). Les vieilles peintures d'Antonios, que nous avons découpées pour pouvoir les transporter, on nous accuse de les avoir lacérées...

Sentant que nos actions sont en baisse, le propriétaire du champ sur lequel paissaient nos mulets ne s'est pas gêné pour les saisir et les emmener vers le guébi du fitaorari, sous prétexte que le contrat de location du champ a maintenant expiré, ce qui est faux. Le brave Abba Qèsié, heureusement, a pu rejoindre les mulets au torrent et régler le palabre à l'amiable. Mais cette saisie est un signe des temps...

Les deux interprètes ont été relâchés sur lettre du Consul. Ce dernier estime que nous avons fait une très grosse gaffe en montrant les deux reçus. Il paraît qu'à la réunion des chefs on aurait reproché au fitaorari de ne pas les avoir pris de force quand je les ai montrés ou de ne pas nous avoir fait arrêter, Abba Jérôme et moi, au sortir du guébi.

Toutefois, quant à l'accusation publique, ils se sont dégonflés.

19 novembre.

La séance continue. Il est entendu que nous sommes prisonniers du Consul, qui prend la responsabilité de tout. Nous ne partirons pas sans son autorisation.

Les esprits sont toujours très montés. On prête aux paysans l'intention de nous arrêter de force — quels que soient les ordres du gouvernement — au cas où nous tenterions de passer. Le dedjaz Wond Woussen aurait envoyé au fitaorari Makourya un phonogramme lui ordonnant de nous retenir jusqu'à nouvel ordre.

Vu ces bruits, naturellement, la maison est toujours désertée. Je me suis réinstallé tant bien que mal, mettant mon lit dans la pièce autrefois réservée à la photographie, ma table sur l'ancien emplacement de mon lit. Pour masquer celui-ci, j'ai reconstitué comme j'ai pu une cloison, avec un vieux morceau de natte, mon couvre-mulet blanc et rouge, mon sac à lit vert, mon imperméable marron, mon tapis de selle rouge. La baie donnant sur le dehors est partiellement obturée avec de vieux sacs de campement. Mais tout cela demeure assez sinistre.

Sur la corniche du mur de sa chambre, Abba Jérôme a découvert un sachet de grosse toile renfermant une poudre innommable, à base de saleté ou d'excréments. Qui a placé chez lui ce maléfice ? Serait-ce la femme de Kasahoun, qui, le jour du faux départ, est restée dans la pièce avec Malkam Ayyahou, Dinqnèsh et Tebabou ? Peut-être est-ce aussi Tebabou ?

En ville, on dit encore que le fitaorari ne reçoit personne, ayant pris le *kouso* (purge). Comme s'il était toujours entendu que nous partons, le balambaras Gassasa aurait acheté au marché les provisions de route pour lui et les hommes de l'escorte.

20 novembre.

Gondar n'existe plus. Maintenant que les gens ne viennent plus nous voir, c'est une ville morte.

Encore un perfectionnement à mon installation : je fais joncher le sol de *tchèfié*. Cela introduit un semblant de confort.

Alors que je pensais bien n'avoir aucune visite, Malkam Ayyahou se fait annoncer. Elle est accompagnée de Fantay, la vieille fille de patronage aux yeux un peu abîmés, dont le zar permanent se nomme *Amor Tchelat*.

Malkam Ayyahou attribue en partie nos ennuis à la colère d'*Abba Qwosqwos* que Mlle Lifszyc, pressée, a bousculé le matin du faux départ. Quoi qu'il en soit, à la *wadadja* de cette nuit, *Qwosqwos* est descendu et a maudit le fitaorari.

Malkam Ayyahou nous invite, Abba Jérôme et moi, à passer la nuit chez elle, pour la veille de Hodar Mikaël. Je décline la proposition, me retranchant derrière les ordres de Griaule, qui sont formels : jusqu'à ce que la situation soit éclaircie, nous sommes les prisonniers du Consul italien.

Démagogiquement, je dis à Malkam Ayyahou et Fantay, attendries, que nous n'aurions, certes, pas eu de tels ennuis au temps du Ras Gougsa[1].

Abba Qèsié est allé traîner dans la ville, enveloppé romantiquement dans sa toge pour ne pas être reconnu. Il rapporte des nouvelles. Les chefs disent qu'ils ne nous laisseront pas partir si nous n'exhibons pas un papier dûment revêtu du sceau de l'Empereur ; un simple phonogramme ne suffira pas. D'autre part, tous les chefs de la région, jusqu'à l'Angarèb, ont été alertés pour nous empêcher de passer. Il paraîtrait que le scandale se serait en grande partie greffé sur les vagues pourparlers engagés avec le chifta Lidj *** pour qu'il nous escorte sur la route Nord.

Les nouvelles qu'apporte Abba Qèsié sont toutefois plutôt rassurantes, en ce sens qu'il semble que nous ayons des partisans. A la réunion du conseil des quarante-quatre églises, des prêtres ont trouvé que le travail de la mission à l'église Antonios était

---

1. Ancien gouverneur de la province, connu pour sa xénophobie. Nos antis gondariens disaient que tout allait beaucoup mieux sous son gouvernement.

bien fait. Le qagnazmatch Ayyana et le balambaras Gassasa, d'autre part, nous donneraient raison dans l'affaire des esclaves, estimant que, ces esclaves, nous ne sommes pas allés les chercher et que l'achat, en tout cas, a été strictement régulier.

Appris par ailleurs une arrestation : celle du prêtre Mallassa, ancien propriétaire de Radda.

21 novembre.

Le dedjaz Wond Woussen a réclamé par phonogramme qu'on lui envoie à Dabra-Tabor les deux esclaves Radda et Arfazé, afin de les libérer. D'accord avec le Consul, Griaule décide d'obtempérer, tout en essayant de gagner du temps. Il est probable que, vu le bruit fait autour de cette histoire, le dedjaz se conduira correctement et libérera effectivement les deux esclaves. Il ne les détiendra pas dans l'espèce de bagne qu'est son « camp de libération ».

L'alaqa Bellata, l'un de nos principaux collaborateurs, vient d'être arrêté.

Malkam Ayyahou, qui devait venir avec des adeptes, en l'honneur de la Saint-Michel, ne s'est pas manifestée. Mais une de ses vieilles esclaves et Dinguètié, l'esclave galla d'Emawayish, nous ont apporté en cadeau une jarre de très bon *talla* et des grains de *shoumbra*. J'essaye de leur tirer quelques renseignements sur les bruits qui courent. Rien de bien nouveau : on dit toujours que nous avons contrevenu aux édits sur la traite ; on considère notre volonté de départ vers le nord comme un défi ou une gageure (certains disent : aveu de culpabilité).

Peu avant dîner, étonnante nouvelle : les interprètes Chérubin et Sersou demandent à Griaule des certificats de bonne conduite. Le fitaorari Makourya aurait donné, en effet, comme raison de leur arrestation, le fait qu'ils n'étaient pas munis de ces papiers !

22 novembre.

Un autre de nos amis a été arrêté, l'alaqa Nagga, principal peintre religieux de Gondar, dabtara et chef d'église. Il a comparu hier devant le fitaorari, en même temps que Bellata. Bellata, interrogé sur les ventes de livres, a déclaré qu'il en avait vendu un seul, 10 thalers, à Faivre. Ce dernier étant parti il y a déjà un certain temps, il ne peut être question de poursuivre l'affaire... Il a dit d'autre part qu'il venait au camp seulement pour faire soigner son frère (mon ex-ami le brigand Mangoustou Debalqo). Interrogé au sujet des peintures, Nagga déclare quant à lui avoir peint diverses petites choses pour la mission ; en ce qui concerne les objets litigieux, c'est Faivre qui les a emportés. Bellata et Nagga ont été relâchés, mais ont dû fournir des garants.

Vers la fin de la matinée, visite d'un autre homme qui s'est compromis avec nous : le négadras Balay Guérazguièr, vendeur des deux premiers esclaves et offreur d'un eunuque. Il a naturellement très peur, mais Griaule le rassure.

A 11 heures, lettre du père lazariste, nous annonçant notre futur massacre ; il déconseille fortement la route Nord et engage à la capitulation, c'est-à-dire : passer par Dabra-Tabor, en se confiant entièrement au gouvernement pour la sécurité et laissant ouvrir toutes les caisses.

Après déjeuner, autre visite d'arrêté, puis relâché : mon informateur boiteux l'alaqa Gassasa. Il a dit, quant à lui, qu'il n'avait rien vendu, sinon du parchemin vierge, et qu'il venait chez nous seulement à titre d'infirme et d'indigent. Il rapporte un bruit curieux : Abba Jérôme et moi trahirions la mission ; notre démarche nocturne (et vaine) chez le fitaorari, ainsi que notre visite matinale le jour du faux départ n'auraient eu d'autre but que comploter avec le fitaorari pour empêcher le départ...

En ville les choses tournent à notre avantage : au tribunal de cet après-midi, la propriétaire d'Arfazé a dénoncé publiquement le fitaorari, déclarant qu'elle lui avait donné un pot-de-vin de 30 thalers au début de l'affaire et qu'elle ne comprenait pas, en conséquence, pourquoi, maintenant, on la faisait arrêter. De plus, le fitaorari aurait reçu simultanément deux phonogrammes de Wond Woussen, partis de Dabra-Tabor à quelques heures d'intervalle : le premier ordonnant de ne pas nous laisser partir, le second de nous faire partir avec une grosse escorte. Le fitaorari, qui ne sait où donner de la tête, a envoyé un phonogramme à Dabra-Tabor pour demander des explications.

L'affaire des esclaves tourne aussi à notre avantage : seule Arfazé peut être envoyée à Dabra-Tabor. Une enquête menée par le Consul vient de faire apparaître que le nommé Radda, en raison du séjour prolongé qu'il a fait au Soudan Anglo-Égyptien, peut être considéré comme sujet anglais ; quant à Desta et son fils, ayant été achetés tout bonnement, ils n'ont jamais été en cause.

Le docteur a soigné les victimes d'un mariage qui a eu lieu hier en ville : quatre blessés, dont l'un a reçu un coup de couteau qui l'a percé de part en part.

23 novembre.

Ce matin, deux envoyés de l'alaqa Sagga (dont un prêtre de Gondarotch) sont venus. Ils veulent se réconcilier tout à fait sur l'affaire Gondarotch. Manière de tâter le terrain en vue — peut-être — d'une réconciliation plus générale. Un vieillard de Gondarotch a rêvé que « le *tabot* n'était pas content ». Pour peu que les Français donnent une ombrelle ou un tapis *(sic)*, le *tabot* de Gondarotch sera content et la réconciliation pourra se faire...

Au moment où tout a l'air de si bien tourner, radiogramme désolant. Pensant tout arranger, le Ministre de France transmet des propositions du Ras Kasa : le contenu de nos caisses sera inventorié par les autorités locales et nous et les objets litigieux envoyés à Addis Ababa. C'est le désastre : étant donné les dispositions des chefs d'ici à notre égard, il est évident que le moindre de nos objets sera sujet à caution, encore heureux si l'ouverture de nos caisses ne donne pas lieu à un sens dessus dessous proche du pillage... Et nous perdrons tout prestige si l'on sent que le gouvernement ne nous soutient pas.

Tout le monde est consterné. Il faut les solutions extrêmes. Toute la journée, on trie les manuscrits, les collections. Les objets les plus précieux et les écrits les plus compromettants (recensements d'esclaves, recensements de *balazar*) sont mis à part... Nous les transporterons de nuit en lieu sûr. Moyennant un cadeau de 2 fusils Gras, 200 cartouches et 100 thalers, le chifta Lidj *** se chargerait de leur sortie. Tranquille, il s'incline respectueusement devant Griaule, qui lui donne pour consigne de passer coûte que coûte.

24 novembre.

De bon matin, on entend un crépitement dans la chambre de

Larget. On dirait que, derrière sa porte fermée, il fait du feu pour se chauffer. Mais Roux, qui garde la porte, m'apprend ce qui est en train de se passer : destruction de la planche d'autel qu'on nous accuse d'avoir volée ou fait voler, objet dont la découverte pourrait amener ni plus ni moins qu'un massacre. Hier soir, les motifs gravés en ont été relevés, afin que tout ne soit pas perdu du document.

Méthodiquement, Griaule et Roux mettent les peintures d'Antonios en ballots. Une partie seulement sera exhibée aux douaniers. Le reste est roulé, entouré de papier et emballé dans des peaux. Les paquets ne seront guère différents des charges d'abou-gédid que transportent les caravanes.

Le Consul est maintenant directement en cause : un phonogramme de Wond Woussen aux chefs l'accuse ouvertement d'être le principal responsable de l'affaire des esclaves et de celle des objets et peintures d'église. Le Consul, évidemment, conçoit cela comme une marque d'hostilité assez sérieuse...

Abba Jérôme, qui est toujours l'homme des solutions élégantes, propose que pour sortir nous nous assurions le concours de « cinquante messieurs avec fusils ». Par « messieurs », il entend des brigands. On y aurait bien pensé sans lui ; mais il n'y a pas que nous à sortir, il y a aussi les bagages, et cinquante charges de mulets ne s'escamotent pas si facilement...

Larget — tout guilleret depuis que nous sommes prisonniers — réassiste aux repas consulaires, alors que depuis pas mal de temps, souffrant de l'estomac, il mangeait dans sa chambre, dont il avait tendu les murs avec les robes de soie de sa femme du Niger.

25 novembre.

Visite de Malkam Ayyahou. Elle voulait déjà venir hier mais a buté — mauvais présage — en sortant de chez elle ; d'ailleurs, elle aurait dû rester, ayant versé un sang pour une cliente. Durant tout le temps qu'elle reste au camp, elle ne raconte rien de bien intéressant.

Ensuite, visite de Fantay. Comme Griaule confectionne toujours des ballots et qu'on entend un bruit de papier froissé, je crois prudent de recevoir dans ma chambre (l'ex-salle photo), qui est à l'autre bout du bâtiment, plutôt que dans la pièce attenante qui me sert de bureau. Grave erreur : alors que je suis en train d'informer, la voix de Griaule, furieuse, nous rappelle brusquement à l'ordre, Abba Jérôme et moi. Faute de ma surveillance, l'un des domestiques est entré à l'improviste chez lui et a vu les peintures étalées. Griaule me dit que je ne comprends pas la gravité de la situation. Je la comprends très bien, mais ne puis pas me résigner à éconduire les rares visites que nous ayons encore ; j'aime mieux essayer d'en profiter pour informer. Quoi qu'il en soit, je reconnais mon tort et je suis très mortifié...

Le brigand Lidj ***, qui part ce soir à minuit et ne peut plus tarder (car il commence à être brûlé), n'emportera pas nos peintures. Elles resteront magasinées ici et, beaucoup plus tard, quand les choses se seront tassées, on avisera... Il est plus sûr d'agir ainsi, car rien ne prouve que Lidj *** qui est très surveillé, ne sera pas arrêté en route. S'il parvient jusque-là, il nous attendra à l'Angarèb avec ses vingt-cinq hommes, pour nous conduire jusqu'au Sétit. Sans doute, en nous attendant, travaillera-t-il dans la région...

Après dîner, vers 10 heures, transport des sept ballots dans un des bâtiments consulaires. Nous agissons aussi clandestinement que possible, faisant semblant d'aller pisser, mais c'est un secret bien relatif...

26 novembre.

Rien. Un peu de traduction le matin, avec Abba Jérôme. Presque tout l'après-midi, lecteur. J'ai fini hier *L'Amant de Lady Chatterley*. Je commence aujourd'hui *L'Adieu aux armes*. Rien de lisible aujourd'hui, hors la littérature de langue anglaise.

Vers le soir, après une courte promenade vers la briqueterie du champ, whisky avec Roux, qui a décidé d'ouvrir la bouteille dont le Consul lui avait fait cadeau, un peu avant le faux départ, comme provision de route.

J'aime toujours regarder Gondar et j'apprécie toujours l'inexprimable paix de ses ruines et de ses arbres.

Je ne puis plus souffrir Abba Jérôme. Au cours des attaques violentes que nous déclamons maintenant tous les soirs contre les

Abyssins, si je prends la parole, c'est toujours contre lui. Il est suffisamment souple pour prendre cela bien et c'est ce qui m'exaspère... Et tout cela si pittoresque, si rococo, si décrépit, si peu humain ! Qui pourrait faire plus « intellectuel » qu'un intellectuel abyssin ?

27 novembre (dimanche).

Autre alerte, qui nous vient de l'alaqa Gassasa : maintenant que l'affaire des esclaves est arrangée, que celle du *tabot* et des peintures s'aplanit, c'est sur la question des livres de magie qu'on veut nous agripper. On est bien décidé à nous faire enrager jusqu'au bout. Ce que sera la visite douanière, nul ne le sait... Peut-être y aura-t-il confiscation, c'est-à-dire porte ouverte au pillage.

Le père lazariste, qui vient dire sa messe, nous promet au massacre avec une souriante tranquillité. On nous en veut beaucoup dans sa région. Il semble que le père voie déjà au-dessus de nos fronts la palme du martyre. Merci.

Un phonogramme de Wond Woussen arrive, nous demandant quand nous comptons partir. Mais pour partir il faudrait d'abord son passeport, ensuite une escorte présentant un minimum de garanties quant à la fidélité...

Un grand revirement, heureusement, se produit dans l'après-midi. L'un des hommes de confiance du consulat vient rapporter le bruit suivant, qui court en ville, lancé par les téléphonistes : tous les chefs de la région seraient rappelés à Addis, en commençant par Wond Woussen et Makourya ; le dedjaz Mesfen viendrait en avion à Dabra-Tabor, puis à Gondar où il s'établirait comme chef de la région ; au commandement du dedjaz Ayyaléo Bourou serait adjoint celui de notre région.

Si cette rumeur était exacte, ce serait, au moment où nous nous y attendions le moins, une éclatante victoire, au moins la possibilité de nous en tirer sans de noirs embêtements. Le dedjaz Ayyaléo a l'air bien disposé à notre égard ; nous avons échangé avec lui plusieurs phonogrammes aimables, à propos de l'escorte qu'il devait nous fournir pour le parcours sur son territoire.

Personnellement, je trouve Ayyaléo une figure sympathique. C'est le genre vieux chef abyssin, dur, mais qui sait tenir un pays.

De plus, il a été possédé par un *kebir* [1], qui lui a fait faire *foukkara* et *gourri* après qu'il eut condamné une *balazar* à la fustigation...

L'après-midi se passe dans la gaieté : Griaule confectionne des double-fonds à ses tiroirs de caisses et y planque les livres de magie ; on finit la bouteille de whisky.

Au soir, les bruits se confirment, à cela près que le nouveau gouverneur d'ici s'appelle le dedjaz Melkié et non Mesfen. Il serait déjà arrivé à Dabra-Tabor.

Comme dernière accusation portée contre nous, celle-ci : nous voulons changer la religion du pays. Le boy-scout Faivre et la propagande catholique qu'il menait derrière notre dos (avant que l'ait poussé à nous abandonner la crainte de perdre une vague situation) y sont sans doute pour beaucoup...

28 novembre.

Les bruits persistent quant aux changements administratifs. Il y a bien des chances pour que cela soit vrai... L'*abouna* (évêque copte) de Dabra-Tabor va venir ici incessamment et cela participe sans doute de tout ce mouvement.

Fait divers : le nommé Bayana, l'ex-mari d'Emawayish, sur le point de partir au Godjam, s'est arrêté hier soir devant la maison d'Emawayish avec son âne et son mulet. Vraisemblablement saoul de *talla,* il est entré dans la maison, avec revolver et fusil, et a tout saccagé, — brisant le lit en tapant dessus à coups de fusil, voulant tuer Emawayish, qui a pu se sauver chez des voisins. Toute la paroisse a été alertée, ainsi que celle de Ledata, toute proche, dont les prêtres sont également intervenus.

C'est Abba Jérôme (disparu toute la matinée, parce qu'il était allé faire un tour à Qeddous Yohannès) qui me raconte cela. Tout ce matin, Emawayish a été très entourée : parents, prêtres, vieillards, voisins font leurs condoléances. Naturellement il y aura procès. Emawayish, paraît-il accablée, dit : « Si ma mère a des génies, ils puniront cet homme ! » Un vieillard lui affirme que tout cela, c'est sa faute : « Cela t'apprendra à recevoir des gens à *sourri* (pantalon). »

Quand Abba Jérôme me rapporte ces paroles, je crois com-

1. Zar du Tigré, très puissant.

583

prendre que lui et moi sommes visés, mais je ne lui demande aucun plus ample renseignement. J'ai assez de ces paysans : drames d'ivrognerie s'ajoutant aux histoires de cupidité. Il me suffit de savoir qu'Emawayish n'a été ni tuée ni blessée.

La journée, d'ailleurs, s'affirme dans le mélodrame : le porte-bouclier (celui dont Griaule dit qu'il a l'air d'une vieille midinette), revenant de la ville, affirme que les deux interprètes Chérubin et Sersou nous ont trahis. Témoins de tout notre travail, ils ont parlé, dit que nous avions des recensements de possédés, des recensements d'esclaves, des peintures, etc... Le père lazariste, qui les connaissait bien (car ils sont tous deux catholiques et l'un d'eux a même été son élève) nous avait déjà mis en garde contre ces possibilités de bavardage, nous engageant à les empêcher de quitter le territoire consulaire avant nous, pour qu'ils ne puissent pas aller causer trop tôt à Dabra-Tabor.

Roux voudrait aller immédiatement casser la gueule aux deux mouchards. Griaule réfléchit à des moyens plus subtils de les mettre hors d'état de nuire.

Toute la journée s'est passée à dissimuler des peintures : un triptyque a été simplement revêtu de papier portant, dessinés et coloriés par Roux, les motifs mêmes de ses propres panneaux ; cela passera pour une copie. D'un diptyque également recouvert de papier, Griaule s'est fait un joli portefeuille dans lequel il a rangé des timbres et différents papiers. Un grand tableau, enfin, a été caché (sous du papier d'emballage collé) au fond d'une caisse qui contiendra des oiseaux empaillés.

Comme nous n'avons que huit fusils, et qu'il y a intérêt à un peu plus représenter, le Consul nous fait cadeau d'un vieux fusil russe, d'une marque indéfinissable et d'un calibre si bizarre qu'il est impossible de lui trouver des cartouches. C'est à Abba Jérôme que cette arme d'apparat a été décernée.

29 novembre.

Mal dormi ces deux dernières nuits.

Parmi les informateurs qui ne viennent plus, je regrette Asammanètch. Elle est la seule qui ait été gentille jusqu'au bout, peut-être parce qu'elle est plus malade que les autres, peut-être aussi parce que, venue presque au dernier moment, elle n'a pas eu le temps de s'enhardir et d'abuser. Je conserve soigneusement l'anneau de corne qu'elle m'a donné. Peu importent les motifs qu'elle a eus de me faire ce cadeau, qu'elle l'ait fait de bon cœur, par intérêt, ou pour se débarrasser d'un objet qui, pour une raison quelconque, lui semblait lié à la maladie ou, en général, à la mauvaise chance...

J'ignore si elle continue à se faire soigner à l'infirmerie du consulat.

. . . .

Visite d'un inconnu qui déclare se nommer le qagnazmatch Afe Worq, être *balabbat* (propriétaire originaire) de Gondar et avoir été nommé « cavalier » par le Ras Gougsa. Il vient d'être chargé, dit-il, de la police pour la question des « achkars de Tripoli », ex-soldats de Tripolitaine qui traînent en ville élégamment vêtus, font plus ou moins les maquereaux et commettent toutes sortes de mauvais coups. On les arrête tous systématiquement ; beaucoup de gens disent même qu'il s'agit moins d'une épuration de la ville que d'un recrutement de troupes à peu près éduquées pour le dedjaz Wond Woussen... Toujours est-il que le policier vient nous dire que, ayant pour mission d'arrêter tous les « achkars de Tripoli », il aimerait bien connaître nos propres domestiques afin de ne pas les arrêter par confusion. Sans doute espère-t-il qu'afin d'être sûrs que ne se produise jamais un tel malentendu nous allons lui faire un cadeau. Nous nous contentons de le recevoir aimablement, avec cognac et raki, de protester de notre amitié pour les *balabbat* de Gondar, de nous mettre d'accord avec lui pour rendre les chefs étrangers qui gouvernent la ville responsables de tout le mal. Quand il part, je remarque que son escorte est composée exclusivement d'achkars de Tripoli, dont je connais certains (entre autres un amant de Dinqnèsh). Collaborateurs ? ou prisonniers ? Peut-être les deux à la fois.

A l'heure de l'apéritif, le Consul nous apprend que les gens de la ville auraient manifesté l'intention d'attaquer les chefs quand ceux-ci s'en iront. Ceci, parce que les chefs, naturellement, comptent bien s'en aller en emportant la caisse... Si réellement les gens mettaient cette menace à exécution, sans doute rirait-on !

Brusquement, Roux et moi constatons la disparition des deux

interprètes qui ont trahi... La tente que le Consul avait mise à leur disposition pour la durée de leur séjour forcé est repliée. Ils ont dû partir ce matin. Je crois qu'ils ont eu le nez creux !

Tandis que je travaille avec Roux à la rédaction d'un rapport sur son voyage d'Addis Ababa au Tana, Malkam Ayyahou et sa fille viennent rendre visite à Abba Jérôme. Je fais comme si elles n'étaient pas là, je ne bouge pas de chez moi, j'attends d'être explicitement demandé. Quand on m'appelle, je viens : je ne veux tout de même pas avoir l'air de par trop les bouder.

On parle naturellement du scandale de l'autre soir. Peu s'en faut que par les soins de Bayana — qui travailla comme empailleur à la naturalisation d'un certain nombre d'oiseaux destinés aux collections de la mission — Emawayish et un certain nombre d'habitants du quartier (dont son plus jeune enfant et notre ami Enqo Bahri) n'aient été mis dans le cas d'être empaillés. Bayana — qui n'était pas saoul — a lacéré la peau de bœuf et tous les cuirs du lit, tenté de tuer Emawayish et, celle-ci s'étant enfuie avec son enfant, a couru de maison en maison, revolver au poing, afin qu'on la lui livre...

Nous buvons le café. Il fait un peu chaud et je n'ai pas de veste. Je porte un maillot de polo jaune citron, assez léger. Comme d'habitude, je bombe le torse, je creuse le ventre, je fais des gestes inutiles avec mon chasse-mouches. J'affecte une souveraine indifférence à tout ce qui peut arriver. J'incarne un personnage d'apparat.

Qu'est-ce que cela peut faire que nous ne partions pas ? Belle occasion pour nous de nous reposer, d'engraisser... N'ayant plus à travailler, je suis tranquille autant qu'un bœuf au pâturage.

Emawayish touche une des manches de mon maillot, puis pose sa main sur la salière de mon cou, au-dessous de la pomme d'Adam, disant que je ne suis pas encore si gras ! Un tel geste, il n'y a pas si longtemps, m'aurait troublé. Maintenant, il ne m'irrite même pas. Pourtant, il n'y a pas à dire, Emawayish est belle, malgré sa tournure de paysanne, très claire de peau mais plutôt sale, épaissie par les accouchements, ruinée par les allaitements, étrangement cambrée par le port sur le dos des enfants, auquel elle doit sans doute ce derrière proéminent... Son visage est toujours très fin ; ses pieds sont émouvants, un peu larges, mais bien formés et nullement gâtés de marcher nus sur tous chemins et en tous temps. Je remarque qu'elle porte deux chevillières d'argent que je ne lui connaissais pas...

Pour n'en pas perdre l'habitude, Emawayish mendie du sucre et — à un moment où Abba Jérôme s'absente — du parfum. Je lui fais comprendre que tout est enfermé dans les caisses et que je ne peux rien lui donner. Elle est un peu désappointée. Depuis notre faux départ, toutes nos caisses sont fermées ; il n'y a peut-être pas à chercher plus loin la cause de la disparition de nos informateurs...

Je retourne à mon travail, laissant Abba Jérôme à ses deux interlocutrices. Quand elles s'en vont je ne me dérange pas. Pour un peu je dirais que c'est incompatible avec « ma dignité ».

Grand palabre vers le soir, menée par la femme de l'achkar Mallassa, qui est redevable à ce dernier d'un gros pochon violacé sur l'œil droit. Assis en rond, les achkars jugent. Ils sont tous en querelle avec leurs femmes : celles-ci, lors du faux départ, les ayant remplacés par des achkars de Tripoli, ils veulent ravoir leur place et, prétextant les sommes engagées et les contrats de louage de services passés verbalement avec elles, auraient même songé à leur intenter officiellement procès. C'est Abba Jérôme qui me raconte cela : les achkars se sont adressés à lui, lui demandant d'intervenir auprès de Griaule pour qu'il leur donne trois jours de permission, qui leur permettraient de régler ce procès. Abba Jérôme a eu le bon esprit de leur déconseiller de donner suite à cette idée...

Il y a quelque temps, j'ai parlé avec Abba Jérôme de l'érotisme abyssin. Mari et femme couchent ensemble, nus, enveloppés strictement — têtes comprises — dans le même tissu. Position habituelle : « à la papa ». Toute la nuit l'homme reste dans la femme. Celle-ci, d'ordinaire, jouit au bout du deuxième coït. Contrairement à ce que je croyais, il ne semble pas — d'après ce que me dit Abba Jérôme — que ceux-ci soient beaucoup plus longs que nos coïts européens.

Si j'avais couché avec Emawayish, sait-on jamais ? je l'aurais peut-être fait jouir...

30 novembre.

Notre monde s'aplanit. On n'entend plus parler de rien, sauf

587

qu'en ville on commence à s'étonner que nous ne soyons pas encore partis.

Un personnage vient se présenter à nous, arrivé récemment de Dabra-Tabor. C'est le qagnazmatch Aznaqa, *meslènié* (c'est-à-dire chef général de la police) de Gondar et du Dembia. Il vient nous montrer une commission en règle du dedjaz Wond Woussen, lui ordonnant de nous accompagner et de veiller soigneusement sur nous, car « il y a des gens qui nous veulent du mal ». Aznaqa pousse le zèle jusqu'à nous proposer tout de suite des hommes pour nous garder sur le champ italien. Bien entendu sa proposition est repoussée...

Il est convenu que, si tout se passe bien, Aznaqa recevra un cadeau de fusils au Sétit. De plus, comme il a été chargé de nous rembourser le prix des deux esclaves à restituer, il est convenu que la somme (deux à trois cents thalers) sera déposée au consulat et qu'Aznaqa pourra aller la toucher au retour du Sétit.

Demain, nous ferons savoir par lettre à Aznaqa quel jour nous comptons partir et quel jour nous choisissons pour la visite en douane. Il est convenu que cette visite aura lieu sur le territoire consulaire.

Dans cette situation embrouillée, il est certain qu'Aznaqa tient à s'arroger un rôle de sauveur, pensant bien qu'il en sera récompensé.

1er décembre.

Après accord avec le Consul, la visite des bagages est fixée à dimanche, le départ à lundi. Griaule rédige une lettre, qu'il me charge de remettre à Aznaqa. Mais il a imaginé, en dehors du Consul, une belle petite flèche du Parthe...

Je me rends donc chez Aznaqa, accompagné d'Abba Jérôme, et je lui remets officiellement la lettre. Il n'objecte rien à la date du départ, mais se déclare embarrassé, car l'*abouna* arrive mardi et il a reçu l'ordre de le recevoir ; il propose comme remplaçant, en qualité de chef d'escorte, le balambaras Gassasa. Il insiste d'autre part pour que la visite des bagages ait lieu le jour même du départ et non la veille.

Je ne prends aucune décision, lui disant simplement de passer au camp cet après-midi pour s'entendre avec Griaule. J'attaque alors, après avoir demandé à Aznaqa de faire sortir tout le monde, la partie confidentielle de ma mission...

A mi-voix, j'expose à Aznaqa comment, lors des difficultés que nous avons eues à la douane de Métamma, nous avons laissé en dépôt en territoire anglais, outre notre matériel automobile, un certain nombre d'objets, les uns parce qu'ils étaient de nature à augmenter les malentendus, les autres parce qu'ils étaient, pour cette nouvelle partie du voyage, encombrants et inutiles... Il y a parmi ces objets :

1° Une mitrailleuse Maxim avec 2000 cartouches ;

2° Une machine à fabriquer la glace ;

3° Un phonographe « Voix de son maître », avec 40 disques double face, soit 80 morceaux ;

4° Une grande tente imperméable à double toit ;

5° Un fusil automatique Beretta (qui peut tirer soit coup par coup, soit par série de douze ou vingt-cinq coups) et 1000 cartouches, fusil du même modèle que celui que le dedjaz Wond Woussen possède déjà.

Parmi ces objets, la mitrailleuse était (dis-je à Aznaqa) un cadeau que le gouvernement français destinait à Wond Woussen ; c'est la mauvaise volonté seule des douanes de Métamma qui nous a empêchés de le passer. Mais aujourd'hui, puisque tout s'arrange, Griaule, pour montrer qu'il n'a pas de rancune, a décidé d'en faire don au dedjaz, en même temps que de la machine à glace, du phonographe et de la tente. Quant au fusil Beretta, il est destiné à Aznaqa lui-même, si tout se passe bien jusqu'au Sétit.

Je prie donc Aznaqa, très intéressé, de faire savoir cela au dedjaz et lui explique comment, Lutten devant aller à Métamma rechercher le matériel automobile (dès que nous serons en Erythrée), il suffira que le dedjaz envoie quelqu'un à Métamma avec le nombre de mulets nécessaires pour prendre livraison des cadeaux.

Aznaqa est tellement alléché qu'il déclare qu'il s'y rendra lui-même, étant l'homme de confiance du dedjaz...

Je néglige de lui dire que, s'il rencontre Lutten à Métamma, Lutten refusera, sous un prétexte quelconque, de livrer les cadeaux et qu'en ce qui concerne le fusil automatique il n'existe même pas...

Griaule, au cours de son entrevue de l'après-midi avec Aznaqa, surenchérit. Il donne des précisions : poids de chaque objet, nombre de mulets qu'il faudra, répartition des charges, objets qu'il faudra faire porter à la main pour éviter de les briser (tels le phono et les disques, dont Griaule déclare que plusieurs sont des chants abyssins), couleur verte des tentes (à cause d'un produit qui les rend inattaquables aux fourmis et aux termites), etc... Il va jusqu'à demander à Aznaqa le secret (car les puissances européennes pourraient trouver à redire à un tel cadeau d'armes) et lui déconseille de prévenir Wond Woussen par phonogramme chiffré (ce qu'Aznaqa avait proposé de faire) ; un homme très sûr ira porter une lettre d'Aznaqa à Wond Woussen.

Quant à la prise en livraison à Métamma, ce n'est pas Aznaqa, finalement, qui l'effectuera mais un homme en qui il a toute confiance, le négadras Nourou, que nous connaissons déjà, en tant que successeur du guérazmatch Hayla Sellasié comme chef des douanes de Métamma (et qui a empilé Griaule, au moment du départ, lui vendant un cheval guide-mulets qui a crevé au bout de deux ou trois jours de caravane).

Aznaqa a l'air tout à fait subjugué. Comme Lutten répondra, à Gallabat, de façon que Nourou ne suspecte pas notre bonne foi, il est probable qu'Aznaqa lui reprochera de s'être tout simplement approprié les cadeaux, reproche qu'il encourra lui-même de la part du dedjaz Wond Woussen. Il en résultera une fameuse salade...

En ce qui concerne notre départ, il aura lieu lundi. Dimanche, la visite des bagages se fera non au camp, mais à la douane, « afin de dissiper toute calomnie ». Aznaqa nous accompagnera un peu, reviendra pour recevoir l'*abouna*, puis, dans les jours immédiatement suivants, nous rejoindra.

2 décembre.

Phonogramme du Ministre de France à Griaule : tous les esclaves libérés par la mission devront être remis à Wond Woussen pour être envoyés à Addis Ababa, où la question se réglera. Moyennant quoi, notre sécurité est assurée.

Ainsi, par notre Ministre lui-même, nous voici obligés à la reddition... Le Consul d'Italie, qui a les esclaves en garde et leur a donné de petits emplois dans son camp, est navré. Il est bien évident qu'après pareille histoire le gouvernement éthiopien, par crainte du scandale, apportera tous ses soins à ce que les malheureux soient effectivement libérés ; mais que deviendront-ils ensuite ? Crèveront-ils de faim ou seront-ils repris ?

Aussi la restitution ne se fera-t-elle qu'au compte-gouttes : Radda, sujet anglais, restera naturellement au camp et continuera à travailler à l'écurie ; Desta et son enfant resteront là aussi, n'ayant jamais été mis en cause directement. Seule Arfazé (qui s'était réfugiée chez nous disant : « C'est Dieu qui m'a envoyée », après s'être enfuie une nuit qu'elle était enchaînée ; — elle a raconté depuis comment sa patronne avait coutume de l'attacher, ou de la battre de la manière suivante : la patronne assise, serrant entre ses jambes la tête d'Arfazé à genoux devant elle, et lui frappant l'échine à grands coups de coude), seule Arfazé sera livrée au fitaorari Makourya, qui la transmettra à Dabra-Tabor.

Devant les hommes qui doivent l'emmener, Arfazé pleure. Le Consul lui fait servir un bon plat d'*injéra* à la sauce. La pauvre fille continue à pleurer. Le Consul lui donne 1 puis 2 thalers. Ses larmes coulent toujours. Le vieux Lidj Balay, l'ex-mari de Dinqié, qui commande l'escorte chargée de la conduire, va chercher un grand morceau de viande et le lui donne, espérant la calmer. Impossible de la consoler. Toutefois, une chose a quelque effet : Lidj Balay lui explique que Makourya est un Galla comme elle. Se sentant sans doute moins seule, Arfazé s'en va, légèrement apaisée...

Ce matin, j'ai revu Enqo Bahri ; il est venu au camp à propos d'une rixe qui a eu lieu hier soir entre son « fils d'argent » (c'est-à-dire esclave) et un de nos achkars, le mari de la femme au genou gonflé (que Lutten a engagé). Le « fils d'argent » a le cuir chevelu un peu endommagé, mais Enqo Bahri consent à pardonner, par amitié pour nous, bien que le mari de la femme au genou gonflé, au cours de la discussion, l'ait traité de « faux prêtre » et de bien d'autres noms.

J'apprends d'autre part par Tay, le jeune domestique d'Abba Jérôme, qu'Emawayish s'étonne que nous ne soyons pas allés lui rendre visite pour s'enquérir de ses nouvelles, après qu'elle eut été « si près de la mort ».

591

3 décembre.

Le qagnazmatch Aznaqa devait venir remettre à Griaule 1 000 thalers, que Griaule a demandés par radio au Ministre de France de lui faire verser par le Ras Kasa, le Ministre de France versant au Ras Kasa les 1 000 thalers et Griaule couvrant le Ministre en livres égyptiennes. A 5 heures passées, Aznaqa n'est pas encore là. Griaule envoie aux nouvelles le porte-bouclier. Ce dernier revient : il paraît que la clef du trésor aurait été perdue et qu'Aznaqa, nouveau dans le pays, n'oserait pas forcer la porte, craignant d'être accusé d'indélicatesse. La vérité est qu'Aznaqa n'ose pas dire qu'il a été incapable, dans tout le pays, de rassembler 1 000 thalers.

Appris par Abba Qèsié que le guérazmatch Ennayo, le chifta de Wahni, vient de mourir à Dabra-Tabor où, de même que les autres chefs, il était allé pour la Masqal.

Appris par le Consul la suite de l'histoire Arfazé : il s'est trouvé qu'alors qu'on avait toujours cru qu'elle ne parlait que galligna, arrivée chez le fitaorari Makourya elle s'est mise à parler amharigna. Et tout porte à croire qu'elle a dénoncé sa collègue Desta, avec qui elle ne s'entendait pas. Car on sait maintenant chez Makourya que les Français avaient d'autres esclaves qu'Arfazé et Radda et on commence à les réclamer. Le Consul est décidé à refuser de les livrer : il dira qu'ils ont bien été chez lui, mais qu'ils se sont évadés.

Demain, visite en douane. Lutten et moi y passerons toute la journée et y camperons la nuit. Je ne puis croire que ce soit le départ.

Certains disent que dans nos caisses on ne trouvera rien, car nous ne sommes pas assez bêtes pour ne pas avoir avisé et avons eu, du reste, tout le temps de le faire.

Ce matin l'alaqa Sagga et tous les prêtres de Gondar sont venus chez le Consul pour admirer la croix d'église qu'il compte offrir à l'*abouna*. Le bruit court parmi les prêtres que nous n'avons plus le *tabot,* car nous l'avons fait s'envoler par la voie des nuages.

592

5 décembre.

Nous sommes enfin partis. La visite des bagages a eu lieu hier, sans complications, grâce à l'intervention intéressée d'Aznaqa. Plusieurs figures de connaissance : guérazmatch Tasamma, le chef d'escorte déserteur de Tchelga ; guérazmatch Hayla Sellasié, qu'Aznaqa prétendait avoir fait enchaîner, mais qui est en liberté.

Comme convenu, Lutten et moi avons couché là. Les 1 000 thalers — enfin trouvés, grâce à des emprunts à des marchands musulmans d'Addis-Alam — ont été versés.

Le départ est l'occasion d'un certain nombre de mondanités. Reconnu parmi l'assistance : Malkam Ayyahou, Emawayish, Ballatatch (qui s'est fait tondre le crâne), le Consul d'Italie, l'alaqa Gassasa, Lidj Balay, le marguiéta Enqo Bahri (qui me livre, enfin ! le manuscrit que je lui avais commandé : série de portraits en couleur représentant les principaux *zar*), l'alaqa Gabra Yohannès (prêtre de l'église Saint-Jean, comme Enqo Bahri), Sheikh Hahmed (le musulman si distingué, qui est venu saluer son coreligionnaire Abou Ras), un grand nombre de femmes d'achkars, etc. etc.

Beaucoup de gens font un pas de conduite ou disent au revoir regardant passer la caravane du bord du chemin. L'escorte est considérable : qagnazmatch Aznaqa, balambaras Gassasa ; de place en place, des chefs locaux ; qagnazmatch Ayyana durant un certain temps.

Disparus les châteaux de Gondar, je suis triste. Je regrette tous les gens à qui j'ai dit adieu si froidement. Je ne leur en veux plus de rien : il est si naturel qu'ils aient cherché à gagner un peu d'argent. Peu importe ce qu'ils sont d'ailleurs : brusquement, m'apparaît avec la même splendeur qu'au début ce qu'ils représentent. Génies que je ne reverrai jamais... Qu'importent vos chevaux de chair !

Montagnes sens dessus dessous, chemin sinueux, tortures à l'unisson. Resté à l'arrière-garde, je grimpe tout seul. J'aperçois tout à coup le camp installé à 50 mètres au-dessous de moi. On m'appelle à coups de trompe. Il me faut revenir sur mes pas. La caravane avait quitté la piste normale pour aller à son point de campement.

J'arrive. Il y a beaucoup d'hommes, beaucoup de feux qui se

préparent, beaucoup de bêtes, beaucoup de tentes. Deux femmes d'achkars (des femmes, je crois, de Qwosqwam) qui ont suivi la caravane, sont là.

Potamo, le chien de Mlle Lifszyc, est fatigué ; il a trotté tout le temps.

Ni Roux ni Mlle Lifszyc n'ont quitté Gondar. Lifszyc s'est réveillée hier avec 39° de fièvre ; elle est atteinte d'une angine. Si elle ne va pas mieux demain, il ne pourra être question pour Roux et elle de nous rattraper. Ils s'en iront par Métamma.

Un homme du chifta Lidj *** avertit en sous-main Griaule que son maître veille sur nous. Il nous attend à l'Angarèb avec 80 hommes. Comme ils sont là-bas depuis longtemps, ils souffrent de la fièvre. De la part de ***, l'homme demande de la quinine. Griaule lui en donne.

6 décembre.

De plus en plus marche triomphale. La mobilisation continue mais, au lieu que ce soit pour nous arrêter, c'est pour nous apporter le dergo. Le qagnazmatch Aznaqa, de plus en plus snobbé, poursuit son chemin avec nous. Suave chef de cabinet, le balambaras Gassasa trottine derrière lui comme un petit garçon.

Cinq heures de marche environ, qui nous font peu à peu redescendre vers les *qolla* (régions basses). Par moments, on nage dans l'herbe, les plantes grasses et les épineux. Les montagnes chaotiques d'hier, qui émergeaient au-dessous de nous en plombs, en dents, en pitons, nous surplombent maintenant. Et il fait chaud.

Je pense toujours à Gondar (j'en ai rêvé) et je feuillette le petit livre colorié d'Enqo Bahri : voici *Abba Yosèf* et *Abba Lisana Worq* avec leurs croix de prêtres ; l'Empereur Kalèb (dont l'un des deux fils fut Roi des Invisibles, alors que l'autre régna manifestement) encadré de deux esclaves chankalla ; *Rahiélo* — belle femme rouge — et deux servantes également chankalla ; *Yè Teqara Tor* (« Lance de Suie »), couleur brunâtre de saleté ; *Dammana* (« Nuage ») achkar de Rahiélo ; Weyzero *Dira*, entourée d'archers ; *Gwolem Shèt* (le zar forgeron, qui aime la chair humaine) lui aussi couleur brun sale ; il tient un marteau à la main ; *Chankit*, entourée de servantes rouges et d'esclaves chankalla ; *Abba Moras Worqié*, debout sur sa peau de bouc tapis

594

de prière ; *Kamimoudar,* avec quatre canons ; cinq fusiliers, dont *Kader* ; *Abba Lafa,* avec son chapelet et son livre de prières ; son frère *Seyfou Tchenguer,* porteur de glaive et mitré ; *Adjimié Berrou,* porteur de lance ; *Adal Gwobena,* que des personnages horizontaux adorent ; *Ararié,* porteur de lance et *Sheikh Ambaso* enfin, celui-là, comme son nom l'indique, à moitié léonin (crinière et cape de poil). Je remarque que sur ces deux derniers feuillets Enqo Bahri, homme posé et bon père de famille, a fait figurer le grand zar de sa femme *(Ararié)* et *Sheikh Ambaso,* le sien.

Les femmes d'achkars ne sont plus là ; elles sont reparties ce matin vers Gondar.

Campement à la douane de Kètch, — mais il n'est pas question qu'on visite nos bagages. Après déjeuner, Griaule fait porter deux bouteilles de raki à Aznaqa, une au balambaras Gassasa, deux aux douaniers. Aznaqa a fait répondre qu'il était ici chez lui, que c'était donc à lui, non à nous de faire des cadeaux ; le balambaras Gassasa a remercié gaillardement, disant : « N'avons-nous pas besoin de force pour porter les fusils ? » les douaniers ont répondu qu'ils n'étaient pas deux mais quatre, entendant par là que le compte de bouteilles n'y était pas...

7 décembre.

Adieux au qagnazmatch Aznaqa et au balambaras Gassasa, qui retournent vers Gondar. Le plan le plus mondain. Qagnazmatch Aznaqa n'oublie pas de demander à Griaule reçu des 200 thalers correspondant au prix de l'esclave restituée. Comme convenu, il ne verse pas l'argent ; il le gardera pour lui.

Cinq heures de marche facile, en terrain presque constamment plat, après une heure ou deux de descente. De nouveau les « tropical countries ». Comme d'habitude, je suis en arrière. Tout va bien ; pas de retardataires ; nous marchons en peloton. Les achkars chantent. « *Beragna, beragna...* De brousse, nous sommes de brousse », grande chanson de chasseurs et de zar. Tèklè Maryam le boy se livre à des parodies de *foukkara.*

Petit contretemps. Arrivés au point d'eau où nous devons camper, nous constatons que Lutten n'est pas là. Nous le croyons d'abord égaré et maudissons le qagnazmatch X... qui nous accompagne : il est chef du pays, doit savoir que la piste peut prêter à confusion en certains endroits et n'a pas pris soin de donner des guides à Lutten. Il ne s'est même pas aperçu qu'une partie de la caravane était partie devant.

Après déjeuner, mot de Lutten : il a marché encore plus vite que nous et se trouve au point d'eau suivant. Il est fourni en pain et en café par les caravaniers. Il demande seulement du sucre, ainsi qu'un fusil et des cartouches pour se procurer de la viande. Nous les lui faisons porter.

Avant déjeuner, bain dans la rivière, sur un fond rocheux très agréable.

Peu avant le coucher du soleil, grande séance de pêche au filet, Larget et Griaule dirigeant les opérations. Nouveau bain. On se croirait à Dieppe un dimanche d'août. Ce soir, nous mangerons de la friture comme des Parisiens sur les bords de la Marne.

Makan, vêtu d'un pantalon de ville que lui a donné Larget et d'un gilet tout blanc, était dans l'eau jusqu'à mi-corps.

8 décembre.

Voyage en deux étapes. Arrivés à 11 heures moins 20 au point d'eau dit Tyéma ; nous y restons pour déjeuner, car Lutten, arrivé avant nous, a eu la bonne idée de monter une tente à cet effet. Trois heures de marche l'après-midi, pour arriver au point d'eau Baskoura peu avant le coucher du soleil.

Piste très plate. Abondance de bambous aux feuilles en couteaux jaunes ou verts. Immenses champs de *mashilla* également jaunes et verts. Ou bien hautes herbes dorées d'où sortent les arbres contorsionnés.

Presque toute la journée, la caravane est en peloton. Vers la fin, au-dessus des tiges vertes et jaunes, sur un fond de montagnes déchiquetées, j'aperçois, déployé, le parapluie d'Abba Jérôme. Il s'en sert d'ombrelle quand il monte à mulet. Le reste de son équipement comprend : casque kaki, lunettes, foulard de laine framboise, bandes molletières, pardessus gris d'été.

9 décembre.

Lever avant le jour. Ordre de charger. Mais les caravaniers constatent qu'ils ont perdu plusieurs bêtes : 7 mulets et 2 chevaux.

Ils ne les attachent pas la nuit, afin de les laisser paître. Voici le résultat. Les hommes partent à la recherche. Il faut laisser tous les bagages de l'équipe aux bêtes perdues. Griaule, Larget, Lutten, Abba Jérôme partent avec notre propre *gwaz* (caravane) et une partie des caravaniers. Je reste là, attendant que les bêtes soient retrouvées. J'ai avec moi Tèklè Maryam et deux soldats.

Je passe presque toute la matinée assis sur un pliant. Je sais bien que dans ce pays tout se retrouve, mais je me demande tout de même à combien d'heures de marche sont les animaux fugitifs.

A midi 5, un homme revient avec cinq mulets. Les bêtes s'en retournaient tranquillement vers Gondar. Il les a trouvées sur le chemin.

A 13 h 40, retour du chef des caravaniers, avec deux autres hommes et les deux chevaux perdus. Ils étaient également sur le chemin de Gondar.

Je donne ordre de charger. A 14 h 35, comme nous partons, deux hommes ramènent les deux derniers mulets manquants. Nous avons croisé hier des chameaux qui allaient vers Gondar; les deux derniers mulets ont été rattrapés au delà de ces chameaux.

Route encore plus sauvage. Plus de terres cultivées ni de miradors pour garder les récoltes.

Assez rapidement on touche l'Angarèb, au vaste lit pierreux. Encore plus qu'hier, montagnes hérissées.

La piste longe l'Angarèb; alternativement, elle s'en écarte et s'en rapproche.

Le soleil tombe et nous marchons toujours. Heureusement il y a la lune. Mais il n'y a pas beaucoup d'hommes et j'ai bien peur que des bêtes se détournent du chemin et se perdent.

Une heure environ de marche de nuit et je retrouve Griaule et les autres, qui sont campés à une heure à peu près avant le gué de l'Angarèb. N'ayant pas mangé de la journée, je dîne de bon appétit.

10 décembre.

Brève étape (trois heures et demie). Passage de l'Angarèb. Nous sommes chez le dedjaz Ayyaléo Bourou. Campement dans un endroit charmant : berceaux de bambous, dans lesquels nous montons les lits sans déplier les tentes. Véritables chambres à coucher. La salle à manger et la cuisine sont en contrebas dans le lit à sec du torrent. Lieu-dit : May Shambouko.

Souvenirs de Gondar : églises (gris clair de pierre et **vert** sombre de bois) posées comme des îles ; çà et là, toucoules à la dérive avec leurs chaumes misérables ; mais le profil des collines et celui des châteaux unifient tout. La famille Enqo Bahri (case très simple, pas européanisée du tout, avec sa porte intérieurement tapissée de lourd feuillage ; case tranquille, confortable, où l'on mangeait si bien) : Enqo Bahri le père, mûr mais encore bel homme, grand et fort, portant bien sa calvitie, — un Lot un peu abîmé par la syphilis ou l'ivrognerie, mais tout de même encore gaillard ; Terouf Nèsh la mère, relativement jeune, jouant sans disgrâce son rôle de femme enceinte ; le petit garçon, mauvais comme une teigne et à tendances alcooliques ; la fillette (10 ans, peut-être : la belle âge pour se marier) ; vêtue comme une dame avec une robe à manches froncées, elle faisait si bien le café ! Et le nouveau-né, que je ne connais pas...

Puis le lieu que nous habitons me donne des idées de théâtre : les lits plantés tout droit dans la forêt, moustiquaires baissées. On ne voit pas les explorateurs : ils causent, allongés sous leurs moustiquaires. Quelques entrées : Abou Ras, le cuisinier enturbanné, une pince à la main et, dans cette pince de mécanicien, une grosse molaire sanglante qu'il vient d'arracher à l'interprète Wadadjé ; puis une visite mystérieuse : celle d'un émissaire de Lidj *** ; il vient annoncer que son chef et ses compagnons sont là ; ils veillent sur nous, mais invisiblement, car s'ils rencontraient les hommes du dedjaz Ayyaléo (notre nouvelle escorte officielle) il y aurait sûrement de la casse ; néanmoins Lidj *** viendra nous rendre visite, vraisemblablement ce soir.

Griaule et moi revenons du bain ayant, le premier vu, le deuxième entendu, un fauve de l'ordre panthère ou léopard (nous en avons relevé les traces) se promenant dans les hautes herbes après boire. Photographié de tout près un joli martin-pêcheur.

Enfin c'est Lutten qui pose cartouchière et fusil, retour de la chasse. Il est de mauvaise humeur, car il n'a rien trouvé...

Douce, amusante — quoique monotone — vie de vacances ! La route est régulière, pas fatigante. On ne rencontre aucun village.

C'est la parfaite tranquillité. Ravi, Abba Jérôme en bras de chemise danse au milieu des bambous.

Pour me protéger de l'humidité qui tombe la nuit, j'ai étendu sur ma moustiquaire relevée mon couvre-mulet (cadeau du Ras Haylou à Griaule, lors de son premier voyage en Abyssinie) : immense croix rouge sur fond blanc, qui surplombe mon lit. Je trouve que cela fait très joli, à côté de mes draps et des carreaux blancs et verts barrés de jaune de ma couverture écossaise.

Dans le fond du torrent, Abous Ras et ses acolytes (Makan, Mamadou et Djimma son propre domestique) allument un feu d'enfer avec des troncs entiers.

20 h 05 : le visiteur attendu n'est pas venu.

Abba Jérôme annonce qu'il vient d'apprendre officieusement que le dedjaz Ayyaléo nous envoie, pour renforcer l'escorte, des soldats réguliers « disciplinés à la française et habillés en tripolitains » (c'est-à-dire en kaki). Ils seront là demain matin.

11 décembre.

Les carreaux de mon plaid ne sont pas verts et blancs, mais bleus et blancs ; sur le tout, grandes raies transversales jaunes et vertes se coupant perpendiculairement. Je m'en aperçois en installant mon lit sur la berge du torrent quasi à sec au bord duquel, après un peu plus de cinq heures de marche, nous campons.

Durant presque toute la route, j'ai pensé à autre chose. Petits détails du retour ; bagages ; complet que je me ferai faire chez le tailleur hindou d'Addis Ababa.

Mon mulet donne quelques signes de fatigue. Il bute souvent. Il faudra que je m'arrange pour le ménager.

A l'étape, sieste. Bain dans une flaque pas trop sale. Nombreuses traces de léopard. Griaule relève des traces de lion.

Retour au camp. L'escorte s'est encore augmentée. Il vient d'arriver une trentaine d'hommes, dont sept « métropolitains » (et non « tripolitains » comme disait Abba Jérôme) habillés de kaki et venus de Dabat ; pour se présenter ils se mettent au garde-à-vous, sur un commandement en italien. Dedjaz Ayyaléo nous soigne...

Nous sommes si bien gardés que notre ami Lidj *** ne peut se manifester. En route, un homme m'avait rejoint, me présentant un mot et me disant qu'il venait de Gondar. J'avais envoyé le messager à Griaule, plus avant dans la caravane. C'était un homme de Lidj*** portant un message de son maître, qui se demande quand il pourra nous rencontrer. L'homme venait de l'Angarèb et non pas de Gondar ; mais il fallait donner le change à l'escorte officielle...

12 décembre.

Cinq heures de marche à travers un pays de plus en plus plat. Les herbes jaunes atteignent souvent deux ou trois mètres de haut. Grande joie à les voir s'abaisser devant soi, quand le mulet se faufile dedans et que les pieds, solides sur leurs étriers, les abattent, cassant parfois les pailles comme des crayons.

Campement au bord du fleuve Ma Kasa. Baignade générale : les Européens isolément, les achkars tous ensemble. Abba Qésié nage en soufflant comme un hippopotame.

Toujours pas d'animaux. Abba Jérôme n'a même pas sorti aujourd'hui sa grande couverture rouge ornée d'un lion grandeur nature et couleur fauve. Hier il l'avait étalée sur sa tente et cela faisait plus ou moins illusion, dans le genre cirque forain.

D'autres hommes d'escorte sont arrivés. Nous sommes maintenant une centaine environ. Lidj*** ne se manifeste plus du tout. L'oisiveté commence à me peser. Je trouve le temps long.

13 décembre.

Hier soir, beau clair de lune comme toujours. Vacarme de grillons et de grenouilles. Grands feux de bois illuminant les arbres. Des éclairs de chaleur puis le vent qui s'élève font craindre un moment une tornade. Il n'en est rien heureusement. Nous n'avons pas à regretter de ne pas avoir déplié nos tentes.

Je dors mal (je me suis couché trop tôt). Au matin, j'ai un fort rhume de cerveau.

La traversée du Wolqayt continue, pareille à ce qu'elle était précédemment. Nouveau changement d'escorte. Une bande de gens à pied et à mulet débouchent sur la droite. Dans toute la plaine, la trompe sonne. C'est un certain fitaorari Molla, qui doit nous conduire jusqu'au Sétit. Il fait assez européen, possède une belle barbe noire et un petit boy giton au crâne tondu excepté les cheveux du pourtour, qui forment auréole.

Passage dans un champ de *mashilla*. Achkars et soldats (y compris les corrects « métropolitains ») font une ample moisson, selon l'habitude. Protestations inutiles d'une femme puis d'un homme chankalla, les propriétaires sans doute.

A l'étape Abba Jérôme nous apprend le dernier bruit qui court : le gouvernement tient à ce que nous soyons bien gardés ; on pense ici en effet que les Italiens voudraient nous faire assassiner pour avoir une raison d'envahir le pays...

14 décembre.

Tous, nous nous ennuyons. Notre voyage ressemble à celui d'un omnibus incommensurablement lent. Pourtant nous sommes en avance d'un jour sur notre horaire.

Les bêtes sont un peu fatiguées. Mon mulet est blessé. Il faut que je m'arrange pour l'alléger et j'use à cet effet de ruses de jockey qui, coûte que coûte, doit faire le poids : mon Colt passe dans la valise de Griaule ; je fais don de mon imperméable à Makan ; je rangerai ma musette à ustensiles de toilette dans mon sac à lit.

Je pense à ce que je ferai en rentrant à Paris. Gens que je fréquenterai, que je ne fréquenterai pas. Immense travail des publications. A tout prendre, ce sera plutôt une distraction. Je mesure l'ingéniosité infernale qu'il va falloir déployer pour arriver à un minimum de réadaptation...

Décidément, je ne me ferai pas faire de complet à Addis. Je télégraphierai plutôt à Z., d'Omager, qu'elle m'en envoie un à Djibouti par colis postal. Ainsi qu'un chapeau mou.

Bain quotidien désagréable. Je dois aller très loin, marchant en savates dans le sable (ce qui est horripilant) et ne trouve au bout du compte qu'une flaque d'eau sale.

A deux reprises, dans l'après-midi, passage d'essaims d'abeilles traînant au-dessus de nos têtes un bourdonnement étourdissant.

15 décembre.

Piste plus sympathique : on sort de l'herbe ; pays plus dégagé.

Mon mulet marche mieux. Mais je constate à l'arrivée qu'il a une nouvelle plaie près de l'attache de l'antérieur gauche et le garrot enflé. Ce soir les achkars le brûleront au fer rouge. Ce mulet avait beaucoup maigri, ayant été malade à Gondar. Je crois aussi que Tèklè, qui fait ma selle tous les matins, l'a trop sanglé. J'ai négligé aussi, les premiers jours de caravane, de faire comme je le fais maintenant une ou deux heures de footing par étape, pour le reposer.

Rien de neuf. Conversations sur le retour, l'organisation du travail à Paris.

Match de tir avec Lutten. Je suis content de me montrer plutôt adroit. A peu près tous les gardes de l'escorte nous contemplent et jugent les coups. Nous tirons sur de petites boîtes de fer-blanc placées à flanc de coteau, à plusieurs mètres de haut. Quand la cible est atteinte en plein, la boîte dégringole toute la pente et tombe dans la grande flaque qui constitue le point d'eau. C'est cela le plus amusant...

16 décembre.

J'ai changé de monture. J'ai maintenant un ex-mulet de bât qui marche ma foi fort bien. A ce point de vue, donc, cela va mieux... Mais je n'aurais jamais cru qu'on puisse, bien que n'étant pas fatigué, se lasser aussi vite de la vie de caravane.

Méditation sur l'érotisme. Je suis chaste depuis bientôt deux ans. D'aucuns me traiteront d'impuissant, diront que je n'ai pas de couilles. Abstraction faite de toutes les raisons sentimentales qui peuvent motiver cette chasteté, il y a un fait certain : je n'aime pas baiser en société. Je suis trop misanthrope pour ne pas avoir envie, vivant en groupe, de me mettre à l'écart. Pour aboutir à une telle séparation, se nier en tant que mâle n'est-il pas un des plus sûrs moyens ?

Je touche ici à l'un des aspects de ce que les psychanalystes appellent mon « complexe de castration »... Haine des hommes, haine du père. Volonté ferme de ne pas leur ressembler. Désir d'élégance vestimentaire parce qu'elle est inhumaine. Désir de propreté parce qu'elle est inhumaine. Mais dégoût rapide de cette solitude artificiellement renforcée et grand désir de revenir, par d'autres voies, à une très large humanité... Suis sans doute loin de trouver le moyen d'en sortir.

Campement dans un site très beau — Selasil — à huit heures environ de la frontière d'Erythrée. Grands arbres à rameaux compliqués, formant abris. Quelques palmiers. Grands rochers de parc à lions, dans un jardin zoologique. Troupeaux de chèvres, troupeaux de vaches. Bergers *béni-amèr* à torses musclés et tignasses de sauvages.

Peu de temps après l'arrivée, Lutten tue un gros cynocéphale. Son contentement, bien légitime, de « tueur » m'irrite. Une jambe de l'animal sert à nourrir les aigles et le corbeau de la ménagerie.

Promenade dans les rochers. Mais les soldats, en récoltant du miel, ont agacé les abeilles. A deux reprises nous sommes attaqués. Griaule, Larget et moi, acteurs de la deuxième promenade, sommes piqués un peu partout, en dépit d'une fuite précipitée. Pour ma part, Larget m'extrait six dards de la tête... Il a lui-même une grosse piqûre à l'œil.

Demain, nous arrivons à Omager. Les caravaniers, qui vont s'en retourner, demandent à nous acheter des armes et des cartouches. Ils ont entendu dire, en effet, que les soldats de l'escorte se proposaient de les attaquer à leur retour pour les dévaliser de l'argent gagné avec nous.

Pendant dîner, à proximité, grands cris de singes qu'emmerdent les léopards. Tout comme des explorateurs, nous allumons de grands feux autour du camp, pour la sécurité.

Avant de se coucher, les gardes battent des mains pour conjurer la fièvre. Ils invoquent la protection d'un zar femelle nommé EMAWAYISH...

17 décembre.

Pour ainsi dire pas dormi. Nous devons nous lever à 3 heures. Les singes, qui se disputent maintenant entre eux, font un vacarme affreux. Réveillé dès 11 heures. Dès minuit, Abba Jérôme se lève, croyant qu'il est temps de partir. Naturellement, on ne se rendort pas, ou peu. Très bavard, je raconte un grand nombre de souvenirs d'enfance.

Départ à 4 h 15, un quart d'heure plus tard que prévu.

Trois heures et demie de marche à pied, car je ne veux pas fatiguer mon nouveau mulet. Sur la piste, traces de girafes.

A 8 h 50, j'aperçois, à une certaine distance, des bâtiments européens. A ma grande surprise, on me dit que c'est Omager. L'étape nous avait été annoncée beaucoup plus longue.

A 9 h 15, je passe le Sétit, en queue de caravane. Les quelques hommes d'escorte qui marchaient derrière moi m'ont quitté sans mot dire. Ils vont s'asseoir sous un arbre, du côté abyssin de la frontière. Griaule étant parti devant pour se présenter, je suis étonné de ne pas apercevoir, sur l'autre rive, des autorités prêtes à nous accueillir.

Je passe le fleuve, poussant devant moi une partie des mulets des caravaniers, qui ont tendance à s'égailler car il n'y a pas assez d'hommes pour les conduire.

Me voici en Érythrée, un peu éberlué de ce brusque passage en pays civilisé, ayant par ailleurs une envie passable de dormir.

Je retrouve Larget qui, passé avant moi, attendait de l'autre côté et la caravane reprend sa route, vers les maisons d'Omager. Nous traversons un espace occupé par des champs de maïs.

A 9 h 1/2 environ, Abba Jérôme (qui était à Omager avec Griaule) surgit brusquement devant nous, à mulet. Il déclare qu'il faut rebrousser chemin, que l'ordre de Griaule est de camper au fleuve, en attendant, parce qu'il n'y a pas d'eau en ville. Avant que Larget et moi ayons pu lui demander d'autres explications, il file à bride abattue.

Larget et moi sommes ahuris. Il nous semble impossible que Griaule, qui avait une telle envie d'aller de l'avant, ait donné l'ordre, sans raisons sérieuses, de s'en aller camper au fleuve. Le chef des caravaniers parle d'un autre point d'eau, un peu plus loin sur le fleuve, où nous pourrions camper. Il est convenu que Larget attendra avec la caravane et que j'irai chercher Abba Jérôme au Sétit afin qu'il nous renseigne mieux et que nous puissions discuter avec le caravanier sur le lieu le meilleur pour camper.

Je m'en vais à toute vitesse. Je m'étonne de ne pas rattraper Abba Jérôme, parti très peu avant moi. J'arrive au Sétit ; personne sur la rive italienne ; mais, sur la rive abyssine, j'aperçois Abba Jérôme, qui vient juste de sortir de l'eau avec son mulet. Je l'interpelle. Il me répond. Je hurle pour lui demander des explications. Ordre formel de Griaule, répond-il. Cette conversation hurlée par-dessus une frontière-fleuve étant plutôt difficile, je le somme de revenir sur la rive érythréenne. Je crie si fort qu'il finit par obtempérer. Confirmation quant à l'ordre formel de Griaule. Proposition, même, d'aller camper sur la rive abyssine où « il y a des arbres », donc de l'ombre. Je somme Abba Jérôme de revenir avec moi pour nous renseigner auprès du caravanier et voir avec lui quel est le meilleur endroit pour camper ; il se retranche encore une fois derrière l'ordre de Griaule (ajoutant même qu'il a communiqué le même ordre à Lutten quand il l'a rencontré et que Lutten lui a répondu que ce n'est pas un « ordre juste ») ; il déclare qu'il n'y a pas à discuter les ordres de Griaule et qu'il ne faut pas « se laisser faire par un caravanier ». Puis, affirmant qu'il a affaire de l'autre côté, il engage son mulet dans le fleuve pour le retraverser. Je repars de mon côté, vomissant un flot d'injures dans lequel figure l'expression « bande de cons » et le mot « merde ».

Je retrouve Larget un peu plus loin que je ne l'avais laissé, car il a poursuivi son chemin, ne me voyant pas revenir. Nous ne savons que faire, jusqu'à ce que nous ayons aperçu Lutten qui, avec le premier tronçon de la caravane, est arrivé à un bâtiment européen, où il commence à faire décharger les marchandises. Nous le rejoignons.

Grande esplanade, cerclée de petites bâtisses coloniales. Griaule est dans l'une d'elles, la factorerie. Il y cause avec le patron, vieux petit homme rasé à tête de torero, et deux ou trois autres Italiens. Tout de suite il appert de ses déclarations qu'Abba Jérôme s'est simplement enfui. Arrivant à Omager, Griaule, flanqué d'Abba Jérôme, a pris contact avec le chef indigène de police ; aucun ordre n'a été donné ici où, contrairement à ce qu'on nous avait dit à Gondar, il n'y a pas d'administrateur italien ; pendant que Griaule téléphonait à ce dernier (qui se trouve à Tessenei, à environ 100 kilomètres d'ici), Abba Jérôme a appris des gens présents qu'il n'y avait pas d'eau en ville. Griaule lui ayant dit d'envoyer rapidement le porte-bouclier au fleuve afin que Lutten, prévenu du manque d'eau, puisse aviser, Abba Jérôme est parti pour ne plus revenir ; il est parti si vite que Griaule, s'inquiétant de son absence (car le porte-bouclier attendait pas plus loin qu'à la porte du bureau), a envoyé Makan à mulet pour le rejoindre, ce que Makan n'a pu faire.

Tout s'arrange du côté italien. Simple malentendu : on nous attendait sur une autre route. L'administrateur viendra nous chercher en camion demain.

Abba Jérôme, toujours en fuite, envoie un de ses domestiques dire qu'il viendra à Omager quand nous lui aurons obtenu un passeport régulier. Ainsi, il n'a aucune confiance en nous et a été pris de panique en passant la frontière, dominé par son esprit rocambolesque et par ses idées ténébreuses sur l'action des Italiens. Il s'est vu incarcéré ou massacré... Malheureux imbécile ! Il ne récupérera pas de sitôt sa tente, son lit et ses bagages, car ordre est donné immédiatement à notre personnel de ne rien laisser sortir de nos marchandises, même en ce qui concerne les effets d'Abba Jérôme.

Installation dans une maison mise à notre disposition. Ouverture d'une caisse de la mission, qui contenait des effets d'Abba Jérôme et un sac de thalers à nous, dont nous avons besoin. Il se trouve que dans cette caisse il y a un chandail. Je reconnais mon pull-over, donné autrefois à Tebabou et que ce dernier a vendu pour quelques tamouns à Ounètou, le domestique d'Abba Jérôme. Outre la dernière histoire, j'ai une dent contre Abba Jérôme : je lui ai donné un jour, sur sa demande, un vieux mouchoir qui avait appartenu à Z... ; sans me le dire, il a fait cadeau de ce mouchoir à un informateur. Cela suffit pour que je me jette sur le chandail et que j'en fasse don immédiatement à un achkar qui se trouve là : le mari de la malade au genou gonflé. Le chandail est ainsi restitué aux zar ou à leurs proches parents. L'homme me baise le genou en remerciement. Abba Jérôme en sera quitte pour indemniser son domestique, si ce dernier réclame.

Comme châtiment contre le fuyard, il est question longuement de saisir ses affaires et de les partager entre nos deux Sénégalais.

Licenciement du personnel. Seuls les Sénégalais, Tèklè Maryam et Abou Ras resteront avec nous. Wadadjé accompagnera Lutten à Métamma. Une dizaine d'autres convoieront les mulets jusqu'à Asmara, où nous comptons les vendre.

Makan et Mamadou sont contents. Dans ce pays où les nègres sont bien policés et bien propres, ils se trouvent plus chez eux qu'en Abyssinie, pays de loqueteux et de brigands où « même les pitits gosses ils ont des fisils ». Mamadou a trouvé à Omager « un petit hôtel pour indigènes », où il y a de quoi manger, de quoi boire et, vraisemblablement, des femmes.

Quant à nous, nous déjeunons, dînons et prenons les apéritifs à la factorerie. Avec le patron, Lutten converse en espagnol, Griaule en amharigna.

A la suite de mes piqûres d'abeilles, j'ai la face partiellement tuméfiée comme après un passage à tabac.

Pendant une partie de la journée, soigneuse remise en ordre des amulettes que Griaule avait dissimulées dans son traversin.

18 décembre.

Nous rions beaucoup à l'idée d'Abba Jérôme en panne sur l'autre rive, en bras de chemise, avec son casque, sa canne et son ombrelle, toutes ses autres affaires stockées ici. Pour le punir de sa frousse, de sa stupidité (il savait bien que nous avions son passeport quelque part, dans un des bureaux) et de sa mauvaise foi (il pouvait dire carrément que cela l'ennuyait d'entrer ainsi en Érythrée), par goût direct aussi de la sale farce, il est entendu que nous ne lui rendrons pas ses affaires; en partant, nous les remettrons officiellement à la police locale, à laquelle il lui sera toujours loisible de les réclamer, s'il ose toutefois retraverser le fleuve.

Visite de Lidj***, qui est arrivé depuis hier et s'est rencontré avec Griaule au poste de police. Un Colt et des cartouches lui sont remis. Il est moins grand, moins beau, moins propre, moins jeune qu'il ne m'avait paru de prime abord, et d'apparence plus servile.

Conversation téléphonique avec le commissaire de la région : il est convenu qu'il viendra nous prendre cet après-midi, avec un camion et une voiture légère. Abba Jérôme songera-t-il à se manifester avant que nous soyons partis ?

A 9 h 25, justement, voici Tay qui arrive. Il apporte à Griaule une lettre d'Abba Jérôme écrite en français, avec la mention : « *Très confidentielle.* » Il n'y est question ni du passeport, ni du départ, ni des bagages. Simplement, Abba Jérôme signale que le fitaorari Molla serait disposé à acheter, pour le compte du dedjaz Ayyaléo, les objets laissés par la mission à Gallabat ; il donnerait jusqu'à 3 000 thalers, payables soit ici, soit à Asmara, soit à Addis

Griaule et moi sommes abrutis de cette démarche. Abba Jérôme (qui sait bien que ces objets ont été promis — mensongèrement, d'ailleurs, mais cela il l'ignore — au dedjaz Wond Woussen) doit chercher simplement, avec une désinvolture tout abyssine qui lui fait oublier la promesse faite à Aznaqa pour Wond Woussen :

1° à se mettre bien avec le fitaorari Molla, en jouant au grand homme ayant de l'influence dans la mission ;

2° à renouer avec nous grâce à l'appât des 3 000 thalers ;

3° à rendre service au dedjaz Ayyaléo.

Griaule fait répondre verbalement que c'est entendu et que tout est parfait. Mais il n'a aucunement l'intention de donner suite...

Dix minutes après, arrivée d'un homme du fitaorari Molla. Deux lettres sous une seule enveloppe :

1° le fitaorari Molla rappelle à Griaule l'annonce que Griaule lui avait faite d'une lettre qu'il lui remettrait pour le dedjaz Ayyaléo ;

2° Abba Jérôme demande à Griaule, en amharigna, de téléphoner aux autorités italiennes pour qu'on lui délivre un passeport.

Griaule fait remettre au fitaorari une lettre de remerciements pour le dedjaz Ayyaléo, ainsi qu'une ceinture remplie de cartouches de chasse pour lui-même. Pas de réponse à Abba Jérôme, dont la sottise, décidément, passe les bornes ; tous nos achkars sont entrés ici sans passeport ; il n'a aucune raison valable de ne pas en faire autant.

Visite du chef des « métropolitains » de l'escorte ; il reçoit, pour ses hommes et lui, huit flacons d'eau de Cologne.

A 14 h 15, nouveau message d'Abba Jérôme, annexé cette fois, pour appuyer la demande, à un message d'un certain guérazmatch Golla qui rappelle, de la part du qagnazmatch Ayyana, chef des douanes de Gondar, la promesse que Griaule a faite à ce dernier d'un pistolet automatique.

Suite est donnée à la demande. Il ne faut pas plaisanter, car Lifszyc et Roux ne sont peut-être pas encore sortis d'Abyssinie. Un des hommes du guérazmatch attendra sous notre verandah et un Colt lui sera remis.

Attente des voitures officielles, qui sont en retard.

17 heures : troisième message d'Abba Jérôme, remis par Ounètou et intitulé : *Pro Memoria*. Il rappelle la demande d'un revolver que nous avait faite à Gondar l'informateur boiteux Gassasa et suggère que Griaule pourrait le lui faire apporter par les caravaniers, qui vont s'en retourner.

Abba Jérôme est de plus en plus fou ; dans sa panique, il doit tenir à rappeler toutes ces promesses, pour se faire des amis et avoir occasion de communiquer avec nous.

A 18 h 30 — à la nuit — arrivée du *commissario*. Rouge, corpulent, rasé, cheveux gris. Bush-shirt et short gris allemand, bottes, casquette de marine. Français impeccable, belles manières, jovialité. Griaule et lui sont vite amis et c'est le récit de l'Odyssée... Griaule mentionne Abba Jérôme. Le commissario le laisse parler, puis lui dit tranquillement qu'il connaît Abba Jérôme. Le gouvernement d'Asmara vient de radiophoner à la Légation d'Italie, à Addis, qu'Abba Jérôme était indésirable en Érythrée, étant donné qu'il a eu des histoires dans ce pays ; au cas où il y pénétrerait, ordre de l'arrêter (car il est sujet érythréen).

Simplement...

Il est donc sûr que nous lui avons rendu service sans le savoir en n'insistant pas pour qu'il entre sans passeport. Mais je me repens de l'histoire du chandail...

Départ du commissario, qui emporte dans son camion une partie de notre matériel et dans sa voiture Lidj***, dont il a besoin. Demain, camion et voiture viendront nous rechercher avec le restant du matériel. Nous irons d'abord à Tessenei ; puis à Agordat, retrouver le commissario.

Après dîner, démarche d'Ounètou : revenant de nous porter le dernier message d'Abba Jérôme, il n'a pas trouvé son maître, ce dernier étant parti avec le fitaorari Molla chez le fitaorari Ibrahim, chef musulman de la région. Griaule charge Ounètou de se rendre demain matin à la première heure chez le fitaorari Ibrahim, afin d'avertir Abba Jérôme de ce qui se passe et de lui dire de venir au point du fleuve le plus proche de chez nous de façon que nous puissions lui rendre ses bagages.

Dans l'après-midi, le fitaorari Molla a fait rendre la ceinture cartouchière, l'accompagnant d'une lettre insolente. Sans doute trouve-t-il le cadeau trop petit pour lui...

19 décembre.

Départ, sans avoir revu Abba Jérôme. Tay est venu ce matin, disant que son maître nous attendait, au fleuve comme convenu, mais à une heure d'ici, ce qui prouve qu'il n'a rien compris ou a compris dans le sens le plus favorable à une foncière paresse. « Le point le plus proche du fleuve », il a dû entendre le plus proche pour lui, et non le plus proche pour nous. Il ne peut être question que nous allions jusque-là, car les voitures peuvent arriver d'un moment à l'autre ; de plus les affaires d'Abba Jérôme doivent être portées à bras d'homme, car c'est aujourd'hui que part la caravane pour Asmara et nous ne pouvons en distraire de mulets. Griaule fait dire à Abba Jérôme de se rendre au gué.

Peu après Tay, vient Ounètou. Il annonce qu'Abba Jérôme ira au gué. Nouvelle contradictoire : Abba Jérôme n'est donc pas à une heure d'ici, comme l'avait dit Tay ; et il se rend au gué avant que Tay ait pu le joindre et lui transmettre verbalement notre message.

Vers 11 heures, la voiture arrive, puis le camion. Nous allons déjeuner, avant de commencer le chargement.

A midi, nous revenons aux véhicules, stationnés devant la maison. Tay est là pour nous apprendre qu'Abba Jérôme est arrivé au gué. Mais il est trop tard pour y aller. Officiellement, Griaule lui remet les affaires d'Abba Jérôme, en présence de deux des Italiens d'Omager (qui sont là pour nous dire au revoir), de deux soldats du fitaorari Molla (venus avec Tay pour apporter une lettre très confuse du fitaorari, de laquelle il semble ressortir qu'il reproche à Griaule de ne pas avoir donné suite à sa proposition quant aux objets laissés à Gallabat) et de nombreux achkars et domestiques. Don d'un thaler à Tay, d'un thaler à Ounètou.

A 13 h 10, départ en auto, si drôle après plusieurs mois de mulets.

Venu avec nous dans la voiture, le chien Potamo, dont c'est le premier voyage automobile, bave et vomit.

Avec le fantôme d'Abba Jérôme se sont évanouis pour moi les derniers lambeaux de souvenirs qui me reliaient encore à Gondar...

A 16 h 50, Tessenei, site le plus classiquement africain que j'aie jamais vu. Espaces ras, soleil dur, rocs, coulées de lave, pal

610

miers, tentes de nomades, femmes sombres en pagnes et châles bigarrés, etc.

20 décembre.

Sale nuit, sur le lit de fortune qui m'échoit dans la maison, au demeurant bien agréable, qui nous a été préparée. Moustiques. Rêves : je donne un coup de pied dans le parapluie grand ouvert d'Abba Jérôme. Ce coup de pied, je le donne en réalité ; je me heurte au bois du grand canapé sur lequel mon lit est installé et je m'abîme un orteil. Dernière manifestation du fantôme...

Ville coloniale agréable. Sur le paysage plat sont posées les montagnes, dont plusieurs ressemblent au Vésuve. Urbanisme très large : voies vastes, maisons à tel point espacées que chaque course est un voyage ; mais comme on ne circule qu'en auto cela n'a pas d'importance. Ville indigène strictement localisée. Les femmes et filles qui travaillent à l'usine sont vêtues d'étoffes de traite aux couleurs éclatantes ; beaucoup combinent la robe d'été semi-européenne et la coiffure abyssine ou le voile musulman.

Les repas se prennent au bistrot grec avec des Italiens très gentils. Presque toute la colonie se réunit là pour l'apéritif du soir. Gens cordiaux et bien élevés. Notre principal ami est un vieil avocat d'Asmara ; trente ans d'Érythrée, grand chasseur, mélomane (je le soupçonne d'être un amateur de la Scala de Milan). Le soir de l'arrivée, après dîner, on se régale de disques de Rossini et de Verdi. Je suis très content.

Au dîner d'hier et au déjeuner d'aujourd'hui, nous avons mangé d'un phacochère que l'*avvocato* a tué.

Lutten, un peu fiévreux depuis hier et souffrant d'une contusion à la jambe, est parti pour Kassala, au Soudan anglais, à moins d'une heure d'ici. Il ira de là à Gedaref, puis à Gallabat pour remettre le matériel automobile en état, en attendant Lifszyc-Roux, qui ont quitté Gondar hier lundi. Nous nous retrouverons soit à Agordat, soit à Asmara.

Ce que je ne pardonnerai jamais aux Abyssins, c'est d'être arrivés à me faire reconnaître qu'il y a quelque bien à la colonie...

611

21 décembre.

Rentrant des courses en ville, arrêt au fleuve. Grands troupeaux de chameaux, avec oiseaux perchés sur la bosse, sur l'encolure ou sur la tête. Le fleuve est complètement tari. Les bêtes s'abreuvent dans des trous creusés dans le sable. Petits garçons et petites filles les accompagnent, garçons à peu près nus, fillettes en amples robes sombres, voile sur la tête et voile sur le visage, masque rectangulaire constellé de pendeloques de ferraille. Je pense aux Touareg, au Sahara que je ne connais pas. Idée d'un voyage dans le Sud Algérien, que je voudrais faire en touriste.

Ici comme à Gondar, le Cinzano et le Martini sont d'une qualité bien supérieure à la qualité qu'on trouve à Paris. Il y a surtout le vermouth blanc. Comme boisson de table nous prenons du Chianti. Les menus sont assez pauvres, maintenant qu'est terminé le gibier de l'*avvocato*...

22 décembre.

Départ pour Agordat. Dans la voiture, Potamo vomit encore. On ne fera jamais rien de ce chien. A chaque arrêt, il saute dehors et s'en va. Il faut lui courir après et on le rattrape je ne sais où. Peu s'en faut que nous ne l'abandonnions dans un village, où il est allé rejoindre un autre chien et un chevreau.

Arrivés à Agordat, on nous installe dans une splendide villa à la florentine et le commissario vient nous prendre en auto pour dîner chez lui. A peine sommes-nous chez le commissario qu'arrive ce crétin de Potamo, qui, cette fois, nous a suivis. Aimablement, le maître de maison rit, mais le chien est insupportable : il furète partout, agite la queue en regardant les gens bêtement, quémande à table, etc. Quand nous prenons congé, il ne veut plus partir. Il s'est réfugié sous la table de la salle à manger et il faut le pourchasser.

La villa, très spacieuse, est agréable. Elle a été construite par le prédécesseur du consul actuel de Gondar (à l'imitation d'une villa qu'il possède en Toscane) alors qu'il était commissaire de la région.

Agordat est une ville à chemin de fer, mais on ne s'en aperçoit heureusement pas. Impression d'un lieu de villégiature. A cause d'un voyage du gouverneur — qui était encore là hier — beaucoup d'indigènes ont été convoqués et la ville est pavoisée. Ils chantent, crient, dansent, jouent du tambour dehors. A l'arrivée, une double haie de femmes et d'hommes — les unes criant, les autres agitant des armes au passage de l'auto — auraient pu faire croire à une manifestation organisée en notre honneur.

Nos boys abyssins ont l'air très épatés par la majesté de notre demeure. Quant à Makan, nous savons depuis longtemps qu'il ne s'étonne de rien.

23 décembre.

Inaction complète. Afin de nous laisser tranquilles pour nous installer, le commissario ne se manifeste pas. Vue très belle, du haut de la terrasse : à droite, le camp militaire (à cases rondes très propres) et, séparées, les écuries ; l'entrée monumentale du camp est pavoisée ; sur une colline toute proche, on voit les ruines de l'ancien fort d'Agordat avec une sorte de monument aux morts ; au milieu, toute une série de petites dunes, étrange succession de vallonnements, où jouent ombre et lumière ; à gauche, profondes palmeraies (du moins apparemment) — au pied de la résidence qui fait le genre mauresque — et plaine jusqu'aux montagnes (au matin, elles sont coupées de nuages et de brouillards).

Déjeuner chez le bistrot grec.

Suite des réflexions sur l'érotisme : l'ambiance de vacances à flirt ou de voyage de noces me détend ; je m'humanise. Ce qui me rétracte et me fait renâcler devant le coït, c'est la peur du contact humain, comme si la jouissance était mesurée non seulement par ce contact, mais par cette peur même. J'ai si peur de ce contact que je regarde difficilement en face et que, parfois, je n'aime pas trop serrer la main. J'ai peu d'amis à qui il m'arrive de donner même une tape dans le dos ou sur l'épaule. Avec les femmes, c'est bien pis ; le plus léger frôlement me trouble, car il est érotique, en tant que simple contact humain. Le malheur veut que depuis mon enfance, pour des raisons d'éducation catholique et des causes secrètes que je maudis, j'ai toujours été obscurément porté à considérer comme une espèce de honte l'érotisme...

Drôle d'histoire hier au soir. Vers 7 heures, je sors du bureau à téléphone dans lequel je suis en train de travailler. Coup d'œil dans l'immense salle à manger. Les domestiques érythréens attachés à la maison sont en train de dresser la table ; je compte : il y a neuf couverts. Je monte chez Griaule, lui dis ce qui se passe. Il est lui aussi étonné, car il est bien entendu que nous ne dînons pas là, devant aller soit chez le Grec, soit chez le commissario s'il vient nous chercher. J'interroge Tèklè : il paraît qu'en effet des gens doivent venir dîner. Mystère : prépare-t-on un banquet à l'occasion duquel nous rencontrerons les principaux membres de la colonie italienne, une surprise-partie, voire un repas de corps auquel nous ne sommes pas invités (ce qui n'est pas absolument impossible, notre maison — qui est celle habituellement réservée au gouverneur — étant probablement celle qui possède la plus spacieuse salle de réception) ? Arrive une auto contenant deux personnes que je ne connais pas : l'une porte une casquette de marine blanche, l'autre un bandeau au front. Griaule et moi nous demandons si nous devons descendre, pensant qu'il peut s'agir d'invités n'ayant rien à voir avec nous (pensant bien qu'il n'en est rien au fond, mais jugeant nécessaire d'agir « comme si »). Après une assez longue attente (personne ne se faisant annoncer), j'entends Larget qui, en bas, vient de prendre contact avec les visiteurs. Je me décide à descendre et reconnais le commissario et son adjoint, juste au moment où les domestiques, qui ont desservi la grande table, enlèvent la nappe, qui disparaît comme, dans l'embrasure d'une porte, peut disparaître une robe... Stupeur : qui trompe-t-on ici ?

L'explication est vite donnée par le commissario (que je n'avais pas reconnu, prenant pour un bandeau de front la petite calotte arabe jaune d'or qu'il semble porter souvent et particulièrement affectionner) : il déclare qu'il nous emmène dîner chez lui. Nous devions dîner là, avec des gens (dont une Française mariée à un fonctionnaire italien) qu'on attendait d'Asmara. Mais ces gens sont en retard d'un jour. On ne nous avait pas prévenus, sans doute, parce que les gens s'étaient décommandés assez tôt dans la journée. Mais les domestiques, par erreur, avaient préparé quand même la table.

Le dîner a donc eu lieu ce soir, très agréable à cause de cette impression, pas même de surprise-partie, mais d'être invité chez soi. Outre la Française il y avait une jeune femme italienne d'Asmara. Ce n'est plus du tout la colonie, mais, plus fort que jamais, une villégiature.

Le commissario ne s'en va qu'à minuit, non parce que c'est aujourd'hui réveillon, mais parce qu'il part en auto avec son adjoint pour Tessenei. Demain matin ils feront, chacun de leur côté, plusieurs heures de chameau, devant creuser des puits. Avec ses cheveux blancs, ses sourcils noirs, ses épaules de capitaine au long cours, sa mine de condottiere, le commissario est un gaillard.

25 décembre.

Noël très calme. Reçu hier un gros courrier, beaucoup de lettres adressées à Addis Ababa étant arrivées en même temps que celles venues directement par l'Érythrée. A Paris, il semble que tout se tasse. On prend son parti de la crise et l'on vit. Lettres de Z., lettres de ma mère, lettres d'amis, qui me font plaisir. Nouvelles de ce dernier printemps, des expositions, du midi, de l'urbanisme hollandais, etc... On constate, paraît-il, un certain changement d'état d'esprit : retour à la nature, à l'humanité. Je veux espérer revenir dans une Europe au cerveau légèrement rafraîchi. Je m'accoutume à cette idée, je me rassure. Si sympathique a été ma prise de contact avec l'Érythrée, premier échelon vers l'Europe !

Grande douceur, de réapprendre qu'on a des parents, des amis...

. . . .

26 décembre.

Cafard effroyable. Le vrai cafard : le cafard colonial. Inactif, une chambre pour moi seul ; la porte est ouverte à toutes les hantises. Rétrospective de tous mes ratages : actes manqués, aventures manquées, coïts manqués. S'évanouir dans une avalanche de peau douce, de robe rose, de chair noire. Ne pas pouvoir... Aucun moyen de parvenir à être simple, de tranquillement cueillir la chance, de ne pas tout compliquer. Là où les autres trouvent du plaisir, je n'arrive même pas à tuer une obsession. Vie que je voudrais infiniment vaste, mais dont la seule beauté sera peut-être d'avoir été, à certains égards, infiniment ravagée...

Idée d'un conte, dont les éléments seraient empruntés, dans la plus large mesure, à la présente réalité. Un personnage dans le genre Axel Heyst (voir Conrad)[1]. Aussi gentleman, mais moins aisé. Beaucoup plus timide, encore plus réservé. Soin méticuleux qu'il apporte à sa toilette. Une tache sur ses blancs l'affole. Même impeccablement habillé, il semble toujours qu'il ait honte. Perfection de son service de table. Il est d'ordinaire silencieux. Très rarement (pour rien, ou s'il lui arrive de prendre quelques whiskies) il s'anime. Il parle alors d'un ton froid et hautain, traitant des choses sexuelles avec une sorte de cynisme, qui peut être aussi bien une forme d'objectivité scientifique. Il exerce un métier quelconque dans une colonie quelconque. Il n'est pas liant, mais est capable, comme Axel Heyst, d'être obligeant. Une seule fois, il s'est un peu livré ; dans une conversation, au cours d'un dîner d'hommes, il a dit en riant que les questions sexuelles ne l'intéressaient pas personnellement, vu qu'il est impuissant. Cette plaisanterie a été très goûtée. Axel Heyst passe maintenant pour capable de se révéler, à l'occasion, un joyeux compagnon. Comme on ne lui connaît pas de femme, on le croit pédéraste ; le cynisme de certains de ses propos a pu y contribuer. D'autre part il dit assez volontiers qu'on n'a pas besoin de femmes, puisqu'il y a la masturbation. Certains disent que ce n'est pas « un homme » : il ne bouge pas, il ne chasse pas, il est très mou avec les indigènes, il se trouble très facilement. Cependant, dans des circonstances graves, il lui est arrivé de montrer du sang-froid. Même ceux qui le dénigrent le plus lui concèdent quelque dignité. Mais il est certain qu'on ne l'aime pas. Le seul homme avec lequel il soit un peu lié est le médecin, avec qui il cause souvent de sciences naturelles et d'ethnographie. Mais avec le médecin cela ne va pas plus loin. Il ne tient aucun propos cynique et évite

1. *Une victoire*, Paris, 1923.

soigneusement tout ce qui pourrait avoir trait à la sexualité et à la psychologie.

Un beau jour, une nouvelle court la colonie : il y a une femme dans sa vie. Dans la nuit, un boy a vu une indigène entrer chez lui et ressortir quelques minutes après. Mais rien, dans l'attitude d'Axel Heyst, ne peut laisser présumer qu'il y ait quoi que ce soit de changé. Il fréquente toujours assez régulièrement le docteur, tantôt allant dîner chez lui, tantôt l'invitant à dîner.

Un soir, le docteur est prêt à se coucher, quand Axel Heyst, s'excusant beaucoup, arrive. Il tient son mouchoir en tampon sur son front, près de la tempe, et son mouchoir est taché de sang. Le docteur lui demande ce qu'il y a. Un peu embarrassé, Axel Heyst répond qu'il s'est blessé en déchargeant son revolver. Assez confus, il dit en baissant les yeux et en souriant qu'on le connaît bien à la colonie, qu'il n'est pas chasseur, pas guerrier, qu'il n'a pas l'habitude des armes, qu'il est très maladroit, etc... le docteur panse la blessure — qui est superficielle —, le renvoie.

Quelques semaines après, le docteur apprend qu'Axel Heyst — qui devait aller en Europe en congé — ne part pas. Durant toute cette période, il s'est très peu montré. Partant lui-même, le docteur veut dire au revoir à Heyst ; il passe plusieurs fois chez lui mais ne le trouve pas. Finalement il s'embarque sans l'avoir revu. Connaissant Heyst, si poli, il ne peut réprimer une certaine mauvaise humeur.

Retour du docteur. Il y a eu une épidémie à la colonie. Heyst est mort parmi les premiers. Il semble qu'il n'ait rien fait pour se protéger. On remet au docteur un paquet à son nom, trouvé chez Heyst. Le paquet contient :

1° la photographie d'une jeune fille blonde, très saine, de type anglais ; au dos une quelconque dédicace tendre se terminant par : « en attendant son retour » ;

2° quelques livres, comprenant des romans achetés au hasard, un ou deux recueils de poésie classique, un ouvrage de vulgarisation sur le marxisme, quelques revues (dont l'une contenant un article sur Freud, consciencieusement annoté), des magazines avec des photos de cinéma ;

3° un bloc assez gros de feuillets séparés, constituant une sorte

617

de journal intime assez confus, écrit le plus souvent sans date. Le docteur se met en devoir de le déchiffrer. Le journal contient :

quelques réflexions d'ordre général sur le suicide, qu'Axel Heyst déclare être une chose « bonne en soi ». Mais Axel Heyst ajoute qu'avec sa manie de tout rater, il est bien sûr — « et heureusement ! » — de se manquer (le docteur songe à l'histoire du revolver déchargé) ;

deux ou trois allusions à des liaisons passées, — allusions très vagues, mais dont il semble découler qu'Heyst n'était ni un inverti, ni un homme d'une sexualité réellement anormale ;

des notes relatives au travail d'Heyst, écrites vraisemblablement en période d'optimisme : bientôt la plantation sera en plein rendement, Heyst aura su montrer que lui aussi était « un homme » ;

des phrases détachées sur des sujets divers, notamment sur l'amour ; Heyst se plaint de n'être jamais arrivé à considérer le coït autrement que comme « une chose tragique » ; ailleurs il se reproche « de ne pas avoir toujours eu le courage d'aller jusqu'au bout de ses désirs » ;

plusieurs tirades fulminantes contre le romantisme ;

çà et là, quelques mots très tendres à l'égard d'une fiancée (vraisemblablement la jeune fille du portrait) ; quand Heyst se sera démontré qu'il était un homme, qu'il aura efficacement peiné et travaillé, qu'il sera sûr de ne plus avoir peur ni de lui-même ni des autres, il reviendra (le docteur se rappelle par hasard que c'est peu de temps après que la plantation d'Heyst eut commencé « à être en plein rendement » que le bruit a couru qu'il y avait « une femme dans sa vie » ; peu de temps après, par conséquent, sont survenues l'affaire du revolver déchargé et celle du congé renoncé) ;

sur un feuillet soigneusement daté, cette simple phrase : « Même le cul d'une putain nègre n'est pas pour moi... »

Le journal s'arrête là. Le docteur réfléchit, puis se décide à interroger le boy d'Axel Heyst. D'une manière générale, il semble qu'Heyst ait été très bon avec ses domestiques, comme avec tous ceux qui travaillaient pour lui. Cependant, le boy se rappelle l'avoir vu cingler au sang, pour une vétille, le visage d'un ouvrier. En riant, le boy précise qu'il s'agissait d'un manœuvre indigène célèbre dans le pays pour le grand développement de son

618

organe viril. Au point de vue femmes, le boy déclare que son maître était « beaucoup moins homme que les curés ». Une seule fois, vers l'époque où il devait partir en congé, Heyst s'est fait amener une femme. Encore n'est-elle restée que cinq minutes et n'a-t-on jamais su ce qui s'était passé. Le docteur demande qui était cette femme. Il s'agit d'une indigène quelconque, exerçant officiellement le métier de prostituée. Le docteur se fait conduire chez elle, l'interroge. Tout de suite, elle dit que c'est elle qui n'a pas voulu rester. Pourquoi ? A ce qu'elle prétend, d'abord, c'était la première fois qu'elle devait coucher avec un blanc ; elle avait un peu peur et se trouvait honteuse. A l'entendre il semblerait qu'Heyst ait été un satyre. Pourtant elle déclare avoir été impressionnée par cet homme « si propre et si poli ». Ce qui l'a décidée à partir c'est qu'Heyst voulait qu'elle enlevât la robe d'indienne qui la couvrait. Heyst l'avait d'abord retenue puis, toujours très poli, l'avait laissée aller.

Le docteur rentre chez lui, réfléchit. Pensant qu'il était maintenant « un homme » Heyst avait voulu (ainsi que presque tous en sont capables) faire l'amour comme s'il s'agissait d'une chose agréable, d'une chose légère. Les circonstances avaient voulu qu'il n'eût pas réussi. D'où la tentative de suicide (aussi manquée que le coït), la décision de rester, puis l'abandon à la maladie...

Le docteur retourne au paquet : il range les livres dans sa bibliothèque, hésite un peu avant de jeter au feu le journal intime, puis commence à rédiger cette lettre :

Mademoiselle,
J'ai le douloureux devoir, etc.
Je vous envoie cette photographie, seul souvenir... etc. etc.

ADDITIONS. — La chambre d'Axel Heyst, décrite par la prostituée (crudité et netteté écrasantes de cette pièce). Elle n'a pas compris non plus pourquoi Heyst ne la baisait pas sans préliminaires.

Confidence qu'Axel Heyst a faite une fois au docteur : il appréhende de rentrer en Europe.

Portrait d'Axel Heyst : grand, assez bien bâti, petite moustache. Il s'habille chez les Anglais. Au début de son séjour il se mettait toujours en smoking pour dîner ; mais il a renoncé à cette pratique, sans doute par crainte du ridicule.

La plupart le considèrent comme un poseur ; les moins incultes le traitent d'esthète. On trouve étrange qu'il ne monte pas à cheval et qu'il n'aime pas chasser.

Son horreur des romances sentimentales, d'une part ; des plaisanteries grivoises, d'autre part.

Son mutisme fréquent devant les femmes ; il arrive que celles-ci prennent cela pour du dédain, voire de la méchanceté ; elles le regardent assez généralement comme un mannequin godiche et asexué ; les plus indulgentes disent qu'il est « tapé ».

Son dédain du militarisme ; son malthusianisme.

En matière amoureuse : sa manie de négliger ou torpiller ce qui se présente bien, de filer ce qui se présente mal ou ne peut mener qu'à de piètres résultats.

Dans ses papiers, quelques « procès-verbaux de coïts ».

CORRECTION. — Remplacer ces papiers par une série de lettres non envoyées, écrites par Heyst à sa fiancée.

Commencer l'histoire par Heyst se présentant blessé chez le docteur au moment où celui-ci va se coucher.

27 décembre.

Solitude physique décidément obsédante, accrue par l'inaction et le fait de pouvoir être seul, entre des murs solides, dans une pièce bien à moi.

Longues délectations moroses. Je pense beaucoup à Z., si douce pour moi que j'en ai honte... Je ne puis presque pas dormir.

Rares épisodes érotiques de ce voyage : l'unique geste un peu déplacé que je me sois permis à l'égard d'Emawayish, lors de la première fête chez sa mère, le jour que je fus tellement furieux contre *Abba Yosèf*[1] ; la sotte histoire qui m'a donné l'idée de ce

---

1 La main sous la *chamma*. Et je me souviendrai toujours de l'entrecuisse humide, — humide comme la terre dont sont faits les golems (*avril 1933*).

620

roman[1] et qui n'avait d'autre but que de dissiper un mirage[2].

Jamais la science, ni aucun art, non plus qu'aucun travail humains n'atteindront au prestige de l'amour et ne pourront combler une vie si le manque d'amour l'anéantit.

Et tout cela si épouvantable en même temps que si beau! Parures précieuses à en pleurer... L'amour, qui nous unit et qui nous sépare, qui nous fait nous condenser en un seul objet et creuse un précipice entre nous et le reste; l'amour, qui nous fait haïr les *autres,* puisqu'il n'est qu'une éclatante confirmation de notre singularité, de notre solitude; l'amour, ennemi-né de l'humanitarisme et des bêlements chrétiens.

En ce tournant de ma vie — où je suis sur le point d'atteindre 32 ans (ce qui n'est tout de même plus un âge de collégien), où je viens de participer pendant près de deux ans à un travail que les gens dits « sérieux » estiment juste et bien fondé, où (pour la première fois peut-être) je puis estimer avoir rigoureusement tenu un engagement — je maudis toute mon enfance et toute l'éducation que j'ai reçue, les conventions imbéciles dans les-

---

1. Femme à moi amenée, sur ma demande, par l'interprète Wadadjé et qui s'est sauvée, sans doute impressionnée par la grandeur de la maison et le fait que ce soit un local du gouvernement. J'en ai conçu un abattement certainement disproportionné avec l'événement qui l'avait motivé (*avril 1933*).

2. Maintenant que je regarde ce journal avec sang-froid, je puis ajouter quelques précisions. Ce qui m'a toujours barré quant à Emawayish, c'est l'idée qu'elle était excisée, que je ne pourrais pas l'émouvoir et que je ferais figure d'impuissant. La sachant — de même que toutes les Abyssines et surtout les possédées — très sensible aux parfums, j'ai quelquefois songé que je pourrais suppléer à cette incapacité de l'exalter charnellement en obtenant qu'elle me laissât, de mes propres mains, oindre son corps de parfum; mais un tel artifice, en même temps qu'il me tentait, me répugnait; et rien ne prouve, du reste, qu'elle l'aurait accepté. Quant à l'affaire d'Agordat, elle est liée à la honte que j'éprouvais à l'idée d'avoir voyagé pendant près de deux ans en Afrique sans avoir jamais couché avec une seule femme. J'étais certain qu'au retour je serais aux prises avec d'intenses regrets, mon propre mépris pour avoir voyagé si inhumainement et, tout entier debout en moi, le mirage de la « femme de couleur » conçue comme le contraire de tout ce qui peut exciter mes phobies chez la « femme civilisée ». Du fait d'avoir choisi pour me décrire la fiction d'Axel Heyst, un grand nombre de choses se sont trouvées faussées (*septembre 1933*).

quelles on m'a élevé, la morale que, croyant que c'était pour mon bien et pour ma dignité, on a jugé bon de m'inculquer, toutes règles qui n'ont abouti qu'à me lier, à faire de moi l'espèce de paria sentimental que je suis, incapable de vivre sainement, en copulant sainement. Si, me torturant moi-même et inventant à chaque instant des drames et des tortures nouvelles, si je torture ceux qui m'aiment, que la faute n'en retombe ni sur moi ni même sur mes éducateurs (qui ne savaient pas et dont le seul tort est, au fond, de m'avoir mis au monde), mais sur cette société pourrie, cramponnée désespérément à ses anciennes valeurs...

Qu'on ne dise pas qu'Axel Heyst est un esthète, un fou ou un original. Il n'est qu'un homme demi-lucide dans un monde d'aveugles. Et il ne parvient pas à devenir aveugle.

. . . .

Sieste. Réveil plus calme. Malédiction à l'inaction, malédiction à la littérature. Malédiction à ce journal (qui — quoi que j'aie fait — aura bien fini par ne plus être tout à fait sincère).

Mon réveil a été assez drôle : pour charger mon revolver afin de tirer en l'honneur du Consul d'Italie à Gondar (qui arrive je ne sais d'où, à cheval et en tête d'une escorte), j'enlève un masque et des lunettes qui me couvrent le visage. Ce bandeau et ces lunettes, ce sont mes yeux qui s'ouvrent.

Promenade au coucher du soleil. Toujours de beaux coins de palmiers, à tel point qu'il n'est plus tolérable que tout le reste de la vie ne soit pas à l'avenant. A quoi bon faire l'amour ? Est-ce cela qui empêche l'homme et la femme de vieillir... A quoi bon voyager ? Cette façon de s'emparer des choses empêchera-t-elle qu'on soit désarmé dans les cas où il est écrit qu'on doit être désarmé ?

28 décembre.

Encore, je remonte le courant. J'ai bien dormi cette nuit, fenêtre ouverte. L'inévitable détente, après les histoires d'Abyssinie, s'est traduite chez les uns par de la fatigue, chez moi par un retour offensif des phobies.

Je ne suis plus halluciné. Je puis recommencer à m'occuper. La revanche sera prise, et les fantômes assassinés. Encore quelques coups durs peut-être ; mais je rêve d'une paix merveilleuse après ma rentrée. Pour l'obtenir, une chose — coûte que coûte — doit être liquidée : l'attitude dramatique devant le coït.

Coucher de soleil : quatre coups de canon tirés du fort d'Agordat annoncent le commencement du Ramadan.

29 décembre.

Étrange relâchement d'avant rentrée. Sentiment d'à vau-l'eau que je n'aurais jamais prévu. Mentalité de marin qui prend terre et tire sa bordée. Toutes les écluses sont ouvertes. Les nombreux rapports que nous avons à envoyer et que je dois dactylographier ne parviennent pas à m'occuper. Je me rappelle ce qu'on me racontait, étant enfant, des vendeuses de chez Boissier, à qui on permet de manger de tout ce qui leur plaît jusqu'à ce qu'elles en soient dégoûtées. Actuellement, je ne songe à m'appliquer aucune autre règle de conduite qu'une règle imitée de cet usage des confiseurs.

Promenade en ville. Au retour, traversée du quartier réservé. Chaque maison de prostituées est marquée par un petit drapeau.

30 décembre.

Arrivée de Lifszyc-Lutten-Roux. Quoi que j'en dise, je sens la camaraderie. Je pense plus simplement quand nous sommes tous.

Tous les soirs, peu après le coucher du soleil, un coup de canon pour annoncer que le jeûne est fini. Toutes les nuits, aux environs de 2 heures, un autre coup de canon, pour annoncer que le jeûne recommence.

31 décembre.

Départ dans la Ford retrouvée. Griaule conduit. Lifszyc, qui doit se reposer, reste à Agordat avec une partie du matériel. Elle nous rejoindra par le train.

Asmara : grande ville très peu coloniale. Tous les Européens en tenue de ville. Réception très cordiale : nous sommes les invités de la colonie. Installation à l'hôtel, où vient de descendre celle des filles de l'Empereur qui s'est mariée il y a quelques mois. C'est une jeune femme plutôt laide, vêtue à l'abyssine mais chaussée de souliers à l'européenne. Une suite de duègnes et d'hommes en camail est avec elle.

Dès l'apéritif du soir, nous sommes pris en charge par le journaliste local : whisky, dîner à l'hôtel dans une salle séparée, cinéma, re-whisky. Demain matin je lui donnerai officieusement un communiqué.

Humeur médiocre : plus envie de me débonder. Je me sens terriblement policé. Ou mieux : je n'ai plus aucune envie. Seulement me reposer...

1er janvier.

Le réveillon chic en bas (auquel nous n'avons pas voulu assister, étant totalement dépourvus de vêtements de soirée, — puisque ceux-ci, en ce qui concerne au moins Lutten, Roux et moi, nous attendent à Addis) nous a quelque peu empêchés de dormir. *Basta !*

Au bar de l'hôtel, il y a un émouvant percolateur, du type « Maison du café » à Paris. Dans une ville si moderne, je n'ai plus qu'une envie : rentrer. L'aventure est bien finie. Il va falloir maintenant se débattre avec la presse, l'exposition, les publications : retour offensif de la civilisation (qu'on quitte d'ailleurs si peu, au fond !).

2 janvier.

Couché hier après le thé, avec 38°9. Fièvre due sans doute à la fatigue et à nos 2 400 mètres d'altitude, qui font un changement trop brusque quand on vient de la plaine.

Euphorie du début de la fièvre : sensibilité extrême de tout l'épiderme.

Intermittences aujourd'hui, qui me permettent même de faire des courses et d'aller au club de tennis, où nous sommes invités. Mais quand j'essaye de jouer, je m'aperçois que mes membres sont en coton : pas une balle ne passe le filet.

624

Recouché avant dîner.

. . . .

5 janvier.

J'écris au lit. Journée à peu près normale avant-hier (pu manger, pris le thé chez le gouverneur), mais 39°2 hier, après promenade en auto avec le commissaire régional jusqu'à une plantation de café. 38° ce matin. Dû renoncer à la visite du couvent de Bizen, qui demande cinq heures de mulet. Griaule y est parti tout seul, avec le commissaire. Renoncé également à un tour que je comptais faire au quartier réservé.

6 janvier.

Levé aujourd'hui et descendu pour déjeuner. Manqué hier un thé, donné par la dame italo-française rencontrée à Agordat. Une Américaine mariée à un comte italien qui y assistait m'a fait porter deux livres français. La même personne qui a dit à Griaule : « Ce qu'il y a d'étonnant dans votre voyage, c'est que vous n'ayez pas fini par vous entre-tuer. » Voilà de la psychologie !

7 janvier.

Le mieux continue. Joli déjeuner chez le gouverneur. Amusant, quoique officiel, ce qui est un tour de force. Parmi les invités : la dame américaine et son mari, la jeune fille italienne aux cheveux blond vénitien et la dame française rencontrées à Agordat, un amiral avec femme et filles, divers fonctionnaires, etc... Comme nous devons prendre le train pour aller à Massaouah, le déjeuner a été avancé d'une demi-heure. Mais comme nous devons déjeuner, il est entendu que le train nous attendra. Celle aux cheveux blond vénitien porte un petit chapeau de paille noir cascadeur qui aiguise l'envie d'être dans les capitales..

Le voyage en chemin de fer semble un voyage présidentiel. Sur le quai, le commissaire régional, pour les adieux. Je ne parle pas du parcours : on en a plein la vue. Descente rapide en lacet si vertigineux qu'on voit parfois, échelonnées à diverses hauteurs, jusqu'à trois bouches de tunnel à la fois. A Damas, monte un délégué du commissaire de Massaouah ; il nous invite à nous rendre au buffet. Nous y trouvons une double file de six cafés et six oranges. Nous pouvons consommer, le train attendra. Vive l'hospitalité italienne !

Massaouah. La mer : terme de notre traversée (mais on n'y pense guère). J'éprouve du bien-être à me retremper dans la moiteur. Je suis ragaillardi.

Installation à l'hôtel, où tout est minutieusement préparé. Promenade en ville avec un adjoint du commissaire : belles — un peu désuètes — maisons européennes à arcades et galeries d'étages. Maisons arabes à moucharabiehs. Vaisseaux dans le port.

Grand dîner chez le commissaire, avec la femme et la fille du gouverneur (qui sont ici pour la saison des bains de mer) et quelques autres gens. Ruban aux couleurs italiennes sur la table, mais rubans aux couleurs françaises pour nouer les longues baguettes de pain. Conversation française, comme à déjeuner. Au dessert, toast européen et loyaliste du commissaire (un Hercule, ou bien un dieu marin) auquel Griaule répond par un toast franco-italien.

Soirée, retour à l'hôtel, où je découvre une nouvelle attention : dans chacune de nos chambres, sur la table, à côté du papier à lettres, une énorme boîte de cent cigarettes. Certains chauvins parlent de courtoisie française...

8 janvier.

Le bateau est arrivé cette nuit. C'est un cargo mixte à moteur qui s'appelle le *Volpi*. Tout neuf, très soigné, très joli. Comme c'est la fête de la reine, il est ce matin pavoisé d'oriflammes, de même que les autres vaisseaux du port.

Démarche à la compagnie de navigation, pour les billets. Le représentant de la société n'est pas là. Il a fêté cette nuit l'arrivée du bateau à Massaouah avec les officiers du bord, et dort encore. Nous ne le trouvons qu'après 10 heures.

Embarquement, chargement du matériel. Une cabine pour Lifszyc une pour Griaule-Larget. Une pour Lutten-Roux-moi.

626

Bonnes cabines, spacieuses et bien aérées. A bord, parmi les quelques passagers, une mère américaine et ses trois filles, qui retournent à Calcutta, où elles habitent. Ces demoiselles (excepté une, qui — renseignement Lutten — est fiancée) flirtent à tour de bras avec les officiers, commandant compris. A tel point que Griaule, Roux et moi nous nous demandons si ces flirts ne sont pas jusqu'à un certain point professionnels...

Grande joie d'être en bateau. Mais pourquoi devoir s'arrêter a Djibouti ? Il serait si simple de continuer jusqu'aux Indes...

9 janvier.

Réveil en mer. Sans que j'aie rien entendu, nous avons quitté Massaouah et ses palais gouvernementaux de style mauresque qui font penser à l'Exposition Universelle. Le représentant de la société aurait voulu que nous partions hier soir ; mais on a chargé encore dans la nuit. En l'honneur de la fête de la reine, il y avait gala au cinéma ; les trois jeunes filles y sont allées, sous la tutelle du capitaine ; lever l'ancre n'était pas pressé.

Aujourd'hui la mer, pas différente des autres, pour être « Rouge ». Nous marchons vent debout. Il fait très frais.

Aux repas, la table des trois jeunes filles est présidée par le commandant, la nôtre par l'officier mécanicien. Avec les trois jeunes filles, il y a un couple de missionnaires suédois et leur grand fils. Avec nous un Arménien. L'officier mécanicien, bien qu'il ait dû pas mal voyager, ne connaît rien — ou presque — en dehors des ports de la ligne. Existence bureaucratique de certains marins.

10 janvier.

Djibouti. Ville délabrée, mais tout compte fait moins laide que je n'aurais cru. Quelques palmiers. Classiques coloniaux français. Bistrots pas gais.

Il fait humide et frais. Il a plu. Installation dans la maison mise à notre disposition, très spacieuse. Visites diverses de Griaule, dont celle, de rigueur, au gouverneur. Belles femmes arabes et somali, en général assez hautes.

Sitôt dîner, convocation d'urgence : un copain de Griaule, qui a su qu'il était là, lui envoie sa voiture et le chauffeur muni d'une carte de visite le sommant de venir séance tenante. Nous nous amenons à quatre. Il y a là un consul de Belgique et un autre Belge, qui jouaient au bridge. La gentillesse de la maîtresse et du maître de maison fait que nous n'hésitons pas à redîner, bien que n'ayant plus faim.

Whisky, champagne frappé. Gens de brousse hilares et excités nous avons vite fait de hausser la conversation au-dessus de tous les diapasons. Les maîtres de maison — qui en ont vu d'autres — sont ravis. Le consul belge, un peu interloqué d'abord, se met à l'unisson. Nous rigolons comme des pirates

Fin de soirée en pantomime italienne, au quartier réservé, dont les maisons proprement alignées ressemblent à des bateaux lavoirs. Courant en blanc à travers les flaques, dans un paysage lunaire de terrains vagues, je poursuis en tous sens les nymphes somali, qui s'enfuient en riant aux éclats et se cachent aux encoignures. Étrange partie de colin-maillard dont je suis le principal acteur, espèce de Gilles se donnant à lui-même toute une comédie... Dans un coin, Roux fait mine de jeter des pierres aux assistants.

Je rentre crotté jusqu'au ventre, car il y a pour le sport pédestre des tenues plus pratiques que le pantalon blanc.

11 janvier.

Le *Volpi*, qui nous avait amenés, a disparu dès hier après-midi, comme un vaisseau fantôme. Je songe à une histoire romanesque de navire en perdition à cause d'un capitaine uniquement subjugué par trois beautés...

Lifszyc et moi, nous allons à l'école, pour demander des informateurs. Il y a une charmante maîtresse d'école. Pull-over jaune d'or sans manches, jupe citron, petites chaussettes roulées. Cheveux noirs coupés droit sur les sourcils. Bouche sanglante. Petit air sage de fille perdue échouée on ne sait d'où mais qui tient à se refaire une vie.

Ensuite, avec Griaule, nous allons visiter les salines, que dirige le copain d'hier soir. Bassins pour que se dépose le sel. Chemin de fer Decauville. Étroites digues. Grands alignements de tas de neige. Nous sommes en Hollande dans les polders, ou bien en Alaska.

On foule le sel, et cela fait plaisir de marcher sur une denrée. Sous un immense hangar il y a un iceberg que des noirs quasi nus — criblés de sel comme de sueur — entament à la pioche. Surpris par notre arrivée, ils cessent leur travail. L'un d'entre eux reste figé, tenant au-dessus de sa tête sa pioche levée. Puis, apercevant l'appareil photographique et ayant peur, il sort lentement à reculons tenant toujours sa pioche au-dessus de sa tête, dans la même position. Il nous semble que nous rêvons.

12 janvier.

Pluie torrentielle. On n'a jamais vu cela à Djibouti. Aux salines, les digues menacent de s'en aller et le sel fond. Il vente. Il y a de la boue.

Pour moi, le mirage exotique est fini. Plus d'envie d'aller à Calcutta, plus de désir de femmes de couleur (autant faire l'amour avec des vaches : certaines ont un si beau pelage !), plus aucune de ces illusions, de ces faux-semblants qui m'obsédaient.

Je suis calme et je m'ennuie, ou plutôt je languis. Je voudrais vite revenir, non pour revoir la France — avec qui ce voyage ne m'aura décidément pas réconcilié — mais pour revoir Z., qui m'est si douce, qui me comprend si bien, — pour la baiser. Nous mènerons toute la vie que nous n'avons pas encore menée : sortir, se vêtir somptueusement, prendre le thé au Ritz, danser... Certains disent que je suis un snob. Il serait plus exact de dire que je suis un enfant. Je ne crois pas au luxe, mais son miroitement m'attire irrésistiblement, comme l'article de traite en fer-blanc attire le nègre. Ce que je ne pardonne pas à la société bourgeoise, c'est la saleté des ouvriers. Tout luxe en est éclaboussé... L'ouvrier, dénué de luxe, est à peine encore un homme ; le bourgeois, monopolisateur du luxe, a le droit d'être un homme, mais de jour en jour son luxe devient plus frelaté. C'est pourquoi, en Europe, il faudrait tout changer.

Donc, revoir Z. Ne plus rien torturer, ne plus réfléchir. M'amuser avec elle, m'abîmer en elle. Il est probable que nous n'aurons pas beaucoup d'argent pour nous habiller et sortir, mais nous serons ensemble et nous pourrons toujours jouer comme des enfants...

13 janvier.

Longue visite au gouverneur, pour la présentation de la mission. Je manque de m'endormir, tant je m'ennuie.

Après dîner, n'ayant rien à faire, promenade au quartier réservé (ce qui risque de devenir une habitude). A l'extrémité de la ville indigène, près de la mer, la demi-douzaine de maisons se dressent, minces et sonores comme des baraques de foire. A perte de vue s'étend la plage bourbeuse. Les sirènes noires viennent au-devant de vous, jacassent et vous cueillent, comme le naufrageur cueille l'épave. On aperçoit au loin les montagnes de sel...

14 janvier.

Dîner chez un des directeurs du chemin de fer, qui est vieux garçon. Avant dîner il nous sert lui-même un excellent breuvage de sa composition. Comme deux dames arrivent juste comme il passe les verres, il les salue d'une main, s'inclinant de côté sans lâcher son plateau.

Parmi les dames, il y en a une qui est assez jolie. Elle fait un peu snob et passe pour admirer Cocteau. Elle habite ordinairement Diré-Daoua. Après dîner, on se promène sur la plage. Le maître de maison, la dame, Griaule et moi, courons après les crabes. La dame et Griaule sont pieds nus, le maître de maison en chaussettes, moi en souliers, car je n'ai rien ôté. Tout à coup, je ne sais quel désir me prend, d'excentricité. D'un pas décidé, j'entre dans l'eau jusqu'à mi-corps, puis je reviens. La dame, qui trouve cela très sport, admire que je n'ai pas mouillé mon nœud de cravate.

15 janvier.

Nouvelle visite aux salines. Une digue a sauté sous l'action de la tempête. On répare la brèche suivant un autre plan : cette partie de la digue sera désormais submersible. Dans un hangar à machines, quelques indigènes dorment au pied d'un volant. Ils sont enveloppés de la tête aux pieds. Réveil des pompes, pour montrer aux visiteurs leur fonctionnement. Promenade à travers les montagnes éblouissantes, qui sont cruelles, paraît-il, à la peau des manœuvres.

Dîner chez le directeur-copain et sa charmante femme, qui supporte si brillamment sa situation de malade étendue depuis des ans. Whisky, champagne frappé. On chante au dessert. Numéros familiaux par les maîtres de maison.

. . . .

19 janvier.

Une nuit, un jour, une nuit de chemin de fer nous mènent, Lutten et moi, à Addis, où nous venons donner au Ministre de France tous renseignements utiles sur nos incidents avec les Éthiopiens et faire savoir à l'Empereur que Griaule réclame 150 000 thalers d'indemnité pour la mission, payables en espèces et en manuscrits et collections.

Drôle de chose que revenir en Abyssinie en chemin de fer, après y être entré en mulet! La première nuit, clair de lune sur le désert dankali. La deuxième nuit, on escalade le plateau. Aujourd'hui nous sommes dans la ville animée, luxueuse à côté d'endroits comme Gondar ou Tchelga. Aux abords du guébi de l'Empereur, nombreux chefs escortés de gardes à fusils. Nombreuses dames en souliers vernis, cape de soie, voile sur la bouche.

Nous nous installons chez un avocat ami de Griaule, qui a déjà hospitalisé Lifszyc-Roux. Il nous mène faire nos premières visites : le tailleur, qui palliera notre manque de vêtements européens ; le Ministre, à qui nous remettons les rapports ; le représentant du Chemin de fer Franco-Éthiopien, seule voie sûre pour le courrier.

Des débuts de conversations que nous avons eus, il semble résulter qu'on est sceptiques quant à la réussite de notre démarche, que le quai d'Orsay cherchera à étouffer l'affaire et qu'on tend à mettre tous les incidents sur le dos des Italiens...

Par ailleurs, nous apprenons que le Ministre ne serait pas éloigné de croire que nous avons purement et simplement pillé les églises de Gondar.

La femme du Français qui dirige le *Courrier d'Éthiopie* a

déclaré, paraît-il, que Mlle Lifszyc devait être une « hystérique » pour s'en aller ainsi en mission, seule femme au milieu de tant d'hommes.

20 janvier.

Visite à la Légation d'Italie. Frégolisme, comédie de garde-robe : nous sommes trois, vêtus des complets d'un seul. Comme Lutten et moi n'avons pas de vêtements de ville, notre hôte — qui nous accompagne — nous a prêté à chacun un des siens.

En route, devant le guébi impérial, nous tombons dans une terrible cohue. C'est l'Empereur qui revient d'une cérémonie religieuse. En tête du cortège, un huissier monté, les épaules recouvertes d'une peau de mouton blanche, s'appuie, du haut de son mulet, sur un bâton très long dont il se sert comme d'une canne. Les timbaliers montés, tous esclaves, ont des casquettes à visière de garçons de cirque. L'Empereur est abrité par un parasol rouge à broderies d'or. Il est en cape de soie et casque colonial. Son visage est de cire ; je ne lui connais de comparable, pour la pâleur, que celui d'Emawayish. Derrière lui, à mulet ou à cheval, les ministres, portant presque tous à l'épaule un fusil. Nous descendons de l'auto pour saluer. Parmi les ministres, on me fait voir le fameux Fasika ; il est en complet européen de ville et ne porte pas de fusil. Foule d'hommes à pied, avec ou sans fusil. Soldats réguliers en kaki. Cavaliers en kaki avec fanions aux couleurs éthiopiennes. Petit page vêtu d'un uniforme de chasseur de grand restaurant, bleu roi. Derrière, peuple immense de gens à mulet ou à pied, les dames presque toujours en chapeau mou et la bouche voilée.

La porte n'ayant pas été ouverte à temps, l'Empereur est resté arrêté assez longuement devant nous et nous avons pu contempler tout à loisir l'homme dont il s'agit d'obtenir 750 000 francs...

21 janvier.

Une lettre contenant nos comptes rendus a été envoyée hier à Griaule, par l'intermédiaire du Chemin de fer Franco-Éthiopien, pour éviter toutes indiscrétions.

Visite à l'attaché militaire français. Il nous fait un exposé très clair de la situation : une campagne de la presse française contre l'Éthiopie ruinerait l'influence française en ce pays ; cela ferait le jeu des autres puissances.

Il apparaît de plus en plus que s'il fait quoi que ce soit pour obtenir dédommagement des torts reçus, Griaule fera figure de traître et d'anti-français.

Tour au marché, qui me donne le regret de Gondar. De petits tertres entourés de pierres forment éventaires ; cela sert à préserver les denrées quand le sol est transformé en lac ou en torrent par la saison des pluies. De nombreux palabres se règlent devant des tribunaux en plein air, dont l'agencement matériel fait penser à des estrades de musiciens pour le 14 juillet ou bien aux bureaux d'enrôlements volontaires de 1792, tels qu'on les voit sur les images.

Déjeuner chez l'hôtelier G..., qui n'est pas au-dessous de sa réputation. Lunettes de notaire douteux, face glabre de cabot, dents en or, chemise de soie bleu vif de souteneur marseillais, qu'il porte sans faux col sous un pardessus beige. Il a beaucoup de verve et est généreux pour les consommations. Dans la salle à manger, grand portrait peint du Ras Haylou, qui fut son commanditaire. G... se flatte de ne pas l'avoir enlevé.

Vers 5 heures, je vais prendre livraison du complet que je me suis commandé. Le tailleur est un métis portugais-hindou originaire de Goa.

22 janvier.

Incendie cette nuit. Plusieurs maisons ont brûlé, dont une appartenant au beau-frère de G... Un million de dégâts, déclare l'hôtelier ; 200 000 francs seulement d'assurés... Il joue à l'homme qui a de l'estomac. Mais les chiffres qu'il donne sont peut-être des chiffres arrangés...

Par train spécial, l'Empereur descend ce soir sur Djibouti. Entre chien et loup, tous les *zabagna* (gardes de police), coiffés de petites casquettes comme les Japonais en avaient pour la guerre de Mandchourie, descendent vers la gare. Mi-Monte-Carlo, mi-Kremlin, étincelant encore sur sa colline, le nouveau guébi s'étale. A la nuit close, un coup de sifflet très long annonce le départ du train.

23 janvier.

Visite au Consul de France. Visite à un ex-professeur de l'Institut Catholique qui vient d'être nommé conservateur de la bibliothèque et du musée par le gouvernement éthiopien.

Aperçu dans la foule le traître Sersou, notre ex-interprète. Il paraît que lui et son collègue Chérubin ont été engagés comme professeurs de français par le dedjaz Wond Woussen ; Chérubin est déjà parti à Dabra-Tabor.

Malgré toutes les histoires, les saloperies des gens, j'aime l'Abyssinie. J'ai le cafard quand je songe qu'il est bien probable que je n'y remettrai jamais les pieds.

Les toits de tôle ondulée, les capes de bure, les eucalyptus ; la bonne d'enfant Askala qui, chez notre hôte l'avocat, chantonne alternativement *Au clair de la lune* et des refrains abyssins.

24 janvier.

Nous montons à la Légation de France, où nous sommes invités à déjeuner. Dans la voiture, il y a notre hôte l'avocat et sa femme, ainsi que Lutten et moi. Sur le marchepied, le cuisinier, qui doit faire des courses, car il y a ce soir des gens à dîner. Bien que tous les chefs abyssins circulent ainsi — avec un, deux, ou même une grappe d'achkars sur les marchepieds — sans qu'on leur dise rien, à un carrefour un *zabagna* arrête la voiture, empoigne le cuisinier par sa chamma et ne veut plus le lâcher. Il faudra qu'après déjeuner on aille au poste pour le faire délivrer. L'affaire s'arrange au prix de quelques pourparlers avec une sorte de chien du commissaire vêtu d'une vieille houppelande et assis devant une ancienne table de jeu, sur laquelle on lit encore PAIR – PASSE, IMPAIR – MANQUE et dont le trou central est bouché par un casque colonial retourné. Sur la demande d'un jeune chef de police qui est arrivé — Lidj Ababa — le cuisinier a dû fournir un garant. Notre hôte s'est d'autre part recommandé du chef des policiers de toute la ville, guérazmatch Amara, qui habite la maison à côté de la nôtre et y vole quelquefois des œufs et des poulets.

25 janvier

Échines blanches s'élargissant en fesses d'identique pâleur, et tout en bas, vus entre le revers des cuisses, les organes secrets. Ce genre de rêves, depuis plusieurs nuits. Le peu de femmes que j'ai connues s'y trouvent mêlées et presque confondues.

Lutten et moi sommes amenés par le Ministre de France chez Blatten Guéta Herouy, le Ministre des Affaires Étrangères abyssin. Dans l'antichambre, rencontre du Ministre d'Allemagne. Il fait presque aussi français que le Ministre de France. Internationalité des classes, internationale de la diplomatie...

Blatten Guéta Herouy est un des ministres à fusil vus l'autre jour derrière l'Empereur. Il est grassouillet, noir, barbu et frisotté blanc. Autrefois, Abba Jérôme m'a dit qu'il était sorcier et *balazar*. Quoi qu'il en soit, il n'y a rien à tirer de lui. Il arrête les récriminations de Lutten et demande qu'un résumé écrit des doléances lui soit fourni.

Radiogramme à Griaule pour demander des instructions. Radiogramme du Ministre de France au gouverneur de la Côte des Somalis pour conseiller à Griaule prudence et modération.

C'est le jour de réception de la femme du Ministre. Nous y allons. Clan des hommes, clan des femmes ; chaque sexe est parqué d'un côté du salon. Je me tiens comme un bon chien à peu près dressé et peigné. Quand perdrai-je cette mauvaise habitude ?

26 janvier.

Tour en taxi, à la campagne, sur la route d'Addis-Alam. Acheté une charrue, un narghilé, un violon et des instruments aratoires.

Visite au Ministre d'Angleterre. Nous apprenons que le Consul anglais de Danguila, qui se rendait à Gallabat pour y engager du personnel et se réapprovisionner en argent, est retenu depuis vingt jours à la douane de Métamma.

Dans les rues, toujours la même foule. Dames à mulet. Prisonniers marchant pieds enferrés. Hommes en procès liés l'un à l'autre par des chaînes de poignet très lâches

27 janvier.

Fête de fin du Ramadan. Coups de canon, gens dans les rues, chants, enfants vêtus d'étoffes bariolées.

Visite au Ministre de France, pour lui remettre un complément de rapport demandé à Griaule et arrivé hier. Il a reçu de son côté un radiogramme dans lequel il est dit que Lutten et moi devons rentrer incessamment. Cela me coûte d'obtempérer, car je comptais m'arranger pour voir Harrar entre deux trains. Mais tant pis ! il n'y a rien à faire... L'Empereur, qui est actuellement à Aden, ou à Berbera du Somaliland britannique, est attendu à Djibouti pour dimanche ou lundi. Il y a intérêt à ce que je sois là avant son arrivée, car Griaule, s'il se décide à voir l'Empereur (ainsi que le lui conseille le Ministre), aura sans doute besoin de moi pour diverses choses. Il est donc entendu que je descendrai par le train de ce soir, mais que Lutten restera, ayant à s'occuper de l'emballage de quelques objets de collection achetés à Addis. Tout seul il ira à Harrar.

Tandis que je fais mes valises, Lutten et notre hôte vont chez un musulman ami de ce dernier, qui fête le Bayram en famille. Connaissant mes goûts, ils m'en rapportent quelques rameaux de *tchat*, que je mâche de toutes mes dents. Le *tchat* d'ici est plus doux, moins amer que celui de Gondar. Il est vrai que le *tchat* de Gondar est devenu amer après avoir été maudit par je ne sais plus quel sheikh, à cause de la propension trop grande qu'avaient les musulmans de cette ville à s'unir avec des chrétiennes et inversement.

Je quitte Addis à contrecœur. J'aimais bien sa foule animée, son guébi et ses maisons de carton-pâte, ses ruelles en pente et rocailleuses, ses boutiques sur toutes les enseignes desquelles figure au moins un lion.

Nos hôtes viennent m'accompagner à la gare et je leur dis au revoir avec un sincère regret.

28 janvier.

J'ai pour compagnon de route un vieil Allemand, qui est architecte pour le compte du gouvernement abyssin et dont la femme dirige l'institution où ont été élevées les filles de l'Empe-

636

reur. Le vieux m'offre une cigarette. Il s'ensuit une conversation polie. J'y apprends entre autres choses que Lidj Yasou est un ivrogne et qu'il lui est arrivé plusieurs fois, quand il résidait à Addis, de tuer, étant ivre, des femmes dans les maisons publiques.

Paysage de grande brousse, où il semble qu'il y ait beaucoup de gibier. Je vois entre autres : un beau cynocéphale, puis un cerval qui se repose comme un gros chat paresseux à l'ombre d'un arbre. Çà et là, gardant des bestiaux, une grande bergère couleur brique.

29 janvier.

La soirée d'hier a été fort agréable. Arrivé à Diré Daoua vers 5 heures, j'ai trouvé sur le quai le Consul de France, qui s'attendait à ce que je fusse dans le train. Balade en auto dans le lit de la rivière, puis sur la route de Harrar. Ensuite, il m'emmène dîner chez sa femme. Il y a avec nous la jolie jeune dame sous les yeux de laquelle, à Djibouti, je suis entré tout vêtu dans la mer. Conversation mi-esthétique, mi-morale, style « avant-garde », comme il était de règle d'en avoir à Paris au moment de mon départ.

Nuit excellente, seul dans un compartiment. Arrivée entre 6 heures et 7 heures du matin, Lifszyc m'attendant sur le quai avec les boys Wadadjo et Abata.

Allant à la maison, nous rencontrons Griaule qui vient au-devant de moi. Tout de suite, il me raconte les événements. Les voici : les Affaires Étrangères veulent à tout prix éviter le scandale. On a réuni une sorte de conseil de famille composé des amis ; ils ont télégraphié à Griaule qu'il fallait absolument qu'il se tienne tranquille, les réclamations ne pouvant aboutir que si elles sont faites par l'intermédiaire du Ministre de France, et sans éclat.

L'Empereur est attendu demain matin. Il est entendu que si une entrevue est arrangée par un tiers tel que le gouverneur, Griaule ne se dérobera pas.

30 janvier.

Visite au gouverneur, pour lui rendre compte de mon voyage à Addis, de ce qu'il en est résulté, et des dispositions actuelles de Griaule. Il est entendu que le gouverneur tâtera le terrain du côté de l'Empereur et verra à « ménager un entretien »

Vers les 10 heures, l'Empereur arrive, venant d'Aden sur un bateau de guerre anglais. Coups de canon. Sur la jetée, foule indigène (peu abondante) agitant de petits drapeaux. Puis l'Empereur, qui habite au gouvernement, apparaît sur la terrasse attenante aux appartements qui lui sont réservés et y reste longuement, en compagnie de son jeune fils. En bas, dans les jardins, les petits drapeaux continuent à s'agiter. Nous voyons tout cela à la jumelle, des fenêtres de notre maison.

Dîner chez les gens des salines. Whisky, champagne frappé. Numéros familiaux de chant. Numéros de danse par Roux.

31 janvier.

Désagrément de se remettre en blanc après s'être réhabitué aux vêtements de ville.

Dans l'après-midi, l'Empereur reçoit tous les fonctionnaires et toute la colonie française de Djibouti. Naturellement, nous n'y allons pas.

J'achète dans la rue une valise d'occasion, en cuir. Pour montrer sa solidité, le vendeur la pose sur le trottoir et tape dessus à grands coups de pied, savamment arrêtés au bon moment. Sans doute, l'article n'est pas particulièrement fragile, mais son allure est un peu bizarre : on dirait une mallette à échantillons de commis voyageur ou une valise de trafiquant de coco.

1er février.

Dans sept jours, nous nous embarquons. Je ne m'en aperçois pas. Je ne le réalise pas. Non plus qu'il ne m'arrive de songer que nous avons traversé l'Afrique.

J'ai repris — un peu mollement — le travail ethnographique. J'enquête toujours sur les *zar,* avec des informateurs que m'a procurés un homme assez connu ici, de même qu'en Abyssinie, qui s'est trouvé rejeté il y a quelques années d'une situation brillante parce qu'il vit maritalement avec une Abyssine [1]. Mon

1. Qui est la sœur d'une ancienne femme d'un personnage dont il est écrit que nous n'aurons pas cessé d'entendre parler depuis le premier jour que nous le rencontrâmes à Métamma : le balambaras Gassasa.

enquête ne va pas très loin, car les gens d'ici sont très méfiants et il faudrait beaucoup de temps pour les apprivoiser. D'autre part, je manque un peu de courage pour ces travaux de dernière heure.

Demain, dans un local du gouvernement, l'Empereur donne un dîner. A la femme du gouverneur, qui faisait les invitations, Griaule a dit qu'il n'irait pas. Cela étonnera sans doute pas mal de gens d'ici, car il semble que chacun soit prêt à trouver flatteuse n'importe quelle invitation, qu'elle vienne d'un gouverneur, d'un capitaliste, d'un bureaucrate ou d'un roi nègre.

2 février.

L'enquête sur les zar ne va pas. Personne ne veut venir, personne ne veut parler. Pas question non plus de se faire emmener sur place. Il va falloir y renoncer.

Grande journée, au point de vue diplomatique : malgré une démarche spéciale du Consul d'Éthiopie — garçon que nous connaissions déjà, à Paris, — Griaule a définitivement décliné l'invitation à dîner. Il paraît qu'on était tellement sûr que nous céderions que nos couverts étaient déjà mis. Ç'a été toute une histoire pour les changer.

Quelques minutes avant le dîner, Griaule, appelé au gouvernement, a eu un entretien avec le gouverneur et sa femme. Il leur a exposé nettement sa position. Il paraît que l'Empereur croit aussi que nous avons tenté d'introduire des armes, pillé plus ou moins les églises, acheté des esclaves exprès pour l'embêter. Sans doute, dans son esprit, le fait de nous inviter prend-il figure d'acte de magnanimité...

3 février.

Atmosphère de conspiration : conciliabules, émissaires, téléphone, rendez-vous. L'Empereur délègue officieusement un ambassadeur à Griaule, dans le but cousu de fil blanc d'arriver à ce que ce dernier sollicite une audience. Griaule laisse venir, laisse parler ; il ne formule aucune demande, répond évasivement, si bien que l'envoyé finit par manger le morceau et déclarer lui-même qu'il parlera à l'Empereur pour arranger un entretien.

Promenade sur la jetée. Coucher de soleil, qui laisse l'eau

encore plus bleue. De longues barques conduisent à terre des
cargaisons d'Arabes descendus d'un petit vapeur anglais qui vient
d'Aden. Femmes vêtues d'une seule couleur, par exemple : rouge
ou orangé. Parmi les articles commerciaux, nombreuses valises
pareilles à celles que Griaule et moi avons achetées.

Retour. Su par Roux que la place de Griaule est restée hier
inoccupée pendant tout le dîner. On avait oublié de l'enlever...
Appris aussi que, contrairement à ce que je croyais, Lifszyc,
Larget, Roux et moi n'étions invités qu'en cure-dents. Il y a tout
de même de beaux mufles !

Soirée. Promenade. Bordel. Grande fille maigre de Diré-
Daoua. Conversation en petit-nègre : « Moi, bien travailler !
Moi, faire comme ça ! » On se fait de drôles d'idées, à la
métropole, sur l'érotisme colonial...

4 février.

L'Empereur a fait dire à Griaule qu'il le recevrait à 4 heures.
L'entrevue, qui primitivement devait avoir lieu au palais du
gouvernement, se passe à la maison dite « annexe » que l'Empereur vient d'acheter comme propriété privée. Bâtisse entièrement
dénudée, à 10 mètres de la mer. J'accompagne Griaule. A peine
introduits, nous tombons sur l'Empereur, qui attend dans la
verandah, face à la mer. Nous prenons place dans deux autres
fauteuils d'osier, symétriquement placés devant lui. L'Empereur
est petit, maigre, le teint cireux, les cheveux ternes, une curieuse
tête de Christ d'église espagnole ou de Landru de Musée Grévin.
Il porte une cape noire doublée de rouge, un pantalon de
mauvaise flanelle blanche serré tout le long du mollet, des souliers
jaunes à élastiques. Je l'imaginais beaucoup plus majestueux.

Sur la plage joue un gosse à tête de crétin. C'est son fils. Deux
hommes de confiance — dont le Consul — font les cent pas sur la
plage, pour écouter la conversation ou veiller sur le souverain. Je
ne m'en apercevrai qu'au moment où nous prendrons congé et où
ces hommes entreront dans la pièce.

L'entretien, à vrai dire, ne mène pas à grand'chose, sinon à
rien. Sans se gêner, Griaule expose tous ses griefs. Le doigt pointé
vers le *negous*, il l'accuse d'être personnellement responsable de
tout cela, car c'est le refus d'autoriser l'emploi du moteur du

bateau qui nous a mis vis-à-vis des chefs en posture de suspects et leur a fait penser qu'ils pouvaient nous brimer sans se gêner.

L'Empereur ne dit à peu près rien. Simplement, on sent qu'il voudrait faire dire à Griaule que le gouvernement central n'est pas responsable des fautes de ses chefs. Naturellement, Griaule ne dit rien dans ce sens.

Il est vaguement entendu finalement que l'Empereur fera faire une enquête. D'autre part, si la lettre d'accusation que Blatten Guéta Herouy, le Ministre des Affaires Étrangères abyssin, a envoyée au Ministre de France contre la mission n'est pas retirée d'urgence, Griaule attaquera par les moyens qui sont à sa disposition. A aucun moment la question du chiffre des réparations n'est effleurée.

Quand nous nous retirons, l'Empereur ne nous fait pas accompagner. Il reste assis entre les murailles lie-de-vin, triste et tranquille comme un mannequin.

. . . .

Fatigue. Sommeil irrésistible après chaque repas. Petites plaies aux pieds, qui ne cicatrisent pas. Il ne fait pas encore chaud, mais le fond de l'air est de plus en plus mou. Un moment, je crains un nouvel accès de fièvre. Je me couche de bonne heure. Griaule et Roux m'empêchent de dormir, bavardant à côté de moi. Des cris en bas : ce sont nos amis des salines qui rentrent chez eux en auto et nous appellent. Tels que nous sommes — Griaule et moi en pyjama — nous y allons. Bavardage animé jusqu'à plus d'une heure du matin.

5 février.

6 h 29 : arrivée de Lutten, qui descend d'Addis Ababa, retardé de deux jours par des formalités douanières.

Dîner chez nos amis des salines. Boissons et nourritures habituelles. Nombreux numéros de danses plastiques par Roux.

6 février.

Courses inhérentes à l'embarquement : Messageries Maritimes, douanes, gouvernement. Achat d'une deuxième valise. Fatigue.

L'Empereur est parti hier. Il a retardé de plusieurs heures le départ de son train, tenant à visiter un paquebot allemand qui venait d'arriver.

Dîner avec nos amis des salines chez des Italiens très gentils qui ont une nombreuse famille et tout un assortiment de filles : une veuve, une mariée, une demoiselle. Je connaissais déjà le père — qui est Calabrais — pour l'avoir rencontré dans le train en descendant d'Addis.

7 février.

Gueule de bois. Vers 7 heures, sur l'horizon, profil du bateau qui arrive. Il a deux tubes et bonne allure, bien qu'à vapeur.

Déménagement. Transbordement. Embarquement. Comme toujours, quand on s'installe dans un grand bateau (je parle au moins pour moi qui n'ai à aucun degré le sens de l'orientation), cavalcades éperdues dans les couloirs pour tenter de découvrir soit telle cabine, soit tel accès.

Montant dans ce bateau, je ne parviens pas à réaliser que je n'en descendrai qu'à Marseille.

Chacun de nous a une cabine, et c'est bien agréable après vingt mois de promiscuité.

Une bonne sieste après déjeuner me remet.

8 février.

Mer absolument calme. Ciel couvert. Fête à bord du *D'Artagnan* : jeux pour les enfants ; course en sacs, lutte à la corde, duel au polochon pour les adultes, — mais seuls y prennent part les sous-officiers de la coloniale qui voyagent en quatrième ; les gens des premières, spectateurs condescendants, daignent rire de leurs ébats. Bal le soir, avec souper final. Mais — hormis Lutten — nous n'y assistons pas.

Lutten s'adonne à corps perdu à sa manie de frayer avec tout le monde. Mais comme cette manie est très communément répandue, qu'elle n'est même pas une « manie » mais bien plutôt la règle de tout troupeau humain que le hasard a rassemblé dans un lieu tel qu'hôtel, paquebot, chemin de fer, il n'y réussit que trop bien...

J'écoute d'une oreille un de ses interlocuteurs, directeur d'une compagnie minière : « Visualisez-vous la configuration orologique de Madagascar... »

9 février.

Mer toujours calme. Footing sur le pont promenade. Lecture. Jeux de bord. Au profit d'œuvres de mer, courses de chevaux marins. Sur le pont, un hippodrome est dessiné, numéroté comme un jeu d'oie. Il y a quatre courses auxquelles prennent part six chevaux de bois. Avant chaque épreuve, les chevaux sont vendus aux enchères. Le propriétaire du gagnant empochera la somme produite par l'ensemble des enchères, diminuée du bénéfice prélevé pour l'œuvre. Le mouvement des six chevaux est réglé par les dés : un dé indiquant quel cheval (1, 2, 3, 4, 5 ou 6) doit bouger, l'autre le nombre de cases dont il doit avancer. Il y a naturellement des pénalités qui font que tel cheval, s'il tombe sur une haie, doit reculer. Il y a même un obstacle mortel : la rivière... On achète au pari mutuel des tickets de 5 francs. C'est assez amusant.

Gagné 20 francs à ce jeu et payé quelques verres en l'honneur de cette chance.

10 février.

Mer encore plus calme. Footing intensif. Jeu de palets.

A la tombola — dernier acte de la fête du bord — je gagne un briquet. Ce qu'on appelle une veine de cocu.

Vu beaucoup de bateaux aujourd'hui, et des terres. Demain dans la matinée, le *D'Artagnan* sera à Suez.

11 février.

Double ligne de montagnes jaune-rose. Mer étonnamment bleue.

Le pont, après le lavage de ce matin, est vierge de tout dessin. Plus de trace des cases du jeu de palets, qu'hier matin le deckman avait si soigneusement établies à la peinture blanche. Depuis longtemps les figures dessinées pour les jeux du premier jour de fête ont disparu aussi. Il y avait entre autres un merveilleux cochon auquel les enfants, lâchés les yeux bandés à quelque distance, devaient marquer l'œil d'un coup de craie. Je pense à ces peintres mendiants des rues de Londres qui exécutent sur les trottoirs les portraits de Leurs Royales Majestés en plusieurs couleurs, puis les effacent, avant d'en faire d'autres ou de s'en aller ailleurs, dès qu'ils ont touché quelques pence. J'ignore si cette industrie existe toujours ; en ce qui me concerne, je ne la connais que par ouï-dire.

Suez. Bâtiments européens, navires et constructions industrielles sertis d'une lumière éblouissante. Formalités pour le passage. Invasion du pont par des marchands de colliers, de cartes postales, de dattes, de cigarettes, de rahat loukoum. Un prestidigitateur crache des rats, avale un sabre. Un individu bénin et souriant vend des colliers qui sont « en or de la Jérusalem, en argent de la Soudan, en pierres de la mont du Sinaï ». Ce dernier collier de pierres, il le jette à terre avec violence et invite l'acheteur à marcher dessus pour en éprouver la solidité.

Après déjeuner, on part et on s'engage dans le canal, si net, si propre, coupant un paysage où même le désert paraît artificiel.

De distance en distance, gare aquatique s'avançant en promontoire avec son haut mât sémaphore, ligoté de haubans.

Alentour de chaque tableau, nombreuses mouettes qui voltigent.

Coucher de soleil impeccablement reflété dans une eau tout à fait plate.

12 février.

Arrivée à Port-Saïd dès 2 heures du matin, d'où vacarme infernal : bruits de voix, de pas, de timbres, de treuils, lavage prématuré du pont.

Le bateau étant arrêté près de l'île à mazout, il faudra prendre des vedettes pour aller à terre.

Maisons à plusieurs étages, avec grands balcons verandahs. Rues à galeries, droites, macadamisées, ombreuses. Dès que des passagers s'y présentent, les phonographes résonnent et les vendeurs racolent. On erre à travers les boutiques et l'on achète de tout : maroquineries pour cadeaux, fruit salt, cartes à jouer, photos obscènes. Puis on rentre, on déjeune et le *D'Artagnan* part.

Majestueux défilé des maisons le long des quais. Enseignes lumineuses, spectateurs aux fenêtres. Sur la jetée, la statue de De Lesseps, représentant le grand homme en habit noir, appuyé d'une main sur un long rouleau de papier qui descend comme une ceinture de flanelle défaite (*dixit* Roux). Contre la jetée la mer brise, bien qu'elle ne soit pas forte.

Adieu à l'Afrique. Froid. Tristesse. Dégoût d'être en Méditerranée.

Promenade sur le pont, sans entrain. Aux radios de ce matin : l'association des anciens élèves de l'Université d'Oxford a voté, par 275 voix contre 153, une résolution par laquelle les membres de l'association déclarent « *qu'ils ne prendront les armes, pour le Roi ou le pays, dans aucune circonstance* ».

Exemple à suivre[1]...

13 février.

Un peu plus de mer.

Inquiétudes quant à la vie qu'il va falloir reprendre. Pour certains d'entre nous, il semble que le pessimisme s'accentue à mesure que le bateau s'approche de France. Vie stupide des métropoles. Vie étriquée des Français, encore plus à plat — j'imagine — depuis que le bas de laine se dégonfle !

Et dire qu'il y a des gens qui souffrent du mal du pays..

14 février.

Mer plus forte. Pourtant le bateau ne remue qu'assez peu, c'est une justice à lui rendre.

---

1. Ou plutôt non. D'instinct j'incline vers l'objection de conscience — plus exactement : vers la désertion ; mais aujourd'hui un seul mot d'ordre me paraît valable, bien que susceptible de recevoir pas mal d'interprétations : transformation de la guerre impérialiste en révolution communiste par le prolétariat armé (*septembre 1933*).

A mesure qu'on approche de Marseille, il semble que les gens s'excitent. Peut-être vont-ils plus souvent au bar.

En secondes, un ménage s'est si bien battu la nuit que la femme ne se montre plus, à cause d'un œil poché, et que le maître d'hôtel a dû séparer les conjoints, mettant chacun dans une cabine. Un religieux à barbe blanche a fait un grand numéro de chant, où figuraient des airs de tous pays, *La Madelon* et *Viens Poupoule*.

Un peu avant dîner, comme je faisais du footing avec Lifszyc, deux passagers auxquels nous n'avions jamais parlé se sont joints à nous : un Anglais, un ingénieur français aux chemins de fer chinois. Longtemps, ils ont tourné avec nous. Nous avons bien abattu 5 kilomètres. Un peu émoustillé, l'ingénieur fredonnait des chansons de régiment. Il a une verrue sur le nez. L'Anglais est élégant, malgré qu'il boite un peu et ait le bras droit un peu plus court que le gauche. Il est marié à la seule femme bien du bord.

Le retour a pour moi la forme d'un seul visage, sans lequel il y a beau temps qu'il n'aurait plus été pour moi question de rien, — pas question, en tout cas, de retour après un tel départ...

15 février.

Le bateau s'est décidé à bouger un peu plus sérieusement au début de la nuit. C'est fini ce matin.

On approche du détroit de Messine. Grande série d'attractions :

Etna couvert de neige et crachant un peu de fumée blanche ;

Calabre avec montagnes, cultures, rochers, torrents, villages marins, villages perchés, railways, ponts, mais sans brigands ;

Sicile aux côtes plus lointaines, et sans bergers ;

détroit de Messine très resserré ; deux villes : Messine d'un côté, Reggio de l'autre (la première beaucoup plus grande que je n'aurais cru) ; deux ferry-boats se croisent derrière nous ; un train passe ; j'aperçois une auto sur une route ;

Charybde et Scylla ;

les îles Lipari, très chaotiques ;

le Stromboli, qu'on longe de tout près ; il est verdoyant d'un côté et calciné de l'autre. Plusieurs villages sont au pied ; cultures en terrasses, montant très haut ; maisons blanches essaimées ; parfois une maison jaune, une maison rose. L'île-volcan est couronnée d'une grande fumée blanche qu'on voit sortir lentement du cratère ; à deux ou trois reprises, un sourd grondement, suivi d'une émission d'épaisse fumée brune qui s'élève en moutonnant.

Dos tourné au Stromboli, on reprend la pleine mer.

Projets de proche avenir. Beaux endroits où passer des vacances. Mais il faut que l'argent le permette. C'est seulement hors d'Europe qu'on peut vivre en sultan...

A bord, le clan des officiers supérieurs et hommes d'affaires est de plus en plus excité. Ils ont toujours pour Égérie la femme d'un de leurs pareils, espèce de grande grue de province dont les robes sont toujours ou trop courtes ou trop longues et dont le parfum empeste les couloirs. Piaffent autour d'elle : le décavé (?) moustachu, le gros commerçant juif, le grand capitaliste à large barbe et petits pieds, le général distingué, le colonel rougeaud. A Port-Saïd ils se sont augmentés d'une sorte d'hippopotame à bracelet qui doit être lui aussi capitaliste ou colonel.

16 février.

Temps froid, pluvieux. On se sent la mort dans les os quand on reste trop longtemps sur le pont. Bien que la mer soit calme, on passe par le nord de la Corse, par crainte du mauvais temps dans le détroit de Bonifacio.

J'ai lu trois livres de Conrad, loués à la bibliothèque. Je tombe maintenant sur les pièces de théâtre de *La Petite Illustration,* trouvées au salon de lecture.

Le clan officiers supérieurs et hommes d'affaires est aujourd'hui tranquille. C'est le clan militaire colonial qui rend. Ces messieurs dames ont bu quinze bouteilles de champagne. On a chanté *Werther* et *La Tosca.*

Attractions de la journée : île d'Elbe ; cap Corse, aux rochers couleur vert-de-gris.

Vers le soir, le vent souffle, la mer s'agite un peu.

L'ingénieur aux chemins de fer chinois — qui semble aimer à s'amuser tout seul — a monté une bonne farce : engoncé dans son pardessus, le chapeau baissé sur les yeux, il gît sur un canapé, en posture de suicidé. Devant lui, sur une petite table, un papier : « *Adieu pour toujours ! Ton amant dévoué.* » Mais comme tous ses amis sont occupés au bar et que personne ne relève la plaisanterie, il ressuscite et descend dîner.

Les animaux (midaqwa, ariel, civette, fouines) et oiseaux que nous ramenons n'ont pas l'air d'avoir souffert de la traversée. Nos deux Sénégalais non plus — Mamadou et Makan — qui seront rapatriés sur Dakar. Makan, fermé et hautain, fume une très belle pipe.

Demain matin, vers les 7 heures, nous entrerons au port de Marseille, à moins que d'ici là le bateau ne brûle, ne coule ou que le mistral devenu très violent ne nous oblige à attendre de longues heures devant l'Estaque, avant de pénétrer dans le port.

J'ai rangé des papiers dans la caisse-bureau, bouclé mes valises, préparé mon linge pour demain matin. Dans ma couchette, j'écris ces lignes. Le bateau oscille légèrement. J'ai l'esprit net, la poitrine calme. Il ne me reste rien à faire, sinon clore ce carnet, éteindre la lumière, m'allonger, dormir, — et faire des rêves...

. . . .

NOTES

24 mai 1931 (p. 21, par. 8) et passim.

« Cancrelats », « cafards », « blattes   ou ce que, dans les Antilles de langue française, on appelle « ravets ».

1er juin (p. 29, par. 4).

Le « boubou », vêtement masculin répandu dans toute la zone soudanaise, est une sorte de longue tunique rappelant nos chemises de nuit.

7 juin (p. 34, par. 2).

Un « élevage » de crabes de terre : l'expression paraît, à tout le moins, excessive.

12 juin (p. 38, par. 4).

« Maison du Christ » : ainsi, en Abyssinie, nomme-t-on les églises.

15 juin (p. 45, par. 2).

Marque de sollicitude à l'égard du musicien, ce geste était peut-être essentiellement protocolaire. Lors du séjour que j'ai fait en Haïti durant l'été 1948 j'ai vu, au cours de séances *vodou*, des adeptes de cette religion accomplir cérémoniellement le même geste : essuyer, à l'aide d'un foulard, la face de ceux ou celles qu'ils voulaient honorer. Comparer Véronique essuyant la face du Christ.

20 juin (p. 48, par. 4).

C'était aller un peu vite que de regarder l'existence de fraternités d'âge masculines et féminines au village de Nèttéboulou comme un « élément très primitif ».

23 juin (p. 49, par. 3).

Le « chef de district » est un employé des chemins de fer chargé de la surveillance et de l'entretien d'une portion déterminée de ligne.

16 juillet (p. 66, par. dernier) et passim.

« Canari » : en argot colonial, jarre.

17 juillet (p. 70, par. 2).

Aujourd'hui, je me vois mal reproduisant sans sourciller une expression aussi sommaire que « un groupe d'anthropophages du Tchad ».

5 août (p. 82, par. 4).

Moussa Travélé est, en effet, l'auteur estimé d'ouvrages sur la langue et la littérature orale bambara.

12 août (p. 86, par. dernier).

« Orgie rituelle » est beaucoup dire, pour une fête sans doute point tellement différente de certaines de nos cocktail-parties.

21 août (p. 92, par. 5).

Ce jugement, assurément hâtif, qui fait de Barhaba Sidibé une exception parmi « les filles de sa race et de sa condition » se limite du moins aux femmes peules (qui passent d'ordinaire pour coquettes) et ne prétend viser que celles des villes.

26 août (p. 95, par. 3).

« Kati » : ville de la région de Bamako, où se trouve un camp militaire.

14 septembre (p. 110, par. 3).

« Hôtel meublé » exprimerait peut-être plus justement que « bordel » ce qu'était le siège social du *ollé horé*.

20 septembre (p. 114, par. 1).

Les « laptos », c'est-à-dire les bateliers.

30 septembre (p. 123, par. 4) et passim.

L'ensemble de l'enquête sur la société des hommes et l'usage des masques chez les Dogons — travail seulement amorcé au cours de la Mission Dakar-Djibouti — a fourni à M. Marcel Griaule la matière d'une thèse de doctorat : *Masques dogons* (« Travaux et mémoires de l'Institut d'Ethnologie », t. XXXIII, Paris, 1938). Dans la même collection (t. L, 1948) j'ai publié un ouvrage sur *La Langue secrète des Dogons de Sanga*, ouvrage dont la base est constituée principalement par les textes que j'ai recueillis de la bouche du vieil Ambibè Babadyi, avec qui je travaillai à partir du 9 octobre.

2 octobre (p. 127, par. 3).

Un « marabout », soit un prêtre musulman, figuré de façon satirique dans cette région réfractaire à l'Islam.

22 octobre (p. 142-143).

« C'est l'invention du feu » : interprétation quelque peu téméraire de l'allumage du tas de paille.

De même, l'interprétation de la scène de chasse comme mise à mort de l'animal responsable de la disparition du chasseur n'est pas à retenir. La suite de l'enquête révéla que cette scène jouée par les collègues du défunt avait pour but d'évoquer ce qui avait été son activité essentielle.

4 novembre (p. 151, par. 2).

Plusieurs amis m'ont demandé quel usage je faisais de cette pince à épiler, pour être irrité à ce point de l'avoir égarée. Très simplement, elle me servait à m'arracher les poils du nez.

19 novembre (p. 160, par. dernier).

« Ogolda », que nous avions noté tout d'abord « Ogoldo », et qui veut dire Ogol-du-Haut, par opposition avec « Ogoldognou » ou Ogol-du-Bas, selon la division bipartite de maint village dogon.

20 novembre (p. 161, par. 2).

Mon collègue André Schæffner a donné dans « Minotaure », n° 2 (numéro spécial consacré à la Mission Dakar-Djibouti), sous le titre *Peintures rupestres de Songo*, la primeur des documents recueillis lors de nos diverses visites de la « Jérusalem de la circoncision ».

29 novembre (p. 165, par. 4).

« Faire le salam » : prier selon les rites musulmans.

30 novembre (p. 166, par. 2).

Plus galante, et probablement aussi plus exacte, serait l'expression « faire son persil » au lieu de « faire la retape ».

7 décembre (p. 172, par. dernier)

Je ne connaissais alors le « Vaudou » et ses sanctuaires ou « houm-forts » que par *L'Ile magique* de William B. Seabrook. L'on sait que les cultes dahoméens ont été la principale source de cette religion, léguée aux actuels Haïtiens par leurs ancêtres les Africains amenés comme esclaves à Saint-Domingue.

8-9 décembre (p. 173-175).

A cette époque, la région de Savalou était administrée par quelqu'un que je ne puis me rappeler sans une certaine émotion. Un homme d'âge déjà mûr, de taille moyenne, légèrement voûté il me semble, avec un visage aux traits tirés et une barbiche poivre et sel. Nous dînâmes chez lui, avec sa femme je crois bien, et peut-être aussi leur fillette. Fort quelconque dîner, servi dans une vaisselle des plus piètres. Apparemment, cet homme sans prestige physique et d'allure timide n'était pas de ceux qui tiennent leur personnel d'une main ferme : la soupe ayant été apportée dans un récipient dont, sans pouvoir me rappeler quelle était sa nature exacte, je sais qu'il n'était pas le récipient idoine, le maître de maison un peu gêné crut devoir montrer à son boy qu'une soupière se trouvait sur le buffet, ce à quoi le boy répondit : « C'est pas soupière, ça, c'est foutu ! » révélant ainsi les résultats non réparés d'une casse dont il était probablement responsable et faisant éclater au grand jour la pénurie de la maison. Passant le 18 décembre à Dasa Zoumé qu'inspectait notre hôte de Savalou, nous le vîmes entouré par la foule cordiale de ses administrés et, au moment du départ, salué par tous avec affection. Au cours de la conversation, il nous fit part de sa joie d'avoir trouvé un moyen de faire ses routes (Emploi de certains manchons de ciment pour le soutien des ponceaux ?) qui épargnait à ses administrés une quantité notable de jours de prestation. Quand nous l'avons rencontré, ce « paternaliste » au sens strict n'était qu'administrateur-adjoint, d'une classe très médiocre, bien qu'ayant presque atteint l'âge de la retraite. Au chef-lieu, nous entendîmes parler de lui comme d'un pauvre homme, avec l'apitoiement condescendant qu'ont les gens supérieurs pour les ratés de leur profession.

12 décembre (p. 178, par. 4).

Le vocabulaire linguistique réserve le nom de « tons » à des hauteurs différentes, et pourvues d'une valeur sémantique, dans la prononciation des voyelles.

L'existence de ces « tons musicaux » dans la langue fon et dans maintes autres langues négro-africaines ne saurait être niée ; pour ne pas les entendre, il fallait certainement que nous fussions durs d'oreille. Reste que la démonstration ne manquait pas de burlesque.

27 janvier 1932 (p. 211).

Les circoncis doivent restituer les petits morceaux de viande pour faire voir que malgré la douleur ils les ont gardés entre leurs dents. J'ai publié ces documents recueillis à Poli, en connexion avec d'autres du même ordre provenant de Garoua, dans un article du *Journal de la Société des Africanistes*, t. IV : *Rites de circoncision namchi.*

2 février (p. 214, par. 5).

Meurtre effectif ou simple ruée menaçante de l'homme masqué sur les jeunes gens non encore initiés ? Le jeune jardinier moundang était — comme je le constatai les jours suivants — un informateur trop peu sûr pour que (sans douter, au demeurant, de sa bonne foi) je puisse admettre sa déclaration autrement qu'avec réserve.

16 mars (p. 245, par. 2).

Amateur déjà, mais point encore *aficionado*, j'étais alors fort ignorant en matière de courses de taureaux. Il est probable que l'aquarelle en question représentait une *mariposa*, non de Juan Belmonte, mais de Martial Lalanda, inventeur et grand spécialiste de cette passe de cape.

29 mars (p. 258, par. dernier, p. 259, par. 1).

Lors du séjour qu'en 1928 je fis au Caire, j'étais — plus encore peut-être qu'au moment de la Mission Dakar-Djibouti — avide d'exotisme et de couleur locale. Aussi n'avais-je qu'antipathie pour les bourgeois égyptiens vêtus à l'européenne : les « effendi ».

5 avril (p. 268, par. 1).

En fait, « l'examen de mes raisons de voyager, de mes raisons d'écrire » n'intervient guère dans ce livre, qui reste essentiellement éphémérides ou notes d'agenda. A l'époque où je l'écrivais, le peu d'introspection qu'il contient me semblait certainement plus considérable qu'à le relire aujourd'hui : cela représentait en effet ce qui, de mes diverses notations (choses vues, renseignements recueillis, incidents, rêves ou réflexions) étant le moins mécanique, bénéficiait à mes propres yeux d'un éclairage privilégié.

7 avril (p. 270, par. 1).

« Heurtebise » : transcription approximative du nom anglais d'un genre d'antilopes, le *hartbeest* ou cerf du Cap.

14 avril (p. 276, par. 5).

L'aspect « poussiéreux » des Shilluk aperçus dans leurs embarcations de joncs tenait sans doute à ce que leur corps, préalablement graissé, avait été frotté de cendre.

15 mai (p. 309, par. dernier).

Alors que nous séjournions chez les Dogons de Sanga, « ma tendance au vertige » s'est manifestée une fois, de façon assez ridicule : au cours d'une excursion sur le plateau — allant, je crois, vers l'ancien village d'I — nous dûmes, Schaeffner et moi, nous séparer de nos compagnons, ne pouvant prendre sur nous de franchir une faille rocheuse (il est vrai, profonde d'une bonne centaine de mètres et aux parois franchement verticales) alors qu'il suffisait d'une bonne enjambée pour passer de l'autre côté. Tout d'abord, chacun de nous avait ri, pensant à l'embarras de l'autre pour sauter le pas, mais, finalement, nous avions été l'un comme l'autre paralysés.

23 mai (p. 319, par. 1) et passim.

Non des « galettes » mais des crêpes, ce qu'en amharique on appelle *enjera*.

19 juillet (p. 399, par. 3).

Le titre d'*alaqa* est habituellement donné aux clercs ou *dabtara*.

5 septembre (p. 451, par. dernier, p. 452, par. 1).

Les oiseaux en question étaient destinés aux collections du Muséum national d'Histoire naturelle.

20 septembre 1932 (p. 489, par. 8) et passim.

Après diverses oscillations, j'ai reconnu que le mot *mora* désigne bel et bien le péritoine, et non pas le diaphragme.

1 octobre 1932 et suivants (p. 512 sq.).

J'ai donné de cette cérémonie un récit plus étoffé, dans « Minotaure », nᵒ 2 : *Le Taureau de Seyfou Tchenger*. De même, on trouvera dans *Æthiopica*, 3ᵉ année, nᵒ 2, une étude sur le rite auquel j'ai assisté le 11 octobre au matin (*Un rite médico-magique éthiopien : le jet du danqarâ*). Deux articles parus, l'un dans *Æthiopica*, 2ᵉ année, nᵒˢ 3 et 4, *Le Culte des zars à Gondar (Éthiopie septentrionale)*, l'autre dans le *Journal de psychologie normale et pathologique*, XXXVᵉ année, nᵒˢ 1-2, *La Croyance aux génies « zar » en Éthiopie du Nord*, apportent sur la question du zar abyssin des vues, par définition, plus élaborées que les documents bruts (observations ou impressions) qui figurent dans le présent journal de route.

16 octobre (p. 533, par. 1).

Pensant que Yeshi Arag souffrait tout simplement d'un épanchement de synovie, Larget avait préconisé les soins de l'infirmerie consulaire. Malgré ma piété envers les zar, je m'étais rangé à cette opinion et avais parlé en ce sens à Malkam-Ayyahou. Autorisation fut donc demandée par celle-ci, au zar supposé tourmenter Yeshi Arag (qu'on interrogea au cours d'une transe de cette dernière), de la remettre entre les mains d'Ibrahim. Malkam-Ayyahou ne manqua pas de porter au compte dudit zar le mieux que ressentit Yeshi Arag après l'intervention et, ainsi, sauva la face.

20 décembre (p. 611, par. dernier).

C'est pourtant parce que l'Abyssinie n'était pas « colonie » — et pas seulement, outre que c'est là le seul endroit où nous ayons un peu longuement séjourné, parce que son christianisme ancien la rend plus proche culturellement de l'Europe que ne le sont d'autres régions de l'Afrique — que je m'y suis senti, tout compte fait, plus *en contact* que dans les autres pays que nous avons visités, pays dont les habitants tendaient à se présenter à moi comme des ombres plutôt que comme des partenaires consistants. Bons ou mauvais, l'on a des rapports plus sains avec des gens libres qu'avec des gens sous tutelle, le rapport du maître au serviteur ne pouvant jamais être un rapport pleinement humain.

26 décembre (p. 618, par. dernier, p. 619, par. 2).

Si le docteur avait un peu plus réfléchi, sans doute aurait-il épilogué sur l'affaire du coup donné au « manœuvre indigène célèbre dans le pays pour le grand développement de son organe viril ». Il aurait remarqué combien la réaction d'Axel Heyst — ce mouvement de fureur puritaine à l'égard d'un homme de couleur — le montrait obscurément contaminé, malgré l'ouverture d'esprit qu'on peut lui supposer, par un des pires préjugés racistes : celui qui, aux yeux de nombreux Blancs, change les Noirs en rivaux sexuels dangereux qu'il est urgent de tenir à distance. Et peut-être aurait-il soupçonné que, si Heyst n'était pas parvenu à éviter le suicide, c'est que la crainte dont il souffrait de s'avérer intérieur — marquant le prix élevé qu'il attachait à son prestige et le souci trop grand qu'il avait de lui-même — ne pouvait pas se liquider sans une conversion radicale, telle qu'en une femme, par exemple, il aurait su ne plus voir q e *cette* femme au lieu de la réduire à l'état d'instrument lui permettant de tenter une expérience ou de faire ses preuves ; telle en somme que, d'une manière tout à fait générale, inquiet de *virilité* à un moindre degré il se fût révélé plus prodigue de pure et simple *humanité*.

2 janvier 1933 (p. 624, par. dernier).

Il me faut bien avouer que j'ai fort peu pratiqué ie tennis (comme tous les autres sports) et ai toujours été un joueur exécrable, même dans ma meilleure forme.

12 janvier (p. 629, par. 3)

Guéri du « mirage exotique » — ce qui, assurément, représentait un pas dans le sens d'une vue plus réaliste des choses — j'étais encore trop égocentrique pour ne pas céder au dépit. M'en prenant aux « femmes de couleur » dont j'avais tant rêvé, je les ravalais maintenant par boutade au rang de vulgaires animaux, comme si l'amour fait avec quelqu'un sans nulle communication possible sur le plan du langage et dans des conditions telles qu'on ne peut être uni à lui par un minimum d'entente érotique n'avait pas toutes chances, en effet, de ne guère se différencier de la bestialité.

12 février (p. 645, par. 4).

Avec les thèmes sexuels, le thème de l'horreur de la guerre et celui de l'objection de conscience interviennent, à la manière de *leitmotive,* tout le long de ce journal. Parmi les « radios de ce matin », je notai bien la résolution prise par un groupe d'anciens étudiants d'Oxford ; mais je ne notai pas l'annonce d'un événement survenu en Allemagne : la désignation du leader national-socialiste Adolf Hitler comme chancelier du Reich. Je sous-estimais, évidemment, l'importance de cette nouvelle et ne voyais pas combien cette guerre, que depuis si longtemps je croyais imminente, s'avérait d'un seul coup certaine et relativement proche. Sans doute étais-je aussi fasciné à tel point par tout ce qui est prise de position morale, sur un mode spectaculaire, qu'un manifeste tel que celui des anciens d'Oxford m'apparaissait plus digne de mention que, dans toute sa nudité de fait, un simple fait très réel inaugurant (ce dont j'étais empêché de me rendre compte, dans la mesure même où m'obnubilaient mes problèmes personnels) une série telle que, bientôt, somnolence et repli sur soi seraient devenus difficiles.

Aux Éditions Gallimard

Voyages

L'AFRIQUE FANTÔME. De Dakar à Djibouti (1931-1933). *Nouv. éd. en 1951.*

CONTACTS DE CIVILISATIONS EN MARTINIQUE ET EN GUADELOUPE.

Essais

L'ÂGE D'HOMME, *précédé de* De la littérature considérée comme une tauromachie.

LA RÈGLE DU JEU :
   I : BIFFURES.
  II : FOURBIS.
 III : FIBRILLES.
 IV : FRÊLE BRUIT.

LE RUBAN AU COU D'OLYMPIA.

LANGAGE TANGAGE *ou* Ce que les mots me disent.

À COR ET À CRI.

Poésie

HAUT MAL.

MOTS SANS MÉMOIRE.

NUITS SANS NUIT ET QUELQUES JOURS SANS JOUR.

Roman

AURORA.

Dans la collection « L'Univers des Formes »

AFRIQUE NOIRE *(en collaboration avec Jacqueline Delange).*

Dans la collection « Quarto »

MIROIR DE L'AFRIQUE

tel

Volumes parus

367. Raymond Aron : *Penser la guerre, Clausewitz*, I.
368. Raymond Aron : *Penser la guerre, Clausewitz*, II.
369. Paul Mattick : *Marx et Keynes.*
370. Robert Darnton : *Bohème littéraire et Révolution.*
371. Louis Massignon : *La Passion de Husayn ibn Mansûr Hallâj*, I.
372. Louis Massignon : *La Passion de Husayn ibn Mansûr Hallâj*, II.
373. Louis Massignon : *La Passion de Husayn ibn Mansûr Hallâj*, III.
374. Louis Massignon : *La Passion de Husayn ibn Mansûr Hallâj*, IV.
375. Yves Pagès : *Céline, fictions du politique.*
376. Annie Le Brun : *Les châteaux de la subversion.*
377. Jean-Paul Sartre : *Saint Genet, comédien et martyr.*
378. Hans Magnus Enzensberger : *Politique et crime.*
379. Jürgen Habermas : *Le discours philosophique de la modernité.*
380. Luc Boltanski/Ève Chiapello : *Le nouvel esprit du capitalisme.*
381. Raymond Bellour : *Lire Michaux.*
382. Michel Schneider : *Voleur de mots.*
383. Yosef Hayim Yerushalmi : *Le Moïse de Freud.*
384. Hilary Putnam : *Le Réalisme à visage humain.*
385. Rudolf Eisler : *Kant-Lexikon*, I.
386. Rudolf Eisler : *Kant-Lexikon*, II.
387. Jean-François Kervegan : *Que faire de Carl Schmitt ?*
388. Nadejda Mandelstam : *Contre tout espoir, Souvenirs.*
389. Jean-Marc Durand-Gasselin : *L'école de Francfort.*
390. Michel Surya : *Georges Bataille, la mort à l'œuvre.*
391. Pierre Guenancia : *Descartes et l'ordre politique.*
392. René Descartes : *Correspondance*, I.
393. René Descartes : *Correspondance*, II.
394. Michel Chodkiewicz : *Le Sceau des saints.*
395. Marc Fumaroli : *Le sablier renversé.*
396. Jean-Yves Tadié : *Le roman d'aventures.*
397. Roberto Calasso : *La littérature et les dieux.*
398. Moshe Lewin : *La formation du système soviétique.*
399. Patrick Verley : *L'échelle du monde.*
400. Nadejda Mandelstam : *Contre tout espoir, Souvenirs*, II.
401. Nadejda Mandelstam : *Contre tout espoir, Souvenirs*, III.
402. Marcelin Pleynet : *Lautréamont.*

Composition Bussière.
Impression CPI Firmin-Didot
à Mesnil-sur-l'Estrée, le 22 septembre 2015.
Dépôt légal : septembre 2015.
1ᵉʳ dépôt légal : janvier 1988.
Numéro d'imprimeur : 130348.

ISBN 978-2-07-071188-8/Imprimé en France.

294815

AN ORIGINAL SINCE 1871

LUCKY STRIKE

NT HARMS YOUR BABY
ficers' Warning

REGULARS
g Nicotine

The 1999 edition of "Who Works in Formula One"
is heartfully dedicated to :

Mika HAKKINEN

who did not break under pressure.

WHO WORKS

in F1
Formula 1 ™

by
François-Michel GRÉGOIRE

1999

ACKNOWLEDGMENT

Any book of this size and scope requires some grateful acknowledgment to a number of key people who have worked behind the scenes or helped to bring this book to you.

Thanks to :

Philip ALBERA
Fabrice BOURGEOIS-ARMURIER
Eric BRAME
Jean Pierre COLLY
Eric DENDAUW
Nicolas DUQUESNE
Dorian DURROWS
Bernie ECCLESTONE
Antonio FERREIRA DE ALMEIDA
Christophe GAILLARD
Jean Marc GALEA
Doug GREEN
Jean LANGEVIN
Russell LEWIS
Mai LINDSTROM
Bob LOBELL
David MARREN
Lisa MATTINGLY
Jean Paul MINASSIAN
Thomas ORONTI
Detler REINHART
Olaf SCHWAIER
Bernard THOMAS
Pekka YLÄNKÖ

Thanks also to :

Gail FIFETT
Françis MASTERS
Patrizia SPINELLI
Stuart SYKES
and
Patrick BURCHKALTER
Patrick GRIVAZ
Jean Marc LOUBAT
for their huge sense of humour

and my wonderful family for their continued support

10th anniversary

AUTHOR'S NOTE

*The astonishing season that we lived last year
may not be over after all : as in the past,
Formula One cannot be slowed down.*

*It is amazing to see how Formula One has become
an extraordinary field of technology,
safety and... record-breaking speed.*

*With or without turbo engines, driver aides or superior
brakes, engineers, designers, tyres manufacturers and pilots
always find a way to race faster, more reliable cars.*

*Motorsport should always benefit from the talent of teams
such as Williams, McLaren, Ferrari or Benetton.*

*These pilots and this brain matter will stay on
if Formula One remains what it was meant to be :
the best and fastest cars on the planet.*

François-Michel GREGOIRE

Note to the reader : *The information contained in this guide are obtained from those
portrayed (teams, sponsors, suppliers, media, organizers, etc...) or by journalistic
investigations which validity has been meticulously checked.
Insertion in the Who Works in Formula One is* **totally free of charge.**

*This is why any team, company or individual missing in the 1998 edition could almost
only be caused by a refusal to answer our questionnaires, therefore depriving the public
of the different characteristics of their organization.*

Formula One, at fifty, is in a healthier state than ever.

New teams, new drivers, new venues : the 1999 season offers all of these as the FIA Formula 1 World Championship continues to grow and prosper.

Malaysia adds an exotic Asian destination to the list of countries which Grand Prix racing visits this year. Next year, one of the great motor racing centres of the world will be a Grand Prix venue again when Formula 1 returns to the United States of America at the Indianapolis Motor Speedway.

While hundreds of millions of television viewers enjoy the spectacle of Formula One, what they see is only the tip of the iceberg. At each circuit, over 10.000 people work backstage in many different areas of the sport to bring Formula One to you.

Some of these hard-working people who make Formula One the world-wide spectacle we all know, are listed in this important publication. From the drivers who capture the world's imagination, to the team personnel who give them the cars to do their job, to the sponsors whose investment allows Grand Prix racing to grow, «Who Works in Formula One» is an indispensable guide to the vibrant sporting industry.

Welcome to the world of Formula One.

Bernie

» ...*we keep world champions on course:*

the Formula 1 sho

Official
Supplier

Scuderia
Ferrari

WHEN A SPLIT OF A SECOND IS ALL IT TAKES, each technical detail depends on precision. That is why Sachs only develops state-of-the-art high tech shock absorbers for Formula 1. They weigh a mere 200 grams as opposed to the usual 2.5 kilos found in normal vehicles. Thanks to a computer

ck absorber from Sachs.«

calculated range of spring, the racing car maintains excellent road holding capability. This leads to a gain of decisive tenths of seconds which are needed during each lap in order to win. **Sachs components make it also possible for you to take advantage of our world-renowned state-of-the-art technology.**

SACHS
automotive future

ACCESS

1999 FIA FORMULA ONE WORLD CHAMPIONSHIP

SUMMARY

1999 FIA FORMULA ONE

n°	Drivers	Country
1	Mika HAKKINEN	Finland
2	David COULTHARD	England
3	Michael SCHUMACHER	Germany
4	Eddie IRVINE	Ireland
5	Alessandro ZANARDI	Italy
6	Ralph SCHUMACHER	Germany
7	Damon HILL	England
8	Heinz-Harald FRENTZEN	Germany
9	Giancarlo FISICHELLA	Italy
10	Alexander WURZ	Austria
11	Jean ALESI	France
12	Pedro DINIZ	Brazil
14	Toranosuke TAKAGI	Japan
15	Pedro DE LA ROSA	Spain
16	Rubens BARRICHELLO	Brazil
17	Johnny HERBERT	England
18	Olivier PANIS	France
19	Jarno TRULLI	Italy
20	Luca BADOER	Italy
21	Marc GENE	Spain
22	Jacques VILLENEUVE	Canada
23	Ricardo ZONTA	Brazil

WORLD CHAMPIONSHIP

Engines	Cars
Mercedes FO 110 H	McLaren MP4-14
Mercedes FO 110 H	McLaren MP4-14
Ferrari 048	Ferrari F 399
Ferrari 048	Ferrari F 399
Supertec FB 01	Williams FW 21
Supertec FB 01	Williams FW 21
Mugen-Honda MF 301 HD	Jordan 199
Mugen-Honda MF 301 HD	Jordan 199
Supertec FB 01	Benetton B 199
Supertec FB 01	Benetton B 199
Petronas V10	Sauber C18
Petronas V10	Sauber C18
Arrows A 20E	Arrows A19
Arrows A 20E	Arrows A19
Ford CR1	Stewart SF 3
Ford CR1	Stewart SF 3
Peugeot A18	Prost AP 02
Peugeot A18	Prost AP 02
Ford Zetec R	Minardi M 01
Ford Zetec R	Minardi M 01
Supertec FB 01	BAR PR 01
Supertec FB 01	BAR PR 01

N

com

BRIDGESTONE
ULTIMATE PERFORMANCE

mise

Pictures from 1998 season

Tyres by Bridgestone

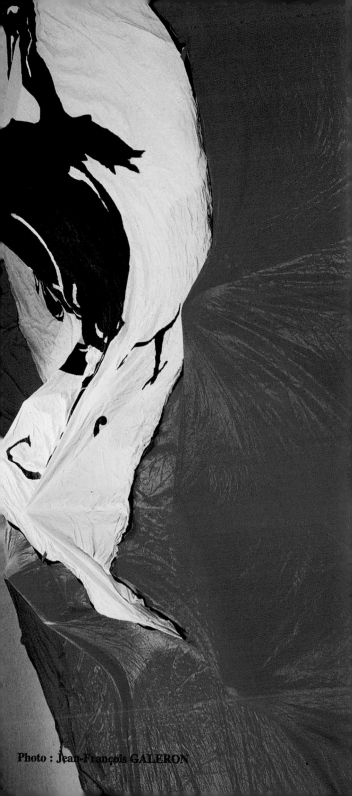

L'Automobile magazine

The

l'Automobile

a to Z

for Aerodynamics. At 150 kph
a Formula 1 car can run upside-down.
John Barnard explains how and why this is possible
in L'Automobile Magazine's Special F1 1999 supplement.

for Belgium. The biggest crash in Formula 1 history.
On August 30, 1998 13 cars piled into each other at the start
of the race at the Spa circuit!

for Cylinders. There are 10 of them in each Formula 1 engine this year.
The best engines in F1 produce around 800 horsepower.
That is what gets through to the rear wheels, although it is really
only 40% of what the engine produces.
The other 60% disappears into the engine block as friction,
heat or vibration.

for Doping. It only happens in other sports?
In September 1998 we uncovered evidence of a different story...

Jean Todt vous fait visiter **Ferrari**

(F)

for Equal. Well, nearly equal.
On September 5 1971 at Monza the winning BRM of Peter Gethin
and Ronnie Peterson's March crossed the line after 55 laps of racing,
separated by only 0.01s. It was the smallest margin
of victory ever recorded in F1.

for Ferrari. At the end of 1998 the team had taken part
in a record 603 Grands Prix, establishing a record of
124 pole positions, a record 119 wins, of which a record 43 were
1-2s, a record 157 second places and a record 144 third places.
Ferrari has won a record 64 races from pole, set a record
33 fastest laps and scored a record 2226.5 World
Championship points. From time to time the team
does have the right not to win…

for Grand Prix. There will have been 646 Grands Prix between
the first at Silverstone on May 13 1950 and the last of F1's 50th F1
season which will take place at Suzuka on October 31 this year.

(G)

1959
Brabham à terre
mais champion

for Hill. The most common name in the F1 record books, having belonged to three successful drivers: the American Phil, who was World Champion in 1961; Britain's Graham, who won titles in 1962 and 1968 and his son Damon, who was World Champion in 1996.

for Invention or Innovation, the prize for which goes to Renault for having introduced the turbocharged engine into F1 in 1977 and for coming up with the V10 design. Two winning concepts.

for Juan-Manuel Fangio. 28 pole positions, 23 lap records, 35 podium finishes, including 24 wins and five World Championships - all of which was achieved in just 51 Grands Prix before his retirement after the French GP, on July 6 1958. The best driver and the most magical.

for Kilometres. In the course of his F1 career, Ayrton Senna led 13,585kms (2,982 laps) in Grand Prix races. An outright record although before 1957 no records were kept.

l for Lella Lombardi, the only woman to have appeared
in a World Championship classification. She scored half a point
by finishing sixth in the 1975 Spanish Grand Prix.

m for McLaren and the exceptional visit that we made
to the headquarters of the team which has won more titles
than anyone else (with 10 Drivers' Championships and
8 Constructors' titles). You can find that story in the
L'Automobile Special F1 1999 Supplement.

n for Navigating in wet conditions. A Formula 1 car can run at 300kph
without a problem. A wet tyre is able to disperse 26 litres
of water every second.

o for Obstinate.
Andrea de Cesaris started in
208 Grands Prix without ever winning a race

P for Pounds, or rather kilogrammes in modern F1 terms. Weight is the enemy of performance. Thirty kilogrammes costs on average one second a lap and needs an extra 50 horsepower to be overcome.

for Qualifying. The highest average speed ever achieved in qualifying was on July 19, 1985 when Keke Rosberg lapped Silverstone in his Williams-Honda at 259.005kph on his way to taking pole position for the British Grand Prix.

for Record. The record for the most pole positions in one season belongs to Nigel Mansell, who qualified fastest for 14 of the 16 Grands Prix in 1992.

for Salary. Every year Ferrari pays £ 12.65m to Michael Schumacher, making him the second best paid sportsman in the world after another Michael, Jordan. He has no connection with Eddie Jordan, the boss of the F1 team with that name. If you want to know which drivers are paid what, read L'Automobile No 629.

for Thirteen. A number which is never used in racing,
unless a driver asks for it. It has been like that since the disastrous
1926 season when two drivers using the number 13 were killed
within a fortnight of one another.

for Universal. From Monaco to Melbourne,
via Suzuka and Sao Paulo, the Formula 1 World Championship
runs for eight months of the year, on four continents.
In the course of 1998 the sport attracted a cumulative
total of nearly 50 billion television viewers.

for Victory. Alain Prost's fabulous record
of 51 Grand Prix successes has yet to be beaten.

for Williams. The Williams team has won
the Constructors' Championship more times than any other team,
having collected a total of nine titles since 1980.

(X)

for Jacky Ickx, a great and flamboyant driver who won eight Grand Prix victories, was twice runner-up in the World Championship and won the Le Mans 24 Hours on six different occasions...

for Yamaha, the creators of
the first F1 "mini-engine" in 1996.
It didn't work very well, but it was the right idea...

for Zeltweg and the funniest accident in F1 history.
Having crossed the finishing line to win the 1975 Austrian Grand Prix,
after a battle with James Hunt, Vittorio Brambilla threw his hands
into the air to celebrate, let go of his steering wheel
- and crashed into the barriers!

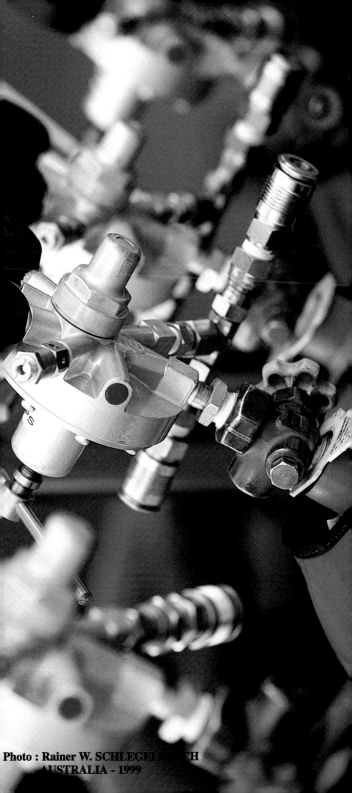

TEAMS

West McLaren Mercedes
FORMULA ONE WORLD CHAMPIONS 1998

McLAREN International Ltd
Unit 22 Woking Business Park, Albert Drive, Sheerwater,
Woking, Surrey GU21 5JY- ENGLAND
Phone : (44) 1483-711311 - Fax : (44) 1483-711312
Web : www.mclaren.co.uk

History

- 1963 : Bruce McLaren forms "Bruce McLaren Motor Racing Ltd".
- 1966 : The McLaren car makes its Formula One debut at the Monaco Grand Prix.
- 1968 : First McLaren Grand Prix win at the Belgian Grand Prix, with Bruce himself driving.
- 1970 : Sadly, Bruce McLaren is killed while testing a Can-Am sportscar at Goodwood.
- 1970-1974 : Despite Bruce's absence, McLaren cars continue to win in F1, Indy and Can-Am racing.
- 1974 : Team McLaren enters partnerships with Philip Morris. Marlboro McLaren capture their first F1 Drivers and Constructors Championships with Fittipaldi.
- 1976 : James Hunt wins the Drivers Championship.
- 1980 : Formation of McLaren International, a merger between Team McLaren and Project Four.
- 1981 : John Watson wins the 1981 British Grand Prix bringing its maiden victory to the new team, and McLaren's 25th. It is the first time that an all carbon-fibre chassis wins an F1 race.
- 1984 : Beginning of the partnership with TAG. The McLaren MP4/2 dominates the World Championship by winning 12 out of 16 races.
- 1985 : Both World Championships fall to McLaren with Alain Prost clinching the Drivers title.
- 1986 : Prost wins his second Drivers title with the McLaren TAG MP4/2C.
- 1988 : Associated with Honda, McLaren takes absolute control of the F1 scene, winning a record 15 out of 16 races. Ayrton Senna joins the team and wins his first Drivers World Championship outright. McLaren secures its fourth Constructors title with the McLaren MP4/4.
- 1989-1991 : McLaren's unprecedented domination of the sport harvest three more consecutive Drivers' and Constructors' Championship with Prost in 1989 and Senna in 1990 and 1991.
- 1993 : McLaren becomes the most successful constructor in the history of Formula One when Senna scores McLaren's 104th Grand Prix victory at the Australian Grand Prix.
- 1995 : McLaren enters a long-term partnership with Mercedes-Benz as engine suppliers.
- 1996 : McLaren finishes 4th in the constructors championship.
- 1997 : McLaren finishes 4th with wins in Australia, Italy and Europe.
- 1998 : The West McLaren Mercedes team wins both the Drivers' and Constructors' Championships. Mika Hakkinen wins eight races and is crowned World Champion as the team collects a record 10th Drivers' Championship. David Coulthard wins one race on his way to finishing third in the Drivers' Championship, and the team also scores five one-two victories during the season.

    McLAREN MERCEDES-BENZ MP4-14

Drivers

1	**Mika HAKKINEN**
2	**David COULTHARD**
Test Driver :	**Nick HEIDFELD**

Team Personnel

Managing Director (TAG McLaren Group):	Ron DENNIS
Managing Director :	Martin WHITMARSH
Technical Director :	Adrian NEWEY
Chief Designer :	Neil OATLEY
Chief Engineer Vehicle Technology :	Paddy LOWE
Chief Engineer Aerodynamics :	Henri DURAND
Project Leader, Composite Dev. :	Matthew JEFFREYS
Project Leader, Suspension :	David NEILSON
Project Leader, Systems :	Mark INGHAM
Project Leader, Aerodynamic Design :	Phil ADEY
Project Leader, Aerodynamic Dev. :	Peter PRODROMOU
Commercial & Marketing Director :	Ekrem SAMI
Team Coordinator :	Jo RAMIREZ
PR and Press Officer :	Anna GUERRIER
Engineer Car N° 1 :	Roger HIGGINS
Engineer Car N° 2:	Tim WHITE

Commercial and Technical Sponsors

Title partner :
REEMTSMA (WEST)
Principal partner :
MERCEDES-BENZ
Corporate partners :
SIEMENS
SCHWEPPES
SCHÜCO
HUGO BOSS
FINLANDIA
TAG HEUER
WARSTEINER
Official suppliers :
CHARMILLES TECHNOLOGIES
GS BATTERY
ENKEI

GARNETT DICKINSON
SAMSUNG
SPORTS MARKETING
SURVEYS
TARGETTI
YAMAZAKI MAZAK

Technology partners :
MOBIL
LOCTITE
KENWOOD
BRITISH AEROSPACE
COMPUTER ASSOCIATES
SUN MICROSYSTEMS
BRIDGESTONE
PTC

29

FERRARI SpA
Via A. Ascari 55-57 - 41053 Maranello (MO) - ITALY
Phone : (39) 536-949111 - Fax : (39) 536-946488
Web : www.ferrari.it

History

In 1929 Enzo Ferrari founded Scuderia Ferrari, in viale Trento in Modena, with the purpose of helping members compete in motor races. Racing activities, in Alfa Romeo cars, continued until 1938, the year in which he became Racing Manager of Alfa Corse. After two years, Enzo Ferrari split with Alfa Romeo and founded Auto Avio Costruzioni Ferrari, in the old Scuderia Ferrari headquarters, to manufacture machine tools, particularly oleodynamic grinding machines.

A the end of the war, the company changed its name to Ferrari. Since then, company cars, driven by the best drivers, have racked up over 5,000 successes on race tracks and roads all over the world, creating a legend. The most important achievements have been 9 Formula 1 Driver's World titles, 14 Manufacturers' World titles, 8 Formula 1 Constructors' World Championships, 9 wins at the Le Mans 24 Hour race, 8 at the Mille Miglia, 7 at the Targa Florio, and, up to the end of 1998, 119 wins in Formula 1 Grands Prix. In 1969, to meet growing market demand, Enzo Ferrari sold 50% of the share capital to the Fiat Group, an investment that increased to 90% in 1988. In spite of this Ferrari has always maintained a strong autonomy, thanks to its specialist activities. The manufacturing plants are located in Modena (bodyworks only) and Maranello.

FERRARI F 399

Drivers

3	**Michael SCHUMACHER**
4	**Eddie IRVINE**
Test Driver :	**Luca BADOER**

Team Personnel

Chairman :	Luca DI MONTEZEMOLO
Team Principal :	Jean TODT
Technical Director :	Ross BRAWN
Team Manager :	Stefano DOMENICALI
Chief Designer :	Rory BYRNE
Head of Engine Dept. :	Paolo MARTINELLI
Engineer car n° 3 :	Ignazio LUNETTA
Engineer car n° 4 :	Luca BALDISSERRI
Engine Engineer car n° 3 :	Vincenzo CASTORINO
Engine Engineer car n° 4 :	Mattia BINOTTO
Race Engines :	Pino D'AGOSTINO
Engineer Test Car :	Luigi MAZZOLA
Chief Mechanic car n° 3 :	Gianni PETTERLINI
Chief Mechanic car n° 4 :	Gianluca SOCIALI
Chief Mechanic Test Car :	Frederico BERTAZZO
Sponsoring :	Stefano DOMENICALI
PR & Press Officer :	Claudio BERRO

Commercial and Technical Sponsors

Major sponsors :
MARLBORO
SHELL
FIAT
FEDEX

Associate sponsors :
MAGNETI MARELLI
BREMBO
TIC TAC
TIM
BRIDGESTONE
GENERAL ELECTRIC
SKF
PPG
AREXONS
TOMMY HILFIGER

Official Suppliers :
CHAMPION
MOMO
TECHNOGYM
TRW SABELT
USAG
VALLEVERDE
Ve.Ca.
CEVOLINI
CIMA
LEAR CORPORATION
REZZATESI
SACHS

WILLIAMS F1

WILLIAMS F1
Grove, Wantage, Oxfordshire OX12 0DQ - ENGLAND
Phone : (44) 1235-777700 - Fax : (44) 1235-764705
Web : www.williamsF1.co.uk

History

Never was the determination and spirit of a leader more clearly illustrated than in the success of Williams Grand Prix Engineering Limited. Franck Williams has overcome setbacks that would have stopped lesser men in their tracks from achieving his ultimate goal of leading from the front the most professional and successful Formula One Grand Prix team.

Team Highlights :

F1 debut :   1978 Argentina
G.P. contested :   332
Victories :   103
Pole positions :   108
Best race laps :   109
Constructors World Champions : 1980 - 1981 - 1986 - 1987 - 1992 - 1993 - 1994 - 1996 - 1997.
Drivers World Champions : Jones (80) - Rosberg (82) - Piquet (87) - Mansell (92) - Prost (93) - Hill (96) - Villeneuve (97).

WILLIAMS FW 21

Drivers

5	**Alessandro ZANARDI**
6	**Ralph SCHUMACHER**
Test Driver :	**Jorg MULLER**

Team Personnel

Managing Director :	Frank WILLIAMS
Technical Director :	Patrick HEAD
Race Team Manager :	Dickie STANFORD
Test Team Manager :	Bryan LAMBERT
Chief Aerodynamicist :	Geoff WILLIS
Chief Designer :	Gavin FISHER
Senior Operations Engineer :	James ROBINSON
Engineer car n° 5 :	Greg WHEELER
Engineer car n° 6 :	Craig WILSON
Chief Mechanic :	Carl GADEN
Electronics Engineer (Supertec) :	Jean Marc BREPSON
Engine Engineer car n° 5 :	Benjamin BARDIAUX
Engine Engineer car n° 6 :	Romuald MAGNIN
Logistics :	Alan CHALLIS
Media Manager :	Jane GORARD
Media Executive :	Lindsay MORLE
Head of Marketing :	Jim WRIGHT

Commercial and Technical Sponsors

Title Sponsor :
WINFIELD
Technical Sponsors :
AUTOMOTIVE PRODUCTS
CASTROL
CHAMPION
KOMATSU
MAGNETI MARELLI
PETROBRAS
Sponsors :
ANDERSEN CONSULTING
AUTO MOTOR UND SPORT
BROTHER INTERNATIONAL
DF1
FUJITSU COMPUTERS
NORTEL NETWORKS
SONAX

UNIVERSAL STUDIOS
VELTINS
Technical Suppliers :
BRIDGESTONE
SPARCO
Official Suppliers :
DU PONT
DSF
ENTRANET/NAT SYSTEMS
OZ RACING
QAD EUROPE
S OLIVER
SNAP-ON TOOLS
Official Charity :
SPINAL INJURIES
ASSOCIATION

33

JORDAN GRAND PRIX
Silverstone, Northamptonshire NN12 8TJ - ENGLAND
Phone : (44) 1327 - 850800 - Fax : (44) 1327 - 858120
Web : www.jordangp.com

History

Seven years after its entry into Formula One, Jordan Grand Prix ranks in the top echelons of the sport. With a buzz and flamboyancy unmatched by its competitors, Jordan will contest the Formula One World Championship as a member of 'The Big Four', aiming to improve further its Championship standing.

After its historic one-two finish in Spa in 1998, the Benson and Hedges Jordan Mugen-Honda team has a new found level of self belief.

For 1999 Jordan Grand Prix boasts its most experienced driver line up. Damon Hill, who will compete for the team for his second successive year, will be joined by Grand Prix winning driver Heinz-Harald Frentzen.

Jordan Grand Prix is located in a four acre site at Silverstone, across the road from Britain's famous motor racing circuit and home at the British Grand Prix. The team's headquarters, a purpose built factory, boasts a technology package worthy of a top Formula One team, including a 40% scale wind tunnel, a seven post rig and gear box test rig. New offices built in 1998 allow Mugen-Honda personnel to work alongside the 165 Jordan employees, thereby enabling on-going development between chassis and engine.

JORDAN MUGEN HONDA 199

Drivers

| 7 | **Damon HILL** |
| 8 | **Heinz-Harald FRENTZEN** |

Team Personnel

Chairman / Team owner :	Eddie JORDAN
Race Director :	Trevor FOSTER
Commercial Director :	Ian PHILLIPS
Team Manager :	Jim VALE
Technical Director :	Mike GASCOYNE
Car Designer :	Mike GASCOYNE
Research & Development :	John DAVIS
Logistics :	Sophie ASHLEY-CARTER
Race Engineer Car n° 7 :	Dino TISO
Race Engineer Car n° 8 :	Sam MICHAEL
Race Engineer Test Car :	Tim HOLLOWAY
Chief Mechanic :	Tim EDWARDS
PR and Press Officer :	Giselle DAVIS
Sponsoring :	Mark GALLAGHER
Hospitality :	Edwards Hospitality

Commercial and Technical Sponsors

Title Sponsor :
BENSON & HEDGES

Co-sponsors :
MUGEN HONDA
MASTER CARD
INTERCOND
LUCENT
PILSNER URQUELL
ARMOR ALL
ESAT-DIGIFONE
EUROPEAN AVIATION
EMC^2
G de Z
BRIDGESTONE
HEWLETT-PACKARD
LAIDLAW
SCANIA
PEARL ASSURANCE
SERENGETI
OS INTEGRATION
IMATION
KEIHIN
NGK
HDC
NATWEST
PLAYSTATION
POWERMARQUE

BENETTON F1 RACING TEAM
Whiteways Technical Centre, Enstone,
Chipping Norton, Oxon OX7 4EE - ENGLAND
Phone: (44) 1608 - 678 000 - Fax : (44) 1608 - 678 609
Web : www.jtnek.ad.jp/www/JT/event/F1/welcome.hthl

History

In just over 13 years, Benetton has made the transition from a Formula One sponsor to a successful Formula One team earning three Championship titles (Drivers' Championship 1994, Drivers' and Constructors' 1995). The team now has a tally of 210 Grands Prix, 16 pole positions, 27 victories and 36 fastest laps, and is one of the most competitive in Formula One, along with the historically more established teams.

The journey from production line to podium begins at the purpose-built Whiteways Technical Centre, Enstone, Oxfordshire, 65 miles northwest of London. All 240 members of the Benetton team make this journey, each one playing his/her part in the construction and marketing of the Benetton B199, ninety per cent of which is built on site. 12,000 components are used in each car, many of which are hand machined, and 4,500 drawings are produced in the design office for one car alone. The factory covers 85,000 square feet in a 17 acre landscaped area. From April 1997 it also incorporates its own state-of-the-art wind tunnel.

BENETTON B 199

Drivers

9	**Giancarlo FISICHELLA**
10	**Alexander WURZ**
Test Driver :	**Laurent REDON**

Team Personnel

President :	Alessandro BENETTON
Chief Executive :	Rocco BENETTON
Technical Director :	Pat SYMONDS
Chief Designer :	Nick WIRTH
Team Manager / Operations Director :	Joan VILLADELPRAT
Research and Development :	Pat SYMONDS
Engineers car n° 9 :	Alan PERMANE Mark HERD
Engineers car n° 10 :	Christian SILK Rod NELSON
Chief mechanic :	M. AINSLEY-COWLISHAW
Electronics Engineer (Supertec) :	Jean-Charles ROY
Engine Engineer car n° 9 :	Christian BLUM
Engine Engineer car n° 10 :	Olivier BEAUCOURT
Marketing Director :	David WARREN
PR & Press Officer :	Andrea FICARELLI

Commercial and Technical Sponsors

Sponsors :
MILD SEVEN
BENETTON GROUP
PLAYLIFE
AGIP
KOREAN AIR

Official suppliers :
SPARCO
FLUENT
MAGNETI MARELLI
FONDMETAL
KOMET
VERITAS
OLICOM
INFORMIX
CHARMILLES
BLACK & DECKER
ARUN

BRIDGESTONE
HEWLETT PACKARD
D2
BOSI
LIFTER
OMB
RAUCH
MINICHAMPS
UNIGRAPHICS SOLUTIONS
LECTRA
RIZ
SEIKI
PPG
PHILIPS LIGHTING
CHAMPION
NOVELL
MASAF
TLT
LUCENT
KICKERS, CYBEX

37

Red Bull
SAUBER PETRONAS

RED BULL SAUBER AG
Wildbachstrasse 9 - CH-8340 Hinwil - SWITZERLAND
Phone : (41) 1 - 938-8300 - Fax : (41) 1 - 938-8301
Web : www.redbull-sauber.ch

History

Team RED BULL SAUBER PETRONAS enters the 1999 Formula One season with ambition, motivation and hunger for success, boosted by last year's result, in fact the best the team has ever achieved in Formula One.

A new power boost for the new RED BULL SAUBER PETRONAS C18 will come from the newly introduced SAUBER PETRONAS V10 engine with the SPE 03A specification. This engine which marks the continuation of the good and trustful co-operation with Ferrari, is one of the most advanced and successful examples of current Formula One engines.

With Frenchman Jean Alesi and Brazilian Pedro Diniz, both cockpit positions are filled with strong and experienced drivers for the 1999 season. Jean Alesi's talents lie in speed and excellent driving mastery combined with reliability and the commitment to move the team ahead in his second season at RED BULL SAUBER PETRONAS. With Pedro Diniz he has a team mate in 1999, who wants to prove to the sceptics that equipped with a competitive race car, he has no problems competing in terms of speed and reliability.

With the new RED BULL SAUBER PETRONAS C18 the drivers have a completely new car at their disposal for the 1999 season which apart from the engine was completely designed and built in Hinwil.

              RED BULL-SAUBER-PETRONAS C18

Drivers

11	Jean ALESI
12	Johnny HERBERT

Team Personnel

Team Principal :	Peter SAUBER
Chief Operating Officer :	Jost CAPITO
Technical Director :	Leo RESS
Car Designer :	Leo RESS
Engine Director :	Osamu GOTO
Research & Development :	Andrew TILLEY
Team Manager :	Beat ZEHNDER
Commercial & Marketing Director :	Daniel ZIMMERMANN
Engineer car n° 11 :	Gabriele DELLI COLLI
Engineer car n° 12 :	Steve CLARK
Track Engineering :	Tim PRESTON
Chief Mechanic :	Urs KURATLE
PR/Marketing Coordination :	Uta MÜLLER
Press Officer :	Roland SCHEDEL

Commercial and Technical Sponsors

Sponsors :
PETRONAS
RED BULL
PARMALAT

Suppliers :
ASTARTE
BRIDGESTONE
CATIA SOLUTIONS
COMPAQ
EMIL FREY
GIROFLEX
ITAL DESIGN

KENWOOD
LISTA
HELBLING
McNEAL-SCHWENDLER
MAGNETI-MARELLI
MAN
MODELLBAU BUBECK
OZ RACING
SACHS
SERVOTEST
SPARCO

ARROWS Grand Prix International
Leafield Technical Centre, Leafield,
Witney, Oxon, OX8 5PF- ENGLAND,
Phone : (44) 1993-871000 - Fax : (44) 1993-871087
E-mail : arrows.gp@twr.co.uk - Web : www.arrows.co.uk

History

- 1977 : ARROWS RACING TEAM, founded, based in Milton Keynes, UK.
- 1978 : Formula 1 debut at the Brazilian GP. Cosworth DFV-engined FA/1 chassis.
  Drivers : Riccardo Patrese/Rolf Stommelen.
- 1979 : Cosworth engine/A1 & A2 chassis. Drivers : Riccardo Patrese/Jochen Mass.
- 1980 : Cosworth engine/A3 chassis. Drivers : Riccardo Patrese/Jochen Mass.
- 1981 : Cosworth engine/A3 chassis. Drivers : Riccardo Patrese/Siegfried Stohr.
- 1982 : Cosworth engine/A4 &A5 chassis. Drivers : Marc Surer/Mauro Baldi.
- 1983 : Cosworth engine/A6 chassis.
  Drivers : Marc Surer/Chico Serra/Alan Jones/Thierry Boutsen.
- 1984 : BMW turbo engine/A7 chassis. Drivers : Marc Surer/Thierry Boutsen.
- 1985 : BMW engine/A8 chassis. Drivers : Thierry Boutsen/Gerhard Berger.
- 1986 : BMW engine/A8 & A9 chassis. Drivers : Thierry Boutsen/Marc Surer/Christian Danner.
- 1987 : BMW engine/A10 chassis. Drivers : Derek Warwick/Eddie Cheever.
- 1988 : BMW engine/A10B chassis. Drivers : Derek Warwick/Eddie Cheever.
- 1989 : Cosworth DFR V8s engine/A11 chassis. Drivers : Derek Warwick/Eddie Cheever.
- 1990 : Cosworth DFR V8s engine/A11B chassis. Drivers : Michele Alboreto/Alex Caffi.
- 1991 : Porsche engine/A11C chassis. Drivers : Michele Alboreto/Alex Caffi.
- 1992 : Mugen V10 engine/Footwork FA13. Drivers : Michele Alboreto/Aguri Suzuki.
- 1993 : Mugen V10 engine/Footwork FA14. Drivers : Derek Warwick/Aguri Suzuki.
- 1994 : Mugen V10 engine/Footwork FA15. Drivers : Christian Fittipaldi/Gianni Morbidelli.
- 1995 : HART V8 engine/Footwork FA16 : Drivers : Gianni Morbidelli/Taki Inoue/Max Papis.
- 1996 : HART Type 830 F1 engine/Footwork FA17. Drivers : Ricardo Rosset/Jos Verstappen.
- 1997 : YAMAHA OX11A engine/Danka Arrows Yamaha A18.
  Drivers : Damon Hill/Pedro Diniz.
- 1998 : ARROWS F1 V10 engine/Danka Zepter Arrows A19. Drivers : Mika Salo/Pedro Diniz.

TWR ARROWS A 20

Drivers

| 14 | Pedro DE LA ROSA |
| 15 | Toranosuke TAGAKI |

Team Personnel

Team owner :	Malik ADO IBRAHIM
Chairman / Team principal :	Tom WALKINSHAW
Managing Director :	Roger SILMAN
Team Manager :	Rod BENOIST
Technical Director :	Mike COUGHLAN
Operations Manager :	Gordon MESSAGE
Racing Projects Manager :	Kevin LEE
Engineer car n° 14 :	Nick CHESTER
Engineer car n° 15 :	Chris DYER
Engineer Spare Car :	Chris MIDDLETON
Chief Mechanic :	Stuart COWIE
Marketing Manager :	Richard WEST
Press Officer :	Christine GORHAM
Hospitality :	Chris LEESE

Commercial and Technical Sponsors

Title sponsors :
REPSOL

Sponsors :
PIAA
VIRGIN

Official suppliers :
FACOM
BRIDGESTONE

STEWART GRAND PRIX
The Stewart Building, Bradbourne Drive, Tilbrook,
MILTON KEYNES, MK7 8BJ - ENGLAND
Phone : (44) 1908-279700 - Fax : (44) 1908-279711

History

First FIA World Championship season : 1997.

Best Grand Prix finish : Second, 1997 Monaco GP (Rubens Barrichello).

Following the creation of Stewart-Ford on January 4, 1996, the Australian Grand Prix of 1997 marked the Stewart team's debut in the Formula One World Championship.

The highlight of that maiden year was the superb drive to second place by Rubens Barrichello on the rain-soaked streets of Monte Carlo.

The Stewart-Ford SF-3, crafted by a design team headed by technical director Gary Anderson, was unveiled in December, 1998.

Stewart Grand Prix is the logical extension of Paul Stewart Racing which has achieved 12 championship wins and 119 victories in other single-seater formulae.

In 1998 the team relocated to an 80,000 sqft state-of-the-art facility in Milton Keynes. The rapid growth of the team has seen the number of SGP personnel increase from 113 in June 1997 to a present figure of 220.

       STEWART FORD SF-3

Drivers

16	Rubens BARRICHELLO
17	Johnny HERBERT

Team Personnel

Chairman :   Jackie STEWART, OBE

Deputy Chairman :   Paul STEWART

Managing Director :   David RING

Technical Director :   Gary ANDERSON

Chief Engineer :   Andy LE FLEMING

Race Director :   Andy MILLER

Race Team Manager :   David STUBBS

Commercial & Marketing Director :   Rob ARMSTRONG

Media Relations Manager :   Cameron KELLEHER

Engineer car n° 16 :   Robin GEARING

Engineer car n° 17 :   Simon SMART

Chief Mechanic :   Dave REDDING

Commercial and Technical Sponsors

Major partners :
HSBC
MCI WORLD COM
FORD
HEWLETT PACKARD

Technology partners :
BRIDGESTONE
UNIGRAPHICS SOLUTIONS
VISTEON
LEAR CORPORATION

Official suppliers :
McNEAL-SCHWENDLER
SODICK
HERTZ
BARR
HIGHLAND SPRING
MSC
SODI-TECH
HITACHI SEIKI
ESPRIT
ROLEX

43

PROST GRAND PRIX
7 Avenue Eugene Freyssinet - 78286 Guyancourt - FRANCE
Phone : (33) 1 39 30 11 00 - Fax : (33) 1 39 30 11 01
Web : www.prostgrandprix.fr

History

When Alain Prost bought the Ligier team in February 1997, he knew he faced a year of hard work to fulfill his ambition to create a French-based, European team, capable of contesting the Formula One World Championship with confidence.

With the launch of the Prost Grand Prix team's first car, the Prost Peugeot AP 01, Alain Prost realised the first of his goals - to create a car of his own, built by a French team, working with great motivation and spirit.

The team has grown from 68 to 200, and it is still growing with the new factory and headquarters at Guyancourt, near Paris.

Thanks to a career during which he drove 199 Grands Prix, Alain is able to draw on a vast reservoir of experience, on the technical side, as well as on the driver's side.

Peugeot's involvement with the team has been an essential element in Alain Prost's decision to create Prost Grand Prix and the arrival of Bernart Dudot to the team, has been of capital importance.

As for the drivers, Alain says they have spent a lot of time together to get to know each others and understand the concept of teamwork and cooperation.

Alain is aware that the Gauloises Prost Peugeot team carries the French challenge in the Formula One World Championship giving a tremendous opportunity to offer the partners a worldwide platform.

PROST PEUGEOT AP 02

18	**Olivier PANIS**
19	**Jarno TRULLI**
Test driver :	**Stephane SARRAZIN**

Team Personnel

President/ Team owner :	Alain PROST
Technical Director :	Bernard DUDOT
B3 Technologies :	John BARNARD
Chief Designer :	Loïc BIGOIS
Head of Research & Development :	Eric BARBAROUX
Aerodynamics :	Ben WOOD
Quality Manager :	Stephane RODRIGUEZ
Team Manager :	Jean Pierre CHATENET
Head of Drawing Office :	Didier PERRIN
Chief Track Engineer :	Vincent GAILLARDOT
Engineer car n° 18 :	Humphrey CORBETT
Engineer car n° 19 :	Gilles ALEGOET
Engine Engineer car n°18 :	Stephane TAILLANDIER
Engine Engineer car n°19 :	Leonel DE CASTRO
Chief Mechanic car n° 18 :	Alain BREYAULT
Chief Mechanic car n° 19 :	Eric DEMEIRA
ICAM Chief Mechanic :	Alain SAUVAGERE
Team Coordinator :	Eric VUILLEMIN
Marketing Manager :	Yves LAMBERT
Head of Communication :	Xavier CRESPIN
Press Officer :	Marie-Pierre DUPASQUIER

Commercial and Technical Sponsors

Team partners :
GAULOISES BLONDES
PEUGEOT
ALCATEL
BRIDGESTONE
CANAL +
PLAYSTATION
BIC, CATIA SOLUTIONS
AGFA
SODEXHO
TOTAL
ALTRAN
NEWMAN
CEGETEL
TRADITION
3M

Official suppliers :
SUN, DESK, DISA, DMG
VOLVO TRUCKS
LVS, CHARMILLES
FENWICK
DILIPACK, ICL, FACOM, SAP
SILICON GRAPHICS
ONERA, SAN
SPARCO, SESCOI
WESTON, IBSV
MONDIAL ASSISTANCE

MINARDI TEAM S.P.A.
Via Spallanzani N° 21 - 48018 Faenza (RA) - ITALY
Phone : (39) 0546-696111 - Fax : (39) 0546-620998
Web : www.minardi.it - E-mail : team@minardi.it

History

The team has competed in Formula 1 since the 1985 season and, at the end of 1997, it had taken part in 205 Grands Prix. A well-established presence in the queen of formulas, from the outset Minardi has subscribed to the Concorde Agreement and ranks 7th in seniority among the teams still competing in Formula One.

In the entire history of Formula One Minardi ranks 11th for the number of Grand Prix races it has competed in. The team has won a total of 27 points.

Over Minardi's 13 years of activity the team has enjoyed partnerships with the following engine manufacturers : Motori Moderni (1985, 86, 87) - Cosworth Mader (1988, 89, 90) - Ferrari (1991) - Lamborghini (1992) - Cosworth Ford (1993, 94, 95, 96) - Hart (1997) - Ford (1998, 1999).

Many young drivers have cut their teeth in the Formula One World Championship in a Minardi car, underscoring the team's commitment to invest in emerging talent. The newcomers who have driven for the Minardi Team include drivers like Alessandro Nannini, Giancarlo Fisichella, Jarno Trulli and in 1998 the nineteen year old Esteban Tuero. It is no accident that another young talented driver has been taken on in 1999 : the 24 year old spaniard Marc Gene.

MINARDI FORD M 01

Drivers

20	**Luca BADOER**
21	**Marc GENE**
Test Driver :	**Gaston MAZZACANE**

Team Personnel

Chairman /Chief Executive :	Gabriele RUMI
General Manager :	Giancarlo MINARDI
Technical Coordinator :	Gabriele TREDOZI
Technical Director :	Gustav BRUNNER
Sporting Director :	Cesario FIORIO
Aerodynamics Manager :	Jean-Claude MIGEOT
Logistics :	Giovanni MINARDI
Chief Mechanic :	Gabriele PAGLIARINI
Engine engineer car n° 20 :	Gianfranco FANTUZZI
Engine engineer car n° 21 :	Jean-François SINTEFF
Car Chief n° 20 :	Paolo PIANCASTELLI
Car Chief n° 21 :	Loreto SANFRATELLO
Press Officer :	Stefania TORELLI
Sponsor Relations :	Massimo CUSIMANO

Commercial and Technical Sponsors

Title sponsors :	**Major sponsors :**
FONDMETAL	DOIMO
TELEFONICA	ROCES
Technology partners :	MUSASHI
BRIDGESTONE	QUILMES
FORD	FREZZA
MAGNETI MARELLI	EL DIA

BRITISH AMERICAN
RACING

A Tradition of Excellence

BRITISH AMERICAN RACING
Brackley, Northamptonshire NN13 7BD - ENGLAND
Phone : (44) 1280 - 844000 - Fax : (44) 1280 - 844001
Web : www.britishamericanracing.com

History

November 25, 1997 :	British American Racing formed as a legal entity New team purchases Tyrrell Racing Organisation. Craig Pollock appointed Managing Director. Adrian Reynard appointed Technical Director. Rick Gorne appointed Commercial Director
December 2, 1997 :	New team is launched at international press conference.
June 22, 1998 :	Engine supply agreement announced with Supertec Sport.
July 8,1998 :	"Bolting ceremony" staged at Brackley to mark official completion of the external structure of the new British American Racing factory and headquarters.
July 16, 1998 :	Jean-Christophe Boullion signs as test driver
July 23, 1998 :	Jacques Villeneuve signs to drive for British American Racing in 1999-2000
September 18, 1998 :	Bouillon tests a modified Tyrrell 026 chassis fitted with Supertec V10 engine at Silverstone
September 21, 1998 :	Jerry Forsythe joins British American Racing Board of Directors.
October 27, 1998 :	Ricardo Zonta, newly crowned FIA GT champion, signs to drive for British American Racing in 1999-2000
December 15, 1998 :	Jacques Villeneuve tests British American Racing-Supertec 01 for the first time in Barcelona
January 6, 1999 :	British American Racing Official Team Launch 1999 takes place at Brackley headquarters
March 7, 1999 :	First ever Grand Prix Australian F1 GP

BAR PR 01

Drivers

22	**Jacques VILLENEUVE**
23	**Ricardo ZONTA**
Test Driver :	**Patrick LEMARIE**

Team Personnel

Managing Director :	Craig POLLOCK
Technical Director :	Adrian REYNARD
Car Designer :	Malcolm OASTLER
Team Manager :	Greg FIELD
Commercial & Marketing Director :	Rick GORNE
Chief Engineer :	Steve FARRELL
Race Engineer car n° 22 :	Jock CLEAR
Race Engineer car n° 23 :	Mick COOK
Engine Engineer car n° 22 :	Fabrice LOM
Engine Engineer car n° 23 :	Remi TAFFIN
Test Team Manager :	Robert SYNGE
Chief Mechanic car n° 22:	David BOYS
Chief Mechanic car n° 23 :	Christophe BOUQUENIAUX
Electronics Engineer :	Bertrand SOULIER
Media Relations Manager :	Patrizia SPINELLI

Commercial and Technical Sponsors

Title Sponsor :
BRITISH AMERICAN TOBACCO (BAT)
Sponsors & Suppliers :
KONI
CARRIER
SPIRE TELECOM
MALAGUTTI
EQUANT
SUPERTEC
TELEGLOBE
EXCEL
MAGNETI MARELLI

Philippe STREIFF and BERCY

17th Formula One Grand Prix for some, great show for others, the ELF Masters has become one of the great international successes of Bercy and of the motor racing.

Philippe STREIFF and the SIPAS created and succeeded in maintaining the fantastic challenge of bringing together the best Formula One and Indy-Cart drivers in identical go-karts, in the unique and magical environment of the Palais Omnisport of Paris-Bercy.

For this occasion and during 24 hours, Bercy will be transformed into a genuine miniature racing track including all the usual driver equipments. The roaring of the go-karts mixed with the powerful music and the impressing light show made the hearts of a worldwide audience and of T.V. viewers thrill.

Before the astounded eyes of the viewers enthralled by the presence of their stars, the Formula One drivers will be the kings of the show, happy to come at Philippe STREIFF's usual invitation, and also to be able to perform in front of a frenzied and fully supporting crowd.

ELF Masters magic has been working since 1993 : sports and techniques credibility, new equipments better suited to indoor restraints and drivers requirements, new selective reassuring layout in the stadium and the walk-ways, closeness between stars and public, new presentation show, American atmosphere, giant screens, pictures of the wings and on-board cameras, tremendous competitions on the track, hustles under the BRIDGESTONE tyre, controlled skids, two-wheels overtakings, breathtaking stopwatche performances, (the PILOT PEN Trophy «the best climing up» will be at stake again), lively races with qualifications and finals, far away from the usual Grand Prix pressure.

Some figures about ELF Masters : 24,000 viewers, 200

international accredited journalists, 21 cameras along the 550 metre track, a 10-hour broadcast on all channels in France, a showing of more than 60 hours worldwide, audience records for the special T.V. broadcasts, a VIP village housing, 2,000 guests, a number of renowned partners.

PHILIPPE STREIFF MOTORSPORT
Phone : (33) 01 47 08 56 71
Fax : (33) 01 47 08 50 59

DRIVERS

1   Mika HAKKINEN

DRIVER

TEAM: McLAREN

Biography

Date of birth :	28 September 1968 - Helsinki - **Finnish**
Marital status :	Married to Erja
Lives :	Monaco

Career summary

Starts : 112   **Poles :** 10   **Wins :** 9   **BWCP :** 1th (1998)

H : 1,79 m   **W :** 70 kg   **Age :** 30

- 1983 : Finnish Champion in FN series
- 1984/1985 : Finnish Champion in FA series
- 1986 : Finnish Champion in FA series
- 1987 : Finnish, Swedish and Nordic champion in F. Ford 1600 series
- 1988 : European champion in GM Lotus series
- 1989 : 7th British F3 Championship
- 1990 : British champion in F3
- 1991 : Lotus : 5th San Marino
- 1992 : Lotus : 4th France and Hungary
- 1993 : McLaren test driver (3 races : 3rd Japan)
- 1994 : McLaren. 2nd Belgium, 3rd San Marino, Britain, Italy, Portugal, Europe
- 1995 : McLaren. 2nd Italy and Japan
- 1996 : McLaren. 3rd Britain, Belgium, Italy, Japan
- 1997 : McLaren. Wins Europe, 3rd Australia and Germany
- 1998 : McLaren. Wins Australia, Brazil, Spain, Monaco, Austria, Germany, Luxembourg and Japan. 2nd Argentina and Britain - **World Champion**

Hobbies

- Badminton, Ski, Running.

2   David COULTHARD

DRIVER

TEAM : McLAREN

Biography

Date of birth :	27 March 1971 - Twynholm - **Scottish**
Marital status :	Single
Lives :	Twynholm and Monte Carlo

Career summary

Starts : 74   **Poles :** 8   **Wins :** 4   **BWCP :** 3rd (1995-97-98)

H : 1,82 m   **W :** 75 kg   **Age :** 28

- 1983/1985 : Scottisch Junior Kart Champion in 1983, 1984 and 1985
- 1986/1987 : Scottish Open and British Super 1 Kart Champion
- 1988 : Scottish Open Kart Champion
- 1989 : Participated in both Junior FF1600 Championships. Dominated both, winning both Championships
- 1990 : Competed in both the British Vauxhall Lotus Challenge and the GM Lotus Euroseries
- 1991 : Second in the British F3 Championship winning five rounds. Won the non-championship races at Zandvoort and Macau
- 1992 : Finished ninth in the European F3000 Championship
- 1993 : Finished third in the F3000 Championship winning in Enna. Drove for Jaguar in the Le Mans 24 H Race and won the GT class
- 1994 : Williams F1 : 2nd Portugal, 4th Belgium
- 1995 : Williams F1 : 5 poles, 1 win Portugal, 3rd at Drivers' Championship
- 1996 : McLaren: 2nd Monaco, 3rd Europe
- 1997 : McLaren : wins Australia and Italy, 2nd Austria and Europe
- 1998 : McLaren : wins San Marino, 2nd Australia, Brazil, Spain, Austria, Germany and Hungary

Hobbies

- Motorsport, Music.

3 Michael SCHUMACHER

DRIVER

TEAM : FERRARI

Biography

Date of birth :	3 January 1969 - Kerpen - **German**
Marital status :	Married to Corinna - Two children (Gina, Mick)
Lives :	Switzerland

Career summary

Starts : 118   **Poles :** 20   **Wins :** 33   **BWCP :** 1st (1994, 1995)

H : 1,74 m   **W :** 74 kg   **Age :** 30

- 1989 :   F3 German Vice-Champion
- 1990 :   F3 German Champion, also wins Macau GP - Wins in Mexico with Mercedes in WSPC
- 1991 :   Wins in Japan for Mercedes in WSPC, 2nd in his F 3000 at Sugo in Japan, qualifies 7th for his first F1 GP in Belgium with Jordan, finishing 5th at Monza on Benetton
- 1992 :   Benetton with his first win in Belgium
- 1993 :   Benetton. Wins Portugal
- 1994 :   Benetton. Wins Brazil, Pacific, San Marino, Monaco, Canada, France, Hungary, Europe
  Drivers' World Champion
- 1995 :   Benetton. Wins Brazil, Spain, Monaco, France, Germany, Belgium, Europe, Pacific, Japan
  Drivers' World Champion
- 1996 :   Ferrari : wins Spain, Belgium, Italy
- 1997 :   Ferrari : wins Monaco, Canada, France, Belgium, Japan
- 1998 :   Ferrari : wins Argentina, Canada, France, Britain, Hungary and Italy

Hobbies

- Watches, Karting, Cinema.

4 Eddie IRVINE

DRIVER

TEAM : FERRARI

Biography

Date of birth : 10 November 1965 - Newtownards - **Irish**
Marital status : Single
Lives : Dublin and Bologna

Career summary

Starts : 81   **Poles :** —   **Wins :** —   **BWCP :** 4th (1998)
H : 1,78 m   **W :** 70 kg   **Age :** 33

- 1983 :   Racing debut in Irish FF1600 series
- 1984/1986 : Private entrant in Irish FF1600 series
- 1987 :   Works Van Diemen FF1600 drive; Winner of RAC
                Championship, Esso Championship and Formula Ford
                Festival
- 1988 :   British F3 Championship
                Heat winner at Macau G.P. setting new lap record
- 1989 :   International F 3000 Championship
- 1990 :   3rd in International F 3000 Championship
- 1991 :   7th in Japanese F 3000 Championship
- 1992 :   8th in Japanese F 3000 Championship
- 1993 :   2nd in Japanese F 3000 Championship
                New Lap Record and 4th overall at Le Mans (Toyota)
                F1 debut with Jordan - 6 th at Japanese G.P.
- 1994 :   Jordan. 4th Europe, 5th Japan, 6th Spain
- 1995 :   Jordan. 3rd Canada, 4th Japan
- 1996 :   Ferrari. 3rd Australia, 4th San Marin
- 1997 :   Ferrari. 2nd Argentina, 3rd San Marino, Monaco,
                France, Japan.
- 1998 :   Ferrari. 2nd France, Italy, Japan

Hobbies

- Fishing, Helicopters.

5 Alex ZANARDI

DRIVER

TEAM : WILLIAMS

Biography

Date of birth :	23 October 1966 - Bologna - **Italian**
Marital status :	Married to Daniela, one son (Niccolo)
Lives :	Monaco

Career summary

Starts : 25   **Poles :** —   **Wins :** —   **BWCP :** 20th (1993)
H : 1,76 m   **W :** 71 kg   **Age :** 32

- 1980/1987 : Italian Kart Champion in 1985 and 1986 before becoming European Kart Champion in 1987.
- 1988 : Italian Formula 3 Championship - 12th place
- 1989 : Italian Formula 3 Championship - 7th place after scoring two pole positions. F3000 debut at Dijon - finished 16th
- 1990 : Italian Formula 3 Championship - Runner up with two race wins. Winner of the Formula 3 European Cup at Le Mans.
  Pole position at the prestigious Formula 3 race in Monaco.
- 1991 : Runner up in the FIA F3000 Championship with two race wins and four second places. Alex made his debut in Formula One, competing in three races for Jordan.
- 1992 : Test driver for Benetton team. Replaced Fittipaldi at Minardi for three Grand Prix.
- 1993 : Formula One with Team Lotus. His best result was sixth place in Brazil (1pt). During practice for the Belgian Grand Prix, Alex had a hudge accident at Eau Rouge.
- 1994 : Alex recovered well and, after starting the year as Lotus'test driver, he took over from the injured Pedro Lamy after Monaco.
- 1995 : Team Lotus went into receivership, finally closing its door just prior to the start of the 1995 season. With all the Formula One seats taken, Alex debuted the new Lotus Elite in both the FIA and BRDC GT series and won the GT2 category at Silverstone.
- 1996 : Alex decided to try his luck in the Indy Car World Series. His first win came in Portland with two further victories in Ohio and Laguna Seca. Named 'Rookie of the Year'.
- 1997 : PPG CART World Series Champion. He stormed his way to championship victory with wins at Long Beach, Cleveland, Michigan, Ohio and Elkhart Lake.
- 1998 : PPG CART World Series Champion. With wins at Long Beach, Gateway, Detroit, Portland, Cleveland, Toronto and Surfer's Paradise.

Hobbies

- Skiing, Mountain Biking, Tennis, Fishing, Flying model aeroplanes, Go-karting.

6 Ralf SCHUMACHER

DRIVER

TEAM : WILLIAMS

Biography

Date of birth : 30 June 1975 - Huerth - **German**
Marital status : Single
Lives : Monaco

Career summary

Starts : 33   **Poles :** —   **Wins :** —   **BWCP :** 10th (1998)
H : 1,78 m   **W :** 73 kg   **Age :** 24

- 1991 :   Winner of the NRW Cup and the Gold Cup
          Junior Karting Champion

- 1992 :   2nd - German Karting Championship

- 1993 :   2nd - ADAC Junior Formula Championship
          F3 debut with WTS

- 1994 :   3rd - German F3 Championship with WTS

- 1995 :   1st - Formula 3 World Final in Macau with WTS
          2nd - German F3 Championship with WTS
          2nd - Monaco F3 race with WTS
          2nd - European F3 Championship race at Zandvoort
          with WTS F3000 Test drive for Le Mans Team
          in Suzuka, Japan

- 1996 :   1st - All Nippon F3000 Championship with Le Mans Team
          2nd - Japanese GT Series with McLaren

- 1997 :   One podium finish (3rd Argentina) and 11th in the
          points for first season in Formula One with Jordan

- 1998 :   2nd in Belgium, 10th in the points with Jordan

Hobbies

- Karting, Tennis, Cycling, Backgammon

7 Damon HILL

DRIVER

TEAM : JORDAN

Biography

Date of birth : 17 September 1960 - London - **British**
Marital status : Married to Georgie - 4 children
(Oliver, Joshua, Tabitha, Rosie)
Lives : Dublin

Career summary

Starts : 99   **Poles :** 20   **Wins :** 22   **BWCP :** 1st (1996)

H : 1,82 m   **W :** 70 kg   **Age :** 38

- 1984 : F Ford 1600 - First win at Brands Hatch
- 1985 : F Ford 1600 finishes 3rd in the Esso FF 1600
Championship with 6 wins
- 1986 : British F 3 Championship - finishes 9th
- 1987 : British F 3 Championship - finishes 5th with 2 wins
- 1988 : British F 3 - finishes 3rd with 2 wins
2 races in F 3000 with GA Motorsport
- 1989 : F 3000 - 6 races and Le Mans 24 hour race on Porsche 962
- 1990 : F 3000 with 3 poles, 2 fastest laps and 2nd at Brands Hatch
- 1991 : F 3000 and test and reserve driver for Williams F1
- 1992 : Test driver for Williams, joins Brabham
- 1993 : Williams. Wins : Hungary, Belgium, Italy
- 1994 : Williams. Wins : Spain, England, Belgium, Italy,
Japan, Portugal
- 1995 : Williams. Wins : Argentina, San Marin, Hungary,
Australia
- 1996 : Williams : wins Australia, Brazil, Argentina,
San Marin, Canada, France, Germany, Japan
Drivers' World Champion
- 1997 : Arrows : 12th in the points
- 1998 : Jordan : wins Belgium, 7th in the points.

Hobbies

- Motorcycles, Golf, Guitar playing, Tennis, Skiing.

8 Heinz-Harald FRENTZEN

DRIVER

TEAM : JORDAN

Biography

Date of birth : 18 May 1967 - Moenchengladbach - **German**
Marital status : Single, Girlfriend Tanja
Lives : Monaco

Career summary

Starts : 81   **Poles :** 1   **Wins :** 1   **BWCP :** 2nd (1997)
H : 1,78 m   **W :** 64 kg   **Age :** 31

- 1980/1985 : Karting, German Junior Champion and other titles
- 1986 : Formula Ford 2000
- 1987 : Formula Ford 2000
- 1988 : Formula Opel Lotus, German Champion
- 1989 : Formula 3 German Championship
- 1990 : WSPC in a Mercedes C11, 2nd in Donington/Formula 3000 Championship in a Reynard-Mugen
- 1991 : Formula 3000 Championship in a Lola-Mugen
- 1992 : WSPC (Euro Racing Team)
  Japanese Sports Prototype Car Championship,
  3rd in Mine Japanese Formula 3000 Championship
  in a Lola-Mugen (Nova Engineering Team),
  3rd in Suzuka
- 1993 : Japanese Formula 3000 Lola-Mugen, 2nd in Fuji/Test driver for Mugen (racing engines) and Bridgestone (tyres)
- 1994 : Sauber. 4th France, 5th Pacific, 6th Europe, Japan
- 1995 : Sauber. 3rd Italy, 4th Belgium
- 1996 : Sauber. 4th Monaco, Spain
- 1997 : Williams : pole Monaco, wins Imola
- 1998 : Williams : 7th in the points.

Hobbies

- Karting, Flying model planes

61

9 Giancarlo FISICHELLA

DRIVER

TEAM : BENETTON

Biography

Date of birth: 14 January 1973 - Rome - **Italian**
Marital status: Single
Lives: Monaco

Career summary

Starts: 41   **Poles:** 1   **Wins:** —   **BWCP:** 8th (1997)
H: 1,72 m   **W:** 64 kg   **Age:** 26

- 1984/88 :   Karting
- 1989 :   1st - Hong Kong Kart Grand Prix
              2nd - European Kart Championship
              4th - World Kart Championship
- 1991 :   2nd - European Kart Championship
- 1992 :   Italian F3 Championship
- 1993 :   2nd - Italian F3 Championship
              3rd - European Kart Championship
- 1994 :   1st - Italian F3 Championship
              1st - Monaco F3 Grand Prix
- 1995 :   DTM/ITC with Alfa Romeo
              Test driver for Minardi F1
- 1996 :   F1 debut with Minardi at the Australian GP
              ITC with Alfa Romeo
- 1997 :   F1 with Jordan, 2nd Belgium, 3rd Canada,
              4th San Marino, Monza, Austria, fastest lap Spain
- 1998 :   F1 with Jordan, 2nd Monaco and Canada, pole Austria

Hobbies

- Skiing, Fishing, Football, Tennis.

10   Alexander WURZ

DRIVER

TEAM : BENETTON

Biography

Date of birth : 15 February 1974 - Waidhofen - **Austrian**
Marital status : Engaged to Karin
Lives : Monaco

Career summary

Starts : 19 **Poles :** — **Wins :** — **BWCP :** 7th (1998)
H : 1,87 m **W :** 74 kg **Age :** 25

Alexander Wurz, who joins the Mild Seven Benetton Renault team for the 1997 season as test driver, began his motor racing career at a very early age. He was only twelve years old when he won the BMX World Championship, and he then progressed rapidly through all motor sports, from karting (1989-90), through Formula Ford 1600 (1991-92), to Formula 3 (1993-95).

It was his victory at Le Mans in June 1996, as the youngest driver to win this competition, which drew the attention of the motor racing world. In Autumn 1996 he was given the chance to test for Benetton and the team was so impressed with his technical feedback and lap times that he was subsequently asked to join as official test driver for the 1997 season.

Made his debut in Canadian GP and finished 3rd in the British GP.

His 1998 season displayed remarkable consistency for a relative novice, the young austrian finishing in the points on no less than six occasions.

Hobbies

- Skiing, Snowboarding, Squash and Mountain Biking.

11   Jean ALESI

DRIVER

TEAM : SAUBER

Biography

Date of birth :	11 June 1964 - Avignon - **French**
Marital status :	Lives with Kumiko - Two daughters (Helena, Charlotte)
Lives :	Nyon

Career summary

Starts : 151   **Poles :** 2   **Wins :** 1   **BWCP :** 3rd (1997)

H : 1,70 m   **W :** 75 kg   **Age :** 35

- 1983 :   First victory Renault 5 Cup, Nogaro
- 1986 :   French F3 Championship, 2nd overall, wins Le Mans and Albi
- 1987 :   French F3 Champion with 7 wins and 5 pole positions
- 1988 :   F 3000
- 1989 :   Intercontinental F 3000 Champion.
  Wins: Pau, Birmingham, Spa
  Joins Tyrrell at French G.P. and finishes 4th
- 1990 :   Tyrrell, 2nd USA and Monaco
- 1991 :   Ferrari - 3rd at Monaco
- 1992 :   Ferrari - Finishes 7th at the WDC
- 1993 :   Ferrari. 6th at the WDC
- 1994 :   Ferrari. 2nd England, 3rd Brazil, Canada, Japan, 4th Spain - First Pole (Italian G.P.)
- 1995 :   Ferrari. Wins Canada, 2nd Argentina, San Marin, Great Britain, Europe
- 1996 :   Benetton. 2nd Brazil, Spain, Germany, Italy, 3rd Argentina, Canada, France, Hungary
- 1997 :   Benetton. Pole Monza
- 1998 :   Sauber. First row in Austria, 11th in the points

Hobbies

- Skiing, Tennis, Golf, Waterskiing.

12   Pedro DINIZ

DRIVER

TEAM : SAUBER

Biography

Date of birth :	22 May 1970 - Sao Paulo **- Brazilian**
Marital status :	Single
Lives :	Monaco and Sao Paulo

Career summary

Starts : 66   **Poles :** —   **Wins :** —   **BWCP :** 13th (1998)

H : 1,78 m   **W :** 76 kg   **Age :** 29

- 1989 :   Brazilian Championship F. FORD
- 1990 :   South American Championship F3
- 1991 :   English Championship F3
- 1992 :   English Championship F3
(3rd at Thruxton, 3rd at Brands Hatch)
- 1993 :   European Championship of F3000 with Forti Corse
- 1994 :   European Championship F3000 with Forti
Corse (4th in Portugal)
- 1995 :   Forti F1. 7th in Australia
- 1996 :   Ligier F1 : 6th Spain, Italy
- 1997 :   Arrows F1 : 5th Luxembourg
- 1998 :   Arrows F1 : 5th Belgium

Hobbies

- Travelling, Reading, Waterskiing, Squash.

14 Pedro DE LA ROSA

DRIVER

TEAM : ARROWS

Biography

Date of birth :	24 February 1971 - Barcelona - **Spaniard**
Marital status :	Single
Lives :	Barcelona

Career summary

Starts : —   **Poles :** —   **Wins :** —   **BWCP :** —

H : 1,78 m   **W :** 74 kg   **Age :** 28

Pedro started driving at the age of six, however his motor racing debut was not until 1986 when he first drove in the Spanish Formula Fiat Uno Championship. From then on Pedro excelled within different Formulas including Spanish Formula Renault; British Formula Three; Japanese Formula Three; Formula Nippon F3000 and the All - Japan GT Championship. Gaining experience and gatering awards, Pedro was placed third in the Champion Spark Plug World Drivers rankings in 1997.

1999 signifies Pedro's first season in Formula One driving for the Arrows team.

Hobbies

- Karting, Mountain biking, Radio controlled cars

15   Toranosuke TAKAGI

DRIVER

TEAM : ARROWS

Biography

Date of birth :	12 February 1974 - Shizuoka - **Japanese**
Marital status :	Single
Lives :	Shizuoka

Career summary

Starts : 16   **Poles :** —   **Wins :** —   **BWCP :** —

H : 1,80 m   **W :** 66 kg   **Age :** 25

	Began motor racing career in 1986. Two years later won the All Japan Kart Championship
- 1990/1991 :	All Japan Championship Kart A2 series, won every race in the 1990 season. For 1991 continued to contest the All Japan Championship Kart series - ranking 2nd
- 1992/1993 :	Formula Toyota series with two wins, before he moved up into the All Japan F3 Championship for 1993, where he ranked 10th
- 1994 :	Second year in F3, ranked 5th, one fastest lap. Made his All Japan F3000 debut with Nakajima Planning at round 7 and went on to finish his three races 7th, 8th and 9th respectively
- 1995 :	Second season in the All Japan F3000 Championship, ranked 2nd with three wins, two pole positions and two fastest laps of the year
- 1996 :	Takagi then moved into the All Japan Formula Nippon Championship ranking 4th with two wins, four poles and one fastest lap
- 1997 :	Takagi undertakes role of official test driver for Tyrrell Formula 1 team, while continuing to contest the All Japan Formula Nippon series, scored one win and four poles
- 1998 :	Made his F1 debut with Tyrrell, best result was finishing 9th in Italy and Great Britain

Hobbies

- Karting, Snowboarding.

16 Rubens BARRICHELLO

DRIVER

TEAM : STEWART

Biography

Date of birth :	23 May 1972 - Sao Paulo - **Brazilian**
Marital status :	Married to Silvana
Lives :	Monaco

Career summary

Starts : 97   **Poles :** 1   **Wins :** —   **BWCP :** 6th (1994)

H : 1,72 m   **W :** 71 kg   **Age :** 27

- 1983 :	Wins Brazilian Junior Karting Championship & Sao Paulo City Junior Karting Championship
- 1984 :	Wins Brazilian Junior Karting Championship
- 1985 :	Wins Sao Paulo City «B» Category Karting Championship
- 1986/87/88 :	Wins Sao Paulo City «A» Category Karting Championship Wins Brazilian «A» Category Karting Championship
- 1987 :	Wins South-American 125 cc Karting Championship
- 1989 :	4th: Brazilian Formula Ford Championship
- 1990 :	Wins Opel - Lotus European Championship
- 1991 :	Wins British Formula 3 Championship
- 1992 :	3rd: International F 3000 Championship
- 1993 :	Debut in F1 with JORDAN team
- 1994 :	Jordan. 3rd Pacific, 4th Brazil, England, Italy, Portugal, Australia - First Pole in Belgium
- 1995 :	Jordan. 2nd Portugal
- 1996 :	Jordan
- 1997 :	Stewart Ford - 2nd Monaco
- 1998 :	Stewart. 5th Canada and Spain

Hobbies

- Jet-Skiing.

17 Johnny HERBERT

DRIVER

TEAM : STEWART

Biography

Date of birth :	25 June 1964 - Romford - **British**
Marital status :	Married to Rebecca - 2 daughters (Chloe - Amelia)
Lives :	Monaco

Career summary

Starts : 129   **Poles :** —   **Wins :** 2   **BWCP :** 4th (1995)

H : 1,67 m   **W :** 65 kg   **Age :** 34

- 1989 :   Benetton : finishes 4th Brazil
Joins Tyrrell after Canada to replace Alesi running F 3000

- 1990 :   Lotus : test driver and driver after Donnely's accident in Spain

- 1991 :   Lotus : runs some races with Lotus and Japanese F 3000 Championship and wins the Le Mans «24 hours» for Mazda

- 1992 :   Lotus : Scored two 6th in France and South Africa, one 7th in Mexico

- 1993 :   Lotus. 4th Brasil, Europe, England 9th at the WDC

- 1994 :   Lotus, then Ligier (Europe G.P.) and Benetton (Japan, Australia)

- 1995 :   Benetton. Wins Great Britain and Italy

- 1996 :   Sauber : 3rd Monaco

- 1997 :   Sauber : 3rd Hungary

- 1998 :   Sauber : 6th Australia

Hobbies

- Golf, Radio-controlled cars.

18   Olivier PANIS

DRIVER

TEAM : PROST

Biography

Date of birth :	2 September 1966, Lyon - **French**
Marital status :	Married to Anne
	two children (Aurélien, Caroline)
Lives :	Grenoble

Career summary

Starts : 75   **Poles :** —   **Wins :** 1   **BWCP :** 8th (1995)

H : 1,73 m   **W:** 76 kg   **Age :** 32

- 1981/1987 : Kart

- 1987 : Winner of Volant Elf (Paul Ricard)

- 1988 : 4th at the French Formula Renault Championship

- 1989 : Formula Renault French Champion

- 1990 : 4th at the French F3 Championship

- 1991 : 2nd at the French F3 Championship

- 1992 : 10th at the Intercontinental F 3000 Championship

- 1993 : F 3000 Intercontinental Champion

- 1994 : Ligier F1 : 2nd Germany, 5th Australia, 6th Hungary

- 1995 : Ligier F1 : 2nd Australia, 4th Canada and Great Britain

- 1996 : Ligier F1 : wins Monaco

- 1997 : Prost F1 : 2nd Spain, 3rd Brazil - Wounded during canadian GP - After recovery participates in last three races, 6th Luxembourg

- 1998 : Prost F1

Hobbies

- Cycling, Swimming, Skiing, Music.

19　Jarno TRULLI

DRIVER

TEAM : PROST

Biography

Date of birth :　　13 July 1974 - Pescara - **Italian**
Marital status :　　Single
Lives :　　　　　　Francavilla (Chieti)

Career summary

Starts : 30　　**Poles :** —　　**Wins :** —　　**BWCP :** 15th (1997, 1998)

H : 1,73 m　　　　　　**W :** 60 kg　　　　**Age :** 24

1983/86 :	Karting
1987 :	"Giochi della Gioventù" Class 100 Cadet (Winner)
1988 :	Italian Kart Championship National Class 100 (Champion)
1989 :	Italian Kart Championship National Class 100 (Champion)
	World Kart Championship Class 100 Junior (third place)
	Italian Kart Championship Class 125 (second place)
1990 :	Italian Kart Championship National Class 100 (Champion)
	World Kart Championship Class 100 Junior (second place)
	World Kart Championship Class 100 FA (fourth place)
1991 :	Italian Kart Championship Class 100 SA (fourth place)
	European Kart Championship Class 100 SA (third place)
	World Kart Championship Class 100 SA (Champion)
1992 :	World Kart Championship Class 125 FC (second place)
1993 :	World Kart Championship Class 100 SA (second place)
1994 :	Memorial Senna World Cup Class 100 SA (Winner)
	European Kart Championship Class 100 SA (Champion)
	North American Kart Championship Class 100 SA (Champion)
	World Kart Championship Class 125 FC (Champion)
1995 :	Oceanic Cup Class 100 SA (Winner)
	Italian Kart Championship Class 100 SA (Champion)
	Memorial Senna World Cup Class 100 SA (Winner)
	German F3 Championship (6 races) - KMS Team (fourth place)
1996 :	German F3 Championship - Benetton Junior Team (Champion)
1997 :	Formula 1 - Minardi Team (7 races) - Prost GP 4th Germany
1998 :	Prost GP - 6th Belgium

Hobbies

- Music, Karting, Modelling.

20 Luca BADOER

DRIVER

TEAM : MINARDI

Biography

Date of birth: 25 January 1971 - Montebelluna - **Italian**
Marital status: Single
Lives: Monaco

Career summary

Starts: 35   **Poles:** —   **Wins:** —   **BWCP:** —
H: 1,70 m   **W:** 58 kg   **Age:** 28

- 1985 :   Karting
- 1988 :   Italian Kart champion
- 1990 :   Italian F3 championship (1win at Vallelunga)
- 1991 :   Italian F3 championship (4 wins)
- 1992 :   European F3000 champion (4 wins and 5 pole positions)
- 1993 :   F1 (BMS Scuderia Italia - Lola Ferrari)
- 1994 :   F1 (Minardi Scuderia Italia test driver)
- 1995 :   F1 (Minardi Scuderia Italia)
- 1996 :   F1 (Forti Corse)
- 1997 :   GT Lotus World Championship
- 1998 :   Ferrari test driver
- 1999 :   Ferrari test driver
            Fondmetal Minardi Ford Team driver

Hobbies

- Snowbiking, Motorsports

21   Marc GENE

DRIVER

TEAM : MINARDI

Biography

Date of birth:	29 March 1974 - Sabadell- **Spaniard**
Marital status:	Single
Lives:	Bellaterra

Career summary

Starts : —   Poles : —   Wins : —   BWCP : —

H : 1,73 m   **W :** 69 kg   **Age :** 25

1987 :	Catalan Kart champion (iniciaciòn class)
1988 :	Spanish Kart champion (national class)
	Catalan Kart champion (national class)
1989 :	10th in the European Kart championship (junior class)
	World Karting championship (junior class)
1990 :	Spanish Kart championship
1991 :	Catalan Kart champion (senior class)
	World Kart championship (Formula A)
1992 :	5th in the Spanish Formula Ford championship
	(1win, 2 pole positions)
1993 :	Runner up in the Formula Ford Festival (World Cup)
	Runner up in the European Formula Ford championship
	(1 win, 3 podium)
1994 :	British Formula 3 championship (best rookie)
1995 :	British Formula 3 championship
1996 :	II Fisa Golden Cup Superformula champion
1997 :	International F3000 championship
1998 :	Open Fortuna by Nissan champion
	(6wins, 3 pole positions)
1999 :	F1 - Fondmetal Minardi Ford Team driver

Hobbies

Reading, Scuba diving, Cinema, Mountain biking

22 Jacques VILLENEUVE

DRIVER

TEAM : BAR

Biography

Date of birth :	9 April 1971 - St Jean sur Richelieu - **Canadian**
Marital status :	Single
Lives :	Monaco

Career summary

Starts : 49   **Poles :** 13   **Wins :** 11   **BWCP :** 1st (1997)

H : 1,68 m   **W :** 67 kg   **Age :** 28

- 1989 : Italian F3 Championship
- 1990 : Italian F3 Championship - Finished 14th
- 1991 : Italian F3 Championship - Claimed 3 poles and finished 6th in Championship
- 1992 : Japanese F3 Championship - Won 3 races and finished second in Championship
- 1993 : Competed in all 15 rounds of the Atlantic Series, finished third with seven poles and five victories - Named Rookie of the Year
- 1994 : IndyCar with Forsythe Green - 2nd at the Indy 500, 1st win at Elkhart Lake - Rookie of the Year
- 1995 : IndyCar with Team Green - Won Championship with wins at Indy 500, Miami, Elkhart Lake and Cleveland - Also claimed 6 poles - First drive in F1 Williams
- 1996 : Williams F1 : wins Europe, Great Britain, Hungary, Portugal, 3 poles, 6 best laps
- 1997 : Williams F1 : wins Brazil, Argentina, Spain, Great Britain, Hungary, Austria and Luxembourg **Drivers' World Champion**
- **1998 :** Williams F1 : 3rd Germany, Hungary

Hobbies

- Snow skiing, Guitar, Reading, Computers.

23 Ricardo ZONTA

DRIVER

TEAM : BAR

Biography

Date of birth :	23 March 1976 - Curitiba - **Brazilian**
Marital status :	Single
Lives :	Monaco

Career summary

Starts : —   **Poles :** —   **Wins :** —   **BWCP :** —

H : 1,72 m   **W :** 64 kg   **Age :** 23

- 1987-92 : Karting in Brazil; won first race at age 11 (1987), first championship at 15 (1991)
- 1993 : Formula Chevrolet
- 1994 : Begins Formula Three racing
- 1995 : Formula Three : South American and Brazilian Champion, six victories
- 1996 : FIA Formula 3000, with Draco Engineering, finishes fourth overall; two wins (Mugello, Estoril), two fastest laps, one pole
- 1997 : FIA Formula 3000, with Super Nova, wins Championship with three victories (Nurburgring, Hockenheim, Mugello) and despite being disqualified at Silverstone
- 1998 : FIA Grand Touring Championship, with AMG Mercedes-Benz team. With team mate, Klaus Ludwig, clinched GT1 Championship title at Laguna Seca (USA) with 77 points, finishing ahead of AMG Mercedes-Benz "first-team" of Schneider-Webber (69 points)
- 1999 : British American Racing. driver of 555-Supertec car

Hobbies

- Water skiing

ENGINES

ARROWS

ARROWS G.P. INTERNATIONAL LTD
Leafield Technical Centre,
Leafield, Witney, OXON OX8 5PF - ENGLAND
Phone : (44) 1993 871000 - Fax : (44) 1993 871087

Engine technical specification   A20E

Engine official name :	ARROWS A20E
No. of cylinders :	10 V shape at 72°
No. of valves :	40
Displacement :	2996 cc
Valve Train :	Pneumatic air bottle
Fuel management system :	TAG 2000 ECU
Ignition system :	TAG 2000/TAG ignition coils
Spark plugs :	Champion
Pistons :	Mahle aluminium alloy
Engine block :	Cast Aluminium
Crankshaft :	Steel
Connecting Rods :	Titanium
Dimensions (L, W, H, W) :	608 - 590 - 520 - 115 kg
Partner team :	**ARROWS**

Company Personnel

Chairman :	Tom WALKINSHAW
Managing Director :	Roger SILMAN
Technical Director :	John HILTON
Chief Designer :	John LIEVSEY
R&D Manager :	Norio AOKI
Logistics :	Tony BOND
Telemetry :	Blake ARROWSMITH Pierre GODOF
P.R. and Press Officer :	Christine GORHAM
Liaison with team :	Norio AOKI

FERRARI

FERRARI
Via Ascari 55-57 - 41053 Maranello - ITALY
Phone : (39) 0536 - 949450 - Fax : (39) 0536 - 949436
Web : www.ferrari.it - E-mail : mailbox@ferrari.it

Engine technical specification   048

Engine official name :	FERRARI 048
No. of cylinders :	10 V shape
No. of valves :	40
Displacement :	2997 cc
V angle :	80°
Fuel management system :	Magneti Marelli Digital Electronic
Ignition system :	Magneti Marelli Static Electronic
Spark plugs :	Champion
Engine block :	Aluminium
Crankshaft :	Steel
Supplied team :	**FERRARI**

Company Personnel

Chairman :	Luca DI MONTEZEMOLO
Managing Director :	Jean TODT
Technical Director :	Paolo MARTINELLI
R&D Managers :	Gilles SIMONS
	Paolo QUATTRINI
Logistics :	Miodrag KOTUR
Telemetry :	J.M. SCHMIDT
Chief Track Engineer :	Pino D'AGOSTINO
P.R. and Press Officer :	Claudio BERRO

FORD

NOT
DISCLOSED
BY FORD

COSWORTH RACING LTD
St-James Mill Road - Northampton NN5 5RA - ENGLAND
Phone : (44) 1604 598300 - Fax : (44) 1604 598301

Engine technical specification   CR-1

Engine official name :	FORD-COSWORTH V10 CR-1
No. of cylinders :	10 V shape
No. of valves :	40
Displacement :	2998 cc
V angle :	72°
Fuel management system :	Visteon VCS Vehicle Control System
Ignition system :	Cosworth Racing
Spark plugs :	Champion
Pistons :	Aluminium
Engine block. :	Aluminium
Crankshaft :	Steel
Dimensions (L, W, H, W) :	569 - 506 - 375 - 100 kg
Supplied team :	**STEWART**

Company Personnel

Chairman :	Neil RESSLER
Managing Director :	Dick SCAMMELL
Programme Director F1 :	Nick HAYES
Chief Engineer F1 :	Rob WHITE
Race Support Manager F1 :	Jim BRETT
Programme Manager F1 :	Graham SHEMELD
Build Shop Manager F1 :	Graham AGER
P.R. and Press Officer :	Ellen KOLBY (Ford Racing)

FORD

COSWORTH RACING LTD
The Octagon St-James Mill Road - Northampton NN5 5RA - ENGLAND
Phone : (44) 1604 598300 - Fax : (44) 1604 598301

Engine technical specification   ZETEC-R V10

Engine official name :	FORD ZETEC-R V10
No. of cylinders :	10 V shape
No. of valves :	40
Displacement :	2998 cc
V angle :	72°
Fuel management system :	Magneti Marelli
Ignition system :	Magneti Marelli step 8
Spark plugs :	Champion
Engine block. :	Aluminium
Crankshaft :	Steel, machined by Cosworth
Dimensions (L, W, H, W) :	604 - 536 - 497 - 123 kg
Supplied team :	**MINARDI**

Company Personnel

Chairman :	Neil RESSLER
Managing Director :	Dick SCAMMELL
Technical Director :	Mark PARISH
Chief Engineer :	Stuart BANKS
R&D Manager :	Chris WILLOUGHBY
Field Manager :	Roger GRIFFITHS
P.R. and Press Officer :	Ellen KOLBY (Ford Racing)
Liaison with team :	Roger GRIFFITHS

MERCEDES-BENZ

ILMOR ENGINEERING LTD
Quarry Road, Brixworth, Northants NN6 9UB - ENGLAND
Phone : (44) 1604 880100 - Fax : (44) 1604 882800

Engine technical specification   FO 110 H

Engine official name :	FO 110 H
No. of cylinders :	10 V shape
No. of valves :	40
Displacement :	2998 cc
V angle :	72°
Fuel management system :	TAG 2000
Ignition system :	TAG 2000 Electronics Systems
Spark plugs :	NGK
Pistons :	Forged Aluminium Alloy
Engine block :	Cast Aluminium Alloy
Crankshaft :	Steel
Connecting rods :	Titanium
Dimensions (L, W, H, W) :	590 - 546.4 - 476 - 107 kg
Partner team :	**McLAREN**

Company Personnel

Managing Director :	Paul MORGAN
Chief Engineer :	Mario ILLIEN
Head of F1 Design :	Stuart GROVE
Development Engineering :	Max DE NOVELLIS
Engineering Coordination :	Simon ARMSTRONG
Electronic Systems :	Jim COATS
Trackside Engineering :	Roger HIGGINS
P.R. and Press Officer :	Natasha SPRECKLEY

MUGEN HONDA

MUGEN CO., LTD
2-15-11, Hizaori-cho, Asaka-shi, Saitama-ken, JAPAN 351-8586
Phone : (81) 48 462 3111 - Fax : (81) 48 462 3155

Engine technical specification   MF-301HD

Engine official name :	MUGEN HONDA MF-301HD
No. of cylinders :	10 V shape
No. of valves :	40
Fuel management system :	HONDA PGM-FI
Ignition system :	HONDA PGM-IG
Spark Plugs :	NGK
Dimensions (L, W, H) :	625 - 520 - 455
Supplied team :	**JORDAN**

Company Personnel

Chairman :	Hirotoshi HONDA
Managing Director :	Masao KIMURA
Technical Director :	Masao KIMURA
Chief Engineer :	Tenji SAKAI
R&D manager :	Shin NAGAOSA

PEUGEOT

PEUGEOT SPORT
3, rue Latecoere - BP 68 - 78143 Velizy Cedex - FRANCE
Phone : (33) 1 - 30 70 14 60 - Fax : (33) 1 - 30 70 14 65
Web : www.peugeot.com

Engine technical specification   A 18

Engine official name :	PEUGEOT F1 - A 18
No. of cylinders :	V 10
No. of valves :	40
V angle :	72°
Valve train :	Gear group
Fuel management system :	TAG Electronic
Ignition system :	TAG Electronic
Spark Plugs :	NGK
Engine block :	Light Alloy
Dimensions (L, W, H, W) :	620 - 512 - 393 - 119 kg
Supplied team :	**PROST**

Company Personnel

Chairman :	Jean-Martin FOLZ
Managing Director :	Frédéric SAINT-GEOURS
Director Peugeot Sport :	Corrado PROVERA
Technical Director :	Jean-Pierre BOUDY
R&D Manager :	Guy AUDOUX
Logistics :	Christine FERRAGE
Telemetry and Electronics :	Guy MICARD
Liaison with team :	Jean-François NICOLINO
P.R. and Press Officer :	Jean-Claude LEFEBVRE

SAUBER PETRONAS

SAUBER PETRONAS ENGINEERING AG
Wildbachstrasse 9 - 8340 Hinwil - SWITZERLAND
Phone : (41) 1 - 938-1400 - Fax : (41) 1 - 938-1670

Engine technical specification   SPE 03A

Engine official name :	SAUBER PETRONAS SPE 03A
No. of cylinders :	10 V shape
No. of valves :	40
Displacement :	2997 cc
V angle :	80°
Fuel management system :	Magnetti Marelli
Ignition system :	Magnetti Marelli
Spark Plugs :	Champion
Cylinder Block :	Aluminium
Dimensions (L, W, H, W) :	625 - 592 - 396 - 120 kg
Supplied team :	**SAUBER**

Company Personnel

Managing Director :	Peter SAUBER
Technical Director :	Osamu GOTO
P.R. and Press Officer :	Roland SCHEDEL

SUPERTEC

SUPERTEC
ICC Building
20 Route de Pré-Bois - 1215 Geneva - SWITZERLAND
Phone : (41) 22 710 9950- Fax : (31) 22 710 9996

Engine technical specification   FB01

Engine official name :	SUPERTEC FB01
No. of cylinders :	10
No of valves :	40
Fuel management system :	Magneti Marelli electronic
Ignition system :	Magneti Marelli static
Spark plugs :	Champion
Crankshaft :	Steel
Pistons :	Aluminium alloy
Dimensions (L, W, H, W) :	623 - 542 - 395 - 120
Supplied team :	**BENETTON, WILLIAMS BRITISH AMERICAN RACING**

Company Personnel

Chairman :	Flavio BRIATORE
Managing Director :	Bruno MICHEL
Chief Engineer :	Denis CHEVRIER
R&D Manager :	Philippe COBLENCE
Logisitics :	Michel AMIOT
P.R. and Press Officer :	Rossella PANSERI Phone : (44) 171 594 4100
Liaison with team :	Bruno MICHEL

vrace.com

Free.

CARS

McLAREN

CAR

Technical specification

Official car name :	McLAREN MP4-14
Engine :	Mercedes-Benz V10 FO-110H
Chassis material :	McLaren moulded carbon fibre/ aluminium honeycomb composite
Front suspension :	Inboard torsion bar/damper system operated by pushrod and bell crank with double wishbone arrangement
Rear suspension :	Inboard torsion bar/damper system operated by pushrod and bell crank with double wishbone arrangement
Dampers :	Penske
Gearbox :	McLaren longitudinal six speed semi-automatic
Clutch :	AP Racing
Discs :	Carbone Industrie
Calipers :	AP Racing
Pads :	Carbone Industrie
Cooling system :	McLaren/Calsonic/Marston
Cockpit instrumentation :	TAG Electronics
Driver's seat :	McLaren
Wheels :	Enkei
Tyres :	Bridgestone
Fuel cell :	ATL
Plugs & battery :	NGK/GS
Fuel provider :	Mobil
Lubricants provider :	Mobil 1
Weight :	600 kg (including driver and camera)

FERRARI

CAR

Technical specification

Official car name :	FERRARI F 399
Engine :	FERRARI 048- V10
Chassis material :	Carbon fibre and honeycomb composite structure
Rear & Front suspension :	Independent, pushrod activated torsion springs front and rear
Steering :	FERRARI
Gearbox :	FERRARI seven speed, longitudinal, semi-automatic, sequential
Clutch :	AP Racing
Discs :	Brembo
Calipers :	Brembo
Pads :	Brembo
Cockpit instrumentation :	Magneti Marelli
Seat belts :	TRW Sabelt
Steering wheel :	Momo
Driver's seat :	Profile Seating
Wheels :	BBS
Tyres :	Bridgestone
Fuel cell :	ATL
Plugs & battery :	Champion/Magneti Marelli
Fuel provider :	Shell
Lubricants provider :	Shell
Front Track :	1490 mm
Rear Track :	1405 mm
Wheel base :	3000 mm
Overall Length :	4387 mm
Overall Height :	961 mm
Weight :	600 kg (including driver and camera)

WILLIAMS

CAR

Technical specification

Official car name :	WILLIAMS FW 21
Engine :	Supertec V10 FB 01
Chassis material :	Carbon aramid epoxy composite
Front suspension :	Williams, torsion bar and Williams-Penske dampers
Rear suspension :	Williams, helical coil and Williams-Penske dampers
Dampers :	Williams-Penske
Steering :	Williams
Gearbox :	Six speed Williams transverse semi-automatic
Clutch :	AP Racing
Discs :	Carbone Industrie
Calipers :	AP Racing
Pads :	Carbone Industrie
Cooling system :	Two water and oil radiators
Cockpit instrumentation :	Williams digital data display
Seat belts :	Six-point Willans
Steering wheel :	Williams
Driver's seat :	Anatomically formed in carbon/epoxy composite
Extinguisher system :	Williams with Metron actuators and FM100 extinguishant
Wheels :	OZ Racing
Tyres :	Bridgestone
Fuel cell :	ATL
Plugs & battery :	Champion
Fuel provider :	Petrobras
Lubricants provider :	Castrol
Front Track :	1460 mm
Rear Track :	1400 mm
Wheel base :	3050 mm
Overall Length :	4450 mm
Weight :	600 kg (including driver and camera)

JORDAN

CAR

Technical specification

Official car name :	JORDAN MUGEN HONDA 199
Engine :	Mugen Honda V10 MF 301 HD
Chassis material :	Carbon fibre composite
Bodywork material :	Carbon fibre composite
Front suspension :	Composite pushrod activating dampers, composite top and lower wishbone, titanium fabricated uprights
Rear suspension :	Composite pushrod activating gearbox mounted dampers, composite top wishbone, titanium fabricated uprights
Dampers :	Penske
Steering :	Jordan
Gearbox :	Jordan six speed longitudinal, semi-automatic
Clutch :	Jordan/Sachs
Discs :	Carbone Industrie/Hitco
Calipers :	Brembo
Pads :	Carbone Industrie
Cooling system :	Secan/Jordan
Cockpit instrumentation :	TAG
Seat belts :	Willans
Steering wheel :	Jordan
Extinguisher system :	Jordan
Wheels :	OZ Racing
Tyres :	Bridgestone
Fuel cell :	ATL
Plugs & battery :	NGK/Fiamm
Front Track :	1500 mm
Rear Track :	1418 mm
Wheel base :	3050 mm
Overall Length :	4550 mm
Overall Height :	950 mm
Weight :	600 kg (including driver and camera)

BENETTON

CAR

Technical specification

Official car name :	MILD SEVEN BENETTON B199
Engine :	Supertec FB 01
Chassis material :	Carbon fibre composite monocoque
Front suspension :	Carbon fibre top and bottom wishbones operating a titanium rocker via pushrod system
Rear suspension :	Coil spring damper units on top of magnesium gearbox
Dampers :	Dynamics
Steering :	BFL
Gearbox :	BENETTON semi-automatic six speed
Clutch :	AP Racing - Triple plate
Discs :	Brembo/Carbone Industrie
Calipers :	Brembo
Pads :	Brembo/Carbone Industrie
Cooling system :	BENETTON oil and water radiators
Seat belts :	TRW Sabelt
Steering wheel :	BFL/Personal
Driver's seat :	BFL
Extinguisher system :	BFL
Wheels :	BBS
Tyres :	Bridgestone
Fuel cell :	ATL
Plugs & battery :	Champion
Fuel provider :	AGIP
Lubricants provider :	AGIP
Weight :	600 kg (with driver and camera)

SAUBER

CAR

Technical specification

Official car name :	RED BULL SAUBER PETRONAS C18
Engine :	SAUBER PETRONAS V10 - SPE 03A
Chassis material :	Carbon fibre composite
Front & Rear suspension :	Upper and lower wishbones, combined spring/damper units, mounted inboard with pushrod actuation
Dampers :	Sachs
Steering :	Sauber
Gearbox :	Semi-automatic 7 speed longitudinal
Clutch :	Sachs carbon plate
Discs :	Carbone Industrie/Hitco
Calipers :	Brembo six-piston front and rear
Pads :	Carbone Industrie/Hitco
Cooling system :	Behr/Secan
Seat belts :	TRW Sabelt
Steering wheel :	Momo
Driver's seat :	Profile Seating
Wheels :	OZ
Tyres :	Bridgestone
Fuel cell :	ATL
Plugs & battery :	Champion/SPE
Fuel provider :	Petronas
Lubricants provider :	Petronas
Front Track :	1470 mm
Rear Track :	1410 mm
Wheel base :	2980 mm
Overall Length :	4410 mm
Overall Height :	1000 mm
Weight :	600 kg (including driver and camera)

ARROWS

CAR

Technical specification

Official car name :	ARROWS A 20
Engine :	ARROWS V10 A20E
Chassis material :	Carbon fibre monocoque
Front suspension :	Pushrod operated 5 dampers
Rear suspension :	Pushrod operated 5 dampers
Dampers :	Dynamics
Steering :	Arrows
Gearbox :	Arrows 6 speed, semi-automatic, in line configuration
Clutch :	AP Racing
Discs :	Carbone Industrie
Pads :	Carbone Industrie
Calipers :	AP Racing/Arrows
Cooling system :	Secan oil and water radiators/Marston
Cockpit instrumentation :	Arrows/Tag data display
Seat belts :	TRW Sabelt
Steering wheel :	Arrows
Extinguisher system :	Arrows twin bottle system
Wheels :	BBS
Tyres :	Bridgestone
Fuel cell :	ATL
Plugs & battery :	Champion/Fiamm
Driver seat :	Arrows carbon fibre
Dashboard :	Arrows/TAG
Front Track :	1465 mm
Rear Track :	1410 mm
Wheel base :	2995 mm
Overall Length :	5140 mm
Weight :	600 kg (including driver and camera)

STEWART

CAR

Technical specification

Official car name:	STEWART-FORD SF-3
Engine:	FORD COSWORTH V10-CR1
Chassis material:	Composite monocoque structure
Front suspension:	Upper and lower carbon wishbones and pushrods
Rear suspension:	Upper and lower fabricated steel multilink coil springing
Dampers:	Stewart/Penske
Steering:	Stewart/Ford
Gearbox:	Stewart magnesium cased six speed, semi-automatic, longitudinal
Clutch:	AP Racing triple plate
Discs:	Carbone Industrie
Calipers:	AP Racing six piston front and rear
Pads:	Carbone Industrie
Cooling system:	Secan/Marston oil and water radiators
Cockpit instrumentation:	Ford
Seat belts:	TRW Sabelt
Steering wheel:	Stewart
Driver's seat:	Profile Seating
Extinguisher system:	Stewart
Wheels:	BBS
Tyres:	Bridgestone
Fuel cell:	ATL
Plugs & battery:	Champion/Fiamm
Weight:	600 kg (including driver and camera)

PROST

CAR

Technical specification

Official car name :	PROST PEUGEOT AP 02
Engine :	PEUGEOT SPORT A18 - V10
Chassis material :	Carbon fibre composite monocoque
Front suspension :	Pushrod and double wishbone
Rear suspension :	Pushrod and double wishbone
Steering :	Prost rack and pinion
Gearbox :	Prost six speed semi-automatic transverse
Clutch :	AP Racing multi plate
Discs :	Carbone Industrie
Calipers :	Brembo
Cooling system :	Water radiators on either sides, oil radiator on left of engine
Cockpit instrumentation :	Prost digital display
Seat belts :	TRW Sabelt
Wheels :	BBS
Tyres :	Bridgestone
Fuel cell :	ATL
Plugs & battery :	NGK/Fiamm
Fuel provider :	Total
Lubricants provider :	Total
Weight :	600 kg (including driver and camera)

MINARDI

CAR

Technical specification

Official car name :	MINARDI M 01
Engine :	FORD ZETEC R - V10
Chassis material :	Carbon fibre and aluminium honeycomb composite monocoque
Front & Rear suspension :	Pushrod with tension bars and steel wishbones
Dampers :	Dynamics
Steering :	Minardi rack and pinion
Gearbox :	Minardi six speed semi-automatic sequential
Clutch :	AP Racing triple plate
Discs :	Carbone Industrie
Calipers :	Brembo six piston front, four piston rear
Pads :	Carbone Industrie
Cooling system :	Water and oil radiators
Cockpit instrumentation :	Magneti Marelli
Seat belts :	TRW Sabelt
Steering wheel :	Personal
Driver's seat :	Minardi
Extinguisher system :	Lifeline
Wheels :	Fondmetal magnesium
Tyres :	Bridgestone
Fuel cell :	ATL
Plugs & battery :	Champion
Front Track :	1452 mm
Rear Track :	1420.7 mm
Width :	1800 mm
Overall Length :	4420 mm
Weight :	600 kg (including driver and camera)

BAR

CAR

Technical specification

Official car name :	BAR SUPERTEC PR01
Engine :	SUPERTEC V10 -FB01
Chassis material :	Moulded carbon fibre and honeycomb composite structure
Front suspension :	Reynard pushrod activated torsion springs and damper units, rockers, mechanical anti-roll bar
Rear suspension :	Reynard pushrod activated torsion springs and damper units, rockers, mechanical anti-roll bar
Dampers :	Koni (developed exclusively for BAR)
Steering :	Reynard rack and pinion
Gearbox :	Reynard/Xtrac longitudinal
Clutch :	AP Racing carbon plate
Discs :	Hitco carbon
Cockpit instrumentation :	PI Research set in steering wheel
Seat belts :	Schroth six-point harness
Steering wheel :	Reynard
Driver's seat :	Anatomically formed carbon composite
Extinguisher system :	Reynard carbon fibre moulded tank
Wheels :	OZ forged magnesium
Tyres :	Bridgestone
Fuel cell :	ATL kevlar-reinforced rubber
Plugs & battery :	Champion/Reynard lead acid
Fuel provider :	ELF
Lubricants provider :	ELF
Wheel base :	3020 mm
Overall Length :	4470 mm
Overall Height :	950 mm
Front/Rear Track :	1800 mm
Weight :	600 kg (including driver and camera)

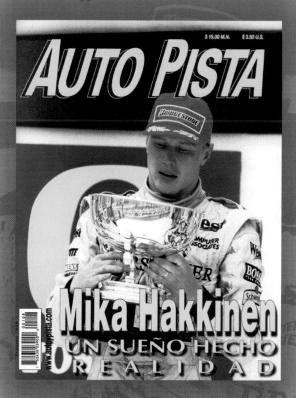

PIT
ASSIGNMENTS

COMPUTER ASSOCIATES

West

West 1887

West

FERRARI

RACE MECHANICS

CAR NUMBER :	3	4
Driver :	Michael SCHUMACHER	Eddie IRVINE
Race engineer :	Ignazio LUNETTA	Luca BALDISSERRI
Engine engineer :	Vincenzo CASTORINO	Mattia BINOTTO
Telemetry :	Tad CZAPSKI	Andrea GALLETTI
Chief Mechanic :	Gianni PETTERLINI	Gianluca SOCIALI
Lap Board :	Miodrag KOTUR	Ivano PRETI
Tyres :	Leonardo POGGIPOLLINI	Luigi PIETORRI
Fuel :	Paolo TIMPINI	Mario TREBBI

JORDAN

PIT ASSIGNMENTS

CAR NUMBER :	7	8
Driver :	Damon HILL	Heinz Harald FRENTZEN
Race Engineer :	Dino TOSO	Sam MICHAEL
Chief Mechanic :	Tim EDWARDS	Tim EDWARDS
Engine Engineer :	Tenji SAKAI	Tenji SAKAI
Race Strategy :	Dino TOSO Trevor FOSTER	Sam MICHAEL Trevor FOSTER
Pit to Car :	Dino TOSO	Sam MICHAEL
Pit to Race Crew :	Jim VALE	Jim VALE
Data Analyst :	Hari ROBERTS	James KEY
Car Chief :	Nick BURROWS	Andy STEVENSON
Lap Board :	John MATLESS	Ian PHILLIPS
Tyres :	Paul PINNEY	Dave COATES

TYRE CHANGES & REFUELLING

Front Jack :	Tim EDWARDS
Rear Jack :	Ian MITCHELL
Stop Sign :	Jim VALE
Visor/Screen Clean :	Iain MARCHANT
Right Front Wheel on :	Jamie CHAPPLE
Right Front Wheel off :	Ged ROBB
Wheel Gun :	Patrick GRANDIDIER
Left Front Wheel on :	Danny SLATER
Left Front Wheel off :	Darren BURTON
Wheel Gun :	Matt DEANE
Right Rear Wheel on :	Gerrard O'REILLY
Right Rear Wheel off :	Andrew SAUNDERS
Wheel Gun :	Andy STEVENSON
Left Rear Wheel on :	Wayne GREEDY
Left Rear Wheel off :	Stewart COX
Wheel Gun :	Nick BURROWS
Fuel Spill Wipe :	Nathan HALL
Fuel Hose Valve :	Martin BISHOP
Fuel Nozzle :	Warwick PUGH
Refuelling Rig :	Craig SPENCER
Fire Extinguisher :	Stuart COLLINS

BENETTON

PIT ASSIGNMENTS

CAR NUMBER :	9	10
Driver :	Giancarlo **FISICHELLA**	Alexander **WURZ**
Race engineers :	Alan PERMANE	Christian SILK
Engine engineer :	Christian BLUM	Olivier BEAUCOURT
Race Strategy :	Pat SYMONDS	Pat SYMONDS
Pit to Car :	Alan PERMANE	Christian SILK
Pit to Race Crew :	Pat SYMONDS	Pat SYMONDS
Telemetry :	Mark HERD	Rod NELSON
Chief Mechanic :	Mick AINSLEY-COWLISHAW	Mick AINSLEY-COWLISHAW
Car Chief :	Colin HALE	Graham WATSON
Lap Board :	Dave LEADBEATER	Dave GAMBLING
Tyres :	John MASSEY	Steve LARNEY

TYRE CHANGES & REFUELLING

Front Jack :	Kenny HANDKAMMER
Rear Jack :	Mark LEE
Stop Sign :	Mick AINSLEY-COWLISHAW
Visor/Screen Clean :	Andrew BLISS
Right Front Wheel on :	Andy POOLE
Right Front Wheel off :	Steve BATES
Wheel Gun :	Bob BUSHELL
Left Front Wheel on :	Graham WATSON
Left Front Wheel off :	Dave JONES
Wheel Gun	Lee CALCUTT
Right Rear Wheel on :	Paul FITZGERALD
Right Rear Wheel off :	Gavin HUDSON
Wheel Gun :	Barry FOULOS
Left Rear Wheel on :	Martin McCRACKEN
Left Rear Wheel off :	Richard LUXTON
Wheel Gun :	Colin HALE
Fuel Hose :	Shawn MARTIN
Fuel Nozzle :	Pierro PALLAVICINI
Refuelling Rig :	Paul WESSON
Fire Extinguisher :	Derek ROGERS

ARROWS

PIT ASSIGNMENTS

CAR NUMBER :	14	15
Driver :	**Pedro DE LA ROSA**	**Toranosuke TAKAGI**
Race engineer :	Nick CHESTER	Chris DYER
Engine engineer :	Pierre GODOF	Blake ARROWSMITH
Pit to Car :	Nick CHESTER	Chris DYER
Pit to Race Crew :	Nick CHESTER	Chris DYER
Telemetry :	Ian MURPHY	Ossi OKARINEN
Chief Mechanic :	Stuart COWIE	Stuart COWIE
Car Chief :	Dave CRABTREE	Greg BAKER
Lap Board :	Dominique SAPPIA	Yoshi ARIMATSU
Tyres :	Steve PUMFREY	Derek HERBERT

TYRE CHANGES & REFUELLING

Front Jack :	Stuart COWIE
Rear Jack :	Richard DENDY
Stop Sign :	Tony LEES
Visor/Screen Clean :	Darren CLEMONS
Right Front Wheel on :	Dave CRABTREE
Right Front Wheel off :	Nick DONNER
Wheel Gun :	Mark LENTON
Left Front Wheel on :	Ruppert BRYCE-MORRIS
Left Front Wheel off :	Mo MEGHJI
Wheel Gun :	Joe BREMNER
Right Rear Wheel on :	Steve HARDY
Right Rear Wheel off :	Russell JORDAN
Wheel Gun :	Greg BAKER
Left Rear Wheel on :	Andy BAND
Left Rear Wheel off :	Chris WALKER
Wheel Gun :	Phil TRAVES
Fuel Hose Valve :	Kevin CARY
Fuel Nozzle :	Chris JONES
Refuelling Rig :	George HARDING
Fire Extinguisher :	Jason BOLTON

STEWART

PIT ASSIGNMENTS

CAR NUMBER :	16	17
Driver :	**Rubens BARRICHELLO**	**Johnny HERBERT**
Race engineer :	Robin GEARING	Simon SMART
Engine engineer :	Rob PRESTON	Dave PRIGG
Race Strategy :	Andy MILLER	Andy MILLER
Pit to Car :	Robin GEARING	Simon SMART
Pit to Race Crew :	Dave STUBBS	Dave STUBBS
Data Analyst :	Chris RIJNDERS	Rob SMEDLEY
Chief Mechanic :	Dave REDDING	Dave REDDING
Car Chief :	Alan MAYBIN	Darren NICHOLLS
Lap Board :	Neil DICKIE	Kevin BROWN
Tyres :	Joe ADAMS	Dave DUNN

TYRE CHANGES & REFUELLING

Front Jack :	Steve WORTH
Rear Jack :	Mike OVERY
Stop Sign :	Dave REDDING
Right Front Wheel on :	Pete TOWNSEND
Right Front Wheel off :	Paul REYNOLDS
Wheel Gun :	Alan MAYBIN
Left Front Wheel on :	Grant MUNDAY
Left Front Wheel off :	Jeremy LEE
Wheel Gun :	Julian MILLS
Right Rear Wheel on :	Richard ASHLEY
Right Rear Wheel off :	Andy DE LA TOUCHE
Wheel Gun :	Stuart ROBERTSON
Left Rear Wheel on :	Darryl KINCADE
Left Rear Wheel off :	Dave McMILLAN
Wheel Gun :	Ricky TAYLOR
Fuel Hose Valve :	John HARRIS
Fuel Nozzle :	Darren NICHOLLS
Fire Extinguisher :	Joe ADAMS

PROST

PIT ASSIGNMENTS

CAR NUMBER :	18	19
Driver :	**Olivier PANIS**	**Jarno TRULLI**
Race engineer :	Humphrey CORBETT	Gilles ALEGOET
Engine Engineer :	Sébatien TAILLANDIER	Leonel DE CASTRO
Pit to Race Crew :	Eric VUILLEMIN	Eric VUILLEMIN
Data Analyst :	Frederic EYMERE	Christophe BESSE
Chief Mechanic :	Alain SAUVAGERE	Alain SAUVAGERE
Car Chief :	Alain BREYAULT	Eric DE MEIRA
Lap Board :	Hervé DE ST. JEAN	Albert AGIUS
Tyres :	Didier ANTOINE	Eric SCHWARZ

TYRE CHANGES & REFUELLING

Front Jack :	Daniel MAGNIERE
Rear Jack :	Eric DE MEIRA
Stop Sign :	Eric VUILLEMIN
Visor/Screen Clean :	Jacques LABARRE
Right Front Wheel on :	Serge GAUTRET
Right Front Wheel off :	Maurice BROS
Wheel Gun :	Alain BREYAULT
Left Front Wheel on :	Cyril TRIBONDEAU
Left Front Wheel off :	Didier ANTOINE
Wheel Gun :	David THIERRY
Right Rear Wheel on :	Jean-Pierre PAILLASSON
Right Rear Wheel off :	Hervé KESSEDJIAN
Wheel Gun :	Pascal COLAS
Left Rear Wheel on :	Jerôme DECELLE
Left Rear Wheel off :	Pierre GALL
Wheel Gun :	Laurent GIBON
Fuel Hose Valve :	Jean-Louis VITALI
Fuel Nozzle :	Philippe PERROT
Refuelling Rig :	Francis BRETON
Fire Extinguisher :	Martial FRANJOU
	Michael TAK

BAR

PIT ASSIGNMENTS

CAR NUMBER :	22	23
Driver :	**Jacques VILLENEUVE**	**Ricardo ZONTA**
Race engineer :	Jock CLEAR	Mick COOK
Engine engineer :	Fabrice LOM	Remy TAFFIN
Pit to Car :	Jock CLEAR	Mick COOK
Data Analyst :	David LLOYD	Chris TEE
Chief Mechanic :	David BOYS	Christophe BOUQUENIAUX
Car Chief :	Gary WOODWARD	Richard MOODY
Lap Board :	Duncan WILLIAMSON	Dave HENNESSEY
Tyres :	Trevor BAILEY	Mark SHEPHERD

TYRE CHANGES & REFUELLING

Front Jack :	Richard MOODY
Rear Jack :	Neil RIMMER
Stop Sign :	Christophe BOUQUENIAUX
Visor/Screen Clean :	Ted BOWYER
Right Front Wheel on :	Stuart WOOLLEN
Right Front Wheel off :	Derek NOBLE
Wheel Gun :	Paul JOHNSTONE
Left Front Wheel on :	Derek PAGE
Left Front Wheel off :	Alex KING
Wheel Gun :	Darren BEACROFT
Right Rear Wheel on :	Kevin O'MAHONEY
Right Rear Wheel off :	Claudio CORRADINI
Wheel Gun :	Gary WOODWARD
Left Rear Wheel on :	Dave HOPKINSON
Left Rear Wheel off :	Gareth WILLIAMS
Wheel Gun :	Steve NOAKES
Fuel Hose Valve :	Peter ARKEEL
Fuel Nozzle :	Harry STREET
Fuel Hose :	Paul BENNETT
Fire Extinguisher :	Grant WAUGH

111

CHIEF
MECHANICS

Michael Alan AINSLEY-COWLISHAW

Team : BENETTON
Chief Mechanic (British)

Date and place of birth :
12 August 1948, Chesterfield - England

Marital status : Married

Career summary :

Finished school at 15 and spent a year in college.

Started as a Mechanic in motor racing during week-ends in FF, F3, Minis.

Worked in engine building - Cosworth F5000, F2.

Started Toleman F2 in 1980 and won the championship.

Worked afterwards for Toleman F1 and as Chief Mechanic for Benetton.

Hobbies : Golf, Water sports, Football.

Christophe BOUQUENIAUX

Team : B.A.R
Chief Mechanic (French)

Date and place of birth :
8 November 1966, France

Marital status : Single

Career summary :

-1985/1986 :   Formula Ford

-1987/1990 :   Formula One - LARROUSSE

- 1991/1992 :   Formula One - LEYTON HOUSE

- 1993 :   Formula One - LIGIER

- 1994 :   Formula One - SIMTEK

- 1996/1998 :   Formula One - STEWART GP

- 1999 :   Formula One - BAR

David BOYS

Team : B.A.R
Chief Mechanic (British)

Date and place of birth :
6 May 1959, London

Marital status : Divorced

Career summary :

- 1990/1994 :   Paul Stewart Racing/Stewart Grand Prix

- 1989/1990 :   GA Motorsport

- 1984/1989 :   Lola Motorsport

- 1981/1984 :   BS Automotive

Hobbies : Golf, Cycling, Football

Alain BREYAULT

Team : PROST
Chief Mechanic (French)

Date and place of birth :
30 March 1959, Saumur, France

Marital status : Married, 2 children

Career summary :

Certificate of Education in Car Mechanics

- 1982/1983 :   Renault Sport

- 1983/1986 :   Formula 3

- 1987/1988 :   Formula One - LARROUSSE

- 1989 :   Formula One - LIGIER

- 1997/1999 :   Formula One - PROST GP

Hobbies : Carp fishing, Mountain biking, Computers   115

Stuart COWIE

Team : ARROWS
Chief Mechanic (British)

Date and place of birth :
30 March 1960, Carshalton, England

Marital status : Married, 2 children (James, Jade)

Career summary :

- Joined Arrows 8 years ago and worked on hydraulics and gearboxes for the first four years before being appointed as n°1 mechanic.

- Previously worked for Nissan Motorsports on Group C cars for two years.

- Started working career with Chamberlain Engineering, running Clubman cars and progressing on to Group C cars.

- Has been in Motorsports for the last 15 years.

Hobbies : Golf, Squash, Football.

Eric DE MEIRA

Team : PROST
Car Chief (French)

Date and place of birth :
12 May 1965, France

Marital status : Married, 2 children

Career summary :

- 1984-1989 :   F3 French Championship as Mechanic

- 1990-1993 :   Ligier F1 - Test Team Mechanic

- 1994-1996 :   Ligier F1 - Race Team Mechanic

- 1997-Present : Prost GP - Race Team Mechanic and Car Chief in charge of J. Trulli

Hobbies : Mountain biking, Horse riding.

Tim EDWARDS

Team : JORDAN
Chief Mechanic (Australian)

Date and place of birth :
20 March 1967, Melbourne, Australia

Marital status : Married

Career summary :

Trained as a mechanic in Australia at a Ford Garage. Went to England to travel and did one year of Formula 3 with Alan Docking Racing in 88'. Worked for Mazdaspeed in 89' as n° 1 mechanic doing W.S.P.C. Worked for Richard Lloyd Porsche in 90' as n° 1 mechanic in W.S.P.C.

Moved to Jordan in 91' and spent that year in sub assembly :
- 1992 : n° 2 on T Car
- 1993 : n° 1 on T Car
- 1994 : n° 1 on Barichello's Car
- 1995-1996 : n° 1 on Barichello's Car
- 1997 : Chief Mechanic

Hobbies : Water skiing, Snow skiing.

Laurent GIBON

Team : PROST
Chief Mechanic (French)

Date and place of birth :
13 November 1967, Le Mans, France

Marital status : Engaged

Career summary :

Certificate in Car Mechanics

- 1987/1988 : Formula 3000 - GDBA

- 1989/1991 : Formula One - AGS

- 1992 : Formula One - LIGIER

- 1993/1996 : Formula 3000 - APOMATOX

Hobbies : Mountain biking, Skiing, Surfing, Running   117

Gabriele PAGLIARINI

Team : MINARDI
Chief Mechanic (Italian)

Date and place of birth :
6 December 1961 - Modena (Italy)

Marital status : Married, one daughter (Chiara)

Career summary :

- 1978/1996 :   Ferrari

- 1997/1999 :   Minardi - Chief Mechanic

Hobbies : Football, Motorbikes and playing with daughter Chiara

Gianni PETTERLINI

Team : FERRARI
Chief Mechanic (Italian)

Date and place of birth :
23 July 1961 - Modena (Italy)

Marital status : Single

Career summary :

- First worked as a mechanic on motorcycles.

- Spent three years at Fiat working on production cars.

- Joined Ferrari in 1983, worked first on gearboxes, then on chassis before being promoted as Chief Mechanic 5 years ago. Now in charge of Michael Shumacher's car.

Hobbies : Tennis, Swimming, Motorcycling and Cycling

Dave REDDING

Team : STEWART
Chief Mechanic (British)

Date and place of birth :
13 July 1965

Marital status : Divorced, 1 child

Career summary :

1985-1988 :	Porsche
1988-1994 :	Benetton
1994-1996 :	McLaren
1996-1999 :	Stewart

Hobbies : Golf, Squash, Football.

Alain SAUVAGERE

Team : PROST
Chief Mechanic (French)

Date and place of birth :
17 March 1962 - France

Marital status : Married, 2 children

Career summary :

- 1982/1986 : Renault Sport - Motor Mechanic
- 1987/1988 : Ligier Sport - Motor Mechanic
- 1989 : Peugeot Talbot Sport - Motor Mechanic
- 1990/1997 : Ligier Formula One - Head of Hydraulic
- 1997/1999 : Prost Grand Prix - Head of Hydraulic - Chief Mechanic

G. Luca SOCIALI

Team : FERRARI
Chief Mechanic (Italian)

Date and place of birth :
8 February 1962- Modena (Italy)

Marital status : Single

Career summary :

Joined Ferrari in 1982 as Mechanic.

From 1983 to 1987, worked with the Ferrari Test Team and joined the race team in 1987, first as a Mechanic and from 1996 as Chief Mechanic

In charge of Irvine's car.

Hobbies : Motorcycling, Traveling

Without any concession is the outline of the Gillet Vertigo.
Without any concession is the interior.
Without any concession is its equipment.
Without any concession are its qualities.
For maximum efficiency. For the total pleasure of driving. For absolute security. It is for these reasons that, at its initial presentation, the entire world press wrote in its columns, the praises of this Formula 1 of the road. To witness this - its exclusive carbon chassis, the in-board suspension and the sequential 6 speed Gear Box Quaife (option).
The ultimate motor, between two worlds or, escaped from the race track so as to excel on the open road. Or, conversely, bannished on the tarmac of more familiar roads, so as to impose - by its performances on the race track. A rare polyvalence which gives its unique personality.
Equally at ease during the week at Monaco as well as the "Grand-Prix" weekends, the Gillet Vertigo opens for you some of the most impressive pages of its Photo-Album. Those of its memorable meetings - above all with His Majesty Albert II, King of Belgium, His Royal Highness Albert of Monaco, the Formula 1 drivers David Coulthard, Philippe Streiff, The well-known motoring journalist Paul Frère, as well as numerous other personalities which are easily identified.

ENGINE

Made :	Alfa Romeo
Type :	V6-60°
Cubic Capacity :	2959 cm3
Bore x Stroke :	93 x 72,6
Compression Ratio :	10,0 : 1
Maximum Power :	166 Kw (226 Hp) at 6.200 rpm
Maximum Torque :	275 Nm at 5 000 rpm
Distribution :	2 x 2 ACT Belt Driven, 24 Valves
Induction :	Bosch Motronic MPI

AUTOMOBILES GILLET
Importer : France and Principality of Monaco

PHILIPPE STREIFF MOTORSPORT
16, Avenue Talma - 92500 RUEIL MALMAISON
PHONE : (33) 1 47 08 56 71 - FAX : (33) 1 47 08 50 59

KEY
PEOPLE

Gilles ALEGOET

RACE ENGINEER

TEAM : PROST

Biography

Date of birth : 2 July 1960 - **French**
Marital status : Married

Career summary

- 1985 : Engineer from «Ecole Centrale de Paris»
- 1986/1989 : Aérospatiale - Satellites division - System Engineer
- 1989/1991 : Ligier F1 - Design Office Engineer
- 1992/1994 : Ligier F1 - Race Engineer
- 1995 : Red Bull-Sauber-Ford, Race Engineer
  for Wendlinger and Bouillon
- 1996/98 : Red Bull-Sauber-Petronas, Race Engineer
  for Herbert

Hobbies
- Ski, Scuba diving.

Mariano ALPERIN

AERODYNAMICS ENGINEER

TEAM : BAR

Biography

Date of birth : 10 October 1965 - Buenos-Aires - **Argentinian**
Marital status : Single

Career summary

Secondary schooling : Australia

- 1984/1990 :   - Masters in Physics, University of Toulouse
                   (France)

                 - Aeronautical Engineering Degree
                   (E.N.S.A.E. - France)

- 1990/1991 :   Aerodynamicist AGS Formule 1

- Mid 1991 :   Aerodynamicist LAMBORGHINI-MODENA Team

- 1992 :   Head of telemetry - FONDMETAL F1

- 1993 :   Race engineer DURANGO F3000

- 1994/1998 :   Aerodynamicist MINARDI F1

- 1999 :   Aerodynamicist BAR

Hobbies

- Football, Tennis

125

Michel AMIOT

LOGISTIC MANAGER

RENAULT SPORT FOR SUPERTEC

Biography

Date of birth :   21 October 1943 - **French**
Marital status :   Married - 3 children

Career summary

- Technical studies
- Faithfull to Renault for the last 30 years
- 1962/1965 : Quality management
- 1965/1972 : Commercial export management
- 1972/1979 : Product management
- 1979/1997 : Renault Sport as Logistic Manager
- 1998 :   Renault Sport as Logistic Manager for Mecachrome
- 1999 :   Renault Sport as Logistic Manager for Supertec

Hobbies

- Skiing, Music, Passionate love for Dinky Toys.

Gary ANDERSON

TECHNICAL DIRECTOR

TEAM : STEWART

Date of birth : 9 March 1951 - **Irish**
Marital status : Married to Jennie - One daughter (Charlotte)

Career summary

Studies : Graduated from Coleraine Technical College

- 1972/1976 : Brabham Formula One team

- 1977/1980 : McLaren Formula One team as Chief mechanic. Redesigned McLaren M 28

- 1980/1984 : Anson Racing as design/engineering consultant (F 1, F 3, Super Vee, Group C) also for Alfa Romeo

- 1985/1987 : Galles racing Indy/CART team in USA as Chief engineer

- 1987/1989 : Bromley Motor Sport F3000 team. Developed and engineered R. Moreno's Championship winning Reynard

- 1989/1990 : Reynard racing cars as Chief designer

- 1990/1991 : Jordan GP as Chief designer

- 1992/1998 : Jordan GP, Technical Director

- 1999 : Stewart GP, Technical Director

Hobbies

- Motorsport, canalboating.

127

Norio AOKI

HEAD ENGINEER, RACE ENGINES

TEAM : ARROWS

Biography

Date of birth :   2 September 1965, Hyogo - **Japanese**
Marital status :   Married - 2 children

Career summary

- 1985/1990 : Motorsport engine work in Italy (Subaru - Europe)

- 1991 :   Yamaha F1 Motor racing development
for Brabham

- 1992 :   Yamaha F1 Motor racing development
for Jordan

- 1993/1996 : Yamaha F1 Motor racing development
for Tyrrell

- 1997 :   Yamaha F1 Motor racing development
for Arrows

- 1998 :   Arrows F1 Motor development

Hobbies

- Gliding.

Jim ARENTZ

DESIGN ENGINEER

TEAM : PENSKE RACING SHOCKS

Biography

Date of birth :   11 November 1973, Reading - PA - **American**
Marital status :   Single

Career summary

- 1995/96 :   Engineer Internship with Penske Racing Shocks
- 1996 :   Graduated with Bachelor of Mechanical Engineering Degree from the Catholic University of America, Washington DC
Hired as Development Engineer with Penske Racing Shocks
- 1997/1998 :   Trackside Engineer for Penske Racing Shocks assigned to the Marlboro/Team Penske CART team
- 1997/Present :Design Engineer, Penske Racing Shocks

Hobbies

- Listening to music, Mountain biking, Traveling.

Simon ARKLESS

EUROPEAN MOTORSPORTS COORDINATOR

CHAMPION

Date of birth :   10 December 1942 - **British**
Marital status :   Married

Career summary

- 1960/1965 : Engineering apprentice with B.M.C.
- 1961/1968 : Motor racing at club level.
- 1968/1970 : Racing mechanic for Alan Rollinson in F3, F2 and F5000.
- 1970/1973 : Chief mechanic for team ENSIGN on F3 and F1.
- 1973/1983 : F.1. engineer with A.P. Racing.
- 1983/1999 : F.1. engineer for Champion.

Hobbies

- Radio controlled model aircraft.

Guy AUDOUX

FIELD MANAGER

PEUGEOT SPORT

Biography

Date of birth :	14 December 1949 - **French**
Marital status :	Single

Career summary

- 1979/1982 : Peugeot study center for standard engine development. Involved in the WM adventure at the 24 Hours of Le Mans from 1976 to 1982

- 1983 : Renault Sport - V6 F1 Turbo engine development

- 1984 : Race engineer for Renault Sport with Ligier Team

- 1985/1994 : Peugeot Sport in charge of engine operation and test bed

- 1985/1986 : Rally World Championship

- 1987/1990 : Rally raids (including 4 Paris-Dakar)

- 1991/1992 : Sport Cars World Championship

- 1991/1993 : 24 Hours of Le Mans

- 1994 : Formula One (McLaren)

- 1995 : Formula One (Jordan)

- 1996 : R&D Engineer for Peugeot Sport with Jordan

- 1997 : R&D Engineer for Peugeot Sport with Jordan

- 1998 : R&D Manager for Peugeot Sport with Prost

- 1999 : Field Manager for Peugeot Sport with Prost

Pierre BALEYDIER

OSTEOPATH

PROST - IBSV

Biography

Date of birth :	10 October 1937 - Usson-en-Forez - **French**
Marital status :	Married - 1 child

Career summary

Studies : Certificate in Sport Physiotherapy-Graduate in Osteopathy - Member of R.O.S.

- 1968/69 :	Therapist of Daniel Robin, wrestling world champion
- 1977 :	French canoeing team
- 1982/85 :	Renault F1 team
- 1986/92 :	In charge of following F1 drivers : Boutsen, Senna, Prost, Arnoux, Laffitte, Warwick, Brundle, etc.
- 1992 :	Albertville - Olympic Winter games - with Michael Prüffer, world record holder of Down Hill kilometre
- 1995 :	Williams in charge of D. Hill and D. Coulthard
- 1998/99 :	Prost GP

Hobbies

- Cycling, Wu-su (Chinese Martial Art).

Adrian BANBURY

HEAD OF DEPARTMENT

XTRAC

Date of birth :   25 March, 1965 - Wokingham, **British**
Marital status :   Engaged

Career summary

- 1980-1990 :   After completing an engineering apprenticeship, spent the next 6 years working on specialised engineering and precision stainless steel fabrication projects.

- 1990-Present : Joined XTRAC working in gearbox overhaul and assembly, eventually to head the whole department and become one of XTRAC's Race Technicians.

Hobbies

- Hill walking, Mountain biking and water skiing.

Geoff BANKS

EUROPEAN SPONSORSHIP MANAGER

HEWLETT-PACKARD

Biography

Date of birth :   1 March 1961 - Liverpool - **British**
Marital status : Married - one child

Career summary

Mechanical Engineer and Electronics

- 1980-1989 :   Marketing Manager,
Hewlett-Packard

- 1989-1994 :   Sponsorship Manager
Jordan HP Programme Manager.

Responsible for implementing HP's Product & Services range into the Jordan Grand Prix Team and developing TWS provision into the ultimate IT reference site for high availability solutions.

Hobbies

- Golf

Stuart BANKS

CHIEF ENGINEER (MOTORSPORT)

COSWORTH RACING

Biography

Date of birth : 7 September 1963 - Blackburn - **British**
Marital status : Single

Career summary

1st class Honours Degree (Mechanical Engineering) from the Unversity of Leeds.

Joined Cosworth in 1989 as a Design Engineer and has worked mainly on Formula One programmes during career with the company. Played a major role in the design of the 1994 championship winning V8 engine. Presently responsible for engineering on Minardi Engine in Formula One and other motorsport engine programmes including Mondeo in BTCC.

Hobbies

- Good food and wine, Mountain biking, Sport and Classic motorcycling

Benjamin BARDIAUX

RACE ENGINEER

RENAULT SPORT FOR SUPERTEC

Biography

Date of birth : 18 June 1972 - **French**
Marital status : Single

Career summary

- 1996 :	Graduate from ESTACA (Ecole Superieur des Techniques et de Construction Automobile)
- 1994-1995 :	Motorcycle 500 GP with Bruno Bonhuil Team MTD
-1996 & 1998 :	Motorcycle 250 GP - Team Tech 3 Riders : Olivier Jacque, Jean-Philippe Ruggia, Williams Costes
- 1994-1997 :	Endurance World Championship (Motorcycle) Team Suzuki
- 1997 :	French Army
- 1999 :	Race Engineer Supertec F1 / Williams Alex Zanardi

Hobbies

- Motocross, Mountain bike

John BARNARD

MANAGING DIRECTOR

B3 TECHNOLOGIES

Biography

Date of birth :   4 May 1946 - **British**

Career summary

His Formula 1 career started with McLaren team. He was the first one who designed a chassis in carbon fiber.

He came to Ferrari for the first time in 1987, setting up an English department named GTO. Enzo Ferrari himself hired him. He remained in Ferrari for three years, designing the 639 and 640 cars which won nine Grand Prix between 1989 and 1990, introducing the semiautomatic gearbox in Formula One.

He left for Benetton, and was working for Toyota when, in August 1992, Luca di Montezemolo, Ferrari's President, convinced him to come back and be in charge of FD & D (Ferrari Design and Development), based in Shalford, England.

Joined Arrows at the end of 1997 as Technical Director to design the new A 19 car.

Left Arrows to join Prost Grand Prix as Consultant for the AP 02.

Joachim BAUER

FORMULA ONE TECHNICAL DELEGATE

FIA

Biography

Date of birth :   21 July 1961 - **German**
Marital status :   Single

Career summary

- 1982/1992 :   RWTH Aachen : Master Engineer in Automotive
                Technology
- 1987/1992 :   FEV Motorentechnik
- 1992/1996 :   ONS - Head of Technical Department
                German member in FIA Technical Commission
- 1995/1996 :   ITC Technical Delegate
- 1997/Present : Formula One Technical Delegate

Hobbies

- Skiing, Riding motorbike, Badminton.

Olivier BEAUCOURT

RACE ENGINEER

RENAULT SPORT FOR SUPERTEC

Biography

Date of birth :	25 November 1973 - **French**
Marital status :	Single

Career summary

Studies :	Graduate engineer (ENSAM)
1997-1998 :	Engine management system engineer for Siemens
1999 :	Renault Sport - Race engineer in charge of Alexander WURZ (Benetton)

Hobbies

Skiing, Jogging

Rocco BENETTON

CHIEF EXECUTIVE

TEAM : BENETTON

Biography

Date of birth :   29 September 1969 - Treviso - **Italian**
Marital status :   Single

Career summary

Rocco Benetton has been involved with the Mild Seven Benetton Playlife team since the middle of 1997. On 19th October 1998, he took over as Chief Executive.

After school in his native Italy, he moved to the United States, obtaining an Engineering Degree from Boston University. From there he moved to New York and in 1993, took up a position with Oppenheimer and Co. one of the USA's major private banks. In 1995, he joined Alpha Investment Management first as a consultant, then as partner and Managing Director. Within two years of his appointment, the company was managing a 1.5 billion dollar capital and around 300 million dollars in investment venture capital. Twenty nine year old Rocco Benetton is the youngest Chief Executive of any team in Formula 1 pit lane, but the youngest son of Luciano Benetton is not daunted by the task he faces. After a year working as the team's Commercial Director he is looking forward to the challenge.

Rod BENOIST

TEAM MANAGER

TEAM : ARROWS

Biography

Date of birth : 29 November 1957 - **British**

Marital Status : Married - 2 children

Career summary

- 1996-1999 :   TWR Nissan GT Project - Team Manager
- 1995-1996 :   BTCC Honda - Team Manager
- 1996 :   BTCC Vauxhall - Team Manager
- 1994-1995 :   DTM Schübel Alfa Romeo Team
- 1994 :   Aston Martin, DB7 - Development Team
- 1992 :   Jaguar XJR15 Intercontinental Challenge, Team Coordinator
- 1985- 1990 :   TWR Silk Cut Jaguar Team - N°1 Mechanic

Hobbies

- Swimming, Cycling

Edward BETTS

TECHNICAL DIRECTOR

PETROSCIENCE

Biography

Date of birth :   23 December 1939 - Birmingham - **British**

Marital Status :   Married - 2 sons (William, Michael)

Career summary

Studies : BSc Physicist

Before forming Petroscience in 1994, Edward Betts had over 26 years experience in the oil industry working on environmental combustion and technical issues of automotive fuels. Started producing Formula One fuels for Brian Hart in early eighties and expanded by assisting oil company sponsors with this specialist technology until, in 1997 Petroscience was supplying four F-1 teams.

Edward ascribes success to maximising performance by designing fuels to match an engine's individual requirements.

Hobbies

- Fly fishing, Formula One, Travel

William BETTS

TECHNICAL/BUSINESS MANAGER

PETROSCIENCE

Biography

Date of birth :   9 November 1966 - Solihul- **British**

Marital Status :   Single

Career summary

Studies : BSC Honours in Physical Science and computing.
            Masters in business administration.

- 1987-1993 :   Digital - Software development and
                          consultancy.

- 1993-1997 :   Andersen Consulting - Management
                          consultancy and project management

- 1997-Present :   Petroscience - Developing computational
                          blending models and analytical tools/
                          techniques. Quality assurance and general
                          management.

Hobbies

- Learning the old Nürburgring, Skiing, Travel, Italian cooking

Loïc BIGOIS

DESIGN, RESEARCH & DEVELOPMENT

TEAM : PROST

Date of birth :   19 September 1960 - Aix-en-Provence - **French**
Marital status :   Married - 2 children

Career summary

Aerodynamics Graduate of the Conservatoire National des Arts et Métiers (CNAM).

- 1981/89 :   Microturbo Toulouse F (Gaz Turbine Company)
              Aerodynamics Engineer

- 1990/93 :   Ligier Formule 1
              Head of CAD/CAM Department and
              Aerodynamics Engineer

- 1994 :   Sauber - CAD/CAM Engineer

- 1995 :   Ligier F1 - Aerodynamics

- 1996 :   Ligier F1 - R & D Manager

- 1997 :   Prost GP Deputy Technical Director

- 1998 :   Prost GP - Chief Designer

Hobbies

- Motorbiking.

Herbie BLASH

ASSISTANT TO RACE DIRECTOR

FIA

Biography

Date of birth: 30 September 1948 - **British**

Career summary

Began motor racing career in 1965 working with private entrant Rob Walker who ran a Lotus.

Then in 1968 employed by Lotus full time where he stayed for two years looking after Jochen Rindt. Rindt's business manager was Bernie Ecclestone.

In 1971 Herbie worked with Frank Williams and then when Ecclestone bought Brabham, he asked Herbie to join him and help run the team.

Since 1973 Herbie has worked as Team Manager and in the early days an F1, F 2 and F 3 production. At one time he covered 45 race meetings in one season.

He has co-ordinated and overseen Formula One at Brabham, running Alfa Romeo, BMW Turbo, Ford engines and Yamaha, working with designers, engineers and drivers, winning two World Championships with Nelson Piquet. Covered press and public relations for Yamaha.

Hobbies

Golf.

PHYSIOTHERAPY & SPORT

by DOMINIQUE SAPPIA

Formula 1 driver's stress and strain

Sunday 2.45 p.m., Joe Soap takes a seat on his comfy sofa... a drink i
one hand... His remote control in the other hand...ready to zap from BB(
to ITV to BBC... The pressure is high... He knows the track by hear
Imagine he is close to win his 6th Formula 1 World champion title on hi
video game computer. But, by the way, why is it that these Shuey-some
thing or this Hakki-someone, are driving instead of him ? Joe could driv
himself, he is the king of the road, in his own car...In fact, what is the dif
ference between him and these 22 unique samples in the world? Globa
vision of a Formula 1 driver's stress and strain...

1. Forces applied on neck and head :

Lateral strengths and pressures exerted on
neck muscles through high speed corners
are in excess of 30 kg. Lateral forces in
excess of 3,5 G (this G-force means 3,5
times the weight of the head!) can be rea-
ched, in high speed corners. The Belgian
circuit in Spa-Francorchamps at "Eau
rouge" is a good example. This corner also
inflicts an added pressure of spinal compression combined with downforce and
tyre grip stick the car to the road ! To compare with your road car, it cannot support
more than 1G of lateral force, at this level,
it would lose its grip and skid...

2. Accelerations et Decelerations :

As well, neck muscles are sustain to
constant pressure from accelerations and
braking. Deceleration forces under braking
thrust the head forward and can reach
almost 4 G on high speed circuits such as
Monza ! For your information, a sustained
8 or 9 G-force could make you uncons-
cious. Moreover, you have to bear in mind
that a Formula 1 car can start, accelerate up
to 160 km/h (100mph) and brake to a complete stop in ...6 seconds !

3. Vision :

In a Formula 1 car, peripheral vision dete-
riorates as bloodflow to eyes is directed away by G-force, especiall
under braking and in high G force corners. Perspective becomes distor
ted. The problem is all the more by bumpy tracks such as Interlago
(Brazilian Grand Prix), where in some corners, driving is virtually blind
visibility is nil when reaching the top of the hill!

4. Lower body and legs :

Drivers are clamped to their seat by a 6-point harness. Hips are expose
to lateral G-force pressures equivalent to as much 100 kg! Ankles an
knees also suffer high stress loads as well, along with painful knock
within cramped confines of the survival cell. Many drivers use additiona
protective padding on these areas. Legs are often the reason of numerou
pathologies. In fact, some drivers drive, using their right foot to accelera
te and brake. Consequently left foot and leg are only used to stabilise th

body, in as seen earlier, during accelerations and decelerations, and corners. However, it provokes a succession of stiffened muscles which can cause some pelvis and lumbar problems. Moreover some drivers use, as in go-kart, their left foot for braking and their right one to accelerate. Unfortunately, this does not erase entirely the problem but bring some new ones, because the driver has to literally drive by the seat of his pants to stabilize his body !

5. Arms and hands :

Down force, at 240 km/h can increase the car weight up to 1,25 tonnes in spite of power assisted steering. Applied to steering and combined with cornering forces, it generates continual stress on forearms in particular and hands.

6. Heart rate :

At rest, a normal heart rate is between 60 to 80 beats per minute. During qualifying sessions, or in a race while overtaking, due to physical strain and nervous pressure, heart beats can reach an average of about 180 et 210 hbt/min ! During the race, heart rate is about 170/180 for 1h30 !

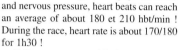

7. Temperature and Dehydration :

At a race, the weather is most of the time nice and hot. For example, the atmospheric temperature often reaches 35°C (95°F), i.e. 40°C (104°F) on the track... The temperature in a Formula One car cockpit is 10 to 15°C (50 to 59°F) higher than the ambient temperature, i.e. so 50 à 55°C (122 to 131°F) ! It means that the driver has to withstand this in addition to the fact that he is dressed with a fireproof overall for 1h30 at an average speed of 250 km/h (approx. 160 mph) ! Consequently, the pre-race drink even though it has been specially prepared and another 1/2 litre is available on board drink which will prevent dehydration. The driver lose at least 1 litre of body fluid during a race, mainly to the detriment of the blood system, as driver is unable to perspire freely in fireproof overalls. This dehydration and mineral loss which are associated provoke exhaustion and loss of focalisation easily to understandable.

8. Noise :

As a final comparison, the take-off of a 747 Boeing produces 140 decibel (dB) noise. A Formula 1 starting on a grid, produces 120dB ! Even with his crash helmet and radio ear plugs, the Formula 1 driver endures 90 dB... This again, during one and an half hour, at 250 km/h, by 55°C, etc...

Last Grand Prix of the season at Suzuka. After an unbelievable fight and a wonderful strategy, Joe is Formula 1 World Champion! For the 6th time! Juan Manuel Fangio's record is smashed ! The easy way ! Just some thumbs cramps and a tiny blister on the top of right index... But, suddenly...Game over ! Would you like to save this game ?... What a shame! As good as simulation games are, Formula One driver's physical exertion cannot be simulated...

Christian BLUM

RACE ENGINEER

RENAULT SPORT FOR SUPERTEC

Biography

Date of birth : 26 April 1959 - **French**
Marital status : Married to Evelyne - 3 children

Career summary

- 1985 : Joins Renault Sport as engine mechanic.

- 1986 : Spends the F1 season with Lotus on special assignment.

- 1987/1988 : Joins Ligier team as engine mechanic for the Alfa Romeo, Megatron and Judd engines.

- End of 1988 : Back to Renault Sport, and detached at Williams team for the 1989, 1990 and 1991 seasons.

- 1992/1994 : Detached at Ligier for the 1992, 1993 and 1994 seasons.

- 1995 : Benetton Engine Engineer - In charge of Herbert for Renault Sport.

- 1996 : Race engineer - In charge of Gerhard Berger.

- 1997 : Race engineer - In charge of Jean Alesi.

- 1998 : Race engineer - In charge of Fisichella.

- 1999 : Race engineer - In charge of Fisichella Engine Head of Engines at Benetton.

Hobbies

- Family, Golf, Mountain biking.

Cristina BOMBASSEI

SPONSORSHIP & RELATIONSHIP MANAGER

BREMBO

Biography

Date of birth :   6 February 1968 - Bergamo- **Italian**

Marital Status :   Single

Career summary

Studies : University of Bergamo, Business & Economics

- 1994-1996 :   Assisted various executives over 2 years,
                       international program

- 1996-1999 :   In charge of sponsorships, special events,
                       relationship and brand management
                       PR & promotional activities.

Hobbies

- Skiing, Travelling, Friends

Tony BOND

F1 ENGINES MANAGER

TEAM : ARROWS

Biography

Date of birth :   21 February 1959 - **British**
Marital status :   Married - 2 daughters

Career summary

- 1981-1982 :   Technician BTC & Group 00C - TWR Racing
- 1983-1984 :   Gearbox Technician - Brabham
- 1985-1989 :   Race Technician Mansell car - Williams GP
- 1990-1994 :   Production Manager - Jaguar Sport XJ 220
- 1995-1997 :   Manager Prototype Workshop - TWR Engineering
- 1998 :   Manager F1 Engines - Arrows F1 Engines

Hobbies

- Squash

Jean-Pierre BOUDY

TECHNICAL DIRECTOR

PEUGEOT SPORT

Date of birth:	31 July 1944 - **French**
Marital status:	Married - 4 children

Career summary

Arts et Métiers engineer

- 1969 :   Starts at Gordini Automobiles.

- 1975 :   In charge of the turbo V6 engine development for RENAULT until 1983 - 11 victories.

- 1984 :   In charge at Peugeot Talbot Sport of the 205 Turbo 16 engine - 1985 and 1986 World champion.

- 1989 :   Works on the 3,5l Atmo A1 engine for the 905.

- 1991 :   In charge of the 905 A2 engine, World Champion in 1992 : Wins 24 H. of Le Mans in 1992 and 93.

- 1993/1994 : Formula One debut at Peugeot Sport with the McLaren team, A4 and A6 engines.

- 1995/1997 : Designed the A10, A12 and A14 engines used by Jordan.

- 1998 :   Designed the A16 engine used by Prost.

- 1999 :   Designed the A18 engine used by Prost.

Hobbies

- Spend week-end with family when possible.

151

Arnaud BOULANGER

RESEARCH & DEVELOPMENT

TEAM : BENETTON

Date of birth :   5 May 1966 - Luneville - **French**
Marital status :   Married - Two children

Career summary

Studies : graduate engineer (ENSAM).

Starts in 1992 as a trainee on the monocylinder distribution bench then from September 1992 to February 1997 as test engineer successively in charge of pneumatic distribution tuning and components bench endurance, working engines endurance, short term performance and testings, track testing with Benetton.

Was race engineer in charge of Benetton Team, for Gerhard Berger in 1997 and for Alexander Wurz in 1998.

Joined the Research and Development Department at Benetton in 1999.

Ross BRAWN

TECHNICAL DIRECTOR

TEAM : FERRARI

Biography

Date of birth : 23 November 1954 - Manchester - **British**
Marital status : Married to Jean - 2 daughters (Helen, Amy)

Career summary

Apart from a five-year period with the Atomic Energy Research Establishment at Harwell, Brawn has spent his career working in motor racing. An interest in the sport led to a job in the Research and Development department at Williams in 1976, one of his responsibilities being the installation of a wind tunnel in the team's headquarters in Didcot. After eight years spent gathering experience in almost every aspect of the design and production of a Grand Prix car, Brawn left Williams to become Chief Aerodynamicist with the Force Formula 1 team. In 1987, Ross joined Arrows as Chief Designer, his car bringing the Grand Prix team fourth place in the 1988 Constructor's Championship.

Approached by Tom Walkinshaw at the end of the following year to take overall control and responsibility for race car design and the setting up of a design centre for TWR, Brawn turned his attention to sportscars. The result was the stunning Jaguar XJR-14, a car which broke new ground and brought TWR the 1991 Sportscar World Championship. July 1991 brought Ross back to Formula 1 with BENETTON as technical director.

Joined FERRARI as technical director in december 1996.

Hobbies

- Fishing, Gardening, Music.

153

Jean-Marc BREPSON

ELECTRONICS AND TELEMETRY SPECIALIST

RENAULT SPORT FOR SUPERTEC

Biography

Date of birth :   30 August 1951 - **French**

Career summary

- 1974/1984 :   Régie Renault. Worked as engine and electronics
technician on saloon cars (electronical ignition
and injection).

- 1984/1997 :   Renault Sport: started working on the V6 Renault
Turbo F1 engine, then worked on the V10 engine
as telemetry and injection specialist, at first for the
Williams and Ligier teams and from 1995
for the Williams and Benetton teams.

- 1998/99 :   In charge of the electrical department at the Renault
Sport plant and in charge of telemetry and electronics
for the Williams team.

Hobbies

- Good food, Sun, Swimming.

Jim BRETT

RACE SUPPORT MANAGER, F1

COSWORTH RACING

Date of birth :   19 April 1950 - Epsom - **British**
Marital status :   Married - Two children

Career summary

F1 Race support

- 1986 :   Team Haas
- 1987/1994 :   Benetton
- 1995/1996 :   Sauber
- 1997/Present :   Stewart

Flavio BRIATORE

CHAIRMAN

SUPERTEC SPORT

Biography

Date of birth :   12 April 1950 - Verzuolo - **Italian**
Marital status :   Single

Career summary

- 1977 :   Briatore moved to USA to help establish the United Colors of Benetton

- 1989 :   Entered Formula One with Benetton Formula Ltd as Managing Director

- 1994 :   Briatore and Benetton Formula win the Drivers Championship with M. Schumacher

- 1995 :   Briatore and Benetton win both the Drivers and Constructors Championship with M. Schumacher

- 1996 :   In October of 1997 Briatore leaves Benetton Formula for new pastures

- 1999 :   Manages Supertec Sport which supply engines to Benetton Formula, British American Racing and Williams F1

Hobbies

- Tennis, Cruising, Gym

Martin BROUGHTON

CHAIRMAN

BRITISH AMERICAN TOBACCO

Biography

Date of birth : 15 April 1947 - London - **Bristish**
Marital status : Married - Two children

Career summary

Martin Broughton was educated at Westminster City Grammar School. After qualifying as a chartered accountant, he joined Peat, Marwick Mitchell and Company. He joined British-American Tobacco Co as a travelling auditor in 1971, and worked on four continents, including spells in Bangladesh, Hong Kong, South African and Argentina before returning to London in 1974. Thereafter, he held a variety of financial positions before becoming the company's finance adviser for Asia. Martin Broughton moved to the Group's Brazilian subsidiary, Souza Cruz, in 1980, becoming Finance Director in 1984. In November 1985, he moved to Eagle Star as its first Finance Director. In 1998, he was appointed to the main Board of B.A.T. Industries as Finance Director. Subsequently, he has been Chairman of the Wiggins Teape Group, Chairman of Eagle Star and B.A.T Industries' Group Managing Director, Financial Services. Martin Broughton became Group Chief Executive and Deputy Chairman of B.A.T Industries in April 1993. Following the merger of the Group's financial services businesses with the Zurich Group in September 1998, and their demerger from the Group, he became Chairman of British American Tobacco p.l.c. He is also Chairman of the CBI Companies Committee, a member of the Takeover Panel and a member of the Financial Reporting Council. Mr Broughton is also Chairman of the Chatham House China Task Force. He has been a non-executive director of Whitbread since 1993.

Hobbies

- Golf

Gustav BRUNNER

TECHNICAL DIRECTOR

TEAM : MINARDI

Biography

Date of birth : 12 September 1950 - **Austrian**
Marital status : Married to Jenny - 2 children (Mia and Max)

Career summary

Gustav Brunner brought over twenty years of experience with him to Leyton House Racing when he joined the team late in the 1989 season. During the time he had worked for a number of outfits and was latterly Chief Designer at Ferrari (1986 and 1987), Rial (1988), and Zakspeed (1989).

Austrian born Brunner joined Leyton House Racing as Chief race Engineer, working alongside former aerodynamicist Adrian Newey on the design of the CG901 chassis. In addition to his activities at Grands Prix, he has aslo designed the new transverse gearbox for the Ilmor powered CG 911.

His position as Technical Director gave him complete responsability for all technical aspects of the March team before he left to join Minardi as car designer.

Joined Ferrari at the R & D Department in 1993 and was appointed Technical Director at Fondmetal Minardi in 1998.

Hobbies

- Swimming and Cycling

Martin BRYANT

TECHNICAL/DESIGN DIRECTOR

PODIUM DESIGNS

Biography

Date and place of birth :   4 January, 1964 - **British**

Marital status :   Single

Career summary

1981-1998 : Ministry of Defence - Royal Navy
Apprenticeship served before working as an engineer in the hydraulics/pneumatics design authority for Warships.

1988-1991 : Professional engineer working in commercial aerospace and defence companies. Gained mechanical engineering degree. C.Eng., M.I. Mech.E

1991-1994 : Williams Grand Prix Engineering design engineer. 4 seasons working with race engineers and as part of design team of FW14, FW15, and FW16/17.

1995 : Arrows Grand Prix - Race engineer.

1995 : Penske Cars - Senior designer on Indycar projects.

1995-1996 : Ligier Formule 1 - Race engineer.

1996-1999 : Podium Designs - Design and engineering consultancy services to F1, Indycar and GT teams. Electric and Hybrid powered vehicle projects. Wind tunnel testing, race car design, FEA and CFD analysis, research and development. Currently working on new gearbox / transmission developments, hybrid-electric powertrain systems and offering to develop new aerodynamic concepts in partnership with customers.

Hobbies

Cycling, Gym, Karting, Hi-Fi, Water Sports.

Peter BUERGER

F1 COORDINATOR

ARAI HELMETS

Biography

Date of birth :   7 September 1959 - Cologne - **German**
Marital status :   Single

Career summary

Studies : Architecture at University with "Dipl-Ing" degree.

- 1980-1984 :   National Kart racer.

- 1985-1991 :   Karting in Grand Prix Formula K. 1st sponsored Kartracer from ARAI Europe.

    Raced together with : Fisichella, Trulli, Takagi, Magnussen, Verstappen, Salo...

- 1989 :   Founder of "POINT RACING" as ARAI helmet importer in Germany selling also SPARCO suits for karting.

- 1990 :   4th Place European Championship "Formula-K".

- 1990-1994 :   ARAI racing service on international and german karting events.

- 1995 :   ARAI racing service on DTM/ITC and german F-3 championship.

- 1996 :   ARAI racing service on international and german karting events.

- 1997 :   ARAI Formula-1 racing service and F-1 coordination

- 1998 :   ARAI Formula-1 racing service and F-1 coordination Celebrating 10 years "POINT RACING".

Rory BYRNE

CAR DESIGNER

TEAM : FERRARI

Jean CAMPICHE

HEAD OF TIMING DEPARTMENT

TAG HEUER

Biography

Date of birth : 25 January 1945 - **Swiss**
Marital status : Single

Career summary

Studies : E.T.S. engineer (electronics) in Lausanne.

- 1968/1972 : World Championship motorcycle driver in 125 cc, 350 cc and 500 cc and partime job during Winter in Company specialising in spectrometers.

- 1972/1979 : FERRARI official time keeper for Heuer with P.R. missions and timing installations sales.

- 1980/1986 : Participates at the introduction of a timing system for F1 and in charge of the collaboration contract with FERRARI.

- 1987/1999 : Official Timekeeper of the FIA Formula One World Championship as well as for several Ski World Cups and the World Championship Alpine Ski in Vail last February

Hobbies

- Skiing, Mountain biking, Wind surfing, Gastronomy and everything related to «fun»

Jost CAPITO

CHIEF OPERATION OFFICER

TEAM : SAUBER

Biography

Date of birth :   29 September 1958 - **German**
Marital status :   Married

Career summary

- 1975/1976 :   German Junior Enduro Champion
- 1975/1982 :   Various titles in Enduro and Moto-Cross
                 Championships
- 1983 :   Rallye Paris-Dakar : 2nd place assistance category
- 1985 :   Rallye Paris-Dakar : winner truck category
- 1985 :   Engineering Degree of Technical University
            Munich
- 1985/1989 :   Development Engineer with BMW Motorsport
- 1990/1994 :   Head of Race Series Organisation, Porsche
- 1995/1996 :   Head of Motorsport Organisation, Porsche
- 1996/1998 :   Sauber Petronas Engineering AG
                 Executive Commitee
- 1999 :   Red Bull Sauber Petronas
            Chief Operating Officer

Dominique CAVAZZI

HEAD OF RESEARCH & DEVELOPMENT

PEUGEOT SPORT

Biography

Date of birth :   28 March 1960 - Nancy - **French**
Marital status :   Married - 2 daughters

Career summary

- 1985/1990 :   Peugeot-Research & Development. Engine Control and depollution.

- 1990-1995 :   Peugeot-Research & Development. Middle range gasoline engines architecture.

- 1995-1996 :   Peugeot SA.-Diesel engines project leader.

- 1996 :   Peugeot Sport - F1 Engine.
Head fo Research and Development.

Patrick CHAMAGNE

TEAM TRAINER

TEAM : PROST

Biography

Date of birth :   18 February 1960 - Neuilly-sur-Seine - **French**
Marital status :   Married - 2 children

Career summary

Degree in Psychology, Ski Instructor, Alpine Guide, Tennis Pro.

Worked with French tennis players (Forget/Leconte/Santoro).

Worked with French Tennis Federation.

Took some exams for physical training and dietetic.

Hobbies

Museums, all sports, my work.

Mike CHAPMAN

TEAM PHYSIOTHERAPIST

TEAM : BENETTON

Biography

Date of birth :   Harlow - **British**
Marital status :   Married to Jackie - 2 children (Amy, Becky)

Career summary

- 1975/1982 :   Physical Training Instructor in Royal Marines

- 1985 :   Qualified Chartered Physiotherapist

- 1989 :   Qualified Licensed Acupuncturist

Attained vast array of post graduate skills within fields of physical training and sports medicine.

Experienced in a number of disciplines, at all levels, notably gymnastics boxing, rugby union and soccer. First season in Motorsport having joined Benetton Human Performance Centre from Professional Football.

Aims to promote Benetton Playlife policy by providing a 'Team service for both drivers and corporate members.

Hobbies

- Family first and foremost, Fitness training, Napoleonic model soldiers

Jean-Pierre CHATENET

TEAM MANAGER

TEAM : PROST

Biography

Date of birth :   19 August 1949, Les Bordes - **French**

Marital status :   Married - 2 sons

Career summary

- 1975 :   Ligier - Modeller Ligier JS 5
- 1978/1980 :   Ligier - Car Chief for Depailler and Pironi
- 1981/1989 :   Ligier - Chief Mechanic, track operations
- 1990/1998 :   Ligier - Manager test team
- 1998/1999 :   Prost GP - Team Manager

Hobbies

- Moto cross

Nicholas CHESTER

RACE ENGINEER

TEAM : ARROWS

Biography

Date of birth :   22 March 1968 - Ripon, **British**
Marital status :   Married

Career summary

Graduated from Cambridge University in 1991 with an honours degree in Engineering.

Joined Simtek research in 1991 to develop vehicle simulation software, supporting BMW motorsport in 1992 and 1993.

Responsible for chassis performance analysis and simulation at the track for Simtek Grand Prix in 1994.

Designed front suspension components for the 1995 Simtek S951 and also responsible for chassis performance analysis and simulation at the track.

Joined TWR F1 to develop vehicle simulation software and four post rig testing.

Chassis performance engineer for Promo Diniz at 1997 Grand Prix and race engineer for Pedro Diniz and later Mika Salo at tests. Race engineer for Mika Salo in 1998 and de La Rosa in 1999.

Hobbies

- Music, Travel.

Denis CHEVRIER

SENIOR RACE ENGINEER

RENAULT SPORT FOR SUPERTEC

Biography

Date of birth: 8 June 1954 - **French**
Marital status: Married

Career summary

Studies: Mechanical Engineer (ENI - Metz)

- 1980/1981: Motobecane for the 125cc Motorcycle World Championship
- 1982/1983: Pernod 250cc Motorcycle Word Championship. During these 4 years, conception, follow-up on circuits and tests of french made prototypes
- 1985/1992 RENAULT SPORT as motor race engineer with following steps:

1985/1986:	Field engineer for the V6 Turbo F1 engine with Tyrrell team
1987:	Motor race engineer for the Rally World Championship (R11 Turbo, group A)
1988:	Projects and modeling of Renault prototypes
1989/1997:	Field engineer for the V10 -F1 engine with the Williams team, in charge of Boutsen, Mansell, Prost, Senna, Hill and Villeneuve
1998:	Race engineer in charge of Villeneuve
1999:	Coordinator between BAR, Benetton and Williams

Hobbies

Motorcycle (road & trail), Mountain biking, Skiing.

Steve CLARK

RACE ENGINEER

TEAM : SAUBER

Biography

Date of birth : 16 March 1965 - - **British**
Marital status : Married

Career summary

- 1986/1989 :   Lucas Engine Management
- 1989/1991 :   Team Lotus International
- 1991/1996 :   Ligier Formule 1
                 Race Engineer : T. Boutsen (91), M. Brundle (93)
                 O. Panis (94/95)
- 1996/1998 :   TWR Formula 1 (Arrows GP)
                 Race Engineer Pedro Piniz (97)
- 1998 :   Target/Chip Ganassi Racing
                 Race Engineer Alex Zanardi
- 1999 :   Red Bull Sauber Petronas
                 Race Engineer Pedro Diniz

Jock CLEAR

SENIOR RACE ENGINEER

TEAM : BRITISH AMERICAN RACING

Date of birth :   12 September 1963 - Portsmouth - **British**
Marital status :   Married

Career summary

- 1987 :   Graduated - B Eng in Mechanical Engineering.
- 1988 :   Lola Cars - Design Engineer.
- 1989/1991 :   Benetton Formula.
- 1991 :   Leyton House - Senior Designer.
- 1992/1994 :   Lotus - Senior Designer.
- 1994 :   Lotus - Race Engineer for J. Herbert/A. Zanardi.
- 1995 :   Williams - Race Engineer for D. Coulthard.
- 1996-1998 :   Williams - Race Engineer for J. Villeneuve.
- 1999 :   British American Racing
Race Engineer for J. Villeneuve.

Hobbies

- Rugby, Rollerblading

Frederic COISNON

PROJECT LEADER

PEUGEOT SPORT

Biography

Date of birth: 14 December 1963 - Etampes - **French**
Marital status: Married, one child

Career summary

- 1989/1990 : Ligier F1
Relationship with engine supplier

Since 1992 : Peugeot Sport

    1992/1994 : Quality control

    1994/1197 : Research & Development

    1998 : Race Engineer in charge of Panis engine

    1999 : Project leader

Hobbies

- Ski, Football

Christian CONTZEN

MANAGING DIRECTOR

RENAULT SPORT

Biography

Date of birth : 9 March 1939 - **Belgian**
Marital status : Married - 2 children

Career summary

Having joined Renault in 1960, Christian Contzen has invested all his professional life in this company. The first episode of his career took place in the after-sales department where he was given responsibility in Renault's export network and Headquarters where he was assigned to head the spare parts Commercial Organisation.

He will then successively be in charge of the company's Nice branch, Area Commercial Director in Tours and Marketing Director for France. These functions allowed him to closely follow Renault's sporting activities.

He has been Managing Director of Renault Sport since the end of 1990, responsible for the Formula One, Rally and Sports Promotion Departments.

Hobbies

- Modern Art, Design, Photography (Picture taking, Camera, Film boxes, Films and magazine collecting).

Mick COOK

RACE ENGINEER

TEAM : BRITISH AMERICAN RACING

Biography

Date of birth :   24 April 1955 - Tillingham - **British**
Marital status :   Married, two children

Career summary

- Left school at fifteen, raced motorcycles for 8 years.
- Raced Formula Ford for 2 years.
- Started Mick Cook racing running Formula Ford.
  Won Dunlop Star of tomorrow championship in 1980.
- 1982 :   Ran F3 car for Carlos Abella.
- 1983/1984 :   Worked for Murray Taylor, Race Engineer F3.
- 1985 :   Worked for Madgwick, won F3 Championship in 1986. Race Engineer for Andy Wallace.
- 1987/1991 :   F3000 - Race Engineer for Madgwick.
- 1991 :   F3000 - Race Engineer for First Racing.
- 1992/1993 :   F3000 - Race Engineer for Vortex Motorsport.
- 1994 :   Super Nova F3000 Chief Engineer.
- 1995 :   Super Nova F3000 1st & 2nd in championship - Chief Engineer, Sospiri and Rossett.
- 1996 :   Super Nova F3000 1st & 2nd in championship - Brack.
- 1997 :   Super Nova F3000 1st & 2nd in championship - Zonta.
- 1998 :   Super Nova F3000 1st & 2nd in championship - Montoya.
- 1999 :   B.A.R. - Race Engineer.

Hobbies

- Watching Cricket

Humphrey CORBETT

TRACK ENGINEER

TEAM : PROST

Date of birth :   13 January 1949 - Bedford - **British**
Marital status :   Single - 1 daughter (Cecilia)

Career summary

- 1970 :   March, F3 Works Team Chief Mechanic

- 1971 :   Brabham, F3 Works Team Chief Mechanic

- 1972/74 :   F3, F2 and 2 litre Sports Car Mechanic for GRD

- 1975/84 :   Own export import business

- 1985/89 :   Lola Motorsports F3000
    Mechanic and Team Manager

- 1990/93 :   Madgwick, Apomatox, Il Barone Rampante F3000
    (British F3000 champions 1990 & 1991)
    Engineer, Team Manager

- 1994/95 :   Simtek F1 - Engineer for Ratzenberger, Gounon, etc.

- 1996/Present : Ligier, Prost Grand Prix - Engineer for Diniz,
    Nakano, Panis and Trulli

Hobbies

- Running, Keeping fit, and World War aircraft.

175

Mike COUGHLAN

TECHNICAL DIRECTOR

TEAM : ARROWS

Biography

Date of birth :   17 February 1959 - **British**
Marital status :   Married, 3 children
(Benjamin, Thomas, Natalie)

Career summary

After doing a thin sandwich degree in mechanical engineering at Brunel University, sponsored by Rolls Royce (Aero) of Derby, joined Tiga Racing Cars and designed cars from Formula Fords to group "C" cars.

Left here after 3 years to join Lotus in Norfolk, working on the design team for the types 97, 98, 99, 100 and 101.

Left here to work with John Barnard at Benetton doing the 191.

After a short spell at Tyrrell, joined Ferrari to work on the 645, 646, 647 and 648 cars. Finally joining TWR Arrows and working on the A19 car.

Appointed Technical Director at Arrows in January 1999.

Hobbies

- Football (watching Brentford), Football, Football and Football.

Diane M. CREASY

SALES & MARKETING MANAGER, VISTEON RACING

VISTEON AUTOMOTIVE SYSTEMS

Biography

Place of birth :   Michigan - **American**

Marital status :   Single

Career summary

Over 19 years experience in Automotive Components Supply Base. Joined Visteon in 1998 as Global Account Manager for Lighting Products, Global Sales and Service. Within less than one year, transferred over to the Racing Team to work with six venues of Visteon Racing, F1, CART, Nascar, NHRA, American LeMans Series, SCORE off Road Trucks. Joined Visteon from Valeo where she held a position of Sales and Marketing Manager of North America. Earlier in her career, Diane worked in England for Lucas in engine management for the F1 racing participation and CART racing with Allied Signal.

Hobbies

- Gym, Reading, Tennis, Building and designing houses

Axel DAHM

GLOBAL BRAND DIRECTOR

H.F & Ph.F. REEMTSMA

Biography

Date and place of birth : 24 May 1962, Dusseldorf - **German**
Marital status : Married - 4 children

Career summary

- 1981/1985 :	Studies in Psychology, Philosophy, Theatre, Film and Television Sciences, University of Cologne.
- 1982/1987 :	Psychological Institute II, Cologne
- 1986 :	Graduation : Diplom-Psychologe
- 1987 :	Trainee, Team/BBDO
- 1989 :	Marketing Research Director, Board of Directors, Team BBDO Director Research and Strategic Planning, German BBDO Group
- 1990 :	European Director Research and Strategic Planning
- 1991 :	Director Strategic Planning/Marketing Services, Spiess Ermisch Abels Advertising Agency
- 1991/1993 :	Managing Director, Dahm International Group, est. 1971
- 1992/1993 :	Lecturer Academy of Arts, Düsseldorf
- 1993 :	Director Marketing, Berentzen Distillers
- 1994 :	Managing Director, Berentzen Distillers
- 1996 :	In addition Managing Director, Berentzen International
Since 1998 :	Global Brand Director WEST Central Marketing, Reemtsma Tobacco Industrie.

Daniel A. DAVIS

DIRECTOR, FORD RACING TECHNOLOGY

FORD MOTOR COMPANY

Biography

Date and place of birth: 13 May 1949 - Jackson, MI - **American**

Career summary

Dan Davis was named head of Ford Motor Company's world-wide motor racing effort in October 1997.

Due to the combination of Dan Davis' global experience within Ford Motor Company and his knowledge of the Ford world-wide motor racing programme, he is ideally suited to this position.

Davis, whose most recent position was executive director, Quality, Ford Automotive Operations, oversees Ford's global racing efforts, headed up by Martin Whitaker in Europe.

Davis joined Ford Motor Company in 1976 and has held a variety of product engineering, manufacturing, purchasing and business positions within the component divisions, powertrain operations, car product development area, and Ford Automotive Operations.

From 1991-1993 Davis was director of vehicle controls and powertrain products for Ford Electronics Division, where he among others was responsible for the motorsport engineering programs in four of the most important race series ; Formula One, World Rally Championship, Indy cars and Nascar.

Davis previous experience also includes world-wide responsibilities as executive director, Quality, FAO ; executive director, Manufacturing Procurement Operation, Purchasing ; director of Subsystems Engineering, Automotive Components Division ; and general manufacturing manager, Electronics Division, where he oversaw seven manufacturing plants in seven different countries.

John P. DAVIS

HEAD OF RESEARCH & DEVELOPMENT

TEAM : JORDAN

Biography

Date of birth :   24 June 1956 - Solihull, England - **British**
Marital status :   Married - 2 children

Career summary

- 1972-1979 :	British Leyland Apprentice Training, BSc Hons, Mechanical Engineering
- 1979-1982 :	PhD Imperial College London "Wind Tunnel Investigation of Road Vehicle Wakes"
- 1982-1986 :	Team Lotus Norfolk England Aerodynamicist and Head of Research and Development
- 1986-1990 :	Lotus Engineering Norfolk England Aerodynamicist and Head of Active Technology Group
- 1990-1992 :	Team Lotus Ltd Norfolk Head of Research and Development
- 1992-1994 :	Ligier Formule 1, Magny Cours France Director of Research and Development
- 1994-1995 :	Pi Research Cambridge Chief Engineer
- 1996 :	Consultant to Patrick Racing CART Indy Team
- 1996-1998 :	Jordan Grand Prix Wind Tunnel Manager Chief Race & Development Engineer
- 1999 :	Jordan Grand Prix Head of Research & Development

Leonel DE CASTRO

RACE ENGINEER

PEUGEOT SPORT

Date of birth : 3 September 1959 - **Portuguese**
Marital status : Married - 2 sons (Sebastien, Jeremy)

Career summary

High school studies in mechanical construction

- 1976/1978 : Car repair mechanic at Renault
- 1978/1990 : Renault, in charge of Test beds (28)
- 1990/1998 : Peugeot Sport, in charge of development workshop
(25 mechanics)

Hobbies

- Football, Jogging, Cinema.

Gabriele DELLICOLLI

RACE ENGINEER

TEAM : SAUBER

Biography

Date of birth :	19 October 1966
	Sesto S. Giovanni (MI) - **Italian**
Marital status :	Single

Career summary

- 1992 :   Mechanical Engineer Degree

- 1993/95 : Alfa Romeo Technical Dept - Suspension
            Design and Development

- 1995 :   Alfa Corse - Damper Development on DTM Class 1
            Touring Cars - Data Analysis and Vehicle Dynamic Engineer

- 1996 :   Alfa Corse - Race Engineer - ITC

- 1997 :   Minardi Team - Race Engineer for Jarno Trulli

- 1998 :   Red Bull Sauber Petronas
            Assistant Race Engineer

Hobbies

- Skiing, Sailing.

Ron DENNIS

MANAGING DIRECTOR

TAG McLAREN GROUP

Nationality : **British**
Marital status : Married - 3 children

Ron Dennis began his career in motor racing in 1966 with the Cooper Racing Company. By 1968, he had become Chief Mechanic to Sir Jack Brabham with the Brabham Racing Team. Three years later, Ron launched his own business by forming Rondel Racing Team to compete in the European F2 Championship. During three years in competition, Graham Hill and Carlos Reutemann both drove for Rondel. In 1974, a sponsorship agreement with Philip Morris enabled the formation of the Ecuador-Marlboro F2 team to compete with drivers Marello and Ortega. By the close of the 1974 season, Ron went on to create the Project Three team (project one was Rondel and two a 1973 association with Motul). The team settled in Woking in 1976, and Project Four was born to compete in the European F2 Championship with Eddie Cheever. In 1979, BMW awarded the team a contract for 25 M1 cars, and Marlboro sponsored the team to run a car driven by Niki Lauda in the Procar Championship, which Lauda won. In 1980, with encouragement from their mutual sponsor Marlboro, Project Four and Team McLaren Ltd merged to form McLaren International, Ron Dennis ascending to lead the company in 1982.

Collecting old microscopes.

John DICKINSON

HEAD OF RESEARCH & DEVELOPMENT

TEAM : BRITISH AMERICAN RACING

Biography

Date of birth :	9 April 1958, Isleworth - British
Marital status :	Married, 3 chidren (Jonathan, Sam and Mary)

Career summary

- 1976 : Ministry of Defence : Student Engineer Training Scheme 1-3-1 sandwich course, BSc in Aeronautical Engineering.

- 1981 : Ministry of Defence : Professional Technical Officer. Flight systems, simulator development, aircraft simulation, guidance and control. MSc in Control Engineering.

- 1986 : Lotus Engineering : Development Engineer Senior Engineer - Principal Engineer. Simulation and development of vehicles with Lotus Active suspension. Analysis of hydraulic and electric control systems.

- 1992 : TAG Electronic Systems : Principal System Engineer. Active ride and handling models. Sizing of hydraulic system via simulation.

- 1994 : McLaren International : Senior Vehicle Dynamicist. Lap simulation, performance analysis, computerised setup, vehicle dynamics modelling.

- 1998 : British American Racing : Head of Research & Development.

Hobbies

- Cars, Photography, Woodwork, Running, Swimming.

Stefano DOMENICALI

TEAM MANAGER

TEAM : FERRARI

Date of birth :   11 May 1965 - Imola - **Italian**
Marital status :   Married

Career summary

Graduated with BA in Business Administration from the University of Bologna.

1991/92 : Controller in FERRARI Road Cars Dept

1993/94 : Controller in F1 Dept

1995 :   Responsible of Human Resources in F1 Dept

1996 :   Responsible of Human Resources in F1 Dept
          and Relationship with sponsors

1992/96 : International Clerk of the course at Mugello Track

1997 :   Team and Sponsorship Manager at the F1 department

Hobbies

Basket Ball and Music.

Bernard DUDOT

TECHNICAL DIRECTOR

TEAM : PROST

Date of birth : 30 January 1939 - **French**
Marital status : Single - One son

Career summary

Studies:	CESTI (Centre d'Etudes Supérieures de Techniques Industrielles) in Paris
- 1967 :	Alpine Renault. Starts the engine service and synthesis department
- 1973 :	Renault Gordini. Works in the 2-liter V6 atmospheric engine
- 1974 :	Manager in charge of the "Le Mans" programme
- 1978 :	Technical Director of engine department
- 1980 :	Technical Director at Renault Sport where, with his team, he conceived engines from the turbocharged EF 4 to the EF 15 and when Renault Sport resigned from Formula One as a constructor, designed and developed the atmospheric V10 from the RS01 to the RS09 used from 1991 until 1997 by the Williams team and from 1995 also by the Benetton team.
- 1997/Present:	Technical Director at Prost Grand Prix

Hobbies

- Sailing, Aeronautics.

François DUFOREZ

C.E.O

IBSV

Biography

Date of birth: 27 April 1959 - St Germain en Laye - **French**
Marital status: Married to Brigitte - 4 children

Career summary

Doctor of medicine - prizewinner at the Faculty of Medicine
CES Biology and Sports Medicine, "The Physiology of Effort"
Inter-university diploma "Being awake and sleeping"
Certificate of INSEAD (EDP 1993)

Doctor at the "Centre Hospitalier des Courses de Maisons Laffitte"
Medical centre, associated to Hôtel Dieu Medical centre.

Founded IBSV in 1990
Head of IBSV's integrated biomedical assessment centre.
Responsible for numerous medical and technological research programmes aimed at improving performance and minimising risks for
formula 1 drivers, skippers and riders. Fields include alertness, vision,
veinous return.

Medical assistance, training, coaching of numerous F1, F3000, WRC
and other drivers over the last ten years.
Since 1998, provides complete biomedical support to Prost Grand
Prix and its drivers.

Director of the "Extreme management" program at INSEAD

Hobbies

Tennis, Rugby, Golf

187

Jim DUNCAN

VICE PRESIDENT
(Europe, Middle East, Africa, India)

UNIGRAPHICS SOLUTIONS EUROPE

Biography

Date of birth: 29 April 1937, Larkhall - British
Marital status: 3 children

Career summary

Jim Duncan is Vice President of Unigraphics Solutions Europe.

Appointed to this position in June 1998 when Unigraphics Solution was floated as an Independant Company on the New York Stock Exchange, Jim's organization includes operations in 32 countries managed from the European Headquarters office in Fleet, UK. Prior to this appointment, Jim was General Manager, Europe, EDS Unigraphics.

With more than 15 years experience in the CAD industry Jim is responsible for all aspects of customer support and sales throughout Europe, India, the Middle East and Africa.

Henri DURAND

CHIEF ENGINEER, AERODYNAMICS

TEAM : McLAREN

Biography

Date of birth :	21 August 1960 - Mazamet - **French**
Marital status :	Married

Career summary

1983/1987 :	Ligier-Sports (F1)
1987/1990 :	Ferrari
1990/Present :	McLaren Int. as Chief Engineer in charge of Aerodynamics

Hobbies

- Golf, Sailing

Chris DYER

RACE ENGINEER

TEAM : ARROWS

Biography

Date of birth : 12 February 1968 - Australia - **Australian**
Marital status : Single

Career summary

- 199293 : Holden special vehicles, Project Engineer
- 1994/96 : Holden racing team,
Australian Touring Car Championship
Data Analysis Engineer - Design Engineer
- 1997 : Arrows - Data Analysis Engineer/Test
Race Engineer for Pedro DINIZ
- 1998/99 : Race Engineer for Toranosuke TAKAGI

Hobbies

- Motorcycle observed trials.

Jacky EECKELAERT

TEST TEAM MANAGER

TEAM : PROST

Biography

Date of birth :   11 January 1955 - Antwerp - **Belgian**
Marital status :   Married - 2 children

Career summary

- 1978 : Degree in mechanical engineering at University of Louvain
- 1979/1982 : Engine development for Ford racing as privateer in Formula Ford 1600
- 1982/1984 : Manager of technical center Champion Europ racing as privateer in FF 2000 and F3
- 1985/1989 : Running F3 - Team "KTR" Design of race car components
- 1985/1991 : Consultant at research center of University of Louvain
- 1992/1993 : Danielson (905 S - Sport cars)
- 1994/1995 : Engineering supertouring team at Peugeot Sport
- 1997 : F1 - Programme coordinator (Jordan-Peugeot)
- 1998 : Senior Development Engineer (Prost GP)

Hobbies

- Karting, Tennis, Ski

Jean-Luc ETCHEVERRY

TECHNICAL ASSISTANCE

CARBONE INDUSTRIE

Biography

Date of birth :   21 January 1967 - **French**
Marital status :   Lives with Karine, one daughter

Career summary

- Studies : Technology Institute of Bordeaux,
Graduated in Mechanical Engineering.

- 1988/1989 : Training at SEP (Société européenne de propulsion)
Training at Dassault Aviation

- 1990 : Started at Carbone Industrie at the Motorsport
department

- 1991 : Technical assistance in Formula One championship

-1992 : Technical assistance in Group C championship

- 1993/1998 : Technical assistance in Formula One championship
in charge of Williams/Benetton/Arrows

- 1999 : Technical assistance in Formula One championship
in charge of Williams/Benetton/Bar/Arrows

Hobbies

- Cinema, Motorcycles, Travel, Music (listening)

Steve FARRELL

CHIEF ENGINEER

TEAM : BRITISH AMERICAN RACING

Biography

Date of birth :   28 July 1958, Sydney - **Australian**
Marital status :   Married - 2 children

Career summary

Steve Farrell has been involved in motor-racing for over thirty years, having started in June of 1969 at the age of only 11, helping his older brother who was driving Minis at that time, and later in Formula 2000.

With his appetite for motorsports whetted, Steve completed secondary school and immediately left for the United Kingdom to take on a mechanics position in Formula 3 in 1977. Returning to education, he graduated in 1982 from the University of New South Wales in Australia with a degree in Aeronautical Engineering. During this time he kept involved in motorsport by taking part in Formula Ford throughout the course of his studies.

In 1983, Steve moved back to the UK and drove a season in Formula Ford 2000. Preferring to focus on motorsport engineering, Steve went on to set up Milldent Motorsport running Formula Ford 1600 and 2000, based in the United Kingdom. It was during this time that he employed two young and aspiring mechanics, that would later go on to great motorsport achievement in their own right, Malcolm and Mark Oastler.

Selling Milldent Motorsport in 1987, Steve joined Chamberlain Engineering and then worked with TWR Jaguar as Race Engineer. A highlight in his career at this time was winning the World Sports Car Championship in 1991 as Race Engineer for Teo Fabi.

In 1993, Steve moved to join motorsport-engineering specialists, Prodrive in the capacity of Chief Engineer. He later joined Ray Mallock on the Opel Touring Car project and then returned to TWR as Chief Engineer with the Nissan Le Mans project for two years.

Steve did not hesitate to take up the challenge as Chief Engineer of British American Racing in august 1998 and rejoin former colleague and friend, Malcolm Oastler. Steve's introduction to Formula One was during the last four races of Tyrrell and he now looks forward to a successful season with 1999 new-comers, British American Racing

Bernard FERGUSON

COMMERCIAL DIRECTOR

COSWORTH RACING

Biography

Date and place of birth :   11 December 1947, Burnley - **British**
Marital status :   Married, 2 daughters

Career summary

Following many years in the purchase and supply division of OEM Motors Manufacturers Chrysler and DeLorean, as well as General Manager positions in Automotive Supply Companies.

Joined Cosworth in 1984 to set up material control systems at New Wellingborough site.

- 1987-1989 :   Works Director - Valcast Foundry

- 1989-1995 :   Marketing Executive Racing - Cosworth
  Employed to set up Customer Racing Sales
  Programmes

- 1995-1999 :   Racing Sales Director - Cosworth Racing

- Present :   Commercial Director

Hobbies

- Sailing, Cycling, Reading

194

Christine FERRAGE

LOGISTICS MANAGER

PEUGEOT SPORT

Date of birth :   30 November 1961 - Paris - **French**
Marital status :   Single

Career summary

- 1982/90 :   Travel Agent, Guide Interpreter, Tour Leader
- 1991/1998 :   Peugeot Sport, Logistics
                - Sports Cars World Championship
                - Formula 1
- 1999 :   Peugeot Sport, Logistics Manager for Formula One

Hobbies

- Horse riding, Ski, Trekking, Sailing, Art and Reading.

Greg FIELD

RACE TEAM MANAGER

TEAM : BRITISH AMERICAN RACING

Biography

Date of birth :   7 July 1946 - Ruislip - **British**
Marital status :   Married to Amanda
                     3 children (Eleanor, Sam, Alice)

Career summary

- 1972/82 :   Mechanic in F2 & F5000
- 1982/89 :   Spares Coordinator, Toleman/Benetton
- 1990 :   Team Manager, Team Schuppan,
                 Japanese Sports Car Championship & Le Mans
- 1991/92 :   Operations Manager, Team Lotus
- 1993 :   Factory Manager, Brabham
- 1994/98 :   Team Coordinator, Benetton Formula
- 1998/1999 :   Team Manager

Hobbies

- Karting, DIY, Cooking.

Cesare FIORIO

TEAM MANAGER & SPORTING DIRECTOR

TEAM : MINARDI

Biography

Date of birth : 26 May 1939 - **Italian**
Marital status : Married, 3 children

Career summary

30 years in motorsport.

Winner as Competition Director of 18 World Championships with the Lancia team.

15 years of power boat racing driver with 3 World Championship wins.

Currently holder of the «Blue Ribbon» for the fastest Atlantic crossing in 58 h 34'50''.

5 years Competition Director at Scuderia Ferrari, 9 victories in G.P. and 26 podiums.

Team Manager of Forti team in 1996, Sporting Manager of Ligier and Prost GP in 1997. Sporting Director of the new Prost GP Team in 1998. Team Manager and Sporting Director at Fondmetal Minardi Ford in 1999.

1999 :   Team Manager and Sporting Director at Fondmetal Minardi Ford

Hobbies

Sailing, Skiing, Golf, Rock music.

Gavin FISHER

CHIEF DESIGNER

TEAM : WILLIAMS F1

Date of birth :   30 August 1964 - Harrow - **British**
Marital status :   Married - 3 children

Career summary

After graduating from Hatfield Polytechnic in 1986 with a First Class Honours Degree in Mechanical Engineering, Gavin spent three years working for a design consultancy before joining Williams Grand Prix as a Designer in May 1989.

Appointed Chief Designer in 1997, Gavin leads a team of around 12 designers and is responsible, in conjunction with the Chief Aerodynamicist, for the overall design of the Williams Formula One chassis and for its development throughout the season.

Hobbies

- Motorcross, Mountain biking.

Philippe FONT

TRACK ENGINEER

CARBONE INDUSTRIE

Biography

Date of birth :   16 June 1973 - **French**
Marital status :   Engaged

Career summary

- 1997 :   Joined the Motorsport Department at Carbone
                  Industrie
- 1995 :   MSc in Automotive Engineering
                  Coventry University
- 1993 :   Graduated in Mechanical Engineering and
                  Production

Hobbies

- Mountain bike

Alan FULLER

TECHNICAL ASSISTANT

FIA

Biography

Date of birth : 27 February 1959 - Hamilton, New Zealand
New Zealander
Marital status : Married

Career summary

- 1981/1982 : International Race Tire Services : Tyre Fitter
- 1982/1984 : March Grand Prix/Ram Automotive :
  Truckie - Tyres - Spares
- 1985/1988 : Brabham : Truckie - Tyres
- 1988/1995 : McLaren : Truckie - Tyres - Refuelling
- 1996/1999 : FIA - Technical Assistant

Hobbies

- Skiing.

Vincent GAILLARDOT

CHIEF TRACK ENGINEER

TEAM : PROST

Biography

Date of birth : 10 February 1964 - **French**
Marital status : Single

Career summary

Studies:	Mechanical engineer ESTACA (Ecole Supérieure des Techniques Aéronautiques et Constructions Automobiles)
- 1988	F3 with Oreca
- 1989	F3000 with Dams
- 1990/1992	Engineer responsible for track tests at Renault Sport Based in England with Williams team
- 1993/1994	Engineer in charge for Renault Sport of Ligier race and test teams
- 1995	Engineer in charge of Schumacher for Renault Sport at Benetton
- 1996	Engineer in charge of Alesi for Renault Sport at Benetton
- 1997	TWR-Arrows. Engineer in charge of Damon Hill
- 1998	Arrows. Promoted to chief race engineer
- 1998	Prost. Chief track engineer

Hobbies

- Mountaineering, Skiing.

Mark GALLAGHER

MARKETING MANAGER

TEAM : JORDAN

Biography

Date of birth :   9 March 1962 - Belfast, N Ireland - **British**
Marital status :   Married, 2 children

Career summary

- 1983/1985 :   Worked for Autosport and Autocar
- 1986/1990 :   Journalist in F1 + F3000
- 1990/1991:   Press and PR Manager, Jordan Grand Prix
- 1992/1994 :   PR Manager, Avenue Communications
- 1994/1995 :   Commercial Manager, Pacific Grand Prix
- 1995/1998 :   Sponsorship Manager, Jordan Grand Prix
- 1999 :   Marketing Manager, Jordan Grand Prix

Hobbies

- Writing, Skiing, Music, Boats.

Claudio GARAVINI

F1 TECHNICAL ASSISTANT

FIA

Biography

Date of birth :   10 March 1958 - Imola - **Italian**
Marital status :   Single

Career summary

Has worked 10 years with FOCA where he was responsible of the FOCA motorhome office.

Also in charge of the helicopter on board camera for 2 years and 5 years as part of the timing team.

Has been working for FIA since 1997.

Hobbies

- Mountain biking, Skiing, Karting.

Mike GASCOYNE

CHIEF DESIGNER

TEAM : JORDAN

Date of birth :   2 April 1963 - Norwich - **British**
Marital status :   Married - Two children (1 son, 1 daughter)

Following his PhD at Cambridge University in 1989, Mike Gascoyne joined McLaren in the same year as an aerodynamicist.

He moved to Tyrrell in 1991 as Chassis Dynamicist and later joined Sauber the same year as Head of Aerodynamics.

In October 1993, he rejoined Tyrrell as deputy to Harvey Postlethwaite.

Now with Jordan as Chief Designer.

- Mountaineering, Sailing, Paragliding, Cricket.

Robin GEARING

RACE ENGINEER

TEAM : STEWART

Date of birth :   15 March 1970 - Bristol - **British**

Marital Status :   Single

1992-1994 :	Jaguar cars Test Engineer Instrumentation, data collection & analysis
1994-1998 :	Pi Research Project Engineer Track support engineer to Stewart Grand Prix
1998-Present :	Stewart Grand Prix Race Engineer

Rebecca E. GLEAVE

MOTORSPORTS PROJECT ENGINEER

LEAR CORPORATION

Biography

Date of birth :   9 February 1972 - Huddersfield - **British**
Marital status :   Single

Career summary

Lear Corporation Design and Manufacture Interior Systems for Stewart Grand Prix.

BA Hons Degree, Industrial Design.

Masters Degree, Industrial Design.

Working for Lear Corporation based in Coventry for $2^{1/2}$ years. Then transfered to Lear Motorsports in December 1997 to design and manufacture carbon/Kevlar seats for Magnussen, Barrichello, Verstappen and Herbert.

Each seat is taylored to the individual driver's body shape.

Hobbies

- Classic cars, Swimming.

Graeme GLEW

MANAGING DIRECTOR

PROFESSIONAL SPORTS MANAGEMENT

Biography

Date of birth :   3 March 1955 - **British**
Marital status :   Married

Career summary

1979/1981 :   Raced Formula Ford
Started racing school at Cadwell Park

1981/1989 :   Ran racing team - Team Touraco

1990 :   Started PSM, specialising in sponsorship acquisition,
servicing and hospitality.

1994/1995 :   Worked with Pacific Grand Prix .
Currently placing and servicing sponsors
in Formula One with Arrows.

Hobbies

Tennis, Water skiing, Family

Rogério GONCALVES

ENGINEER

PETROBRAS - PETROLEO BRASILEIRO S.A.

Biography

Date of birth :   23 April 1961 - Santos - **Brazilian**
Marital status :   Single

Career summary

Mechanical Engineer with specialization in engine and vehicle test for fuel and lubricant evaluation.

Working at Petrobras Research and Development Center since 1985 in the area of fuels and lubricants technology and responsible for several projects of special fuels.

Now working as a technical coordinator of Petrobras Motorsport Group and responsible for the development of Formula One gasoline

Hobbies

- 4 wheel drive competitions as a driver and also navigator, Travelling, Music

Rick GORNE

COMMERCIAL DIRECTOR

TEAM : BRITISH AMERICAN RACING

Biography

Date and place of birth :	July 24, 1954, Scunthorpe - **British**
Marital status :	Married to Marion, 2 children (Alexander, Amelia)

Career summary

Rick set out on his career path with a Business Studies course, followed by a period working for his father in one of his stores. He attributes his love of clinching a deal to the time spent selling carpets for him!

In 1973, Rick went to his first motor race and was hooked on the sport. He started go-karting, which lead to Formula Ford and FF2000. An accident in 1979 put an end to Rick's racing career, but fuelling an ambition to continue in the sport he took the position of Competition Director at the British Automobile Racing Club. He then moved on to join Adrian Reynard at his fledgling race car construction company.

Rick has had a major influence on the success of Reynard. Within a year of joining, the company had landed its most lucrative contract. It is Rick's global vision, attention to detail and customer care skills that has set him apart in the volatile motor racing in dustry. Rick is particulary proud of the growth of CART teams using Reynard in America's premier racing series with the marque now dominating the grid.

Rick Gorne has been a major influence in the formation of British American Racing and Reynard's move into Formula One in 1999. His vision, forward thinking and ambition has fuelled the plans for both the new team and Reynard as they take on the ultimate challenge.

Hobbies

- Water skiing

Osamu GOTO

HEAD OF ENGINE DEPARTMENT

SAUBER PETRONAS ENGINEERING AG

Biography

Date of birth :   27 November 1948 - Tokyo - **Japanese**
Marital status :   Married - 3 children

Career summary

- 1969/84 : Honda R & D Ltd., Development Section Engineer
for Commercial Engine Project

- 1984/85 : Honda F1 Project Development Section Leader

- 1985/87 : Honda F1 Project Race Team Leader

- 1988/90 : Honda F1 Project Leader

- 1991/93 : McLaren International Ltd., Executive Engineer

- 1994/96 : Ferrari Gestione Sportiva SA,
F1 Engineer R & D Manager

- 1997/99 : Head of Engine Department,
Sauber Petronas Engineering AG

Jean-Gabriel GRAND

FUEL ENGINEER

TOTAL

Date of birth :   9 December 1972 - Montpellier - **French**
Marital status :   Single

Career summary

- Studies :   Ecole Nationale Supérieure du Pétrole et des Moteurs
(Motor Engineer) and Chemical Engineering studies at
l'Ecole Nationale Supérieure de Chimie de Paris (93-96)
- 1997 :   Research Center Fuel Department at Total
(Le Havre).

Hobbies

- Photography.

Randi GUALTIERO

MASSAGIST

TEAM : FERRARI

Date of birth :   30 July 1940 - Alfonsine (RA) - **Italian**
Marital status :   Divorced - 1 son (Alan)

Career summary

Involved in F1 since 1989 :
- 1989/90/91 :   MINARDI Team
- 1992/93/94/95 :   FERRARI
- 1996/97 :   MINARDI
- 1998/99 :   FERRARI

Has been the personal massagist for Jean Alési since 1991.

Nickname in F1 Circus : Massacre.

Hobbies

- Football, Golf, Skiing.

Philippe GURDJIAN

CHAIRMAN

PHG DEVELOPPEMENT

iography

ate of birth :   18 January 1945 - **French**
Iarital status :   Married

areer summary

ccount Manager, Managing Director and then owner of Gemap dvertising Agency from 1967 to 1988. Company becomes n° 1 Iultiregion Communication Agency.

romoter-organiser of F1 French Grand Prix since 1985. FOCA wards for two consecutive years for best F1 Grand Prix Organization.

onsultant for building and developping Formula 1 circuits such as aul Ricard and Nevers Magny-Cours.

Vorks as Consultant for important groups such as Renault, Matra, igaro, ICL (International Computer Limited) and for the organisation f the F1 Grand Prix of Malaysia.

Iobbies

Formula 1, Ski, Golf, Tennis.

Hirohide HAMASHIMA

TECHNICAL DIRECTOR, MOTOR SPORTS DEPARTMENT

BRIDGESTONE

Biography

Date of birth :   1952 - Tokyo, **Japanese**
Marital status :   Married - 2 children

Career summary

- 1977 :   Joined Bridgestone after graduation in Polymer Physics Masters
- 1977/80 :   Tyre Reseach & Development Department at Bridgestone Corporation
- 1980/81 :   Passenger Car Tyre Development Department
- 1981/83 :   Technical Manager for Motor Sports, based in United Kingdom. Involved in technical support for Ralt Honda and March BMW Formula 2 programmes. Geoff Lees won the European F2 Championship on Bridgestone tyres in 1981
- 1983/96 :   Based in Japan for R & D and technical support of F2, F3000, Grand Champion, Touring Car and Group C. Involved in F3000 debut year 1985 European Championship which was won by Christian Danner on Bridgestone tyres. Technical support of World Endurance Championship entries of Toyota and Nissan, including Le Mans 24 hrs event.
- 1989/96 :   Additional to above was also involved in the following programmes
- 1989 :   Base Development for F1 programme
- 1992 :   Responsible for DTM technical project and subsequent ITC project This involvement with AMG Mercedes-Benz gave Bridgestone victory in the 1992, 1994 DTM and 1995 DTM/ITC Championships
- 1994 :   Responsible for Indy technical project start up. This involvement gave Bridgestone victory in the Indy and Michigan 500 races, the 1996 IRL Championship and the 1996 Indy Car World Series (CART) Championship
- 1995 :   Responsible for F1 technical project start up
- 1997 :   Technical Director of Bridgestone Corporation Motorsport Branch (UK), especially responsible for F1 activities.

Hobbies

- Winning championships, wine.

Gary HARTSTEIN

ASSISTANT MEDICAL TECHNICAL DELEGATE

FIA

Biography

Date of birth :   17 May 1955 - Staten Island - NY - **American**

Marital status :   Married, 2 children (Yannick, Chloe)

Career summary

1976 :	BA Neuroscience - University of Rochester
1983:	MD University of Liege - Magna Cum Laude
1985 :	DSc University of Liege - Magna Cum Laude
1983/1987 :	Anesthesiology Residency - Albert Einstein College of Medicine
1987/1988 :	Intensive Care Fellowship - Albert Einstein College of Medicine
1988/1989 :	Instructor in Anesthesiology - Albert Einstein College of Medicine
1989/1997 :	Assistant Professor of Anesthesia - Intensive Care Medicine - University of Liege
1997/1998 :	Associate Professor of Anesthesia - Intensive Care Medicine - University of Liege
1989/1996 :	Attending Anesthesiologist - Cardiothoracic and vascular anesthesia
1996/1998 :	Attending Anesthesiologist - Abdominal Anesthesia
1998/1999 :	Attending Anesthesiologist - Emergency Department

Hobbies

Reading, Karting, Home computing.

Norbert HAUG

HEAD OF MOTORSPORT

MERCEDES-BENZ

Biography

Nationality: **German**
Marital status: Married - One daughter

Career summary

Nobert Haug, has been responsible for all motor sports activities of Mercedes-Benz since 1st October 1990.

His professional background is journalism.

Before taking over his position at Mercedes-Benz, he had worked as motoring and motor sport journalist.

From 1985 to 1987, he was editor of the specialist magazine «Spo Auto» and from 1987 until 1990, worked as deputy editor of the moto ring publication «Auto, Motor und Sport»

Nick HAYES

PROGRAMME DIRECTOR, FORMULA ONE

COSWORTH ENGINEERING

Biography

Date of birth : 9 January 1960 - Coventry - **British**

Marital status : Married - One son (Michael)

Career summary

The 1997 season was Nick Hayes' first year in overall control of the Cosworth works Formula One project and the development of the Ford Zetec-R V10. 38-year-old Hayes has worked hard not only at developing the engine but also developing the Cosworth team of engineers and methods of working while establishing a productive working relasionship with Stewart Grand Prix.

It was at the age of 12 Hayes decided to become a racing car designer after seeing his first Formula One car at Silverstone. He gained a 2:1 Honours Degree plus ImechE Prize for his final year project at Salford University and then worked for his sponsor, Rolls Royce Aero Engines, before joining Cosworth in 1984. He held various liaison roles with the Benetton-Ford team and ultimately committed to engine design as a dedicated specialist.

Patrick HEAD

TECHNICAL DIRECTOR

TEAM : WILLIAMS F1

Biography

Date of birth : 5 June 1946 - Farnborough - **British**
Marital status : Married - One son (Luke)

Career summary

Studies : BSc. Mechanical Engineer.

Joined Lola cars from university, working on 2-litre and 3-litre sports cars. He left afer two years to work on other projects, including a Formula Ford 2000 car and a Formula 2 car for Richard Scott.

Joined Wolf-Williams in 1976 and formed Williams G.P. Engineering with Frank Williams in 1977. His first Formula One car, the Williams FW-06, was a front-runner in the hands of Alan Jones and Head's first ground-effect chassis, the FW07, won the 1980 Driver's and Constructors' Championships.

Over the past sixteen years, Head's cars have consistently run at the front of G.P. races and have featured such technical novelties as six wheels, reactive suspension and auto-shift gearbox.

Designed the FW14, FW15, FW16, FW18 and FW19 winners of the 1992, 1993, 1994, 1996, and 1997 World Constructors' Championships.

Hobbies

- Sailing, Cycling.

Mark HERD

RACE ENGINEER

TEAM : BENETTON

Biography

Date of birth : 1 November 1965 - Surrey - **British**
Marital status : Single

Career summary

- 1989/1991 : Simtek Research - Research and Development Engineer
- 1992/1994 : Larrousse UK - Data Acquisition Engineer
- 1995 : Gentech - Support Engineer with Forsythe Racing
- 1996 : Pacwest Racing - Race Engineer
- 1997 : Benetton F1 - Race Engineer
- 1998 : Benetton F1 - Race Engineer for Fisichella

Hobbies

- Rowing, Cycling, Golf, Cinema, Restaurants.

Jon HILTON

TECHNICAL DIRECTOR, ENGINE

TEAM : ARROWS

Biography

Place of birth :   Eastbourne - **British**
Marital status :   Married

Career summary

Jon started his engineering career at Rolls Royce Aircraft Engines in 1982 where he combined his education with industrial training and later obtained a first appointment in helicopter engine design.

In 1991, Jon moved to Cosworth, working in racing engine design.

In 1993, he was invited to lead the design team for the Opel Calibra German Touring car engine programme, and in 1995 put in charge of engineering, design and development of all Cosworth motorsports projects. During this time Jon was responsible for many engines including the Ford BTCC V6, Aprilia World Superbike V Twin, 1996 ITC Calibra V6 and the ED4 and ED5 engines for Tyrrell F1 in 1997. In June 1997 Jon was transferred to work on the works V10 engine for Stewart Grand Prix as Chief Engineer - Formula One. Jon joined Arrows Grand Prix International in March 1998 as Chief Engineer - F1 engine.

Hobbies

- Music, Films, Snooker

Hirotoshi HONDA

PRESIDENT

MUGEN

Biography

Date of birth :   12 April 1942 - Shizuoka - **Japanese**

Career summary

1961 : Enrolled in the engineering department at Nihon University where he specialised in industrial design
1965 : Graduated from University and began building racing cars in a workshop at his own house. After two years, he started manufacturing custom cars with his friends
1973 : Established Mugen Co Ltd in March and was appointed President, the position he holds to date
1973 : Mugen-Honda founded. Developed FJ1300
1974 : Commenced sales of the MF318
1976 : Developed Mugen ME125 and ME250 motorcycles. ME250 won the japanese Grand Prix
1980 : Johnny O'Mara won the US Grand Prix of the World GP Motocross Series
1981 : Mugen began development of the new V-6 2.0 litre racing engines for F2. The Japanese F2 engine won the Japanese F2 Championship
1984 : First participation in Suzuka 8 hour endurance race
1985 : Commenced development and testing of the Formula One engine by collaborating with Honda. The CR-X participated in the US SCCA GT-4 class and won the championship. Mugen Civic participated in the Japanese Group A Touring Car Series and won the class title
1987 : Participated in the Japanese F3000 Championship with MF308 engine and in the Japanese F3 Championship with MF204 engine, winning the Constructor's Championship
1989 : Participated in the European F3000 Championship with MF308 and won the championship with driver Jean Alesi
1992 : Participated in F1 Grand Prix with MF351H V10 engine for Footwork
1994 : Supplied MF351H-C V10 F1 engine to Team Lotus
1995 : Supplied MF301H V10 F1 engine to Ligier
1996 : First win at F1 Monaco GP with Ligier
1997 : Supply MF301H-B V10 F1 engine to Prost GP
1998 : Supply MF301H-C engine to Jordan

221

Nick HUGHES

DESIGN ENGINEER

PENSKE RACING SHOCKS

Biography

Date of birth :   2 May 1974, Adelaide - **Australian**

Marital Status :   Single

Career summary

- 1992-1995 :   Mechanical Engineering, University of Adelaide

- 1995-1997 :   Engineer, Penske Racing Shocks, Australia

- 1997-Present :   Design Engineer, Penske Racing Shocks, Reading, PA - USA

Hobbies

- Skiing, Water sports, Music

Mario ILLIEN

TECHNICAL DIRECTOR

ILMOR ENGINEERING LTD

Biography

Date of birth :   2 August 1949 - **Swiss**

Marital status :   Married to Catherine - 2 children (Noël, Luca)

Career summary

Before attenting university, Illien gained work experience as a mechanic for Jo Bonnier. His automotive experience proved so comprehensive that in 1972 he designed the ROC-Chrysler Simca Formula 2 engine (built for Fred Stalder by Hans Funda) and a racing motorcycle sidecar engine.

Illien graduated from the engineering school at Biel, Switzerland with a degree in Mechanical Engineering in 1976 after three years study. He then began work for Mowag in Kreuzlingen, Switzerland, on the design of diesel engines.

In 1979 he joined Cosworth where his main projects included designing the DFY Formula One engine and the Ford Sierra Cosworth engine.

Illien joined Cosworth colleague Paul Morgan in 1984 to establish Ilmor Engineering Ltd. Between 1984-1993 Illien designed three engines for Indy, the Chevrolet Indy V8/A, the Chevrolet Indy V8/B and the Chevrolet Indy V8/C.

Ilmor decided to take part in Formula One in 1989.

The first Formula One entry was the F1 V10 2175A. This was later developed and became the F1 V10 2175B.

In conjunction with the Formula One project Illien was still designing winning engines for Indy. These include the Ilmor Indy V8 and the Mercedes-Benz 500l for the 1994 Indy 500.

Since Ilmor became partners with Mercedes-Benz, Illien has designed all the Mercedes-Benz F1 V10 engines to power the Sauber and now the McLaren cars.

In 1995 he designed the IC108B Indy car engine and the Mercedes-Benz F0110 V10.

From 1995 he also designed and developed the Indy Car engines (IC 108B to IC 108E) that won the 1997 CART Championship and the FO 110G that won the 1998 Formula One World Championship.

Hobbies

- Skiing.

Mark INGHAM

PROJECT LEADER, SYSTEMS

TEAM : McLAREN

Yoshihiko ICHIKAWA

TECHNICAL MANAGER

BRIDGESTONE MOTORSPORTS

Date of birth: 25 August 1959 - **Japanese**
Marital status: Married

Career summary

- 1985 : Joined Bridgestone after graduating from the University of Tokyo.

- 1985/1991 : Motorsport Tyre Development Department

- 1985/1987 : Racing Tyre Designer of F2/F3000 in Japan

- 1987/1991 : Racing Tyre Designer of Gr. C car in Japan and WSPC

- 1991/1996 : Passenger Tyre Development Department Chief designer of Passenger Tyre for Honda

- 1996 : Back to Motorsport Tyre Development Department for F1 project

- 1996/1998 : Based in Japan Technical Centre as Chief Designer for F1 project

- 1999 : Based in UK as Technical Manager of Bridgestone Motorsport, F1 project

Hobbies

- Astronomy, Badminton

225

Matthew JEFFREYS

PROJECT LEADER - COMPOSITE DEVELOPMENT

TEAM : McLAREN

Biography

Date of birth :   9 January 1962 - Bath, England - **British**
Marital status :   Married to Sue

Career summary

Graduated in 1984 with mechanical engineering degree.

1984 - Joined McLaren full time as design engineer. Responsible for chassis and suspension parts under chief designer. Work also included nosebox/crash testing.

Appointed project leader - Chassis design in 1990.

Responsible for design as well as managing the group producing all monocoque and composite components for each car project.

Hobbies

- Golf, Tennis

Eddie JORDAN

OWNER

TEAM : JORDAN

Biography

Date and place of birth : 30 March 1948, Dublin - **Irish**
Marital status :   Married to Marie - Four children (Zoe, Miki, Zak, Kyle)

Career summary

From modest beginnings as a mid-field racing driver in the 1970s Eddie Jordan has, in the space of 20 years, become one of Formula One's biggest players as the owner of a Formula One team which has broken into the top echelons of the sport.

Starting his career as a banker in Dublin, the switch to motor racing came after Jordan experienced the thrill of karting during a summer spent in Jersey. He progressed through various motorsport categories, winning several races and championships. In 1980, he made his second career switch, this time from the driving seat to the office seat, setting up his own racing team.

As Team Owner, Jordan could sell, he could charm, and he knew how to make a race team work; all the necessary ingredients which were to give him almost immediate success. After ten years in the lower formulae, he entered the jewel in motor racing's crown, - Formula One - with the creation of Jordan Grand Prix in 1991. The team finished its debut year in an impressive fifth place in the World Championship and brought to the sport an energy and vibrance previously unknown. Seven years on, Jordan Grand Prix boasts a Grand Prix victory, membership of the 'Top Four' teams in F1, and an impressive driver line up for 1999. Jordan is a serious player on the F1 field, negotiating contracts with major sponsors and breaking new ground by securing investment from global equity investor, Warburg, Pincus. Alongside the business image, however, Jordan retains his sense of fun. Who else would play drums at an impromptu rock concert or phone home as soon as a race is finished to find out the football scores.

Hobbies

- Music, Golf, Sailing

Claude JULIAN

OFFICIAL COMMENTATOR

MONACO G.P.

Biography

Date of birth :   26 April 1947 - **French**
Marital status :   Married - 2 children

Career summary

Since 1973   Official commentator for race car events and tracks in
France. (F1 Monaco Grand Prix, Monte Carlo Rally,
Monaco F3000 race, FIA-GT at Dijon, FIA-ISRS at
Paul Ricard, Monaco Kart Cup, VEC cars at Monte
Carlo Rally, FIA World Cup for electrical cars at Monte
Carlo Rally).

To date, has been official commentator of 15
Monaco GP and 27 Monte Carlo rallies.

Radio Commentator at RMC for the Andros Trophy
(1995/1996).

TV commentator at TMC for the Andros Trophy
(1997/98/99).

Member of FFSA Press Commission until year 2001.

Hobbies

- Collects F1 team shirts.

David KENNEDY

MANAGING DIRECTOR

LOLA DRIVER MANAGEMENT

Biography

Date of birth:	15 January 1953 - **Irish**
Marital status:	Married to Fiona, One child (Aran)

Career summary

1972-1975:	Formula Ford in Ireland (Irish Champion '75)
1976:	Double British Formula Ford Champion & Runner-up in the European Formula Ford Championship
1977-1978:	European Formula 3
1979:	Runner-up in British Formula 1 Championship
1980:	Shadow Formula 1
1981-1983:	Touring Car (UK) & Can Am (USA)
1983-1991:	Works Mazda Sports Car Driver, Three class wins at Le Mans
1987:	Founded Grand Prix Racewear Ltd
1989:	Established Motor Sport Shows in London & Tokyo
1986-Present:	Director of Mondello Park Circuit, Ireland
1995-Present:	TV Commentator at Grand Prix for RTE
1997-Present:	Managing Director of Lola Driver Management Ltd.
1998-Present:	Grand Prix Journalist for 'Sunday Tribune' newspaper

Hobbies

Tennis, Squash, Table-tennis, Theatre, Chess

229

Laurent LACHAUX

DIRECTOR OF SPONSORING

ALCATEL ALSTHOM

Biography

Date of birth :   27 April 1962 - **French**
Marital status : Married - 2 sons

Career summary

- 1985 :   London Chamber of Commerce, advanced certificate
  with honours

- 1985 :   Graduated from Ecole Superieure Libre des Sciences
  Commerciales Appliquées, Majoring in International
  Business

- 1985/1987 : America Cup : Head of communication,
  public relations and relations with sponsors

- 1987/1989 : Sales Area Manager for Peugeot

- 1989/1992 : Larrousse Formula One Team as Head of press and
  communication, then as Marketing Director

- 1992/1996 : Amaury Sport Organisation as project manager,
  in charge of contract negociation, marketing
  and prospection as well as sponsorship follow up
  of events as the Paris-Dakar
  and Atlas Rally-Raids and the Touquet Enduro.

Hobbies

- Music (Saxophone).

Brian LAMBERT

TEST TEAM MANAGER

TEAM : WILLIAMS F1

Date of birth :   17 September 1948 - Hull - **British**
Marital status :   Married, one daughter

Career summary

As Test Team Manager, Bryan's chief responsibility is to ensure that all tests run smoothly and efficiently.

Bryan's career began at a Rolls-Royce/Jaguar distributors where he served his apprenticeship after leaving school. At the age of 21 he headed to Broadspeed Engineering where he worked on Group 2 and Group 5 Touring Cars.

In 1976, Bryan entered Formula One as No.1 Mechanic with the Shadow team before joining Williams as a N°1 Mechanic in May 1981. He was promoted in 1984 to Test Team Manager/Chief Mechanic when testing was run by just a few people. He remains in that position today but, with so much importance on testing in modern Formula One, Bryan now heads a 18-strong team.

Hobbies

Scuba diving, Sailing

Yves LAMBERT

MARKETING DIRECTOR

TEAM : PROST

Biography

Date of birth :   22 June 1954 - **French**
Marital status :   Married

Career summary

Sonauto France : Advertising and Promotion Manager for Porsche and Mitsubishi.

Publicis (Advertising Agency) : Account Manager.

Lacoste : Marketing Survey and Communication Director.

Reebok France : Marketing Director.

Joined Prost Grand Prix in October 1997.

Hobbies

- Sailing.

Andy LE FLEMING

CHIEF ENGINEER

TEAM : STEWART

Biography

Date of birth :	12 May 1962 - **British**
Marital status :	Single

Career summary

Andy Le Fleming's entire working career has been spent in motor sport.

In fact his very first job after leaving university was with Alan Jenkins, as a design engineer at Penske Cars.

He then moved into Formula One with Ferrari in 1987 to begin the first of two spells with the Italian team.

He subsequently worked for Benetton, Tyrrell, Arrows and Ferrari once more in both major design and race engineering roles before seizing the chance of working alongside Alan Jenkins again at the birth of Stewart Grand Prix.

Michel LEPRAIST

TECHNICAL ASSISTANT

FIA

Biography

Date of birth :	27 September 1948 - Montfarville - **French**
Marital status :	Married

Career summary

- 1968/1972 : Professional Painter at Mercedes
- 1968/1972 : Team Archambeau 2L European Championship
- 1972/1976 : Team Elf Switzerland F2
- 1977/1986 : Team Renault F1 - In charge of F1 equipment
- 1987 : Joined FIA for the F1 Pop Off Valves Maintenance, now in charge of Logistics and Technical Assistant

Hobbies

- Power boats, Kart, Football, Skiing, Cycling, Tennis.

Stuart LEVER

RESEARCH & DEVELOPMENT MANAGER

TEAM : ARROWS

Biography

Date of birth :   4 January 1964 - **British**
Marital status :   Married - one son

Career summary

- 1986-1990 :   Valve Gear Design - Cosworth Engines
- 1990-1991 :   Sierra Cosworth 'USA' - Cosworth Motorsport
- 1991-1992 :   Rally Program - Cosworth Motorsport
- 1993-1994 :   Senior Development Engineer
  Cosworth Motorsport
- 1994-1996 :   Development Manager - Cosworth Motorsport
- 1997-1998 :   Development Manager - Cosworth Motorsport
  (V8 -1997; V10-1997/98)
- 1998 :   R & D Manager (V10) - Arrows F1 Engines

Hobbies

- Kit car building, Keep fit, Skiing

Fabrice LOM

RACE ENGINEER

RENAULT SPORT FOR SUPERTEC

Biography

Date of birth :   12 July 1972 - Pau - **French**
Marital status :   Single

Career summary

Studies :	Ecole Centrale de Lyon, PhD in heat and energetics ENSPM engine section (Ecole Supérieure du Pétrole et des Moteurs)
- 1996 :	Started at Renault Sport as test bed engineer
- 1997 :	Race engineer at Williams for H. H. Frentzen
- 1998 :	Race engineer at Williams for H. H. Frentzen
- 1999 :	Engine Engineer for Supertec at BAR for J. Villeneuve

Hobbies

- Skiing, Swimming, Tennis, Karting.

Manuel LOPES

RESEARCH ENGINEER

TOTAL

Date of birth :   8 November 1970 - Roubaix - **French**
Marital status :   Single

Career summary

Studies :   Ecole Nationale Supérieure du Pétrole et des Moteurs (Engine Design Engineer)

1990 -1995 :   Mechanical Engineering studies at Ecole Nationale Supérieure des Arts et Métiers.

1996-1997 :   TOTAL Research centre, Lubricants. Department, Engine Testing

1998-1999 :   Technical Assistance in Formula One for Prost Peugeot Team

Hobbies

Swimming, Opera and classical music

Jean-Claude LUISETTI

DIRECTOR, RACING ACTIVITIES

TOTAL FINA

Biography

Date of birth :   2 July 1945, St Sulpice de Favieres - **French**
Marital status :   Married - two children

Career summary

- Worked first in banking and finance
- General management of Yacco Lubricants
- Director, Racing activities at Total

Hobbies

- Tennis, Music (Piano), Photo

Ignazio LUNETTA

RACE ENGINEER

TEAM : FERRARI

Biography

Date of birth :   25 May 1956 - Caltanisseta - **Italian**

Career summary

1979 :	Automotive Engineer
1979 :	F2 European Championship
1980 :	F3 Italian Championship
1983 :	F3 Italian Championship
1984 :	F1 World Championship Osella squadra corse F1 (engineer)
1985-1988 :	F1 Osella squadra corse F1 (race engineer, chief designer)
1989 :	F1 Osella squadra corse F1 (senior race engineer)
1990 :	Alfa corse (Engineer group C project)
1991 :	Alfa corse (project leader Alfa 155 to Italian and German championships)
1992 :	Scuderia Ferrari (head of test team)
1993-1995 :	Scuderia Ferrari (race engineer, J. Alesi)
1996 -1998 :	Scuderia Ferrari (Race engineer, M. Schumacher)

Romuald MAGNIN

RACE ENGINEER

RENAULT SPORT FOR SUPERTEC

Biography

Date of birth : 25 May 1970 - Annecy - **French**
Marital status : Single

Career summary

Graduated from ESTACA (Ecole Supérieure des Techniques Aéronautiques et Construction Automobile) in 1994

Rallying Development Engineer, British Rally championship with Renault Megane from 1995.

Race engineer Supertec F1 for Williams F1 since 1999 for M. Schumacher's car.

David MARREN

F1 SPONSORSHIP DIRECTOR

BENSON & HEDGES

Biography

Date of birth :   2 March 1960 - **Irish**

Marital status :   Married to Geraldine - 3 children

Career summary

Studies :	Rockwell College, Cashel, Co. Tipperary Blackrock College, Co. Dublin University College Dublin
1980-1982 :	Account Executive with Public Relations of Ireland working on Ford, Superquinn and Coca-Cola
1982-1984 :	Account Manager with Kennys Public Relations, Dublin, working on Guinness, C&C, Schweppes, Opel, Olympic Council of Ireland
1985-1987 :	PR & Sponsorship Manager with Guy Edwards Racing working on Silk Cut Jaguar.
1988-1992 :	Consultant with Charles Stewart Ltd, London, managing the MWCT-R international media programme, World Cup Golf sponsored by Philip Morris, MSDS
1992-1996 :	Set up own PR/sports marketing agency in Dublin handling such clients as Philip Morris, Marlboro Ireland, World Cup Golf by Heineken, Guardian Irish Womens' open, International Golf Association, Amdahl Ireland, Cable & Wireless, BMR, Harry Ramsden's, Euristix.
1997-1998 :	Founding Director of M&C Saatchi Sponsorship Ltd, Benson & Hedges F1 Sponsorship Director.
1998 :	Joint Managing Director, M&C Saatchi Sponsorship Ltd, Benson & Hedges F1 Sponsorship Director

Paolo MARTINELLI

ENGINE DIRECTOR

TEAM: FERRARI

Biography

Date of birth :   29 September 1952 - Modena - **Italian**
Marital status :   Married - 3 daughters

Career summary

Graduated in Mechanical Engineering at the University of Bologna in 1978.

Has been with FERRARI for the last 23 years.

Was Head of the engine department for the production cars before moving to the « Gestione Sportiva » as head of the engine department of the Ferrari Racing department.

Bruno MAUDUIT

TEST TEAM MANAGER

RENAULT SPORT FOR SUPERTEC

Biography

Date of birth :   12 March 1957 - **French**

Career summary

With Renault Sport since October 1981, first as engine field Manager for the Renault F1 turbo with Team Lotus (1983-84-85-86) then with Williams team (1989-90-91) and with Ligier (92-93).

Bruno is now manager of the Williams, Benetton and BAR test team with Renault Sport for Supertec.

Hobbies

- Windsurf, Motorcycle trial.

Luigi MAZZOLA

MANAGER TEST TEAM

TEAM: FERRARI

Date of birth : 16 February 1962 - Ferrara- **Italian**

Marital status : Married to Patrizia - 2 children
(Federica, Matteo)

Career summary

1988 : Ferrari

1989 : Testing Race Engineer - Ferrari

1990-1991 : Race Engineer, Prost - Ferrari

1992 : Track Manager (Sauber)

1993 : Track Manager & Race Engineer,
J.J Lehto - Sauber

1994 : Race Engineer, Berger - Ferrari

1995-1999 : Test Team Manager - Ferrari

Hobbies

German Shepherds' breeder

Guy MICARD

HEAD OF ELECTRONICS AND DATA PROCESSING

PEUGEOT SPORT

Biography

Date of birth : 10 May 1951 - **French**
Marital status : Married

Career summary

- 1979/1982 : Matra - Development and operation of electronic control systems for the V12 3l and V6 1,5l turbo F 1 engines

- 1983/1988 : Solex Marelli - Development and operation of electronic control systems for the 205 and 405 turbo 16 engines of Peugeot-Talbot Sport

- 1989/1993 : Peugeot-Talbot Sport - Head of the electronic and data processing services in charge of electronic control systems for engines, gearboxes, bodyworks of the 905 and 405 Touring car, processing and analysis software for inboard datas, telemetry

- End 1993 : Peugeot Sport F 1 - Head of the electronic and data processing department in charge of electronics and telemetry of the V10 F 1 Peugeot and development of specialised softwares

Hobbies

- Motorcycling.

Sam MICHAEL

RACE ENGINEER

TEAM : JORDAN

Date of birth :   29 April 1971 - Geraldton - **Australian**
Marital status :   Married

Career summary

1993 :   Graduated with Honours from University of New South
Wales with a Mechanical Engineering Degree.

1994 :   Worked for Team Lotus F1 doing data acquisition
and lap simulation for race team.

1995 :   Jordan GP : doing data and simulation for race team.

1996-97 : Jordan GP : setting up Jordan Research and Development
and involved in Mechanical Design and control systems,
factory based.

1998/99 : Jordan GP : Race Engineer, H.H. Frentzen

Hobbies

Running, Cycling, Sky diving.

Bruno MICHEL

MANAGING DIRECTOR

SUPERTEC

Date of birth :   5 April 1961 - **French**
Marital status :   Married to Diane - 2 children (Oscar, Charlotte)

Career summary

- 1985-1988 : I.B.M

- 1988-1990 : Saatchi & Saatchi

- 1990-1992 : Euro RSCG

- 1992-1995 : Ligier Formula One, Managing Director

- 1997 :   Prost GP, Managing Director

- 1998 :   Supertec, Managing Director

Jean Claude MIGEOT

MANAGING DIRECTOR

FONDMETAL TECHNOLOGIES

Biography

Date of birth : 16 January 1953 - **French**
Marital status : Married

Career summary

Graduate Engineer of Ecole Nationale Superieure de l'Aéronautique et de l'Espace (Sup. Aero).

1975/1977 :	SOCIÉTÉ EUROPÉENNE DE PROPULSION
1977/1981 :	LE MOTEUR MODERNE
1981/1985 :	RENAULT SPORT
1985/1988 :	FERRARI
1988/1990 :	TYRRELL
1991/1993 :	FERRARI
1993 :	FONDMETAL TECHNOLOGIES

Andy MILLER

OPERATIONS DIRECTOR

TEAM : STEWART

Date of birth :   14 July 1953 - Harlow - **British**
Marital status :   Married - 1 son

Career summary

Andy Miller gave up his early plans for a degree in Combined Science to establish a career in motor racing. Miller joined David Price Racing as a mechanic in 1978 and quickly rose to the position of Chief Mechanic in charge of the two-car Formula 3 team. A brief period in Formula One with RAM Automotive in 1980 brought a return to Price and the responsibility of running the team's French and British F3 operations. A two-year spell with GEM Motorsport in Formula 3000 led to a position with Paul Stewart Racing not long after the formation of the team in 1989.

Andy became operations director at Stewart Grand Prix early in 1997. His role encompasses liaison between the race team and its suppliers, provision of technical support to the race team, including travelling to the races.

Gian Carlo MINARDI

GENERAL MANAGER

TEAM : MINARDI

Date of birth : 18 September 1947 - Faenza - **Italian**
Marital status : Married - 1 son

Career summary

Studies : Accountant.

Gian Carlo Minardi runs the oldest Fiat dealership in Italy. His enthusiasm for motor racing led him to create a team which was very successful in Formula 2. This enabled him to build his own Formula 1 in 1985

1991 began very auspiciously with his driver Martini, starting the first G.P. of the season on the first row of the grid

Soon afterwards, Ferrari announced that they would supply Minardi with their V12 engines in 1991. Although some teams had fitted Ferrari engines in their chassis, this was the first time a private team would be using a "works" Ferrari engine and the choice of Minardi was not a surprise because Enzo Ferrari always had a strong affinity with Minardi, who had already been lent some Formula 2 engines in 1974

After a 1991 disappointing season, Minardi used the Lamborghini engine until 1993 when the Ford F1 was fitted in the car

Chairman of Minardi Team in 1997 and team manager of Fondmetal Minardi Ford in 1998.

Hobbies

- Football (Chairman of Faenza)

251

Giovanni MINARDI

LOGISTICS

TEAM : MINARDI

Biography

Date of birth : 6 November 1974 - Faenza - **Italian**
Marital status : Single

Career summary

- 1994-96 : Truck salesman at Minardi VI - Iveco
- 1997 : Logistics for test team at Minardi Team
- 1998 : Logistics for official team at Fondmetal Minardi Ford

Hobbies

- Football.

Luca DI MONTEZEMOLO

CHAIRMAN

TEAM : FERRARI

Date of birth :   31 August 1947 - **Italian**
Marital status :   Married

Career summary

Graduated from Sapienza University (Rome) with degree in law - International commercial law at Columbia University (NYC)

- 1973/1976 :   Assistant Manager to the Ferrari President and Managing Director of the Ferrari Race Department

- 1976/1981 :   Public Relations Director of the FIAT Group

- 1981/1983 :   Managing Director of the ITDEDI SpA, i.e; the holding which puts together all the publishing operations of the FIAT Group, including La Stampa newspaper

- 1984/1985 :   General Manager of the Board of Organizers of the 1990 Football World Championship, Italia '90

- 1990/1991 :   Managing Director of the RCS Video, Holding for the audiovisuals of the Rizzoli Group-Corriere della Sera and President of the RCS Home Video

- From 1991 :   President and Managing Director of FERRARI SpA

- From 1993 :   Vice President of Bologna Football Club

Georges MOREL

R&D PROJECT MANAGER F1

TOTAL

Biography

Date of birth :	18 March 1968 - **French**
Marital status :	Married

Career summary

Studies: Arts et Métiers Engineer and Motor Engineer (Ecole Nationale Supérieure du Pétrole et des Moteurs).

Start at TOTAL in 1992. In charge of vehicle friction tests and fuel formulation during two years.

Since the end of 1994, in charge of Research and Development on products for Formula One application.

Hobbies

- Football, Cycling.

Daniele MORELLI

DRIVER'S MANAGER

TEAM : SAUBER

Biography

Date of birth : 29 October 1956 - **Italian**
Marital status : Single

Career summary

Studies : International marketing degree.

Young entrepreneur and former rebuilding company owner with automobile sports as a hobby. In 1993 he was called by Guido Forti and after one season in Formula 3000 became the team coordinator in F3000 and Formula One.

Joined Ligier in 1996 as Pedro Diniz senior assistant and Arrows in 1997 as F1 sponsorship coordinator for Parmalat as well as senior assistant for Diniz. He is now Pedro Diniz manager at Sauber.

Hobbies

- Since in F1... None !

Gary MORGAN

MISSION CRITICAL
TECHNICAL ACCOUNT MANAGER

HEWLETT-PACKARD

Date of birth : 26 August 1966 - **British**
Marital status : Married - 2 children

Career summary

Joined Hewlett-Packard Ltd in 1992, providing Technical Support for customers and engineers alike.

- 1996 : Started to provide Technical Consultancy for Hewlett-Packard's sponsorship projects and became sponsorship technologies manager.

- 1998 : Started to look after Jordan Grand Prix on behalf of HP, focusing on Mission Critical Support of their computer systems both at their base in Silverstone and at the race circuit.

Hobbies
- Jet skiing, Electronics

Paul MORGAN

MANAGING DIRECTOR

ILMOR ENGINEERING

Biography

Date of birth :   29 July 1948 - **British**
Marital status :   Married to Liz - 2 children (Lucy, Patrick)

Career summary

Paul Morgan grew up in an engineering environment. His father was Managing Director of an automotive components producer and a keen restorer of veteran cars in his spare time. Morgan spent most of his childhood assisting his father in his workshop using lathes and milling machines and generally finding out what works and what doesn't. From the age of 15 he rebuilt a 1904 De Dion-Bouton, a Lagonda Rapier (which he competed in) and a Talbot-Lago.

In 1967 Morgan attended Aston University in Birmingham where he gained a BSc in Mechanical Engineering. On graduating from University in 1970 Morgan joined Cosworth. It was here, Paul believes his engineering education began.

He worked on many development projects including coordinating the development of the Cosworth V8, which later became the Cosworth DFX. This engine dominated Indy racing for almost a decade.

It was at Cosworth that Morgan met Mario Illien. The two engineers became frustrated with the organisation and they felt that the only way to move forward and to design and produce an engine as they wanted, they would have to work for themselves.

It is the perfect partnership, where Morgan would be responsible for the manufacture of the engines and Illien would be responsible for the design.

257

Yves MORIZOT

PRESIDENT

STAND 21

Biography

Date of birth : 9 November 1946 - **French**
Marital status : Married

Career summary

Created «STAND 21» in 1971

Started racing equipment in 1972 and F1 equipment in 1974

Ten times World Champion with overalls since 1980

Started and produced Helmets line with Snell SA Standard

Also involved in Indy racing from 1986, now providing 30% of Indy racing wear

The Motto of the company is "Safety and quality, it means something to us"

Hobbies

- My job and Golf

Max MOSLEY

PRESIDENT

FIA

Date of birth : 1940 - **British**
Marital status : Married - 2 sons

Career summary

Studies : Honours degree in Physics - Oxford University.

- 1961/1964 : Grays Inn, reading for the Bar
  Other activities : Territorial Army Parachute
  Regiment (qualified parachutist).

- 1964/1969 : Practised as a barrister.
  Other activities : club racing in England, over 40 races,
  12 wins, several class lap records.
  International Formula 2 in Europe.

- 1969/1978 : Founder Director of March Engineering, involved in all
  aspects of building and racing cars at international level.
  Other activities : jointly represented the Formula
  One constructor at the CSI.

- 1978/1983 : Member of the FISA Formula One Commission.
  Deputy member of the FISA Executive Committee.
  Involved in the organisational promotion of many
  Grands Prix races and in the negociations which led to
  the Concorde Agreement.
  Other activities : innumerable meetings relating to
  safety, sporting and technical matters.

- 1983/1986 : Pursued personal business interests.
  Other activities : remained in touch with motor sport
  as a consultant.

- 1986/1991 : President of the FISA Manufacturers'Commission.

- 1991 : President of the FISA.

- 1993 : President of the FIA.

259

Rod NELSON

RACE ENGINEER

TEAM : BENETTON

Biography

Date of birth :	29 August 1961 - Boston - **British**
Marital status :	Single

Career summary

- 1986/90 : PhD in computer control of hydraulic systems - University of Wales, Cardiff.
- 1990/92 : Arrows Grand Prix, R&D Engineer
- 1992/95 : Simtek Research - Race Engineer
- 1995/96 : Arrows Grand Prix - Race Engineer
- 1997/Present : Benetton Formula - Race Engineer

Hobbies

- Skiing, Diving, Walking, Playing the saxophone.

Adrian NEWEY

TECHNICAL DIRECTOR

TEAM : McLAREN

Biography

Date of birth :   26 December 1958 - **British**

Career summary

After gaining a 1st Class Degree in aeronautics and astronautics at Southampton University, Adrian Newey was determined to work in motor racing. He joined the Fittipaldi Team alongside designer, Dr. Harvey Postlethwaite in 1980 and then moved to March to race engineer the Formula 2 car driven by Johnny Cecotto. His next project at March was to design the GTP sports cars, which won the IMSA GTP title in 1983 and 1984.

Newey's first taste of Indianapolis-style oval racing came in 1984 when he engineered Bobby Rahal's Truesports March. The following year he assumed responsability for designing the March 850 CART car and, at the end of the year, moved from Rahal's team to work alongside Michael Andretti.

He also worked briefly for the Force Formula 1 (Beatrice) whom he joined in July 1986 and stayed with until the end of that year, working as race engineer for Patrick Tambay.

For 1987 Newey left March to work with Michael's father, Mario, in the CART series as technical engineer.

In August 1987, he rejoined the Leyton House-March Racing Team and began work on the new 881 Grand Prix chassis. He remained with Leyton House until he joined Williams Grand Prix Engineering at the end of july 1990. As Chief Designer with the team, one of his main areas of responsability was the aerodynamics of the Williams-Renault cars.

Joined McLaren at the end of 1997 as Technical Director.

Alain NEYRINCK

VICE PRESIDENT, PROST GP PARTNERSHIP

SODEXHO

Biography

Date of birth : 28 February 1940 - Annecy - **French**
Marital status : Married, 3 children

Career summary

1946/960 :	Berthollet High School in Annecy
	Baccalaureat Maths Elem
1963/965 :	Hotel Trade School in Thonon-les-Bains
	Hotel Trade diploma.
1965/1971 :	Different positions in seasons commercial hotels
1971/1975 :	Sodexho French Guyana - General Manager
1975/1977 :	Grenoble Echirolles Restauration - Sodexho Grenoble
	General Manager
1977/1979 :	Abbar & Zainy-Sodexho - Saudi Arabia - Camp Boss then Supervisor
1979/1985 :	Sodexho Corporate Development Paris VP International Development.
1984/1986 :	Al Rubaya-Sodexho - United Arab Emirates Abu Dhabi - Executive VP Arabic Gulf Area
1986/1998 :	Sodexho - Group Strategy, Innovation Division - Paris - Assistant VP
1998/Present :	Sodexho Group Communication Division - Paris - VP Prost Grand Prix partnership

Hobbies

- Reading, Multimedias, Classic cars.

Jean-François NICOLINO

ENGINE PROJECT LEADER

PEUGEOT SPORT

Biography

Date of birth :   16 April 1964 - Nice - **French**
Marital status :   Married - 1 child

Career summary

Studies :   Dip. Engineer (Ecole Nationale Supérieure d'Electronique, d'Electrotechnique, d'Hydraulique et d'Informatique de Toulouse)

Dip. Engineer (Ecole Nationale Supérieure du Pétrole et des Moteurs)

1989/1991 :   Automobiles Peugeot, in charge of the industrialization of the V6 24 valves

1991/1993 :   Peugeot Talbot Sport, Engine track engineer.

1993/1994 :   Peugeot Sport, mounting and testing chief for R&D F1 Engine

Since 1995 :   Peugeot Sport, Engine project leader

Hobbies

Motor-racing, Architecture, Pétanque

Malcolm OASTLER

CHIEF DESIGNER

TEAM : BRITISH AMERICAN RACING

Biography

Date and place of birth :   24 April 1959, Sydney - **Australian**

Marital status :   Married

Career summary

Originally from Sydney, Australia, Malcolm received a degree in Mechanical Engineering from Sydney University prior to settling in England in 1985. Initially he worked as a mechanic in Formula Ford 1600 and Formula Ford 2000 and for a short time he also drove in the 2000 category.

Soon after retiring from competition, Malcolm turned to design and in 1986 joined Reynard to design the Formula Ford 1600 and 2000 chassis. In 1988 he collaborated with Adrian Reynard on the first Formula 3000 chassis, and his designs subsequently won five successive titles. With the Champ Car concept becoming a reality in 1994, Malcolm led the entire design team from the start. His 95I chassis won eight races, including the Indy 500 and started from pole position no less than thirteen times.

Throughout 1996, 1997 and 1998 CART cars designed by Malcolm and the Reynard design team, manufactured by Reynard in the UK, continued to add further successes for the Company and its customers. Malcolm has combined his role at Reynard with his design commitments for British American Racing and is a testament to the quality of training and abilities of Reynard personnel as he reaches the pinnacle of the industry with his new car which will make its race debut in 1999.

Hobbies

- Designing racing cars, family, R.C. model aircraft.

Neil OATLEY

CHIEF DESIGNER

TEAM : McLAREN

Biography

Date of birth :   12 June 1951 - **British**
Marital status :   Single

Career summary

1972/1976 :	B - Tech automotive engineering (Loughborough University)
1976/1977 :	Engineer - Consine dynamics
1977/1981 :	Engineer - Williams GP engineering
1984/1986 :	Chief designer - Force (Beatrice Lola)
1986/1988 :	Engineer - McLaren International
1989/Present :	Chief designer - McLaren International

Hobbies

Music (listening), Reading, Motorcycling.

Mark OWEN

ASSISTANT TEAM MANAGER

TEAM : BENETTON

Career summary

From 1976 to 1980, served an aircraft engineering apprenticeship gaining city and guilds in engineering craft studies. Continued in aircraft engineering until 1984 gaining CAA & FAA licences in both airframe and power plant categories.

In 1994, joined McLaren international as a race mechanic and later moved to the test team to gain more experience. Progressed to number one mechanic and lead mechanic on the McLaren Honda test team in Japan.

In 1990, joined Benetton Formula Ltd as Chief Mechanic to set up and run the test team. Promoted to Test Team Manager in 1993 before moving to the race team as Assistant Team Manager in 1998.

Mark PARISH

MOTORSPORT PROGRAMME DIRECTOR

COSWORTH ENGINEERING

Biography

Date of birth :   17 February 1955 - Northampton - **British**
Marital status :   Married

Career summary

Following six years in special purpose machinery design, joined Hesketh racing as a design engineer in 1978. Worked for various automotive and racing companies, including ATS, March and JQF Engineering, before joining Cosworth Engineering in 1985. Responsible for setting up the motorsport department in 1990 to provide engines in Formula One to Jordan, Lotus, McLaren, Minardi, etc... as well as touring car engines for Ford and Opel and the Championship winning SWC engine for Jaguar in 1991.

Hobbies

- Classic car restoration and preservation

Roberto PELLEGRINI

RACE ENGINEER

BREMBO

Biography

Date of birth :   2 February 1971 - Milan - **Italian**
Marital status :   Single

Career summary

Education : Higher Diploma in Mechanical Engineering achieved in 1990.

- 1993/1996 : Employed at Brembo Brakes System
  as a design engineer.

- 1997 :   Race Engineer employed at Brembo Racing
  for GT races.

- 1998/1999 : Race Engineer employed at Brembo Racing
  for F1 races.

Hobbies

- Karting, Skiing, Cooking.

Alan PERMANE

RACE ENGINEER

TEAM : BENETTON

Biography

Date of birth :   4 February 1967 - Walton-on-Thames - **British**
Marital status :   Single

Career summary

Joined Benetton beginning of 1989 as Electronics Engineer - Test and Race Team.

- 1996 :   Assistant Engineer - Alesi
- 1997 :   Race Engineer - Alesi
- 1998/99 : Race Engineer - Fisichella

Hobbies

- Running, Waterskiing.

Didier PERRIN

HEAD OF DRAWING OFFICE

TEAM : PROST

Biography

Date of birth :   2 January 1960 - Paris - **French**
Marital status :   Married - 2 children

Career summary

- 1984/87 :   Dassault Aviation - R & D Composite Engineer

- 1987/90 :   Dassault Aviation
    Drawing Office Engineer - Military Aircraft Division

- 1990/92 :   Ligier F1 - Composite Manager

- 1992/96 :   Ligier F1 - Production Manager

- 1996/97 :   Ligier F1 - Operations Director

- 1998 :   Prost GP - Team Manager

- 1999 :   Prost GP - Head of Drawing Office

Hobbies

- Spend time with family.

Ian PHILLIPS

COMMERCIAL DIRECTOR

TEAM : JORDAN

Biography

Date of birth :   9 February 1951 - **British**
Marital status :   Married - 3 children

Career summary

- 1969/1976 :   Joined Autosport magazine as a messenger boy, eventually rising to the position of Editor in 1973

- 1976/1977 :   Manager at Donington Park Circuit

- 1978/1986 :   Freelance journalist

- 1987/1989 :   Team Manager at March F1

- 1989/1990 :   Managing Director of Leyton House-March

- 1990 :   Joined Jordan as Commercial Manager

- 1995/Present :   Jordan as Commercial Director

Hobbies

- 1960s Rock and roll music, Good wine, Cricket, Gardening.

271

Conrad POLITT

HEAD OF WEST FORMULA ONE DEPT.

H.F. & Ph.F. REEMTSMA

Biography

Date of birth :   11 April 1962 - **German**
Marital status :   Married - 2 boys

Career summary

- 1986 :   Publisher's Representative, Westermann Verlag

- 1991 :   Degree in Business Administration

- 1991/1994 :   Brand Management, H.F. & Ph.F. Reemtsma GmbH

- 1994/1998 :   Marketing & Sales Director, TV Hamburg 1 Fernsehen

- 1998 :   Head of Central Promotion Dept., as of 1999 in charge
of West Formula One Dept.

Hobbies

- Family, Basketball, Jazz Music, Reading

Craig POLLOCK

MANAGING DIRECTOR

TEAM : BRITISH AMERICAN RACING

Biography

Date of birth :   20 February 1956, Scotland - **British**
Marital status : Married - One son (Scott)

Career summary

This past year has been the most arduaous of Craig Poolock's life but, without doubt, it has also been the most exhilarating.

Managing Director of British American, Racing, the new team that enters Formula One competition, Craig Pollock managed in just one year to build a team, travel all over the world publicising it, and oversee construction of the sport's most modern facility. In January 1998, the British American Racing team numbered a handful of individuals working out of a variety of facilities. A year later, some 200 team members are housed at the team's brand-new headquarters in Brackley. It took a determined 42-year-old with an eclectic background to shepherd the process. Born in Scotland in 1956, Pollock taught physical education in Keith and then, after two years in business, went on to become a physical education teacher in Switzerland. At a private school there, one of his pupils was Jacques Villeneuve, son of Ferrari Grand Prix legend, Gilles Villeneuve, and a youngster already known for his speed on the ski slopes. Pollock left education in the mid-1980s and became involved in a number of business projects, some related to motor racing, for assorted European and Japanese interests. In 1993, Villeneuve sought out Pollock to act as his personal and business agent. Pollock agreed, and steered the young Canadian through the intricacies of contract negotiations in Formula Atlantic and IndyCar before moving on to Formula One. Villeneuve's successes, including victory in the 1995 Indianapolis 500 and drivers' titles in both the PPG Indy Car World Series (1995) and FIA Formula One World Championship (1997) all reflected on his manager. When Bristih American Racing came together in November 1997, Craig Pollock was aboard as a founding partner and Managing Director. One of the most recognised international personalities in Formula One today, he is typical of the sport's new generation : multi-lingual (English, French and "Swiss" German), multi-talented and totally dedicated to the task at hand. the team he is putting together reflects these qualities. Pollock's self-confidence comes from a willingness to take risks and work hard.

273

Trevor POWELL

OWNER/CEO

PROFILE SEATING SYSTEMS

Biography

Date and place of birth :   9 June 1952 - Staffordshire - **British**

Marital status :   Married, one son

Career summary

Higher National Diploma in Engineering.

BA Hons Degre Educational Management

Following a career in Engineering and 11 years as a Lecturer, Trevor developed and applied an entirely new approach to driver protection and comfort, the industry standard PRO-SEAT.

Also in 1992 he pioneered the Extraction seat now mandatory in F1.

The PRO-SEAT custom made seat is the only independently tested safety seat available. Combined with the energy absorbing head restraint filling and moulded within an FIA specification extractable seat module give a high degre of protection and comfort. Trevor also supports young drivers by providing assisted drives in Formula Renault Sport in conjunction with ME Motorsport, where he acts as the team Marketing and Publicity manager.

Tim PRESTON

HEAD OF TEST TEAM

TEAM : SAUBER

Biography

Date of birth :   6 November 1966 - **British**
Marital status :   Single

Career summary

- 1983-1987 : Hunt Engineering

- 1988-1989 : Davy McKee Ltd.

- 1989-1997 : Williams
              1989-1995 Design Engineer
              1995-1997 Race Engineer

- 1998/Present : Red Bull Sauber Petronas
                 Head of Test Team

Hobbies

- Ski, Scuba diving.

Alain PROST

TEAM OWNER

TEAM : PROST

Biography

Date of birth :   24 February 1955 - St-Chamond - **French**
Marital status :   Married - 2 sons (Nicolas, Sacha)

Career summary

Four times Formula One World Champion, Alain Prost has achieved a still unequalled sporting career with a record of 51 grands prix wins, 42 best laps, 106 podiums and 798,5 championship points.

After he decided to give an end to his career as a driver when he left Williams with his fourth World Champion Title in 1993, joined Renault as special ambassador for the group until 1995 where he was hired as special consultant and adviser to the McLaren Formula One Team.

Purchased the Ligier Formula One team in 1997, changed the name to Prost GP and moved the Magny-Cours based plant to newly built pre- mises near Paris at Guyancourt.

Hobbies

- Golf, Cycling, Skiing.

Corrado PROVERA

MANAGING DIRECTOR

PEUGEOT SPORT

Biography

Date of birth :   1941 - **Italian**
Marital status :   Married

Career summary

Born in Turin in 1941, Corrado Provera studied law in Italy before turning to journalism. He joined Chrysler Italia in May 1962 and held a succession of posts in the sales department, promotion and then advertising before being made public relations manager in September 1968.

He was appointed public relations manager for Chrysler France in April 1977 and then for Chrysler Europe in 1978. In August that year, Chrysler's European subsidiaries were taken over by Automobiles Peugeot and became Automobiles Talbot. Corrado Provera stayed on as Talbot's public relations manager for Europe.

In February 1981, after the merger between Automobiles Talbot and Automobiles Peugeot, Corrado Provera was appointed information manager for Automobiles Peugeot. In this capacity, he defines the car manufacturer's communication policy in liaison with the firm's general management and implements that policy wherever Automobiles Peugeot pursues industrial or commercial activity.

Since 1982, Corrado Provera has been a member of the Automobiles Peugeot board of directors.

Alan PRUDOM

SOFTWARE ANALYST

FIA

Biography

Date of birth :   2 July 1953 - **British**
Marital status :   Married

Career summary

- 1971/1980 :   University and Research

- 1981/1986 :   Computer Industry

- 1986/1996 :   LDRA - Computer Consultant

- 1997 :   FIA

Hobbies

- Bicycles, Beer and Hill walking.

John QUIGLEY

DIRECTOR, VISTEON RACING
& GLOBAL TECHNOLOGY DEVELOPMENT

VISTEON AUTOMOTIVE SYSTEMS

Biography

Date and place of birth :   5 September 1949 - Waynesburg, PA - **American**

Marital status :   Married to Janice, one child (Erin)

Career summary

Joined Ford Motor Company in 1973 as a research engineer with the Scientific Research Labs and was promoted to Senior Research Engineer in 1978 responsible for direct injection gasoline engines. Held numerous management positions and in 1986 became Program Manager for European Powertrain Programs. During tenure in Europe, became involved with engine management programs for rally car teams. Appointed Manager of ignition Engineering and led the team that developed electronic ignition systems for Europe and US. Was later appointed Director of China Operations and led the design, development, manufacture and marketing and sales of engine management systems for the Chinese market. Appointed Director of Global Technology Development and Director of Visteon Racing in 1997. Visteon Racing has technical and sponsorship alliances with Stewart Grand Prix in Formula One, Patrick Racing in CART, Panoz Motorsports in America LeMans Series, John Force in NHRA and Enduro Racing in SCORE. Earned BS in Mechanical Engineering and BA in Economics from Penn State University and MS in Engineering Management from University of Detroit. In 1994, John married Janice Capriotti, a Chief Product Analyst in Visteon's Electronic systems Division. Together, they hold three patents in engine management concepts.

Hobbies

Snow skiing, Mountain biking, Surfing the internet

Jo RAMIREZ

TEAM CO-ORDINATOR

TEAM : McLAREN

Biography

Date of birth :   20 August 1941 - **Mexican**
Marital status :   Married - One daughter

Career summary

Non graduated mechanical engineer Mexico University.

Came to Europe (Italy) in 1962.

Worked with Ferrari, Maserati and Lamborghini.

Moved to England in 1966 and worked with Ford Advance Vehicles, and later with Dan Gurney's Eagle in Formula One.

Spent 3 years with Gurney in United States to race Canam, Transam and Indy cars.

2 years later returned to UK and worked with Gulf - Porsche i group «C», and back to F1 with Ken Tyrrell, J. Stewart, F. Cevert.

Left Tyrrell and became manager of Fittipaldi new team continuin team management.

Moved to Shadow, ATS, Theodore and finally McLaren sinc december 1983.

Hobbies

- Water sports, Wood working, Opera, Theatre.

Paul RAY

VICE-PRESIDENT

ILMOR ENGINEERING

Biography

Date of birth:	30 June 1959, Northampton - **British**
Marital status:	Single, two children (Aimée, Oliver)

Career summary

1982-1989:	Cosworth Engineering Ltd. Development Technician
1989-1990:	Cosworth Engineering Inc. IndyCar Project Engineer
1990-1999:	Ilmor Engineering Inc. Vice President

Hobbies

Mountain biking, Squash

Leo RESS

TECHNICAL DIRECTOR

TEAM : SAUBER

Date of birth :   1 January 1951 - **German**

Marital status :   Single

Career summary

- 1979 :   Technische Hochschule Aachen
- 1979/1982 :   Mercedes - Benz
- 1982/1985 :   BMW
- 1985 :   Sauber
- 1993/1994 :   Sauber - Mercedes - Chief designer
- 1995 :   Red Bull-Sauber-Ford - Chief designer
- 1996 :   Red Bull-Sauber-Ford - Chief designer
- 1997 :   Red Bull-Sauber-Petronas - Chief designer
- 1998/1999 :   Red Bull-Sauber-Petronas
  Technical Director

Hobbies

- Skiing, Windsurfing.

Neil W. RESSLER

CHAIRMAN

COSWORTH RACING

ate of birth :   1 June 1939 - Ohio - **American**

areer summary

eil Ressler received a Bachelor of science degree in Mechanical ngineering from General Motors institute, a Master's degree and HD. in Physics from University of Michigan, and an MBA from Iichigan State University. He joined Ford Motor Company in 1967 as senior research scientist. In 1971, he was named principal design ngineer, Suspension and Steering. 10 years later he was appointed hief engineer, Components, Climate Control Division. He returned to ar Product Development in 1983 as chief engineer, Small Car esign/Development and was named chief engineer, Chassis and lectrical Engineering in 1985, and director, Quality and Product ystems and Advanced Engineering in 1988. In September 1990, he as appointed executive director, Vehicle Engineering, Car Product evelopment, and was elected a company vice president of Core roduct Development, Ford Automotive Operation, on 1st May, 1994. eil Ressler assumed the position of vice president - Advanced Vehicle echnology, Ford Automotive Operations on 1st August 1994. In eptember 1998 Ressler was appointed Chairman of Cosworth Racing nd was invited to join the board of Steward Grand Prix. st January 1999, Ressler took up his new position as vice president nd chief technical officer, Research and Vehicle Technology, Ford Iotor Company.

283

Adrian REYNARD

TECHNICAL DIRECTOR

TEAM : BRITISH AMERICAN RACING

Biography

Date and place of birth : March 23, 1951, Welwyn - **British**
Marital status : Married to Gill

Career summary

Considering Adrian Reynard's impressive experience in motor sport, one might mak
the mistake of presuming there are few thrills left for the 48-years-old engineer. Th
assumption would be wrong. Each new challenge rekindles the passion that has alwa
driven the man with one of motorsport's most in inventive and entrepreneurial mind
This holds true for Dr Reynard's latest endeavour, as founding partner and Technic
Director of British American Racing. After amassing one of the most successf
records in motor racing during the 1980s and 1990s, the move to Formula One wa
"the logical next step" for Reynard Racing Cars. The Reynard design team, heade
by Chief Designer Malcolm Oastler, boasts a very special distinction - it has helpe
Reynard become the only manufacturer in the world to win the first race of ever
major single seater championship in wich it has competed. Adrian Reynard is ver
aware, however, that there can be no resting on one's laurels in motorsport. Dr Reynar
48, built his first racing car in 1973, as a student project, and joined British Leylar
as a Project Engineer a year later. In 1977, he took up a full-time position as CEO
Sabre Automotive/Reynard Racing Cars Ltd and tasted his first success in 1979, wh
his cars won the European and British Formula Ford 2000 Championships. Th
Company also helped pioneer carbonfibre monocoque (unibody chassis) technologi
in the 1980s, and continues to carry out pioneering work in this field at its ne
headquarters adjacent to the British American Racing headquarters at Brackle
Reynard-designed cars also have the distinction of having won the fabled Indianapo
500 twice. In 1997, Adrian Reynard was elected a companion of the Royal Aeronautic
Society, in recognition of his company's pioneering technologies, and was recent
appointed Professor of Engineering and Applied Sciences at Cranfield Universit
Reynard currently carries out consultancy work on behalf of Ford and Chrysler
Norht America, Honda and Toyota in Japan, as well as several leading Briti
manufacturers. In 1990 and 1996, the company was awarded the Queen's Award f
Export Achievement, the first racing car company so honoured twice. In March 199
Reynard entered the IndyCar World Series, winning the first time out from the fro
row of the grid. A year later, Reynard chassis drove away with the Constructors' an
Drivers' championships, as well as victory in the Indy 500. The company has gon
on to dominate the North American racing series for the last four years, and looks s
to continue the trend in 1999.

James ROBINSON

SENIOR OPERATIONS ENGINEER

TEAM : WILLIAMS F1

iography

ate of birth : 13 April 1960 - Huddersfield - **British**

Marital status : Married - 2 daughters

Career summary

ames Robinson joined Williams during the 1996 season. Responsible or coordinating engineering functions from the drawing office to the ace track and back through to design, James' role also involves the rganisation of test and race programmes.

As well as completing a student and graduate apprenticeship with David Brown industries in West Yorkshire, James achieved 9 O-levels, A-levels and a B.Sc. in Mechanical Engineering (Hons).

ames has previously worked at Williams Grand Prix from January 985 to March 1989, before moving to Arrows and then McLaren nternational.

Most recently he has been at McLaren Cars working on the successful GT racing programme.

Hobbies

Most sports.

Shirley ROBINSON

INTERNATIONAL PROMOTIONS MANAGER

WINFIELD RACING TEAM

Biography

Date of birth :   14 November 1959 - **British**
Marital status :   Married - 1 daughter

Career summary

- 1984 : Joined Rothmans UK sales division

- 1986 : Becames Rothmans UK PR manager

- 1988 : Promoted to Rothmans UK Sponsorship Manager,
          responsible for sponsorship activities encompassing Golf,
          Snooker, Rallying, Horse Racing, Yachting, Cricket and
          Football

- 1994 : Rothmans UK - Marketing Manager

- 1998 : International Promotions Manager

Stephane RODRIGUEZ

QUALITY MANAGER

TEAM : PROST

iography

ate of birth :   9 March 1969, Luxeuil-les-Bains - **French**

1arital Status :   Single

areer summary

1996-1998 :   Peugeot Sport F1
Responsible for material & processes on engine parts :

- Developments (materials, surface treatments...)
- Failure analysis/Reliability insurance
- Definition and control of processes (manufacturing)

ince April 1998 :   Prost GP
Quality Manager

Responsible for whole quality process on the car
- Parts inspection when received and after use
- Failure analysis / Reliability insurance
- Evaluation of suppliers, quality level

lobbies

Cars, Car racing, Music, Cinema

287

Gabriele RUMI

CHAIRMAN & CHIEF EXECUTIVE

TEAM MINARDI AND FONDMETAL

Biography

Date of birth :   4 September 1939, Palazzolo s/Oglio - **Italian**
Marital status :   Married - 2 children

Career summary

Founder and Chairman of the Fondmetal Group, a group of companie whose activity is focused on the automotive business: production an distribution of light alloy wheels, studies and projects of aerodynamic with its own wind tunnel facility, computer simulation and advance suspension systems.

Since 1986 Fondmetal has been supplying high technology F1 wheel to teams like Williams, Osella, Ligier, Zakspeed, Fondmetal, Tyrre and Minardi.

The debut into F1 as a constructor with his own team from 1990 t 1992 meant for Mr Rumi more top-level technological and manageria experience, which has benefitted the other companies in the group i the form of technology, know-how and management.

In 1996 he joined the Minardi Team and he currently owns the majo rity of the team's parcel of shares.

Hobbies

- Relaxing with the family.

Jeff RYAN

MANAGING DIRECTOR

PENSKE RACING SHOCKS

Biography

Date of birth :   9 October 1960 - **American**
Marital status :   Married - 2 children

Career summary

Jeff Ryan began his racing career in 1979, immediately after finishing high school in California. At the age of 18, Jeff was employed by Bob Fox at Fox Shocks, as a machinist. Within three years, Jeff's ingenuity gained him a key part of the test and design team for the new Double Adjustable racing damper, which set the new standard for Formula One Designs.

In 1986, Jeff took a position with Gary Anderson and the Galles Indy Car Team, where he developed the Triple and Quadruple adjustable damper designs, now making dampers a viable part of Formula One Car Design.

In 1989, Jeff was offered a position in a small start-up company in Pennsylvania, Penske Racing Shocks. Now, as Director of Product Design of the renowned Company, Jeff's designs have gained him world-wide recognition, as an astute designer of the latest in damper technology. Currently, Jeff's damper designs outfit many Formula One and CART.

Frederic SAINT-GEOURS

MANAGING DIRECTOR

AUTOMOBILES PEUGEOT

Biography

Date of birth :   20 April 1950 - **French**
Marital status :   Married - 3 children

Career summary

He is a graduate of the Institut d'Etudes Politiques of Paris and the Ecole Nationale d'Administration. He joined the Ministry of Economy and Finance in 1975, working in the Forecasting Division and then the Finance Inspectorate. After 3 years as Technical Advisor to the President of the National Assembly he became Chief Technical Advisor to the Secretary of State for the Budget.

In 1986, joined the Finance Division of PSA and was appointed Finance Director in 1988.

In April 1990 he became Deputy Managing Director of Automobiles Peugeot in charge of Sales and Marketing, Product, Motor Sport and Sponsoring, Public Relations and matters relating to Peugeot Talbot Espana and Peugeot Talbot Motor.

Tenji SAKAI

CHIEF ENGINEER

MUGEN

Biography

Date of birth :	14 July 1953 - Kumamoto - **Japanese**
Marital status :	Married - 2 children

Career summary

1991 :	F1 - TYRRELL
1992/93 :	F1 - FOOTWORK-ARROWS
1994 :	F1 - LOTUS
1995/96 :	F1 - LIGIER
1997 :	F1 - PROST
1998/99 :	F1 - JORDAN

Hobbies

Tennis, Go-Karting, Football.

Gianni SALA

CHIEF ELECTRONIC ENGINEER

TEAM : PROST

Date of birth :   11 August 1967, Modena - **Italian**

Marital Status :   Married

Career summary

Graduate electronic engineer at Bologna University

- 1994-1995 :   Ferrari - Telemetry Engineer

- 1995-1997 :   Ferrari - Research and Development on
                       hydraulic and electronic control systems

- 1998 :   Prost GP - Chief Engineer of hydraulics and
                       electronics

Hobbies

- Ski, Airplanes private pilot

Dominique SAPPIA

TEAM TRAINER - OSTEOPATH

TEAM : ARROWS

Biography

Date of birth :	23 September 1965 - Marseille - **French**
Marital status :	Married to Sylvia
	2 daughters (Morgane, Alexandra)

Career summary

As a Physioterapist and Osteopath, has been involved from 1988 in many different aspects of sport. From 1988 to 1993 with the Olympique de Marseille Football team (winning 5 French championships, 1 French Cup and 1 European Cup).

Then, from 1993 to 1996, with the Olympique de Marseille Handball team (winning again 2 French championships, 1 French Cup and 1 European Cup).

Also including since 1998 work with B. Gimenes, Didier Navaro and Sandra Brucelle (Windsurf, Jet ski and French kick boxing World champions), ATP Tennis tournaments, French football team and numerous artists during their show in Marseille including Mick Jagger, U2, Simply Red, Vanessa Paradis, etc... Trainer as well in his sport clinic, for a large number of athletes in basketball, handball, athletics, cycling, karate, gymnastic, dance and squash. Called by French press "the trainer with 15 world champions".

Contracted since 1996, by Tom Walkinshaw in Formula 1, first for Ligier (1996) with drivers Olivier Panis and Pedro Diniz and then for Arrows (1996 to now) with Jos Verstappen, Ricardo Rosset, Damon Hill, Pedro Diniz and Mika Salo. Works for the TWR Group as medical adviser : Volvo BTCC, Nissan (24 Hours of Le Mans), and Gloucester Rugby FC.

With team Arrows Grand Prix in 1999 for drivers Tora Takagi and Pedro de La Rosa.

Peter SAUBER

TEAM PRINCIPAL

TEAM : SAUBER

Biography

Date of birth :	13 October 1943 - **Swiss**
Marital status :	Married

Career summary

- 1970 :	Founded his own company as a race car constructor - Designed several cars (C1, C2, C3, C4) and the C5 with which H. Müller won the Interserie in 1976
- 1984 :	Used a Mercedes engine in the C8 which was the beginning of the partnership with Mercedes
- 1986 :	First win in Sports Prototype (Thackwell - Pescarolo)
- 1987 :	Schlesser wins Supercup
- 1988 :	5 wins in World Championship with the C9 Sauber becomes Mercedes racing department
- 1989 :	(Silver Arrows) 7 wins and double victory at Le Mans for the C9 World Champion for drivers and team
- 1990 :	World Champion for drivers and team (C11)
- 1991 :	One win at Autopolis (C291)
- 1993 :	Formula One debut
- 1994 :	Sauber Mercedes
- 1995/96 :	Red Bull-Sauber-Ford
- 1997/99 :	Red Bull-Sauber-Petronas

Richard SCAMMELL

MANAGING DIRECTOR

COSWORTH RACING

Biography

Date of birth :   26 January 1938 - **British**
Marital status :   Married - One son (Ben)

Career summary

Dick Scammell, an unassuming man who prefers the back ground action to the high profile nature of motorsport, has made a considerable contribution to the high quality designs and developments achieved in today's motor racing engines. Joining Cosworth in 1972, Dick Scammell received his M.B.E. for services to motor racing in 1995 after a career in the sport spanning almost 35 years. It began when he joined Team Lotus in 1960 as a junior mechanic. In less than a decade he rose to racing manager, responsible for Formula One, Two, Three and Indycar racing and was a key member of the team which saw World Champion campaigns of many Ford-Powered drivers including Jackie Stewart, Mario Andretti, Nelson Piquet and Michael Schumacher. Dick was director of Cosworth Racing from 1992 and retired from the role in August 1996. He continued to act as Consultant Director to the company.

September 1998- Ford Motor Company purchased Cosworth Racing from Audi AG and appointed Dick Scammell as Managing Director of Cosworth Racing.

Olaf SCHWAIER

MANAGING DIRECTOR

SACHS RACE ENGINEERING

Biography

Date of birth :   24 July 1956, Stuttgart - **German**

Marital Status :   Married

Career summary

After graduating from Birmingham (BA) and Cologne University (MA), Olaf has worked in various marketing roles in the pharmaceutical and oil industry.

He has worked in International Motorsports since 1994, first for Castrol International and since 1998, for Sachs Engineering a division of Mannesmann Sachs Group specialising in the Design, Development and Manufacture of racing clutches and shock absorbers.

Hobbies

- Motorcycles, Travel, Reading.

Hiroshi SHIRAI

CHIEF ENGINEER

HONDA R&D

Biography

Date of birth :	29 April 1950 - **Japanese**
Marital status :	Married to Kayoko - 3 children (Ryotaro, Syunsuke, Yuri)

Career summary

1976 :	Graduate Yokohama University
1976 :	Honda Research & Development
1980-1988 :	Project of production car
1989-1999 :	LP L

Christian SILK

RACE ENGINEER

TEAM : BENETTON

Date of birth :   12 November 1965 - **British**

Marital status :   Married

Career summary

Went to Hinchley Wood Secondary School till 16

Kingston College of further Education till 18

Loughborough University of Technology for 4 years. Graduated with a 2/1 in Automotive engineering and design

Joined Benetton in 1989, initially in research and development. Initially started as a R and D engineer and software engineer. Since then have been Race Engineer, Software Engineer and Data Analysis Engineer.

Race engineer for Berger in 1996 and 1997 and for Wurz in 1998 and 1999.

Hobbies

- Hill Climbing (kit car), Travel, Walking, Music, Computers.

Roger SILMAN

MANAGING DIRECTOR

TEAM : ARROWS

Biography

Date of birth :   10 May 1945 - Curbridge- **British**
Marital status :   Married - 2 sons

Career summary

Roger has successfully led several TWR racing projects, setting up the TWR/Jaguar Sports Car Team, whose many successes included winning the 1987/88 Sports Car World Championship, the 1988 Le Mans & Daytona 24-Hours, the 1990 Le Mans & Daytona 24-Hours & the 1991 Sports World Car Championship.

Roger has been a TWR board member since 1990, when he was appointed Technical Director.

John SIMMONDS

C.E.O.

PROFILE SEATING SYSTEMS USA

Date and place of birth :   February 13, 1962, England-**American**

Marital status :   Married to Robin, one child (Matt)

Career summary

John Simmonds joined Newman-Haas in 1989 as a crew member on Mario Andretti's car and worked his way up to chief mechanic for Andretti in 1992, until Andretti retired in 1994.

In 1995, Simmonds was Paul Tracy's chief mechanic and Christian Fittipaldi's for the 1996 season.

Simmonds got his start in racing as a mechanic at TWR on their Jaguar touring car program in 1984-85 and also worked in the Formula 3 series in '85. He moved to the TWR Group C program in 1986.

In 1987, he worked with Nigel Mansell and Nelson Piquet at the Williams Formula One team.

In 1988, he returned to TWR to work on the IMSA GTP team. The highlight of Simmonds' season was a win at the grueling 24 Hours of Daytona with drivers Martin Brundle, Raul Boesel and John Nielsen. The next season, he moved to Indy car with Newman-Haas.

Hobbies

- Jet skiing, Shooting, Riding Harley Davidson.

Charles SIROIS

CHAIRMAN

TELEGLOBE

Biography

Date and place of birth :   22 May 1954, Chicoutimi - **Canadian**

Marital status :   Married

Career summary

Charles Sirois is Chairman and Chief Executive Officer of Teleglobe Inc. He holds the same position at Telesystem Ltd. a private holding company of which he is the founder and principal shareholder.

Telesystem Ltd. has interests in several telecommunications and information technology businesses. In particular, the company is active in the Personal Communications Services (PCS) market, both in Canada (Microcell Telecommunications) and abroad (Telesystem International Wireless), in the international telecommunications and mobile satellite communications industries (Teleglobe), as well as in the software (Telsoft), home automation (Microtec) and content (Coscient) sectors.

Mr. Sirois launched his business career in 1978 when he took over the family-owned paging company. Within a few years, he had established himself as the leader of the Canadian paging industry through National Pagette and National Mobile Radio Communications Inc. In 1987, these companies merged with Bell Cellular to form BCE Mobile Communications Inc., which Mr. Sirois directed as Chairman and Chief Executive Officer from 1988 to 1990.

Mr. Sirois, 44, holds a bachelor's degree in finance from the University of Sherbrooke (Quebec), a master's in finance from Laval University (Quebec) as well as honorary doctorates from the University of Quebec at Montreal (UQAM) and the University of Ottawa. Mr. Sirois received the Order of Canada in 1994 and was made a knight of the Ordre National du Quebec in April 1998. A founding member of the Washington-based Global Information Infrastructure Commission (GIIC) and a member of the Canadian Information Highway Advisory Council, he published a book in 1995 on the information highway entitled *the Medium and the Muse*.

Simon SMART

RACE ENGINEER

TEAM : STEWART

Date of birth : 31 January 1969 - Brackley, Northants - **British**

Marital Status : Single

Career summary

- 1988-1992 : Degree in Mechanical Engineering at Kingston Upon Thames University

- 1990-1991 : Undergraduate Training Scheme at Reynard Racing Cars.

- 1993-1996 : Damper Engineer, Design, Development and Trackside Support, Penske Racing Shocks (UK)

- 1996-1999 : Jordan Grand Prix - Vehicle dynamicist in Research & Development Department, and Data Analysis Engineer on the Test Team.

- 1999-Present : Stewart Grand Prix - Race Engineer for Johnny Herbert

Jackie STEWART

EXECUTIVE CHAIRMAN

TEAM : STEWART

Date of birth :   11 June 1939 - Dumbarton - **Scot**

Marital status :   Married to Helen - 2 sons (Paul, Mark)

Career summary

Some great records emerged from the Sixties and Seventies. One of them belongs to John Young Stewart, OBE : 27 Grand Prix victories and 17 pole positions from 99 race starts, three World Championships between 1965 and 1973, and a permanent place among the legends of Formula 1.

Jackie Stewart first dominated British club racing before turning to the domestic and European Formula 3 scene. His career took off internationally in 1965, when Jackie partnered Graham Hill in BRM's Grand Prix campaign, waiting only till Monza and his eighth World Championship race to record the first of those 27 victories.

Monaco in 1966 brought victory number two ; the rest would all be won with Ford power, once Jackie had teamed up with Ken Tyrrell in 1968 to forge one of the most successful alliances in World Championship history.

Jackie Stewart competed against some of the great names of Grand Prix history : fellow-Scot Jim Clark, to whom he was so close, Gurney, Surtees, Hill, Rindt, Fittipaldi and their peers. In doing so, he crafted a reputation and a racing record that would stand for 14 years, an eternity in Formula One terms, until broken by another great driver he much admired, France's Alain Prost.

Seen by many as the first truly modern professional racing driver, Jackie Stewart has done more than any man before or since to build a business life on the basis of his on-track record. Translating his legendary eye for detail from cockpit to boardroom, he has shared with the automotive industry the rich fruits of his racing experience, especially in his 34-year partnership with Ford. A generation of that company's road-going vehicles is better for his contribution.

If one phrase can sum up the guiding philosophy of such a busy life, it is the pursuit of excellence. Successful in business, he has also single-mindedly made major contributions in less glamorous spheres, notably in his work for the Grand Prix Mechanics' Charitable Trust, Springfield Boys' Club, the Scottish Dyslexia Trust and others.

While this legendary figure admits that even he had his work cut out for him in his second year as Chairman of Stewart Grand Prix, he is confident that the year ahead will be the best yet for Stewart-Ford.

303

Paul STEWART

DEPUTY CHAIRMAN

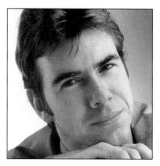

TEAM : STEWART

Date of birth :	29 October 1965, Dumbarton - **Scot**
Marital status :	Married to Victoria - 2 sons (Dylan, Lucas)

Career summary

The eldest of Jackie Stewart's two sons, Paul spent his childhood at the family's home in Begnins, Switzerland and was educated at nearby Aiglon College.

At the age of 19, Paul started studies in Political Science at Duke University in North Carolina before investigating motorsport by enrolling under the pseudonym "Robin Congdon" at the Brands Hatch Racing School.

Paul went on to compete in Formula Ford, finishing seventh in the series. He returned to university to complete his degree before moving up to Formula Ford 2000 and in 1988 Paul and his father, Jackie Stewart, founded Paul Stewart Racing (PSR).

As a racing driver, Paul graduated through the various formulae from Formula Ford 1600 and 2000 via Formula 3 to European Formula 3000. He won races in Ford 2000 and Formula 3 and finished third at the 1993 Pau Formula 3000 race. Another victory came in the IMSA GTO class at the Daytona 24 Hours classic sharing a Roush Racing Mercury Cougar. Paul accepted an invitation to test in a Footwork Arrows Formula One car at Silverstone during 1993.

At the end of the 1993 season, Paul chose to retire from racing in order to concentrate on the business side of the team which, by the end of 1996, had scored 107 race wins, 222 podium finishes and 10 Championships.

The Stewart-Ford team made its F1 debut in 1997. At 32, he found himself managing director of a company that quickly grew to more than 120 strong. Today, Stewart Grand Prix employees over 200 people.

Hubert STROBL

DEVELOPMENT ENGINEER

SACHS RACE ENGINEERING

Biography

Date of birth :   14 January 1972 - **German**
Marital status :   Single

Career summary

Studied engineering at Technical University of Munich

Since 1997 Development Engineer for Racing Shock Absorbers at Sachs Race Engineering, racing suspension systems.

Hobbies

Biking, Hill Climbing

David STUBBS

TEAM MANAGER

TEAM : STEWART

Biography

Date of birth :   1 June 1956 - Oxford - **British**
Marital status :   Married

Career summary

David Stubbs was working in the Finance Department at the Atomic Research Establishment at Harwell when Frank Williams established his F1 team in nearby Didcot. A fan of motor racing, Stubbs joined Williams in 1978 and held a number of positions, starting as van driver before working in stores and purchasing and rising to team manager in 1985. Stubbs left at the end of 1988 to act as team manager at Brabham. He joined Paul Stewart Racing the following year overseeing the Formula 3000 team.

He quickly grasped the chance to return to Formula One and played a key role in the formation of the race team and selection of personnel at Stewart Grand Prix.

Pat SYMONDS

TECHNICAL DIRECTOR

TEAM : BENETTON

Biography

Date of birth :   11 June 1953 - Bedford - **British**
Marital status :   Married to Jo - 5 children

Career summary

After a career which saw him begin as a mechanical engineering student in London, collect a Master Degree in Automotive Engineering at Cranfield, work for Ford, Hawke and Royale and later Toleman, Symonds can claim to have a multi-disciplined background that is perfect for his job as the team's Technical Director. He has experience in race engineering, design, production and electronics. At 45, however, he has insufficient time to do much cooking, his favourite relaxation between his racing weekends. Pat Symonds joined Toleman, the forerunner to the Benetton Formula 1 Racing Team in January 1981. His first responsibility was to take charge of F1 research and development while also overseeing the handover of the team's Formula 2 project to Lola. F1 soon became the top priority and by 1982, Symonds was in charge of all engineering for the grand prix cars. He actually left the company for one year, but seeing the error of his way, he soon returned to the fold. With around twenty years experience in the sport Symonds is well qualified to comment on how Formula 1 has evolved.

Hobbies

Family, Cooking

Robert SYNGE

TEST TEAM MANAGER

TEAM : BRITISH AMERICAN RACING

Biography

Date of birth :   21 January 1957 - **British**

Marital Status :   Married

Career summary

Worked as Sales Manager at Image Race Cars at Goodwood from 1979-1982 while racing in Formula Ford.

Formed own team - Madgwick Motorsport - in 1982.

Team won :

> 1983 : Esso FF1600 Championship,
> 1984 : British FF 2000 Championship,
> 1986 : British F3 Championship,
> 1990, 1991, 1993, 1994 : British F3000 Championship,

Additional victories at Macau Grand Prix (1986), International F3000 at Silverstone (1989) and Magny Cours (1995). Sold share in Madgwick Motorsport to Nigel Mansell in 1990 and renamed company Mansell Madgwick Motorsport.

Closed company at end of 1996.

Worked as a Freelance consultant to Reynard Motorsport Group in 1997 and was appointed Test Team Manager at B.A.R. in 1998.

Set up test team at Tyrrell during February 1998 and managed Tyrrell's testing during the year.

Hobbies

- Flying, Travelling

Remi TAFFIN

RACE ENGINEER

RENAULT SPORT FOR SUPERTEC

Biography

Date of birth :   14 March 1975 - **French**
Marital status :   Married

Career summary

Mechanical Engineer, ESTACA (Ecole Supérieure des Techniques Aéronautiques et de Construction Automobile)

1998 :   F3 race engineer for french team SIGNATURE

1999 :   Renault Sport F1 for Supertec. Race Engineer for Ricardo Zonta at British American Racing.

Hobbies

Skiing, Golf and Karting

Sebatien TAILLANDIER

ENGINE & TRACK ENGINEER

PEUGEOT SPORT

Biography

Date of birth :   26 May 1973, Nevers - **French**
Marital status :   Single

Career summary

- Graduated Engineer at ENSAM (Arts et Métiers) in July 1997.
- Joined Peugeot Sport in March 1998 as Engine Engineer for the Test Beds.
- Part of the race team since November 1998 as Engine and Track Engineer starting at first Grand Prix in Australia.

Hobbies

- Movies, Comics, Handball, Rugby

Tadasu TAKAHASHI

CHIEF ENGINEER

HONDA R&D

iography

ate of birth :　　1 July 1964, Akita-shi - **Japanese**

areer summary

1989 :	Master of Tokyo Kogyo University
1989 :	Honda
1992 :	McLaren - Honda Project
1994 :	Lotus-Mugen-Honda
1995-1996 :	Ligier-Mugen-Honda
1997 :	Prost-Mugen-Honda
1998 :	Jordan-Mugen-Honda

Claudio THOMPSON

COORDINATOR, MOTOR SPORTS COMMISSION

PETROBRAS - PETROLEO BRASILEIRO S.A.

Biography

Date of birth :   21 December 1955 - Rio de Janeiro - **Brazilian**
Marital status :   Divorced - 3 children

Career summary

Responsible for all sports sponsorships and coordinator of motor sports Commission.

Economist with specialization in sports marketing and sponsorships by University of Barcelona.

Hobbies

- Volleyball, Football, Movies.

Peter TIBBETTS

F1 FUEL ANALYST
FIA OBSERVER IN SAFETY CAR

FIA

ate of birth : 21 March 1955 - Calcutta, India - **British**

Iarital status : Married to Jill, 3 children

areer summary

1976 : BSc in Chemistry and Geology, University of Bristol

1979 : PhD in Organic Geochemistry, University of Bristol

1979/1983 : Senior Chemist at Masspec Analytical, specialising
in environmental analysis, particularly oil-spill
fingerprinting

1983 : Help set-up and establish M-Scan Limited,
a consulting analytical laboratory, of which Peter
is a Director.
M-Scan has been conducting fuel
approval analysis for the FIA since 1995.
Peter has been the F1 fuel analyst for track-side
testing since the start of the 1996 season.

obbies

Skiing, Gardening, Real ale.

Malcolm TIERNEY

R&D ENGINEER

TEAM : STEWART

Biography

Date of birth :   6 November 1956 - Hayes - **British**
Marital status :   Married - 1 son, 1 daughter

Career summary

- 1985 :	TWR on V12 sportscar engine
- 1986 :	Formula 1 - Toleman (Drawing Office)
- 1988 :	F3000 with March
- 1989 :	Indycar - Newman-Haas Then F1 with Williams 1989/90
- 1991 :	F3000 with Cane-Cordy
- 1992/96 :	Benetton (Test Team Engineer)
- September 1996 :	Joined Stewart G.P.

Andrew TILLEY

TRACK COORDINATOR
HEAD OF DEVELOPMENT ENGINEERING

TEAM : SAUBER

iography

ate of birth :   28 August 1963 - Chesterfield - **British**
Iarital status :   Single

areer summary

1988/91 : Reynard - Race Engineer and R&D Engineer

1992/94 : Team Lotus - Race Engineer in 1992 for Hakkinen,
in 1993 for Zanardi & Lamy,
in 1994 for Lamy & Zanardi

1995 :   Minardi - Design Engineer and Race Engineer
for Badoer

1996/97 : Jordan - Race Engineer in 1996 for Brundle,
in 1997 for Fisichella

1998/99 : Red Bull Sauber Petronas
Track Coordinator and Head of Development
Engineering

obbies

Running.

Jean TODT

DIRECTOR, GESTIONE SPORTIVA

TEAM : FERRARI

Date of birth : 25 February 1946 - Pierrefort - **French**
Marital status : Married - 1 son (Nicolas)

Career summary

A passionate motor sport enthusiastic from an early age, Jean Todt made his competition debut as a rally co-driver in 1966, aiming to gain experience to become a driver later on. In fact, it was the start of a career as a co-driver, in which he rallied for most of the major constructors, alongside the greatest drivers of his era. It was 15 years before he retired from active competition with a title of World Champion with Talbot. During the period, he did not restrict his activity to being a co-driver ; from 1975 to 1981 he was the representative of the rally drivers at FISA meetings.

In 1981 Automobiles Peugeot, gave Todt responsability for all the company's motor sport activities.

In 1982, Todt created Peugeot Talbot Sport, which he built up to a staff of 220. The main project was to design and develop the Peugeot 205 Turbo 16 for the World Rally Championship. Over the 1985 and 1986 seasons it won 16 of rallies entered, to win two World Championships for Peugeot and two World Rally Drivers' Championships.

When Group B rally cars were suddenly banned, Todt had to quickly choose a new discipline while keeping his team together. He chose rally-raids, and scored a series of victories including four in the Paris-Dakar.

In 1987, Todt was put in charge of all Peugeot's non-automotive activities and representing the brand image to senior management.

In 1989, Automobiles Peugeot announced its participation in the World Sports Car Championship. The car was the 905 which Todt and his team inaugurated at the Canadian race on Sept. 23rd, 1990. In 1991, Todt was named Director of Sporting Activities of PSA-Peugeot-Citroen. In 1992, Peugeot won the 1992 World Sports Car Championship, with Yannick Dalmas and Dereck Warwick the world champion drivers. Early in 1993, Peugeot decided not to undertake the full Formula One engine and chassis project Todt had been recommending. Approached by Ferrari President Luca Montezemolo, Todt joined the legendary company on July 1st, 1993 in overall charge of its sporting department, as Director of the Ferrari Gestione Sportiva. On behalf of Ferrari, Jean Todt represents the Constructors in the FIA World Council.

Willem TOET

SENIOR AERODYNAMICIST

TEAM : BRITISH AMERICAN RACING

Biography

Date of birth :   29 March 1952 - Amsterdam - **British/Australian**
Marital status :   Married to Sue

Career summary

After putting himself through university Willem started work at Ford, Australia as a systems analyst and buyer. In 1977 he left Ford to prepare cars full time working on touring cars, Formula Fords and Australian Formula 2 cars. Responsible for design of suspension and aerodynamic modifications to adapt cars to available tyres and local rules.

He moved to England in 1982 and worked for Ray Mallock on Sports and Group C cars. He was responsible for suspension geometry and lap time simulation computer programs and, with Ray, for aerodynamic development of the cars. Willem joined Toleman Group/Benetton F1 in 1985.

Responsible for vehicle aerodynamics and wind tunnel facility evolution. Responsible for team's lap-time simulation program. Had a break from Benetton in 1991 to set up Reynard F1. Returned to Benetton in same year as Head of Aerodynamics.

In 1985 he moved to Italy as Head of Aerodynamics for Ferrari. Responsible for the aerodynamics of F1 cars and development of Ferrari wind tunnels and CFD facilities. Willem returned to England in 1999 to work as one of BAR's Senior Aerodynamics.

Hobbies

Mountain biking, Speed hill climbing (driving in general), Swimming, Running & Films

Dino TOSO

RACE ENGINEER

TEAM : JORDAN

Biography

Date of birth :   11 February 1969 - **Italian**
Marital status :   Single

Career summary

- 1987/91 :   University of Automotive Engineering - MSc Automotive
- 1992 :   College of Aerodynamics - MSc Aero & Flight
- 1993/94 :   2 years National Aerospace Laboratory Propulsion Aerodynamics
- 1995/96 :   2 years BMW
Supertouring Championship Italy
Race Engineer for G. Morbidelli
- 1997 :   Data/Test Engineer - Jordan GP
- 1998/99 :   Race Engineer for Damon Hill - Jordan GP

Hobbies

- Sports (Fitness, Cycling), Reading, my work, doing nothing.

Gabriele TREDOZI

TECHNICAL COORDINATOR

TEAM : MINARDI

Date of birth : 9 September 1957 - Brisighella - **Italian**
Marital status : Married - 1 son

Career summary

Studies : Mechanical engineering - Bologna University

- 1988 : MINARDI Team engineer in charge of Campos and Martini
- 1989/1991 : Race engineer for Martini
- 1992 : Race operations engineer and car engineer for Fittipaldi
- 1993 : Race operations engineer in charge of Barbazza
- 1994 : Race operations engineer in charge of Martini
- 1995 : Race operations engineer in charge of Martini
- 1996 : Race operations engineer in charge of Lamy
- 1997 : Technical Coordinator
- 1998 : Technical Coordinator
- 1999 : Technical Coordinator

Hobbies

- Cycling

Bruno VAGLIENTI

MOTORSPORT MANAGER

SPARCO

Biography

Date of birth :   7 May 1954 - **Italian**
Marital status :   Married to Daniela

Career summary

Studies: Business and Foreign Language High School Degree

- 1976 :   Commercial Attache Carrozzeria Bertone (car design)

- 1980 :   Product Manager E.G. Kistenmacher
                Hamburg (export house)

- 1988 :   Marketing Manager Rankplast
                (polyethylene films)

- 1990 :   Export Manager and International Team
                Coordinator for Sparco

- From 1998 :   Motorsport Manager for Sparco

Hobbies

- Aircraft, Journalist for Pop & Rock music.

James William VALE

TEAM MANAGER

TEAM : JORDAN

Biography

Date of birth : 6 June 1950 - Melbourne - **Australian**

Marital status : Married - 1 son

Career summary

Started working full time in motor racing in 1978 as Mechanic for Coleman Group, Formula Two.

Formula One Mechanic with Toleman Group from 1980 till 1989 (Toleman Group became Benetton Formula in 1985).

1990 :   Chief Mechanic, Nissan Group C Sports Cars.

1991 :   Joined Arrows Formula One for 5 months as Mechanic, then joined Jordan Grand Prix as Mechanic.

1994 :   Promoted to Chief Mechanic at Jordan.

1997 :   Team Manager from January of 1997.

Hobbies

Water skiing, Golf.

Pierre VAN GINNEKEN

F1 TECHNICIAN

BELL HELMETS

Biography

Date of birth : 1 July 1957 - **Belgian**
Marital status : Engaged to Annabelle - 1 child (Maud)

Career summary

- 1987 :   Starts F1 BELL (painting)
- 1988/1989 : BELL
- 1990 :   BELL Service dept. Europe
- 1991/1997 : Racing manager attending all the Grand Prix for servicing
- 1998/99 :   F1 Technician

Hobbies

- Car racing, Karting.

Christophe VERDIER

IT MANAGER

TEAM : PROST

Biography

Date of birth :   17 June 1968 - **French**

Marital Status :   Married - 2 children

Career summary

- 1997-1998 :   Senior Software Developper
- 1995-1997 :   IT Project Manager
- 1992-1995 :   IT Professor
- 1990 :   Graduated in Data Processing

Hobbies

- Water skiing, Skin diving, Gardening

Joan VILLADELPRAT

OPERATIONS DIRECTOR / TEAM MANAGER

TEAM : BENETTON

Date of birth :   15 November 1955 - Barcelona - **Spaniard**
Marital status :   Engaged, two children (Ramon, Laura)

Career summary

- 1972-1975 :   Worked in various Spanish national racing formulae
- 1975 :   Chief Mechanic - Formula 3 :
- 1980-1987 :   No.1 Mechanic - McLaren F1
- 1987-1989 :   Chief Mechanic - Ferrari
- 1990-1991 :   Team Manager - Tyrrell Racing
- 1993-Present :   Operations Director/Team Manager - Benetton.

Hobbies

- Motorsport, Basketball.

Guy VLAEMINCK

SENIOR MARKETING MANAGER

FEDEX

Biography

Date of birth :   3 February 1964, Dendermonde - **Belgian**
Marital status :   Married, 1 child

Career summary

Currently Senior Marketing Manager at Federal Express with responsibility for the Benelux, Southern Europe, African and Sports Marketing for the European region, Guy Vlaeminck joined FedEx in the Brussels Headquarters in April 1991, as a Senior Marketing Analyst (Market Research and Business Analysis). He previously worked in the Brussels Co-ordination Office of INRA (Europe) as a Research Manager.

In May 1992 he became also responsible for FedEx Service Development in the European region, Guy Vlaeminck led the introduction in Europe of the FedEx International Priority Direct Distribution (IPDD) service and the FedEx International Priority Freight (IPF) service.

In June 1995 Guy Vlaeminck was promoted to Marketing Manager, Strategic Pricing and Analysis for the Europe, Middle East and Africa.

In February 1996, Guy Vlaeminck moved to the position of Marketing Manager Southern Europe, based in France just outside Paris. A few months later, his responsibility was widened to include the Benelux markets. Vlaeminck also championed the targeted communication efforts for the re-introduction of the FedEx Intra-European delivery service in 1996.

In April 1997, Guy Vlaeminck was given the responsibility of Sports Marketing and Brand Development. The first realization was the launch of the Formula One partnership with Benetton F1 in July 1997, renewed in 1998. The involvement in F1 continues today, now that FedEx has partnered up with the Scuderia Ferrari-Marlboro.

In December 1997, Guy Vlaeminck was promoted to his current function, Senior Marketing Manager. In March 1998 he acquired marketing responsibilities for most African markets, bringing his region up to 55 countries

Hobbies

Volleyball, Walking, Reading, Gastronomy and...Working.

Tom WALKINSHAW

CHAIRMAN & TEAM PRINCIPAL

TEAM : ARROWS

Biography

Date of birth :   19 August 1946 - **Scot**

Career summary

Tom Walkinshaw is Managing Director of TWR Group, which was established i 1976. TWR's business, the design, engineering and manufacturing of both road an racing cars, has preoccupied Tom since his early days. Despite the world-wide awa reness of TWR's international motorsport successes, road car activities actuall constitue 85% of its business, but are done chiefly on a confidential basis.

Born in 1947, the son of a Scottish farmer, Tom began racing in 1968, pursuing firs a single-seater career which saw him progress from Formula Ford, throug Formula 3 and 2 to Formula 5000. Following an invitation from Ford to be the dri ver/engineer for the RS Capris and Escorts in 1973, Tom turned his attention to tou ring cars. In 1974 he was a class winner in the British Saloon Car Championship and in 1984 became the European Touring Car champion. In between Tom won a great number of victories, driving a wide range of cars : Capris, Mazdas, BMW's Rovers and Jaguars. Tom retired from driving in 1986 to concentrate on the Jagua Sportscar programme that TWR ran for the next six years.

Today, Tom oversees the Group's 1,500 employees, working on a wide range c complementary road, racing and retail programmes in the United Kingdom Sweden, Australia and the USA. Cars such as the Aston Martin DB7 and Vantag Project, the Jaguar XJ220 and the Volvo C70 have established TWR at the forefron of the automotive world, as have the motorsport victories won by the Benetton 19 and the Jaguar XJR-9, among others, in the Formula 1 and Sportscar champion ships.

TWR's success and growth have not gone unnoticed. In 1997 Tom was vote "Autocar Man Of The Year", an award whose previous two winners were th Chairman of BMW, Bernd Pischetsrieder, and Jack Nasser, the President of For Automotive Operations.

Hobbies

- Skiing, Shooting, Rugby.

Greg WHEELER

RACE ENGINEER

TEAM : WILLIAMS F1

Biography

Date of birth : 13 January 1958 - **South African/Australian**
Marital status : Married

Career summary

Although employed by Williams F1 just prior to the 1999 season, Greg is by no means a stranger to the team. He was Alain Menu's race engineer during the 1998 BTCC season with Williams and has also worked as a development engineer on the BMW V12 Le Mans car with BMW Motorsport.

Greg was born in South Africa but actually has dual nationality, the other being Australian. He studied at the University of Witwatersrand in Johannesburg and, after graduating with a degree in Mechanical Engineering, Greg completed two years of military service with the South African Navy.

Since that time, Greg's career has taken him to Australia where he engineered a Shrike Formula Holden for TAFE Team Motor Sport before becoming a development engineer for Mitsubishi Motors of Australia. Since moving to England in 1993, Greg has worked for Mitsubishi in the World Rally Championship and for Williams and West Surrey Racing in the British Touring Car Championship.

Hobbies

Surfing, Diving

Martin WHITAKER

DIRECTOR FORD RACING, EUROPE

FORD MOTOR COMPANY

Biography

Date of birth: 13 November 1958 - Gloucestershire - **British**

Career summary

Martin Whitaker, Director, Ford Racing, Europe for Ford Motor Company, has responsibility for the blue oval's European motorsport programmes including the Formula One, Wordl Rallying and Touring Car projects.

Whitaker, 40, is working closely with both the Stewart-Ford team and Cosworth Racing in the development of the brand new Ford-Cosworth V10 CR-1 engine - the third Ford Formula One engine introduced in as many years - which will make its race debut in the 1999 Australian Grand Prix.

Whitaker was one of the driving forces in Ford's purchase of Cosworth Racing from Audi AG in September 1998. A move which heralds a new era in the highly productive partnership between Ford and Cosworth which has seen unrivalled achievements in a wide range of international motor sports throughout the years.

Whitaker has also been instrumental in structuring Ford's successful involvement in World Championship rallying which in 1999 will see the debut of the new Ford Focus driven by new Ford signing Colin McRae. Several other Ford Motorsport programmes, including Super Touring Car are also Whitaker's responsibility.

Prior to joining Ford Motor Company in 1995 as Director of European Motorsport Communications, Whitaker held a number of sporting marketing and media positions with the RAC Motorsport Association, the Formula One Constructor's Association (FOCA), the McLaren Formula One team and the sport's governing body, the Fédération Internationale de l'Automobile (FIA)

328

Rob WHITE

CHIEF ENGINEER, F1

COSWORTH RACING

Biography

Date of birth :   15 July 1965 - Camblesforth, Yorkshire - **British**
Marital status :   Single

Career summary

1987-Present :   Cosworth Racing
1987-1997 :   Indy engine development
1997 - Present :   F1 Engineering

Hobbies

Dinghy sailing (badly)

Charlie WHITING

RACE DIRECTOR

FIA

Biography

Date of birth :   12 August 1952, London - **British**
Marital status :   Married, 1 child

Career summary

- 1977/1987 :   Chief Mechanic at Brasham F1 Team

- 1988/1996 :   FIA Technical Director

- 1997 :   FIA Race Director and Safety Delegate,
Permanent Starter,
Head of Formula One Technical Department

Hobbies

- Golf, Wine collecting.

Frank WILLIAMS

MANAGING DIRECTOR

TEAM : WILLIAMS F1

Biography

Date of birth: 16 April 1942 - South Shields - **British**
Marital status: Married

Career summary

Frank attended one of his first races in 1958 when he was 16.

He raced successfully in Saloons and Formula 3 before concentrating on team ownership. His foray into Formula One in 1969 with courage was with a private brabham and he was instantly rewarded with 2nd place in the 1969 Monaco and U.S. G.P. with a Williams' Brabham-Cosworth driven by Piers Courage.

In 1977, he formed Williams Grand Prix Engineering Ltd with Patrick Head who designed the first FW 06 which was extremely competitive with Jones at the wheel.

Won first Grand Prix at Silverstone, (1979) with Clay Regazzoni and first of nine World Championships a year later with Alan Jones.

By 1995, Williams Grand Prix Engineering has grown to a company employing over 240 people. The team moved to its new Grove factory which was officially opened on october 1996.

His team now scores 103 victories, 7 World Drivers' Championships and 9 World Constructors' Championships.

Hobbies

Aircraft, History, Current affairs, Languages.

Geoff WILLIS

CHIEF AERODYNAMICIST

TEAM : WILLIAMS F1

Biography

Date of birth :   23 December 1959 - Southampton - **British**

Career summary

After gaining an MA in Engineering at Cambridge University, Geoff joined BMT Ltd (formerly Aero Div. Of National Physical Labs.) working on hydrodynamic research projects on underwater bodies.

In 1987 he joined the Blue Arrow America's Cup yacht racing syndicate as Hydrodynamicist responsible for hull and keel design and testing and performance analysis.

After a move in 1990 to Leyton House Racing where he introduced CFD (Computational Fluid Dynamics) into F1 Geoff joined Williams as CFD Aerodynamicist and steadily became more involved in all aspects of aero design.

As Chief Aerodynamicist, Geoff is now responsible for all aerodynamic elements of F1 design at Williams, running a department of 12 engineers, technicians and modelmakers. He is responsible, in conjunction with the Chief Designer, for the overall design of the car and for development throughout the season using Williams' own wind tunnel facility.

Geoff also has a PhD from Exeter University in Hydrodynamic Engineering.

Hobbies
- Rowing, Racing road & moutain bikes, Snowboarding, Skiing.

Christopher WILLOUGHBY

R & D MANAGER

COSWORTH RACING

Biography

Date of birth : 28 November 1967, Langley - **British**
Marital status : Single

Career summary

Joined Cosworth Racing in 1990 after completeing degree in Automotive Engineering. Worked on the Jaguar XJR 14 programme in Championship year.

Transferred to the Works Formula 1 department to conduct dyno development.

Engineering Project Leader on McLaren in 1993. Engineering Team Leader on Benetton B194 when Schumacher first won drivers championship.

Transferred to Cosworth Racing Motorsport Department in 1997 to manage the Research and Development.

Hobbies

Flying-currently restoring 1950s biplane. Mountain biking, Playing drums

Craig WILSON

RACE ENGINEER

TEAM : WILLIAMS F1

Biography

Date of birth :   21 July 1971 - Scarborough - **British**
Marital status :   Single

Career summary

As Race Engineer on Heinz-Harald Frentzen's car, Craig Wilson is res ponsible for car set-up and management at all races and tests.

Craig graduated in 1993 from Imperial College, London, with an honours degree in Aeronautical Engineering and went on to gain an MSc in Automotive Engineering at Cranfield University one year later

In 1994, Craig joined Paul Stewart Racing as an Engineer to work on vehicle dynamic and test driver programmes.

After moving to Tyrrell in 1995, Craig took on the role of Data Analys and Vehicle Dynamicist, providing support at all races and tests.

His role at the factory extended to conducting various research studie and analysis for development projects.

During 1996, his duties expanded to include the engineering of tes drivers and the test programme.

Hobbies

- Music, Film, Cycling, Football.

Nick WIRTH

CHIEF DESIGNER

TEAM : BENETTON

Biography

Date of birth :	28 March 1966 - London - **British**
Marital status :	Married to Louise - 2 children (Anna, Benjamin)

Career summary

1987 :	Gained a First Class Honours Degree in Mechanical Engineering at University College, London, where he was awarded the Institute of Mechanical Engineers' prize for the best final year thesis: «Race engine in cylinder flow». The day after leaving University, he joined Leyton House March F1 team as senior aerodynamicist
1989 :	Nick formed Simtek research to provide a cost-effective design, research and development service for the Motorsport, the French government and LIGIER
1993 :	Nick formed Simtek Grand Prix The shareholders in Simtek Grand Prix are Nick Wirth, Barbara Behlau and Schmidt Motorsport of Germany
1995 :	Special projects engineer at Benetton in charge of R. & D. with Fondmetal Technologies technical partnership
1997/98 :	Chief Designer in charge of car design

Hobbies

Quad bikings, Steam trains, Helicopter flying.

Ben WOOD

HEAD OF AERODYNAMICS

TEAM : PROST

Biography

Date of birth :   30 September 1970 - London - **British/Swiss**
Marital status :   Single

Career summary

- Degrees :   Exeter University,
   Bachelor of Engineering (Mechanical)
   Master of Philosophy of Engineering

- 1994/1995 :   Minardi - Numerical Aerodynamicist
   - Wind Tunnel Aerodynamicist

- 1996 :   Ferrari - Aerodynamicist Engineer on
   - FAO 50% Wind Tunnel, Maranello
   - Numerical Aerodynamicist

- 1997 :   Tyrrell - Wind Tunnel Aerodynamicist
   - Numerical Aerodynamicist
   - Aerodynamics Engineering

- 1998 :   Prost - Head of Aerodynamics
   - Wind Tunnel Engineering

Hobbies

- Football, Music, Skiing, Squash.

Derrick WORTHINGTON

SALES MANAGER

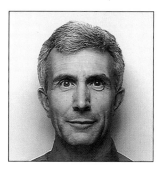

XTRAC

Biography

Date of birth :	14 February 1949 - Burnley - **British**
Marital status :	Married - 2 children

Career summary

1978 :	Team Manager - Interscope F1 Team
1979 :	Assistant Team Manager - Kauhsen F1 Team
1980/82 :	Touring Car Team Management, BTCC
1983 :	F3 with RSM Marko - Driver Gerhard Berger
1984/91 :	F3000 Team Management with RSM Marko and Leyton House. F1 Factory Manager ATS F1 Team
1992/99 :	Transmission manufacture & sales with Xtrac and Staffs Gears

Hobbies

Swimming, Squash.

Jim WRIGHT

HEAD OF MARKETING

TEAM : WILLIAMS F1

Biography

Date of birth :   15 March 1960, Reigate - **British**
Marital status :   Married - one daughter

Career summary

As Head of Marketing at Williams F1, Jim is responsible for the management of all divisions of the marketing department; acquisition servicing, media, licensing and the conference centre.

Prior to joining Williams in 1994, Jim had various jobs in motorsport including a season with the ATS Formula One team in 1981. He then moved to Eddie Jordan Racing where he was Commercial Manager for the company's Formula 3 and F3000 programmes before setting up his own business in 1986 - Active Sport Ltd.

Jim joined Williams as Senior Acquisitions Manager in 1994 and was subsequently promoted to Head of Marketing in 1996.

Hobbies

- Music, Film, Eating out, Avid supporter of Watford Football Club

Tim WRIGHT

ENGINEER TEST CAR

TEAM : BENETTON

Biography

Date of birth : 1 January 1949 - **British**
Marital status : Married

Career summary

Studies : Uxbridge and Paisley Colleges

1970/1974 :	Martin Baker Ltd (Ejector Seat Manufacture)
1974/1976 :	March Engineering as Design Draughtsman
1976/1979 :	Bruce McLaren Motor racing as Design Draughtsman
1979/1982 :	Fittipaldi Automotive Senior design Draughtsman (responsible for last F9 design)
1982/1983 :	Spirit Racing Senior Design Engineer (Honda's first entry in F1)
1983/1990 :	McLaren International Ltd as Design & Race Engineer
1990/1993 :	Peugeot Talbot Sport as Design & Race Engineer
1993 :	Sasol Jordan as Design and Race Engineer
1994 :	Sauber as race engineer for Wendlinger
1996-Present :	Benetton as engineer test team

Hobbies

Golf, Keeping fit.

James WUORENMA

MANAGER/VISTEON RACING

VISTEON AUTOMOTIVE SYSTEMS

Biography

Date and place of birth :   26 August 1943, Detroit, MI-**American**

Marital status :   Married to Phyllis, two children (Ryan, Kenneth)

Career summary

He has over 23 years of experience in automotive electronic engineering. He currently is responsible for automotive systems design and application in race series such as Formula One, CART and American Le Mans. This includes responsibility for the full electronic system on the Stewart Ford Grand Prix team in Formula One. Before his current position with Visteon, he was involved in the development and production launch of ignition control systems and electronic engine controls for Ford North America, Ford of Europe, Ford of Australia and Mazda.

He holds a bachelor's degree in electrical engineering from Wayne State University.

Hobbies

- Golf

Hiroshi YASUKAWA

DIRECTOR MOTORSPORTS

BRIDGESTONE

iography

ate of birth :   1950 - Tokyo - **Japanese**

areer summary

1972 :   Joined Bridgestone after graduating in Economics
         Management at University

1976/1980 : Assistant Manager Motor Sports Department
          In 1977 started planning for Bridgestone's entry
          into Kart racing

1981/1985 : Manager for Motor Sports, based in United Kingdom.
          Involved in support for Ralt Honda and March BMW
          Formula 2 programmes and 1985 European F3000
          Championship

1986/1990 : Involvement in World Endurance Championship,
          Le Mans 24 Hours, etc. with Toyota and Nissan teams

1991/1998 : Involvement in the German Touring Car
          Championship (DTM)
          and International Touring Car Championship (ITC)
          with AMG Mercedes-Benz.
          Firestone into Indy in 1995, negotiation of contracts
          between Firestone, Honda and Mercedes-Benz

obbies

Winning championships. Occasionally playing golf when time allows !

Pekka YLANKO

INTERNATIONAL BRAND
& PROMOTIONS MANAGER

FINLANDIA VODKA (PRIMALCO)

Biography

Date of birth :   31 December 1960 - Helsinki - **Finn**
Marital status :   Married, 2 children

Career summary

- 1984 :   Joined 3M - Finland sales team
- 1988 :   Joined Esselte Business System Ltd. as Sales Manager
- 1991 :   Joined Esselte Letraset Sweden as Branch Manager
- 1995 :   Joined Rémy-Cointreau Finland as Sales and
  Marketing Manager.
- 1998 :   Joined Finlandia Vodka Marketing.
  Responsibility for Finlandia Vodka's, Promotions,
  Formula 1 sponsoring project and brand.

Hobbies

- Ice-Hockey, Football, Music

Beat ZEHNDER

TEAM MANAGER

TEAM : SAUBER

Biography

Date of birth :   9 January 1966 - **Swiss**

Career summary

1988-1989 :	N°2 mechanic car n°61 Baldi, Schlesser, Mass, Acheson-WSCP, Sauber-Mercedes
1989-1991 :	N°1 mechanic car n°1 Schlesser, Baldi and Schlesser, Mass-WSCP, Sauber-Mercedes
1992 :	Sauber F1 - In charge of 1993 F1 preparation
1993 :	Sauber F1 - Logistics
1994 :	Sauber F1 - Team manager and Chief mechanic
1995/96 :	Red Bull-Sauber-Ford - Team Manager
1997/99 :	Red Bull-Sauber-Petronas - Team Manager

Hobbies

Ski, Karting.

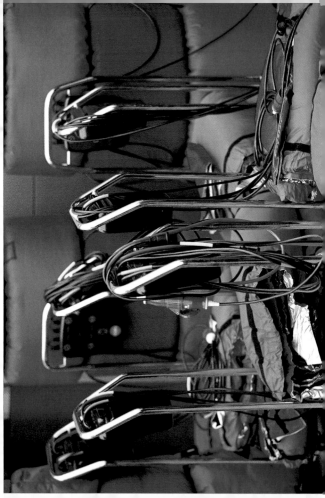

COMMERCIAL

&

TECHNICAL

PARTNERS

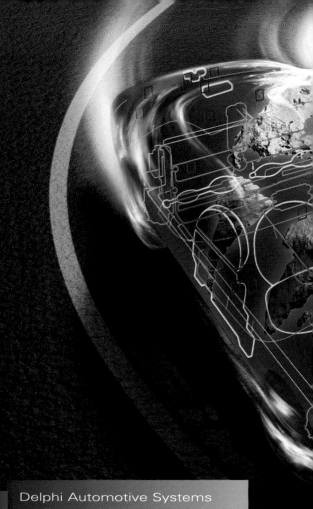

Sometimes, to simplify means delivering a world of components, systems and modules.

DELPHI
Automotive Systems

The power to simplify.

ACAM INSTRUMENTATION

ACAM INSTRUMENTATION Ltd
23 Thomas St., Northampton
NNI 3EN - ENGLAND
Phone : (44) 7000 STRAIN
       (44) 1604-628700
Fax : (44) 7000 STRAIN
     (44) 1604-628700

Field of Activity :	Offer all types of transducers & sensors UK Manufacturers
Range of products :	Offer a strain gauge bonding service for foil and semiconductor, pressure load & temperature sensors
Supplied team :	**STEWART**
Managing Director :	Thomas COTTAM
Other key personnel :	Don CROSS

ADIDAS

ADIDAS ITALIA S.R.L.
Via Olimpia 3
20052 Monza (MI) - ITALY
Phone : (39) 039 839181
Fax : (39) 039 324037

Field of Activity :	Sporting goods
Range of products :	Shoes and Apparel
Supplied team :	**MINARDI**
Managing Director :	Mario COLOMBO
Marketing Manager :	Giorgio MADELLA
Advertising Manager :	Francesco STANLEY
Press and PR Officer :	Silvia DE CARLO

AGFA-GEVAERT

AGFA-GEVAERT NV.
Septestraat 27
B-2640 Mortsel - BELGIUM
Phone : (32) 3 444 8010
Fax : (32) 3 444 7485

Field of Activity :	Analogue & digital imaging systems for graphic, diagnostic, photo applications
Sponsored team :	**PROST**
C.E.O. :	Dr. Klaus SEEGER
Managing Director :	Boards of Directors
Advertising Manager :	Luc DE VISSCHER
Communication Manager :	Luc DE VISSCHER
Press and PR Officer :	Johan JACOBS
F1 Co-ordinator :	Guy VAN WEERT

ALCATEL

ALCATEL
54, Rue la Boétie
75008 Paris - FRANCE
Phone : (33) 1 - 40 76 13 91
Fax : (33) 1 - 40 76 14 37
Web : www.alcatel.com
E-mail : laurent.lachaux@alcatel.fr

Field of Activity :	Telecommunications
Range of products :	Various ranges of telecommunication products, devices and services
Sponsored team :	**PROST**
Chairman/C.E.O. :	Serge TCHURUK
Commercial/Marketing Director :	Peter RADLEY
Communication Director :	Caroline MILLE
Press and PR Officer :	Christophe LACHNITT
F1 Team Coordinator :	Laurent LACHAUX

ALLEGRINI

ALLEGRINI S.P.A.
Via S. d'Acquisto 2
24050 Grassobbio (BG) - ITALY
Phone : (39) 035 4242111
Fax : (39) 035 526588
E-mail : allegrini@allegrini.com
Web : www.allegrini.com

Field of Activity :	Chemical products (detergents, disinfectants)
Range of products :	Car care products, Household articles, Industry items, Dairy products, Cosmetik amenities for hotels
Supplied team :	**MINARDI**
Chairman :	Dr. Giacomo ALLEGRINI
Managing Director :	Maurizio ALLEGRINI

ALTRAN

ALTRAN
251, Boulevard Pereire
75017 Paris - FRANCE
Phone : (33) 1 - 44 09 64 00
Fax : (33) 1 - 44 09 64 48
Web : www.altran-group.com
E-mail : egautier@altran.fr

Branch Offices :	Brussels, London, Amsterdam, Stockholm, Barcelona, Milan, Stuttgart
Field of Activity :	Technology consultants
Sponsored team :	**PROST**
Chairman/C.E.O. :	Alexis KNIAZEFF Hubert MARTIGNY
Managing Director :	Michel FRIEDLANDER
Commercial/Marketing Manager :	Frédéric BONAN
Communication Manager :	Jean-Michel MARTIN
Press and PR Officer :	Martine SELLIN
F1 Team Coordinator :	Emmanuelle GAUTIER
Other Key Personnel :	David ABRIOUX

AP RACING

AP RACING
Wheler Road,
Seven Stars Industrial Estate
Coventry CV3 4LB - ENGLAND
Phone : (44) 1203 883317
Fax : (44) 1203 639559
Web : www.apracing.com
E-mail : steve.bryan@apracing.co.uk

Field of Activity :	Supplier of brake and clutch parts
Range of products :	Brake calipers, carbon brake discs, pads, carbon clutches
Supplied teams :	**WILLIAMS, FERRARI, McLAREN, BENETTON, JORDAN, PROST, STEWART, BAR, ARROWS, MINARDI**
Managing Director :	Mark WINGROVE
Commercial/Marketing Director :	Norman BARKER
F1 Team Coordinator :	Steve BRYAN

ARAI

ARAI HELMET, LIMITED
12 Azuma-cho, 2-chome
Ohmiya, Saitama - JAPAN 330-0841
Phone : (81) 48-641-3825
Fax : (81) 48-645-8555

Branch Offices :	ARAI HELMET (Americas) Ltd, ARAI HELMET (Europe), BV
Field of Activity :	Motorcycle and automobile racing helmet manufacturer
Range of activities :	Automobile racing helmets
Chairman/C.E.O. :	Michio ARAI
Communication Director :	Hiro KIMURA
F1 team Coordinator :	Peter BURGER
Drivers sponsored :	David Coulthard, Mika Salo, Heinz-Harald Frentzen, Johnny Herbert, Shinji Nakano, Rubens Barrichello, Damon Hill, Toranosuke Takagi, Ricardo Zonta Mika Hakkinen

351

AREXONS

S.I.P.A.L. AREXONS S.p.A.
Via Carlo Poma, 41
20129 Milano - ITALY
Phone : (39) 2-7610826
Fax : (39) 2-70000373

Field of Activity :	Car care and technical products
Range of products :	Complete range
Sponsored team :	**FERRARI**
Chairman/C.E.O. :	Giovanni Francesco VERRI
Managing Director :	Giovanni Francesco VERRI
Marketing Director :	Massimiliano RETTA
Communication Director :	Massimiliano RETTA
Press and PR Officer :	Massimiliano RETTA

ARMOR ALL PRODUCTS

ARMOR ALL PRODUCTS
PO Box 1004
Kingston KT1 4YT
ENGLAND
Phone : (44) 181-7814939
Fax : (44) 181-7819025

Field of Activity :	Manufacturer & Marketer of Car Care Products.
Range of Product :	Cleaners, Polishes and Washes
Sponsored team:	**JORDAN**
General Manager :	Karl STOKES
Marketing Manager :	Simon WALSH
Press & PR Officers :	Michael HODGES
	Maddy PHELPS
	MPH Communications
	Tel : (44) 1491 411777
	Fax : (44) 1491 412777
	E-mail : mph.pr@mph.co.uk

ASTARTE

ASTARTE GmbH
Weberstrasse 1,
76133 Karlsruhe GERMANY
Phone : (49) 721 985540
Fax : (49) 721 853862
Web : www.astarte.de
E-mail : info@astarte.de

ield of Activity :	Multimedia/Internet productions
ange of Products :	DVD, Software products
ponsored team :	**SAUBER**
hairman/C.E.O. :	Christoph SCHLIERKAMP
Ianaging Director :	Dieter DREHER
Iarketing Manager :	Elke SAMPLASSKE
dvertising Manager :	Christoph SCHLIERKAMP
ommunication Manager :	Dieter DREHER
ress and PR Officer :	Edna FEUERSEUGER
1 Coordinator :	Christoph SCHLIERKAMP
ey Personnel :	Stefan BAUER-SCHWAN
	Freddie GEIER

ATL

AERO TEC LABORATORIES Ltd
40 Clarke Road, Mount Farm
Bletchley, Milton Keynes
MK1 1LG - ENGLAND
Phone : (44) 1908 270590
Fax : (44) 1908 270591
Web : www.atlinc.com
E-mail : atl@powernet.com

ield of Activity :	Safety Fuel Cell Manufacturer
ange of products :	Fuel Cells
upplied teams :	**BENETTON, WILLIAMS, BAR, McLAREN, FERRARI, JORDAN, SAUBER, MINARDI, PROST, STEWART, ARROWS, HONDA RACING**
hairman/C.E.O. :	Peter REGNA
Ianaging Director :	Steve WHITE
ommercial/Marketing Director :	
	Kevin MOLLOY
1 team Coordinator :	Curt HAYDEN
roduction Manager :	Brian MEAD

353

BÄUMLER

BÄUMLER AG
Friedrich-Ebert-Str. 86
85055 Ingolstadt - GERMANY
Phone : (49) 841-5050
Fax : (49) 841-58812

Field of Activity :	Men's clothing
Range of products :	Suits, jackets, trousers, shirts, knitwear, ties, outwear jackets, coats
Supplied team :	**SAUBER**
Chairman/C.E.O. :	Konrad JUD
Managing Director :	Wilhelm STERNBERG
Press and PR Officer :	Bernd STARK
F1 team Coordinator :	Bernd STARK

BBS

BBS MOTORSPORT
& ENGINEERING GmbH
Welschdorf 220
D 77761 Schiltach - GERMANY
Phone : (49) 7836 520
Fax : (49) 7836 - 52100

Field of Activity :	Wheels
Supplied teams :	**FERRARI, BENETTON, PROST, ARROWS, STEWART**
Chairman :	Martin BRAUNGART
Racing Manager :	Erich GISSLER
Engineering:	Roman MÜLLER

BELL

BELL HELMETS
S.P.O.R.T.S. EUROPE
147, Chaussée d'Alsemberg
1630 Linkebeek - BELGIUM
Phone : (32) 2-383 03 10
Fax : (32) 2-381 21 31
E-mail : messages@sportseurope.com

Branch Offices :	S.P.O.R.T.S. Intercontinental (Switzerland)
Field of Activity :	- Helmets for car racing - Replica Helmets - 1/2 scale models
Drivers using Bell Helmets :	**Michael SCHUMACHER, Jacques VILLENEUVE, Ralf SCHUMACHER, Olivier PANIS, Alex ZANARDI, Mika SALO**
President S.P.O.R.T.S. Intercontinental Lausanne :	Stephane COHEN
President, Managing Director S.P.O.R.T.S. Europe :	Martine KINDT-COHEN
F1 Technician :	Pierre VAN GINNEKEN
F1 Team Coordinator :	Helen GAY

BENETTON SPORTSYSTEM

BENETTON
SPORTSYSTEM

BENETTON
SPORTSYSTEM SpA
Villa Loredan
Via J. Gasparini
31040 Venegazzu TV - ITALY
Phone : (39) 423-6781
Fax : (39) 423-678700

Branch Offices :	France, Germany, Spain, Austria, Switzerland, Canada, USA, Japan
Field of Activity :	Sporting goods and apparel
Range of products :	Ski-boots, skis, in-line skates, tennis, squash and badmington racquets, golf, mountain bikes, eyewear, mountain shoes, footwear, sportswear
Sponsored team :	**BENETTON**
Chairman :	Luciano BENETTON
Managing Director :	Carlo GILARDI
Communication Director :	Leo BASSI

355

BENSON & HEDGES

GALLAHER LIMITED

GALLAHER LIMITED
Members Hill, Brooklands Road
Weybridge, Surrey KTB 0QU
ENGLAND
Phone : (44) 1932 859777
Fax : (44) 1932 832532
Web : www.gallaher-group.com
E-mail : info@galltl.co.uk

Range of products :	Manufacturer of Tobacco Products Benson and Hedges and Silk Cut cigarettes - Hamlet cigars - Old Holborn Handrolling Tobacco - Condor Pipe Tobacco
Sponsored/Supplied team :	**BENSON and HEDGES JORDAN**
Chairman/C.E.O. :	Peter M.WILSON
Sales/Marketing Director :	Nigel NORTHRIDGE
Communication Manager :	Ian BIRKS
F1 Team Coordinator :	M+C SAATCHI SPONSORSHIP

BETA

BETA UTENSILI S.R.L.
Via A. Volta n° 18
20050 Sovico B. Za (MI) - ITALY
Phone : (39) 20771
Fax : (39) 2010742

Branch Offices :	Netherlands, Great Britain, France, Spain
Field of Activity :	Professional handtools
Range of products :	Spanners, Pliers, Screwdrivers, Sockets and accessories, Tool boxes, Hammers, Torque wrenches, Pneumatic Tools
Supplied teams :	**MINARDI, JORDAN, STEWART**
Chairman :	Massimo CICERI
C.E.O. :	Roberto CICERI
Communication Manager :	Massimo CICERI

BIC

BIC
9, rue Petit, BP 304
92111 Clichy Cedex - FRANCE
Phone : (33) 1 45 19 52 00
Fax : (33) 1 45 19 53 60

Field of Activity :	International
Range of Products :	Lighters, Pens, Razors
Sponsored team :	**PROST**
Chairman/C.E.O. :	Bruno BICH
Managing Director :	Pascal GILET
Commercial/Marketing Manager :	
	Renaud HORVILLEUR
Advertising Manager :	Armand de la LOYERE
F1 Coordinator :	Jean-Luc BOINAT

BIEFFE

COMPOSITES BIEFFE S.r.l.
Via Tazio Nuvolari N. 71
55061 Carraia (LUCCA) - ITALY
Phone : (39) 0583 981811
Fax : (39) 0583 980959

Range of Products :	Helmets and motorcycle accessories
Supplied Drivers :	**E. IRVINE (FERRARI)** **J. TRULLI (PROST)** **A. WURZ/G. FISICHELLA (BENETTON)** **L. BADOER/M. GENE (MINARDI)** **P.P. DINIZ/J. ALESI (SAUBER)**
Managing Director :	Daniele BIZZARRI
Commercial/Marketing Manager :	
	Paolo ROVERANI
Press and PR Officer :	Piero BATINI
F1 Coordinator :	Andrea SALVETTI

BILSTEIN

KRUPP BILSTEIN Gmbh
August Bilstein-Strasse 4
58256 Ennepetal
GERMANY
Phone : (49) 2333 987 0
Fax : (49) 2333 987 225

Branch Offices :	San Diego, Wallingford, Hamilton (US/
Field of Activity :	Shock Absorbers (gas pressure) in different versions, jacks
Range of products :	Gas Pressure Shock Absorbers, Struts, Catridges Adjustable (Electronic), shocks or systems and jacks
Supplied teams :	**DIFFERENT TEAMS (not as an official supplier)**
Chairman/C.E.O. :	Dr Peter SCHWIBINGER Hans U. BOHLMANN Dr Arnd LASSMANN
Communication Manager:	Oliver CLAASSEN
F1 team Coordinator :	Volker BRANDERHORST
Motorsport Manager :	Oliver CLAASSEN

BOLLÉ

BOLLÉ SAS
1148, Avenue General Andrea
01100 Arbent - FRANCE
Phone : (33) 4 - 74 77 21 23
Fax : (33) 4 - 74 73 64 65

Field of Activity :	Manufacture of goggles and spectacles
Range of products :	Pit crew goggles and safety glasses, sunglasses, sportglasses, visors (coatings)
Sponsored Driver :	**Jacques VILLENEUVE (BAR)**
Managing Director :	Franck BOLLÉ
Marketing Manager :	Brigitte BOLLÉ
F1 Team Coordinator :	Patricia BOLLÉ-PASSAQUAY
Press and Pr Officer :	Florence PEYRON
European Manager :	Patrick ROSIER

BOSCH

BOSCH

ROBERT BOSCH GmbH
K3/MSD, P.O. Box 30 02 40
70442 Stuttgart - GERMANY
Phone : (49) 711 811 3980
Fax : (49) 711 811 3982

Field of Activity :	Engine management systems, Data acquisition (engine and chassis), Telemetry, ABS, Electronic components
Supplied teams :	**Electronic components for all teams**
Field Manager :	Dr Manfred WOLF
F1 team Coordinator :	Dr Manfred WOLF

BOSS

HUGO BOSS AG
Dieselstrasse 12
72555 Metzingen - GERMANY
Phone : (49) 7123 - 940
Fax : (49) 7123 - 942039
Web : www.hugoboss.com

Field of Activity :	Fashion, fragrances, watches, shoes, eyewear, timepieces, leather goods
Range of products :	HUGO Hugo Boss BOSS Hugo Boss BALDESSARINI Hugo Boss
Sponsored team :	**McLAREN**
Chairman/C.E.O. :	Werner BALDESSARINI
Marketing Director :	Reuben REGENSBURGER
Press and PR Officer :	Godo KRAEMER
Sponsorship Manager :	Rolf BEISSWANGER

BOSSINI

BOSSINI SRL
Via G. Rossini N. 19
25065 Lumezzane (Brescia) - ITAL
Phone : (39) 030 2134211
Fax : (39) 030 2134290

Branch Offices :	Via Matteotti 170/A
	25014 Castenedolo - Brescia
Field of Activity :	Manufacturer of faucet accessorie
	& shower systems
Range of products :	Flexible hoses, handshowers,
	sliding bars & faucet accessories
Sponsored/Supplied team :	**MINARDI**
Chairman/C.E.O. :	Leonardo BOSSINI
Marketing Director :	Leonardo BOSSINI
Commercial/Marketing Director :	
	Sandro BAZZONI
Communication Director :	Alberto Massimo BOSSINI
Press and PR Officer :	Anna Maria BOSSINI
F1 team Coordinator :	Anna Maria BOSSINI

BREMBO

BREMBO SpA
Via Brembo N. 25
24035 Curno, (Bergamo) - ITALY
Phone : (39) 035 605111
Fax : (39) 035 605273
E-mail : press@brembo.it
Web : www.brembo.it

Branch Offices :	Italy, Japan, Spain, Sweden,
	Poland, UK, USA, Mexico
Field of Activity :	Automotive components : Brake
	disc, calipers, brake systems
Range of products :	Discs, calipers, master cylinders,
	wheel end corners
Sponsored teams :	**FERRARI, MINARDI**
Supplied teams :	**BENETTON, JORDAN,**
	PROST, SAUBER
Chairman/C.E.O. :	Alberto BOMBASSEI
Managing Directors :	Fraldo BIANCHESSI,
	Stefano MONETINI
Commercial Director :	Paul JELFS
Advertising Manager :	Massimo FURLAN
Communication Director :	Massimo FURLAN
Press and PR Officers :	Cristina BOMBASSEI
F1 Coordinator :	Giulio ARGENZIANO
Technical Dept. Director :	Antonio BRAIATO

BRIDGESTONE

BRIDGESTONE CORPORATION
MOTORSPORT BRANCH (UK)
Unit 1, Century Point, Halifax Road
Cressex Business, Park Highwycombe
Buckinghamshire, HP12 3SL
ENGLAND
Phone : (44) 1494 - 478700
Fax : (44) 1494 - 478720

Field of Activity :	Motorsport Tyre Supply
Range of products :	F1 Racing Tyres
Supplied teams :	**ALL F1 TEAMS**
President :	Y. KAIZAKI
General Manager Motorsport :	Hiroshi YASUKAWA
General Manager Worldwide Technical :	
	Masafumi YOSHIHARA
General Manager F1 Technical :	Hirohide HAMASHIMA
Operations :	Naotaka HORIO
Tyre Service Manager :	Peter GRZELINSKI
Coordinator - Public Relations :	Jane PARISI
Technical Director :	Hirohide HAMASHIMA
Technical Manager :	Yoshihiko ICHIKAWA

BRITISH AEROSPACE

BRITISH AEROSPACE PLC
Warwick House, P.O. Box 87,
Farnborough, Aerospace Centre
Hants, GU14 6YU - ENGLAND
Phone : (44) 1252-384729
Fax : (44) 1252-383863
Web : www.bae.co.uk
E-mail : richard.ellis@bae.co.uk

Field of Activity :	Aerospace and defence manufacturing
Range of products :	Commercial and military aircraft, ordnance property, consultancy, training services, naval system
Sponsored/Supplied team :	**McLAREN**
Chairmen/C.E.O. :	Sir Richard EVANS John WESTON
Communication Director :	Locksley RYAN
Press and PR Officer :	Richard ELLIS
Team Coordinator :	Richard ELLIS

361

BRITISH AMERICAN TOBACCO

BRITISH AMERICAN TOBACCO PL.
Globe House, 4 Temple Place,
London WC2K - 2PG - ENGLAND
Phone : (44) 171-845-1000
Fax : (44) 171 240-0555

Branch Offices :	London based HQ, over 80 office worldwide
Field of Activity :	Cigarette manufacturing
Range of Products :	Cigarettes
Sponsored team :	**BRITISH AMERICAN RACIN**
Chairman :	Martin BROUGHTON
Managing Director :	Ulrich HERTER
Marketing Director :	Jimmi REMBISZEWSKI
Head of Global Sponsorship :	Tom MOSER
Head of Corporate Sponsorship Communications :	Suzanne MELDRUM
PR Manager :	Fiona MOLLET
Global Sponsorship Manager :	Dorian BURROWS
Global Sponsorship Development & Strategy Manager :	Ralf WITTENBERG

BROTHER

BROTHER International Europe Lt
Brother House, 1 Tame Street
Guide Bridge, Audenshaw,
Manchester, M34 5JE - ENGLAND
Phone : (44) 161-330-6531
Fax : (44) 161-931-2521
Web : www.brother.com

Field of Activity :	Manufacturing and Sales
Range of Products :	Information and Communication, Fashion products
Sponsored team :	**WILLIAMS**
Chairman/C.E.O. :	Kazuaki TAZAKI
Managing Director :	Seiichi HIRATA
F1 Coordinator :	Isao NOJI

BRUNO MAGLI

BRUNO MAGLI
Via Larga 33
40138 Bologna - ITALY
Phone : (39) 051 6015 011
Web : www.brunomagli.it
E-mail : bruno.magli@brunomagli.it

Field of Activity :	Production of shoes
Range of products :	Ladies/Men's shoes, leather apparel, accessories.
Sponsored team :	**MINARDI**
Advertising Manager :	Alberto LANZONI
Communication Manager :	Alberto LANZONI
Press and PR Officer :	Alberto LANZONI
PR Coordinator :	Alberto LANZONI

CADCENTRE

CADCENTRE

CADCENTRE GROUP plc
High Cross, Madingley Road
Cambridge, CB3 0HB - ENGLAND
Phone : (44) 1223 - 556655
Fax : (44) 1223 - 556668
Web : cadcentre.com
E-mail : r.longdon@cadcentre.co.uk

Branch Offices :	Delaware, Houston, Seattle, Boston, Frankfurt, Paris, Hong Kong
Field of Activity :	Computer Software
Range of products :	Complete range of software for the design of complex petro-chemical plants, pharmaceutical facilities and power generation plant
Sponsored/Supplied team :	**ARROWS**
Chairman/C.E.O. :	Richard KING, CBE
Managing Director :	Crispin GRAY
Commercial/Marketing Director :	Richard LONGDON
Communication Director :	Richard LONGDON
Press and PR Officer :	Lorraine HARTE
PR team Coordinator :	Lorraine HARTE

CADTEK

Cadtek

CADTEK SYSTEMS LTD
Cadtek House, Station Road,
Furness Vale
High Peak SK23 7QA - ENGLAND
Phone : (44) 1663 - 741405
Fax : (44) 1663 - 741605
E-mail : sales@cadtek.com
Web : www.cadtek.com

Branch Offices :	OXFORDSHIRE, USA
Field of Activity :	CADCAM
Range of products :	Mechanical and electrical design engineering and data management
Sponsored team :	**JORDAN**
Chairman :	Barry LYNE
C.E.O. :	Allan BEHRENS
Press and PR officer :	Allan BEHRENS

CAMOZZI

CAMOZZI SPA
Via Eritrea 20/I
25126 Brescia - ITALY
Phone : (39) 030-37921
Fax : (39) 030-2400430
Web : www.camozzi.it
E-mail : info@camozzi.it

Field of Activity :	Manufacturer of pneumatic components for automation
Range of products :	Cylinders, valves, solenoid valves FRL groups, fittings
Sponsored/Supplied team :	**McLAREN**
Chairman/C.E.O. :	Attilio CAMOZZI
Managing Director :	Attilio CAMOZZI
Commercial/Marketing Director :	Marco CAMOZZI
Advertising Manager :	Marco CAMOZZI
Communication Director :	Marco CAMOZZI
Press and PR Officer :	Marco CAMOZZI
F1 Team Coordinator :	Marco CAMOZZI

CARBONE INDUSTRIE

MESSIER-BUGATTI
Carbone Industrie
7, avenue du Bel Air
69627 Villeurbanne Cedex - FRANCE
Phone : (33) 4 - 72 35 57 00
Fax : (33) 4 - 72 35 57 01
E-mail : philippe.rerat@messier-bugatti.com

Field of Activity : Carbon/carbon friction

Range of products : Aircraft heat sink
Discs and pads for competition

Supplied teams : **Most F1 teams**

VP Carbone Industrie Division : Marc LOUICHON

Head of the Automotive Department :
Christian CHILLON

Motorsport Manager and Press Officer :
Philippe RERAT

Technicians on GP : Patrice BERGERON
Philippe FONT
Jean-Claude ROCHARD
Jean-Luc ETCHEVERRY
Lionel SCANFF

CARRIER

CARRIER HOLDINGS Ltd
Airport Trading Estate,
Biggin Hill, Kent TNI6 38W
ENGLAND
Phone : (44) 870-6001144
Fax : (44) 1959-542465

Field of Activity : Air conditioning

Range of products : From portable systems for
individual offices, to the largest
chiller system for office complex/
wind tunnel/manufacturing areas.

Supplied team : **BRITISH AMERICAN RACING**

Commercial Director : Vic BROWN

Marketing Manager : Mike NANKIVELL

F1 Coordinators: Vic BROWN
Mike NANKIVELL

CEGETEL

CEGETEL
Tour Sequoïa - 1, Place Carpeaux
92915 Paris La Défense Cedex
FRANCE
Phone : (33) 1 - 41 97 60 00

Field of Activity :	Telecommunications
Range of products :	Telephone, mobile phone, Internet (le 7, SFR, AOL)
Sponsored team :	**PROST**
Chairman/C.E.O. :	Philippe GERMOND
Managing Director :	Pierre BARDON
Commercial Marketing Manager :	Jean-Marc TASSETTO
Advertising Manager :	Xavier MICHALON
Communication Manager :	Benedict DONNELLY
F1 Team Coordinator :	Caroline CONSTEN

ROBERTO CEVOLINI & C.

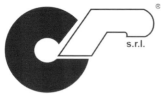

ROBERTO CEVOLINI & C. S.r.l.
Via G. Zarlati 110
41100 Modena - ITALY
Phone : (39) 059 330544
Fax : (39) 059 331288
Web : www.cevolini.com
E-mail : direzione@cevolini.com

Field of Activity :	Mechanical components
Range of products :	Machinary - Carbon moulds and Engineering for racing
Supplied team :	**FERRARI**
Chairman/C.E.O. :	Franco CEVOLINI
Managing Director :	Franco CEVOLINI
Commercial/Marketing Manager :	Franco CEVOLINI
Advertising Manager :	Franco CEVOLINI
Communication Manager :	Roberto CEVOLINI
Press and PR Officer :	Roberto CEVOLINI
F1 Coordinator :	Roberto CEVOLINI

CHAMBON

CHAMBON SA
81, rue de la Tour - B.P. 640
42042 ST ETIENNE - FRANCE
Phone : (33) 4 - 77 92 34 92
Fax : (33) 4 - 77 74 33 58
E-mail : nicolas@chambon.com
Web : www.chambon.com

Field of Activity :	Precision mechanics
Range of products :	Crankshafts for prototypes and racing engines : Formula 1, CART, Super Tourism, Formula 3, Rally, GT
Supplied companies :	**SUPERTEC, FERRARI, PEUGEOT, BMW.**
Chairman/C.E.O. :	Hervé CHAMBON
Director :	Jean AYANIAN
Export Manager:	Nicolas CHAMBON

CHAMPION

FEDERAL MOGUL UK Ltd
(Federal Mogul Aftermarket Europe)
Arrowebrook Road, Upton Wirral
Merseyside L49 0UQ - ENGLAND
Phone : (44) 151-5223000
Fax : (44) 151-5223123

Branch Offices :	Worldwide
Field of Activity :	Racing, hi-performance, automotive, motorcycle, marine and industrial spark plugs, ignition coils, ignition cables, glow plugs, wiper blades and automotive filters
Sponsored teams :	**WILLIAMS, FERRARI, BENETTON, ARROWS**
Supplied teams :	**STEWART, SAUBER, BAR, MINARDI**
Vice President Aftermarket Europe :	
	John McCORMACK
General Manager :	Chris GOODWIN
Director European Marketing :	Jean-Pierre DEJACE
Brand/Advertising Manager :	Kieran JOLLY
European Motorsport Coordinator :	
	Simon ARKLESS

367

CHARMILLES TECHNOLOGIES

CHARMILLES TECHNOLOGIES
8-10, Rue du Pré de la Fontaine
1217 Meyrin - SUISSE
Phone : (41) 22-7833111
Fax : (41) 22-7833529
Web : www.charmilles.com
E-mail : BChambardon@compuserve.com

Field of Activity :	Electrical Discharge Machines
Range of products :	ROBOFIL and ROBOFORM. Production and sales of electro-erosion machinery
Official supplier :	**McLAREN**
Supplied team :	**BENETTON, PROST, ILMOR**
Chairman/CEO :	Kurt E. STIRNEMANN
Sales Director (Europe South) :	Jean-Pierre WILMES
Sales Director (Europe North) :	Ferdinand TOENGI
Communication Manager (Europe) :	Bruno CHAMBARDON
Communication Manager (Charmilles Brand) :	Joël GILLET

COMPACT

COMPACT S.r.l.
Via Della Rocca 21
1023 Torino - ITALY
Phone : (39) 011-8395754
Fax : (39) 011-8124822
E-mail : compact@tin.it

Field of Activity :	Sport management (Alesi, Juventus for Japanese market, A. Tomba for Japanese market)
Chairman / C.E.O. :	Hideyuki MIYAKAWA
Managing Director :	Mario MIYAKAWA
F1 Coordinator :	Mario MIYAKAWA
Other key Personnel :	Francesco MIYAKAWA Stefano MARCIS

COMPAQ

COMPAQ

COMPAQ COMPUTER AG
Oberfeldstrasse 14
8302 Kloten - Austria
Phone : (43) 1-8014111
Fax : (43) 1-8014702

Range of Products :	Computers
Field of Activity :	Computers manufacturers
Supplied team :	**SAUBER**
Chairman C.E.O. :	Rainer KACZMARCZYK
Commercial/Marketing Manager :	Olaf SWANTEE
Advertising Manager :	Olaf SWANTEE
Communication Manager :	Peter HAERDI
Press and PR Officer :	Stefan GUERTLER
F1 Coordinator :	Olaf SWANTEE

COMPUTER ASSOCIATES

Software superior by design.

COMPUTER ASSOCIATES INT'L
One Computer Associates Plaza
Islandia - NY 11788-7000 - USA
Phone : (1) 516 - 342-6000
Fax : (1) 516 - 342-5329
Web : www.cai.com
E-mail : cecca01@cai.com

Field of Activity :	Business Software
Range of products :	Enterprise computing, information management, application development, manufacturing and financial applications
Sponsored team :	**McLAREN**
Chairman/C.E.O. :	Charles B. WANG
President/C.O.O. :	Sanjay KUMAR
Commercial/Marketing Director :	Marc SOKOL
Advertising Manager :	Marc SOKOL
Communication Director :	Paul LANCEY
Press and PR Officer :	Paul LANCEY
F1 Team Coordinator :	Carlo CECCHI
U.S. Based F1 Coordinator :	Michelle SOLTESZ
	Phone : (1) 516-342-2370
	E-mail : solmi01@cai.com

COSTRUZIONI AUTORICAMBI(CAR

COSTRUZIONI AUTORICAMBI

COSTRUZIONI AUTORICAMBI (CAR) S.P.A.
Via Bonfadina 2/4
25046 Cazzago S. Martino (Brescia) - ITALY
Phone : (39) 030-77580
Fax : (39) 030-7758200
Web : www.car.it
E-mail : car@car.it

Field of Activity :	Vehicles and trucks spare parts manufacturing
Range of products :	Brake discs and water pumps
Sponsored team :	**MINARDI**
Chairman/C.E.O. :	Vittorio PALAZZANI
Managing Directors :	Marco PALAZZANI Alberto PALAZZANI

Commercial Marketing Manager :

Giovanni VILLA ALLEGRI

F1 Team Coordinator : Vittorio PALAZZANI

CRP TECHNOLOGY

CRP TECHNOLOGY S.r.l.
Via Cesare Della Chiesa 150/B
41100 Modena - ITALY
Phone : (39) 059 821135
Fax : (39) 059 821135
E-mail : crpt@cevolini.com

Field of Activity :	Rapid prototyping and investment casting
Range of products :	Formula One mechanical parts cast in titanium with HIP and chemical mills in order to obtain full ß phase and all the other alloys
Sponsored team :	**MINARDI**
Chairman/C.E.O. :	Franco CEVOLINI
Communication Manager :	Roberto CEVOLINI
Other Key Personnel :	Franco ZUCCHELLI Alfonso GALVANI

DASSAULT SYSTEMES

DASSAULT SYSTEMES
9, quai Marcel Dassault
92156 Suresnes Cedex - FRANCE
Phone : (33) 1 - 40 99 40 99
Fax : (33) 1 - 42 04 45 81
Web : www.dsweb.com
        www.catia.ibm.com
E-mail : jean-marc_galea@ds-fr.com

Branch Offices :	Paris, Los Angeles, Tokyo, Seoul, Boston, Detroit
Field of Activity :	CAx/PDM II and Network Computing Softwares and Services
Range of products :	CATIA Solutions, ENOVIA PDM II Solutions, CATWEB, DENEB Robotics
Sponsored teams :	**PROST, SAUBER**
Supplied teams :	**FERRARI, ARROWS**
Chairman/C.E.O. :	Charles EDELSTENNE
President :	Bernard CHARLES
Commercial Marketing Dir. :	Etienne DROIT
Communication Director :	Didier GAILLARD
Press and PR Officer :	Martine VESCO
F1 Team Coordinator :	Jean-Marc GALEA

DAVENE

Davene

LABORATORIO SARDALINA Ltda
Av. Prestes Maia, 829 - Diadema
09930-270 São Paulo - BRASIL
Phone : (55) 11 - 4057-9300
Fax : (55) 11 - 456-1724

Branch Offices :	Paranã, Rio Claro, Rio de Janeiro
Field of Activity :	Cosmetic Industry and Commerce
Range of products :	- Shampoo - Body lotions - Deodorants - Toilet soaps
Sponsored/Supplied team :	**STEWART**
Chairman/C.E.O. :	Mauro Noboru MORIZONO

DASSAULT SYSTEMES

THE DIGITAL FORMULA ONE

In the uniquely competitive environment that is Formula One, an essential component of winning is the ability to accelerate the cycle times and to know how to make decisions quickly.

One of the market leaders in this field is the French company Dassault Systemes and its CATIA® Solutions product line. Dassault Systemes has a worldwide business partnership with IBM and today boasts 117,000 CATIA® seats at 12,000 customers.

CATIA®, CAD/CAM leader in the automotive industry, plays a crucial role at Mercedes, BMW, Audi, Volkswagen, Chrysler, Honda, Fiat, Renault, Peugeot, Porsche, Mitsubishi, Volvo, Saab and Daewoo, and is widely used throughout the technological pinnacle of automotive design, Formula One.

CATIA® enables to simulate the entire life-cycle of the cars, from concept to operation, even including maintenance. **CATIA SOLUTIONS**
All before making a single prototype. The design can thus be right before any expensive and time-consuming manufacture begins.

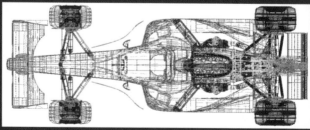

With the speed of technological change in Formula One racing, the benefits of CATIA® Solutions are obvious. Ferrari, Sauber, Arrows, Cosworth, Honda, Renault Sport, Peugeot Sport,

Bridgestone and Prost Grand Prix all utilise it, the last-named enjoying a full technical partnership with Dassault Systemes since 1997.

The Prost-Peugeot AP02 has been 100% digitally designed with CATIA®.

In the spiralling intensity of Formula One development, CATIA® Solutions should aid Prost Grand Prix in its aim of becoming one of the sport's elite superteams.

DASSAULT SYSTEMES is a worldwide recognized leader in CAx/PDM II and Network Computing market. The company was founded in 1981 with the mission to provide solutions to enable customers to build their Digital Enterprise, by defining, simulating, managing and optimizing concurrently product, manufacturing process, plant and product operation. With CATIA® Solutions, Enovia™ PDM II Solutions, CATWEB™ Extranet / Intranet tools, CCPlant™ Solutions and Deneb™ - The Digital Manufacturing Company - DASSAULT SYSTEMES product portfolio is the largest on the market.

DASSAULT SYSTEMES S.A.
9, Quai Marcel Dassault
92156 Suresnes Cedex, France
Tel: +33 1 40 99 40 99 / Fax: +33 1 42 04 45 81

F1 Team Coordination : Jean-Marc Galéa
E-mail: jean-marc_galea@ds-fr.com

Visit us at:
www.dsweb.com
www.catia.ibm.com
www.enovia.com
www.deneb.com

OFFICIAL PARTNER

DELPHI

DELPHI AUTOMOTIVE SYSTEMS
European Headquarters
117, avenue des Nations
95972 Roissy - CDG Cedex
FRANCE
Phone : (33) 1 - 49 90 49 90
Fax : (33) 1 - 49 90 49 40
Web : www.delphiauto.com

Field of Activity :	100% automotive industry
Branch offices :	208 plants worldwide, 27 technical centers, 46 joint-ventures worldwide
Range of products (Systems) :	Chassis parts & systems, electric steering & handling, energy & engine mgt, cockpit & interior systems, mobile media, electronic
Supplied Teams :	All through FIA contract
C.E.O. :	Hans Jürgen WEISER
Managing Director :	Graham J. BELL
Advertising Manager :	Antonio FERREIRA DE ALMEIDA
Communication Manager :	Frederique LE GREVES
Human Ressources :	Monique GUERRIER

DF1

DF1 GmbH & Co KG
Medienallee 4
85774 Unterföhring - GERMANY
Phone : (49) 89 9585-5427/26
Fax : (49) 89 9585-5435
Web : www.DF1.com
E-mail : df1event@yahoo.com

Field of Activity :	Digital TV
Range of Products :	Special interest TV Channels / Pay-TV
Sponsored team :	**WILLIAMS F1**
Managing Directors :	Gottfried ZMECK Hans BURKHARD
Advertising Manager :	Alex BÜTTNER
Event Marketing Manager :	Axel HEYENGA
Press and PR Officer :	Nikolaus VON DER DECKEN
F1 Coordinator :	Axel HEYENGA

DIAVIA

DIAVIA
Via Nobili, 2
40062 Molinella (Bologna)
ITALY
Phone : (39) 51 6906 111
Fax : (39) 51 8826 19
E-mail : diavia@mol.bo.it

Branch Offices :	DIAVIA Electronic Division DIAVIA UK
Field of Activity :	Vehicle air conditioning
Range of products :	Vehicle climate systems and electronic climate controls
Managing Director :	Luigi POTENZA
Press Officer :	Doriana LOMBARDI

DIEMME

DIEMME S.P.A.
Via Bedazzo 19, (Zona industriale)
48022 Lugo - ITALY
Phone : (39) 0545/20611
Fax : (39) 0545/30350
E-mail : dm@diemme-spa.com
Web : www.diemme-spa.com

Field of Activity :	Manufacturer of industrial machinery
Range of products :	High-technology oenological and ecological machineries
Supplied team :	**MINARDI**
Chairman :	Francesco "Nino" MELANDRI
Managing Director:	Primo "Rino" MELANDRI
Marketing Manager :	Filippo MELANDRI
F1 Coordinators :	Rino MELANDRI, Massimo MELANDRI

DSF

DEUTSCHES SPORT FERNSEHEN
Münchnerstr. 101 g,
D-85737 Ismaning, GERMANY
Phone : (49) 89 96066-1711
Fax : (49) 89 96066-1719
Web : www.dsf.de

Field of Activity :	Sports Television
Range of Products :	F1 live for DF1
	F1 highlights for DSF
Managing Director :	Rainer HÜTHER
Commercial/Marketing Managers :	Thomas GEBERT
Advertising Manager :	Stefanie ALMER
Press and PR Officer :	Sabine LAIS
F1 Coordinator :	Wolfang ROTHER (Head)
Commentator :	Jacques SCHULZ
Ex-driver :	Marc SURER

EIBACH

EIBACH SUSPENSION
TECHNOLOGY GmbH
Am Lennedamm 1
57413 Finnentrop - GERMANY
Phone: (49) 2721 511 220
Fax: (49) 2721 511 251

Branch Offices :	Australia, Japan, UK, USA
Field of Activity :	High quality springs for industrial purposes and automotive application (springs and stabilizer bars for high performance cars and motosport)
Product Lines :	Light weight suspension springs. Solid or tubular stabilizer bars
Supplied teams :	**JORDAN, SAUBER, BAR BENETTON, WILLIAMS**
Chairmen :	Wilfried EIBACH
	Ralph H. EIBACH
Heads of Sponsoring and Communication :	
	Michael WILLMS
	Ralph H. EIBACH
	Matthias KRAHN
F1 team Coordinator :	Joachim FRETTLÖH

EMC²

EMC²
ne Enterprise Storage Company

EMC COMPUTER SYSTEMS
35 Parkwood Drive,
Hopkinton, MA 01748 - USA
Phone : (1) 508-435-1000
Web : www.emc.com

ranch Offices :	Pan-european - Emea HQ in UK
ield of Activity :	Computer storage systems
ange of Products :	Symmetrix storage systems, Connectrix data switch and associated software and services.
ponsored team :	**JORDAN**
hairman/C.E.O. :	Michael RUETTGERS
lanaging Director :	John CLARKE
ommercial/Marketing Manager :	
	Mike MAUNDER
ommunication Manager :	Mike MAUNDER
Team Coordinator :	Katherine BENTON

EMIL FREY

EMIL FREY GROUP
Badenerstrasse 600
8048 Zürich - SWITZERLAND
Phone : (41) 1 495 2311
Fax : (41) 1 495 2301
Web : www.emil-frey.ch

ield of Activity :	Automotive
ange of products :	Distributor of 12 makes
upplied team:	**SAUBER**
hairman/C.E.O. :	Walter FREY
team Coordinator :	Patrick HEINTZ

EQUANT

EQUANT
Unit 4, Priory Way
Maidenhead, Berks SL6 2HP
ENGLAND
Phone : (44) 1628-781122
Fax : (44) 1628-726503
Web : www.equant.com

Branch Office :	Manchester
Field of Activity :	Wan-Lan-Desktop IT solutions and services
Sponsored / Supplied team :	**BRITISH AMERICA RACING**
Managing Director :	Dan HECTOR
Commercial/Marketing Director :	Simon WARNFORD-DAVIS
Global Account Director :	Chris WILSON

ESAT DIGIFONE

Making it work for you

ESAT DIGIFONE
Digifone House, 76 Baggot St.
Dublin 2 - IRELAND
Phone : (353) 1 609 5000
Fax : (353) 1 609 5011
Web : www.digifone.com
E-mail : press.office@digifone.com

Branch Offices :	Dublin, Limerick, Cork
Field of Activity :	GSM networks provider
Range of Products :	GSM services
Sponsored team :	**JORDAN**
Chairman/C.E.O. :	Denis O'BRIEN Barry MALONEY
Commercial/Marketing Director :	Derek HANDLEY
Advertising Manager :	Edel O'LEARY
Communication Manager :	Edel O'LEARY
Press and PR Officer :	Sarah DEMPSEY
F1 Coordinator :	Sarah DEMPSEY

EUROPEAN AVIATION

EUROPEAN AVIATION LTD.
Bromyard Road, Ledbury,
Herefordshire, HR8 1LG
ENGLAND
Phone : (44) 1531-633000
Fax : (44) 1531-634497
Web : www.euroav.com
E-mail : european@euroav.com

Branch Offices :	Bournemouth and many UK airports
Field of Activity :	Airline, motorsport, F3000 competitors, R&D
Range of products :	One of UK's largest aircraft spares holdings, wind tunnel, 47 aircraft, operated by ourselves and leased to all major carriers, (British Airways, Sabena, etc...), Full F1 facility (ex-Tyrrell)
Sponsored team :	**JORDAN,**
Chairman & C.E.O. :	Paul STODDART
Marketing Manager :	Richard SALISBURY
Advertising Manager :	Paul CRAIG
Communication Manager :	Sue ASTON
Press Office :	Jardine PR
Coordinator :	Paul CRAIG

FEDERAL EXPRESS

FEDERAL EXPRESS (FEDEX)
Headquarters Europe,
Middle East, Africa
Airport Building 119
1820 Melsbroek - BELGIUM
Phone : (32) 2-7527111
Web : www.fedex.com

Field of Activity :	Express transportation (international)
Sponsored/Supplied team :	**FERRARI**
Chairman/C.E.O. :	Theodore WEISE
President EMEA :	Robert W. ELLIOTT
Marketing Director :	Guy VLAEMINCK (Benelux, Southern Europe and Sports Marketing)
Communication Director :	Kai BOSCHMANN (EMEA)
Team Coordinator :	Guy VLAEMINCK
Sports Marketing Specialist :	Annemie VAN DER VORST

FINLANDIA VODKA

PRIMALCO Ltd
POB 457
00101 Helsinki - FINLAND
Phone : (358) 9-13305
Fax : (358) 9-1333237
Web : www.finlandia-vodka.com
E-mail : pekka.ylanko@primalco.

Branch Offices :	USA, Czech Republic
Field of Activity :	Development, manufacture and marketing of alcoholic beverages
Sponsored team :	**WEST McLAREN MERCEDES**
Chairman/C.E.O. :	Veikko KASURINEN
Managing Director :	Antti KERÄNEN
Marketing Director :	Eva WUITE-LINDHOLM
Public Relations :	Eva OESCH Susanna HEIKKINEN
F1 Team Coordinator :	Pekka YLÄNKÖ
Assistant to F1 coordinator :	Miikka VAHTERA

FLUENT EUROPE

FLUENT EUROPE LTD
Holmwood House, Cortworth Roa
Sheffield S11 9LP - ENGLAND
Phone : (44) 114 281 8888
Fax : (44) 114 281 8818
E-mail : info@fluent.com.uk
Web : www.fluent.com

Branch Offices :	USA, France, Germany, Italy, Swede
Field of Activity :	Computational Fluid Dynamics
Range of products :	Fluent, Rampant, Nekton, Icepak Polyflow, Fidap, Mixsim, Gambit
Sponsored/Supplied team :	**BENETTON** (they use FLUENT)
President/C.O.O. :	Ferit BOYSAN
Managing Director :	Chris KING
Marketing Executive :	Kay MUSHENS

FONDMETAL

FONDMETAL GROUP
Via Bergamo, 4
24050 Palosco (BG) - ITALY
Phone : (39) 35 845130
Fax : (39) 35 845785
E-mail : service@fondmetal.com
Web : www.fondmetal.com

Branch Offices and companies of the group :	Fondmetal SpA
	Fondmetal Alürader AG
	Minardi SpA
	Fondmetal Technologies Srl
	Racing Dynamics Srl.
Field of Activity :	Light alloy wheels,
	Research and development
	aerodynamic systems
	Tuner BMW vehicles
Product lines :	Wheels
Sponsored teams :	**MINARDI**
Chairman/C.E.O. :	Gabriele RUMI
Commercial/Marketing Director :	Oliviero BONALUMI
Manager Fondmetal Technologies :	Jean-Claude MIGEOT

F1-50

F1-50
5, Ella Mews, Cressy Road,
London, NW3 2NH - ENGLAND
Phone : (44) 171-4287010
Fax : (44) 171-2842118
Web : www.F150.com
E-mail : d.woods@F150.com

Branch Offices :	North American Representative
	7650 W. Courtney Campbell Cwy
	Tampa, FL 33607 - USA
Range of products :	The F1-50 council, whose members
	include, Stirling Moss, Jackie
	Stewart, Alain Prost, Patrick Head,
	John Cooper, Sid Watkins and Frank
	Williams has been set up to celebrate
	five decades of Formula One racing.
	Future plans include a series of
	events, a gala awards ceremony and
	a permanent exhibition site.
Field of Activity :	Event management,
	Publications and publicity
C.E.O.'s :	Jon FELD,
	Peter ANTELL
Project Director :	David WOODS

FOSTER'S INTERNATIONAL

FOSTER'S INTERNATIONAL
77 Southbank Boulevard
Southbank, VIC - AUSTRALIA
Phone : (61) 39633 2000
Fax : (61) 39633 2832

Branch Office :	Numerous
Field of Activity :	Brewing
Range of Products :	Beer, Wine
Senior Vice President :	Rick SCULLY
Vice President, Marketing :	Vic SANSOM
F1 Coordinator :	Ian JICKELL

GALMER ENGINEERING

GALMER ENGINEERING Ltd
Unit 4, Murdock Road, Bicester
Oxon OX6 7PP - ENGLAND
Phone : (44) 1869 320431
Fax : (44) 1869 248200
E-mail : design@galmer.co.uk

Field of Activity :	Race car design and manufacture
Range of products :	Design and manufacture of race car suspension, water systems, oil systems, track side engineerin
Chairman/C.E.O. :	Alan MERTENS
Managing Director :	Alan MERTENS
Commercial/Marketing Manager :	David MOORE

GARNETT DICKINSON PRINT

GARNETT DICKINSON PRINT
Eastwood Works, Fitzwilliam Road,
Rotherham, SG5 1JU - ENGLAND
Phone : (44) 1709-364721
Fax : (44) 1709-360024
Web : www.gdprint.co.uk
E-mail : info@gdprint.co.uk

ranch Offices :	London
ield of Activity :	Magazine and catalogue printing
ange of products :	3,000 to 300,000 run colour magazines and brochures
ponsored/Supplied team :	**McLAREN**
hairman/C.E.O. :	John F. DICKINSON
ommercial/Marketing Director :	Nicholas ALEXANDER
1 Team Coordinator :	Helen KEELEY
ey personnel :	Sue NAYLOR

GOODRIDGE

GOODRIDGE UK
Exeter Airport Business Park,
Exeter, Devon, EX5 2UP,
ENGLAND
Phone : (44) 1392-369090
Fax : (44) 1392-366954
Web : www.goodridge-uk.com
E-mail : goodridge@goodridge-uk.com

ranch Offices :	Silverstone, France, Spain, Germany, Japan, USA, Holland
ange of products :	Complete high performance hose and fittings range. Quick disconects, light weight, fuel & oil lines, brake systems.
upplied teams :	**All F1 Teams**
hairman/C.E.O. :	S. GOODRIDGE
ommercial/Marketing Manager :	George OWEN
1 Coordinator :	Nigel MAC ANDREW

HELBLING INFORMATIK

helbling

Informatik

HELBLING INFORMATIK AG
Gewerbestr. 120
8132 Egg/Zurich
SWITZERLAND
Phone : (41) 1 984 39 11
Fax : (41) 1 984 39 19
E-mail : lee@helbling.ch
Web : www.helbling.ch

Branch Offices :	Egg/Zurich, Aarau, Munich
Field of Activity :	Implementation & support of CA and ERP-Systems
Range of products :	CATIA Solutions, Enovia, I-DEAS, Miracle V (ERP)
Sponsored team :	**SAUBER**
Chairman/C.E.O. :	Rolf LEEMANN
Managing Director :	Rolf LEEMANN
Marketing Manager :	Jens BYLAND
Advertising Manager :	Jens BYLAND
Communication Manager :	Jens BYLAND
Key Personnel :	Janos BARKO

HERTZ

HERTZ EUROPE LIMITED
Hertz House, 700 Bath Road
Cranford, Middx TW5 9SW
ENGLAND
Phone : (44) 181 - 759 2499
Fax : (44) 181 - 750 3719

Branch Offices :	6 100 Worldwide
Field of Activity :	Car rental
Range of products :	- HERTZ #1 Club Gold - Leisure and business rates tailore to customer requirements for short medium and long term rentals
Supplied team :	**STEWART**
President :	Charles SHAFER
Vice-president, Marketing & Sales :	
	Michael GARCIA
PR Manager :	Gareth WYNN
F1 team Coordinator :	Alice KAVALIR

HEWLETT-PACKARD

HEWLETT-PACKARD EUROPE
150 Route du Nant d'Avril
1217 Meyrin, SWITZERLAND
Phone : (41) 22-780-8111
Fax : (41) 22-780-8542
Web : www.alan_holdship@hp.com

Branch Offices :	HP (UK) Bracknell
Field of Activity :	I.T. Solutions for business, commercial and the individual. Test and measurement, medical and chemical analysis equipment.
Range of products :	HP makes computers, networking products, medical electronic equipment, instruments and systems for chemical analysis, handheld calculators and electronic components.
Sponsored teams :	**STEWART, BENETTON, JORDAN**
Marketing Managers :	Nick EARLE, Robb BIGGIN , Peter VANDENFLOTT
Sponsorship Technologies Manager :	Gary MORGAN
Press Officer :	Geoff BANKS
Advertising Managers :	Alan HOLDSHIP / Geoff BANKS

HIGHLAND SPRING

HIGHLAND SPRING LTD
Stirling Street, Blackford
Perthshire PH4 1QA - SCOTLAND
Phone : (44) 1764 - 682444
Fax : (44) 1764 - 682480

Branch Offices :	Sales Office in St. Albans, Hertfordshire
Field of Activity :	Natural mineral water
Range of products :	Wide range of product formats, both still and sparkling
Supplied team :	**STEWART**
Chief Executive :	Joe BEESTON
Marketing Director :	Liz BRECKENRIDGE
Press and PR Officer :	Marcie BELL Phone : (44) 171 - 402 2272

HITACHI SEIKI

Hitachi Seiki UK Limited.

The Glanty, Egham, Surrey TW20 9AH
Telephone Egham (01784) 433711 (10 Lines)
Fax (01784) 437691

HITACHI SEIKI UK LTD
The Glanty, Egham,
TW20 9AH Surrey - ENGLAND
Phone : (44) 1784 433711
Fax : (44) 1784 437691

Field of Activity :	Sales & Service of own products in UK, Eire, Scandinavia
Range of products :	CNC metal cutting machines, Lathes to machining centres
Officially supplied teams :	**BENETTON, STEWART**
Other users :	**WILLIAMS, McLAREN, FERRARI, B.A.R, HONDA**
Managing Director :	Michael John LEGG
Marketing Manager :	Robert K. HORTON
F1 Team Coordinator :	Robert K. HORTON

HSBC

HSBC HOLDINGS PLC
10 Lower Thames Street
London EC3R 6AE - ENGLAND
Phone : (44) 171 - 260 0500
Fax : (44) 171 - 260 0501
Web : www.hsbcgroup.com

Branch Offices :	In 79 countries and territories
Field of Activity :	Banking and Financial Services
Range of products :	Commercial and Investment Banking ; Treasury and Capital Markets ; Insurance ; Trade Finance ; Payments and Cash Management ; Cards ; Leasing, Finance and Factoring ; Securities Services ; Bank-to-Bank Services
Sponsored team :	**STEWART**
Chairman/C.E.O. :	John BOND
Commercial/Marketing Manager:	Mary Jo JACOBI
F1 team Coordinator :	Johnny HARRISON

HUTCHINSON

HUTCHINSON DESIGN
14-16 Star Hill, Rochester,
Kent ME1 1XB - ENGLAND
Phone : (44) 1634 - 409773
Fax : (44) 1634 - 409774
E-mail : ianhutchinson@btinternet.com

Branch Offices :	167 Chestnut Avenue, Walderslade, Chatham, Kent.
Field of Activity :	Graphic race car livery design, Corporate team image, Sponsor logo enhancement consultant
List of Clients in F1 :	**BENETTON, JAPAN TOBACCO INC., MILD SEVEN**
Managing Director :	Ian HUTCHINSON
Communication Manager:	Nicola FOX
F1 team Coordinator :	Ian HUTCHINSON
Other Key Personnal:	Deborah HUTCHINSON

IBSV

IBSV
4, avenue de St Germain - BP 49
78602 Maison Laffitte cedex
FRANCE
Phone : (33) 1 39 62 92 82
Fax : (33) 1 39 62 91 99
E-mail : ibsv@ibsv.com
Web : www.ibsv.com

Field of Activity :	Healthcare / biomedical R&D
Range of products :	Fully integrated biomedical assessment centre for drivers (F1, F3000, WRC) and other top level sportsmen. Mobile testing facilities. Tailor made assessment, training and coaching programs. Intra/Internet based healthcare and lifestyle solutions for corporate clients. Medical assistance, travel kits and first aid kits.
Sponsored / Supplied teams :	**PROST PEUGEOT**
Chairman / C.E.O. :	Dr François DUFOREZ
Managing Director :	Bertrand FAURE BEAULIEU
Commercial / Marketing Manager :	Thierry DUBUS
F1 Coordinator :	Thierry DUBUS

387

ICN

ICN (Coordination Bureau)
14, rue Lesault - 93500 Pantin
FRANCE
Phone : (33) 1 - 49 91 75 35
Fax : (33) 1 - 49 91 75 36
E-mail : mailicn@compuserve.com
Web : www.winfield-williamsF1.cor

Branch Offices :	UK, Japan, Hong Kong, Russia, New Zealand, Australia, Ireland, Canada, South Africa.
Field of Activity :	PR and Press Agency
Product lines :	Multi faxing, press material, electronic media, international media data base, product placemen
Sponsored/Supplied team :	**WILLIAMS**
Chairman :	Jean-François RAGEYS
Managing Director :	Dominique RAGEYS
Press and PR Officers :	Yan LEFORT Nick HARRIS
F1 team Coordinator :	Yan LEFORT
Assistant :	Rebecca MARTZ

INTERCOND

INTERCOND S.p.A.
Via Piemonte, 20
20096 Limito di Pioltello (MI)
ITALY
Phone : (39) 02 92699851
Fax : (39) 02 92162338
Web : www.intercond.com
E-mail : salesdpt@intercond.it

Field of Activity :	Production of cables for specialisation field : from data transmission to robotic from telecommunication to industrial electronics, from audio-video transmission to offshore
Sponsored & Supplied Team:	**JORDAN**
Communication Managers :	Massimo SANTOMAURO Alessio FERRARI

INTERTECHNIQUE

INTERTECHNIQUE
Bd Sagnat - BP 3
42230 Roche la Molière
FRANCE
Phone : (33) 4 77 90 71 01
Fax : (33) 4 77 90 71 71

Field of Activity :	Aeronautical Industry
Range of products :	Fuel circulation equipment
Supplied Teams :	ALL F1 TEAMS
Chairman/C.E.O. :	Edmond MARCHEGAY
Managing Director :	Jean-Michel MATHEY
Commercial/Marketing Director :	Jean-Michel MATHEY
Communiction Manager:	Jean-Michel MATHEY
F1 team Coordinator :	Jean-Michel MATHEY
Key personnel :	Jean-Paul JURY

JARDINE

JARDINE P.R. LTD
Ballantrae House - 3-5 Grove Crescent
Kingston-Upon-Thames
Surrey KT1 2DR - ENGLAND
Phone : (44) 181 - 974 9111
Fax : (44) 181 - 974 6444
E-mail: us@jardinepr.co.uk

Branch Office :	Jardine Wesson, South Africa
Field of Activity :	Public Relations, Marketing Event Management,
Clients include :	EMC^2 Official supplier Jordan, RAC Motoring Services (sponsor British Grand Prix)
Chairman / C.E.O. :	Tony JARDINE
Managing Director :	Tony JARDINE
Commercial / Marketing Manager :	Jon DANIEL-JONES
Press and PR Officers :	John IRELAND (EMC^2) Victoria FLACK (RAC Motoring Services)

KENWOOD

KENWOOD

KENWOOD Corporation
14-6, Dogenzaka 1-chome
Shibuya-ku, Tokyo - JAPAN
Phone : (81) 3 5457-7142
Fax : (81) 3 5457-7140
Web : www.kenwood.co.jp

Field of Activity :	Electronics
Range of Products :	Home audio, car audio, car navigation, radio communication equipment, telephone, GSM
Sponsored team :	**McLAREN**
Chairman/C.E.O. :	Kazuyoshi ISHIZAKA
Managing Director :	Makoto OKA
Advertising Manager :	Susumo MAEHARA
F1 Coordinator :	Junicha FUTATSUGI

KICKERS

KICKERS INTERNATIONAL B.V
Olympic Plaza
Frederik Roeskestraat 123
1076EE Amsterdam
HOLLAND
Phone : (31) 20 - 673-6484
Fax : (31) 20 - 675-8869

Range of products :	Footwear, Clothing, Watches, Bags.
Sponsored team :	**BENETTON**
Commercial/Marketing Manager:	Arnaud ZANNIER
Communication Manager:	Arnaud ZANNIER

KONI

ITT AUTOMOTIVE-KONI BV
P.O Box 1014 -NL 3260 AA
Oud-Beyerland - HOLLAND
Phone : (31) 186 635 600
Fax : (31) 186 635 612
Web : www.koni.com
E-mail : pvisser@koni.nl

Branch Offices :	Holland, Germany, USA, France
Field of Activity :	Shock absorbers
Product Lines :	shock absorbers covering racing, automotive, motorcycle, railway and bus & truck applications
Supplied team :	**BAR**
Chairman :	Cornelis VAN DER HEIJDEN
Managing Director:	Hein WIELARD
Marketing Manager:	Peter van der WAL
Advertising Manager :	Cees RIJSDIJK
Communication Manager :	Cees RIJSDIJK
Press and PR Officer :	Arno STAPERSMA
F1 Coordinator :	Aert van der GOES
Product Manager Racing:	Peter VISSER

LAIDLAW COLOURGRAPHICS

Laidlaw Colourgraphics

LAIDLAW COLOURGRAPHICS
Centremark House, Units 2 to 4
Sheepbridge Lane
Chesterfield, S41 9RX - ENGLAND
Phone : (44) 1246 260987
Fax : (44) 1246 260781
Web : www.laidlaw.legend.yorks.com
E-mail : laidlaw@legend.co.uk

Field of Activity :	Commercial colour printers
Range of products :	Hight quality colour brochures, leaflets, press packs, media sheets, full in house design facilities on Apple Macintosh
Supplied team :	**JORDAN**
Partners :	David LAIDLAW
	Joanne LAIDLAW
	Martin O'NEILL

LEAR CORPORATION

LEAR Corporation
21557 Telegraph Road
Southfield, MI 48034 - USA
Phone : (1) 248-447-1500
Fax : (1) 248-447-1722
Web : www.lear.com
E-mail : news@lear.com

Branch Offices :	Sulzbach, Germany
Field of Activity :	Global automotive interior products and systems.
Range of Product :	Instrument panel systems, door trim panel systems, headliner and overhead systems, flooring & acoustic systems.
Sponsored team :	**STEWART**
Chairman/C.E.O. :	Kenneth L. WAY
Vice Chairman :	James VANDENBERGHE
President COO :	Robert ROSSITER
Advertising Manager :	Bruce MILLER
Communication Manager :	Leslie TOUMA
Press and PR Officer :	Karen STEWART (1) 248-447-1651
F1 Coordinator :	James MASTER

LISTA

LISTA Ltd
CH-8586 Erlen - SWITZERLAND
Phone : (41) 71 649 21 11
Fax : (41) 71 649 22 33
Web : www.lista.com

Branch Offices :	Austria, England, France, Germany, Italy, Spain, USA
Field of Activity :	Workshop equipment and storage systems, office furniture
Range of products :	LISTA modular drawer cabinets and workstations used in workshops, warehouses, transporters and pits
Supplied teams :	**McLAREN, FERRARI, WILLIAMS, JORDAN, SAUBER, ARROWS, STEWART, PROST, BAR, MINARDI**
Chairman :	Fredy LIENHARD
Communication Manager :	Kurt KNECHT
F1 Coordinator :	Kurt KNECHT

MAGNETI MARELLI

MAGNETI MARELLI
Viale Aldo Borletti 61/63
20011 Corbetta (MI) - ITALY
Phone : (39) 02 - 97227111
Fax : (39) 02 - 97227570
E-mail : competizioni@corbetta.marelli.it
Web : www.marelli.it

Field of Activity :	Automotive Systems and Components
Range of products :	Electronic fuel injection systems, fuel delivery systems, exhaust systems, thermal systems, on-board information and communication systems, lighting, rear view mirrors, shock absorbers, lubricants.
Sponsored teams :	**FERRARI, MINARDI, SAUBER, BENETTON, WILLIAMS, BAR**
C.E.O. :	Domenico BORDONE
Communication Manager :	Giulio FRASCHINI
F1 team Coordinator :	Giancarlo DE ANGELIS

MECACHROME

MECACHROME
Route d'Ennordres
18700 Aubigny-sur-Nère
FRANCE
Phone : (33) 2 - 48 81 22 00
Fax : (33) 2 - 48 58 20 84

Field of Activity :	– Machining (Prototype and Serial) Cylinder blocks, heads, rods
	– Engine assembly and maintenance (exclusive SUPERTEC F1)
Chairman :	Gérard CASELLA
Field Manager :	Jean-Yves HOUE
Marketing Director :	Jean-Pierre LE PALLEC

METALORE

METALORE, INC.

METALORE Inc.
750 South Douglas Street
El Segundo, CA 90245 - USA
Phone : (1) 310 - 643-0360
Fax : (1) 310 - 643-0361
Web : www.metalore.com
E-mail : metalore@metalore.com

Field of Activity :	Suspension & drive components
Range of products :	**Pit equipment :**
	Metalore Titanium Sockets
	Metalore Wheel Nuts
	Drive components : axles, hubs, driveshafts, CV assemblies, tripod assemblies,
	& Custom build components
	Bearings : Design, In-house manufacture, MRC angular contact bearings, Self-aligning rod end ball bearings
Chairman/C.E.O. :	Kenneth HILL
Operations Manager :	Ronald MORSE
Marketing Manager :	Donald GUZMAN
Press and PR Officer :	Linda ZIMMERMAN
F1 team Coordinator :	Kenneth HILL
Engineering :	Douglas GABBEY

MGA

DESIGN CONSULTANTS

MGA DESIGN CONSULTANTS
The Old Power Station,
121 Mortlake High Street
LONDON, SW14 8SN - ENGLAND
Phone : (44) 181 - 878-3388
Fax : (44) 181 - 878-9520
E-mail : mga@dial.pipex.com

Field of Activity :	Material Promotional Support Corporate team imaging, Race car livery design
Range of products :	Brand Communication Enhancement, Presentation visuals for sponsor acquisition, 2D and 3D formats
Supplied team :	**ARROWS**
Managing Director :	Martin GROGAN
Executive Vice President :	Janes COLES
Communication Director :	Mike CARTER
F1 Team Coordinator :	Martin GROGAN

MICROSYSTEM

MICROSYSTEM Srl
Via della Filanda 20
40133 Bologna - ITALY
Phone : (39) 51 61747
Fax : (39) 51 6198400
Web : www.microsystem.it
E-mail : microsystem@bo.microsystem.it

Branch Offices :	Milano, Torino, Treviso, Roma, Ancona
Field of Activity :	High Technology Services for Mechanical Industry
Range of products :	CAD CAM Software for Design and Manufacturing
Sponsored/Supplied team :	**MINARDI**
Chairman/C.E.O. :	Enrico GARDINI
Managing Director :	Enrico GARDINI
Commercial/Marketing Director :	Alberto ZEGA
Communication Director :	Bruno BERARDI

MIKE FOLLMER SPECIALTIES

MIKE FOLLMER SPECIALTIES
17150 Newhope Street, Unit 604,
FOUNTAIN VALLEY, CA 92708
USA
Phone : (1) 714 - 241-9600
Fax : (1) 714 - 241-0209

Field of Activity :	Promotional support metrails
Range of products :	Hat pins, Key rings, Pass holders, Neck straps, Luggage tags
Supplied teams :	**STEWART,** **PROST,** **McLAREN,** **A. SENNA FOUNDATION,** **WILLIAMS,** **BENETTON**
Owner :	Mike FOLLMER
Managing Director (Production) :	Mike FOLLMER
Commercial/Marketing Director :	Mike FOLLMER

MILD SEVEN

JAPAN TOBACCO Inc.
2-1 Toranomon 2-chome
Minato-ku, Tokyo 105-8422
JAPAN
Phone : (81) 3-3582 3111
Fax : (81) 3-5572 1426

Field of Activity :	Manufacturing and sales of tobacco products
Range of products :	Mild Seven, Mild Seven Lights, Mild Seven Super Lights, Caster Mild, Cabin Mild
Sponsored/Supplied team :	**BENETTON**
Chairman/C.E.O. :	Masaru MIZUNO
Communication Director :	Daiho MATSUBARA

MINICHAMPS

PAUL'S MODEL ART GmbH
P.O. Box 50 05 04
D-52089 Aachen - GERMANY
Phone : (49) 241 - 9272 - 200
Fax : (49) 242 - 9672 - 289

Field of Activity :	Manufacturing of model cars
Range of products :	Die cast model cars in scale 1:64, 1:24, 1:12, 1:43, 1:18
Supplied teams :	**BAR, WILLIAMS, McLAREN, JORDAN, PROST, STEWART, ARROWS, BENETTON, SAUBER, MINARDI**
Managing Director :	Paul G. LANG
Press and PR Officer :	Michael BORGEEST

MOMO

MOMO
Via Decemviri, 20
20138 Milano - ITALY
Phone : (39) 02-700 261
Fax : (39) 02-76 11 01 55

Branch Offices :	Miami (MOMO USA), Tokyo (MOMO Japan)
Field of Activity :	Car accessories
Range of products :	Steering wheels, Aluminium road wheels, Shift knobs
Supplied teams :	**FERRARI, PROST**
Chairman/C.E.O. :	Charles SPERANZELLA
Managing Director :	Marco CATTANEO
F1 team Coordinator :	Cesare MARTINENGO

MOTOR RACING SERVICES

MOTOR RACING SERVICES
PO Box 55, Hartfield, East Sussex
TN7 4GT - ENGLAND
Phone : (44) 1342 826300
Fax : (44) 1342 825541
E-mail : jackie@mrs2000ltd.demon.co.uk

Branch Offices :	UK, Australia, Korea
Field of Activity :	Marketing, Public relations, Sponsorship, Management
Clients in F1 :	Korean Air
Partner Team :	**BENETTON**
Chairmen :	Jackie de HAVAS Hugh LEVENTON
Press and PR Officer :	Phillipa BROWNE

MSAS

MSAS-Motorsport Logistics
(Italy) S.P.A.
Via Cassanese 218-220
20090 Segrate (MI) - ITALY
Phone : (39) 02-269871
Fax : (39) 02-26920253
Web : www.msas.com/oranges

Operational Offices :	A/Head Office B/English Branch MSAS Motorsport Logistics (UK) Lt⊂ The Avenue Egham - Surrey TW20 9AB ENGLAND Phone: (44) 1784 414 510 Fax: (44) 1784 472 989
Field of Activity :	International Freight Forwarders and Customs Brokers
Chairman :	Aldo ROSANNA (MSAS Italy)
Communication Managers :	Richard PERRY (MSAS England) Manuela GIANNI (MSAS Italy)
Grand Prix Coordinators :	Aldo ROSANNA, Manuela GIANNI, Pier Luigi FERRARI (MSAS Italy) Paul FOWLER, Perry BENTON, Richard PERRY (MSAS England)

MSC

The
MSC MacNeal-Schwendler
Corporation

The MacNeal-Schwendler
Company Ltd.
MSC House, Lyon Way, Frimley,
Camberley, Surrey GU16 5ER -
ENGLAND
Phone : (01) 276-671000
Fax : (01) 276-691111
Web : www.macsch.com
E-mail : tony-kent@macsch.com

Branch Offices :	UK Offices, Frimley, Northampto⊂ Chester
Field of Activity :	Computer aided engineering softwar⊂ for analysis/simulation
Range of products :	FINITE ELEMENT ANALYSIS MSC/NASTRAN - MSC/PATRAN MSC/LAMINATE MODELLER FATIQUE AND IMPACT SIMULATIONS
Supplied Teams :	**STEWART**
Chairman/C.E.O. :	Frank PERNA
Managing Director :	Christopher ST-JOHN
Commercial /Marketing Manager :	Tony KENT
UK Marketing/Business Development :	Tony KENT
STEWART GP Account Manager :	Chris PERRIN

MULTIVEX

MULTIVEX RACING MIRRORS

MULTIVEX RACING MIRRORS
2144 Fordway
Toledo, Ohio 43606 - USA
Phone : (1) 419 - 535-0039
Fax : (1) 419 - 535-5520
E-mail : grd19@idt.net

Field of Activity :	High performance wide angle aspheric racing mirrors
Range of products :	Aspheric racing mirrors for formula cars including Formula One, CART, IRL, Indy Lights, Formula Atlantic, IROC, Sports Car/IMSA WSC, USRRC Can Am, SCCA Trans-Am, NATCC Super Touring. MultiVex Master View Mirrors for 360° vision
Supplied teams :	**WILLIAMS, JORDAN, BAR, ARROWS**
President :	George DALBY

NATWEST CARD SERVICES

≈ NatWest

NATWEST CARD SERVICES
Level 18, Drapers Gardens,
12 Throgmorton Avenue,
London EC2N 2DL - ENGLAND
Phone : (44) 171-454 2897
Fax : (44) 171-920 5443

Field of Activity :	Credit Cards
Range of products :	Combined card account : Mastercard, Visa, Goldcard account : Mastercard Gold, Visa Gold, NatWest American Express card, Airmiles Mastercard, Forte Mastercard, Executive Club NW card
Sponsored team :	**JORDAN**
Managing Director :	Patrick BOYLAN
Marketing & Sales Director :	Nigel MENGHAM
Head of Personal Cards :	Jeremy NICHOLDS
Senior Manager, Marketing Communications :	Liz COXON
Manager, Advertising, Sponsorship & PR :	Alison REVOLTA
Manager, Media Relations :	James MURRAY

399

NEW MAN

NEW MAN
Avenue Leclerc
49300 Cholet - FRANCE
Phone : (33) 2 41 71 50 62
Fax : (33) 2 41 71 51 82
Web : www.Newman.tm.fr

Field of Activity :	Apparel
Range of products :	Men, Women, Children
Supplied teams :	**PROST**
Chairman/C.E.O. :	Christian ISCOVICI
Managing Director :	Christian ISCOVICI
Commercial/Marketing Manager :	
	Patrick ROUSSEL
Advertising Manager :	Karine HERVE
Communication Manager :	Karine HERVE
Press and PR Officer :	B. CAZAUMAYOU
F1 Coordinator :	Josette VALLIER
Key Personnel :	Pierre BRILLOUET

NGK

NGK SPARK PLUGS (UK) Ltd
May Lands Avenue
Hemel Hempstead, Herts HP2 4SD
ENGLAND
Phone : (44) 1442-281000
Fax : (44) 1442-281001

Branch Offices :	USA, Australia, Japan, Germany, France, Italy, Spain, Brazil
Field of Activity :	Sales and distribution
Range of products :	Spark Plugs, Automotive Sensors
Supplied teams :	**McLAREN, JORDAN, PROST**
Chairman/C.E.O. :	James E. HUGHES
Divisional Director :	Brian CHILDS
Marketing Manager :	Philip JEYNES
Press and PR Officer :	Jim WAKELEY (Wakeley Communications)
F1 team Coordinator :	Dan BOON

OCTAGON MOTORSPORTS

octagon **motorsports**

OCTAGON MOTORSPORT
25 Upper Brook Street
Park Lane - London W1Y 1PD
ENGLAND
Phone : (44) 171-4910934
Fax : (44) 171-4910944

Field of Activity :
The ownership, management and representation of motorsports rights throughout the world.

Involvement :
Represent the Benetton Formula One Team
Owners of the World Superbike Championship
International Rights Acquisition

Chairman / C.E.O. :
Mauricio FLAMMINI

Vice President :
Paolo FLAMMINI

Head of Global Sales :
Chris MEREDITH

Head of USA Sales :
Brian SIMS

Business Development Manager :
Charlotte GOFF

OMP

OMP RACING SRL
Via E. Bazzano 5
16019 Ronco Scrivia (GE)
ITALY
Phone : (39) 010-9350696
Fax : (39) 010-935698
E-mail : omp.info@ompracing.it
Web : www.ompracing.it

Range of products :
Drivers'racewear, Seats, Seat belts, Rollcages, Helmets, Pit boards, Stopwatches, Intercoms, Tyre warmers, Steering wheels, Gear knobs, Pedal sets,Exhausts, Strut braces, Springs, Shock-absorbers, Clutches, Brake pads and discs, Air filters, Mechanics accessories.

Sponsored teams :
FERRARI, STEWART

Chairman/C.E.O. :
Piergiorgio PERCIVALE

Managing Director :
Roberto PERCIVALE

Press and PR Officers :
Nando CARREGA
Marco DE ITURBE

F1 team Coordinators :
Luigi ROSSI
Laura PERCIVALE

401

O.Z. RACING

O.Z. S.P.A.
Via Monte Bianco, 10
35018 S. Martino di Lupari (PD)
ITALY
Phone : (39) 049 9423001
Fax : (39) 049 9469176
E-mail : info@ozracing.com

Branch Offices :	O.Z. Deutschland GmbH, Biberac O.Z. France SA, La Roche de Gl▪ O.Z. Scandinavia A/S - Viby O.Z. Japan Ltd, Hamamatsu
Field of Activity :	Production of light alloy and magnesium wheels for racing and road use
Range of products :	Monolithic and modular wheels for passenger cars. Racing wheels in cast and forged magnesium, cast aluminium, forged aluminium.
Sponsored teams :	**JORDAN, WILLIAMS, BAR, SAUBER**
Chairman :	Isnardo CARTA
Managing Director :	Claudio BERNONI
Racing Division Manager :	Luigi LUCAORA

PANINI

PANINI SRL
Via D. Ferrari 49
41053 Maranello (MO) - ITALY
Phone : (39) 0536 940707
Fax : (39) 0536 943705
Web : www.paninisrl.it
E-mail : mailbox@paninisrl.it

Field of Activity :	Composite materials autoclaves
Sponsored team :	**MINARDI**
Supplied team :	**FERRARI**
Chairman/C.E.O. :	Lorenzo PANINI
Commercial/Marketing Manager :	
	Lorenzo PANINI
Communication Manager :	Lara PANINI

PANKL

GHTEST HIGH TECHNOLOGY

PANKL RACING SYSTEMS AG
Kaltschmidstrasse 2 A 6,
A-8600 Bruck/Mur - AUSTRIA
Phone : (43) 3862-51250-0
Fax : (43) 3862-51250-10
E-mail : sales@pankl.co.at
Web : www.pankl.com

istribution offices :	Pankl UK, Phone : (44) 1869-3387-77
	Pankl Inc., USA, Phone : (1) 714-921-9344
	Pankl Japan, Phone : (81) 35 - 347-5881
ange of products :	Racing conrods, driveline and suspension systems, differentials, propshaft systems
hairman / C.E.O. :	Gerold PANKL
team Coordinator :	Gerold PANKL
onnecting Rods :	Werner BRUCK
Driveline systems :	Gerold PANKL

PDP BOX DOCCIA

PDP BOX DOCCIA SPA
Via Ponzimiglio 17/1
36047 Montegalda (Vicenza)
ITALY
Phone : (39) 0444 - 737211
Fax : (39) 0444 - 737180

eld of Activity :	Production shower cabins
ange of products :	Shower cabins
onsored team :	**MINARDI**
anaging Director :	Antonio PEGORARO
ommercial/Marketing Manager :	
	Kathia TREVISAN
dvertising Manager :	Kathia TREVISAN

PENSKE

PENSKE RACING SHOCKS
150 Franklin Street
P.O. Box 1056
Reading, PA 19603 - USA
Phone : (1) 610 - 375-6180
Fax : (1) 610 - 375-6190
Web : www.penskeshocks.com
E-mail : LJ@penskeshocks.com

Branch Office :	2499 South Stockton Street Lodi, CA 95240
Field of Activity :	Racing Dampers
Range of products :	Penske shocks for F1, CART, Indy Lites, Nascar, road race motorcycles, all forms of motorsports
Supplied teams :	**Large list of clients**
Chairman/C.E.O. :	Norman H. AHN
Managing Director :	Richard W. DIMMIG
Commercial/Marketing Director :	
	Lisa A. JOPP
Press and PR Officer :	Lisa A. JOPP
F1 team Coordinator s :	Jeff RYAN
	Jim ARENTZ
	Nick HUGHES

PERSONAL

PERSONAL S.R.L.
Via A. Meucci, 36
37036 S. Martino Buon Albergo (V
ITALY
Phone : (39) 045 - 8780005
Fax : (39) 045 - 8780288

Branch Offices :	Worldwide through distributors i every industrialised country
Field of Activity :	Auto accessories
Range of products :	Steering wheels, Gear shift knob;
Supplied teams :	**BENETTON, WILLIAMS, MINARDI, ARROWS**
Chairman :	Cosimo CONTERNO
Managing Directors :	Cosimo CONTERNO, Silvia CONTERNO
Commercial/Marketing Director :	
	Gabriele SAVI

PETROBRAS

PETROBRAS
PETROLEO BRASILEIRO S.A.
Avenida Republica do Chile, 65
12th floor, Rio de Janeiro - 20035-900 -
BRAZIL
Phone : (55) 21 - 534-2473
Fax : (55) 21 - 534-2281
Web : www.petrobras.com.br
E-mail : thompson@petrobras.com.br

Branch Offices :	Brazil, Argentina,Colombia, England, U.S.A.
Field of Activity :	Integrated Oil Company
List of products :	Upstream, Downstream and Marketing activities (Fuels, Lubricants, Asphalts, Solvents, Parafins)
Partner team :	**WILLIAMS**
Chairman/C.E.O. :	Joel MENDES RENNO
Managing Director :	Percy LOUZADA DE ABREU
Commercial and Marketing Mgr :	Alberto DA FONSECA GUIMARAES
Communication Director :	Luis Antonio DE CARVALHO VARGAS
Advertising Manager :	Luis Fernando MAIA NERY
Technical Director :	Aurilio FERNANDES LIMA
Special Fuels Division Mgr. :	Antonio S. FRAGOMENT
Special Fuels Technicians :	Rogerio FREIAS GONÇALVES
R and Press Officer :	Claudio THOMPSON TAVARES

PETRONAS

PETROLIAM NASIONAL
BERHAD (PETRONAS)
Tower 1, Petronas Twin Towers,
50088 Kuala Lumpur - MALAYSIA
Phone : (60) 603-2065000
Fax : (60) 603-2065050/2065055
Web : www.petronas.com.my

Field of Activity :	Petroleum (oil, gas & petrochemicals)
Sponsored team:	**SAUBER PETRONAS**
Chairman :	Tan Sri Datuk Seri Azizan Zainul Abidin
President & Chief Executive :	Tan Sri Dato' Mohd Hassan Marican
Gr. Mgr., Group Public Affairs :	Eileen CHUA
Communication Manager :	Kristine LOW
Press & PR Officer :	Ibrahim AZMAN
1 Coordinator :	Ali NORHAYATI

PETROSCIENCE

PETROSCIENCE LTD
TangleWood House, Aston Tirrold,
Didcot, Oxon OX11 9OJ - ENGLAN
Phone : (44) 1235-850724
Fax : (44) 1235-850724

Field of Activity : Specialists in fuel technology

List of products : Racing fuels and related technical
consultancy for Formula One, Rally,
Motorbike and Powerboat Engines

Customer team : **Three Formula One teams**

Technical Director : Edward BETTS

Formula One Special Fuels Division Manager :
William BETTS

PHG

PHG DEVELOPPEMENT
4, Avenue Victor Hugo
75116 Paris - FRANCE
Phone : (33) 1 - 53 64 96 00
Fax : (33) 1 - 53 64 96 01
E-mail : phg.developpement@wanadoo.

Field of Activity : Organisation of Formula One
Grand Prix since 1985
Consultant for the organisation
of the F1 Grand Prix
of Malaysia

Range of products : Building and developpement
of F1 circuits, consultant for
various events

Chairman/C.E.O. : Philippe GURDJIAN

PIAA CORPORATION

PIAA CORPORATION
JBP Oval Bldg
5-52-2 Jingumae, Shibuya-ku
Tokyo 150-0001 - JAPAN
Phone : (81) 3 - 3797-9311
Fax : (81) 3 - 3797-9305

ranch Offices :	Sapporo, Sendai, Nigata, Nagoya, Kanazawa, Osaka, Takamatsu, Hiroshima, Fukuoka
eld of Activity :	Auto Accessories, Wearing Apparel
ange of products :	Auto Lamps, Sports Carrier, Wiper Blade, Wearing Apparel
onsored/Supplied team :	**ARROWS**
hairman/C.E.O. :	Teruaki YAMAMOTO
ess and PR Officer :	Kazuhiko KISHI

PILSNER URQUELL

PILSNER URQUELL, a.s
U Plazdroje7, 304 97 Pilsen
CZECH REPUBLIC
Phone : (420) 19 706 1111
E-mail : tomas.tesner@pilsner-urquell.com
Web : www.pilsner-urquell.com

eld of Activity :	Production and sales of beer, distribution of spirits and wines.
ange of Products :	Pilsner Urquell is the first Pilsner on earth. Gambrinus, Plimus
onsored team :	**JORDAN**
hairman/C.E.O :	Ladislav PERINA
anaging Director :	Ladislav PERINA
ommercial/Marketing Director :	
	Steffen SÄMANN
ommunication Manager :	Tomas TESNER

PODIUM DESIGNS

PODIUM DESIGNS
P.O. Box 1, Haywards Heath,
West Sussex, RH16 1GH
ENGLAND
Phone : (44) 7000-763486
Fax : (44) 7000-763329
Web : www.podium.com
E-mail : info@podium.com

Field of Activity :

F1, CART,
GT Sportscars,
Electric and Hybrid Vehicles,
Racing car design
and development,
Engineering consultancy,
Wind-tunnel testing,
Bodywork styling,
Material and
component optimisation,
Feasibility studies,
Factory and facility design,
Project management

Chairman :

Martin BRYANT

PPG

PPG AUTO REFINISH
Priory Road
Warwick CV34 4NA - ENGLAND
Phone : (44) 1926 - 410255
Fax : (44) 1926 - 410249

Branch Offices :

Argentina, Australia, Austria, Braz
Denmark, France, Germany, Italy,
Netherlands, Spain, UK, USA,

Field of Activity :

Auto refinish paint

Sponsored teams :

BENETTON, FERRARI

Managing Director :

Ezio BRAGGIO

Sales Managers (Europe) :

UK : R. HAGENLOCK
France : B. LANNE
Italy : M. MERLI
Germany : T. HERMANN
Spain : J. ORTEGA
Denmark : B. JENSEN
Austria : W. BROSCH
Netherlands : A. RUMMENS
Australia : G. HINDLE
Brazil : Y. LEON
Argentina : C. VITULLO

Communication Director :

Michael MURTOUGH

PRIMALCO

PRIMALCO Ltd
POB 457
00101 Helsinki - FINLAND
Phone : (358) 9-13305
Fax : (358) 9-1333237
Web : www.finlandia-vodka.com
E-mail : pekka.ylanko@primalco.fi

ranch Offices :	USA, Czech Republic
eld of Activity :	Development, manufacture and marketing of alcoholic beverages
onsored team :	**WEST McLAREN MERCEDES**
hairman/C.E.O. :	Veikko KASURINEN
anaging Director :	Antti KERÄNEN
arketing Director :	Eva WUITE-LINDHOLM
blic Relations :	Eva OESCH Susanna HEIKKINEN
Team coordinator :	Pekka YLÄNKÖ
ssistant to F1 coordinator :	Miikka VAHTERA

ROFILE SEATING SYSTEMS

PROFILE SEATING SYSTEMS
WORLDWIDE
Orchard House, Plainsfield,
Over Stowey, Somerset TA5 1HH
ENGLAND
Phone : (44) 1278 671 836
Fax : (44) 1278 671 670
E-mail : proseat@breathemail.net

ranch Offices :	London, Chicago, Milan
eld of Activity :	Energy absorbing safety seating, energy absorbing head restraints
ange of products :	Independently tested, energy absobing, custom made safety seating and energy absorbing head restraints
onsored / Supplied teams :	**FERRARI, BAR, SAUBER, PROST**
wner / C.E.O. :	Trevor POWELL
ssistant to C.E.O. :	Melanie TAYLOR
uropean Office :	Trevor CARLIN Dave BETTONY
SA Office :	John (Billy) SIMMONDS
ilan Office :	Paolo PEDERSOLI

409

PRO-FITT SPORTING

PRO-FITT SPORTING Co. LTD
2-54-10 Gohongi Meguro-Ku
Tokyo - JAPAN
Phone : (81) 3 5704-7001
Fax : (81) 3 5704-7799

Field of Activity :	Sport management & merchandis
Clients include :	**J. ALESI, FERRARI, WILLIAMS, JORDAN.**
Chairman / C.E.O. :	Koji HOTTA
Managing Director :	Ko KAJIMOTO
Commercial/Marketing Manager :	Davide MIYAKAWA
F1 Coordinator :	Koji HOTTA Davide MIYAKAWA

PSM

PSM

PSM Formula 1 Management
Services
52 Great Eastern Street
London EC2A 3EP - ENGLAND
Phone : (44) 171 - 613 1700
Fax : (44) 171 - 613 0009
E-mail : psm@f1.co.uk
Web : www.f1.co.uk

Branch Offices :	USA, Japan, Argentina, Holland, Denmark
Field of Activity :	Sponsorship acquisition, servicing and hospitality
Supplied teams :	**ARROWS, JORDAN**
Managing Director :	Graeme GLEW
Commercial/Marketing Manager :	Myles MORDAUNT
Press and PR Officer :	Alison MACKINTOSH
F1 Team Coordinator :	Carmel HOLLINGSWORTH
Key Personnel :	M. JONES R. SABERTON (J), J.-M. BERNSTEIN (USA), M. SALAZAR (ARG), M. HOFSTRA (H-DK)

RACING GRAPHIX

RACING GRAPHIX INT Ltd
The Studios 47-48 Alston Drive,
Bradwell Abbey, Milton Keynes,
MK13 9HB - ENGLAND
Phone : (44) 1908-220427
Fax : (44) 1908-220086
Web : www.graphix.co.uk
E-mail : racing@graphix.co.uk

Field of Activity :	Complete design and visual marketing service for the Motorsport Industry
Range of products :	Team livery and graphic design, supply and installation of decals, full colour digital graphics and screenprinting. Merchandising, embroidery, team wear and promotional clothing. Pit Display Systems (authorised distributors of Octanorm and Litestructures).
Official Supplier :	**STEWART**
Approved Supplier :	**JORDAN, MINARDI, BAR**
Managing Director :	Tim OGLE
Commercial Manager :	Richard OGLE
Production Director :	David OGLE
Studio Manager :	Ivor DRAPER
I.T. Manager :	Mark SALES
F1 Team Coordinator :	Richard OGLE

RAPID INTERNATIONAL

RAPID INTERNATIONAL
FORWARDERS LTD
4E Berrite Ind. Estate,
Ironbridge Road. South
West Drayton, Middlesex, UB7 8HY
ENGLAND
Phone : (44) 1895 - 446442
Fax : (44) 1895 - 444492
E-mail : rapidintl@ael.com

Field of Activity :	Specialist Freight Forwarders & Customs Brokers to the Motor Racing & performance related industries
Range of products :	We act on behalf of many teams, chassis/engine manufacturers & component suppliers active primarily within F1/CART/IRL/Touring cars
Supplied teams :	**Many**
Chairman/C.E.O. :	Ken MOORE
Managing Director :	Ken MOORE
Advertising Manager :	Sharon KESSLER
Operations :	Ann GREENHALGH

RAYCHEM

Raychem

RAYCHEM SA
2, boulevard du Moulin à Vent
B.P. 8300 - 95802 Cergy-Pontoise
Cedex - FRANCE
Phone : (33) 1 - 34 20 21 22
Fax : (33) 1 - 34 20 23 93
Web : http://www.raychem.com

Field of Activity :	Development and production of high tech components
Range of products :	High performance electrical interconnection devices, connector and adaptors, heat, shrinkable tubings and molded parts, identification systems, wires and cables, electrical harnesses
Sponsored/supplied teams :	**RENAULT SPORT and all F1 Teams**
Chairman / C.E.O. :	Bernard AUNAY
Managing Director :	Bernard AUNAY
Commercial / Marketing Directors :	Jean-Patrick HINE André MULLER
Communication Director :	Françoise LEMAITRE
F1 team Coordinators :	Bernard AUNAY Françoise LEMAITRE

RED BULL

RED BULL GmbH
Brunn 115
A-5330 Fuschl am See
Phone : (43) 662-658224
Fax : (43) 662-658254

Field of Activity :	International Distribution & Marketing of Red Bull Energy Drink
Sponsored team :	**SAUBER**
Chairman/C.E.O. :	Dietrich MATESCHITZ
F1 team Coordinator :	Thomas VEBERALL

REMUS

REMUS Innovation
Forschungs und
Abgasanlagen GmbH
Dr. Niederdorferstraße 25
A-8572 Bärnbach - AUSTRIA
Phone : (43) 3142-6900-0
Fax : (43) 3142-6900-91
E-mail : office@remus.at
Web : www.remus.at

ield of Activity :	Development and production of exhaust systems
ange of products :	Sport exhaust systems for cars and motorcycles, catalytic converters
ersonal sponsoring of :	**Damon HILL**
hairman/C.E.O. :	Otto KRESCH Angelika KRESCH
1 team Coordinator :	August STANGL
ress and PR Officer :	Reiner KUHN

REPSOL

REPSOL S.A.
P° Castellana 278 - 28046 Madrid
SPAIN
Phone : (34) 91-3488000
Fax : (34) 91-3488763
Web : www.repsol.com
E-mail : repsol@repsol.com

ield of Activity :	Oil production, Exploration, Gas, Chemicals, Power generation, Refining, Distribution and Marketing
ponsored team :	**ARROWS**
hairman/C.E.O. :	Alfonso CORTINA DE ALCOCER
lanaging Directors :	Emilio de YBARRA Y CHURRUCA José VILARASAU SALAT
ommercial/Marketing Director :	
	Jorge SEGRELLES
1 Press & PR Contact :	Pedro GARCIA
ress & PR Officer :	Christine GORHAM (Arrows)

413

automotive
mannesmann
Sachs

Sachs and Motorsport - these two concept have been linked for decades. The Silve Arrows of the '30s and the '50s, fo example, achieved their triumphs usin clutches and shock absorbers from Sachs

The "Fichtel & Sachs Precision Ball-Bearing Factory" of Schweinfurt was founded in 1885. In the century that followed, what is now Mannesmann Sachs AG developed into a globally active automoti-ve company with more than 17,000 employees and a turnover of over four billion Deutschmarks.

Even there is a link in technology betwee our involvement in motorsport and serie production the specialized Sachs Rac Engineering GmbH started to work in 199 to make our support to teams mor effective. This support and our superio technology for clutches and shoc absorbers benefits Formula One Team such as Scuderia Ferrari and Red Bu Sauber Petronas, teams for which Sach has been official supplier for years.

n close cooperation with these teams Sachs has developed the smallest and lightest Formula One clutch in the world. Our shock absorbers, too, set new standards using titanium alloy and low friction coating. At the Sachs research and development center a 4-post test rig is employed to perfect performance criteria of race suspension systems

Sachs products are synonymous with performance and precision. This is also reflected by the number of patents in shock absorber and clutch technology registered by Sachs in recent years.

Sachs Race Engineering will continue to make its presence felt on racetracks all over the world.

ROCES

ROCES SRL.
Via G. Ferraris 36,
31044 Montebelluna (Treviso)
ITALY
Phone : (39) 0423-2876
Fax : (39) 0423-287799
E-mail : info@roces.it
Web : www.roces.com

Field of Activity : Footwear industry

Range of products : Inline skates,
Ice skates,
Clothing accessories,
Outdoor footwear

Supplied team : **MINARDI**

Chairman : Vasco CAVASIN

Commercial/Marketing Director :
Massimo CAVASIN

Press an PR Officer : Federica PELLIZZARI
(Quadrifogli Srl)

F1 Coordinator : Vasco CAVASIN

M&C SAATCHI SPONSORSHIP

M&CSAATCH

M&C SAATCHI SPONSORSHIP LTD
36 Golden Square
London W1R 4EE - ENGLAND
Phone : (44) 171-543 4531
Fax : (44) 171-543 4712
Web : www.mcsaatchi.com

Field of Activity : Sponsorship,
Media exploitation

C.E.O. : Matthew PATTEN

Managing Directors : David MARREN

Tanya HUGHES

SABELT RACING

SABELT RACING
Via G. La Pira,11
10028 Trofarello (TO)
ITALY
Phone : (39) 011-680 40 33 / 42 04
Fax : (39) 011-680 40 20

ange of products :	Racing harnesses, seat, steering wheel, pedals, strut braces, suits, shoes and gloves
ponsored/supplied teams :	**FERRARI, BENETTON, PROST, MINARDI, STEWART, ARROWS, SAUBER**
hairman / C.E.O. :	Vincenzo BUFFA
ommercial / Marketing Manager :	Paolo NOVARA
1 team Coordinator :	Vittoria ARGENZIANO

SACHS

SACHS

MANNESMANN SACHS Group
Sachs Race Engineering Gmbh
Ernst-Sachs-Str 62
97424 Schweinfurt - GERMANY
Phone : (49) 9721-983955
Fax : (49) 9721-983836
Web : www.sachs-ag.de

ield of Activity :	Development, design and manufacture of clutches and shock absorbers for motorsport and performance car tuning
ange of products :	Multiple adjustable shock absorbers, carbon and sintermetallic clutches, release bearings
upplied teams :	**FERRARI, BAR, JORDAN, BENETTON, SAUBER, MINARDI**
hairman/C.E.O. :	Dr. Harald KLOTZBACH
lanaging Director:	Olaf SCHWAIER
ommunication/Marketing Director :	
	Wolfgang SÜSS
echnical Manager, Shock Absorbers :	
	Theo ROTTENBERGER
echnical Manager, Clutches :	Klaus BETTEN
lotorsport Technical Manager :	Klaus HOFMANN

SEITA

SEITA
53, quai d'Orsay
75007 Paris - FRANCE
Phone : (33) 1 - 45 56 64 55
Fax : (33) 1 - 45 56 67 68

Field of Activity : Cigarettes, Matches, Cigars

Range of products : Gitanes, Royale, Gauloises, News

Sponsored team : **PROST**

Managing Director : Jean-Dominique COMOLLI

Commercial and Marketing Manager :
Xavier DUFOUR

Communication Director : Isabelle OCKRENT

Sponsoring manager : Fabrice BOURGEOIS - ARMURIER

Press and PR Officer : Dan HINDENOCH

SERENGETI EYEWEAR

SERENGETI EYEWEAR
4 Curfew Yard, 11 Thames Street
Windsor, Berkshire, SL4 1SN
ENGLAND
Phone : (44) 1753-853500
Fax : (44) 1753-853555

Field of Activity : Sunglasses manufacture, sales, marketing worldwide

Range of products : Premium sunglasses for driving, everyday wear and sports

Sponsored team : **JORDAN**

Chairman/C.E.O. : Rusty NEVITT

Commercial/Marketing Manager :
Nicholas HAWKEN

Advertising Manager : Yvonne BLANDFORD

Communication Manager : Yvonne BLANDFORD

PR Officer : Chambers COX

Press Officer : Rose GIBSON

F1 Team Coordinator : Yvonne BLANDFORD

SHELL

SHELL INTERNATIONAL
Shell Centre, York Road, London
SE2 7NA - ENGLAND
Phone : (44) 171 - 934 2044
Fax : (44) 171 - 934 7234

Branch Offices :	Worldwide
Field of Activity :	Oil company
Range of products :	Fuels and Lubricants
Sponsored team :	**FERRARI**
Global Sponsorship Manager :	
	Jackie IRELAND
F1 Technical Manager :	Ian GALLIARD

SIEMENS

SIEMENS

SIEMENS AG
Wittelsbacher Platz 2,
D-80333 München - GERMANY
Phone : (49) 89-63600
Web : www.siemens.com
E-mail : www@siemens.de

Field of Activity :	Electric and electronic infrastructure, investment goods and consumer products
Range of products :	Complete range of products, solutions and services for communications, information, industry, medical, components, energy, transportation and lightning
Sponsored/Supplied team :	**McLAREN**
Chairman/C.E.O. :	Dr Heinrich Von PIERER
Communication Director :	Dr. Eberhard POSNER
Press and PR Officer :	Thomas WEBER
F1 Team Coordinator :	Stephen McMAHON

419

GAU
B

SIKA

SIKA LIMITED
Watchmead, Welwyn Garden City
Hertfordshire AL7 1BQ
ENGLAND
Phone : (44) 1707-394444
Fax : (44) 1707-393296
E-mail : jackson.tracey@uk.sika.com

Branch Offices :	Worldwide (55 countries)
Field of Activity :	Specialty construction chemicals
Range of products :	Industrial flooring, facade repair systems, facade protection systems, secondary containment, structural strengthening, steel protection, joint sealing, deck waterproofing, concrete admixtures and industrial adhesives
Sponsored/Supplied team :	**JORDAN**
Chairman/Managing Director :	Bent BAGGERSGAARD
Marketing Manager :	Mike MOORE
Press and PR Officer :	Keith GELDART
F1 Team Coordinator :	Mike MOORE
Corporate Marketing :	Adrian OVENS

SIMPSON

TEAM SIMPSON RACING
328 FM 306
New Braunfels, TX 78130 - USA
Phone : (1) 830 - 625-1774
Fax : (1) 830 - 625-3269
Web : www.simpsonraceproducts.com

Branch Offices :	Charlotte, Mooresville
Field of Activity :	Motorsport safety products
Range of products :	Driving suits, gloves, boots, helmets, team/crew uniforms, all forms of motorsport supplied
Chairman/C.E.O. :	Bill SIMPSON
Managing Director :	Bill SIMPSON
Commercial/Marketing Director :	John DAMBROS
Communication Director :	John DAMBROS
Press and PR Officer :	John DAMBROS
F1 team Coordinator :	Bill SIMPSON

SODEXHO

SODEXHO ALLIANCE
BP 100
78883 St Quentin/Yvelines Cedex
FRANCE
Phone : (33) 1 30 85 75 00
Fax : (33) 1 30 85 50 75

ranch Offices :	66 Countries
ield of Activity :	Food and Management services in Business and Industry, Hospital Clinic, Retirement Homes, Education, Remote Site Management, Fine Dining, Service Vouchers and cards, River and Harbour Cruises
ponsored teams :	**PROST**
hairman :	Pierre BELLON
ommunication Manager :	Clodine PINCEMIN
ress Officer :	Joelle HEQUET
1 Coordinator :	Alain NEYRINCK

SODI-TECH

SODI-TECH E.D.M. Ltd
E.D.M House, Rowley Drive
Raginton, Coventry, West Midlands
CV3 4FG - ENGLAND
Phone : (44) 1203-511677
Fax : (44) 1203-511699

ield of Activity :	Sales of SODIC EDM machines E.D.M , CNC Wire, Ram EDM
ponsored team :	**STEWART**
hairman/C.E.O. :	Peter CAPP
lanaging Director :	Peter CAPP
1 Coordinator :	Peter CAPP
ther Key Personnel :	Joy DREW

SONY COMPUTER

SONY COMPUTER
ENTERTAINMENT (FRANCE)
92, avenue de Wagram
75017 Paris - FRANCE
Phone : (33) 1 - 44 40 70 97
Fax : (33) 1 - 44 40 71 11

Field of Activity :	Marketing and Distribution of Playstation Console and Video Games
Range of products :	Playstation Console and Video Games
Sponsored/Supplied team :	**PROST**
Managing Director :	Georges FORNAY
Marketing Director :	Nathalie DACQUIN
Communication Director :	Richard BRUNOIS
Press and PR Officer :	Fleur BRETEAU
F1 Team Coordinator :	Frederic DUMAS

SPARCO

SPARCO srl
Via Lombardia 5
I - 10071 Borgaro (TO) - ITALY
Phone : (39) 011 42119 11
Fax : (39) 011 42119 03
E-mail : info@sparco.it
Web : www.sparco.it

Product Lines :	Fireproof racewear, Competition seats, Competition steering wheels, Racing and Rally preparation parts, Tyre warmers, Leisure wear, Sport road accessories
Branch Offices :	France, Spain, U.S.A.
Chairman :	Antonio PARISI
Managing Director :	Enrico GLORIOSO
Sales Manager :	Aurelio SPORTELLI
Motorsport Manager :	Bruno VAGLIENTI
F1 teams :	**ARROWS, BENETTON, JORDAN, McLAREN, MINARDI, SAUBER, PROST WILLIAMS, BAR**
F1 drivers :	**ALESI, COULTHARD, De La ROSA, DINIZ, FISICHELLA, FRENTZEN, GENE, HAKKINEN, HERBERT, HILL, PANIS, R. SCHUMACHER, TAKAGI, TRULLI, VILLENEUVE, WURZ, ZANARDI, ZONTA**

SPORTS MARKETING SURVEYS

SPORTS MARKETING
SURVEYS Ltd
Carlton House, Chertsey Road
Byfleet, Surrey KT14 7AW
ENGLAND
Phone : (44) 1932 350600
Fax : (44) 1932 350375
E-mail : nigelg@smsuk.demon.co.uk

Branch Offices :
Munich (49) 89 439 3896
Paris (33) 1 47 64 19 00
Brussels (32) 2 215 2126
Greece (30) 1 6128800
USA (1) 609 466 4527

Field of Activity :
Sports Market Research

Range of products :
Sports Market Research and
Sports Marketing Services

Supplied teams :
Various

Chairman/C.E.O. :
Stephen PROCTOR

Commercial/Marketing Director :
Nigel GEACH (UK)

Branch Managers :
Katie PROCTOR (Paris)
Helmut BAUER (Munich)

Team Coordinator :
Nigel GEACH

SPORTS SYSTEMS SERVICES

Sports Systems Services, Inc.

SPORTS SYSTEMS SERVICES,
INC.
2160 North Central Road
Fort Lee, NJ 07021 - USA
Phone : (1) 201 585-9269
Fax : (1) 201 585-3014
Web : www.sportssystems.com
E-mail : jim@sportssystems.com

Branch Offices :
London (Fax : (44) 171 681 1963)

Field of Activity :
Media Relations Support

Range of products :
Fax broadcast (Blast faxing),
Fax-on-demand (Fax pickup),
Fax mailbox (delivers all faxes
to e-mail when travelling)

Client include :
CART Organization,
NASCAR Organization,
plus more than 100 teams, races,
and major manufacturers just
in F1, CART & NASCAR

Chairman/C.E.O. :
James L. DAIGLE

Coordinator :
Blair HEFTY

STAND 21

STAND 21
12, rue des Novalles
21240 Talant - FRANCE
Phone : (33) 3 - 80 53 92 21
Fax : (33) 3 - 80 53 92 30
E-mail : stand21@wanadoo.Fr
Web : www.stand21racewear.com

Field of Activity :	Racewear, Teamwear
Range of products :	Racing overalls, Helmets, Gloves, Shoes, Racing Seats, Team wear, Harnesses, Nomex equipments
Supplied team :	**SUPERTEC**
Chairman :	Yves MORIZOT
Managing Director :	Alain ROQUES
Commercial/Marketing Manager :	Jehan de LA BROSSE
F1 team Coordinator :	Jehan de LA BROSSE

STOCKBRIDGE RACING

STOCKBRIDGE RACING Ltd
Grosvenor Garage, High Street
Stockbridge, Hampshire SO20 6H
ENGLAND
Phone : (44) 1264-810712
Fax : (44) 1264-810247

Field of Activity :	Manufacture of competition seat belts
Range of products :	Manufacture of the "Willans" harness
Supplied teams :	**WILLIAMS, JORDAN, SAUBER**
Managing Director :	Mr. John FENNING
Marketing Director :	Lucy FENNING
Press and PR Officer :	Lucy FENNING

STOP AND GO

STOP AND GO
ZI Ulrich - 3 rue du Costabonne
66400 Ceret - France
Phone : (33) 4 68 87 23 53
Fax : (33) 4 68 87 26 77

Field of Activity : Scale models fabrication

Managing Director : Gilles DOYEN

Commercial/Marketing Manager :
Thierry MOUCHARD

Artistic Department : Philippe PLUAL

TAG HEUER

TAG HEUER S.A.
14 A, Av. des Champs Montants
2074 Marin - SWITZERLAND
Phone : (41) 32 755 6000
Fax : (41) 32 755 6400

Field of Activity : Professionnal sportswatches and
timing systems

List of products with brand names : - Watches and chronographs : 6000
Gold Series, 6000 Series,
S/el Series, Kirium Series,
New 2000 Series, Formula One
- Heuer Classic : Tag Heuer 1964
Heuer Carrera re-edition

Sponsored team : **McLAREN**

Chief Executive Officer : Christian R. VIROS

Marketing Director : Jean-Louis POIROUX

Sponsoring Manager : Jean-Carl BERGEN

Electronic Timing Manager : Jean CAMPICHE

427

TARGETTI SANKEY

TARGETTI SANKEY SpA
Via Pratese 164,
50145 Firenze - ITALY
Phone : (39) 055-37911
Fax : (39) 055-3791266
Web : www.targetti.com
E-mail : targetti@targetti.it

Branch Offices :	Europe, USA, South America, Asia
Field of Activity :	Lighting
Range of products :	Indoor and outdoor lighting fixtures and systems for technical and decorative lighting.
Sponsored/Supplied team :	**McLAREN**
C.E.O. :	Paolo TARGETTI
Executive Vice President :	Lorenzo TARGETTI
Commercial Director :	Steven BRADLEY
Marketing Director :	Filippo MANETTI
F1 Team Coordinator :	Antonio ORLANDI

TECHNOGYM

TECHNOGYM,
THE WELLNESS COMPANY
Via Perticari 20
47035 Ganbettola (FO) - ITALY
Phone : (39) 0547 56047
Fax : (39) 0547 650550
E-mail : info@technogym.com
Web : www.technogym.com

Field of Activity :	Fitness and Wellness Equipment
Range of products :	Home Fitness, Professional Fitness, Biomedical, Strength and Cardiovascular Equipment
Supplied teams :	**FERRARI, BAR**
Chairman :	Nerio ALESSANDRI
Communication Manager :	Roberto ALBONETTI
Press and PR Officer :	Alberto PACCHIONI
Account Manager :	David HUGUES (BAR)
Managing Director (UK) :	Tony MAJAKAS

TELEFE

TELEVISIÓN FEDERAL S.A.
TELEFE
Pavón 2444
1248 Capital Federal
Buenos Aires - ARGENTINA
Phone/Fax : (54) 11 43083846
Web : www.telefe.com.ar

eld of Activity :	**Television - Radio - Magazines**
ange of products :	TV : Telefe, Telefe Internacional ; RADIO : Continental ; MAGAZINES : El Gráfico (Sports), Gente (General Info), Para Ti (Women), Chiquititas (Teenagers), Billiken (School Teenagers), Chacra (Farming Agriculture), Negocios (Business), Conozca Mas (Science, History, Archeology, etc.)
hairman/C.E.O. :	Constancio VIGIL
anaging Director :	Gustavo YANKELEVICH
ommercial/Marketing Dir. :	Francisco CARRERA Marcelo CANDA
ess and PR Officer :	Team PRODUCCIONES S.A.
Team Coordinator :	Gustavo GONZALES

TELEGLOBE

TELEGLOBE INC.
1000 rue de la Gauchetière Ouest
Montreal, Quebec H3B 4X5
CANADA
Phone : (1) 514-868-7272
Fax : (1) 514-868-7234
Web : www.teleglobe.ca

ranch Offices :	40 sales offices in 31 countries
eld of Activity :	Telecommunications
ange of Products :	Broadcast services, Globe Internet, Globe ISDN, Globe ATM, Global Carrier Services, Globe Select, Toll free Services, Operator Services, Globe Line.
onsored team :	**BRITISH AMERICAN RACING**
hairman/C.E.O. :	Charles SIROIS
xecutive VP Finance & C.F.O :	Claude SEGUIN
ess & PR Officer :	EDELMAN PR
arketing Manager :	Paolo GUIDI
irector Global Sponsorship :	Martin TIERNAY

3M

3M FRANCE
Boulevard de l'Oise
95006 Cergy Pontoise Cedex
FRANCE
Phone : (33) 1 - 30 31 61 61
Fax : (33) 1 - 30 31 75 63
Web : www.mmm.com

Field of Activity :	Chemical products and solutions
Range of products :	Abrasives, Adhesives, Occupational health and environmental safety, Telecoms, Electronics, Trafic control materials, Personal safety, Commercial Graphics, Consumer office and supply office products, Health care.
Sponsored team :	**PROST**
Chairman/C.E.O. :	Stig ERIKSSON
Commercial Marketing Manager :	Yves DE ROYER
Communication Manager :	Christian GRANDIN
Press and PR Officer :	Valerie Hélène TOUTAIN
F1 Team Coordinator :	Bruno CONSTANS

T.I.M

Vivere senza confini

TELECOM ITALIA MOBILE
Via Luigi Rizzo, 22
00136 Roma - ITALIA
Phone : (39) 06 39 001
Fax : (39) 06 3900 2111
E-mail : fzendrini@tim.it

Field of Activity :	Mobile phone service operator
Range of products :	Mobile phone services
Sponsored team :	**FERRARI**
Chairman :	Berardino LIBONATI
C.E.O :	Umberto DE JULIO
Managing Director :	Rocco SARELLI
Commercial/Marketing Director :	Roberto PELLEGRINI
Communication Director :	Giuseppe SAMMARTINO
Advertising Director :	Fulvio ZENDRINI
Press and PR Managers :	Patrizia VALLECCHI Gianni DI GIOVANNI

TOMMY HILFIGER

OMMY ■ HILFIGER

TOMMY HILFIGER EUROPE
Tesselschadestraat 18 - 22
1054 Amsterdam
THE NETHERLANDS
Phone : (31) 20 - 589 9888
Fax : (31) 20 - 589 9880

ranch Offices :	London, Spain, Germany, Greece, Italy
ield of Activity :	Fashion, Lifestyle brand
ange of products :	Men's & Women's sportswear, Kids Collection, Home accessories, Fragrances, Accessories & Footwear
onsored/Supplied team :	**FERRARI**
hairman/C.E.O. :	Lawrence STROLL
Managing Director :	Fred GEHRING
ress and PR Director Europe :	Tuppy BECKER
ecial Project Director :	P.J. REYNOLDS

TOTAL

TOTAL REFINING MARKETING
TOTAL RAFFINAGE DISTRIBUTION
Tour Galilée,
51, Esplanade du Gal-de-Gaulle,
92907 Paris-la-Défense - FRANCE
Phone : (33) 1 - 41 35 40 00
Fax : (33) 1 - 41 35 58 00

ranch Offices :	Worldwide
ield of Activity :	Oil and gas company (production, refining, marketing)
ist of products :	Fuels, Lubricants, Greases, Special products (Inks, Paints, Sealants, Rubber)
artner company :	**PEUGEOT**
onsored team :	**PROST**
esident :	Jean-Paul VETTIER
ice President, Competition :	Jean Claude LUISETTI
Field Managers :	Georges MOREL Jean-Gabriel GRAND Manuel LOPES
R and Press Officer :	Jean-Philippe DUMAS

431

TRADITION

TRADITION
253 Boulevard Pereire
75017 Paris - FRANCE
Phone : (33) 1 - 56 43 70 20
Fax : (33) 1 - 56 43 70 11
E-mail : blandine.michel@nel.com
Web : www.tradition.com

Branch Offices :	London, New York, Paris, Tokyo, Singapour, Hong Kong, Milan, Luxemburg
Field of Activity :	Broker
Range of products :	Financial Products
Sponsored team :	**PROST**
Chairman/C.E.O. :	Patrick COMBES
Managing Director :	Guido BOEHI
Marketing Manager :	Dominique VELTER
Communication Manager :	Blandine MICHEL
F1 Team Coordinator :	Caroline VIEL

UNIGRAPHICS SOLUTIONS

An EDS Company

UNIGRAPHICS SOLUTIONS
Centrum House,
101-103 Fleet Road,
Fleet, Hampshire, GU13 8NZ
ENGLAND
Phone : (44) 1252-818263
Fax : (44) 1252-818276
Web : www.ugsolutions.com

Branch Offices :	All European Countries
Field of Activity :	CAD/Software and Services
Range of products :	UNIGRAPHICS, IMAN - Information Manager SOLID EDGE
Sponsored/Supplied teams :	**BENETTON, STEWART, BAR**
Vice President Europe :	Jim DUNCAN
F1 Team Co-ordinator :	Sally PLEECE

432

USAG

USTENSILETIE ASSOCIATE
SpA
Via Volta 3
21021 Monvalle (VA) - ITALY
Phone : (32) 07-90111
Fax : (32) 07-90602
E-mail : info.mv@usag.it

Field of Activity :	Professional Hand Tools
Sponsored/Supplied team :	**FERRARI**
Chairman/C.E.O. :	Mario COGLIATI
Managing Director :	Massimo PROCINO
Marketing Manager :	Ermanno BAJ
Commercial Manager :	Luigi CAMPI
Press and PR Officer :	Ermanno BAJ
team Coordinator :	Ermanno BAJ

VALERIO MAIOLI

valerio maioli

VALERIO MAIOLI IMPIANTI
SERIVIZI E TECNOLOGIE
8 G. Pastore
48100 Ravenna - ITALY
Phone : (39) 0544-452952
Fax : (39) 0544-453366
E-mail : vmi@vmi.it
Web : www.vmi.it

Branch Office :	Valerio Maioli Impianti - Tirana
Field of Activity :	Radiocommunications & TV productions
Range of products :	Radiocommunication systems for F1, audio & video distribution systems, automatic lighting systems, audiovisual & live TV productions
Supplied teams :	**MINARDI, F1 TV BROADCASTERS**
Chairman :	Valerio MAIOLI
Managing Director :	Ivano AZZUNI
Communication Manager :	Gianni SOPRANI
team Coordinator :	Gianfranco PERAZZINI
Press Officer :	Saturno CARNOLI

VALLEVERDE

VALLEVERDE
Chic & Comfort Shoes

CALZATURIFICIO VALLEVERDE
SpA
Via Piane 76/80
47040 Coriano di Rimini - ITALY
Phone : (39) 0541-657147
Fax : (39) 0541-657485
Web : www.rimini.com/valleverde
E-mail : valleverde@rimini.com

Field of Activity :	Production of comfortable shoes
Range of products :	Comfortable shoes for ladies, me and children, leather accessories such as belts, umbrellas, wallets and handbags
Sponsored/Supplied team :	**FERRARI**
Chairman/C.E.O. :	Armando ARCANGELI
Managing Director :	Armando ARCANGELI
Commercial/Marketing Director :	
	Armando ARCANGELI
Communication Director :	Nicoletta LOMBARDINI
Press and PR Officer :	Nicoletta LOMBARDINI
Other key personnel :	Rosemarie OKCU

VISTEON

Visteon
Racing

VISTEON AUTOMOTIVE
SYSTEMS.
36800 Plymouth Road
Livonia, MI 48150 - USA
Phone : (1) 734-523-FLAG
Fax : (1) 734-458-0841
Web : www.racing.visteon.com

Field of Activity :	Automotive Products and System
Range of products :	Visteon has a wide array of product lines comprising product and systems in Powertrain Controls, Chassis, Climate Control, Interior/Exterior System and Electronics.
Team sponsored :	**STEWART**
Director, Visteon Racing :	John QUIGLEY
Manager, Visteon Racing :	Jim WUORENMA
Visteon Racing, Sales & Marketing Manager :	
	Diane CREASY
Visteon Racing, Events & Exhibits Development :	
	Catherine CLARK

WARSTEINER BRAUEREI

WARSTEINER BRAUEREI
Haus Cramer GmbH & Co, KG
Domring 4-10, 59564 Warstein
GERMANY
Phone : (49) 2902-880
Fax : (49) 2902-8812990
E-mail : info@warsteiner.com
Web : www.warsteiner.de

eld of Activity :	German leading brewery
ange of products :	Premium Pilsener
upplied teams :	**McLAREN**
hairman / C.E.O. :	Albert CRAMER
ommercial/Sales Manager :	Franck SPITZHÜTTL
ress and PR Officer :	Martin SCHÜTTE
Coordinator :	Christian GEISTDÖRFER
ontact Agency :	P&W Consulting GmbH
	Phone : (49) 69-82995500
	Fax : (49) 69-82995599
	E-mail : warsteiner@prodrive.de

WEST

H.F. & Ph. F. REEMTSMA GmbH
Parkstrasse 51
D-22605 Hamburg - GERMANY
Phone : (49) 40-8220-1952
Fax : (49) 40-8220-1808
E-mail : pavel.turek@reemtsma.de
Web : www.west.de
Web : www.westonline.com

ranch Offices :	Primarily in Western, Central, Eastern Europe and Asia
eld of Activity :	More than 60 tobacco brands including West, Davidoff, R1
onsored team :	**WEST McLAREN MERCEDES**
ember of the Management Board, Marketing, :	Dieter WENG
arketing Director :	Axel DAHM
ead of West Formula One Dept. :	Conrad POLITT
arketing Manager :	Christine KROGMANN
R Manager :	Pavel TUREK

435

WINFIELD

WINFIELD RACING TEAM
Denham Place, Village Road
Denham, Uxbridge, Middlesex,
UB9 5BL - ENGLAND
Phone : (44) 1895 834949
Fax : (44) 1895 834765
Web : www.winfield-williamsF1.co
E-mail : shirley.robinson@risl.com

Group Name :   **ROTHMANS INTERNATIONA**

Branch Offices :   Worldwide

Field of Activity :   Production, distribution and sales
of international and local brand o
cigarettes and other tobacco
products

Sponsored team :   **WILLIAMS F1**

International Promotions Manager :
Shirley ROBINSON

XTRAC

XTRAC Ltd
Hogwood Lane, Finchampstead
Wokingham - Berkshire RG40 4QV
ENGLAND
Phone : (44) 118 - 932-8222
Fax : (44) 118 - 932-8257
Fax : (44) 118 - 932-8209 (Design)
E-mail : 101356.1377@compuserve.co

Field of Activity :   Motor Racing Transmissions

Range of products :   Gearboxes, Gears, Differentials,
Driveshafts & Driveline,
Testing Facility,
Steering Rack & Pinions,
Engine Gears

Sponsored/supplied teams :   **F1, CART, BTCC,
RALLY + SPORTS CARS**

Chairman :   Mike ENDEAN

Managing Director :   Peter DIGBY

Chief Engineer F1 :   Adrian MOORE

Senior Engineer F1 :   Paul POMFRET

F1 Track Technician :   Adrian BANBURY

F1 Coordinator :   Simon SHAW

YOSHIMOND

YOSHIMOND Sam
31, avenue Princesse Grace
98000 MONACO
Phone : (377) 92 16 51 51
Fax : (377) 93 50 49 78
E-mail: ars@proupep.mc
Web : www.groupep.mc

Branch Offices :	Monaco, France, Japan
Field of Activity :	Management, Public Relations, Sponsoring events.
Chairman / C.E.O. :	Edmond PASTOR
Vice President:	Yoshiharu EBIHARA
Personal Assistant :	France LANZA

ZENT

ZENT CO Ltd
7-1-11 Wakamiya-cho
Toyota Aichi 471 - JAPAN
Phone : (81) 565-35-1234
Fax : (81) 565-35-1188
E-mail : apan777@mxa.mesh.ne.jp

Field of Activity :	Leisure
Range of products :	Amusement center chain Apan 777
Chairman/C.E.O. :	Yorio TSUZUKI
Commercial/Marketing Director :	Masahito TAKEDA
Communication Director :	Tatsuo OYA
Press and PR Officer :	Hiroki NAGAO
Team Coordinator :	Yoshio TSUZUKI

MARKETING
PR
PRESS

Welcome to Bob's place

Restaurant, bar and private lounge all in one, t
Prost-Peugeot motor-home provides a luxurious retre
for journalists. VIP guests and team member's durir
Grand Prix races. Mohand
Abdelmoula, better known as Bob, is
the ruler of this five-star palace on
wheels.

"You won't found many buses
like this on the road. In fact it's one of
only three in Europe. It was made to
order by Newel in the United States.
It's 12 metres long and the speedo
stops at 90km/h. The engine is a
whopping 14.litre. V8 diesel and it guzzles about
litres of petrol per hundred kilometres, roughly the sam
as a juggernaut. As for me, I'm Mohand Abdelmoul
but everybody knows me simply as Bob"

Born in Clermont-Ferrand 34
years ago, Bob is in charge of the
Peugeot motor-home, a job which
involves wearing many different
hats: long-distance driver when this
roving hospitality suite goes from
one circuit to another, restaurant and
bar manager once it arrives on site.
"Usually, I leave Velizy, on the outs-
kirts of Paris, the Sunday before the

Grand Prix at about 08h00. I sleep in a hotel en rou
and get to the circuit at Barcelona or Madrid, f
example, by Monday afternoon. During the afternoor
give the motor-home a thorough wash down, and on t
Tuesday morning I polish it top to bottom. It simp
wouldn't look as good if I didn't bother. Then on t
Tuesday afternoon, I park in the place allocated by t

ce organisers, just as the trucks carrying the mechani-
al equipment begin to arrive. At certain venues, such as
Monaco, the parking up can take hours, since the orga-
sers have to try and squeeze dozens of heavy vehicles
to a tight space. As soon as that's done. I connect the
as up to the electricity and water supplies. That in itself
in sometimes lead to heated discussions with the crew
embers from other teams!"

Wednesday morning brings a
fresh change of role - host of Bob's
mobile restaurant and snack bar.
Our versatile driver assembles a
teak deck outside the motor-home
and starts laying out the table and
chairs. There's even an awning in
case the sun gets too hot, while
plants hired on location complete
the ambience. By now, the members
of the Peugeot team are beginning to
rive. A team of cooks sets up in the kitchenette and
arts preparing the dishes that will offered from
hursday lunchtime onward. Around 60 full meals, mid-
y and evening, are served every day - not to mention

the hundreds of cold drinks dispen-
sed from the bar. By now Bob is
attending to the finer details - the installation of the fax, telephone and
satellite dishes on the roof, followed
by connection to the local television
network. During the trials sessions
and the races, Bob can be seen just
about everywhere. He welcomes the
guests, gives directions and information, and even dispenses the odd
prine to a suffering journalist - always with a smile.

"The Sunday after the race, I pack everything
vay. I get to the hotel by about 20h00, then set off the
xt morning to arrive back in Velizy by Tuesday mor-
ng. First out, last in. That's the way it is in this job. Is
tiring ? Of course, but it's fantastic all the same".

MARKETING - PR - PRESS

. **Tarik AIT SAID**
Public Relations
. **TOTAL**
24 cours Michelet
92069 Paris La Defense - FRANCE
☎ : (33) 1 41 35 59 19
Fax : (33) 1 41 35 64 66
Cellular : (33) 6 80 46 11 78
E-mail : tarik.ait-said@total.com
. **HOME**
12 rue Cambon
75001 Paris - FRANCE
☎ : (33) 1 47 03 08 71
E-mail : tarikait@filnet.fr

. **Nicholas ALEXANDER**
Marketing Director

. **GARNETT DICKINSON PRINT**
Eastwood works,
Fitzwilliam Road,
Rotherham, SG5 1JU - ENGLAND
☎ (44) 1709-364721
Fax : (44) 1709-360024
Cellular : (44) 467-306255
E-mail : n.alexander@gdprint.co.uk
Web : www.gdprint.co.uk

. **Yoshi-Nori ARIMATSU**
Driver Representative (Takagi)

. **NAKAJIMA PLANNING**
1-3-10, Higashi
Shibuya-ku, Tokyo 50-001
JAPAN
☎ (81) 3 3486-4258
Fax : (81) 3 3486-4259
Cellular : (44) 410-373-717 (UK)
E-mail :
yoshi-arimatsu@email.msn.com

. **Rob ARMSTRONG**
Commercial Director

. **STEWART GRAND PRIX**
16 Tanners Drive
Blakelands, Milton Keynes,
Bucks MK15 5BW - ENGLAND
☎ (44) 1908 - 279-700
Fax : (44) 1908 -279-704

MARKETING - PR - PRESS

- **Geoff BANKS**
  Marketing, Public Relations

- **HEWLETT-PACKARD**
  Cain Road, Bracknell,
  Berkshire RG12 1HN - ENGLAND
  ☎ (44) 1344-368713
  Cellular : (44) 385-111513
  E-mail : geoff_banks@hp.com

- **Véronique BEAUJARDIN**
  Press Officer (Lucky Strike)

- **EDELMAN PUBLIC RELATIONS**
  5th Floor, Haymarket House
  28/29 Haymarket,
  London, SW1Y 4SP - ENGLAND
  ☎ (44) 171-3441599
  Fax : (44) 171-3441590
  Cellular : (44) 468-604443
  E-mail : vbeaujar@edeluk.com

- **Claudio BERRO**
  Press Officer

- **FERRARI**
  Via A. Ascari 55-57
  41053 Maranello (MO) - ITALY
  ☎ (39) 536-949362
  Fax : (39) 536-949436
  Web : www.ferrari.it
  E-mail : mailbox@ferrari.it

- **Gianni BERTI**
  Press Officer

- **S.A.G.I.S SPA**
  Autodromo "Enzo E Dino Ferrari"
  Via Fratelli Rosselli, 2
  40026 Imola (BO) - ITALY
  ☎ (39) 0542-31444/23706
  Fax : (39) 0542-30420/28670

MARKETING - PR - PRESS

- **Stefania BOCCHI**
  Press Officer Assistant

- **SCUDERIA FERRARI MARLBORO**
  Via A. Ascari 55/57
  41053 Maranello (MO) - ITALY
  ☎ (39) 0536 - 949-362
  Fax : (39) 0536 - 949-436
  Web : www.ferrari.it

- **Jean Luc BOINAT**
  Sponsoring

- **BIC**
  9 rue Petit
  92110 Clichy - FRANCE
  ☎ (33) 1 - 45 19 52 00
  Fax : (33) 1 - 45 19 53 60

- **Cristina BOMBASSEI**
  Corporate Communication

- **BREMBO SPA**
  Via Brembo N.25
  24035 Curno (Bergamo) - ITALY
  ☎ (39) 035 605111
  Fax : (39) 035 605273
  E-mail : press@brembo.it

- **Tim BULLEY**
  Commercial Manager

- **F1 RACING**
  38-42 Hampton Road
  Teddington TW11 0JE - ENGLAND
  ☎ (44) 181 943 5078
  Fax : (44) 181 943 5977

- **Agnés CARLIER**
  Driver's PR (Heinz-Harald FRENTZEN)
- **WH SPORT INTERNATIONAL**
  Am Sabel 4
  D-54294 Trier - GERMANY
  ☎ (49) 651-8288011
  Fax : (49) 651-8288020
  Cellular : (41) 794554422
  E-mail : WHSport@t-online.de
- **HOME**
  Riant-Mont 4
  1004 Lausanne - SWITZERLAND
  ☎ (41) 79 4554422
  Fax : (33) 1 45 24 49 26 (FRANCE)

- **Lucio CAVUTO**
  Driver's Manager (Trulli)

- **PROST GRAND PRIX**
  Viale Dante Alighieri 20
  66010 Tollo (CH) - ITALY
  Fax : (39) 0871 961426
  Cellular : (39) 335 6377679

- **Roberto CEVOLINI**
  Marketing
- **C.R.P TECHNOLOGY S.R.L**
  11 Avenue Princesse Grace
  98000 MONACO
  ☎/Fax (377) 93 508195
  Cellular : (39) 335 332989
  E-mail : crpt@cevolini.com

- **C.R.P TECHNOLOGY S.R.L**
  Via Cesare Della Chiesa 150/B
  41100 Modena - ITALY
  ☎/Fax : (39) 059 821135
  Cellular : (39) 335 6367594

- **Oliver CLAASSEN**
  Manager PR, Marketing
  & Motorsports

- **KRUPP BILSTEIN GmbH**
  August Bilstein Strasse 4
  58256 Ennepetal - GERMANY
  ☎ (49) 2333 987 0
  Fax : (49) 2333 987 225

MARKETING - PR - PRESS

- **Peter CRAMER**
  Driver's Manager (Wurz)

- **ISPC**
  Innsbrucker Strasse 5
  6300 Wörgl - AUSTRIA
  ☎ (43) 5332 - 77588
  Fax : (43) 5332 - 7758877
  Cellular : (49) 172 - 3003237
  E-mail : ispc@woergl.netwing.at

- **Diane M. CREASY**
  Sales & Marketing Manager

- **KEVIN DIAMOND PR**
  3000 Valley Street Suite 303
  Sausalito, CA 94985 - USA
  ☎ (1) 415-332-2016
  Fax : (1) 415-332-9487
  E-mail : kdpr@worldnet.att.net
  Web : racing.visteon.com

- **VISTEON**
  36800 Plymouth Rd.
  Livonia, MI 48150 - USA
  ☎ (1) 734-523-FLAG
  Fax : (1) 734-458-8041

- **Xavier CRESPIN**
  Communication Manager

- **PROST GRAND PRIX**
  7 avenue Eugene Freyssinet
  78286 Guyancourt - FRANCE
  ☎ (33) 1 39 30 11 00
  Fax : (33) 1 39 30 11 43
  E-mail : xavier.crespin@prostgrandprix.fr

- **Massimo CUSIMANO**
  Public Relations

- **FONDMETAL MINARDI FORD**
  Via Spallanzani 21
  48018 Faenza (RA) - ITALY
  ☎ (39) 0546 696111
  Fax : (39) 0546 628140
  E-mail : team@minardi.it

MARKETING - PR - PRESS

- **Giselle DAVIES**
  Head of Press and PR

- **JORDAN GRAND PRIX**
  Silverstone
  Northamptonshire NN12 8TJ
  ENGLAND
  ☎ (44) 1327 - 850800
  Fax : (44) 1327 - 850861
  E-mail : giselle197@aol.com
  Web : www.jordangp.com
  Esat Digifone : (353) 868 - 203040

- **Marie-Pierre DUPASQUIER**
  Press Officer

- **PROST GRAND PRIX**
  7 Avenue Eugene Freyssinet
  78286 Guyancourt - FRANCE
  ☎ (33) 1 39 30 11 00
  Fax : (33) 1 39 30 11 43
  E-mail : marie-pierre.dupasquier@prostgrandprix.fr

- **Nicolas DUQUESNE**
  Manager Motorsport Promotion

- **BRIDGESTONE/FIRESTONE EUROPE S.A.**
  Belgicastraat 9
  1930 Zaventem - BELGIUM
  ☎ (32) 2 714 6805
  Fax : (32) 2 714 6789
  E-mail : nicolas.duquesne@bfeurope.com

- **Raimon DURAN**
  Driver Representative (P.de la Rosa)

- **RD/RACING SERVICES**
  Muntaner, 532-536
  08022 Barcelona - SPAIN
  ☎ (34) 93 2112334
  Fax : (34) 93 4178334
  Cellular : (34) 639 377314
  E-mail : rd.racingservices@filnet.es
  E-mail : press@pedrodelarosa.com

MARKETING - PR - PRESS

- **Isabelle DURANCEAU**
  Marketing
- **BRITISH AMERICAN RACING**
  P.O. Box 5014
  Brackley, Northants NN13 7YY
  ENGLAND
  ☎ (44) 1280 844219
  Fax : (44) 1280 844211
  E-mail : izzy@baracing.co.uk
- **HOME**
  16 St. Quentin Avenue, Flat 4
  London W10 6NU - ENGLAND

- **Caroline DYER**
  Marketing, Public Relations
- **NOISEWORKS**
  Thamesgate House
  110-114 High Street,
  Maidenhead, Berkshire SL6 1PT
  ENGLAND
  ☎ (44) 1628-628080
  Fax : (44) 1628-779999
  Web : www.noiseworks.com

- **Yoshiharu EBIHARA**
  Public Relations/Press Officer
- **MUGEN-HONDA**
  c/o Yoshimond
  31, Avenue Princesse Grace
  98000 - MONACO
  ☎ (377) 92 16 51 51
  Fax : (377) 93 50 49 78
  E-mail : yoshi198@aol.com
- **HOME**
  1 Avenue de la Costa
  98000 Monaco

- **Geneviève FAREZ**
  Vice President, Marketing
- **WHO WORKS PUBLICATIONS LTD**
  21, rue de Tournai, BP 224
  59734 St-Amand-les-Eaux - FRANCE
  ☎ (33) 3 27 48 03 45 - FRANCE
  Fax : (33) 3 27 48 94 52 - FRANCE
  Cellular : (1) 704 - 621-6005 - USA
  ☎ (44) 1304-214494 - UK
  Fax : (44) 1304-212030 - UK
  E-mail : who-works@who-works-in.com
  Web : www.who-works-in.com

MARKETING - PR - PRESS

- **Antonio FERREIRA DE ALMEIDA**
  Marketing and Communications
  Manager

- **DELPHI AUTOMOTIVE
  SYSTEMS**
  157, rue de l'Université
  75007 Paris - FRANCE
  ☎ (33) 1 - 49 90 47 13
  Fax : (33) 1 - 49 90 49 40
  Cellular : (33) 6 - 86 27 32 85

- **Andrea FICARELLI**
  Public Relations Manager

- **BENETTON FORMULA LTD**
  Enstone, Oxfordshire OX7 4EE
  ENGLAND
  ☎ (44) 1608-678000
  Fax : (44) 1608-678609
  E-mail: andrea.ficarelli@benettonformula.com

- **Silvia FRANGIPANE**
  Race Press Officer

- **WILLIAMS F1**
  Grove, Wantage,
  Oxfordshire OX12 0DQ
  ENGLAND
  Fax : (44) 1235-777739

- **ITALIAN OFFICE**
  Piazza Erbe 47/A
  39100 Bolzano - ITALY
  ☎ /Fax : (39) 0471975708

- **Mark GALLAGHER**
  Marketing Manager

- **JORDAN GRAND PRIX Ltd**
  Silverstone
  Northamptonshire NN12 8TJ
  ENGLAND
  ☎ (44) 1327 - 850800
  Fax : (44) 1327 - 858120
  Web : www.jordangp.com

MARKETING - PR - PRESS

- **Graeme J. GLEW**
  Managing Director
- **PSM**
  F1 MANAGEMENT SERVICES
  Unit 1-4, Warwick Road,
  Fairfield Industrial Estate
  Louth, Lincs LN11 0YB
  ENGLAND
  ☎ (44) 1507 - 600858
  Fax : (44) 1507 - 600859
  Web : www.F1.co.uk

- **Jane GORARD**
  Media Manager
- **WILLIAMS F1**
  Grove, Wantage
  Oxfordshire OX12 0DQ
  ENGLAND
  ☎ (44) 1235 - 777700
  Fax : (44) 1235 - 777739
  Web : www.williamsF1.co.uk

- **Christine GORHAM**
  Head of Press & PR
- **ARROWS GRAND PRIX**
  Leafield Technical Centre,
  Leafield, Witney,
  Owfordshire OX8 5PF - ENGLAND
  ☎ (44) 1993-871078
  Fax : (44) 1993-871087
  Cellular : (44)1370-914127
  E-mail : christine.gorham@twr.co.u

- **Bertil GRANDET**
  Promotion - Marketing
- **PEUGEOT SPORT**
  Promotion/Communication F1
  3, rue Latecoere - B.P. 68
  78110 Vélizy - FRANCE
  ☎ (33) 1 - 30 70 23 44
  Fax : (33) 1 - 30 70 13 13
  E-mail : bgrandet@peugeot.com

- **Nigel GREEN**
  Event Manager
- **ARROWS GRAND PRIX**
  Leafield Technical Centre,
  Leafield, Witney,
  Oxfordshire OX8 5PF - ENGLAND
  ☎ (44) 1993-871038
  Fax : (44) 1993-871090
  Cellular : (44) 1370-682700
  E-mail : nigel.green@twr.co.uk
  　　　　njgreen180@aol.com

- **Anna GUERRIER**
  Head of Media Communications
- **WEST McLAREN MERCEDES**
  Unit A1, Kingsway Business Park
  Forsyth Road, Woking,
  Surrey GU21 5SA - ENGLAND
  ☎ (44) 1483-711311
  Fax : (44) 1483-711448
  E-mail : anna.guerrier@tmms.mclaren.co.uk

- **Geoffrey HARRIS**
  Media - Publicity Manager
- **AUSTRALIAN GRAND PRIX CO**
  220 Albert Road, South Melbourne,
  3205 - AUSTRALIA
  ☎ (61) 3 - 9258 7100
  Fax : (61) 3 - 9682 0410
  E-mail : compuserve100360,3454
  Web : www.grandprix.com.au

- **Nick HARRIS**
  Press Officer
- **WINFIELD TEAM**
  c/o ICN
  37 Mill Street, Eynsham nr Witney
  Oxfordshire OX8 1JX - ENGLAND
  ☎ (44) 1865 - 882680
  Fax : (44) 1865 - 882590
  Cellular : (44) 385 - 224596
  E-mail : mailicn@compuserve.com
  Web : www.winfield-williamsF1.com

MARKETING - PR - PRESS

- **Johnny HARRISON**
  Formula One Manager

- **HSBC HOLDINGS PLC**
  10 Lower Thames Street
  London EC3R 6AE - ENGLAND
  ☎ (44) 171 - 260-0500
  Fax : (44) 171 - 260-9875

- **Axel HEYENGA**
  Head of Eventmarketing & Sponsori
- **DF1 GmbH & Co KG**
  Medienallee 4
  85774 Unterföhring - GERMANY
  ☎ (49) 89-9585-5427/26
  Fax : (49) 89-9585-5435
  Cellular : (49) 171-8027127
  E-mail : df1event@yahoo.com
  Web : www.DF1.de
- **HOME**
  ☎ (49) 89-4304009
  Fax : (49) 89-13-8027127
  E-mail : gironimos@yahoo.com

- **Alison HILL**
  PR - Press Officer

- **REYNARD MOTORSPORT**

- **ID PUBLIC RELATIONS LTD**
  The Malt House, 27 Kneesworth Stre
  ROYTON, Herts SG8 5AB
  ENGLAND
  ☎ : (44) 1763 - 241808
  Fax : (44) 1763 - 241800
  E-mail : alison@idpr.demon.co.uk

- **Julia HORDEN**
  Press Officer

- **BENETTON FORMULA ONE**
  Enstone, Oxon OX7 4EE
  ENGLAND
  ☎ (44) 1608-6/8000
  Fax : (44) 1608-678609
  Cellular : (44) 403-366152
  E-mail : julia.horden@benettonformula.co

MARKETING - PR - PRESS

• Jackie IRELAND
International Sponsorship Manager

• **SHELL**
Shell Centre, York Road, London
SE2 7NA - ENGLAND
☎ (44) 171 - 934-2044
Fax : (44) 171 - 934-7234

• Mary Jo JACOBI
Adviser to the Board

• **HSBC HOLDINGS PLC**
10, Lower Thames Street
London EC3R 6AE - ENGLAND
☎ (44) 171 - 260 0500
Fax : (44) 171 - 260 9875

• Celia JARVIS

• **RUSSELL LEWIS F1 GRAPHICS**
32, Fareham Road
Gosfort, Hamshire PO13 OAE
ENGLAND
☎ (44) 1705-511815
Fax : (44) 1705-513486
Cellular : (44) 402-130616

• Ian JICKELL
Special Events Manager

• **FOSTER'S INTERNATIONAL**
Montrose House, Chertsey Blvd,
Hanworth Lane, Chertsey,
Surrey KT16 9JX - ENGLAND
☎ (61) 3 - 9633-2000
Fax : (61) 3 - 9633-2832
Cellular : (61) 419 630 583
E-mail : ian.jickell@cub.com.au
☎ (44) 1932-570265 (UK)
Fax : (44) 1932-566703 (UK)
Cellular : (44) 7771-504747 (UK)

MARKETING - PR - PRESS

- **Cameron KELLEHER**
  Media Relations Manager
- **STEWART GRAND PRIX**
  4, Tudor Mansions, Gondar Garens
  West Hampstead, London NW6 IE
  ENGLAND
  ☎ (44) 1908-656600
  Fax : (44) 1908-656663
  Cellular : (44) 802-570387
  E-mail : cameronk@stewartgp.com

- **Ellen KOLBY**
  Press Officer
- **FORD RACING**
  Room 1/570, Eagle Way,
  Brentwood, Essex CM13 3BW
  ENGLAND
  ☎ (44) 1277 - 252366
  Fax : (44) 1277 - 252598
  E-mail : ekolby@ford.com

- **Christine KROGMANN**
  Marketing Manager
- **H.F. & Ph.F. REEMTSMA GmbH**
  West Formula One Dept.
  Parkstrasse 51
  D-22605 Hamburg - GERMANY
  ☎ (49) 40-8220-1340
  Fax : (49) 40-8220-1808
  E-mail : christine.krogmann@reemtsma.c

- **Christophe LACHNITT**
  Press Officer
- **ALCATEL**
  33, rue Emeriau
  75015 Paris - FRANCE
  ☎ (33) 1 - 40 76 12 19
  Fax : (33) 1 - 40 76 14 16
  Cellular : (33) 6 - 09 66 74 61
  E-mail : christophe-lachnitt@alcatel.

MARKETING - PR - PRESS

• Yves LAMBERT
Marketing Director

- **PROST GRAND PRIX**
  7 Avenue Eugene Freyssinet
  78286 Guyancourt - FRANCE
  ☎ (33) 1 - 39 30 11 00
  Fax : (33) 1 - 39 30 11 01
  E-mail : yves.lambert@prostgrandprix.com

• Jean-Claude LEFEBVRE
Press Officer

- **PEUGEOT SPORT**
  3 rue Latécoère - B.P. 68
  78143 Vélizy - FRANCE
  ☎ (33) 1 30 70 22 23
  Fax : (33) 1 30 70 13 13
  E-mail : Lefjc@aol.com
  Web : www.peugeot.com

• Ian LEFORT
Press Officer

- **ICN**
  c/o Promocourse International
  14, rue Lesault - 93500 Pantin
  FRANCE
  ☎ (33) 1 - 49 91 75 35
  Fax : (33) 1 - 49 91 75 36
  E-mail : mailicn@compuserve.com
  Web : www.winfield-williamsf1.com

• Christiane LOREY
Press Officer

- **ELF ANTAR FRANCE**
  Tour ELF, Bureau 22 G 01,
  92078 Paris-la-Défense Cedex
  FRANCE
  ☎ (33) 1 - 47 44 53 74
  Fax : (33) 1 - 47 44 50 01

MARKETING - PR - PRESS

- **Patrick MANNOURY**
  Press Officer

- **ACM**
  (AUTOMOBILE CLUB DE MONAC
  23, Boulevard Albert 1ᵉʳ
  98000 MONACO
  ☎ (377) 93 15 26 00
  Fax : (377) 93 25 80 08
  E-mail : info@acm.mc
  Web : ww.acm.mc

- **Gianpaolo MATTEUCC**
  Driver's Manager (Fisichella)

- **MATTEUCCI MANAGEMENT**
  Via San Godenzo, 129
  0189 Roma - ITALY
  ☎ (39) 06-3310649
  Fax : (39) 06-3310688
  Cellular : (39) 335-318198
  E-mail : matteucci.m@inbox.ilink.i
  Web : www.proformula.com

- **Josep M. MIRET**
  Press Officer

- **RACC PREMSA**
  Av. Diagonal, 687
  0828 Barcelona - SPAIN
  ☎ (34) 3 - 4955029
  Fax : (34) 3 - 4482490
  E-mail : premsa@racc.es
  Web : www.racc.es

- **Mario MIYAKAWA**
  Driver's Manager (Alesi)

- **COMPACT**
  Via Della Rocca 21
  Torino - ITALY
  ☎ (39) 011 8393734
  Fax : (39) 011 8124822
  Cellular : (39) 335 266040

MARKETING - PR - PRESS

● **Guy MOUROT**
Press Officer

● **HÊTRE**
159, bd de Creteil
94100 St Maur des Fosses
FRANCE
☎ (33) 1 42 83 35 81
Fax : (33) 1 42 83 54 38
E-mail : HETRE1@wanadoo.fr

● **Uta MÜLLER**
Marketing Co-ordinator

● **RED BULL SAUBER**
MARKETING AG
Austrasse 9, 9490 Vaduz
LICHTENSTEIN
☎ (41) 75 - 232 7764
Fax : (41) 75 - 232 7747
Cellular : (41) 79 - 236 2501
E-mail : mueller.uta@fkg.li
Web : www.redbull-sauber.ch

● **Alain NEYRINCK**
Public Relations - Promotion

● **SODEXHO ALLIANCE**
BP 100
78883 St Quentin /Yveline Cedex
FRANCE
☎ (33) 1 - 30 85 75 00
Fax : (33) 1 - 30 85 50 75
Cellular : (33) 6 - 07 73 86 34
E-mail : neyrinckalain@sodexho-alliance.fr

● **Rossella PANSERI**
Press Officer

● **SUPERTEC**
ICC Building,
20 route de Pre-Bois
1215 Geneva - SWITZERLAND
☎ (44) 171-594 4100 (UK)
Fax : (44) 171-376 7391 (UK)

● Rick PARFITT
Marketing

● **HEWLETT-PACKARD**
3100 Park Square
Birmingham Business Park
Birmingham, B37 7YN - ENGLAN
☎ (44) 1344-365627
Fax : (44) 1216-259419
E-mail : rick_parfitt@hp.com

● Jane PARISI DE LIMA
Press Officer

● **BRIDGESTONE MOTORSPORT**
Unit 1, Century Point, Halifax Road
Cressex Business Park
High Wycombe, Buckinghamshire
HP12 3SL - ENGLAND
☎ (44) 1494 - 478700
Fax : (44) 1494 - 478720

● Alessio PETRELLI
Press Officer

● **TARGETTI SANKEY S.P.A.**
Via Pratese, 164
50145 Firenze - ITALY
☎ (39) 055-37911
fax : (39) 055-3791266
E-mail : a.petrelli@targetti.it
Web : www.targetti.com

● Dominique RAGEYS
Press Officer

● **ICN FRANCE**
c/o Promocourse International
14, rue Lesault - 93500 Pantin
FRANCE
☎ (33) 1 - 49 91 75 35
Fax : (33) 1 - 49 91 75 36
E-mail : mailicn@compuserve.com
Web : www.winfield-williamsF1.com

MARKETING - PR - PRESS

- **Shirley ROBINSON**
  International Promotions Manager

- **WINFIELD RACING TEAM**
  Denham Place, Village Road
  Denham, Uxbridge, Middlesex,
  UB9 5BL - ENGLAND
  ☎ (44) 1895 - 834949
  Fax : (44) 1895 - 834765
  Web : www.icnsportsweb.com

- **Francine RODRIGUES**
  Press Officer (555)

- **BRITISH AMERICAN RACING**
  c/o Edelman PR Worldwide
  5th Floor, Haymarket House
  28/29 Haymarket,
  London, SWI Y 4SP - ENGLAND
  ☎ (44) 171-3441537
  Fax : (44) 171-3441590
  Cellular : (44) 778 8717840
  E-mail : frodrigu@edeluk.com

- **Wolfgang SCHATTLING**
  Press Officer

- **MERCEDES-BENZ A.G.**
  Postcode R. 104, abt Prisp.
  70222 Stuttgart - GERMANY
  ☎ (49) 711 - 1784008
  Fax : (49) 711 - 1749010

- **Roland SCHEDEL**
  Press Officer

- **RED BULL SAUBER PETRONAS**
  Wildbachstrasse 9
  CH-8340 Hinwil - GERMA NY
  ☎ (41) 1 938 83 00
  Fax : (41) 1 938 83 01

MARKETING - PR - PRESS

- **Helen SHERGOLD**
  Sponsorship Services Manager
- **ARROWS GRAND PRIX**
  Leafield Technical Centre,
  Leafield, Witney,
  Oxfordshire OX8 5 PF - ENGLAND
  ☎ (44) 1993-871000
  Fax : (44) 1993-871098
  E-mail : helen.shergold@twr.co.uk

- **Patrizia SPINELLI**
  Media Relations Manager
- **BRITISH AMERICAN RACING**
  c/o Edelman PR worldwide
  5th Floor, Haymarket House
  28/29 Haymarket,
  London, SWI Y 4SP - ENGLAND
  ☎ (44) 171-3441200
  Fax : (44) 171-3441590
  Cellular : (44) 385-228389
  E-mail : pspinell@edeluk.com

- **Natasha SPRECKLEY**
  Press Officer
- **ILMOR ENGINEERING LTD**
  Quarry Road, Brixworth,
  Northants, NN6 9UB
  ENGLAND
  ☎ (44) 1604-880100
  Fax : (44) 1604-882800

- **Carlo TAZZIOLI**
  Sponsor Coordinator
- **SCUDERIA FERRARI MARLBORO**
  Via Ascari 55/57
  41053 Maranello (Modena) - ITALY
  ☎ (39) 0536-949687
  Fax : (39) 0536-946488
  E-mail : ctazzioli@ferrari.it
- **HOME**
  Via Leonardi 25
  41043 Formigine (Modena) - ITALY
  ☎ (39) 059-570625

- **Claudio THOMPSON**
Press Officer

- **PETROBRAS
PETROLEO BRASILEIRO S.A.**
Av Chile, 65 - Room 1202-H, Centro,
Rio de Janeiro - RJ - BRAZIL
CEP : 70 035 900
☎ (55) 21 - 534-2473
Fax : (55) 21 - 534-2281
E-mail : thompson@petrobras.com.br

- **Stefania TORELLI**
Press Officer

- **FONDMETAL MINARDI FORD**
Via Spallanzani 21
48018 Faenza (RA) - ITALY
☎ (39) 0546-696111
Fax : (39) 0546-628140
E-mail : storelli@minardi.it

- **Pavel TUREK**
Public Relations Manager

- **H.F. & Ph.F. REEMTSMA GmbH,**
West Formula One Dept.
Parkstrasse 51
D-22605 Hamburg - GERMANY
☎ (49) 40-8220-1953
Fax : (49) 40-8220-1808
Cellular : (49) 172-8090619
E-mail : pavel.turek@reemtsma.de

- **Bruno VAGLIENTI**
Export Marketing

- **SPARCO**
Via Lombardia 5
10071 Borgaro (TO) - ITALY
☎ (39) 11 42119 11
Fax : (39) 11 42119 00
Web : www.sparco.it

MARKETING - PR - PRESS

- **Guy van WEERT**
  Public Relation/Promotion

- **AGFA GEVAERT NV**
  Septestraat 27
  B-2640 Mortsel - BELGIUM
  ☎ (32) 3 444 8010
  Fax : (32) 3 444 7485
  Cellular : (32) 75 900 562

- **David WARREN**
  Marketing Director

- **BENETTON FORMULA ONE**
  Enstone, Oxfordshire OX7 4EE -
  ENGLAND
  ☎ (44) 1608 - 678000
  Fax : (44) 1608 - 678609
  Cellular : (44) 403 - 366116
  E-mail : david.warren@benettonformula.co

- **Ffiona WELFORD**
  Catalyst

- **EN'ZYME**
  Ffar syde of the earthwheel
  Boulderdyke Farm, Clifton, Banbury
  Oxfordshire OX15 0PF - ENGLAND
  ☎/Fax :(44) 1869 - 337507
  Cellular : (44) 831 - 327137

- **Enrico ZANARINI**
  Drivers Management (Irvine)

- **(MSM) MOTORSPORT
  MANAGEMENT LTD**
  69 Britton Street
  London EC1 M5N - ENGLAND
  ☎ (44) 171-3092222
  Fax : (44) 171-3092309
  Cellular : (39) 335-6558333
  E-mail : msm@tsc4.com

JOURNALISTS
&
PHOTOGRAPHERS

Canon

The Power Pro 70
at the heart of the action

At the heart of th action : Geneviè Farez and he PowerShot Pro 7

Formula 1 is, b definition a worl of high technolog a world where the smallest detail, the slighte saving in time, can make a major difference the finish line.

The same goes for the world of images, when quality and timing are key words.

Drawing on long experience with photographi professionals, CANON has constantly refined i equipment through the years to meet the eve increasing demands of those who earn the living through their images.

Thanks to its EOS range and the new EOS 3 i particular, CANON can show unrivalle expertise in eye-select gunsights and in optic stabilisation, making for the best photograph even in extreme situation like low light or slo speeds.

But the most remarkable develop- ments of recent times are in digital photography.

Here CANON is able to offer its professional customers the Canon EOS D2000, a direct descendant of its top-of-the-range cameras, as well as more accessible products such as the PowerShot Pro 70.

Geneviève FAREZ took most of the photographs for this 1999 edition of 'Who Works' with a PowerShot Pro 70 body and a compact, fast, high-quality 28-70 zoom lens.

What appealed to Geneviève was the quality and power of its large (1.7 million pixels) CCD image sensor, its impressive memory capacity, and the control offered by its integrated LCD.

Mac and PC compatibility meant she could organise and transmit all the photographs needed to complete this book in record time.

Like to know more? Then please contact our web site.

Canon Montrez de quoi vous êtes capable.

467

- **Fredrik AF PETERSENS**
  Journalist (Sweden)

- **VOIGT**
  Moselufer 37,
  D-56073 Koblenz - GERMANY
  ☎ : (49) 261-41116
  Fax : (49) 261-41116

- **Gian Piero AGOSTI**
  TV Cameraman (Italy)

- **FOA**

- **HOME**
  Via Lecco 28
  20052, Monza (MI) - ITALY
  Cellular : (39) 335-6371791
  Fax : (39) 039-2303832
  E-mail : gpagosti@galactica.it

- **Kunihiko AKAI**
  Journalist (Japan)

- **KUNIHIKO AKAI & ASSOCIATES**
  B-Flat 301, 3-20-1, Higashi,
  Shibuya-ku - Tokyo 150-0011
  JAPAN
  ☎ (81) 3-34997673
  Fax : (81) 3-34997659
  Cellular : (81) 010 5066598
  E-mail : ka0912@aol.com

- **Philippe ALBERA**
  Producer (Monaco)

- **PPGI (Partnership Production
  Group International)**
  Le Panorama - 57, rue Grimaldi
  98000 MONACO
  ☎ (377) 97 97 31 97
  Fax : (377) 97 97 31 98
  Cellular : (33) 6 - 07 56 20 20
  E-mail : palbera@ppgintl.com

- **Dan Mihai ALEXANDRESCU**
  Journalist (France)

- **INTERNATIONAL MOTO MEDIA**
  3 allée Marguerite de Navarre
  Domaine du Parc
  78590 Noisy Le Roi - FRANCE
  ☎ : (33) 1 34 62 62 07/1 39 66 04 00
  Fax : (33) 1 39 66 94 74
  Cellular : (33) 6 09 78 24 35
  E-mail : aalex@mdi.fr

- **Miran ALISIC**
  Journalist/TV commentator (Slovenia)

- **GRAND PRIX MAGAZINE**
  Savska Cesta 3A, SI-1000
  Ljubljana - SLOVENIA
  ☎ : (386) 61 - 1377291
  Fax : (386) 61 - 1374331
  Cellular : (386) 41 - 641969
  E-mail : grandprix@mythos.si
  Web : www.mythos.si/grandprix

- **HOME**
  Poljanski Nasip 26, SI-1000
  Ljubljana - SLOVENIA
  ☎ : (386) 61 - 317624

- **Pino ALLIEVI**
  Journalist (Italy)

- **LA GAZETTA DELLO SPORT**
  Via Solférino 28
  20121 Milano - ITALY
  ☎ (39) 02-62827645
    (39) 02-62827339
  Fax : (39) 02-62827915

- **Derick Dino ALLSOP**
  Journalist (England)

- **HOME**
  The Barn, Harridge Street
  Lowerfold - Rochdale
  Lancs, OL12 7HW - ENGLAND
  ☎ : (44) 1706-343727
  Fax : (44) 1706-638730

JOURNALISTS & PHOTOGRAPHER.

- **Daniele AMADUZZI**
  Photographer (Italy)

- **STUDIO AMADUZZI**
  Via Vetulonia 9
  40139 Bologna - ITALY
  ☎ : (39) 051-547487
  Fax : (39) 051-491789
  Web : www.amaduzzi.com
  E-mail : info@amaduzzi.com
  ISDN : (39) 051-6241070

- **Juliana ANICH**
  TV Commentator (Argentina)

- **POWER ONE**
- **CORSA MAGAZINE**

  Facundo Quiroga 1115, Dock Sud,
  1871 Avellaneda - ARGENTINA
  ☎ (54) 114201-3857
  ☎ (54) 114147-9429
  Fax : (54) 1143412067
      (54) 1142013857
  E-mail : juliana@lvd.com.ar

- **Alberto ANTONINI**
  Journalist (Italy)

- **AUTOSPRINT**
  Via del Lavoro, 7,
  40068 San Lazzaro (BO) - ITALY
  ☎ (39) 051 - 6227111
  Fax : (39) 051 - 6258310
  E-mail : asprint@as2.dsnet.it

- **Carlos Daniel ARENA**
  Journalist (Argentina)
- **DIARIO LA UNION**
  Avda. Hipoloto Yrigoyen 8867
  1832 Lomas de Zamora
  Buenos Aires - ARGENTINA
  ☎ (54) 11 4243-0239
  Fax : (54) 11 292-8313/8314
  Cellular : (54) 11 517-15874
  Web : www.launion.com.ar
- **HOME**
  Ceferino Namuncurà 3345
  1826 Remedios de Escalada
  Buenos Aires - ARGENTINA
  ☎/Fax : (54) 1 - 14267-7460

- ## Gustavo Jose ARNOLDT
  Journalist (Argentina)

- **REVISTA MAQUINAS
  DIARIO LA MANANA**
  Leon Pinelo 116
  5003 Cordoba - ARGENTINA
  ☎ : (54) 51-896915
  Fax : (54) 51-896915

- **HOME**
  Catamarca 273
  5152 Carlos Paz - ARGENTINA
  ☎ : (54) 541-21696

- ## Bernard ASSET
  Photographer (France)

- **STUDIO ASSET**
  29, rue de Cotte
  75012 Paris - FRANCE
  ☎ : (33) 1 - 43 41 13 33
  Fax : (33) 1 - 43 41 47 86
  Cellular : (33) 6 - 08 91 56 28

- ## Mamoru ATSUTA
  Photographer (Japan)

- **GPX**
  8-14-11 Ginza, Cyuo-Ku
  Tokyo 104-0061 - JAPAN
  ☎ (81) 3 5565-1271-2
  Fax : (81) 3 5565-1270

- ## Luc AUGIER
  Journalist - Radio Commentator
  (France)

- **AUTO MOTO/ RTL**
  1, rue du Colonel Pierre Avia
  75015 Paris - FRANCE
  ☎ : (33) 1 46 48 48 97
  Fax : (33) 1 46 48 49 90
  E-mail : luc.augier@mail.excelsior.fr

- **HOME**
  40, quai Olivier Metra
  77590 Bois-le-Roi - FRANCE

JOURNALISTS & PHOTOGRAPHERS

- **Jose Miguel BARROS**
  Journalist (Portugal)

- **CORREIO DA MANHA**

- **O JOGO**

- **V12**
  Rua Clemente Vicente, 4 - 1° Esq.
  1495 Dafundo - PORTUGAL
  ☎/Fax : (351) 1 - 419 40 58
  Cellular : (351) 936 - 820582

- **Lodovico BASALJ**
  Journalist (Italy)
- **ROMBO**
  Via S. Donato 146 2/e
  Bologna 40127 - ITALY
  ☎ : (39) 051 503019
  Fax : (39) 051 511442
  Cellular : (39) 338 6025888
  E-mail : rombo@alinet.it
- **HOME**
  Via Ranzani 7/2
  40127 Bologna - ITALY
  ☎ : (39) 051 253109

- **Mario Alberto BAUER**
  Journalist (Brazil)
- **EUROSPORT (PARIS)**
  3 rue Gaston et René Caudron.
  92798 Issy-les-Moulineaux Cedex 9
  FRANCE
  ☎: (33) 1 40 93 80 27
  Fax : (33) 1 40 93 83 50
  Cellular : (377) 680864325
  E-mail : MarioalbertoBAUER@yahoo.com
- **HOME**
  Rua Salomã Musri 30
  Villa Mokarzel, Borão Geraldo, SP
  CEP 13084-780 - BRAZIL
  ☎ : (55) 19 998 0375 - Fax : (55) 19 289 563

- **Jàn BEDNARIC**
  TV Cameraman (Slovakia)

- **DAILY PRAVDA**
  Pribinova 25, S1908 Bratislava,
  SLOVAKIA
  ☎ (421) 7 325 059
  Fax : (421) 7 50634759
  Cellular : (421) 905 276106
  E-mail :arenas@press.sknet.sk

- **HOME**
  Vythonsssa 12, S 31 06 Bratislava
  SLOVAKIA
  ☎ (421) 7 44882606

OURNALISTS & PHOTOGRAPHERS

- **Andreas BEIL**
  Photographer (Germany)
- **ARTHUR THILL PRODUCTION**
  Grosjeanstrasse 2, D-81925, München
  GERMANY
  ☎ : (49) 89 98 27 001
  Fax : (49) 89 98 27 004
  E-mail : ATP_THILL@compuserve.com
  Web : www.webcom.com/atp

- **Derek BELL**
  TV Commentator (England)
- **FOX SPORTS NET**
  1440 South Sepulveda Bvd
  Los Angeles,CA 90025 - USA
  ☎ : (1) 310-444-8236

- **HOME**
  Little Welbourne, Church Lane
  Pagham - Sussex - ENGLAND
  ☎ : (44) 1243-263403

- **Gherardo BENFENATI**
  Photographer (Italy)
- **STUDIO BENFENATI**
  Via U. Lenzi, 1
  40122 Bologna - ITALY
  ☎ (39) 051 555629
  Fax : (39) 051 555629
  Cellular : (39) 0336-901230
  E-mail : VAR2320@iperbole.bologna.it

- **Roger BENOIT**
  Journalist (Switzerland)
- **BLICK**
- **SONNTAGS BLICK**
  Dufourstrasse 23
  CH-8008 Zürich - SWITZERLAND
  ☎ (41) 1 - 259 6672
  Fax : (41) 1 - 251 1602

- **HOME**
  Twäracherstrasse 8
  CH-8118 Pfaffhausen - SWITZERLAND
  ☎ (41) 1 - 825 5702

- ## Andrew BENSON
  Journalist (England)

- **AUTOSPORT**
  38-42 Hampton Road
  Teddington - Middlesex
  TWII 0JE - ENGLAND
  ☎ : (44) 181 943 5810
  Fax : (44) 181 943 5922
  E-mail : autosport@aol.com

- ## Edgardo Samuel BERG
  Journalist (Argentina)

- **EDGARDO BERG NEWS BUREAU**
  Antonio Alvarez 3367 - CC 641.
  7600 Mar Del Plata - ARGENTINA
  ☎/Fax : (54) 223 - 4951450
  E-mail : esberg@topmail.com.ar

- **HOME**
  Casilla de Correo 641
  7600 Mar Del Plata - ARGENTINA
  ☎/Fax : (54) 223 - 4951450

- ## Sven BERGGREN
  Journalist (Sweden)

- **TT NEWS AGENCY**
  P.O. Box 1232,
  262 23 Ängelholm - SWEDEN
  ☎ : (46) 431 - 13810
  Fax : (46) 431 - 82600
  Cellular : (46) 705931160
  E-mail : svenberggren@swipnet.se

- ## Gérard BERTHOUD
  Photographer (Switzerland)

- **HOME**
  Chemex
  1872 Troistorrents - SWITZERLAND
  ☎ (41) 24 - 471 6535
  Fax : (41) 24 - 471 6535
  Cellular : (41) 79 - 649 8433

- **Eric BHAT**
  Journalist (France)

- **AUTO 30**
  18, rue Horace Vernet
  92130 Issy-les-Moulineaux
  FRANCE
  ☎ (33) 1 - 55 95 01 30
  Fax : (33) 1 - 41 90 06 61

- **Matt BISHOP**
  Group Editor (England)

- **HAYMARKET SPECIALIST PUBLICATIONS**
  38-42 Hampton Road,
  Teddington TW11 0JE - ENGLAND
  ☎ : (44) 181 943 5046
  Fax : (44) 181 943 5977
  Cellular : (44) 976835878
  E-mail : matt_b@haynet.com

- **Raymond BLANCAFORT**
  Journalist (Spain)
- **EL MUNDO BLANCAFORT**
  Tallers 62-64
  08001 Barcelona - SPAIN
  ☎ : (34) 93 3012828
  Fax : (34) 93 3019480
  Web : www.elmundodeportivo.es
- **HOME**
  Torrent de la Guineu 108
  08027 Barcelona - SPAIN
  ☎ : (34) 93 4322479
  E-mail : raymond@periodistes.org

- **Paolo BOMBARA**
  Journalist (Italy)
- **AUTOSPRINT**
  Via del Lavoro 7
  40068 San Lazzaro Di Savena (BO)
  ITALY
  ☎ : (39) 051-6227111
  Fax : (39) 051-6258310

- **HOME**
  8, rue Jean Mermoz
  93160 Noisy-le-Grand - FRANCE
  ☎ : (33) 1 - 49 32 01 01
  Fax : (33) 1 - 45 92 26 95

JOURNALISTS & PHOTOGRAPHERS

- **Josep Mª BOSCH**
  Journalist (Spain)

- **JMB RACING PRESS**
  C/Tamarius i Roses 8
  17600 Figueres, Girona - SPAIN
  ☎ : (34) 72-511061
  Fax : (34) 72-672841
  Cellular : (34) 70-887171
  E-mail : jmb@intercom.es

- **Patrick BOUTROUX**
  Photographer (France)

- **L'ÉQUIPE**
  4, Rue Rouget de l'Isle
  92137 Issy-les-Moulineaux - FRANC
  ☎ : (33) 1 - 40 93 20 35
  Fax : (33) 1 - 40 93 22 99

- **HOME**
  5, Rue Plisson
  94160 St Mandé - FRANCE
  ☎ (33) 1 - 43 74 06 45

- **Gabriel BOUYS**
  Journalist - Photographer
  (France)

- **AGENCE FRANCE-PRESSE**
  13, Place de la Bourse
  75002 Paris - FRANCE
  ☎ : (33) 1 - 40 41 48 06
  Fax : (33) 1 - 40 41 49 32
  Cellular : (33) 6 - 08 02 42 40

- **Didier BRAILLON**
  Journalist (France)

- **L'EQUIPE**
  4, rue Rouget de Lisle
  92130 Issy-les-Moulineaux
  FRANCE
  ☎ (33) 1 40 93 23 00
  Fax : (33) 1 40 93 24 87

- **HOME**
  7, Chemin de la Messe, Les Roche
  91890 Videlles - FRANCE
  ☎ (33) 1 64 98 33 51

- **Marcus BRANDT**
  Journalist - Photographer (Germany)
- **BONGARTS SPORTFOTOGRAFIE GmbH**
  Stiesemannstr. 375
  22761 Hamburg - GERMANY
  ☎ (49) 40 - 8902277-99
  Fax : (49) 40 - 8902394
  E-mail : mbrandt205@aol.com
- **HOME**
  Feldstr. 37, 20357 Hamburg - GERMANY
  ☎ (49) 40 - 4322669
  Fax : (49) 172 - 5122771

- **Philippe BRASSEUR**
  Journalist (Canada)

- **POLE - POSITION MAGAZINE**
  2021 Avenue Atwater - suite 707
  Montréal - Quebec H3H 2P2
  CANADA
  ☎ : (1) 514-846-3780
  Fax : (1) 514-846-3784
  E-mail : pole.position@sympatico.ca

- **Dominique BRESSOT**
  Journalist/Radio Commentator
  (France)

- **EUROPE 1**
  26 bis, rue François 1er
  75008 Paris - FRANCE
  ☎ (33) 1 - 42 32 90 00
  ☎ (33) 1 - 47 23 17 50
  Fax : (33) 1 - 47 23 17 10

- **Alexandrine BRETON**
  Journalist (France)

- **L'ARGUS DE L'AUTOMOBILE**
  1, Place Boieldieu
  75002 Paris - FRANCE
  ☎ : (33) 1 53 29 11 00
  Fax : (33) 1 53 29 11 74
  E-mail : 100656.1420@compuserve.com

JOURNALISTS & PHOTOGRAPHERS

- **Jayme BRITO**
  Producer (Brazil)

- **TV GLOBO**
  1 Place Vauban
  75007 Paris - FRANCE
  ☎ : (33) 1 47 53 91 93
  Fax : (33) 1 47 53 90 74
  E-mail : jbrito@worldnet.fr

- **Patrick BROSSELIN**
  Journalist (France)

- **AGENCE FRANCE PRESSE.**
  11 à 15 Place de la Bourse
  75002 Paris - FRANCE
  ☎ : (33) 1 40 41 88 01
  Fax : (33) 1 40 41 49 72
  Cellular : (33) 6 80 21 27 70

- **HOME**
  ☎ : (33) 1 30 41 70 15

- **Elmar BRÜMMER**
  Journalist (Germany)

- **AUTO, F1 RACING**
  Seelbergstrasse, 23/25
  70372 Stuttgart - GERMANY
  ☎ : (49) 711 - 55037421
  Fax : (49) 711 - 55037428

- **Martin BRUNDLE**
  TV Co-Commentator (England)

- **ITV/MACH 1**
  The Chrysalis Television Building
  46-52 Hentonville Road
  London NI 9HF
  ☎ (44) 171-5026000
  Fax : (44) 171-5025600

• Mathias BRUNNER
Journalist (Switzerland)

- **MOTORSPORT AKTUELL**
  Bahnstrasse 24
  CH-8603 Schwerzenbach - SWITZERLAND
  ☎ : (41) 1-806 55 68
  Fax : (41) 1-806 55 11
  E-mail : m-brunner@motorpresse.ch

- **HOME**
  Wehrenbachhalde 30,
  CH-8053 Zürich - SWITZERLAND
  ☎ : (41) 1-381 85 43
  Fax : : (41) 1-381 85 43

• Luca BUDEL
TV Commentator (Italy)

- **R.T.I. - MEDIASET**
  Palazzo Dei Cigni - Milano 2
  20090 Segrate (MI) - ITALY
  ☎ : (39) 02-2102 3913
  Fax : (39) 02-2102 3784
  Cellular : (39) 335-6541232

- **HOME**
  Via G. Deledda - NR. 25
  20041 Agrate Brianza (MI) - ITALY
  ☎ : (39) 039-651447

• Patrice BURCHKALTER
Journalist (France)

- **AGENCE FRANCE PRESSE**
  13, place de la Bourse
  75002 Paris - FRANCE
  ☎ (33) 1 40 41 48 24
  Fax : (33) 1 40 41 49 72
  Cellular : (33) 6 07 49 12 53

• Pablo CABRAL
Journalist (Argentina)
- **CORSA MAGAZINE**
- **MEGAAUTOS MAGAZINE**
- **MEGANEWS NEWS**
- **MEGAAUTOS WEBSITE**
  Sarratea 2255
  (1646) San Fernando
  Buenos Aires, ARGENTINA
  ☎ : (54) 11 - 47450486
  ☎/Fax : (54) 11 - 47879022
  Cellular : (54) 11 - 44056118
  E-mail : correo@megautos.com
  Web : www.megautos.com   479

● Paul-Henri CAHIER
Photographer (France)

● **HOME**
La Bartavelle (Mas de Miremer)
83680 La Garde Freinet - FRANCE
☎ (33) 4 94 43 68 04
Fax : (33) 4 94 43 68 04
E-mail : phc@aparima.com

● Patrick CAMUS
Journalist (France)

● **AUTO HEBDO**
48-50, bd Senard,
92210 St-Cloud - FRANCE
☎ (33) 1 - 47 11 20 43

● **HOME**
205, Impasse des Mûriers
30000 Nîmes - FRANCE
☎ (33) 4 - 66 68 13 67
Fax : (33) 4 - 66 68 13 69

● Henrique CARDAO
Radio Commentator (Belgium)

● **TSF RADIO JORNAL**
17 Av. Fonsny
1060 Bruxelles - BELGIUM
☎ (32) 2-5382401
Fax : (32) 2-5391335
Cellular : (32) 75 390523

● **HOME**
Bl. Mettewie n° 264-6°-4
Bruxelles - BELGIUM

● Agnes CARLIER
Journalist (France)

● **KYODO NEWS**
2-2-5 Toranomon, Minato-ku
105 Tokyo - JAPAN
☎ (81) 3 - 557 38148
E-mail : 3488045@mcimail.com

● **HOME**
Riant-Mont 4
1004 Lausanne - SWITZERLAND
☎ (41) 79 455 4422
Fax : (33) 1 45 24 49 26 (France)

- **Pepi CEREDA**
  TV Commentator (Italy)

- **RTI-MEDIASET**
  Palazzo dei Cigni, Milano 2
  20090 Segrate (MI) - ITALY
  ☎ (39) 02-21023606
  Fax : (39) 02-21023784

- **HOME**
  Via E Toti 11
  20052 Monza (MI) - ITALY

- **Didier CHARRE**
  Photographer (France)

- **MIDI PHOTOGRAPHES**

- **HOME**
  46, rue Bernard Jugault
  92600 Asnières - FRANCE
  ☎ (33) 1-47 90 68 39
  Fax : (33) 1-47 90 68 39
  Cellular : (33) 6-81 51 18 38

- **Bernard CHEVALIER**
  Journalist (France)

- **L'EQUIPE**
  4, Rue Rouget de Lisle
  92137 Issy-les-Moulineaux
  FRANCE
  ☎ (33) 1 - 40 93 20 20
  Fax : (33) 1 - 40 93 24 87

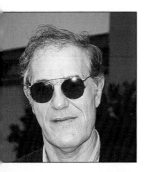

- **Christiano CHIAVEGATO**
  Journalist (Italy)

- **LA STAMPA**
  Via Marenco 32
  10126 Torino - ITALY
  ☎ (39) 011 - 6568238
  Fax : (39) 011 - 6568240
  Cellular : (39) 347 - 2737417

- **HOME**
  Strada Val Salice 50
  10131 Torino - ITALY
  ☎/Fax : (39) 011 - 6601866

JOURNALISTS & PHOTOGRAPHER

- **Xavier CHIMITS**
  Journalist (France)

- **AUTO 30**
  18, Rue Horace Vernet
  92130 Issy-les-Moulineaux
  FRANCE
  ☎ (33) 1 - 55 95 01 30
  Fax : (33) 1 - 41 90 06 61

- **HOME**
  11 bis, Rue de la Course
  33000 Bordeaux - FRANCE
  ☎ (33) 6 - 09 66 55 69

- **Roland CHRISTEN**
  Journalist (Switzerland)

  P.O. Box 84 - Leibachstrasse 19,
  CH-8123 Ebmatingen
  Zürich - SWITZERLAND
  ☎ (41) 1-980 1149
  Fax : (41) 1-980 1572
  Mobile : (41) 89 400 7900

  Villa Terra Nova, Imp. des Hibiscu
  F 30000 Nîmes - FRANCE
  ☎ (33) 4 - 66 36 22 44
  Fax : (33) 4 - 66 36 22 66

- **Paolo CICCARONE**
  Journalist (Italy)

- **ROMBO**

- **HOME**
  Via G. Bruno, 9
  24049 Verdellino (BG) - ITALY
  ☎ (39) 035-883470
  Cellular : (39) 337-232515
               338-7336170

- **Petra CICHOS**
  Journalist (Germany)

- **"DIE AKTUELLE"**
  Nordenstrasse 64
  80801 München - GERMANY
  ☎ (49) 89-27270542
  Fax : (49) 89-27270448

- **HOME**
  Nordenstrasse 64
  80801 München - GERMANY
  ☎ (49) 171-3394930

• Mark COLE
TV Commentator (England)

- **EUROSPORT TV**
- **RACE WORLD MAGAZINE**

- **HOME**
Mill Barn, Thornborough
Buckingham NKI8 2ED - ENGLAND
☎ : (44) 1280-816005
Fax : (44) 1280-814605
E-mail : 101542.1456.comps

• Timothy COLLINGS
Journalist (England)

- **COLLINGS SPORT**
Roslyn House, Sun Street,
Hitchin, Herts SG5 1AE
ENGLAND
☎ (44) 1462-441068
Fax : (44) 1462-441069
Cellular : (44) 802 643171
E-mail : Collings@compuserve.com

• Ercole COLOMBO
Photographer (Italy)

- **STUDIO COLOMBO S.A.S.**
Via 4 Novembre 48
20057 Vedano Al Lambro - ITALY
☎ (39) 039-492178
Fax : (39) 039-493097
Cellular : (39) 335 - 8224282

- **HOME**
Via 4 Novembre 48
20057 Vedano Al Lambro - ITALY
☎ (39) 039-2494409

• Adam COOPER
Journalist (England)
- **HOME** (Belgium)
Kapelstraat 174,
Balen 2490 - BELGIUM
☎ (32) 14 82 06 70
Fax : (32) 14 82 06 80
E-mail : 101777.31@compuserve.com
Cellular : (44) 410 50 88 40
- **HOME** (UK)
6 Saint Helen's Rd,
London SW16 4LB - ENGLAND
☎ (44) 181 - 7647422
Fax : (44) 181 - 6795415

483

HONG KONG EDITION

JAPANESE EDITION

DUTCH EDITION

THE WORLD'S BEST-SELLING FORMULA 1 MAGAZINE

12 different editions published in 11 different languages worldwide.

ENGLISH EDITION

FINNISH EDITION

BRAZILIAN EDITION

GERMAN EDITION

CHINESE EDITION

AUSTRALIAN EDITION

SPANISH EDITION

ITALIAN EDITION

FRENCH EDITION

JOURNALISTS & PHOTOGRAPHER

- **Michael COOPER**
  Photographer (England)

- **ALLSPORT UK**
  3 Greenlea Park,
  Prince Georges Road,
  London, SW19 2JD
  ENGLAND
  ☎ (44) 181 - 685-1010
  Fax : (44) 181 - 648-5240
  E-mail : mcooper@allsport.co.uk

- **Christian COURTEL**
  Journalist (France)

- **AUTO HEBDO**
  48-50, boulevard Senart
  92210 Saint-Cloud - FRANCE
  ☎ (33) 1 - 47 11 20 46
  Fax : (33) 1 - 46 02 09 10

- **Raffaele DALLA VITE**
  Journalist (Italy)

- **LA GAZZETTA DELLO SPORT**
  Via Parmeggiani 8
  40131 Bolognao - ITALY
  ☎ (39) 051 - 238282
  Fax : (39) 051 - 558663

- **HOME**
  Via Volturno 7
  30131 Bologna - ITALY
  ☎ (39) 051 - 233871

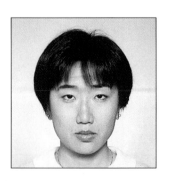

- **Sumie DAN**
  Journalist (Japan)

- **F1 GRAND PRIX SPECIAL**

- **SANKEI SPORTS**

- **FREE LANCE**
  99-7 Kusao, Sakai-shi
  Osaka - JAPAN
  ☎ (81) 722-36-4164
  Fax : (81) 722-36-4164
  E-mail : gee01733@nifty.ne.jp

Christian DANNER
Expert F1 (Germany)

- **RTL-TELEVISION**
  Aachener Straße 1036
  50858 Köln - GERMANY
  ☎ : (49) 221 - 456-5410
  Fax : (49) 221 - 456-5491

François DAURÉ
Journalist (France)

- **VSD**
  15 rue Galvani
  75017 Paris - FRANCE
  ☎ : (33) 1 56 99 51 18
  Fax : (33) 1 56 99 51 22
  Cellular : (33) 6 09 92 25 67

- **HOME**
  14 bis Villa Coursaget
  92270 Bois Colombes - FRANCE

Philippe DE BARSY
Journalist/Photographer (Belgium)

- **E.P.E.**
  41 rue Rubens
  1030 Bruxels - BELGIUM
  ☎ (32) 2 - 241 0133
  Fax : (32) 2 - 241 0133

- **HOME**
  "Sart des Dames", 5, Champ Mahau
  1470 Bousval - BELGIUM
  ☎ (32) 10 - 61 36 45
  Fax : (32) 10 - 61 36 45

Georges DE COSTER
Photographer (Belgium)

- **RACING INTERNATIONAL PHOTOGRAPHY**
  Heierveld 12
  1730 Asse - BELGIUM
  ☎ (32) 95 - 53 15 50
  Fax : (32) 2 - 453 23 29

JOURNALISTS & PHOTOGRAPHER.

Luca DELLI CARRI
Editor (Italy)

F1 RACING (Italian Edition)
Plazza Duca d'Aosta 14
20124 Milano - ITALY
☎ : (39) 02 669 25209
Fax : (39) 02 673 80314
E-mail : freeway@tin.it

Marco DE MARTINO
Journalist (Italy)

IL MESSAGGERO
Via del Tritone 152
00187 Rome - ITALY
☎ : (39) 06-4720474
Fax : (39) 06-47887668
E-mail : www.ilmessagero.it

HOME
Via Colli della Farnessina 110
00194 Rome - ITALY
☎ : (39) 06-36307081

Simon DEMSAR
Journalist (Slovenia)

AVTO
Dunajska 8, P.P. 3551,
1001 Ljubljana - SLOVENIA
☎ (386) 61 1344858
Fax : (386) 61 1344857
E-mail : simon.demsar1@guest.arnes.
Web : www.jesael.siavto

HOME
Studeno 28,
4228 Zelezniki - SLOVENIA
☎ (386) 64 646641

Jacques DESCHENAU.
TV Commentator (Switzerland)

TELEVISION SUISSE ROMAND
20, Quai E. Ansernet
1211 Geneve - SWITZERLAND
☎ (41) 22 708 8400
Fax : (41) 22 708 9813
E-mail : jacques.deschenaux@tsr.c

OURNALISTS & PHOTOGRAPHERS

- **Jean-Michel DESNOUES**
  Journalist (France)

- **AUTO HEBDO**

- **HOME**
  10 Winders Road
  London, SW11 3HE - ENGLAND
  ☎ (44) 171-652 0638
  Fax : (44) 171-787 0806

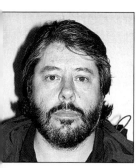

- **Bert DEVIES**
  TV/Radio Commentator (Holland)

- **RACEWORLD TV/EUROSPORT**
  Middenweg 111 - 1394 AG
  Nederhorst Den Berg - HOLLAND
  ☎ : (31) 294 252 353
  Fax : (31) 294 25 36 32
  E-mail : smv@xs4all.nl

- **Pierre DIEVAL**
  Journalist (France)

- **LA VOIX DU NORD**
  8, place du Général de Gaulle
  BP 549
  59023 Lille Cedex - FRANCE
  ☎ (33) 3 20 78 41 04
  Fax : (33) 3 20 78 41 98

- **Coo DIJKMAN**
  Journalist (Holland)

- **DE TELEGRAAF**
  P.o. Box 376
  1000 EB Amsterdam - HOLLAND
  ☎ : (31) 20 58 52 440
  Fax : (31) 20 58 54 115
  Cellular : (31) 65 35 47 733
  Web : www.telegraaf.nl

- **HOME**
  Parallelweg 144
  1541 BE Koog aan de Zaan - HOLLAND

- **Bor DOBRIN**
  Photographer (Slovenia)

- **GRAND PRIX MAGAZINE**
  Savska 3A, SI 1000 Lujbljana
  SLOVENIA
  ☎ : (386) 61 13 77 291
  Fax : (386) 61 13 74 331
  Cellular : (386) 41 739 868
  E-mail : grandprix@mythos.si
  Web : www.mythos.si/grandprix
  E-mail : bdobrin@yahoo.com

- **Tony DODGINS**
  Journalist (England)

- **F1 RACING**

- **ON TRACK (USA)**

- **AS+F (JAPAN)**
  Lydd, 10 Littleheath Lane
  Cobham, Surrey, KT11 2QG
  ENGLAND
  ☎ (44) 1372 - 842158
  Fax : (44) 1372 - 844154
  GSM : (44) 468 - 600597

- **Luc DOMENJOZ**
  Journalist (Switzerland)

- **LE MATIN**
  Avenue de la Gare 33
  CH-1001 Lausanne
  SWITZERLAND
  ☎ : (41) 21 - 883 02 33
  Fax : (41) 21 - 883 02 34

- **HOME**
  En Copy 1041 St-Barthélémy
  SWITZERLAND

- **Steve DOMENJOZ**
  Photographer (Switzerland)

- **AGENCE SDF1**
  Place de la Palud 17
  1003 Lausanne - SWITZERLAND
  ☎ (41) 21 - 312 2120
  Fax : (41) 21 - 312 2127
  Cellular : (41) 79 - 210 4394

Gerald DONALDSON
Journalist/TV Commentator
(Canada)

- **HOME**
270 Brunswick Avenue
Toronto, M5S 2M7 - CANADA
☎ (1) 416 920 6963
Fax : (1) 416 920 9874

Sandro DONATO GROSSO
Pit Reporter (Italy)

- **TELE +**
Corsa Europa 59
Cologno Monzese, Milano - ITALY
☎ (39) 02 70027964
Fax : (39) 02 70027841
Cellular : (39) 335-6740662

Mike DOODSON
Journalist (England)

- **MIKE DOODSON ASSOCIATES**
21 Oaklands
South Godstone
Surrey RH9 8HX - ENGLAND
☎ (44) 1342 892 005
Fax : (44) 1342 893 526
Cellular : (44) 802 502 095
E-mail : 70374,3116@compuserve

Jean-Luc DOUVILLEZ
TV Cameraman (France)

- **TF1**
1 Quai du Point-du-Jour
92656 Boulogne Cedex - FRANCE
☎ : (33) 1 41 41 11 44
Fax : (33) 1 41 41 29 15
E-mail : douvilez@worldnet.fr

JOURNALISTS & PHOTOGRAPHERS

- **Elmar DREHER**
  Journalist (Germany)

- **DEUTSCHE PRESS AGENTUR**
  Königstrasse 1A
  70173 Stuttgart - GERMANY
  ☎ : (49) 711 - 162620
  Fax : (49) 711 - 1626280
  Cellular : (49) 171 - 3094974

- **Pascal DRO**
  Journalist (France)

- **AUTO PLUS**
  43, Rue du Colonel Pierre Avia
  75015 Paris - FRANCE
  ☎ : (33) 1 - 41 33 52 93
  Cellular : (33) 6 - 80 02 82 16

- **HOME**
  35, rue Pouchet
  75017 Paris - FRANCE
  ☎ (33) 1 - 42 28 36 31

- **Jean Marc DUCOS**
  Journalist (France)

- **LE PARISIEN**
  25 avenue Michelet
  93408 St. Ouen - FRANCE
  ☎ (33) 1 40 10 31 41
  Fax : (33) 1 40 10 35 48
  Cellular : (33) 6 09 21 67 06

- **Petr DUFEK**
  Journalist (Czech Republic)
- **SVET MOTORU**
- **FORMULE**
  Strelnicna 1680/8 - 18221 Praha 8
  CZECH REPUBLIC
  ☎ (420) 2 - 6881915
  Fax : (420) 2 - 66193160

- **HOME**
  K Zahradkam 1024 - 15500 Praha
  CZECH REPUBLIC
  ☎/Fax : (420) 2 - 6516715

OURNALISTS & PHOTOGRAPHERS

- ## Pierre DUROCHER
  Journalist (Canada)

- **JOURNAL DE MONTREAL**
  4545 Frontenac, Montreal,
  H2H 2R7 Quebec - CANADA
  ☎ (1) 514-689-2397
  Fax : (1) 514-521-4416
  E-mail : pdurocher@journalmtl.com
  Web : journaldemontreal.com

- **HOME**
  ☎ (1) 450-689-2397

- ## Diego DURRUTY
  Journalist (Argentina)

- **CORSA MAGAZINE**
- **NEW PRESS COMMUNICATIONS**
- **GRAND PRIX**
  Avellaneda 596, Monte Grande (1842)
  Buenos Aires - ARGENTINA
  ☎ : (54) 11-4296 6888
  Fax : (55) 11-4296 6888
  E-mail : durrety@arnet.com.ar

- ## Kevin EASON
  Journalist (England)

- **THE TIMES**
  1 Virginia Street
  London EI 9XN, ENGLAND
  ☎ : (44) 171 782 5000
  Fax : (44) 171 782 5211
  Cellular : (44) 370 381 565
  E-mail : kevin.eason@the-times.co.uk

- **HOME**
  33 Woodland Drive, St Albans
  Hertfordshire AL4 0EL, ENGLAND
  ☎ /Fax : (44) 1727-850447

- ## Kai EBEL
  TV Commentator/Reporter
  (Germany)

- **RTL-TELEVISION**
  Aachener Straße 1036
  50858 Köln - GERMANY
  ☎ : (49) 221 - 456 5422
  Fax : (49) 221 - 456 5493
  Cellular : (49) 171 - 8373432

- **Chris ECONOMAKI**
  Journalist - TV Commentator (USA)
- **NATIONAL SPEED SPORT NEWS**
  6509 Hudspeth Rd , Box 1210,
  Harrisburg, NC 28075 - USA
  ☎ (1) 704-455-2531
  Fax : (1) 704-455-2605
- **HOME**
  942 Wood Hollowlane,
  Ridgewood, NJ 07450 - USA
  ☎ (1) 201-445-0121
  Fax : (1) 201-455-7677

- **Peter van EGMOND**
  Photographer (Netherlands)
- **VAN EGMOND FOTOGRAFIE**
  Heermoes 18,
  3903 EA, Veenendaal
  NETHERLANDS
  ☎ (31) 318 555123
  Fax : (31) 318 554941
  Cellular : (31) 654 384384
  E-mail : egmond.fotografie@worldonline.r

- **Frits van ELDIK**
  Photographer (Netherlands)
- **FRITS VAN ELDIK FOTOGRAFI**
  PO Box 15118,
  3501 BC, Utrecht - NETHERLANDS
  ☎ (31) 30 2761182
  Fax : (31) 30 2769203
- **HOME**
  ☎ /Fax : (31) 33 4944954
  Cellular : (31) 653 344417
  E-mail : frits@formule1.nl
  Web :www.veronica.nl/photography/fritsvaneld

- **Martyn ELFORD**
  Photographer (England)
- **IMAGECARE.COM**
  44 Wood Street
  Kingston Upon Thames,
  Surrey KT1 IUW - ENGLAND
  ☎ (44) 181-541-5403
  Fax : (44) 181-541-5404
  Web : www.imagecare.com
- **HOME**
  119 St. Thomas Rd
  London, N4 2QJ - ENGLAND
  ☎ / Fax : (44) 171 704 1110

• Steve ETHERINGTON
Photographer (England)

- **EPI**
  Unit 2,
  Normanton Lane, Industrial Estate,
  Bottesford, Nottingham
  ENGLAND
  ☎ (44) 1949-843438
  Fax : (44) 1949-843640
  Cellular: (44) 498-626288
  E-mail : steve@epiphoto.demon.co.uk

• Bruno FABLET
Photographer (France)

- **JOURNAL L'EQUIPE**
  4, rue Rouget de l'Isle
  92137 Issy-les-Moulineaux - FRANCE
  ☎ (33) 1 - 40 93 20 35
  Fax : (33) 1 - 40 93 22 99

- **HOME**
  Fax : (33) 1 - 46 04 98 89

• René FAGNAN
Journalist (Canada)

- **WORLD OF WHEELS**
- **LE MONDE DE L'AUTO**
- **POLE POSITION MAGAZINE**
- **PPGI TV**

- **HOME**
  108, place Cusson
  Laval, Québec H7L 4A4
  CANADA
  ☎ : (1) 450 - 622-0068
  Fax : (1) 450 - 622-0068
  E-mail : rfagnan@generation.net

• Ferruccio FALLETTI
Journalist/Photographer (Italy)

- **STUDIO FALLETTI**
  Via San Marco, 16
  20121 Milano - ITALY
  ☎ : (390) 02 - 6571084
  Fax : (390) 02 - 6571232
  Cellular : (390) 335 235 235

• Giancarlo FALLETTI
Journalist (Italy)

- **CORRIERE DELLA SERA**
  Via Solferino 28
  20121 Milano - ITALY
  ☎ : (39) 02 - 62827240
  Fax : (39) 02 - 6571232
  Cellular : (39) 0335 - 6060666

- **HOME**
  C.So Sempione, 60
  20154 Milano - ITALY
  ☎ : (39) 02 - 3450110

• Paul FEARNLEY
Editor (England)

- **F1 RACING (English Edition)**
  38-42 Hampton Road
  Teddington TW11 0JE - ENGLAND
  ☎ : (44) 181 943 5183
  Fax : (44) 181 943 5022
  E-mail : paul.fearnley@haynet.com

• Artur FERREIRA
Photographer/Journalist (Portugal)

- **PHOTOSPRINT AGENCY**
  Calçada de Santana, 169
  1150 Lisboa - PORTUGAL
  ☎ (351) 1 - 8853322
  Fax : (351) 1 - 8853021

- **HOME**
  Rua Brito Pais, 10-7ᵉ DTO
  1495 Alges - PORTUGAL
  ☎ (351) 1 - 4103572

• Paolo FILISETTI
Technical Editor (Italy)

- **STUDIO FILISETTI**
  Via Lumiere 5
  20127 Milano - ITALY
  ☎ (39) 02 2614-7506
  Fax : (39) 02 2614-7506
  Cellular : (39) 335-638-0264
  E-mail : artemi@rcs.it

- **Pedro Fermin FLORES MARTIN**
  Journalist (Spain)
- **F1 RACING (Spanish Edition)**
  Via Augusta 13.15
  6a Planta Officina No 603
  08006 Barcelona - SPAIN
  ☎ : (34) 93 292 29 30
  Fax : (34) 93 237 36 78
  Cellular : (34) 629 02 69 71
  E-mail : pesefermi@compuserve.com

- **Mark FOGARTY**
  Journalist (England)
- **SUNDAY HERALD SUN (Melbourne, Australia)**
  14 Dresden Way, Weybridge,
  Surrey KTI3 9AU
  ENGLAND
  ☎ (44) 1932 - 855828
  Fax : (44) 1932 - 855824
  Cellular : (44) 385 - 364031
  E-mail : foges@compuserve.com

- **Lewis FRANCK**
  Journalist (USA)
- **CHAMPIONSHIP RACING MAG.**
  42 West, 83 rd Street
  New York, NY10024 - USA
  ☎ : (1) 212 362 2990
  Fax : (1) 212-769-9583
  E-mail : 72446.3327@compuserve.com

- **Jean-Pierre FROIDEVAUX**
  Photographer (Switzerland)
- **FROIDEVAUX MOTOR SPORT FOTOS**
  Brühlstr. 87 C
  9320 Arbon - SWITZERLAND
  ☎/Fax : (41) 71 - 446 9182
  Cellular : (41) 79 403 2721
  E-mail : froidevauxmotorsportfotos@bluewindow.ch

JOURNALISTS & PHOTOGRAPHERS

- **Lionel FROISSART**
  Journalist (France)

- **LIBERATION**
  11, rue Beranger
  75003 Paris - FRANCE
  ☎ (33) 1 - 42 76 19 68
  Fax : (33) 1 - 42 76 16 51

- **Christophe GAILLARD**
  Editor (France)

- **F1 RACING (French Edition)**
  1 rue Rougemont
  75009 Paris - FRANCE
  ☎ : (33) 1 53 24 91 41
  Fax : (33) 1 53 24 90 29
  E-mail : f1racing.france@wanadoo.

- **Marco GALDI**
  Journalist (Italy)

- **AGENZIA ANSA**
  Via della Dataria, 94
  00187 Roma - ITALY
  ☎ : (39) 06 - 6774-280
  Fax : (39) 06 - 6774-496

- **HOME**
  Via della Camilluccia, 179
  00135 Roma - ITALY
  ☎ /Fax : (39) 06 - 3545-3227

- **Jean-François GALERON**
  Photographer (France)

- **AGENCE GALERON**
  ACTION PHOTO
  21, Chemin du Calvaire
  69570 Dardilly - FRANCE
  ☎ (33) 4 - 78 47 49 19
  Fax : (33) 4 - 78 66 03 14

● Cesare GALIMBERTI
Photographer (Italy)

● **FOTOCRONACHE OLYMPIA**
Via Porpora, 109
20131 Milano - ITALY
☎ (39) 02-26142222
Fax : (39) 02-26142333
Cellular : (39) 336 843795

● **HOME**
Via Dante 34
2040 Cambiago, Milano - ITALY
☎ (39) 02-9506264

● Eric GENDRY
TV Commentator (France)

● **MONTE-CARLO - TMC**

● **TMC PRODUCTION**
2, rue Maurice Hartmann,
92130 Issy-les-Moulineaux
FRANCE
☎ (33) 1-40-93-47-77
Fax : (33) 1-40-93-47-13

● Yves GENIES
Journalist/TV Commentator
(France)

● **TF1**
1, quai du Point du Jour
92656 Boulogne Billancourt
FRANCE
☎ (33) 1 41 41 10 58
Fax : (33) 1 41 41 29 95

● **HOME**
19, Allée des Chênes
93220 Gagny - FRANCE

● Gianni GIANSANTI
Photographer (Italy)

● **SYGMA**
74 bis, rue Lauriston
75116 Paris - FRANCE
☎ (33) 1 - 47 27 70 30
Fax : (33) 1 - 47 27 23 59

● **HOME**
Via San Cosimato 15
00153 Roma - ITALY
☎ (39) 05898955
Fax : (39) 058332380

JOURNALISTS & PHOTOGRAPHERS

- **Manfred GIET**
  Journalist/Photographer
  (Belgium)

- **PUBLIRACING AGENCY**
  Geromont, 36, Route de Waimes,
  4960 Malmedy - BELGIUM
  ☎ (32) 80 - 338989
  Fax : (32) 80 - 338047

- **Anne GIUNTINI**
  Journalist (France)

- **L'EQUIPE MAGAZINE**
  4, rue Rouget de Lisle
  92137 Issy-les-Moulineaux Cedex
  FRANCE
  ☎ (33) 1 40 93 23 79
  Fax : (33) 1 40 93 24 87

- **Michael GLOCKNER**
  Photographer (Austria)

- **STUDIO GLOCKNER**
  8933 St. Gallen 158 - AUSTRIA
  ☎ (43) 3685 - 221317
  Fax : (43) 3685 - 22304
  E-mail : office@ennstal-classic.at

- **George GOAD**
  Journalist (USA)

- **FOSA - FORMULA ONE
  SPORTS AGENCY**
  8033 Sunset Blvd, #60
  Los Angeles, CA 90046 - USA
  ☎ (1) 323 - 658-5884
  Fax : (1) 818 - 982-9529
  E-mail : 73044,201@compuserve.co

• Hans GOERTZ
Journalist /Photographer (Germany)

• **SPORTSPRO**
Gollierstrasse 28R
80339 München - GERMANY
☎ (49) 89 - 51 00 99-10
Fax : (49) 89 - 51 00 99-18
Cellular : (49) 171 - 2 33 36 17
E-mail : hegoertz@aol.com

• Flavio GOMES
Journalist/Radio Commentator (Brazil)

• **WARM UP**
Av. Paulista 807, Conj. 802
01311-100 - São Paulo (SP) - BRAZIL
☎ : (55) 11 - 284 2956
Fax : (55) 11 - 284 8139
Cellular : (55) 11 - 9990 8888
E-mail : flaviog@warmup.com.br
Web : www.warmup.com.br

• **HOME**
Al. dos Jurupis, 900 - Tower 4, Apt 74
04088-002 São Paulo (SP) - BRAZIL
☎ : (55) 11 - 530 5600

• Jürgen GOMMEREN
Editor (Holland)

• **F1 RACING (Dutch Edition)**
Oudesids Voorburgwal 248
1012 GK Amsterdam - HOLLAND
☎ : (31) 2-05200716
Fax : (31) 2-05200716
Cellular : (31) 651618546
E-mail : gommeren@caserna.net

• Wagner GONZALEZ
Journalist - TV Commentator
(Brazil)

• **BEEPRESS NEWS**
Av. S. Amaro 1932, CJ.4/5,
04506-003 Sao Paulo SP - BRAZIL
☎ /Fax : (55) 11 8229113
E-mail : 106145.446@compuserve.com

• **BEEPRESS NEWS**
Av. Rouxinol 857 apto 91
04516-001 Sao Paulo SP - BRAZIL
☎ (55) 11 5312778

JOURNALISTS & PHOTOGRAPHERS

- **Louise GOODMAN**
  TV Commentator (England)

- **ITV/MACH 1**
  The Chrysalis Television Building
  46-52 Hentonville Road
  London NI 9HF - ENGLAND
  ☎ (44) 171-5026000
  Fax : (44) 171-5025600

- **HOME**
  Fax : (44) 1865 - 876410

- **Lukas GORYS**
  Journalist/Photographer (German)

- **GORYS MOTORSPORT
  FOTOGRAFIE**
  Kirchbühl 11,
  76287 Rheinstetten - GERMANY
  ☎ : (49) 721 510302
  Fax : (49) 721 515798
  Cellular : (49) 172 7229121
  E-mail : ltgorys@aol.com
  Web : www.gorys.de

- **François GRANET**
  Journalist (France)

- **L'AUTOMOBILE MAGAZINE**
  12, rue Rouget de Lisle
  92442 Issy-les-Moulineaux
  FRANCE
  ☎ (33) 1 41 33 37 37
  Fax : (33) 1 41 33 37 99
  Cellular : (33) 6 07 23 96 68

- **Patrick GRIVAZ**
  Radio Commentator (France)

- **RADIO FRANCE**
  116, Avenue du President Kennedy
  75016 Paris - FRANCE
  ☎ (33) 1 42 30 28 01
  Fax : (33) 1 42 30 49 10
  Cellular : (33) 6 11 11 59 33

Thierry GROMIK
Photographer (France)

- **SIPA SPORT**
  101, bld Murat
  75016 Paris - FRANCE
  ☎ (33) 1 - 47 43 47 65
  Fax : (33) 1 - 47 43 47 47

- **HOME**
  17 bis, allée Etienne Dolet
  93190 Livry-Gargan - FRANCE
  ☎ (33) 1 - 43 32 81 88

Sandrine HAAS
Photographer (Belgium)

- **HAAS STUDIO**
  29 rue de Cotte
  75012 Paris - FRANCE
  ☎/Fax : (33) 1 44 68 09 69
  Cellular : (32) 75 32 25 57
  Web : www.sportsphotography.com/pro

- **HOME**
  73 Rue Saint Bernard
  1060 Brussels - BELGIUM
  ☎/Fax : (32) 2 538 55 87

Akihito HAIBARA
Journalist (Japan)

- **AS+F**
  4-8-16 Kitashinjuku, Shinjuku-ku
  Tokyo 169-8588 - JAPAN
  ☎ : (81) 3 3364-3196
  Fax : (81) 3 3364-3892
  E-mail : haibara@wa2.wa2.so-net.ne.jp

Maurice HAMILTON
Journalist/Radio Commentator
(England)

Kent House, High Street,
Cranleigh Surrey, GU6 8AU
ENGLAND
☎ : (44) 1483 - 271012
Fax : (44) 1483 - 276111
Cellular : (44) 802 - 501357
E-mail : mauricehamilton@compuserve.com

• Fujio HARA
Photographer (Japan)

- **OFFICE F & H**

- **HOME**
3-26-22 Zenpukuji
Suginami-Ku - Tokyo - JAPAN
☎ (81) 3 - 3399-1227
Fax : (81) 3 - 3632-2678

• Akira HAYASHI
Journalist (Japan)

- **SANKEI SPORTS**
1-7-2 Otemachi, Chiyoda-ku
Tokyo - JAPAN
☎ : (81) 3 3275-8949
Fax : (81) 3 3275-8834

- **HOME**
2-31-1 Tokiwadaira, Matsudo city
Chiba-ken - JAPAN

• Darren HEATH
Photographer (England)

- **DARREN HEATH
PHOTOGRAPHER**
342 Old York Road
Wandsworth Town, London SW18 1
ENGLAND
☎ (44) 181 - 488 8501
Fax : (44) 181 - 488 8501
Cellular : (44) 831 - 251 461

• Timo HEIKKALA
Photographer (Finland)

- **OPTE OY**
Pursimiehenkatu 29-31E
00150 Helsinki - FINLAND
☎ (358) 9-6220590
Fax : (358) 9-62205922
Cellular : (358) 40-5560231
E-mail : opte@opte.f1

- **Stefan HEINRICH**
  TV Commentator (Germany)

- **EUROSPORT TV**

- **SPORTCOMMUNICATIONS & PR**
  Alexanderstrasse, 14
  72072 Tübingen - GERMANY
  ☎ : (49) -7071-36291
  Fax : (49) - 7071-367808

- **Alan HENRY**
  Journalist (England)

- **THE GUARDIAN**

- **AUTOCAR**
  Old Reddings East
  Tillingham, Essex CM0 7NX
  ENGLAND
  ☎ (44) 1621 - 779608
  Fax : (44) 1621 - 778169
  Cellular : (44) 802 - 443881
  E-mail : AlanHenry@compuserve.com

- **Mike HEWITT**
  Photographer (England)

- **ALLSPORT PHOTOGRAPHIC**
  3 Greenlea Park, Prince George's Road
  London, SW19 2JD - ENGLAND
  ☎ (44) 181 - 685-1010
  Fax : (44) 181 - 648-5240

- **HOME**
  62 Haverhill Road, Balham
  London, SW12 - ENGLAND
  ☎ (44) 181 - 675-4539

- **Tobias HEYER**
  Photographer (Germany)

- **BONGARTS SPORTFOTOGRAFIE**
  Stresemannstrasse 375
  22761 Hamburg, GERMANY
  ☎ : (49) 40 890-1130
  Fax : (49) 40 890-2394
  E-mail : bongarts@aol.com

- **HOME**
  Holtkampstrasse 54
  32257 Bünde - GERMANY
  ☎ : (49) 5223-574763
  Fax : (49) 5223-574764

505

JOURNALISTS & PHOTOGRAPHERS

- **Horace HICKS**
  Journalist (USA)
- **RACEFAX**
  16931 Knapp Street
  Northridge, CA 91343 - USA
  ☎ (1) 818-892-0722
  Fax : (1) 818-892-5292
  E-mail : forrest@racefax.net
- **HOME**
  502 Crabbery Lane,
  Raleigh, NC 27609 - USA
  ☎ (1) 919-676-0668
  Fax : (1) 919-676-0868
  E-mail : rsx@concentric.net

- **Nishiyama HIRAO**
  Journalist (Japan)
- **"RACING ON"**
  NEWS PUBLISHING Co., INC.
  2-15-14 Mishuku Setagaya-ku
  Tokyo 154-8575 - JAPAN
  ☎ (81) 3 - 5430-4462
  Fax : (81) 3 - 5433-8749
  E-mail : racingon@news-pub.com
- **HOME**
  3-36-12-104 Nishiogikita
  Suginami-ku, Tokyo 167-0042
  JAPAN
  ☎ (81) 3 - 3394-7568
  Fax : (81) 3 - 3397-7028

- **Hans HUG**
  Journalist (Switzerland)
- **NEUE ZÜRCHER ZEITUNG**
  P.O. Box 6076
  8023 Zürich - SWITZERLAND
  ☎ (41) 1 - 271 3333
  Fax : (41) 1 - 271 9283
- **HOME**
  Im Schloss - 8260 Wagenhausen
  SWITZERLAND
  ☎/Fax : (41) 52 - 741 3088

- **Lynne HUNTTING**
  Journalist (USA)
- **PRESS SNOOP**
  P.O. Box 9980,
  Oakland, CA 94613-0980 - USA
  ☎ (1) 510 - 763-7948
  Fax : (1) 510 - 763-6574
  E-mail : snoop@racingpr.com
- **HOME**
  247 Fourth Street, Loft 103
  Oakland, CA 94607 - USA

OURNALISTS & PHOTOGRAPHERS

- **Jeff HUTCHINSON**
  Journalist (England)
- **INTERNATIONAL PRESS AGENCY**
  Chessenaz
  74270 Frangy - FRANCE
  ☎ (33) 4 - 50 32 21 36
  Fax : (33) 4 - 50 32 27 34
- **HOME**
  October to March every year
  Po Box 398 - Mona Vale
  N.S.W. 2103 - AUSTRALIA
  ☎ (61) 299 795013
  Fax : (61) 299 797 194

- **Justin HYNES**
  Journalist (Ireland)

- **THE IRISH TIMES**

- **THE SUNDAY TRIBUNE**
  15 Lower Baggot Street
  Dublin 2 - IRELAND
  ☎ : (353) 1 6615555
  Fax : (353) 1 6615302
  Cellular : (353) 87 2465267
  E-mail : jhynesf1@hotmail.com
  E-mail : justin@iol.ie

- **Jun IMAMIYA**
  Journalist - TV Commentator
  (Japan)

- **HOME**
  6-37 16 A, Shimouma, Setagaya-ku
  Tokyo - JAPAN
  ☎ : (81) 3 - 34247040
  Fax : (81) 3 - 34244643

- **Masako IMAMIYA**
  Journalist (Japan)

- **SPORTS GRAPHIC NUMBER**
  3-23 Kioi-Cho
  Chiyoda-ku, Tokyo #102 - JAPAN
  ☎ (81) 3 - 3288-6117
  Fax : (81) 3 - 3239-3699

- **HOME**
  6-37-16 A, Shimouma, Setagaya-ku
  Tokyo #154 - JAPAN
  ☎ (81) 3 - 34247040
  Fax : (81) 3 - 3424-4643

PPGI

Partnership Production Group International

PPGI broadcasts
Racing Series
on "free over the air"
networks in Asia.

Live or same day
taped delay

**People's Republic
of China**
25 stations

India
on Doordarshan

**Unique and
personalised**
broadcast sponsorship
programmes and advertising
campains in Asia.

Contact us :

Monaco
+377 97 97 31 97 Tel.
+377 97 97 31 98 Fax

Hong Kong
+852 2970 3838 Tel.
+852 2970 3818 Fax

JOURNALISTS & PHOTOGRAPHER.

- **Peter INNES**
  Journalist (England)

- MOTORING NEWS
  38-42 Hampton Road
  Teddington, Middlesex
  TW11 OJE - ENGLAND
  ☎ : (44) 181 943 5916
  Fax : (44) 181 943 5990
  E-mail : peter.innes@haynet.com

- **Celso ITIBERÊ**
  Journalist/Radio commentator (Braz

- **O GLOBO**
  Rua Irineu Marinho, 35, 2° Andar
  Rio de Janeiro - BRAZIL
  ☎ (55) 21 - 534 5530
  Fax : (55) 21 - 534 5675
  E-mail : itibere@oglobo.com.br

- **HOME**
  Rud Sambaiba, 190/602
  22450 Rio de Janeiro - BRAZIL
  ☎ (55) 21 - 239 4609

- **Manfred JANTKE**
  TV commentator (Germany)
- **EUROSPORT**
  3, rue Caudron,
  92798 Issy-les-moulineaux,
  Cedex 9, Paris - FRANCE
  ☎ (33) 1-40 93 82 45
  Fax : (33) 1-40 93 80 39
- **HOME**
  Ludwig Finckh Str. 23
  D-78333 Stockach - GERMANY
  ☎ (49) 7771-62426
  Fax : (49) 7771-62426

- **Tony JARDINE**
  TV Studio Expert (England)

- **ITV/MACH 1**
  The Chrysalis Television Building
  46-52 Hentonville Road
  London N1 9HF
  ☎ (44) 171-5026000
  Fax : (44) 171-5025600

• Ralf JARKOWSKI
Journalist (Germany)

- **• DEUTSCH PRESSE-AGENTUR**
  Mittelweg 38
  20148 Hamburg - GERMANY
  ☎ : (49) 40 4113 2232
  Fax : (49) 40 4113 2239
  Cellular : (49) 171 303 7131
  E-mail : info@rsr.dpa.de

- **• HOME**
  Forstweg 1 B
  D - 22850 Norderstedt
  ☎ : (49) 40 52 57 804

• Cindy JOHNSON
Journalist (USA)

- **• IKF/WKA MAGAZINE**
  4650 Arrow Highway, Suite C-7
  Montclair, CA 91763 - USA
  ☎ (1) 405 - 840-3158

- **• HOME**
  P.O. Box 3879
  Seal Beach, CA 90740 - USA
  ☎ (1) 714 - 878-2506

• Wayne JOHNSON
Photographer (USA)

- **• ROAD & TRACK**
  1499 Monrovia Avenue
  Newport Beach, CA - USA
  ☎ (1) 949 -720 - 5311
  Fax : (1) 949 631 - 2757

- **• HOME**
  P.O. Box 3879
  Seal Beach, CA 90740 - USA
  ☎ (1) 714 - 878-2506
  E-mail : Flatspeed@aol.com

• Bruce JONES
Journalist (England)

- **• AUTOSPORT**

- **• FULL CHAT**
  52 Cheriton Square,
  London SW17 8AE - ENGLAND
  ☎ (44) 181 - 675 2421
  Fax : (44) 181 - 675 2421

JOURNALISTS & PHOTOGRAPHER.

- **Allard KALFF**
  TV Commentator (Holland)

- **RTL 4**
  P.O. Box 15000
  1200 TV Hilversum - HOLLAND
  ☎ (31) 35 - 671 8742
  Fax : (31) 35 - 67 85070

- **Vincent KALUT**
  Photographer (Belgium)
- **GP SPECIAL**
  ☎ (32) 2 - 647 1750
  Fax : (32) 2 - 648 2989
- **VANDYSTADT**
  ☎ (33) 1 - 457 98854
  Fax : (33) 1 - 457 5371
- **HOME**
  Rue Fontenelle 2
  1350 Marilles - BELGIUM
  ☎ (32) 75 - 757516
  Fax : (32) 19 - 635216
  E-mail : vka@usa.net

- **Hiroshi KANEKO**
  Photographer (Japan)

- **FREE LANCE**
  2-14-8. Sanno, Ohta-ku
  Tokyo 143 - JAPAN
  ☎ (81) 3 - 37720564
  Fax : (81) 3 - 37767670
  Cellular : (81) 90 35101694
  E-mail : gpkaneko@kt.rim.or.jp

- **Kazuhito KAWAI**
  TV Commentator (Japan)

- **FUJI TELEVISION**
  (Sports Department)
  11th floor, 2-4-8 Daiba, Minato-ku
  Tokyo 137-8088 - JAPAN
  ☎ (81) 3 - 55008669
  Fax : (81) 3 - 55008796

JOURNALISTS & PHOTOGRAPHERS

- ## Dan KNUTSON
  Journalist (USA)
- **NATIONAL SPEED SPORT NEWS**
- **INDY F1.COM**
- **FOX TV**
- **THE TORONTO SUN**
- **HOME**
  8406 Haeg Drive
  Bloomington, MN 55431-1724-USA
  ☎ (1) 612 - 851-9714
  Fax : (1) 612 - 854-0963
  E-mail : DKunutson@mcimail.com

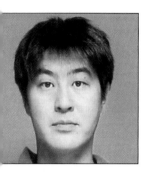

- ## Tetuaki KOHIRA
  Journalist / Photographer (Japan)

- **THE CHUNICHI SHIMBUN**
  2-3-13 Konan, Minato-Ku
  Tokyo 108-8010 - JAPAN
  ☎ : (81) 3 3458-9228
  Fax : (81) 3 3740-0948

- **HOME**
  1-27-16 Minamihagikubo -
  Suginami-ku
  Tokyo - JAPAN

- ## Norio KOIKE
  Photographer (Japan)
- **F1 RACING (Japanese Edition)**
  San-Ei Publishing Co.
  4-8-16 Kita-shinjuku, Shinjuku-ku
  Tokyo 169-8588
  ☎ (81) 3 - 3364-3070
  Fax : (81) 3 - 3364-3891
- **STUDIO**
  Terauchi Bldg 1F
  66 Tenjincho, Shinjuku-ku,
  Tokyo 162-0808 - JAPAN
  ☎ (81) 3 - 3260-7107
  Fax : (81) 3 - 3260-7864

- ## Florian KÖNIG
  Host RTL (Germany)

- **RTL-TELEVISION**
  Aachener Straße 1036
  50858 Köln - GERMANY
  ☎ : (49) 221 - 456 5435
  Fax : (49) 221 - 456 5493

JOURNALISTS & PHOTOGRAPHERS

. **Roland KORIOTH**
Journalist - Sport Editor
(Germany)

. **AUTOBILD MAGAZINE**
Axel Springer Verlag AG
Axel Springer Platz 1
20350 Hamburg - GERMANY
☎ (49) 40 - 347-22115
Fax : (49) 40 - 347-22421
Cellular : (49) 171 - 5018707
E-mail : autobild@asv.de
Web : www.autobild.de

. **Bodo KRÄLING**
Photographer (Germany)

. **KRÄLING MOTORSPORT
BILD AGENTUR**
Sorpestraße 36
59955 Winterberg - GERMANY
☎ (49) 2983 - 97280
Fax : (49) 2983 - 972828
E-mail : kraeling-bildagentur@t-online.de

. **Ferdi KRÄLING**
Photographer (Germany)

. **KRÄLING MOTORSPORT
BILD AGENTUR**
Sorpestraße 36
59955 Winterberg - GERMANY
☎ (49) 2983 - 97280
Fax : (49) 2983 - 972828
E-mail : kraeling-bildagentur@t-online.de

. **Heikki KULTA**
Journalist (Finland)

. **TURUN SANOMAT**
Kauppiaskatu 5
20100 Turku - FINLAND
☎ : (358) 2-26993311
Fax :(358) 2-2693277
Cellular : (358) 50-5232277
E-mail : heikki.kulta@ts-group.fi
Web : www.turunsanomat.fi

. **HOME:**
Kinnanmaentie 10
20780 Kaarina - FINLAND
☎ : (358) 2-2431315

- ## Gerhard KUNTSCHIK
  Journalist (Austria)

- **SALZBURGER NACHRICHTEN**
  Karolingerstraße 40 - 5021 Salzburg
  - AUSTRIA
  ☎ : (43) 662 8373378
  Fax : (43) 662 8373374
  Cellular : (43) 664 1816134
  E-mail : sport@salzburg.com
  Web : www.salzburg.com

- **HOME**
  Adneter Riedl 62
  5400 Hallein - AUSTRIA
  ☎/Fax : (43) 6245 82255

- ## Renaud de LABORDERIE
  Journalist (France)

- **SPORT AUTO (France)**
  43 rue du Colonel Pierre Avia
  75754 Paris Cedex 15
  ☎ : (33) 1 41 33 53 90
  Fax : (33) 1 41 33 57 45
  Cellular : (33) 6 09 18 18 78

- **HOME**
  33 rue de Boulainvilliers
  75016 Paris - FRANCE
  ☎ : (33) 1 45 25 31 50
  Fax : (33) 1 45 24 49 26

- ## Jacques LAFFITE
  TV Commentator (France)

- **TF1**
  1, quai du Point du Jour
  92100 Boulogne - FRANCE
  ☎ (33) 1 - 41 41 25 35
  Fax : (33) 1 - 41 41 29 95

- ## Jean LANGEVIN
  Marketing & Sponsorship (Monaco)

- **PPGI**
  57 rue Grimaldi, Bloc C/D
  Le Panorama
  98000 MONACO
  ☎ : (377) 97 97 31 97
  Fax : (377) 97 97 31 98
  E-mail : jlangevin@ppgintl.com

- **Tyler LARKIN**
  Photographer (Germany)

- **ASA FOTO AGENCY**
  Hillernstrasse 8
  81241 Münich, GERMANY
  ☎ : (49) 89 - 8968060
  Fax : (49) 89 - 8968061

- **Peter LATTMANN**
  Journalist (Switzerland)
- **DER LANDBOTE**
  Garnmarkt 8401 Winterthur
  SWITZERLAND
  ☎ (41) 52 - 2669960
  Fax : (41) 52 - 2669911
  E-mail : platmann@landbote.ch
- **HOME**
  Dickbucher Str. 14, Oberschottikon
  8352 Raterschen, SWITZERLAND
  ☎/Fax : (41) 52 - 3631132

- **Niki LAUDA**
  Expert F1 (Austria)

- **RTL-TELEVISION**
  Aachener Straße 1036
  50858 Köln - GERMANY
  ☎ (49) 221 - 456 5410
  Fax : (49) 221 - 456 5491

- **Pamela LAUESEN**
  Photographer (USA)

- **FOSA - FORMULA ONE
  SPORTS AGENCY**
  8033 Sunset Blvd, #60
  Los Angeles, CA 90046 - USA
  ☎ (1) 323 - 658-5884
  Fax : (1) 818 - 982-9529
  E-mail : 73044,201@compuserve.co

OURNALISTS & PHOTOGRAPHERS

• **Michel Patrick LAURET**
Photographer (France)

• **IMAGES 3D/PRESSIMAGE**
5/7 rue Raspail
93108 Montreuil Cedex - FRANCE
☎ : (33) 1 - 49 88 63 63
Fax : (33) 1 - 49 88 63 69
Cellular : (33) 6 - 85 52 28 71

• **Jean LEFEBVRE**
Journalist (Canada)

• **PPGI**
104 Blvd Montcalm Nord, suite 200
Candiac, Quebec J5R 3L8
CANADA
☎ : (1) 450-444-7432
Fax : (1) 450-444-3104
E-mail : jlefebvre@ppgiintl.com

• **HOME**
537 Saint Charles Est, Longueuil
Quebec J4H 1B6 - CANADA
☎ : (1) 450-674-9567

• **Jeff LEHALLE**
TV Cameraman (France)

• **HOME**
10, avenue de la Liberté
06360 Eze-sur-Mer - FRANCE
☎ (33) 493 01 58 44
Fax : (33) 493 01 53 64

• **Stéfan L'HERMITTE**
Journalist (France)

• **L'EQUIPE MAGAZINE**
4, rue Rouget de Lisle
92137 Issy-les-Moulineaux
FRANCE
☎ (33) 1 40 93 22 50
Fax : (33) 1 40 93 24 92
Cellular : (33) 6 86 28 11 10

JOURNALISTS & PHOTOGRAPHER

- **Paolo LEOPIZZI**
  TV Commentator (Italian)

- **TELEPIU (DIGITAL TV)**
  Viale Europa 53,
  20093 Cologio Momzese - ITALY
  ☎ (39) 02-7002-7716
  Fax : (39) 02-7002-7841

- **HOME**
  Via Senato 22
  20121 Milan - ITALY

- **Dominique LEROY**
  Photographer (French)

- **AGENCE LEROY**
  31 rue de la Madeleine
  30000 Nîmes - FRANCE
  ☎ (33) 4 - 66 21 20 43
  Fax : (33) 4 - 66 76 25 34

- **HOME**
  Residence l'Occident I,
  2 av. Kennedy,
  30000 Nîmes - FRANCE
  ☎ : (33) 4 - 66 23 03 62

- **Pascal LE SEGRETAI**
  Photographer (France)

- **SYGMA**
  74 bis, rue Lauriston
  75116 Paris - FRANCE
  ☎ (33) 1 - 47 27 70 30
  Fax : (33) 1 - 47 27 23 59

- **HOME**
  ☎ (33) 6 - 07 35 73 37

- **Gilles LEVENT**
  Photographer (France)

- **AGENCE D.P.P.I.**
  89, rue Carnot
  92303 Levallois-Perret - FRANCE
  ☎ (33) 1 - 41 49 00 20
  Fax : (33) 1 - 41 49 00 22

• Jean-Marc LISSE
Photographer (France)

• **FREE LANCE**
5, allée de la Paix
92220 Bagneux - FRANCE
☎ (33) 1 - 46 64 84 84
Fax : (33) 1 - 46 64 84 84
Mobile : (33) 6 - 11 61 64 02

• Pietro LISSIA
Photographer (Italy)

• **PHOTO 4**
Via J. Gagarin 6
40044 Sasso Marconi - BO
ITALY
☎ (39) 051 846392
Fax : (39) 051 845790

• Jean-Marc LOUBAT
Photographer (France)
• **VANDYSTADT**
☎ (33) 1 - 45 79 88 54
Fax : (33) 1 - 45 75 31 71
• **HOME**
Campy
47410 Lauzun - FRANCE
☎ (33) 5 - 53 93 14 14
Fax : (33) 5 - 53 93 50 60
Mobile : (33) 6 - 80 60 84 51
Web image : www.F1photography.com
E-mail : jml@F1photography.com

• Hideaki MACHIDA
Journalist (Japan)
• **FI RACING (Japan)**
4-8-16 Kitashinjuku, Shinjuku-ku
Tokyo 169-8588 - JAPAN
☎ (81) 3 - 3364-3070
Fax : (81) 3 - 3364-4942
Cellular : (81) 90 - 30629459
E-mail : machida3@mb.infoweb.ne.jp
• **HOME**
3-2-15 A-2, Miyamae Suginami-ku
Tokyo - JAPAN
☎ /Fax : (81) 3 - 3332-6567
Cellular : (81) 90-30629456

519

Jean-M.
Campy - 47410 Lauzun - FRANCE - Pho
Cellular : (33) 6 - 80 60 84 51 -
SITE WEB Images : W

LOUBAT

5 - 53 93 14 14 - Fax : (33) 5 - 53 93 50 60

JML@F1PHOTOGRAPHY.COM

PHOTOGRAPHY.COM

JOURNALISTS & PHOTOGRAPHER

- **Biagio MAGLIENTI**
  TV Commentator (Italy)
- **TELE+**
  Via Europa 59
  2093 Cologno Monzese (MI) - ITAL
  ☎ (39) 02 - 70027949
  Fax : (39) 02 - 70027848
  Cellular : (39) 338 - 7404920
  E-mail : maglienti@dido.net
- **HOME**
  Via Triacca 4
  21026 Gavirate (VA) - ITALY
  ☎/Fax :(39) 0332 - 743455

- **Tim MALLARD**
  TV Producer - Cameraman
  (England)
- **WILD DUCK PRODUCTIONS**
  1, Chilworth Cottage
  Chilworth Farm, Great Milton
  Oxford OX44 7JH - ENGLAND
  ☎/Fax : (44) 1844 - 278827
  E-mail : wild.duck@btinternet.com

- **Carlo MARINCOVICH**
  Journalist (Italy)
- **LA REPUBLICA**
  Piazza Indipendenza 11/B
  00185 Roma - ITALY
  ☎ (39) 06 - 49822335
  Fax : (39) 06 - 4457332
- **HOME**
  Via Asmara 27
  00199 Roma - ITALY
  ☎ (39) 06 - 86219591

- **John MARSH**
  Photographer (England)
- **EMPICS PHOTO AGENCY**
  26 Musters Road, West Bridgford
  Nottingham - ENGLAND
  ☎ : (44) 115-8404444
  Fax : (44) 115-8404445
  E-mail : johnm@empics.co.uk

• Akira MASE
Journalist (Japan)

- **SWISS OFFICE**
Route du Village
"Résidence Bellevue B"
1112 Echichens - Vaud
SWITZERLAND
☎ (41) 21 - 803 1040
Fax : (41) 21 - 803 1045

• Jochen MASS
Expert F1 (Germany)

- **RTL-TELEVISION**
Aachener Straße 1036
50858 Köln - GERMANY
☎ : (49) 221 - 456 5410
Fax : (49) 221 - 456 5491

• Ray MATTS
Journalist (England)

- **DAILY MAIL**
Northcliffe House, Derry Street
Kensington, London W8 5TT - ENGLAND
☎ (44) 171 - 9386000
Fax : (44) 171 - 9384053

- **HOME**
38, Lydford Road, Walsall,
West Midlands WS3 3NT - ENGLAND
☎ (44) 1922-477928
Fax : (44) 1922 - 477928
Cellular : (44) 7803-233378

• Flavio MAZZI
Photographer (Italy)

- **ROMBO**
Via San Donato, 142
40127 Bologna - ITALY
☎ : (39) 051-503019
Fax : (39) 051-511442
E-mail : rombo@alinet.it

- **HOME**
Via Castelnuovo R. 1803
41057 Spilamberto (MO) - ITALY
Fax : (39) 059-785053
Cellular : (39) 335-6110982

523

JOURNALISTS & PHOTOGRAPHERS

- **Gianfranco MAZZONI**
  TV Commentator (Italy)

- **RAI TV**
  Rai Sport, Largo W.de Luca,
  Saxa Rubra, 00100 Roma - ITALY
  ☎/Fax : (39) 0861 248152
  Cellular : (39) 337 662266
  E-mail : gianmaz@sgol.it

- **HOME**
  Via Del Santuario, 68
  65100 Pescara - ITALY
  ☎/Fax : (39) 0861 248152

- **Felipe McGOUGH**
  TV Commentator (Argentina)

- **TEAM PRODUCCIONES S.A.**

- **TELEFE CHANNEL II**
  L.N. Alem 530 Piso 6
  1001 Buenos Aires - ARGENTINA
  ☎ (54) 11 - 4 - 314 0707
  Fax : (54) 11 - 4 - 311 6596
  Cellular : (54) 11 - 4 - 402 0932
  E-mail : mcgough@teamsa.com.ar

- **Bob McKENZIE**
  Journalist (England)

- **THE EXPRESS**
  Ludgate House - Blackfriars Road
  London SE1 9UX - ENGLAND
  ☎ : (44) 171 9227294
  Fax : (44) 171 9227896
  Web : www.express-sport.com

- **HOME**
  22 Burland Road, Battersea,
  London SW11 6SA - ENGLAND
  ☎ : (44) 171 2239200

- **Harry MELCHERT**
  Photographer (Germany)
- **DEUTSCHE PRESSE-AGENTUR (DPA)**
  Königstrasse 1A
  70173 Stuttgart - GERMANY
  ☎ (49) 711 - 16 26 230
  Fax : (49) 711 - 16 26 260
- **HOME**
  Welzheimerstrasse 25
  71522 Backnang - GERMANY
  ☎ (49) 7191 - 83854
  Fax : (49) 7191 - 83854

- ## Thomas MELZER
Photographer (Germany)

- **MOTORSPORTPRESSEBILD**
Schießstattstrasse, 8
88356 Ostrach - GERMANY
☎ : (49) 7585-2679
Fax : (49) 7585-2679
Cellular : (49) 171 - 7076883
E-mail : motorsportpressebild@t-online.de

- ## Michel MEUNIER
Journalist (France)

- **SUD-OUEST**
Agence de Paris
23, boulevard des Capucines
75002 Paris - FRANCE
☎ (33) 1 42 66 17 52
Cellular : (33) 6 07 59 85 78

- **HOME**
☎ (33) 1 48 74 18 13

- ## Pierre MICHAUD
Journalist (France)
- **SPORTS ET MOTEURS**
- **LA VIE DE L'AUTO**

- **HOME**
30, rue Massue
94300 Vincennes - FRANCE
☎ (33) 1 43 74 72 29
Fax : (33) 1 43 74 10 71
Cellular : (33) 6 07 97 02 87

- ## Marc MINARI
TV Commentator (France)

- **TF1**
1 quai du Point du Jour
92656 Boulogne Cedex - FRANCE
☎ (33) 1 41 41 25 35
Fax : (33) 1 41 41 29 95

JOURNALISTS & PHOTOGRAPHER

- **Nikolaos MITSOURAS**
  Photographer (Greece)

- **REPORTER Ltd**
  13, Menexedon Street
  14564 Kato Kifissia - GREECE
  ☎ : (30) 1-6252076
  Fax : (30) 1-6209731
  Web : www.reporter-images.com

- **HOME**
  7-9 Kidonion Street
  17121 Nea Smirni - GREECE
  ☎ : (30) 1-9334132

- **Sabine MITTELSTÄD**
  Head of Sports Production
  (Germany)

- **RTL-TELEVISION**
  Aachener Straße 1036
  50858 Köln - GERMANY
  ☎ (49) 221 - 456 5460
  Fax : (49) 221 - 456 5497

- **Masaru MIYAJIMA**
  Journalist - Photographer (Japa
- **C.F.M. PUBLICATION CO. LT**
  3-17-13 Daini Hiranobil 9F
  Hachoubori, Chuoh-ku,
  Tokyo - JAPAN
  ☎ (81) 3 - 5541-5557 - Fax : (81) 3 - 5541-55
- **HOME**
  1-3-5-301 Shino-Hashi, Kouto-ku
  Tokyo - JAPAN
  ☎ (81) 3 - 3633-6051 - Fax : (81) 3 - 3633-60
  22 rue Bernard
  93260 Les Lilas - FRANCE

- **Masakazu MIYATA**
  Photographer (Japan)

- **F1 GRAND PRIX SPECIAL**
  2 Goban-Cho, Chiyoda-Ku
  Tokyo 102 - JAPAN

- **HOME**
  13-10-705 Shibashinmachi
  Kawaguchi-city - 333 Saitama
  JAPAN
  ☎ (81) 48-2625917
  Mobile : (81) 30-2051070

• Olav MOL
TV Commentator (Holland)

- **RTL 4**
  HOLLAND MEDIA GROUP S.A.
  P.O. Box 15000
  1200 TV Hilversum - HOLLAND
  ☎ (31) 35 - 6718742
  Fax : (31) 35 - 6785070

• Jean-Louis MONCET
Journalist (France)

- **TF1 (GP Commentator)**
  1, quai du Point du Jour
  92656 Boulogne Cedex - FRANCE
  ☎ (33) 1 - 41 41 25 35
  Fax : (33) 1 - 41 41 29 95

- **SPORT AUTO**
  43, rue du Colonel Pierre-Avia
  75015 Paris - FRANCE
  ☎ (33) 1 - 41 33 54 85
  Fax : (33) 1 - 41 33 57 45

• Wolfgang MONSEHR
Radio Commentator (Germany)

- **RENNSPORT PRESSE AGENCY**
  Gravenbruchring 79
  D 63263 Neu-Isenburg
  GERMANY
  ☎ (49) 6102-328854
  Fax : (49) 6102-328554

• Francis MONSENERGUE
Editor in Chief (France)

- **L'AUTOMOBILE MAGAZINE**
  12 rue Rouget de Lisle
  92442 Issy les Moulineaux - FRANCE
  ☎ : (33) 1 41 33 37 61
  Fax : (33) 1 41 33 37 99
  E-mail : amessais@settf.worldnet.fr

- **Nestore MOROSINI**
  Journalist (Italy)

- **CORRIERE DELLA SERA**
  Via Solferino 28 - MILANO
  ITALY
  ☎ (39) 02 - 62827173
  Fax : (39) 02 - 62827028
  Cellular : (39) 335-241995

- **James MOSSOP**
  Journalist (England)
- **THE SUNDAY TELEGRAPH**
  1 Canada Square, Canary Wharf
  London E14 5DT - ENGLAND
  ☎ (44) 171 - 538-7380
  Fax : (44) 171 - 538-7896
  Cellular : (44) 410 - 908362
  E-mail : jmossop@compuserve.co
- **HOME**
  11 Greville House, Lower Road
  Harrow on the Hill
  Middlesex HA2 0HB - ENGLAND
  ☎/Fax : (44) 181 - 422-5131

- **Claus MUHLBERGER**
  Journalist (Germany)

- **MOTORPRESSE STÜTTGART**
  Leuschner Straße, 1
  70174 Stuttgart, GERMANY
  ☎ : (49) 711 - 1821 475
  Fax : (49) 711 - 1821 786
  Cellular : (49) 171 - 5443 289
  E-mail : cmuehlberger@motor-presse-stuttgar
  Web : www.motor-presse-online.d

- **Fritz MÜLLER**
  Photographer (Austria)

- **STUDIO GLOCKNER**
  8933 St. Gallen 158 - AUSTRIA
  ☎ (43) 3685 - 22 13 17
  Fax : (43) 3685 - 22 304
  E-mail : office@ennstoil-classic

• Ruth MÜLLER
Journalist (Switzerland)

• **NEUE MITTELLAND ZEITUNG**
Vordere Hauptgasse 33,
CH-4800 Zofingen - SWITZERLAND
☎ : (41) 62 745 94 06
Fax : (41) 62 745 94 19
Cellular : (41) 79 334 65 05
E-mail : rmueller@ztonline.ch
Web : www.ztonline.ch

• **HOME**
Am Tych 6B
CH-4665 Oftringen - SWITZERLAND

• Mark Oliver MULTHAUP
Photographer (Germany)

• **DEUTSCHE PRESS AGENTUR (DPA)**
Friedrichstrasse 2
40217 Düsseldorf - GERMANY
☎ (49) 211 3803 142
Fax : (49) 211 3803 148

• **HOME**
Heisinger Strasse 23
45134 Essen - GERMANY
☎ (49) 201 443 108

• Erkki MUSTAKARI
Journalist/TV (Finland)

• **FINNPREMIO LTD**
Haukikuva 4C,
02170 Espoo - FINLAND
☎ (358) 9 43920620
Fax : (358) 9 4552626
Cellular : (358) 400 448366
E-mail : erkki.mustakari@musta.pp.fi

• Hirao NISHIYAMA
Journalist (Japan)
• **RACING ON**
2-15-14 Mishuku Setagaya-ku
Tokyo 154-8575 - JAPAN
☎ (81) 3 - 5430-4462
Fax : (81) 3 - 5433-8749
E-mail : racingon@news-pub.com

• **HOME**
3-36-12-104 Nishiogikita
Suginami-ku, Tokyo 167-0042
JAPAN
☎ (81) 3 - 3394-7568
Fax : (81) 3 - 3397-7028

JOURNALISTS & PHOTOGRAPHERS

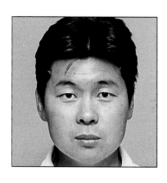

- **Satoshi NOMA**
Journalist / Photographer (Japan)

- **THE CHUNICHI SHIMBUN**
2-3-13 Konan, Minato-Ku
Tokyo 108 - JAPAN
☎ : (81) 3-3458-9228
Fax : (81) 3-3740-0948

- **HOME**
1-11-33-203 Murei, Mitaka-shi
Tokyo - JAPAN

- **Takayuki NUMAGUCHI**
Photographer (Japan)

- **CAR AND DRIVER**
4-8-21 Kudan Minami
Chiyoda-ku, Tokyo 102 - JAPAN
☎ (81) 3 - 3238 9121
Fax : (81) 3 - 3238 9937

- **HOME**
87, rue Gallieni
92100 Boulogne - FRANCE
☎/Fax : (33) 1 - 46 05 09 78

- **Burkhard NUPPENEY**
TV Commentator/Journalist
(Germany)

- **AUTOBILD**

- **WELT AM SONNTAG**

- **DF1**
Koblenzerstrasse 132
5400 Koblenz - GERMANY
☎ (49) 261 - 460930
Fax : (49) 261 - 403855

- **Peter NYGAARD**
Journalist - Photographer
TV Commentator (Denmark)

- **GRAND PRIX PHOTO**
Vestergade 8
DK - 4690 Haslev - DENMARK
☎ (45) 56 31 57 52
Fax : (45) 56 31 57 82
Cellular : (45) 40 11 57 62

OURNALISTS & PHOTOGRAPHERS

- **Michael O'CARROLL**
  Journalist/Producer/Editor (Ireland)
- **RTE TELEVISION**
- **IRISH MOTORSPORT ANNUAL**
  Donnybrook, Dublin 4 - IRELAND
  ☎ : (353) 1 208 2120
  Fax : (353) 1 208 3022
  Cellular : : (353) 87 2433 211
  E-mail : imsa@indigo
- **HOME**
  81 Kerrymount Rise, Foxrow
  Dublin 18 - IRELAND
  ☎/Fax : (353) 1 289 4845

- **Norbert OCKENGA**
  Journalist (Germany)
- **MOTORSPORT AKTUELL**
  Kreuzstrasse 60
  8032 Zürich - SWITZERLAND
  ☎ (41) 1-2662141
  Fax : (41) 1-2518356
- **HOME**
  Juethorn Str., 48
  22043 Hamburg - GERMANY
  ☎ (49) 40 - 687 431
  Fax : (49) 40 - 687 432
  Cellular : (49) 171 - 5165639

- **Yasuhiro OKAZAKI**
  Photographer (Japan)

- **KUNIHIKO AKAI & ASSOCIATES
  (STUDIO OKAZAKI)**
  B-Flat 301, 20-1, Higashi 3-Chome,
  Shibuya-ku, Tokyo 150 - JAPAN
  ☎ (81) 3-3499 7673
  Fax : (81) 3-3499 7659

- **HOME**
  1-1-6 Yagisawa, Hoya-shi,
  Tokyo 202 - JAPAN
  ☎ (81) 424-657162

- **Ivo OP DEN CAMP**
  Journalist (Netherlands)

- **NETHERLANDS PRESS
  ASSOCIATION
  FORMULE 1 MAGAZINE**
  Dr. Nolenslaan 58
  6162 EX Geleen - NETHERLANDS
  ☎/Fax (31) 464 756126

JOURNALISTS & PHOTOGRAPHER

- **Livio ORICCHIO**
  Journalist/TV Commentator (Braz
- **O ESTADO DE SAO PAULO**
  Avenida Engenheiro Caetano Alvares,
  Redacio-Esportes, Sao Paulo SP
  CEP 02598-900 - BRAZIL
  ☎ : (55) 11 8562344
  Fax : (55) 11 8562051
  Cellular : : (55) 11 91280582
  E-mail : livio.oricchio@ibm.net
- **HOME**
  Avenida Rouxinol 837, Apto 158 B
  Sao Paulo SP CEP 04516-001 - BRAZ
  ☎ : (55) 11 2404489

- **Miroyuki ORIHARA**
  Photographer (Japan)

- **AS+F**
  4-8-16 Shinjuku, Shinjuku-ku
  Tokyo - JAPAN
  ☎ (81) 3-3364 3187
  Fax : (81) 3-3364 3892

- **HOME**
  7-41-1 205 Kokuryo-cho, Chofa
  Tokyo - JAPAN
  ☎ (81) 424 - 99-5337

- **Tatsuya OTANI**
  Journalist (Japan)

- **CAR GRAPHIC**
  2-2 Kanda-Jimbocho, Chiyodaku,
  101-8419 Tokyo - JAPAN
  ☎ (81) 3-5210 4711
  Fax : (81) 3-5210 4722

- **Masahiro OWARI**
  Journalist (Japan)

- **GPX**
  8-14-11-9F Ginza, Chuo-Ku
  Tokyo 104-0061 - JAPAN
  ☎ (81) 3 5565 1271
  Fax : (81) 3 5565-1270
  E-mail : OWARI.GPX@ism.co.jp
- **HOME**
  433-201 Kasama-cho, Sakae-ku,
  Yokohama-city, Kanagawa-pref
  JAPAN
  ☎/Fax : (81) 45 895-5562

• Etienne PAIROUX
Journalist (Belgium)

- **LE SOIR**
  Place de Louvain, 21
  1000 Bruxelles - BELGIUM
  ☎ (32) 2 - 225 54 32
  Fax : (32) 2 - 225 59 14

• Stefan PAJUNG
Journalist (Germany)
- **RALLYE RACING**
  Nebendahlstrasse, 16
  22041 Hamburg - GERMANY
  ☎ : (49) 40 - 34723180
  Fax : (49) 40 - 34724927
  Cellular : (49) 171 - 5138582
  E-mail : sp@speedpool.com
  Web : www.rallyeracing.de
- **HOME**
  Grindelhof, 25
  20146 Hamburg - GERMANY
  ☎ : (49) 40 - 417479
  Fax : (49) 40 - 451558

• Franco PANARITI
Editor in chief (Italy)
- **ROMBO**
  Via san Donato, 146 2/c
  40127 Bologna - ITALY
  ☎ (39) 051 - 503019
  Fax : (39) 051 - 511442
  Cellular : (39) 335 - 319157
  E-mail : rombo@alinet.it
- **HOME**
  Via della Repubblica, 280 NB4
  00040 S. Maria delle Mole, Roma - ITALY
  ☎ (39) 06 - 9352128
  Fax : (39) 06 - 9309137

• Christian PASQUET
Journalist (France)

- **FRANCE SOIR**
  45 Avenue Victor Hugo, Bât. 45
  93534 Aubervilliers Cedex - FRANCE
  ☎ : (33) 1 53 56 87 56
  Fax : (33) 1 53 56 88 66
  Cellular : (33) 6 86 16 19 88

JOURNALISTS & PHOTOGRAPHER

- **Matthias PENZEL**
  Editor (Germany)

- **F1 RACING (German Edition)**
  38-42 Hampton Road
  Teddington TW11 0JE - ENGLAN
  ☎ : (44) 181 943 5055
  Fax : (44) 181 943 5022
  E-mail : matthias.penzel@haynet.c

- **Victor PEREZ SEAR**
  Journalist (Argentina)
- **CORSA MAGAZINE**
  Colombres 493
  1218 Buenos Aires - BRAZIL
  ☎ (54) 1 - 981-1483
  Fax : (54) 1 - 981-1483
  E-mail : corsa@tournet.com.ar
- **HOME**
  Avda. Los Andes 64 - 1°C,
  24400 Ponferrada - SPAIN
  ☎ (34) 9-429871
  Fax : (34) 987411766

- **Gilles PERNET**
  TV Producer (France)

- **TF1**
  1, Quai du Point du Jour
  92656 Boulogne Billancourt Cede
  FRANCE
  ☎ (33) 1 - 41 41 18 51
  Fax : (33) 1 - 41 41 29 95

- **Roberto PICCININI**
  Photographer (Italy)
- **ACTUALFOTO**
  Via Caravaggio 11
  40033 Casalecchio di Reno
  Bologna - ITALY
  ☎ (39) 051 - 563788
  Fax : (39) 051 - 564131
  Cellular : (39) 348 - 2263197
- **HOME**
  Via Ca Bianca 30
  40100 Bologna - ITALY
  ☎ (39) 051 - 6342403

• Stan PIECHA
Journalist (England)

- **THE SUN**
  1, Virginia Street
  London E1 9BD - ENGLAND
  ☎ : (44) 171 - 782 4219
  Fax : (44) 171 - 782 4074
  Cellular : (44) 831 - 609-573

- **HOME**
  21, Grange Ave, Rearsby,
  Leicester LE7 4EY - ENGLAND
  ☎ : (44) 1664 - 424057

• José PINTO
TV Commentator (Portugal)

- **RTP-TV**
  Av. 5 Outubro, 197
  1000 Lisboa - PORTUGAL
  ☎ (351) 1 - 7947394
  Fax : (351) 1 - 7966114

- **HOME**
  Rua Luanda, 738, 2° D°
  2775 Parede - PORTUGAL
  ☎ (351) 1 - 4574003
  Fax : (351) 1-4664210

• Giorgio PIOLA
Journalist/Technical Editor (Italy)

- **STUDIO G. PIOLA**
  Catala Porto 10/2
  S. Margherita - Ligure (GE)
  ITALY
  ☎ (39) 0185 - 286075
  Fax : (39) 0185 - 281908
  E-mail : gpiola@rapallo.newnetworks.it

• Mario PISANO
Head of Motorsports (Germany)

- **RTL-TELEVISION**
  Aachener Straße 1036
  50858 Köln - GERMANY
  ☎ : (49) 221 - 456 5437
  Fax : (49) 221 - 456 5493

JOURNALISTS & PHOTOGRAPHER

- **Romano POLI**
  Photographer (Italy)

- **PHOTO 4**
  Via J. Gagarin 6
  40044 Sasso Marconi - BO
  ITALY
  ☎ (39) 051 846392
  Fax: (39) 051 845790

- **Alexei POPOV**
  TV Commentator (Russia)

- **SAMIPA/RUSSIAN TV**
  2, Rue du Gabian,
  98000 MONACO
  ☎ (377) 93 10 10 50
  Fax : (377) 92 05 90 37
  E-mail : apopov@monaco.mc

- **HOME**
  2 Quai des Sanbarbani
  98000 MONACO
  ☎ (377) 92 05 90 37

- **Anne PROFFIT**
  Journalist (USA)

- **AUTO RESOURCES**
  324 St Joseph Avenue
  LONG BEACH, CA 90814-3131 -
  USA
  ☎ (562) 439-2574
  Fax : (562) 439-2574
  E-mail : proff522@earthlink.net

- **Gerald POTOTSCHNI**
  Sports Editor (Austria)
- **KLEINE ZEITUNG**
  Schœnaugasse, 64
  8010 Graz, AUSTRIA
  ☎ (43) 316 - 875 0
  Fax : (43) 316 - 875 4034
  E-mail : pototschnig@styria.com
  Web : www.kleine.at
- **HOME**
  Ernst-Moser-Weg, 10
  8042 Graz - AUSTRIA
  ☎ (43) 316 - 472125
  (43) 664 - 2219111

• Heinz PRÜLLER
TV/Radio Commentator (Austria)

- **ORF TV + RADIO**
- **KRONEN-ZEITUNG**
- **AUTOREVUE**
- **KICKER-MAGAZINE**
  Schlossgartenstrasse 17
  A-1238 Vienna - AUSTRIA
  Fax : (43) 1 - 88 93 741

• Antti PUSKALA
Photographer (Finland)

- **OPTE OY**
  Pursimiehenkatu 29-31 E
  00150 Helsinki - FINLAND
  ☎ (358) 9-6220590
  Fax : (358) 10-2900290
  Cellular : (358) 50-62620
  E-mail : antti.puskala@puska.pp.fl

• Daniel REINHARD
Photographer (Switzerland)

- **AUTO MOTOR UND SPORT**
- **SPORT AUTO**
- **HOME**
  Bahnhofstrasse 3
  6072 Sachseln - SWITZERLAND
  ☎ (41) 41 - 6601463
  Fax : (41) 41 - 6607335

• Jean-Paul RENVOIZÉ
Journalist (France)

- **L'EQUIPE**
  4, rue Rouget de Lisle
  92137 Issy-les-Moulineaux
  FRANCE
  ☎ (33) 1 40 93 26 72
  Fax : (33) 1 40 93 24 87
  Cellular : (33) 6 03 01 55 79

JOURNALISTS & PHOTOGRAPHER

- **Wolfgang REUTER**
  Journalist (Germany)

- **FOCUS**
  Arabellastrasse, 21
  81925 München - GERMANY
  ☎ : (49) 89 - 92502087
  Fax : (49) 89 - 92502999
  Cellular : (49) 172 - 2942056

- **HOME**
  Waldstrasse, 6C
  85757 Karlsfeld- GERMANY
  ☎/Fax : (49) 8131 - 93778

- **Michel RIEHL**
  Photographer (France)

- **MIDI PHOTOGRAPHES**

- **HOME**
  145, boulevard Voltaire
  75011 Paris - FRANCE
  ☎ (33) 1 - 40 24 01 16
  Cellular : (33) 6 - 81 11 87 49

- **Lucio RIZZICA**
  TV Commentator (Italy)

- **TELE+ (Italian Pay TV)**
  Viale Europa 59
  20093 Cologno M (MI) - ITALY
  ☎ (39) 02 - 7002-7809
  Fax : (39) 02 - 7002-7841

- **HOME**
  Via Fiume 18
  20063 Cernusco S./N (MI) - ITAL
  ☎ (39) 02 - 9211-1441

- **Michael ROBERTS**
  Photographer (England)

- **HOME**
  54 St Clements
  Oxford, OX4 1AG - ENGLAND

  ☎ : (44) 1865 - 247 511
  Fax : (44) 1865 - 726 368
  Mobile : (44) 468 - 502 800

- ## Nigel ROEBUCK
  Journalist (England)

- **AUTOSPORT**

- **AUTOWEEK (USA)**
  Downside, Horsham Road
  Beare Green, Surrey RH5 4PW
  ENGLAND
  ☎ : (44) 1306 711502
  Fax : (44) 1306 712866
  Cellular : (44) 802 437291
  E-mail : nsroebuck@compuserve.com

- ## Pascal RONDEAU
  Photographer (France)

- **F PONTO FOTOGRAFIA**
  Rua Elvira Ferraz, 256
  Vila Olimpia
  CEP 04552.040 SAO PAULO BRAZIL
  ☎ (55) 11 - 30443361
  Fax : (55) 11 - 30443363
  E-mail : pascal@fponto.com.br

- ## Clive ROSE
  Photographer (England)

- **SUTTON MOTORSPORT
  IMAGES**
  66 Watling Street, Towcester
  Northants - ENGLAND
  ☎ : (44) 1327 352188
  Fax : (44) 1327-359355
  ISDN : (44) 1327-359160
  Cellular : (44) 7887 983588
  E-mail : clive@sutton-images.com
  Web : www.sutton-images.com

- ## Jim ROSENTHAL
  TV Commentator (England)

- **ITV**
  200 Gray's Inn Road,
  London WC1X 8HF - ENGLAND
  ☎ (44) 171 - 843-8116
  Fax : (44) 171 - 843-8153

JOURNALISTS & PHOTOGRAPHERS

- **Wolfgang ROTHER**
  Producer (Germany)

- **DSF/DF1 TELEVISION**
  Münchnerstrasse 101g
  85737 Ismaning/Münich
  GERMANY
  ☎ : (49) 89 - 96066-1710
  Fax : (49) 89 - 96066-1719
  Cellular : (49) 171 - 839-7520

- **Jean-Luc ROY**
  TV producer/commentator (France)

- **EUROSPORT/KIOSQUE**

- **MOTEUR PRODUCTIONS
  & MOTORS TV**
  855, avenue Roger Salengro
  92370 CHAVILLE - FRANCE
  ☎ : (33) 1-41 15 19 19
  Fax : (33) 1-41 15 19 20

- **José-Mª RUBIO**
  Journalist/Photographer (Spain)

- **R.V. RACING PRESS**
  Apdo Carreos 62052
  28080 Madrid - SPAIN
  ☎ (34) 91-884 51 31
  Fax : (34) 91-884 51 56
  E-mail : rubio@maptel.es

- **Charles-Henri RUGUEUX**
  Photographer (Monaco)

- **LA GAZETTE HOMEOPATHIQUE**
  5, rue de la Tendinite
  92300 Pommade - FRANCE
  ☎ (33) 1 - 46 64 84 84
  Fax : (33) 1 - 46 64 84 84
  Mobile : (33) 6 - 11 61 64 02
  Web : www.isrugueuxlisse.com

• Eduardo RUIZ
Commentator TV/Radio
(Argentina)

• **TELEFE**
Av. Cordoba 3431.11° C (1188)
Buenos Aires- ARGENTINA
☎ (54) 11-4963-7034
Fax : (54) 11-4963-1868
Cellular : (54) 11-4550-8300
E-mail : Eduardoruiz@topmail.com.ar

• Matt SAARI
Editor (Finland)

• **F1 RACING (Finish Edition)**
A-Lehdet Oy
Hitsaajankatu 7/6
00081 Helsinki - FINLAND
☎ : (358) 9 759 63 07
Fax : (358) 9 787 311
Cellular : (358) 40 526 0272
E-mail : matt.saari@apu.fi

• Narcis SABATER
Journalist/Photographer (Spain)

• **GRAFOCOPI**
C/. Leon XIII, n° 2, 5° 2ª
08022 Barcelona - SPAIN
☎ (34) 93 - 417 05 99
Fax : (34) 93 - 418 66 25
Cellular : (34) 607 - 25 20 25

• Toshihiko SAKON
Journalist (Japan)

• **F1 MODELING**
Sankaido Publishing Co, Ltd
5-5-18 Hongo,Bunkyo-ku,
Tokyo 113-8430 - JAPAN
☎ : (81) 3 3816-1638
Fax : (81) 3 3816-1550
E-mail : sakon@tke.att.ne.jp

JOURNALISTS & PHOTOGRAPHER

- **Stéphane SAMSON**
  Journalist (France)

- **L'AUTO JOURNAL**
  43, rue du Colonel Pierre Avia
  75015 Paris - FRANCE
  ☎ (33) 1 41 33 56 96
  Fax : (33) 1 41 33 57 04
  Cellular : (33) 6 12 96 77 13

- **HOME**
  ☎ /Fax : (33) 1 69 88 03 78

- **Odinei Edson SANTOS**
  Radio Commentator (Brazil)

- **RADIO BANDEIRANTES**
  Avenida Brasil, 2101
  J. Europa CEP 01431-001
  Sao Paulo SP - BRAZIL
  ☎ : (55) 11 8831966
  Fax : (55) 11 2822085
  E-mail : oesanto@ibm.net

- **Kenji SAWADA**
  Photographer (Japan)

- **RACING ON**
  News Publishing Co., Inc.
  2-4-7 Mishuku Setagaya-ku
  Tokyo 154 - JAPAN
  ☎ (81) 3 - 5430-4462
  Fax : (81) 3 - 5430-4460

- **Joe SAWARD**
  Journalist/TV Commentator (Engla

- **INSIDE F1 Ltd**
  Manoir de Lafont
  24500 St Capraise d'Eymet - FRAN
  ☎ . (33) 5 53 58 23 88
  Fax : (33) 5 53 58 23 90
  E-mail : joe@f1-globetrotter.com
  Web : inside-f1.com

. Paolo SCALERA
Journalist (Italy)

- **CORRIERE DELLO SPORT**
Piazza Indipendenza, 11/B
00100 Roma, ITALY
☎ (39) 06-49921
Fax : (39) 06-4992690
Cellular : (39) 335 - 6217548
E-mail : pscalera@tin.it

. Hans Reinhard SCHEU
Radio Commentator (Germany)

- **ARD**
SWR Sports HF
70150 Stuttgart - GERMANY
☎ : (49) 7221-9293077
Fax : (49) 7221-9292035
Cellular : (49) 171 - 5493356

- **HOME**
Pestalozziweg 15
D 76530 Baden Baden - GERMANY
☎/Fax : (49) 7221-26552

. Achim SCHLANG
Journalist (Germany)

- **RALLYE RACING**
Nebendahlstr. 16
22041 Hamburg - GERMANY
☎ (49) 40 -347-23600
Fax : (49) 40 - 347-24927

- **HOME**
Weideholzweg 6
23719 Neuglasau - GERMANY
☎ (49) 45 - 25-4790
Fax : (49) 45 - 25-3640

. Rainer W. SCHLEGELMILCH
Photographer (Germany)

- **ATELIER SCHLEGELMILCH**
Gustav Freytag Str., 34
60320 Frankfurt/M - GERMANY
☎ (49) 69 - 561734
Fax : (49) 69 - 5604238
E-mail : boris.schlegelmilch@frankfurt.netsurf.de

JOURNALISTS & PHOTOGRAPHER

- **Michael SCHMIDT**
  Journalist (Germany)
- **AUTO MOTOR UND SPORT**
- **SPORT AUTO**
  Leuschnerstrasse 1
  70174 Stuttgart, GERMANY
  ☎ (49) 711-1821713
  Fax: (49) 711-1821786
- **HOME**
  Missenharter Weg 38/3
  70839 Gerlingen - GERMANY
  ☎ (49) 7156-29172
  Fax: (49) 7156-49387

- **Christoph SCHULTE**
  Journalist (Germany)

- **REDAKTIONSBÜRO SCHULT**
  Eipringhausen, 56
  42929 Wermelskirchen
  GERMANY
  ☎ (49) 2196-731113
  Fax : (49) 2196-731114
  E-mail : focash@aol.com

- **Jacques SCHULZ**
  TV Commentator - Producer
  (Germany)

- **DSF/DF1 TELEVISION**
  Münchnerstrasse 101g
  85737 Ismaning/Münich
  GERMANY
  ☎ : (49) 89 - 96066-1712
  Fax : (49) 89 - 96066-1719
  Cellular : (49) 170-2268042

- **Fabio SEIXAS**
  Journalist (Brazil)

- **FOLHA DE SAO PAULO**
  Al Barao de Limeira 425, 4 andar
  01202-900 - Sao Paulo-SP - BRAZI
  ☎ : (55) 11 224 3347
  Fax : (55) 11 224 2286
  E-mail : fseixas@folhasp.com.br
  Web : www.folhasp.com.br

- **Gerald SELCH**
  Journalist (Germany)

- **BILD ZEITUNG**
  Axel-Springer Platz 1
  20350 Hamburg - GERMANY
  ☎ : (49) 40 347 23720
  Fax : (49) 40 347 23591
  Web : www.bild.de

- **HOME**
  Fax : (49) 40 43 8622

- **Jad SHERIF**
  Photographer (Switzerland)

- **PAN IMAGES**
  3, rue Tschumi
  1201 Geneva - SWITZERLAND
  ☎ (41) 22 - 7340018
  Fax : (41) 22 - 7330218
  Cellular : (41) 79 - 2020454
  E-mail : panimages@iprolink.ch

- **Kunio SHIBATA**
  Journalist (Japan)
- **GPX**
  YN Ginza Bldg 9F
  8-14-11 Ginza, Chuo-Ku
  Tokyo 104-0061 - JAPAN
  ☎ : (81) 3 5565-1271
  Fax : (81) 3 5565-1270
  E-mail : shiby@aol.com
- **HOME**
  18 rue Rambuteau
  75003 Paris - FRANCE
  ☎ : (33) 1 42 78 52 85

- **Kunio SHIMA**
  Journalist / Photographer (Japan)

- **THE CHUNICHI SHIMBUN**
  2-3-13 Konan, Minato-Ku
  Tokyo 108-8010 - JAPAN
  ☎ : (81) 3 3458-9228
  Fax : (81) 3 3740-0948

- **HOME**
  2-10-4-711 Kitaveno - Daito-ku
  Tokyo - JAPAN

• Eric SILBERMANN
Journalist (England)

- **HOME**
Lea Cottages, Whitchurch Lane,
Oving, Bucks HP 22 4EU
ENGLAND
☎ (44) 1296 - 641251
Fax : (44) 1296 - 641680
E-mail : ericsays@compuserve.com

• Rodolpho SIQUEIRA
Editor

- **F1 RACING (Brazilian Edition)**
Avenida Jaguaré 1485
CEP 05346-902 - Sao Paulo
BRAZIL
☎ : (55) 11 3767 7969
Fax : (55) 11 3767 7937
E-mail : rsiqueir@edglobo.com.br

• David SMITH
Journalist (England)
- **LONDON EVENING STANDAR**
Northcliffe House
2, Derry street - Kensington
London W8 5EE - ENGLAND
☎ (44) 171 - 938 6000
Fax : (44) 171 - 937 3304
Cellular : (44) 585 - 328 613
E-mail : david.smith@standard.co.uk
- **HOME**
60 Crabtree Way, Dunstable
Beds LH6 1HR - ENGLAND
☎/Fax : (44) 1582 - 608959

• Andreas SPELLIG
TV Commentator (Germany)

- **ARD-GERMAN TELEVISION**
SDR, Fernsehstudio Berg
Postbox 106040
70049 Stuttgart - GERMANY
☎ (49) 711 - 929 2745
Fax : (49) 711 - 929 4367

- **HOME**
Immenhofer Strasse 26
70180 Stuttgart - GERMANY
☎ (49) 711 - 607 4193

OURNALISTS & PHOTOGRAPHERS

- **Dick SPRINGER**
  Journalist (Holland)
- **DE TELEGRAAF**
  P.O. Box 376
  1000 EB Amsterdam - HOLLAND
  ☎ (31) 20 - 5854306
  Fax : (31) 20 - 5854115
  Cellular : (31) 6 - 53356542
  E-mail : dickspringer@compuserve.com
- **HOME**
  Linden Laan 338
  11851 NK Amsterdam - HOLLAND
  ☎ (31) 20 - 4413854

- **Inga STRACKE**
  Journalist (Germany)

- **POLE POSITION**
  - STRACKE GMBH
  - MEDIAPRODUCTIONS

- **DF1**
  Josef-Priller Str. 4
  86159 Augsburg - GERMANY
  ☎ (49) 821 - 581231
  Cellular : (49) 171 - 3679354
  Fax : (49) 821 - 581210

- **Thomas STRAKA**
  Journalist (Germany)

- **SPORT INFORMATIONS DIENST**
  Hammfeldamm 10
  D-41460 Neuss - GERMANY
  ☎ : (49) 2131-131 00
  Fax : (49) 2131-131 113
  E-mail : info@sid.de
  Web : www.sid.de

- **Hans Joachim STUCK**
  Expert F1 (Germany)

- **RTL-TELEVISION**
  Aachener Straße 1036
  50858 Köln - GERMANY
  ☎ : (49) 221 - 456 5410
  Fax : (49) 221 - 456 5491

JOURNALISTS & PHOTOGRAPHER:

- **Marc SURER**
  TV Commentator (Germany)
- **DSF/DF1**
  Münchnerstrasse 101
  D-85737 Ismaning - GERMANY
  ☎ : (49) 89 - 96066-1711
  Fax : (49) 89 - 96066-1719
  Cellular : (49) 171 - 610-8860
- **HOME**
  Fluehacker 170
  CH-4458 Eptingen/Basel
  SWITZERLAND
  ☎ : (41) 622 - 991784
  Fax : (41) 622 - 992512
  E-mail : MarcSurer@compuserve.co

- **Keith SUTTON**
  Photographer (England)
- **SUTTON MOTORSPORT
  IMAGES**
  The Chapel
  61 Watling Str., Towcester
  Northants NN12 6AG - ENGLAND
  ☎ (44) 1327 - 352188
  Modem : (44) 1327 - 359856
  Fax : (44) 1327 - 359355
  Web : www.sutton-images.com
  E-mail : <recipient>@sutton-images.con
  ISDN : (44) 1327 - 359160

- **Mark SUTTON**
  Photographer (England)
- **SUTTON MOTORSPORT
  IMAGES**
  The Chapel
  61 Watling Str., Towcester
  Northants NN12 6AG - ENGLAND
  ☎ (44) 1327 - 352188
  Modem : (44) 1327 - 359856
  Fax : (44) 1327 - 359355
  Web : www.sutton-images.com
  E-mail : <recipient>@sutton-images.con
  ISDN : (44) 1327 - 359160

- **Artur Aichi SVARC**
  Radio Commentator (Slovenia)
- **F1 MAGAZIN**
  Malejeva 24
  Ljubljana - SLOVENIA
  ☎ : (386) 61 140 40 15
  Fax : (386) 61 140 40 15
  Cellular : (386) 41 775 852
  E-mail : aichi@f1-magazin.com
  Web : www.fi-magazin.com

JOURNALISTS & PHOTOGRAPHER

- **Stuart SYKES**
  Journalist (Scotland)

- **SCOTSPORT**
  62 The Ridge, Mt Eliza VIC 3930
  AUSTRALIA
  ☎ (61) 3-9708 8051
  Fax : (61) 3-9708 8054
  Cellular : (61) 3-0418 551 765
  E-mail : ssykes@surf.net.au

- **Michiya TAKAHASHI**
  Journalist (Japan)

- **THE DAILY SPORTS NEWS**
  1-5-7 Higashi, Kawasaki-Cho,
  Chou-ku, Kobe Hyogo 650-044
  JAPAN
  ☎ : (81) 78 362-7296
  Fax : (81) 78 362-7333
  E-mail : phot-1@muc.biglobe.ne.j

- **Niki TAKEDA**
  Journalist (Japan)

- **FORMULA PA**
  19 College St. - Higham Ferrers
  Northants NN10 8DX - ENGLAN
  ☎ (44) 1933-411101
  Fax : (44) 1933-315560
  E-mail : VEB00262@nifty.ne.jp

- **Patrick TAMBAY**
  TV Commentator (France)

- **CANAL+ (Kiosque)**
  85-89 Quai André Citroën
  75711 Paris Cedex 15 - FRANCE
  ☎ (33) 1 - 44 25 75 74

- ## Naoyuki TAMURA
  Journalist (Japan)

- **THE CHUNICHI SHIMBUN**
  2-3-13 Konan, Minato-Ku
  Tokyo 108 - JAPAN
  ☎ : (81) 3 3740-2677
  Fax : (81) 3 3450-2846
  Cellular : (81) 902 674 6515

- **HOME**
  14-35-3 Hon-cho Wako-shi
  Saitam 351 - JAPAN
  ☎ : (81) 48 462-2794

- ## Shoji TANISAWA
  Journalist / Photographer (Japan)

- **THE CHUNICHI SHIMBUN**
  2-3-13 Konan, Minato-Ku
  Tokyo 108 - 8010
  JAPAN
  ☎ : (81) 3 3458-9228
  Fax : (81) 3 3740-0948

- **HOME**
  4-9-6-A-3-26 Obata - Moriyama -ku
  Nagoya-shi - Aichi - JAPAN

- ## Motohiro TATUNAMI
  Journalist / Photographer (Japan)

- **THE CHUNICHI SHIMBUN**
  2-3-13 Konan, Minato-Ku
  Tokyo 108 - JAPAN
  ☎ : (81) 3 3458-9228
  Fax : (81) 3 3740-0948

- **HOME**
  2-5-14 Hatagaya - Shibuya-ku
  Tokyo - JAPAN

- ## Steven TEE
  Photographer (England)

- **LAT PHOTOGRAPHIC**
  Somerset House,
  Somerset Road,
  Teddington,
  Middlesex TW11 8RU - ENGLAND
  ☎ (44) 181-251 3000
  Fax : (44) 181-251 3001

551

JOURNALISTS & PHOTOGRAPHER

- **Yves TERRANI**
  Journalist (Switzerland)
- **LE TEMPS**
  28 route de l'aéroport
  CH 1215 Genève - SWITZERLAN
  ☎ : (41) 22 799 58 29 (Direct lin
  Fax : (41) 22 799 58 59
  Cellular : (41) 79 214 06 12
  E-mail : yves.terrani@letemps.ch
  Web : www.letemps.ch
- **HOME**
  Ch. des Dailles 35
  CH-1870 Monthey-SWITZERLAN
  ☎ : (41) 24 471 34 21
  Fax : (41) 24 471 35 75

- **Giorgio TERRUZZI**
  TV Commentator/Journalist (Ital

- **RTI MEDIASET**
  Palazzo dei Cigni
  Milano 2
  20090 Segrate (MI) - ITALY
  ☎ (39) 02 - 2102-4860/3340
  Fax : (39) 02 - 2102-3784
  WEB : www.italia1.com

- **HOME**
  Via Settembrini 18
  20124 Milano - ITALY
  ☎ (39) 02 - 29529856

- **Frank-Michael THALWITZ**
  Journalist (Germany)

- **NET3 Communication**
- **FOCUS-Online**
- **RTL-Online**
  Bergerhof 27
  42799 Leichlingen - GERMANY
  ☎ : (49) 2175-890410
  Fax : (49) 2175-890430
  E-mail : thalwitzer@net-3.com

- **Arthur THILL**
  Photographer (Germany)

- **ARTHUR THILL PRODUCTI**
  Grosjeanstrasse 2,
  D-81925 München
  GERMANY
  ☎ : (49) 89-9827001
  Fax : (49) 89-9827004
  E-mail : ATP_THILL@compuserve.c
  Web : www.webcom.com/atp

- **Mark THOMPSON**
  Photographer (England)

- **ALLSPORT UK**
  3 Greenlea Park,
  Prince Georges Road,
  London, SW19 2JD
  ENGLAND
  ☎ (44) 181 - 685-1010
  Fax : (44) 181 - 648-5240

- **Crispin THRUSTON**
  Photographer (England)

- **SPORTING PICTURES (UK) LTD**
  7A Lambs Conduit Passage,
  London WC1R 4RG - ENGLAND
  ☎ (44) 171 405 4500
  Fax : (44) 171 831 7991
  Cellular : (44) 385 252 900
  E-mail : photos@SportingPictures.demon.co.uk.
  Web : www.sporting-pictures.com
- **HOME**
  Pond Cottage, Aylsbury Road
  Cuddington, Bucks - ENGLAND
  ☎ (44) 1296-747640

- **Marco TOLAMA**
  Editor - TV Commentator (USA)
  Radio Commentator - TV Producer

- **AUTO Y PISTA**

- **TV AZTECA**

- **RADIO ACIR**
  Av. Oaxaca 72-201 Col. Roma
  MEXICO, DF 06700 - USA
  ☎ (52) 5-207-4750
  Fax : (52) 5-207-9404
  E-mail : 104164,2530@compuserve.com

- **Christian TORTORA**
  Radio/TV Commentator (Canada)

- **RDS TV**

- **RMC**

- **HOME**
  1, rue Langevin, Chambly
  Quebec J3L 2E7 - CANADA
  ☎/Fax : (33) 4 94 25 20 64 (France)
  Cellular : (33) 6 07 21 12 33 (France)
  E-mail : christian.TORTORA@.wanadoo.fr

- **John TOWNSEND**
  Photographer (England)
- **FORMULA ONE PICTURES**
  Suite 8, King Harold Court
  Sun Street, Waltham Abbey
  Essex EN9 1ER - ENGLAND
  ☎ (44) 1992 787800
  Fax : (44) 1992 714366
  Cellular : (44) 831 511363
  E-mail : jt@f1pictures.com
- **HOME**
  29, Merlin Close, Walthum Abbey
  Essex EN9 3NG - ENGLAND
  ☎ (44) 1992 719129

- **David TREFFEZ**
  Journalist (USA)
- **THE AUTO CHANNEL**
  624 West Main St., Louisville KY 402
  ☎ : (1) 502-584-4100
  Fax : (1) 502-568-2501
  E-mail : sports@theautochannel.cc
- **HOME**
  1600 Woodland Drive, E110
  Rockledge FL 32955 - USA
  ☎ : (1) 407-631-6202
  Fax : (1) 407-631-6413
  Cellular : (1) 407-432-4356
  E-mail : treffer@digital.net
  Web : www.theautochannel.com

- **Paul TREUTHARDT**
  Journalist (Australia)
- **THE ADVERTISER (Adelaïde)**
- **HERALD SUN (Melbourne)**
  52 Greenwich South Street
  London SE10 8UN - ENGLAND
  ☎ (44) 181 - 6924193
  Fax : (44) 181 - 6911586
  Cellular : (44) 486 - 688260
  E-mail : treuthardt@compuserve.cc

- **Tetsuo TSUGAWA**
  Journalist (Japan)
- **TETSU ENTERPRISE Co., Ltd.**
  11-5 Hamasuka, Chigasaki-shi
  Kanagawa-ken - JAPAN
  ☎ (81) 467 - 86-5364
  Fax : (81) 467 - 87-8160
  E-mail : GFA07272@nifty.ne.jp
- **HOME**
  5 Schofield Gardens, Witney
  Oxon OX8 5JY - ENGLAND
  ☎ (44) 1993 - 705167
  Fax : (44) 1993 - 702024

• Shinya TSURURA
Journalist (Japan)

• **THE CHUNICHI SHIMBUN**
2-3-13 Konan, Minato-Ku
Tokyo 108 - JAPAN
☎ : (81) 3 3740-2611
Fax : (81) 3 3450-2846
Cellular : (81) 908588-4939
E-mail : JDY02462@nifty.ne.jp

• **HOME**
2-4-10-701 Kitaveno, Taito-ku
Tokyo - JAPAN
☎ / Fax : (81) 3 3845-2645

• Helmut UHL
Journalist (Germany)

• **BILD AM SONNTAG**
Axel Springer Platz 1
20350 Hamburg - GERMANY
☎ (49) 40 - 34723720
Fax : (49) 40 - 34727878

• Noël UMMELS
Journalist (Netherlands)

• **FORMULE 1 MAGAZINE**
PO Box 15118,
3501 BC, Utrecht - NETHERLANDS
☎ (31) 30 2769209
Fax : (31) 30 2769203

• **HOME**
Herensingel 115
1382 VP, Weesp -NETHERLANDS
☎ (31) 294 430613
Cellular : (31) 651 612548
E-mail : noel@formule1.nl

• Pierre VAN VLIET
Journalist - TV commentator
(Belgium)

• **RACING SPECIAL**
49 rue du Chatelain
1050 Bruxelles - BELGIUM
☎ (32) 2 - 647 1750
Fax : (32) 2 - 648 2989
Cellular : (32) 757 60827

• **HOME**
20 Avenue de Grande Bretagne
98000 - MONACO

JOURNALISTS & PHOTOGRAPHERS

- **Carlo VANZINI**
  Journalist/Radio Commentator (Italy)
- **RTL 102.5 LA RADIO**
- **SCIARE MAGAZINE**

  Strada Padana Superiore 303
  20090 Vimodrone - ITALY
  ☎/Fax : (39) 02-2500994
  Cellular : (39) 335-6211265
  E-mail : carlo@sciaremag.it

- **Eric VARGIOLU**
  Photographer (France)
- **AGENCE D.P.P.I.**
  89, rue Carnot
  92303 Levallois-Perret - FRANCE
  ☎ (33) 1 - 41 49 00 20
  Fax : (33) 1 - 41 49 00 22

- **Luis VASCONCELOS**
  Journalist (Portugal)
- **FORMULA PRESS**
  Apartado 18, Sto Antonio de Oeiras
  2780 Oeiras - PORTUGAL
  ☎ (351) 931 - 272-384
  Fax : (351) 1 - 441-5559

- **Mario VICENTINI**
  Journalist (Italy)
- **LA GAZZETTA DELLO SPORT**
  Via Solferino, 28
  20121 Milano - ITALY
  ☎ : (39) 02 62 827 426
  Fax : (39) 02 62 827 915
  Cellular : (39) 33 559 677 02
  E-mail : vicentini@rcs.it
  Web : www.gazzetta.it
- **HOME**
  Corso Giuseppe Garibaldi,16
  20121 Milano - ITALY
  ☎ : (39) 02 80 51 893

• Isabel VIDAL
Journalist/Photographer (Spain)

• **R.V. RACING PRESS**
Apdo Carreos 62052
28080 Madrid - SPAIN
☎ (34) 91-884 51 31
Fax : (34) 91-884 51 56

• Gaetan VIGNERON
TV Commentator (Belgium)

• **RTBF TV** (Belgium)
52, Boulevard A Reyers
1044 Brussels - BELGIUM
☎ (32) 2-737 27 32
Fax : (32) 2-737 44 94
Cellular : (32) 75 73 03 93

• **HOME**
☎ (32) 2-779 1997

• Jean Claude VIRFEU
Journalist (France)

• **OUEST FRANCE**
35 rue Gambetta
72000 Le Mans - FRANCE
☎ : (33) 2 43 21 76 65
Fax : (33) 2 43 21 76 78
Cellular : (33) 6 85 80 83 96

• **HOME**
6 Impasse du Pont de Pierre
72530 Yuré-L'Evêque - FRANCE
☎/Fax : (33) 2 43 89 19 78

• Roberto VIVA
Photographer (Italy)
• **PHOTO 4**
Via J. Gagarin 6
40044 Sasso Marconi - BO
ITALY
☎ (39) 051 846392
Fax: (39) 051 845790
• **HOME**
Via Guido da Verona, 70
00143 Roma - ITALY
☎/Fax : (39) 06 - 50511994
Mobile: (39) 335 - 8226046

JOURNALISTS & PHOTOGRAPHER

- **Arjen van VLIET**
  Journalist (Netherlands)
- **FORMULE 1 MAGAZINE**
  PO Box 15118,
  3501 BC, Utrecht - NETHERLAND
  ☎ (31) 30 2769209
  Fax : (31) 30 2769203
- **HOME**
  Rijnlaan 49
  3433 ZK, Nieuwegein -NETHERLAND
  ☎ (31) 30 6066644
  Cellular : (31) 653 34 44 24
  E-mail : arjen@formule1.nl

- **Cédric VOISARD**
  Journalist (France)
- **LE FIGARO**
  37, rue du Louvre
  75081 Paris Cedex 02 - FRANCE
  ☎ : (33) 1 42 21 67 71
  Fax : (33) 1 42 21 62 97
  Cellular : (33) 6 09 03 47 84
  E-mail : cedric.voisard@le-figaro.

- **Murray WALKER**
  TV Commentator (England)
- **ITV/MACH 1**
  The Chrysalis Television Building
  46-52 Hentonville Road
  London N1 9HF
  ☎ (44) 171 - 502-6000
  Fax : (44) 171 - 502-5600

- **Jorg WALZ**
  Journalist (Germany)
- **AUTO ZEITUNG**
  Industriestrasse 16,
  50735 Köln, GERMANY
  ☎ : (49) 221-7709161
  Fax : (49) 221-7124228
  Web : www.autozeitung.de
- **HOME**
  Joachimstrasse 50
  D 40547 Duesseldorf, GERMANY
  ☎ : (49) 211-5590725
  Fax : (49) 211-5590726

• Grahame WARD
Journalist (Australia)

- **GRAHAME WARD PROMOTIONS**
  P.O. Box 300, Nerang 4211
  AUSTRALIA
  ☎ (61) 7 55963100
  Fax : (61) 7 55960077
  Cellular : (61) 407-755550
  E-mail : lancia@goldn.com.au

- **HOME**
  ☎ (61) 7 55799000

• Heiko WASSER
TV Commentator (Germany)

- **RTL-TELEVISION**
  Aachener Straße 1036
  50858 Köln - GERMANY
  ☎ : (49) 221 - 456-5430
  Fax : (49) 221 - 456-5493
  Cellular : (49) 172-9824895

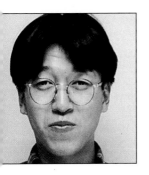

• Toshihiro WATANABE
Journalist / Photographer (Japan)

- **THE CHUNICHI SHIMBUN**
  2-3-13 Konan, Minato-Ku
  Tokyo 108 - JAPAN
  ☎ : (81) 3 3458-9228
  Fax : (81) 3 3740-0948

- **HOME**
  3-26-16-206 Syoan - Suginami-ku
  Tokyo - JAPAN

• John WATSON
TV Commentator (England)

- **HOME**
  6 Delamare Way, Cumnor Hill
  Oxford OX2 9HZ - ENGLAND
  ☎ (44) 1865 - 863823
  Fax : (44) 1865 - 863799

JOURNALISTS & PHOTOGRAPHER

- **Walter WAUTERS**
  Journalist (Belgium)
- **HET NIEUWSBLAD**
  A. Gossetlaan 88
  1702 Groot-Bugaarden - BELGIU
  ☎ : (32) 2 - 467 2335
  Fax : (32) 2 - 466 8066
  Cellular : (32) 477 40 23 17
  E-mail : waw@vum.be
- **HOME**
  Repingestraat, 88
  1570 Vollezele - BELGIUM
  ☎ : (32) 54 56 87 59

- **Rob WIEDENHOFF**
  Journalist (Holland)
- **AUTOVISIE**
  Postbus 36
  1000 AA Amsterdam - HOLLAND
  ☎ (31) 20 - 585 2924
  Fax: (31) 20 - 585 2927
  E-mail : redactie@autovisie.nl
  Web : www.autovisie.nl
- **HOME**
  Kon. Julianaplein 8
  2264 BH Leidschendam - HOLLAN
  ☎ (31) 70 - 327 1223

- **Leo WIELAND**
  Journalist (Germany)
- **AUTO BILD**
  Axel Springer Platz 1
  20350 Hamburg - GERMANY
  ☎ (49) 40 - 3472-2115
  Fax : (49) 40 - 3472-2421
  Cellular : (49) 171 - 5018707
  E-mail : leo.wieland@asv.de
  Web : www.autobild.de
- **AUTOBILD**
  Lüneburger Strasse 39
  21394 Kirchgellervel - GERMAN
  ☎ (49) 41 - 358-20555

- **Petra WIESMAYER**
  Journalist (Germany)
- **MOTORPRESSE BUDAPEST**
- **FORMEL1 RENNSPORT NEWS**
- **SPORTSPRO**
- **HOME**
  Situlistrasse 22
  80939 München - GERMANY
  ☎ : (49) 89 - 32 52 76
  Fax : (49) 89 - 32 52 76
  Cellular : (49) 172 - 8 22 52 76
  E-mail : Pwiesmayer@aol.com

• Bryn WILLIAMS
Photographer (England)

- **WORDS & PICTURES**
  Padbury House - 31 Gaveston Garden
  Deddington, Oxon OXI9 ONX
  ENGLAND
  ☎ (44) 1869-337170
  Fax : (44) 1869-322110
  Cellular : (44) 836-271998
  E-mail : bryn@f1picturenet.com
  Web : www.f1picturenet.com

• Andrew WONG
Editor

- **F1 RACING**
  (Hong Kong & Chinese Editions)
  No 1 Leighton Road
  HONG KONG
  ☎ : (852) 2836 6224
  Fax : (852) 2893 8400
  E-mail : andrew@mail.tvei.com

• Henry WONG
Journalist (Hong Kong)
- **PPGI**
  #2303-05, 38 Russel Street
  Causeway Bay
  HONG KONG
  ☎ : (852) 2970-3838
  Fax : (852) 2970-3818
  E-mail : hwong@ppgintl.com
- **HOME**
  A3 Habitat
  Pak Sha Wan, Sai Kung, NT -
  HONG KONG
  ☎ : (852) 2243-1997

• Derek WRIGHT
Journalist (England)

- **F1 NEWS**
  116-118 Liscombe, Birch Hill
  Bracknell, Berks RG12 7DE
  ENGLAND
  ☎ (44) 1344 - 427846
  Fax : (44) 1344 - 484918
  E-mail : F1news@compuserve.com

- **Byron YOUNG**
  Producer/Journalist (England)

- **NEWS OF THE WORLD**
  16 Copthall Gardens,
  Twickenham - Middlesex
  TW1 4HJ - ENGLAND
  ☎ : (44) 181 744 9437
  Fax : (44) 181 744 9477
  Cellular : (44) 468 891353
  E-mail : byronyoung@compuserve.com
  E-mail : byronyoung@hotmail.com

- **Umberto ZAPELLONI**
  Journalist (Italy)

- **IL GIORNALE**
  Via G. Negri 4
  20123 Milano - ITALY
  ☎ : (39) 02 8566367
  Fax : (39) 02 72023977
  E-mail : umzap@altavista.net
  E-mail : sport@ilgiornale.it

- **Andraz ZUPANCIC**
  Journalist (Slovenia)

- **GRAND PRIX MAGAZINE**
  Savska 3A
  SI-1000 Ljubljana - SLOVENIA
  ☎ : (386) 61 13 77 291
  Fax : (386) 61 13 74 331
  Cellular : (386) 41 611 393
  E-mail : grandprix@mythos.si
  E-mail : azupancic@yahoo.com

- **Helmut ZWICKL**
  Journalist (Austria)

- **AUTO TOURING**
- **AUTOREVUE**
- **KURIER**
- **MOTORSPORT AKTUELL**

- **HOME**
  Kaiser Ebersdorfer Str. 56
  1110 Vienna - AUSTRIA
  ☎ (43) 1-7673352
  Fax : (43) 1-7673352

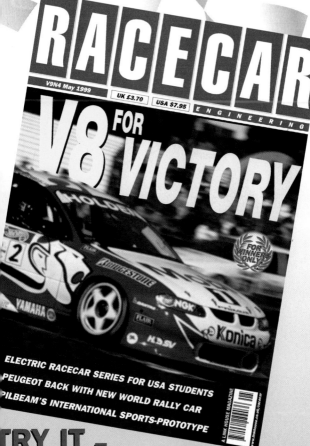

1998
GRAND PRIX

AUSTRALIA

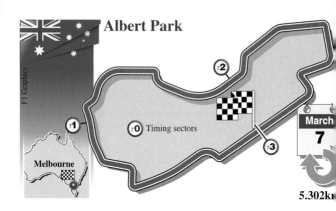

Albert Park

Melbourne

March
7

5.302km

Main Information

Official Grand Prix name : Qantas Australian Grand Prix
Grand Prix Sponsor : Qantas
Circuit name : Albert Park Grand Prix Circuit
Circuit address : Albert Park - Melbourne VIC 3205 - AUSTRALI
Organizer : Australian Grand Prix Corporation
220 Albert Rd, South Melbourne VIC 3205 - AUSTRALIA
Person in charge : John HARNDEN (CEO)
Phone : (61) 3 - 9258 7100 - **Fax :** (61) 3 - 9682 0410
Web : www.grandprix.com.au   **E-mail :** 1000360.3454@compuserve.co
Press Officer : Geoffrey HARRIS
Phone : (61) 3 - 9258 7100 - **Fax :** (61) 3 - 9682 0410
TV Network covering the GP : Channel 9

National Sporting Authority

CAMS Ltd - Confederation of Australian Motorsport
851 Dandenong Road, Malvern East, Victoria 3145 - AUSTRALIA
Phone : (61) 3 - 9593 7777 - **Fax :** (61) 3 - 9593 7700
Contact : Greg SWAN, Tim SCHENKEN

1998 Grand Prix - Results

Pole Position :	M. HAKKINEN (McLaren-Mercedes)
	1'30''010
Fastest lap :	M. HAKKINEN (McLaren-Mercedes)
	1'31''649
Winner :	M. HAKKINEN (McLaren-Mercedes)
	1 h 31'45''996 - 190,763 km/h

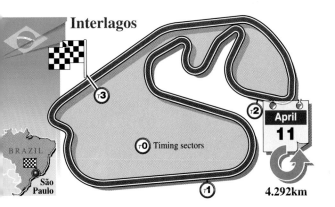

Interlagos

Timing sectors

April
11

4.292km

BRAZIL
São Paulo

---

rcuit

ficial Grand Prix name : Gran Premio do Brazil

rcuit name : Autodromo Jose Carlos Pace
rcuit address : Avenida Senador Teotonio Vilelia 259 - Sao Paulo
AZIL

one : (55) 11-521 9911 - **Fax :** (55) 11-242 4494

ess Officer : Clovis MENDOÇA

one : (55) 21-438 2148 - **Fax :** (55) 21-438 2309

Network covering the GP : TV GLOBO

---

tional Sporting Authority

B.A. (Confederaçao Brasileira de Automobilismo)
a da Gloria, 290 - 8° Andar. Grs 801/802, Cep 20241
de Janeiro - BRAZIL

one : (55) 21-221 4895 - **Fax :** (55) 21-221 4531
lex : 21 23873 CBAU BR
ntact : Reginaldo BUFAIÇAL

---

98 Grand Prix - Results

le Position :	M. HAKKINEN (McLaren-Mercedes) 1'17''092
stest lap :	M. HAKKINEN (McLaren-Mercedes) 1'19''337
inner :	M. HAKKINEN (McLaren-Mercedes) 1 h 37'11''747 - 190,763 km/h

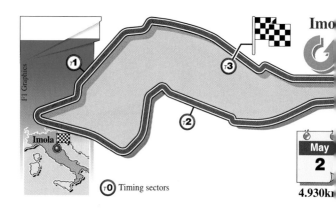

Imola

May
2

4.930k

Main Information

Official Grand Prix Name : 19° Gran Premio di San Marino
Grand Prix Sponsor : Warsteiner

Circuit name : Autodromo Enzo E Dino Ferrari
Circuit address : Via Fratelli Rosselli, 2 - 40026 Imola -
Rep. Di San Marino

Organizer : S.A.G.I.S. SpA
Via Fratelli Rosselli, 2 - 40026 Imola - Rep. Di San Marino

Person in charge : Federico BENDINELLI
Phone : (39) 542-31444 - **Fax :** (39) 542-30420

Press Officer : Gianni BERTI   **P.R. Officer :** Bruno MONGARD
Phone : (39) 542-31444 - **Fax :** (39) 542-30420

TV Network covering the GP : RAI

National Sporting Authority

F.A.M.S. (Federazione Auto Motoristica Sammarinese)
Via IV Giugno, 999 - 47031 Serravalle - Republica di San Marino
Phone : (39) 549-900757 - **Fax :** (39) 549-900284
Contact : Augusto BARDUCCI

1998 Grand Prix - Results

Pole Position :	D. COULTHARD (McLaren-Mercedes)
	1'25''973
Fastest lap :	M. SCHUMACHER (Ferrari)
	1'29''345
Winner :	D. COULTHARD (McLaren-Mercedes)
	1 h 34'24''593 - 194,117 km/h

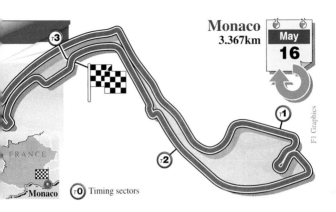

Monaco
3.367km

May
16

F1 Graphics

FRANCE

Monaco   ⑦**0** Timing sectors

ain Information

fficial Grand Prix Name: Grand Prix Automobile de Monaco

rcuit name: Circuit de Monaco

rcuit address: 23, Boulevard Albert 1er - 98000 MONACO

rganizer: Automobile Club de Monaco
, Boulevard Albert 1er - BP 464 -MC 98012 MONACO

rson in charge: Rene ISOART (Commissaire Général)

one: (377) 93 15 26 00 - **Fax:** (377) 93 25 80 08

eb site: www.acm.mc   **E-mail:** info@acm.mc

ess Officer: Patrick MANNOURY

one: (377) 93 15 26 00 - **Fax:** (377) 93 15 26 20

Network covering the GP: TMC

ational Sporting Authority

CM (Automobile Club de Monaco)
, Boulevard Albert 1er, B.P. 464 - Principauté de Monaco
C 98012 MONACO

one: (377) 93 15 26 00 - **Fax:** (377) 93 25 80 08

ntact: Michel BOERI (Président) - René ISOART (Commissaire Général)

98 Grand Prix - Results

le Position:	M. HAKKINEN (McLaren-Mercedes)
	1'19"798
stest lap:	M. HAKKINEN (McLaren-Mercedes)
	1'22"948
inner:	M. HAKKINEN (McLaren-Mercedes)
	1 h 51'23"595 - 141,458 km/h

SPAIN

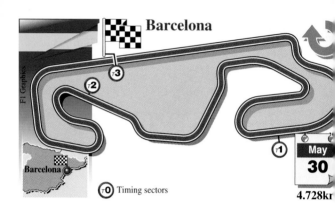

Barcelona

FI Graphics

Barcelona

r0 Timing sectors

May
30

4.728kr

Circuit

Official Grand Prix Name: Gran Premio de España
Grand Prix Sponsor: Marlboro
Circuit name: Circuit de Catalunya
Organizer: Circuit de Catalunya - RACC
AP de Correus 27 - 08160 Montmeló - SPAIN
Person in Charge: J.M. CARULLA
Phone: (34) 93 5715700 - **Fax:** (34) 93 5723061
Web: www.circuitcat.com
Press Officer: J. M. MIRET   **P.R. Officer:** J. MATEU
Phone: (34) 93 5715700 - **Fax:** (34) 93 5723061
TV Network covering the GP: Televisió de Catalunya

National Sporting Authority

F.E.A. (Federacion Española de Automovilismo)
Escultor Pereseto 68 Bis - Madrid - SPAIN
Phone: (34) 1 725 9430 - **Fax:** (34) 1 357 0203

Contact: Javier ARIAS (Press Officer)

1998 Grand Prix - Results

Pole Position:	M. HAKKINEN (McLaren-Mercedes) 1'20"262
Fastest lap:	M. HAKKINEN (McLaren-Mercedes) 1'24"275
Winner:	M. HAKKINEN (McLaren-Mercedes) 1 h 33'37"621 - 196,821 km/h

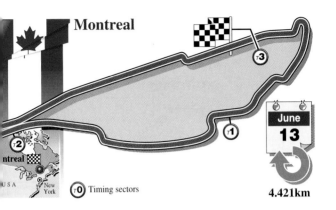

Montreal

June
13

4.421km

Timing sectors

ain Information

fficial Grand Prix Name: Grand Prix Air Canada
rand Prix Sponsor: Air Canada
rcuit name: Circuit Gilles Villeneuve
rcuit address: Ile Notre Dame - Montreal (Quebec) H3C 1A0 -
ANADA
rganizer: Grand Prix F1 du Canada Inc.
3 Saint Jacques Street, Suite 630
ontreal (Quebec) - H2Y 1N9 - CANADA
rson in charge: Normand LEGAULT- President
one: (1) 514 - 350-4731 - **Fax:** (1) 514 - 350-0007
eb: www.grandprix.ca
ess Officer: Richard PRIEUR
one: (1) 514 - 350-4731 - **Fax:** (1) 514 - 350-0007
V Network covering the GP: SRC/CBC

ational Sporting Authority

SN Canada FIA
0, Esna Park Drive, Unit 12
arkham (Ontario) L3R 3K2 - CANADA
one: (1) 905 - 479-4000 - **Fax:** (1) 905 - 479-7423
ontact: Roger PEART, President

998 Grand Prix -Results

le Position:	D. COULTHARD (McLaren-Mercedes)
	1'18"213
astest lap:	M. SCHUMACHER (Ferrari)
	1'19"379
inner:	M. SCHUMACHER (Ferrari)
	1 h 40'57"355 - 181,296 km/h

571

FRANCE

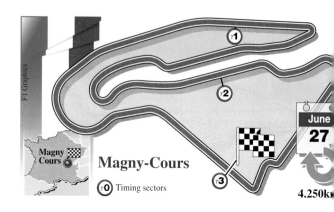

Magny-Cours

⊤**0** Timing sectors

June **27**

4.250k

Main Information

Official Grand Prix Name : Mobil Grand Prix de France
Grand Prix Sponsor : MOBIL 1
Circuit name : Circuit de Nevers - Magny-Cours
Circuit address : Technopole - 58470 Magny-Cours - FRANCE
Organizer : Circuit de Nevers - Magny-Cours
Technopole - 58470 Magny-Cours - FRANCE
Person in charge : Roland HODEL
Phone : (33) 3 - 86 21 80 00 - **Fax :** (33) 3 - 86 21 81 41
Press Officer : Guy MOUROT
Phone : (33) 1 - 42 83 35 81 - **Fax :** (33) 1 - 42 83 54 38
TV Network covering the GP : TF1

National Sporting Authority

F.F.S.A. (Fédération Française du Sport Automobile)
17/21, avenue du Général Mangin - 75781 Paris Cedex 16 - FRANCE
Phone : (33) 1 - 44 30 24 00 - **Fax :** (33) 1 - 42 24 16 80
Contact : Jacques REGIS (President)

1998 Grand Prix - Results

Pole Position :	M. HAKKINEN (McLaren-Mercedes) 1'14''929
Fastest lap :	D. COULTHARD (McLaren-Mercedes) 1'17''523
Winner :	M. SCHUMACHER (Ferrari) 1 h 34'45''026 - 190,963 km/h

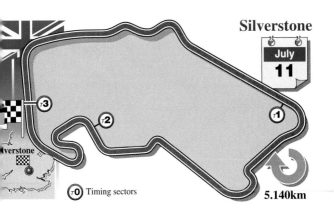

Silverstone

July
11

⌘0 Timing sectors

5.140km

...ain Information

...ficial Grand Prix Name : RAC British Grand Prix
...and Prix Sponsor : RAC
...rcuit name : Silverstone Circuit
...rcuit address : Silverstone, Northants NN12 8TN - ENGLAND
...rganizer : Silverstone Circuit Ltd
...verstone, Northants NN12 8TN - ENGLAND
...rson in Charge : Denys ROHAN
...one : (44) 1327-857271 - **Fax :** (44) 1327-857663
...b site : www.silverstone-circuit.co.uk
...ess Officer : Peter MORRIS   **P.R. Officer :** Katie TYLER
...one : (44) 1327-320225 - **Fax :** (44) 1327-320333
...' Network covering the GP : ITV

...tional Sporting Authority

...5A
...otor Sports House
...lnbrook, Slough SL3 0HG - ENGLAND
...one : (44) 1753-681736 - **Fax :** (44) 1753-682938
...rson to contact : Colin WILSON

...98 Grand Prix - Results

...le Position :	M. HAKKINEN (McLaren-Mercedes)
	1'23"271
...stest lap :	M. SCHUMACHER (Ferrari)
	1'24"475
...inner :	M. SCHUMACHER (Ferrari)
	1 h 47'12"450 - 172,541 km/h

573

AUSTRIA

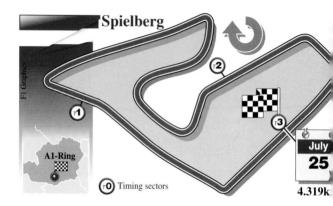

Spielberg

F1 Graphics

A1-Ring

⊤0 Timing sectors

July
25

4.319k

Main Information

Official Grand Prix Name: Grosser Preis von Osterreich
Organizer: Allsport Management SA
World Trade Center, P.O. Box 51 - 1215 Geneva 15 - SWITZERLAN
Person in Charge: Patrick McNALLY
Phone: (41) 22-9295262 - **Fax:** (41) 22-9295277
Web : www.gp1.A1.com
Press Officer: Katja HEIM   **P.R. Officer:** Michaela HÖLL (A1 RIN(
Phone: (44) 171-3139180 - **Fax:** (44) 171-3139188
Phone: (43) 3577 - 753 - **Fax:** (43) 3577 - 753-107
TV Network covering the GP: ORF

National Sporting Authority

OSK - Leberstrasse 56-60, 1110 Vienna - AUSTRIA
Phone: (43) 1 - 7491623 - **Fax:** (43) 1 - 7491688
Contact: Kurt WAGNER

1998 Grand Prix - Results

Pole Position:	G. FISICHELLA (Benetton)
	1'29"598
Fastest lap:	D. COULTHARD (McLaren-Mercedes)
	1'12"878
Winner:	M. HAKKINEN (McLaren-Mercedes)
	1 h 30'44"086 - 202,777 km/h

GERMANY

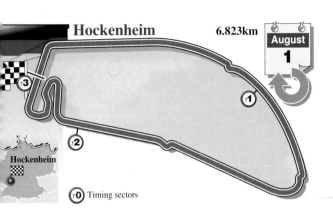

Hockenheim 6.823km

August
1

Hockenheim

(0) Timing sectors

ain Information

ficial Grand Prix name: Großer Mobil 1 Preis Von Deutschland

and Prix Sponsor: Mobil 1

ganizer: Promotion Gesellschaft Motorsport mbH
otordrom, 68766 Hockenheim - GERMANY

rson in charge: Andreas MEYER

one: (49) 6205 4031

b : www.hockenheim.de

ess and PR Officer: Katja HEIM

one: (44) 171-3139180 - **Fax:** (44) 171-3139188

Network covering the GP: RTL (Terrestrial),
DF1 (Digital)

tional Sporting Authority

MSB
idmannstrasse 47, 60596 Frankfurt - GERMANY

one: (49) 69 633007-0 - **Fax:** (49) 69 633007-30

ntact: Uwe FRUMOLD

98 Grand Prix - Results

le Position:	M. HAKKINEN (McLaren-Mercedes)
	1'41''838
stest lap:	D. COULTHARD (McLaren-Mercedes)
	1'46''116
inner:	M. HAKKINEN (McLaren-Mercedes)
	1 h 20'47''984 - 227,997 km/h

HUNGARY

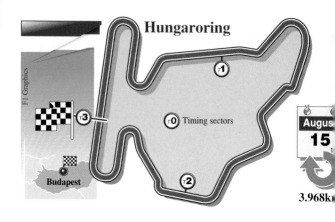

Hungaroring

Timing sectors

Budapest

Augus **15**

3.968k

Main Information

Official Grand Prix name : Marlboro Hungarian GP
Grand Prix Sponsor : Marlboro
Circuit name : Hungaroring
Circuit address : 2146 Mogyorod P.F. 10 - HUNGARY
Organizer : Hungaroring sport rt
Person in charge : Dr Janos BERENYL
Phone : (36) 1 - 224 5812 - **Fax :** (36) 1 - 224 5812
E-mail : hungaroring@mail.digitel2002
Press Officer : Peter PETAN - **Phone/Fax :** (36) 1 - 283-0243
PR Officer : David SANDOR - **Phone/Fax :** (36) 1 - 283-0243
TV Network covering the GP : MTV MAGYAR TELEVIZIÓ

National Sporting Authority

Magyar Nemzetti Autosport Szövetseg (MNASZ)
Budapest 1135 Fay U 17 - HUNGARY
Phone : (36) 1 - 339-9384 - **Fax :** (36) 1 - 350-8837
Contact : Attila FERJANCZ (President)

1998 Grand Prix - Results

Pole Position :	M. HAKKINEN (McLaren-Mercedes)
	1'16''973
Fastest lap :	M. SCHUMACHER (Ferrari)
	1'19''286
Winner :	M. SCHUMACHER (Ferrari)
	1 h 45'25''550 - 174,062 km/h

BELGIUM

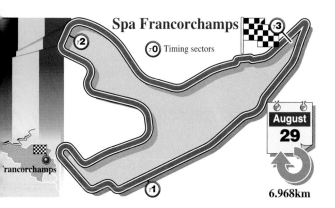

Spa Francorchamps

Timing sectors

August
29

6.968km

ain Information

ficial Grand Prix Name: Grand Prix de Belgique

rcuit name: Circuit de Spa-Francorchamps

ganizer: Spa Activities SPRL
ute du Circuit, 55 - 4970 Francorchamps - BELGIUM

rson in charge: Andre MAES

one: (32) 87 275146 - **Fax:** (32) 87 275551

ess Officer: Katja HEIM

one: (44) 171 - 3139180 - **Fax:** (44) 171 - 3139188

Network covering the GP: RTBF

tional Sporting Authority

CB - Rue d'Arlon, 53 - 1040 Bruxelles - BELGIUM
one: (32) 2-2870911 - **Fax:** (32) 2-2307584
ntact: Charles de FIERLANT

98 Grand Prix - Results

le Position:	M. HAKKINEN (McLaren-Mercedes)
	1'48"682
stest lap:	M. SCHUMACHER (Ferrari)
	2'03"766
inner:	D. HILL (Jordan-Mugen Honda)
	1 h 43'47"407 - 177,229 km/h

577

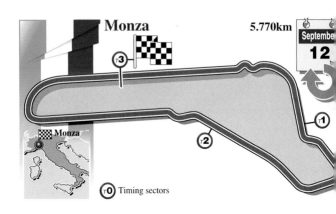

Monza

5.770km

September 12

③ Timing sectors

Main Information

Official Grand Prix name : Gran Premio d'Italia
Grand Prix Sponsor : CAMPARI
Circuit name : Autodromo Nazionale Di Monza
Circuit address : Parco Monza - 20052 Monza - ITALY
Person in charge : Enrico FERRARI
Phone : (39) 039-24821 - **Fax :** (39) 039-320324
P.R. Officer : Alfredo GRANDI
Phone : (39) 039-2301350 - **Fax :** (39) 039-2301350

Organizer : Automobile Club di Milano
Corso Venezia 43 - 20121 Milano - ITALY
Person in charge : Pasquale BERNARDO
Phone : (39) 02-7745228 - **Fax :** (39) 02-781844

Press Officer : Paolo MONTAGNA   **P.R. Officer :** Stefano BROGGINI
Phone : (39) 02-7745239   **Phone :** (39) 02-7745265
Fax : (39) 02-781844 / 76014531   **Fax :** (39) 02-781844

TV Network covering the GP : RAI

National Sporting Authority

Commissione Sportiva Automobilistica Italiana (CSAI)
Via Solferino 32 - 00185 Roma - ITALY

Phone : (39) 06 4941024 - **Fax :** (39) 06 4940961

Person in Charge : Erasmo SALTI   **Press Officer :** Gianni BER

1998 Grand Prix - Results

Pole Position :	M. SCHUMACHER (Ferrari)
	1'25''289
Fastest lap :	M. HAKKINEN (McLaren-Mercedes)
	1'25''139
Winner :	M. SCHUMACHER (Ferrari)
	1 h 17'09''672 - 237,591 km/h

EUROPE

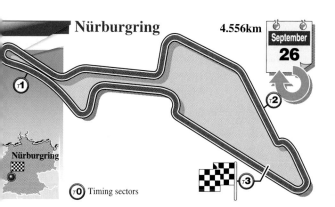

Nürburgring

4.556km

September
26

Nürburgring

r0 Timing sectors

---

ain Information

and Prix name : Grosser Warsteiner Preis von Europa
rcuit : Nürburgring GmbH
520 Nürburg/Eifel - GERMANY

ganizer : ADAC e.V.
henzollern Strasse 34 - 5 6068 Koblenz - GERMANY

one : (49) 261-130326/27/28 - **Fax :** (49) 261 - 130375

R. and Press Officer : Luki SCHEUER

one : (49) 2691-930016 - **Fax :** (49) 2691-930017

Network covering the GP : RTL

---

tional Sporting Authority

MSB (Deutscher Motor Sport Bund e.v.)
hnstrasse 70 - 60528 Frankfurt/Main - GERMANY
one : (49) 69 - 6330070 - **Fax :** (49) 69 - 63300730
ntact : Hermann TOMCZYK

---

98 Grand Prix - Results

le Position :	M. SCHUMACHER (Ferrari)
	1'18"561
stest lap :	M. HAKKINEN (McLaren-Mercedes)
	1'20"450
nner :	M. HAKKINEN (McLaren-Mercedes)
	1 h 32'14"789 - 198,534 km/h

579

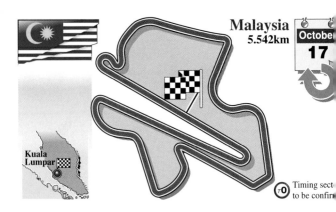

Malaysia
5.542km

October
17

Timing sect
to be confir

Main Information

Circuit name : Sepang International circuit

Organizer : Sepang Int. circuit Sdn. Bhd.
Wisma Bintang, lot 13A, Jalan 225, 46100 Petaling Selangor
MALAYSIA

Phone : (603) 755 5555 - **Fax :** (603) 755 7319

Press Officer : Ali Hussin MOHD

Phone : (603) 755 5555 - **Fax :** (603) 755 7319

National Sporting Authority

Automobile Association of Malaysia
25 Jalan Yap Kwan Seng
50450 Kuala Lumpur - MALAYSIA
Phone : (603) 746 7777 - **Fax :** (603) 746 3300

1998 Grand Prix - Results

NEW RACE

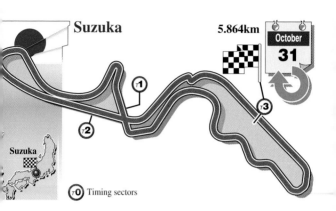

Suzuka   5.864km   October 31

Suzuka

(r0) Timing sectors

rcuit

and Prix name: Fuji Television Japanese Grand Prix
and Prix Sponsor: Fuji Television
rcuit name: Suzuka International Racing course
ganizer: Suzuka Motor Sport Club
)2 Ino-cho, Suzuka-shi, Mie-ken 510-02 - JAPAN
one: (81) 593 78 1465 - **Fax:** (81) 593 70 1818
ntact: Yoshiaki EBATA
ess Officer: Hiroyasu GOTO
one: (81) 3 3271 5888 - **Fax:** (81) 3 3271 9377
Network covering the GP: FUJI TV

tional Sporting Authority

an Automobile Federation (J.A.F.)
sonic 39 Mori B.D. 6F - 2-4-5 Azabudai Minatoku - Tokyo 106 - JAPAN
one: (81) 3 3578 4936 - **Fax:** (81) 3 3578 4937

ntact: Katsutoshi TAMURA

)8 Grand Prix - Results

e Position:	M. SCHUMACHER (Ferrari)	
	1'36"293	
test lap:	M. SCHUMACHER (Ferrari)	
	1'40"190	
nner:	M. HAKKINEN (McLaren-Mercedes)	
	1 h 27'22"535 - 205,229 km/h	

TRAVEL
AGENCIES

GRAND PRIX TOURS

GRAND PRIX TOURS
1071 Camelback Street,
Newport Beach, CA 92660-USA
Phone : (1) 949-717-3333
Fax : (1) 949-717-3344
E-mail : reservation@gptours.com
Web : www.gptours.com

1999 Programme forecast related to Formula One :
All races - Hotels, Tickets, Transfers, Theme parties, Incentive programs -
Dealer awards, Key client program, Employee recognition events,
Sweepstakes.

List of Formula One customers :
Mastercard, Bridgestone

Number of persons involved in F1 : 11

Name of personnel available at the race track : Barry SIMPSON

What are the other activities of the Agency :
NASCAR, CART

What would you consider to be your best asset in this business :
Quality service

JUST TICKETS & MOTORING

JUST TICKETS & MOTORING LT
1 Charter House, Camden Cresce
Dover, Kent CT16 1LE
ENGLAND
Phone : (44) 1304 - 228866
Fax : (44) 1304 - 242550
Web : www.justtickets.co.uk

1999 Programme forecast related to Formula One :
The stupendous interest in Formula One shows no sign of diminishi
and although we are the U.K.'s biggest supplier of tickets, we could
sell out even earlier this year.

List of Formula One customers :
Williams, McLaren, Jordan

Number of persons involved in F1 : 5.

Name of personnel on duty at the race track : D.J. CARTER & A.R. LOW

What are the other activities of the Agency :
Arranging self-drive to European Formula One and Le Mans 24 Hr,
plus a range of hospitality at Monaco, Silverstone and Le Mans.

What would you consider to be your best asset in this business :
Extensive knowledge of sport and wide experience of tickets, travel
and hotels.

LUCKY 7 RACING TOURS

LUCKY 7 RACING TOURS
A division of 7-Seas Travel Ltd.
Bellerivestrasse 11
8034 Zurich - SWITZERLAND
Phone : (41) 1 - 387-7788
Fax : (41) 1 - 387-7789
Web : www.lucky7.ch
E-mail : speed@lucky7.ch

'99 Programme forecast related to Formula One :
oice of prepackaged tours and individual components (tickets,
tel, flight, coach, etc...) to all Formula One races.

mber of persons involved in F1 : 4

hat are the other activities of the Agency :
lected offering for CART, NASCAR races and the 24 hours
Le Mans race. Incentive events.
rive your own Race-Car" programmes.
anchise Partner of American Express Travel.

hat would you consider to be your best asset in this business :
e do nothing, but organize trips to motor-sports events, thus we
ow what specific needs motorsport enthusiasts have. We are small
ough to take care of individual needs, yet have access to ressources
the American Express Travel Network; the world's biggest Travel
mpany.

OTOR RACING INTERNATIONAL

MOTOR RACING
INTERNATIONAL
15 Market Street, Sandwich
Kent CT13 9DA - ENGLAND
Phone : (44) 1304 - 612424
Fax : (44) 1304 - 615490

'99 Programme forecast related to Formula One :
ery Grand Prix + Le Mans 24 Hours.

st of Formula One customers :
o numerous to list

mber of persons involved in F1 : Six dedicated F1 travel consultants.

me of personnel available at the race track :
ry HOWELL.

hat are the other activities of the Agency :
& Le Mans hospitality, travel & tickets.

hat would you consider to be your best asset in this business :
K's only travel company to be 100% devoted to motorsport.

MOTORSPORT TRAVELING

MOTORSPORT TRAVELING
Frankfurter Str. 8
D-57290 Neukirchen
GERMANY
Phone : (49) 2735 - 7751 0
Fax : (49) 2735 - 7751-51
Web : www.ms-traveling.de
E-mail : ms-traveling@online.de

1999 Programme forecast related to Formula One :
All F1 Grand Prix, Le Mans 24 H

List of Formula One customers :
Parties of Villeroy & Boch, Mannesmann Mobilfunk GmbH (D2),
Honda-Germany, Kawasaki-Germany, Mobil Oil, Fuji Tape, etc...

Number of persons involved in F1 : 5

Personnel available at the race track : 2

What are the other activities of the Agency :
Travel Agency, Event-Marketing, Full-Service, VIP Service, etc...

PAGE & MOY

PAGE & MOY LTD
INTERNATIONAL MOTOR
RACING TOURS
136-140 London Road
Leicester LE2 1EN - ENGLAND
Phone : (44) 116 - 2507007
Fax : (44) 116 - 2507009
E-mail : gprix@page-moy.co.uk

1999 Programme forecast related to Formula One :
Choice of air, coach, self-drive tours to most Formula One events,
wide choice of tickets including grandstand for all Formula One and
the Le Mans 24 Hours.

Name and number of persons involved in F1 :
A Page & Moy courier accompanies each group by coach/air.
Number will depend on total number of groups.

What are the other activities of the Agency :
European and worldwide holiday tour operator including specialist
art, history and opera, music holidays, cruises.

What would you consider to be your best asset in this business :
Experience gained over 35 years of organising worldwide travel.
Over 10.000 people travel on motor racing holidays each year.

SCHAERLINES AG

SCHAERLINES AG
Steinenvorstadt 50
CH-4010 Basel - SWITZERLAND
Phone : (41) 61 281 89 81
Fax : (41) 61 281 89 78

999 Programme forecast related to Formula One :
hoice of air, coach or self-drive journeys to all Formula One events,
e Mans 24h and Indy Car/NASCAR-Series.
cket Service and Hotel Accomodations.

ist of Formula One customers :
astrol, Danka, McLaren-Mercedes, Porsche-Club

umber of persons involved in F1 : 5 persons.

ame of personnel on duty at the race track :
ephan HUBER (Gnl. Mgr.), Antonio TRIPOLI, Tina LENZ.

/hat are the other activities of the Agency :
Trips to Football-Games all over Europe.
Day trips to different European Cities.
Incentive Travel.

/hat would you consider to be your best asset in this business :
ver 15 years of experience in Formula One Travel.

XLA VOYAGES

XLA VOYAGES
87, rue des Bruyères
92310 Sèvres - FRANCE
Phone : (33) 1 - 45 34 41 41
Fax : (33) 1 - 45 34 68 68

999 Programme forecast related to Formula One :
ll Grand Prix of the season for V.I.P. and professionals.

ist of Formula One customers :
lf, Seita, TF1, Prost GP, Shell, Marlboro, Rothmans,
anal +.

umber of persons involved in F1 : 5.

ame of personnel on duty at the race track :
avier LANDON.

/hat are the other activities of the Agency :
acentive.

/hat would you consider to be your best asset in this business :
ogistics and tailor made services.

587

WEBSITES
&
E-MAILS

web-f1.com

- **Up To The Minute News- As It Breaks**
- **Gossip You Won't Believe**
- **Interactive Racetracks**
- **Interactive Merchandise**
- **Exclusive Merchandising Offers**
- **Motorsport Chat Rooms**

Watch For Our
$1,000,000 F1 Competition

COMPANIES - TEAMS - CIRCUITS

CATEL :	alcatel.com
	laurent.lachaux@alcatel.fr
LEGRINI :	allegrini@allegrini.com
	allegrini.com
TRAN :	altran-group.com
	egautier@altran.fr
DERSEN CONSULTING :	ac.com
RACING :	apracing.com
	steve.bryan@apracing.co.uk
ROWS :	arrows.gp@twr.co.uk
	arrows.co.uk
TARTE :	astarte.de
	info@astarte.de
L :	atlinc.com
	atl@powernet.com
STRALIAN GRAND PRIX :	grandprix.com.au
	1000360.3454@compuserve.com
STRIAN :	gp1.A1.com
TOMOTIVE PRODUCTS GROUP :	apgroup.co.uk
LL :	messages@sportseurope.com
NETTON :	jtnek.ad.jp/www/JT/event/F1/welcome.hthl
NSON & HEDGES :	gallaher-group.com
	info@galltl.co.uk
AZILIAN GRAND PRIX :	
EMBO :	press@brembo.it
	brembo.it
IDGESTONE :	bridgestone.com
ITISH AEROSPACE :	bae.co.uk
	richard.ellis@bae.co.uk
ITISH AMERICAN RACING :	britishamericanracing.com
OTHER :	brother.com
UNO MAGLI :	brunomagli.it
	bruno.magli@brunomagli.it
DCENTRE :	cadcentre.com
	r.longdon@cadcentre.co.uk
DTEK :	sales@cadtek.com
	cadtek.com
MOZZI :	camozzi.it
	info@camozzi.it
NADIAN GRAND PRIX :	grandprix.ca
RBONE INDUSTRIE :	philippe.rerat@messier-bugatti.com
AMBON :	nicolas@chambon.com
	chambon.com
ARMILLES :	charmilles.com
	BChambardon@compuserve.com
STROL :	castrol.com
MPACT :	compact@tin.it
MPUTER ASSOCIATES :	cai.com
	cecca01@cai.com
STRUZIONI :	car.it
	car@car.it
P :	crpt@cevolini.com
SSAULT SYSTEMES :	dsweb.com
	catia.ibm.com
	jean-marc_galea@ds-fr.com
LPHI :	delphiauto.com
1 :	df1.com
	df1event@yahoo.com
AVIA :	diavia@mol.bo.it
EMME :	dm@diemme-spa.com
	diemme-spa.com
F :	dsf.de
PONT :	dupont.com
C2 :	emc.com
IL FREY :	emil-frey.ch
TRANET/NAT SYSTEMS :	entranet.co.uk
UANT :	equant.com
AT DIGIFONE :	digifone.com
	press.office@digifone.com
ROPEAN AVIATION :	euroav.com
	european@euroav.com
50 :	F150.com
	d.woods@F150.com
DEX :	fedex.com

593

COMPANIES - TEAMS - CIRCUITS

FERRARI :	ferrari.it
	mailbox@ferrari.it
FINLANDIA VODKA :	finlandia-vodka.com
	pekka.ylanko@primalco.fi
FLUENT EUROPE :	info@fluent.com.uk
	fluent.com
FONDMETAL :	service@fondmetal.com
	fondmetal.com
FUJITSU COMPUTERS :	fujitsu-computers.com
GERMAN GRAND PRIX :	hockenheim.de
GALMER ENGINEERING :	design@galmer.co.uk
GARNETT DICKINSON :	gdprint.co.uk
	info@gdprint.co.uk
GOODRIDGE :	goodridge-uk.com
	goodridge@goodridge-uk.com
GREAT BRITAIN GRAND PRIX :	silverstone-circuit.co.uk
HELBLING :	lee@helbling.ch
	helbling.ch
HEWLETT-PACKARD :	alan_holdship@hp.com
HSBC :	hsbcgroup.com
HUGO BOSS :	hugoboss.com
HUNGARY GRAND PRIX :	hungaroring@mail.digitel2002
HUTCHINSON :	ianhutchinson@btinternet.com
IBSV :	ibsv@ibsv.com
	ibsv.com
ICN :	mallicn@compuserve.com
	winfield-williamsF1.com
INTERCOND :	intercond.com
	salesdpt@intercond.it
JARDINE :	us@jardinepr.co.uk
JORDAN :	jordangp.com
KENWOOD :	kenwood.co.jp
KOMATSU :	komatsu.com
KONI :	koni.com
	pvisser@koni.nl
LAIDLAW COLOURGRAPHICS :	laidlaw.legend.yorks.com
	laidlaw@legend.co.uk
LEAR CORPORATION :	lear.com
	news@lear.com
LISTA :	lista.com
MAGNETI MARELLI :	competizioni@corbetta.marelli.it
	marelli.it
McLAREN :	mclaren.co.uk
METALORE :	metalore.com
	metalore@metalore.com
MGA :	mga@dial.pipex.com
MICROSYSTEM :	microsystem.it
	microsystem@bo.microsystem.it
MINARDI :	minardi.it
	team@minardi.it
MONACO GRAND PRIX :	acm.mc
	info@acm.mc
MOTOR RACING SERVICES :	jackie@mrs2000ltd.demon.co.uk
MSAS :	msas.com/oranges
MSC :	macsch.com
	tony-kent@macsch.com
MULTIVEX :	grd19@idt.net
NEW MAN :	Newman.tm.fr
NORTEL NETWORKS :	nortelnetworks.com
OMP :	omp.info@ompracing.it
	ompracing.it
O.Z. RACING :	info@ozracing.com
PANINI :	paninisrl.it
	mailbox@paninisrl.it
PANKL :	sales@pankl.co.at
	pankl.com
PENSKE :	penskeshocks.com
	LJ@penskeshocks.com
PETROBRAS :	petrobras.com.br
	thompson@petrobras.com.br
PETRONAS :	petronas.com.my
PEUGEOT :	peugeot.com
PHG :	phg.developpement@wanadoo.fr

SNER URQUELL :	tomas.tesner@pilsner-urquell.com
	pilsner-urquell.com
DIUM DESIGNS :	podium.com
	info@podium.com
MALCO :	finlandia-vodka.com
	pekka.ylanko@primalco.fi
OFILE SEATING SYSTEMS :	proseat@breathemail.net
OST :	prostgrandprix.fr
M :	psm@f1.co.uk
	f1.co.uk
D :	qad.com
CING GRAPHIX :	graphix.co.uk
	racing@graphix.co.uk
PID INTERNATIONAL :	rapidintl@ael.com
YCHEM :	raychem.com
MUS :	office@remus.at
	remus.at
PSOL :	repsol.com
	repsol@repsol.com
BERTO CEVOLINI :	cevolini.com
	direzione@cevolini.com
CES :	info@roces.it
	roces.com
ATCHI :	mcsaatchi.com
CHS :	sachs-ag.de
UBER :	redbull-sauber.ch
MENS :	siemens.com
	www@siemens.de
KA :	jackson.tracey@uk.sika.com
MPSON :	simpsonraceproducts.com
AP-ON TOOLS :	snapon.com
NAX :	sonax.de
ANISH GRAND PRIX :	circuitcat.com
ARCO :	info@sparco.it
	sparco.it
NAL INJURIES ASSOCIATION :	jgrweb.com/sia/
ORTS MARKETING SURVEYS :	nigelg@smsuk.demon.co.uk
ORTS SYSTEMS SERVICES :	sportssystems.com
	jim@sportssystems.com
AND 21 :	stand21@wanadoo.Fr
	stand21racewear.com
RGETTI SANKEY :	targetti.com
	targetti@targetti.it
CHNOGYM :	info@technogym.com
	technogym.com
LEFE :	telefe.com.ar
LEGLOBE :	teleglobe.ca
I :	mmm.com
.M :	fzendrini@tim.it
ADITION :	blandine.michel@nel.com
	tradition.com
NIGRAPHICS SOLUTIONS :	ugsolutions.com
NIVERSAL STUDIOS CONSUMERS :	unistudios.com
ELTINS :	veltins.de
AG :	info.mv@usag.it
ALERIO MAIOLI :	vmi@vmi.it
	vmi.it
ALLEVERDE :	rimini.com/valleverde
	valleverde@rimini.com
STEON :	racing.visteon.com
ARSTEINER BRAUEREI :	info@warsteiner.com
	warsteiner.de
EST :	pavel.turek@reemtsma.de
	west.de
	westonline.com
ILLIAMS :	williamsF1.co.uk
INFIELD :	winfield-williamsf1.com
	shirley.robinson@risl.com
TRAC :	101356.1377@compuserve.com
OSHIMOND :	ars@proupep.mc
	groupep.mc
NT :	apan777@mxa.mesh.ne.jp

MARKETING - PR - PRESS

T. AIT SAID :	tarik.ait-said@total.com
	tarikait@filnet.fr
N. ALEXANDER :	n.alexander@egdprint.co.uk
	gdprint.co.uk
Y. ARIMATSU :	yoshi-arimatsu@email.msn.com
G. BANKS :	geoff_banks@hp.com
V. BEAUJARDIN :	vbeaujar@edeluk.com
C. BERRO :	ferrari.it
	mailbox@ferrari.it
S. BOCCHI :	ferrari.it
C. BOMBASSEI :	press@brembo.it
A. CARLIER :	WHSport@t-online.de
R. CEVOLINI :	crpt@cevolini.com
P. CRAMER :	ispc@woergl.netwing.at
D.M CREASY :	kdpr@worldnet.att.net
	racing.visteon.com
X. CRESPIN :	xavier.crespin@prostgrandprix.fr
M. CUSIMANO :	team@minardi.it
G. DAVIES :	giselle197@aol.com
	jordangp.com
MP DUPASQUIER :	marie-pierre.dupasquier@prostgrandprix.fr
N. DUQUESNE :	nicolasduquesne@bfeurope.com
R. DURAN :	rd.racingservices@filnet.es
	press@pedrodelarosa.com
I. DURANCEAU :	izzy@baracing.co.uk
C. DYER :	noiseworks.com
Y. EBIHARA :	yoshi198@aol.com
G. FAREZ :	who-works@who-works-in.com
	who-works-in.com
A. FICARELLI :	andreaficarelli@benettonformula.com
S. FRANGIPANE :	team@minardi.it
	minardi.it
M. GALLAGHER :	jordangp.com
G. J. GLEW :	F1.co.uk
J. GORARD :	williamsF1.co.uk
C. GORHAM :	christine.gorham@twr.co.uk
B. GRANDET :	bgrandet@peugeot.com
N. GREEN :	nigel.green@twr.co.uk
	njgreen180@aol.com
A. GUERRIER :	anna.guerrier@tmms.mclaren.co.uk
G. HARRIS :	compuserve100360,3454
	grandprix.com.au
N. HARRIS :	mailicn@compuserve.com
	winfield-williamsF1.com
A. HEYENGA :	df1event@yahoo.com
	gironimos@yahoo.com
	DF1.de
A. HILL :	alison@idpr.demon.co.uk
J. HORDEN :	julia.horden@benettonformula.com
I. JICKELL :	ian.jickell@cub.com.au
G. JONES :	gsic@edelman.co.uk
	tyrrellf1.com
	f-1argentina.com
NC. KELLEHER :	cameronk@stewartgp.com
E. KOLBY :	ekolby@ford.com
C. KROGMANN :	christine.krogmann@reemtsma.de
C. LACHNITT :	christophe-lachnitt@alcatel.fr
Y. LAMBERT :	yves.lambert@prostgrandprix.fr
J.-C. LEFEBVRE :	Lefjc@aol.com
	peugeot.com
I. LEFORT :	mailicn@compuserve.com
	winfield-williamsf1.com
P. MANNOURY :	info@acm.mc
	acm.mc
G. MATTEUCCI :	matteucci.m@inbox.ilink.it
	proformula.com
J. M. MIRET :	premsa@racc.es
	racc.es
G. MOUROT :	HETRE1@wanadoo.fr
U. MÜLLER :	mueller.uta@fkg.li
	redbull-sauber.ch
A. NEYRINCK :	neyrinckalain@sodexho-alliance.fr

MARKETING - PR - PRESS

PARFITT :	rick_parfitt@hp.com
PETRELLI :	a.petrelli@targetti.it
	targetti.com
RAGEYS :	mailicn@compuserve.com
	winfield-williamsF1.com
ROBINSON :	icnsportsweb.com
RODRIGUES :	frodrigu@edeluk.com
SHERGOLD :	helen.shergold@twr.co.uk
PINELLI :	pspinell@edeluk.com
TAZZIOLI :	ctazzioli@ferrari.it
THOMPSON :	thompson@petrobras.com.br
TORELLI :	storelli@minardi.it
TUREK :	pavel.turek@reemtsma.de
VAGLIENTI :	sparco.it
WARREN :	david.warren@benettonformula.com
ZANARINI :	msm@tsc4.com

MEDIA

, AGOSTIC :	gpagosti@galactica.it
AKAI :	Ka0912@aol.com
ALBERA :	palbera@ppgintl.com
M. ALEXANDRESCU :	aalex@mdi.fr
M. ALISIC :	grandprix@mythos.si
	mythos.si/grandprix
AMADUZZI :	amaduzzi.com
	info@amaduzzi.com
NICH :	juliana@lvd.com.ar
ANTONINI :	asprint@as2.dsnet.it
, ARENA :	launion.com.ar
AUGIER :	luc.augier@mail.excelsior.fr
BASALJ :	rombo@alinet.it
A. BAUER :	MarioalbertoBAUER@yahoo.com
EDNARIC :	arenas@press.sknet.sk
BEIL :	ATP_THILL@compuserve.com
	webcom.com/atp
BENFENATI :	VAR2320@iperbole.bologna.it
BENSON :	autosport@aol.com
, BERG :	esberg@topmail.com.ar
BERGGREN :	svenberggren@swipnet.se
BISHOP :	matt_b@haynet.com
BLANCAFORT :	elmundodeportivo.es
	raymond@periodistes.org
Ma BOSCH :	jmb@intercom.es
BRANDT :	mbrandt205@aol.com
BRASSEUR :	pole.position@sympatico.ca
BRETON :	100656.1420@compuserve.com
BRITO :	jbrito@worldnet.fr
BRUNNER :	m-brunner@motorpresse.ch
CABRAL :	correo@megautos.com
	megautos.com
M. CAHIER :	phc@aparima.com
CARLIER :	3488045@mcimail.com
COLE : :	101542.1456.comps
COLLINGS :	Collings@compuserve.com
COOPER :	101777.31@compuserve.com
COOPER :	mcooper@allsport.co.uk
DAN :	gee01733@nifty.ne.jp
DELLI CARRI :	freeway@tin.it
DE MARTINO :	ilmessagero.it
DEMSAR :	simon.demsar1@guest.arnes.sl
	jesael.siavto
DESCHENAUX :	jacques.deschenaux@tsr.ch
DEVIES :	smv@xs4all.nl
DIJKMAN :	telegraaf.nl
DOBRIN :	grandprix@mythos.si
	mythos.si/grandprix
	bdobrin@yahoo.com
DOODSON :	70374.3116@compuserve
DOUVILLEZ :	douvilez@worldnet.fr
DUNBAR :	kau03@dial.pipex.com
DUROCHER :	pdurocher@journalmtl.com
	journaldemontreal.com
DURRUTY :	durruty@arnet.com.ar
EASON :	kevin.eason@the-times.co.uk
van EGMOND :	egmond.fotografie@worldonline.nl
van ELDIK :	rits@formule1.nl
	veronica.nl/photography/fritsvaneldik
ELFORD :	imagecare.com

597

MEDIA

S. ETHERINGTON :	steve@epiphoto.demon.co.uk
R. FAGNAN :	rfagnan@generation.net
P. FEARNLEY :	paul.fearnley@haynet.com
P. FILISETTI :	artemi@rcs.it
P F. FLORES MARTIN :	pesefermi@compuserve.com
M. FOGARTY :	foges@compuserve.com
L. FRANCK :	72446.3327@compuserve.com
J.-P. FROIDEVAUX :	froidevauxmotorsportfotos@bluewindow.ch
C. GAILLARD :	f1racing.france@wanadoo.fr
M. GLOCKNER :	office@ennstal-classic.at
G. GOAD :	73044,201@compuserve.com
H. GOERTZ :	hegoertz@aol.com
F. GOMES :	flaviog@warmup.com.br
	warmup.com.br
J. GOMMEREN :	gommeren@caserna.net
W. GONZALEZ :	106145.446@compuserve.com
L. GORYS :	ltgorys@aol.com
	gorys.de
S. HAAS :	sportsphotography.com/pro
A. HAIBARA :	haibara@wa2.wa2.so-net.ne.jp
M. HAMILTON :	mauricehamilton@compuserve.com
T. HEIKKALA :	opte@opte.f1
A. HENRY :	AlanHenry@compuserve.com
T. HEYER :	bongarts@aol.com
H. HICKS :	forrest@racefax.net
	rsx@concentric.net
N. HIRAO :	racingon@news-pub.com
L. HUNTTING :	snoop@racingpr.com
J. HYNES :	jhynesf1@hotmail.com
	justin@iol.ie
P. INNES :	peter.innes@haynet.com
C. ITIBERÊ :	itibere@oglobo.com.br
R. JARKOWSKI :	info@rsr.dpa.de
W. JOHNSON :	F1atspeed@aol.com
V. KALUT :	vka@usa.net
H. KANEKO :	gpkaneko@kt.rim.or.jp
D. KNUTSON :	DKunutson@mcimail.com
O. KOIVUSALO :	olli.koivusalo@splendor.fi
R. KORIOTH :	autobild@asv.de
	autobild.de
B. KRÄLING :	kraeling-bildagentur@t-online.de
F. KRÄLING :	kraeling-bildagentur@t-online.de
H. KULTA :	heikki.kulta@ts-group.fi
	turunsanomat.fi
G. KUNTSCHIK :	sport@salzburg.com
	salzburg.com
J. LANGEVIN :	jlangevin@ppgintl.com
P. LATTMANN :	platmann@landbote.ch
P. LAUESEN :	73044,201@compuserve.com
J. LEFEBVRE :	jlefebvre@ppgintl.com
J-M. LOUBAT :	F1photography.com
	jml@F1photography.com
H. MACHIDA :	machida3@mb.infoweb.ne.jp
B. MAGLIENTI :	maglienti@dido.net
T. MALLARD :	wild.duck@btinternet.com
J. MARSH :	johnm@empics.co.uk
F. MAZZI :	rombo@alinet.it
MAZZONI :	gianmaz@sgol.it
F. McGOUGH :	mcgough@teamsa.com.ar
B. McKENZIE :	express-sport.com
T. MELZER :	motorsportpressebild@t-online.de
N. MITSOURAS :	reporter-images.com
F. MONSENERGUE :	amessais@settf.worldnet.fr
J. MOSSOP :	jmossop@compuserve.com
C. MUHLBERGER :	cmuehlberger@motor-presse-stuttgart.de
	motor-presse-online.de
F. MÜLLER :	office@ennstoil-classic.at
R. MÜLLER :	rmueller@ztonline.ch
	ztonline.ch
E. MUSTAKARI :	erkki.mustakari@musta.pp.fi
H. NISHIYAMA :	racingon@news-pub.com
M. O'CARROLL :	imsa@indigo
L. ORICCHIO :	livio.oricchio@ibm.net
M. OWARI :	OWARI.GPX@ism.co.jp
S. PAJUNG :	sp@speedpool.com
	rallyeracing.de
F. PANARITI :	rombo@alinet.it
M. PENZEL :	matthias.penzel@haynet.com
JV. PEREZ SEARA :	corsa@tournet.com.ar
G. PIOLA :	gpiola@rapallo.newnetworks.it
A. POPOV :	apopov@monaco.mc

MEDIA

OTET :	potet@lemonde.fr
OTOTSCHNIG :	pototschnig@styria.com
	kleine.at
USKALA :	antti.puskala@puska.pp.f1
OEBUCK :	nsroebuck@compuserve.com
ONDEAU :	pascal@fponto.com.br
OSE :	clive@sutton-images.com
	sutton-images.com
RUBIO :	rubio@maptel.es
RUGUEUX :	isrugueuxlisse.com
UIZ :	Eduardoruiz@topmail.com.ar
AARI :	matt.saari@apu.fi
AKON :	sakon@tke.att.ne.jp
SANTOS :	oesanto@ibm.net
APPIA :	seminaire.com/sport/sappia
WARD :	joe@f1-globetrotter.com
	inside-f1.com
ALERA :	pscalera@tin.it
. SCHLEGELMILCH :	boris.schlegelmilch@frankfurt.netsurf.de
CHULTE :	focash@aol.com
EIXAS :	fseixas@folhasp.com.br
	folhasp.com.br
ELCH :	bild.de
ERIF :	panimages@iprolink.ch
HIBATA :	shiby@aol.com
GIRAI :	hiroshi_shirai@n.t.rd.honda.co.jp
ILBERMANN :	ericsays@compuserve.com
IQUEIRA :	rsiqueir@edglobo.com.br
MITH :	david.smith@standard.co.uk
PRINGER :	dickspringer@compuserve.com
TRAKA :	info@sid.de
	sid.de
URER :	MarcSurer@compuserve.com
UTTON :	sutton-images.com
	<recipient>@sutton-images.com
UTTON :	sutton-images.com
	<recipient>@sutton-images.com
. SVARC :	aichi@f1-magazin.com
	fi-magazin.com
YKES :	ssykes@surf.net.au
AKAHASHI :	phot-1@muc.biglobe.ne.jp
AKAHASHI :	tadasu_takahashi@n.t.rd.honda.co.jp
AKEDA :	VEB00262@nifty.ne.jp
ERRANI :	yves.terrani@letemps.ch
	letemps.ch
ERRUZZI :	italia1.com
. THALWITZER :	thalwitzer@net-3.com
HILL :	ATP_THILL@compuserve.com
	webcom.com/atp
HRUSTON :	photos@SportingPictures.demon.co.uk.
	sporting-pictures.com
OLAMA :	104164,2530@compuserve.com
ORNELLO :	tornello@teamsa.com.ar
ORTORA :	christian.TORTORA@.wanadoo.fr
OWNSEND :	jt@f1pictures.demon.co.uk
REFFEZ :	treffer@digital.net
	theautochannel.com
REUTHARDT :	treuthardt@compuserve.com
SUGAWA :	GFA07272@nifty.ne.jp
SURURA :	JDY02462@nifty.ne.jp
MMELS :	noel@formule1.nl
ANZINI :	carlo@sciaremag.it
VICENTINI :	vicentini@rcs.it
	gazzetta.it
an VLIET :	arjen@formule1.nl
OISARD :	cedric.voisard@le-figaro.fr
ALZ :	autozeitung.de
VARD :	lancia@goldn.com.au
VAUTERS :	waw@vum.be
VIEDENHOFF :	redactie@autovisie.nl
	autovisie.nl
VIELAND :	leo.wieland@asv.de
	autobild.de
IESMAYER :	Pwiesmayer@aol.com
VILLIAMS	bryn@f1picturenet.com
	f1picturenet.com
VONG :	andrew@mail.tvei.com
VONG :	hwong@ppgintl.com
VRIGHT :	F1news@compuserve.com
OUNG :	byronyoung@compuserve.com
APELLONI :	umzap@altavista.net
UPANCIC :	azupancic@yahoo.com

599

Photo : Rainer W. SCHLEGELMILCH
Japan 1998

FANS
CLUBS

FAN CLUBS

Jean ALESI

Official Name : "Jean Alesi Fans Club" Italia
Contact Name : Isabella ANACLETO
Address : Via Santo Stefano, 17 - 22040 Lurago d'Erba (Como) ITALY
Phone : (39) 031 699669 - **Fax :** (39) 031 699951
Web : www.dsi.univ.it/~msantini/jeanalesifc
E-mail : msantini@dsi.unve.ct
Cost of Membership : ITL 35.000
Number of Members : 80
Benefits provided to Members : Journal & official merchandise (Ca
T-shirts, etc...)

David COULTHARD

Official Name : Official International David Coulthard Fan Club
Contact Name : Lynsay COULTHARD
Address : PO Box 7604, Hungerford, Bershire RG17 0YD - ENGLAND
Phone : (44) 1488-683337 - **Fax :** (44) 1488-686261
Web : www.newis.co.uk/coulthard
E-mail : coulthard@theforge.demon.co.uk
Cost of Membership : £12 UK, £14 rest of Europe, £16 rest of World
Number of Members : 2 500
Benefits provided to Members : Photograph signed by David, Quarterly magaz
with lots of information and fan's letters, unique merchandise at special pri
exclusive events throughout the year.

Pedro DINIZ

Official Name : The Official Pedro Diniz Fans Club
Contact Name : Jane BROWN
Address : P.O. Box 1512, Slough, Berks SL3 6YT - ENGLAND
Phone : (44) 1753-662982 - **Fax :** (44) 1753-662982
Web : www.pedrodiniz.com
E-mail : diniz.fansclub@btinternet.com
Cost of Membership : GBP 15
Number of Members : 75
Benefits provided to Members : Personal/Career profile. Welcome letter, r
results 1995-1998, photograph, membership card, car sticker, regular ne
letters throughout season. Pedro's clothing range at special prices

Giancarlo FISICHELLA

Official Name : Official UK Giancarlo Fischella Fan Club
Contact Name : Lorina McLAUGHLIN
Address : P.O. Box 230, Dorking, Surrey RH5 6FL - ENGLAND
Web : www.fisico.com - **E-mail :** matteucci.m@inbox.ilink.it
Coster of Membership : £20
Number of Members : 145
Benefits provided to Members : Welcome letter signed personally by Gianca
Official fan club T-shirt. membership card. Quarterly Newsletter. Personal pro
Career history. Fisico range of merchandise. Various competitions includ
one to visit a silverstone test session with opportunity to meet Giancarlo.

FAN CLUBS

Heinz-Harald FRENTZEN

Official Name : Offizieller Heinz-Harald Frentzen Club
Contact Name : René SAUERWEIN
Address : Waldstraße 79, 64846 Groß-Zimmer - GERMANY
Phone : (49) 6071-977930 - **Fax :** (49) 6071-977931
Web : www.frentzen.de - **E-mail :** hhf@fahrwerk.de
Cost of Membership : DM 120-180
Number of members : 240
Benefits provided to Members : Welcome package include HHF photo personally signed, club sticker, club card member, 4 private photos of Heinz-Harald Frentzen. Discounts on selected items, end of season party, tickets for GP, etc...

Mika HAKKINEN

Official Name : Mika Häkkinen Fan Club
Contact Name : Nina HÄKKINEN
Address : P.O. Box 15, 01621 Vantaa - FINLAND
Phone : (358) 9 276 90 800 - **Fax :** (358) 9 276 90 802
Web : www.mikahakkinen.net
E-mail : official.fanclub@mikahakkinen.net
Cost of Membership : USD 40
Benefits provided to Members : T-shirt, poster, membership card, fan club sticker.

Johnny HERBERT

Official Name : Johnny Herbert Fan Club
Contact Name : Jane HERBERT
Address : The Nutshell, Swan Lane, Margaretting Tye,
Essex CM4 9JU - ENGLAND
Phone : (44) 1277-841093 - **Fax :** (44) 1277-841093
Web : www.johnnyherber.co.uk
E-mail : JHFanClub@aol.com
Cost of Membership : GBP 12 (UK), GBP 14 (Europe)
Benefits provided to Members : Quarterly newsletter, membership card, discount on merchandise, signed photo of Johnny, race reports, poster.

Damon HILL

Official Name : Damon Hill Supporters Club
Contact Name : Alan FULTON
Address : P.O. Box 15, Sevenoaks, Kent, TN15 0JH, ENGLAND
Web : www.damonhill.co.uk
Coster of Membership : £34.95 (UK)
Number of Members : 3 500
Benefits provided to Members : Exclusive T.shirt, Photocard, membership card, sticker and cap on joining. 4 'full colour' newsletters per annum with competitions and special offers each issue.

FAN CLUBS

Eddie IRVINE

Official Name : Exclusively Eddie Irvine
Contact Name : Paul BANKS
Address : PO Box 1817, Buckingham, MK 18 7 ZZ - ENGLAND
Fax : (44) 1280 821536
E-mail : pbanksf1@aol.com - **Web :** www.exclusively-irvine.com
Cost of Membership : £ 25 + post packing
Number of members : 1 000
Benefits provided to Members : Information forwarded from address abov

JORDAN GRAND PRIX

Official Name : Club Jordan
Contact Name : Paul BANKS
Address : PO Box 1817, Buckingham, MK 18 7 ZZ, ENGLAND
Fax : (44) 1280 821536
Web : www.jordangp.com - **E-mail :** PBanksF1@aol.com
Cost of Membership : £ 29.95 + post packing
Number of Members : 3 500
Benefits provided to Members : Information forwarded from address abov

PROST GRAND PRIX

Official Name : Prost Grand Prix Le Club
Contact Name : Philippe GRAND
Address : BP 2000, 78051 St Quentin en Yvelines Cedex - FRANCE
Web : www.prostgp.com
Cost of Membership : FRF 380, FRF 590 (Family)
Benefits provided to Members : Welcome pack with membership card,
Prost GP official watch, season diary, privileged offers on official produc
(team & partners), invitations to club events, exclusive infos on audiotel, mini
& Internet, information letter.

Mika SALO

Official Name : Mika Salo Supporters Club
Contact Name : Tom SCHOFIELD
Address : 4 Horsecroft, Banstead, Surrey SM7 2HB - ENGLAND
Tel : (44) 1737 218202 - **Fax :** (44) 1737 218202
Web : www.mikasalo.net - **E-mail :** tom@mssc.demon.co.uk
Coster of Membership : Single : £15 (UK); £18 (Europe); £20 (rest of Worlc
Number of Members : 400
Benefits provided to Members : autographed 8" x 6" colour photograp
Autographed model helmet, Mika Salo personal pin badge, membership ca
Quarterly newsletter.

604

FAN CLUBS

Jarno TRULLI

Official Name : I Fan Club Jarno Trulli Tollo
Contact Name : Vincenzo SALEMME
Address : Via Casale Gervasio n°58 - 66010 Tollo (CH) - ITALY
Tel : (39) 0337 247837 - **Fax :** (39) 0871 961432
E-mail : ritiber@tin.it
Cost of Membership : ITL 35.000 - **Number of members :** 400 (1998)
Benefits provided to Members : Direct relationship with Jarno. Possibility of receiving gadgets and official T-shirt. We organize buses for the competitions in Europe. Parties and suppers with Jarno.

Jacques VILLENEUVE

Official Name : Official Jacques Villeneuve Fan Club
Contact Name : E. KAESER
Address : PO Box 164 - 1884 Villars sur Ollon - SWITZERLAND
Fax : (41) 24 496 30 59
Cost of Membership : SFR 50
Number of Members : 850 to date
Benefits provided to Members : .JV folder, quality T-shirt, Stickers, Photos, photo with original signature, 4 newsletters per year, Competitions.

Alexander WURZ

Official Name : The Official Alexander Wurz Fan Club
Contact Name : Wolfang MICHAEL
Address : Brauhausgasse 7, A-2325 Himberg - AUSTRIA
Tel : (43) 2235-84585 - **Cellular :** (43) 664-1046000
Web : www.wurz.com - **E-mail :** wurz@drive-in.at
Cost of Membership : ATS 300 (Austria); ATS 350 (Europe);
Number of Members : 600
Benefits provided to Members : Photo & news. 10% for Alex Wurz merchandising and a lot of other offers.

Ricardo ZONTA

Official Name : International Ricardo Zonta Fan Club
Contact Name : Jens SCHNEIDER
Address : Burgholdinghauser Weg 43, D-57223 Kreuztal - GERMANY
Tel : (49) 2732 892588 - **Fax :** (49) 2732 82280
Web : www.ricardozonta.com.br - **E-mail :** zontafanClub@cityweb.de
Cost of Membership : DEM 40 - **Number of Members :** 50
Benefits provided to Members : Fan club starting package including original autograph and pin of helmet, Fan magazine published every 3 months with news on Ricardo, race reports and a look back at his career. List of merchandising available (i.e Fan Club T-Shirt)..

605

Photo : Rainer W. SCHLEGELMILCH
Hungary - 1998

FIA
OFFICIALS

FIA/FOA

FIA
(Federation Internationale
de l'Automobile)
2, Chemin de Blandonnet
1215 Geneva - SWITZERLAND
Phone : (41) 22 544 44 00
Fax : (41) 22 544 44 50

FIA Press Office
2 Chemin de Blandonnet
Case Postale 296
1215 Geneva - SWITZERLAND
Phone : (41) 22 544 44 38
Fax : (41) 22 544 44 53

FOA
(Formula One Administration)
6 Princes Gate
London SW7 1QJ - ENGLAND
Phone : (44) 171 - 584 6668
Fax : (44) 171 - 589 2191

Max
MOSLEY
FIA President

Bernie
ECCLESTONE
FIA Vice President
Promotional Affairs

FIA

Jo BAUER
Technical Delegate

Pat BEHAR
Photographers Delegate

Herbie BLASH
Assistant to Race Director

Simon BUSBY
Software Analyst

Pierre DE CONINCK
General Secretary
FIA Sport

Giovanni FERRI
TV and Radio

Allan FULLER
Technical Assistant

Claudio GARAVINI
Technical Assistant

Oliver GAVIN
Safety Car Driver

Gary HARTSTEIN
Medical Assistant
Technical Delegate

Claus E. KRÄMER
Press Delegate

Pasquale LATTUNEDDU
FOA Representative

FIA

Michel LEPRAIST
Technical Assistant

Francesco LONGANESI
Head of External
Relations Dept.

Alan PRUDOM
Software Analyst

Peter TIBBETS
Observer in Safety Car

Sydney WATKINS
Medical Delegate

Charles WHITING
Race Director and
Safety Delegate

F3000
DRIVERS

F 3000

1 Ricardo MAURICIO (BR)
SUPER NOVA RACING LTD

2 Jason WATT (DK)
SUPER NOVA RACING LTD

3 Nick HEIDFELD (D)
WEST COMPETITION TEAM

4 Mario HABERFELD (BR)
WEST COMPETITION TEAM

5 Max WILSON (BR)
DEN BLA AVIS RACING

6 Bruno JUNQUEIRO (BR)
DEN BLA AVIS RACING

F 3000

7 Justin WILSON (BR)
TEAM ASTROMEGA

8 Gonzalo RODRIGUEZ (ROU)
TEAM ASTROMEGA

9 Andre COUTO (P)
GAULOISES FORMULA

10 Stephan SARRAZIN (F)
GAULOISES FORMULA

11 Palolo RUBERTI (I)
DURANGO FORRMULA

12 Victor MASLOV (RUS)
LUCKOIL ARDEN RACING

F 3000

16 Marc GOOSSENS (B)
LUCKOIL ARDEN RACING

17 Werner LUPBERGER (ZA)
EUROPEAN ENDENBRIDGE RACING

19 Franck MONTAGNY (F)
DAMS

20 David TERRIEN (F)
DAMS

24 Soheil AYARI (F)
CICA TEAM ORECA

12 Sasha BERT (D)
NORDIC RACING

F 3000

28 Kevin McGARRITY (GB)
NORDIC RACING

31 Giovanni MONTANARI (I)
GP RACING

32 Fabrizio GOLLIN (I)
GP RACING

35 Norberto FONTANA (RA)
FORTEC MOTORSPORT

36 Andreji PAVICEVIC (AUS)
FORTEC MOTORSPORT

37 Thomas BIAGI (I)
MONACO MOTORSPORT

F 3000

28 Enrique BERNOLDI (GB)
RED BULL JUNIOR TEAM

40 Markus FRIESACHER (A)
RED BULL JUNIOR TEAM

41 Boris DERICHEBOURG (F)
PORTMAN ARROWS

42 Marcello BATTISTUZZI (BR)
PORTMAN ARROWS

43 Tomas ENGE (CZ)
WORLD RACING TEAM FINA

44 David SAELENS (B)
WORLD RACING TEAM FINA

F 3000

47 Nicolas MINASSIAN (F)
KID JENSEN RACING

40 Andrea PICCINI (I)
KID JENSEN RACING

Norman SIMON (F)

Olivier GAVIN

1999 FedEx C
1999 FIA Worl

WHO'S THAT GUY ?

It's Bob. You may not know it,
but Bob designed that car.
He is the Head Engineer
of the team. Without his skills,
his driver might not have won the
championship like he did. With
"Who Works in World Rally®",
you'll read his career résumé.
You'll even know that he likes to
jet skis and chinese puzzles.

KNOW THAT DRIVER ?

We could tell you how many
races this driver won in his
career, his helmet's colours
and his best ranking.
But we do more. With
"Who Works in World Rally®",
you can know where he's from
and send him a birthday card
at his team's address.
If you meet him on a golf
course, ask him how his kids
Melissa and Doug are.

NOTICED THE SOUND
THAT ENGINE MAKES ?

Now learn that it's caused by
its especially high RPM rate.
Same for the body.
Look it up and you'll know that
it's because it is made of
a revolutionary new material only
used in space shuttles, so far.

ONLY
£26 + shipping

Visit our Website : v

pionship Series®
ly Championship

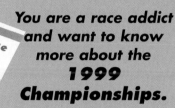

You are a race addict
and want to know
more about the
1999
Championships.

Names, Faces,
Dates, Stats...
It's all in there.

"Who Works in CART®" &
"Who Works in WORLD RALLY®"
are the only single source
of inside information on :

- **Teams**
- **Drivers**
- **Sponsors**
- **Suppliers**
- **Engineers**
- **Mechanics**
- **Hospitality**
- **Key people**
- **Race officials**
- **Manufacturers**
- **Event promoters** • **Travel agencies**
- **Journalists and Photographers**
- **PR and Press Officers**
- **Websites and E-mail**

and much, much more in
624 pages, and
550 color pictures.

who-works-in.com

44) 1304-214494

SEA AND LAND SPORTSWEAR

● Produit diffusé par
JOHNNY MAILLE SA
Parc d'activité des faïenciers
50 Rue Gaston de Flotte
13012 MARSEILLE
Tel : 04 91 93 02 33
Fax : 04 91 88 28 74

● Pour tout conta

- Conception et fabrication de produits évènementiels (Textile,bagagerie, casquette,tee-shirt ...)
  - Choix adapté à chaque partenaire
  - Service de création intégré
  - Contrôle qualité
  - Délais de fabrication optimisés

ul Minassian 06 09 88 03 38

WHO WORKS PUBLICATIONS Ltd

- Head office :

Phone : (44) 7000 - WHO WORKS
Phone : (44) 1304-214494
Fax : (44) 1304-212030
E-mail : francis.masters@fjhltd.co.u
3 Poulton Close Business Centre
Dover, Kent CT17 0HL - ENGLAND

- French representative :
  (Editing/Advertising)

Phone : (33) 3 27 48 94 49
Fax : (33) 3 27 48 94 52
E-mail : who-works@who-works-in.com
Web : www.who-works-in.com

- Australian representative :

Nick RAMAN
Phone : (61) 8-8370 3834
E-mail : nick@microdyme.com

- US representive :

Kristen HELSEL
Fax : (1) 704 - 563-1806
Toll Free : (1) 800 - 432 - 2244

- German representative :

Herbert SCHNEIDER/IMD
Phone : (49) 2293-902058
Fax : (49) 2293-902059

- Author-Publisher :

François-Michel GREGOIRE

- Special Adviser :

Geneviève FAREZ

- Assistant to the publisher :

Gail FIFETT

- UK Consultants :

Francis MASTERS

- Photocomposers :

Corinne-Sonia AXIOTE
Djamila MAOUCHA

- Publishing House :

WHO WORKS PUBLICATIONS Ltd

- Official Photographer :

Jean-Marc LOUBAT

- Photo credits :

Gerard BERTHOUD
Paul-Henri CAHIER
Jean-François GALERON
Rainer W. SCHLEGELMILCH
SUTTON MOTORSPORT IMAGES
WHO WORKS SPORTS GUIDES

WHO WORKS IN

is the registered Trademark of WHO WORKS PUBLICATIONS Ltd.

Official Product / FIA Formula One World Championship.©

It's
2000
Coming

The U.S. Grand Prix at the Indianapolis Motor Speedway